DICTIONNAIRE
DE LA
CIVILISATION PHÉNICIENNE ET PUNIQUE

DICTIONNAIRE
DE LA
CIVILISATION
PHÉNICIENNE ET PUNIQUE

BREPOLS

D/1992/0095/62
ISBN 2-503-50033-1

INTRODUCTION

Le *Dictionnaire de la civilisation phénicienne et punique*, auquel ont collaboré plus de quatre-vingts spécialistes de différents pays, constitue une première absolue dans le domaine des éditions de caractère scientifique ou de haute vulgarisation, aussi bien en français que dans d'autres langues. C'est la première fois, en effet, que voit le jour un ouvrage visant à présenter sous forme encyclopédique l'ensemble des connaissances relatives à la civilisation phénicienne et punique, dans les bassins oriental et occidental de la Méditerranée, depuis les rives du Tigre et de l'Euphrate jusqu'aux rivages de l'océan Atlantique. Le présent dictionnaire, richement illustré, muni de cartes, plans et tableaux chronologiques, constitue donc un complément nécessaire aux encyclopédies de l'Antiquité classique, gréco-romaine, du monde biblique et des cultures orientales de la Mésopotamie, de l'Égypte et de l'Anatolie. Il ne se substitue toutefois à aucun d'eux, car il porte essentiellement sur les sites phéniciens et puniques, connus par les sources historiques ou les fouilles archéologiques, sur leur histoire, leur culture et leur religion, sur l'architecture, l'art et l'artisanat, ainsi que l'héritage spirituel de ce monde disparu et si proche: croyances, langue étroitement apparentée à l'hébreu biblique, alphabet qui est à l'origine du nôtre, documents écrits qui semblent des ancêtres de nos dédicaces, épitaphes ou plaques commémoratives. Des notices sont également consacrées à la mémoire des savants qui ont apporté une contribution notable au progrès des études phénico-puniques.

Les résultats des recherches, dont les notices du dictionnaire sont un reflet, ne se présentent pas toujours sous la forme de conclusions fermes et certaines. Ils sont néanmoins rapportés dans les pages qui suivent, car le dictionnaire, destiné au public cultivé aussi bien qu'aux chercheurs, s'est voulu ouvert sur l'avenir des études concernées. On tiendra cependant compte des nuances exprimées par l'usage du conditionnel ou la présentation d'une interprétation comme simplement possible, probable ou vraisemblable. Ces termes ne sont pas des pures formules de style: ils expriment des degrés divers d'incertitude et doivent être pris sérieusement en ligne de compte. L'ouvrage représente l'état de recherches en 1988-89.

Par ailleurs, même si les notices ont été soumises à un travail d'harmonisation et d'unification, on s'est abstenu d'appliquer des règles rigides, notamment en ce qui regarde l'orthographe des toponymes et des noms propres, en maintenant la forme la plus répandue dans les publications de langue française, même anciennes, qui conservent leur valeur et leur importance. Si la bibliographie attachée aux notices paraît accorder plus de poids à des ouvrages ou des articles récents, ce n'est pas nécessairement en raison de leur valeur supérieure, mais simplement par économie d'espace, parce qu'ils contiennent la bibliographie antérieure. C'est aussi pour des raisons d'ordre pratique que certaines notices n'ont finalement pas été reprises ou ont été regroupées.

La mise en œuvre de cet ouvrage a exigé la collaboration généreuse d'un grand nombre de chercheurs, auteurs des notices, des cartes, des dessins. Dès la conception de l'entreprise, Mmes C. Bonnet et V. Krings et MM. C. Baurain et E. Gubel ont consacré tous leurs soins à cette phase préliminaire. Dans un deuxième temps, on a pu compter sur l'apport compétent et efficace de M. J. Debergh, qui s'est chargé notamment des questions de style, de l'harmonisation des textes et de la correction des épreuves, de M. E. Gubel, qui a assuré le choix judicieux des illustrations et les a pourvues de légendes explicatives, et de Mlle

F. Malha, qui a assumé la dactylographie définitive de la plupart des manuscrits, le contrôle de toutes les données chiffrées et la préparation des listes d'abréviations. Enfin, MM. J. Debergh, E. Gubel et S. Lancel se sont chargés des ultimes retouches. Nous tenons à exprimer notre gratitude à tous les collaborateurs du dictionnaire, ainsi qu'aux institutions et aux auteurs qui ont mis gracieusement à la disposition de l'éditeur leur matériel photographique. Nous remercions aussi le personnel des Éditions Brepols et de l'imprimerie Lannoo, qui a contribué par son métier exemplaire à créer cet important instrument de travail et cette source d'informations, à ce jour unique en son genre.

E. LIPIŃSKI

DIRECTEUR

E. LIPIŃSKI

ÉQUIPE DE RÉDACTION

C. BAURAIN, C. BONNET, J. DEBERGH, E. GUBEL, V. KRINGS, E. LIPIŃSKI

AUTEURS DES NOTICES

Jacques Alexandropoulos
Maria Giulia Amadasi Guzzo
William P. Anderson
Maria Eugenia Aubet Semmler
Leila Badre
Jeanine Balty
Marie-Françoise Baslez
George F. Bass
Cecilia Beer
Hélène Benichou-Safar
François Bertrandy
Patricia Bikai
Anna Maria Bisi †
Corinne Bonnet
Pierre Bordreuil
Frank Braemer
François Bron
Guy Bunnens
Anna Maria G. Capomacchia
Annie Caubet
Serena Maria Cecchini
Antonia Ciasca
Jacques-Claude Courtois †
Jacques Debergh
Javier de Hoz
Peter Dils
Claude Domergue
Claude Doumet
Joseph Doumet
Michel Dubuisson
Josette Elayi
Gioacchino Falsone
Jorge H. Fernández
Jean Ferron
André Finet
Honor Frost
K. Geus
Carlos Gómez Bellard
Michel Gras
Eric Gubel
Rolf Hachmann
Hans Hauben
Antoine Hermary
M.-Dolores Herrera
Werner Huß
Felice Israel
Nina Jidejian
Karlheinz Kessler
Jerzy Kolendo
Véronique Krings
Serge Lancel
Marc Lebeau
René Lebrun
Jean Leclant
Marcel Le Glay †
André Lemaire
Pierre Leriche
Édouard Lipiński
Jean Loicq
Didier Marcotte
Marie-Hélène Marganne
Olivier Masson
Federico Molina Fajardo
Paul Naster
Hans Georg Niemeyer
Colette Picard
Gilbert-Charles Picard
Michel Ponsich
René Rebuffat
Alain Reyniers
Wolfgang Röllig
Arlette Roobaert
Pierre Rouillard
Estelle Saidah
Ḥassān Salamé-Sarkis
Antonella Spanò
Francesca Spatafora
Yvon Thébert
Giovanni Tore
Madeleine Trokay
Maria Luisa Uberti
Wilfrid Van Gucht
Leandre Villaronga
Ernest Will
Paolo Xella
Marguerite Yon
Bruno Zannini Quirini

COLLABORATION TECHNIQUE

F. MALHA, B. OP DE BEECK

ABRÉVIATIONS DES SIGNATURES

ACaub : Annie Caubet
ACias : Antonia Ciasca
AFin : André Finet
AHerm : Antoine Hermary
ALem : André Lemaire
AMBi : Anna Maria Bisi †
AMGCap : Anna Maria G. Capomacchia
ARey : Alain Reyniers
ARoob : Arlette Roobaert
ASpa : Antonella Spanò
BZanQ : Bruno Zannini Quirini
CBeer : Cecilia Beer
CBon : Corinne Bonnet
CDom : Claude Domergue
CDoum : Claude Doumet
CGómB : Carlos Gómez Bellard
CPic : Colette Picard
DHer : M.-Dolores Herrera
DMar : Didier Marcotte
EGub : Eric Gubel
ELip : Édouard Lipiński
ESaid : Estelle Saidah
EWill : Ernest Will
FBer : François Bertrandy
FBrae : Frank Braemer
FBron : François Bron
FIsr : Felice Israel
FMol : Federico Molina Fajardo
FSpat : Francesca Spatafora
GBass : George F. Bass
GBun : Guy Bunnens
GCPic : Gilbert-Charles Picard
GFal : Gioacchino Falsone
GTore : Giovanni Tore
HBenS : Hélène Benichou-Safar
HFrost : Honor Frost
HGNiem : Hans Georg Niemeyer
HHaub : Hans Hauben
HSar : Ḥassān Salamé-Sarkis
JAlex : Jacques Alexandropoulos
JBal : Jeanine Balty
JCCour : Jacques-Claude Courtois †
JDeb : Jacques Debergh
JdHoz : Javier de Hoz
JDoum : Joseph Doumet
JEla : Josette Elayi
JFer : Jean Ferron
JHFern : Jorge H.Fernández
JKol : Jerzy Kolendo
JLec : Jean Leclant
JLoicq : Jean Loicq
KGeus : K. Geus
KKes : Karlheinz Kessler
LBad : Leila Badre
LVill : Leandre Villaronga
MEAub : Maria Eugenia Aubet Semmler
MFBas : Marie Françoise Baslez
MGAmG : Maria Giulia Amadasi Guzzo
MGras : Michel Gras
MHMar : Marie-Hélène Marganne
MLeb : Marc Lebeau
MLeG : Marcel Le Glay †
MLUb : Maria Luisa Uberti
MPon : Michel Ponsich
MTro : Madeleine Trokay
MYon : Marguerite Yon
NJid : Nina Jidejian
OMas : Olivier Masson
PBik : Patricia Bikai
PBor : Pierre Bordreuil
PDils : Peter Dils
PLer : Pierre Leriche
PMar : Patrick Marchetti
PNas : Paul Naster
PRou : Pierre Rouillard
PXel : Paolo Xella
RHach : Rolf Hachmann
RLeb : René Lebrun
RReb : René Rebuffat
SCec : Serena Maria Cecchini
SLan : Serge Lancel
VKri : Véronique Krings
WHuß : Werner Huß
WPAnd : William P. Anderson
WVGu : Wilfrid Van Gucht
WRöl : Wolfgang Röllig
YThéb : Yvon Thébert

ABRÉVIATIONS

AUTEURS ET OUVRAGES DE L'ANTIQUITÉ ET DU MONDE ARABE

1. Livres bibliques par ordre alphabétique

Ab. Abdias
Ac. Actes des Apôtres
Ag. Aggée
Am. Amos
Ap. Apocalypse
Ba. Baruch
1 Ch. 1er Livre des Chroniques
2 Ch. 2e Livre des Chroniques
1 Cor. 1re Épître aux Corinthiens
2 Cor. 2e Épître aux Corinthiens
Col. Épître aux Colossiens
Ct. Cantique des Cantiques
Dn. Daniel
Dt. Deutéronome
Ep. Épître aux Éphésiens
Esd. Esdras
Est. Esther
Ex. Exode
Ez. Ézéchiel
Ga. Épître aux Galates
Gn. Genèse
Ha. Habaquq
He. Épître aux Hébreux
Is. Isaïe
Jb Job
Jc. Épître de Jacques
Jdt. Judith
Jg. Livre des Juges
Jl Joël
Jn Évangile selon saint Jean
1 Jn 1re Épître de saint Jean
2 Jn 2e Épître de saint Jean
3 Jn 3e Épître de saint Jean
Jon. Jonas
Jos. Livre de Josué
Jr. Jérémie
Jude Épître de Jude
Lc Évangile selon saint Luc
Lm. Lamentations
Lv. Lévitique
1 M. 1er Livre des Maccabées
2 M. 2e Livre des Maccabées
Mc Évangile selon saint Marc
Mi. Michée
Ml. Malachie
Mt. Évangile selon saint Matthieu
Na. Nahum
Nb. Nombres
Ne. Néhémie
Os. Osée
1 P. 1re Épître de saint Pierre
2 P. 2e Épître de saint Pierre
Ph. Épître aux Philippiens
Phm. Épître à Philémon
Pr. Proverbes
Ps. Psaumes
Qo. Ecclésiaste (Qohélet)
1 R. 1er Livre des Rois
2 R. 2e Livre des Rois
Rm. Épître aux Romains
Rt. Ruth
1 S. 1er Livre de Samuel
2 S. 2e Livre de Samuel
Sg. Sagesse
Si. Ecclésiastique (Siracide)
So. Sophonie
Tb. Tobie
1 Th. 1re Épître aux Thessaloniciens
2 Th. 2e Épître aux Thessaloniciens
1 Tm. 1re Épître à Timothée
2 Tm. 2e Épître à Timothée
Tt. Épître à Tite
Za. Zacharie

2. Antiquité classique et monde arabe

Ael., *V.H.* : Aelianus (Élien), *Histoires variées*
al-Bakrî : al-Bakrî, *Mu‘ǧam mā st‘aǧam* (*Encyclopédie toponymique*, éd. F. Wüstenfeld)
Amm. : Ammien Marcellin, *Histoires*
Ampel. : L. Ampelius, *Liber memorialis*
Anth. Pal. : *Anthologie Palatine*
Antias, *Hist.* : Valerius Antias, *Histoire romaine*
Antipater, Hist. : Aelius Antipater, *Histoire* (FGH 211)
Antonin de Plaisance : Antonin de Plaisance, *Itinéraire* (CCSL 175)
Apd. : Pseudo-Apollodore, *Bibliothèque*
Apic. : Caelius Apicius, *L'art culinaire*
App. : Appien, *Histoire romaine*
B.C. *Guerre civile*
Hann. *Guerre d'Hannibal*
Iber. *Guerre d'Ibérie*
Lib. *Guerre de Libye*
Sic. *Guerres de Sicile*
Syr. *Guerre de Syrie*
Apulée : Apulée de Madaure
Apol. *Apologie*
Flor. *Florides*
Met. *Métamorphoses*
Aristoph. : Aristophane
Av. *Les oiseaux*
Lys. *Lysistrata*
Nub. *Les nuées*
Arn. : Arnobe l'Ancien, *Disputations contre les nations*
Arr., *An.* : Arrien, *Anabase d'Alexandre*
Arstt. : Aristote
Poet. *Poétique*
Pol. *Politique*
Asinius Pollio, *Ad fam.* : Pollion, lettre à Cic., dans *Ad fam.*
Ath. : Athénée, *Les deipnosophistes*
A. Tat. : Achille Tatius, *Leucippe et Cléitophon*
Aug. : Saint Augustin
Civ. *La cité de Dieu*
Ep. *Lettres*
Exp. ad Rom. *Explication de quelques passages de l'Épître aux Romains*
in Epist. Ioh. *Commentaire de la Première Épître de saint Jean*
Quaest. Hept. *Questions sur l'Heptateu-*

que
Serm. *Sermons*
Aur. Victor : (Pseudo-) Aurelius Victor
Caes. *Livre des Césars*
Vir. ill. *Des hommes illustres*
Auson., *Cup. cruc.* : Ausone, *Cupidon crucifié*
Avienus, *Ora* : Rufus Festus Avienus, *Rivages maritimes*
Bell. Afr. : *Guerre d'Afrique*
Bion : Bion de Smyrne, *Idylles*
Caton, *Agr.* : Caton l'Ancien, *De l'agriculture*
Cés., *Bell. Civ.* : César, *La guerre civile*
Cic. : Cicéron
Acad. *Académiques*
Ad fam. *Lettres 'ad Familiares'*
Amic. *L'amitié*
Att. *Lettres à Atticus*
Br. *Brutus*
Cato *Caton l'Ancien*
Div. *De la divination*
Fin. *Des termes extrêmes*
Inv. *De l'invention*
N.D. *De la nature des dieux*
Off. *Des devoirs*
Orat. *L'orateur*
Pro Scauro *Pour Scaurus*
Prov. *Sur les provinces consulaires*
Rep. *De la république*
Tusc. *Tusculanes*
Vat. *Contre Vatinius*
Verr. *Action contre Verrès*
Clém. Alex. : Clément d'Alexandrie
Protr. *Protreptique*
Strom. *Stromates*
Columelle : Columelle, *De l'agriculture*
Arb. *Les arbres*
Corn. Nép. : Cornélius Népos
Cimon *Cimon*
Ham. *Hamilcar*
Hann. *Hannibal*
Tim. *Timoléon*
Damasc. : Damascius
Princ. *Traité des premiers principes*
V.Is. *Vie d'Isidore*
Dém. : Démosthène
Callipp. *Contre Callippe*
C. Phorm. *Contre Phormion*
Lakrit. *Contre Lakritos*
Den. Pér. : Denys le Périégète, *Description de l'Univers*
Denys d'Halic. : Denys d'Halicarnasse
Ant. Rom. *Antiquités romaines*
De Dinarco *Dinarque*
Diod. : Diodore de Sicile, *Bibliothèque historique*
Diog. Laërce : Diogène Laërce, *Vies des philosophes*
Dion C. : Dion Cassius, *Histoire romaine*
Dion Chrys., *Or.* : Dion Chrysostome, *Discours*
Dioscoride : Dioscoride Pedanius, *De materia medica* (éd. M. Wellmann)
Dracontius : Dracontius de Carthage
Laud. *Louanges de Dieu*
Romulea *Romulea*
Édit de Dioclétien : *Édit des prix* ou *du Maximum*
E.M. : *Etymologicum magnum*
Ennius, *Ann.* : Ennius, *Annales*
Eschyle : Eschyle
Ag. *Agamemnon*
Pers. *Les Perses*
Pr. *Prométhée*
Ét.Byz. : Étienne de Byzance, *Ethniques*
Eur. : Euripide
Hel. *Hélène*
Hipp. *Hippolyte*
Phoen. *Les Phéniciennes*
Eus. : Eusèbe de Césarée
Chron. *Chronique* selon St Jérôme (éd. Helm)
Hist. Eccl. *Histoire ecclésiatique*
Laud. Const. *Panégyrique de Constantin*
Onom. *Onomasticon des toponymes bibliques*
P.E. *Préparation évangélique*
V. Const. *Vie de Constantin*
Eust. : Eustathe de Constantinople
in D. Per. *Périphrase de Denys le Périégète*
in Od. *Commentaire de l'Odyssée*
Eutr. : Eutrope, *Abrégé d'histoire romaine*
Festus., *De sign. verb.* : Festus, grammairien, *Sur le sens des mots*
Fl. Jos. : Flavius Josèphe
A.J. *Antiquités judaïques*
B.J. *La guerre juive*
C. Ap. *Contre Apion*
Flor., *Epit.* : Florus, *Tableau de l'histoire du peuple romain, de Romulus à Auguste*
Front., *Strat.* : Frontin, *Stratagèmes*
Fulg., *Myth.* : Fulgence, *Mythologies*
Garg. : Gargilius Martialis (Gargile), *Des jardins*
Geop. : *Géoponiques*
Gell., *Noct.* : Aulu-Gelle, *Nuits attiques*
Harp. : Harpocration d'Alexandrie, *Florilège*
Héliodore, *Aethiop.* : Héliodore, *Les Éthiopiques*
Hérodien : Hérodien, *Histoire romaine*
Hés., *Th.* : Hésiode, *Théogonie*
Hdt. : Hérodote, *Histoires*
Hippocrate : Hippocrate de Cos
Art. *Des articulations*
Mochl. *Le mochlique*
Prorrh. *Les prorrhétiques*
Hippolyte, *Ref. haer.* : Hippolyte de Rome, *Réfutation de toutes les hérésies*
Hist. Aug., Hadr. : *Histoire Auguste, Vie d'Hadrien*
Hom. : Homère
Il. *Iliade*
Od. *Odyssée*
Hsch. : Hésychios, *Lexique*
Hyg., *Fab.* : Hygin, *Fables*
Isée : Isée, *Discours*
Isid., *Orig.* : Isidore de Séville, *Origines* ou *Étymologies*
Isocr. : Isocrate
Ad Ni. *À Nikoklès*
Ar. *Archidame*
Big. *Sur l'attelage*
Ep. *Lettres*
Ev. *Évagoras*
Hel. *Éloge d'Hélène*
Ni. *Nikoklès*

Pa. *Sur la paix*
Pan. *Panégyrique d'Athènes*
Ph. *Philippe*
Trapez. *Trapézitique*
It. Ant. : *Itinéraire Antonin*
It. Burd. : *Itinéraire de Bordeaux* (CCSL 175)
Jér. : Saint Jérôme
Ep. *Lettres*
in Ep. ad Gal. *Sur l'Épître aux Galates*
in Ez. *Sur Ézéchiel*
Jovin. *Contre Jovinien*
Just. : Justin, *Épitomé des histoires philippiques de Trogue Pompée*
Juv., *Sat.* : Juvénal, *Satires*
Ktésias, *Persika* : Ktésias de Cnide, *Histoire de la Perse*
Lact., *Div. inst.* : Lactance, *Institutions divines*
Liv. : Tite - Live, *Histoire romaine*
Per. *Abrégés des livres de l'histoire romaine de Tite-Live*
Lucain, *Phars.* : Lucain de Cordoue, *Pharsale*
Luc., *Syr.* : Lucien de Samosate, *La déesse syrienne*
Lyc. : Lycophron, *Alexandra*
Macr., *Sat.* : Macrobe, *Saturnales*
Manilius : Manilius, *L'astronomie*
Marcien Hér. : Marcien d'Héraclée, *Épitomé du Périple de Ménippe*
Martial : Martial, *Épigrammes*
Max. Tyr : Maxime de Tyr, *Dialéxeis*
Myth. Vat. : *Mythographus Vaticanus*
Naevius, *Bell. Punicum* : Naevius, *Guerre punique*
Nonnos : Nonnos de Panopolis, *Les dionysiaques*
Orig., *Sel. in Ez.* : Origène, *Sur Ézéchiel*
Orose, *Adv. Pag.* : Paul Orose, *Histoire contre les païens*
Ov. : Ovide
Fasti *Fastes*
Met. *Métamorphoses*
Passio SS. Perp. et Fel. : *Passion des Saintes Perpétue et Félicité*
Palladius : Palladius, *Traité d'agriculture*
Paus. : Pausanias, *Description de la Grèce*
Philon d'Alex., *De Provid.* : Philon d'Alexandrie, *De la Providence*
Philostr., *V. Apoll.* : Philostrate l'Ancien, *Vie d'Apollonius*
Phot., *Bibl.* : Photius, *Bibliothèque*
Pind., *Pyth.* : Pindare, *Pythiques*
Platon : Platon
Ep. *Lettres*
Hipp. ma. *Hippias majeur*
Leg. *Les lois*
Plaute : Plaute
Cas. *Casina*
Men. *Menéchmes*
M.G. *Le soldat fanfaron*
Most. *Le revenant*
Poen. *Le Carthaginois*
Ps. *Pseudolus*
Rud. *Le cordage*
St. *Stichus*
Pline, *N.H.* : Pline l'Ancien, *Histoire naturelle*
Plut. : Plutarque
Alex. *Alexandre*
Arat. *Aratos*
Caes. *Jules César*
C. Gr. *Caius Gracchus*
Cimon *Cimon*
Dio *Dion*
Flam. *Flaminius*
Is. Os. *Traité d'Isis et d'Osiris*
Marc. *Marcellus*
Mar. *Marius*
Mor. *Oeuvres morales*
Per. *Périclès*
Pomp. *Pompée*
Praec. gr. reip. *Préceptes politiques*
Q. Conv. *Propos de table*
Sert. *Sertorius*
T. Gr. *Tiberius Gracchus*
Tim. *Timoléon*
Pol. : Polybe, *Histoire générale*
Polyen, *Strat.* : Polyen, *Poliorcétique des Grecs*
Pomp. Méla : Pomponius Méla, *Chorographie*
Pomp. Trog., *Prol.* : Trogue Pompée, *Prologue des histoires philippiques*
Porphyre, *Abst.* : Porphyre, *De l'abstinence*
Prob., *in Buc.* : M. Valerius Probus, *Commentaire des Bucoliques de Virgile*
Procope : Procope de Césarée
Aed. *Édifices*
Bell. Goth. *Guerre des Goths*
Bell. Vand. *Guerre des Vandales*
Priscien, *Inst. gr.* : Priscien, *Institutions grammaticales*
Ps.-Apulée, *De medic. herbarum* : Pseudo-Apulée, *De medicaminibus herbarum*
Ps.-Arstt. : Pseudo-Aristote
Mir. ausc. *Récits merveilleux*
Oec. *Économique*
Ps.-Asconius, *in Verr.* : Pseudo-Asconius, *Commentaire de Cic., Verr.*
Ps.-Diosc., *De herbis femininis* : Pseudo-Dioscoride, *De herbis femininis*
Ptol. : Claude Ptolémée, *Géographie*
Q.- Curce : Quinte-Curce, *Histoire d'Alexandre*
Rav. : *Cosmographie de l'Anonyme de Ravenne*
Sall. : Salluste
Hist. *Histoires*
Jug. *Jugurtha*
Sappho : Sappho de Lesbos, *Poèmes*
Sén. : Sénèque, philosophe
Dial. *Dialogues*
Ep. *Lettres à Lucilius*
Sén., *Contr.* : Sénèque, rhéteur, *Controverses*
Serv. : Servius
in Aen. *Commentaire de l'Énéide*
in Buc. *Commentaire des Bucoliques*
Serv. Dan., *in Aen.* : Servius Danielis, *Commentaire de l'Énéide*
Schol. : Scholies ou commentaires sur un auteur grec ou latin
Sil. It. : Silius Italicus, *La guerre punique*
Skyl. : Pseudo-Skylax, *Périple*
Skym. : Pseudo-Skymnos, *Périple*
Socrate : Socrate de Constantinople,

Histoire ecclésiastique

Solin : Solin, *Recueil de curiosités*

Souda : *Le lexique 'Souda'* (éd. A. Adler)

Sozomène, *Hist. Eccl.* : Sozomène, *Histoire ecclésiatique*

Strab. : Strabon, *Géographie*

Stadiasme : *Stadiasme de la Grande Mer*

Suét. : Suétone
- *Caes.* *César*
- *Cl.* *Claude*
- *Gram.* *Des grammairiens*
- *Vesp.* *Vespasien*

Tab. Peut. : *Table de Peutinger*

Tacite : Tacite
- *Ann.* *Annales*
- *Germ.* *La Germanie*
- *Hist.* *Histoires*

Tert. : Tertullien
- *Apolog.* *Apologétique*
- *De exhort. cast.* *De l'exhortation à la chasteté*
- *De pallio* *Sur le pallium*

Thc. : Thucydide, *Histoire de la guerre du Péloponnèse*

Théocr. : Théocrite, *Idylles*

Théophr. : Théophraste d'Érésos,
- *C.P.* *Causes des plantes*
- *H.P.* *Histoire des plantes*

Tibulle : Tibulle, *Élégies*

Val. Max. : Valère-Maxime, *Faits et dits mémorables*

Varron, *R.R.* : Varron, *Économie rurale*

Vell. Pat. : Velleius Paterculus, *Histoire*

Virg., *Aen.* : Virgile, *Énéide*

Vitruve : Vitruve, *De l'architecture*

Xén. : Xénophon
- *Ages.* *Agésilas*
- *An.* *Anabase*
- *Cyn.* *Cynégétique*
- *Cyr.* *Cyropédie*
- *Hell.* *Helléniques*
- *Mem.* *Mémorables*
- *Oec.* *Économique*

Yaqut : Yaqut al-Hamawî, *Mu'ğam al-Buldān* (*L'encyclopédie des pays*, éd. F. Wüstenfeld)

Zénob. : Zénobe, *Centons*

Zon. : Zonaras, *Épitomé d'histoire universelle*

Zosime : Zosime, *Histoire nouvelle*

ABRÉVIATIONS BIBLIOGRAPHIQUES

AA: *Archäologischer Anzeiger*, Berlin.
AAA: *Annals of Archaeology and Anthropology*, Liverpool.
AAAlg: S. Gsell, *Atlas archéologique de l'Algérie*, Alger-Paris 1911.
AAN: *Annuaire de l'Afrique du Nord*, Paris.
AA(A)S: *Annales Archéologiques (Arabes) Syriennes*, Damas.
AATun: E. Babelon-R. Cagnat-S. Reinach, *Atlas archéologique de la Tunisie* (au 1/50.000), Paris 1893, cité d'après la numérotation des cartes.
AATun II: R. Cagnat-A. Merlin, *Atlas archéologique de la Tunisie* (au 1/100.000), Paris 1914-32.
AB.BCL: *Académie Royale de Belgique. Bulletin de la classe des lettres et des sciences morales et politiques*, Bruxelles.
Abel, *Géographie*: F.M. Abel, *Géographie de la Palestine* I-II, Paris 1933-38.
ACFP 1: *Atti del I Congresso Internazionale di Studi Fenici e Punici, Roma, 5-10 novembre 1979* I-III, Roma 1983.
ACFP 2: *Atti del II Congresso Internazionale di Studi Fenici e Punici, Roma, 9-14 novembre 1987*, Roma (sous presse).
AcOr: *Acta Orientalia*, Leiden, København.
ActaA: *Acta Archaeologica*, København.
AEArq: *Archivo Español de Arqueología*, Madrid.
AÉp: *L'Année Épigraphique*, Paris.
AÉPHÉ, IVe Sect: *Annuaire de l'École Pratique des Hautes Études*, IVe Section. Sciences historiques et philologiques, Paris.
AfO: *Archiv für Orientforschung*, Berlin, Graz, Horn.
AfO, Beih.9: R. Borger, *Die Inschriften Asarhaddons, Königs von Assyrien* (Archiv für Orientforschung, Beiheft 9), Graz 1956.
AfP: *Archiv für Papyrusforschung und verwandte Gebiete*, Berlin.
AHA: *Annales d'Histoire et d'Archéologie*, Beyrouth.
Aḥituv, *Toponyms*: S. Aḥituv, *Canaanite Toponyms in Ancient Egyptian Documents*, Jerusalem 1984.
AHw: W. von Soden, *Akkadisches Handwörterbuch* I-III, Wiesbaden 1965-81.
AION: *Annali dell'Istituto Orientale di Napoli*, Napoli.
AIPHOS: *Annuaire de l'Institut de Philologie et d'Histoire Orientales et Slaves*, Bruxelles.
AJ: *The Archaeological Journal*, London.
AJA: *American Journal of Archaeology.*
AJAH: *American Journal of Ancient History*, Cambridge Mass.
AJBA: *The Australian Journal of Biblical Archaeology*, Sydney.
AJBI: *Annual of the Japanese Biblical Institute*, Tokyo.
AJPh: *American Journal of Philology*, Baltimore.
AKA: L.W. King, *Annals of the Kings of Assyria* I, London 1902.
AlT: D.J. Wiseman, *The Alalakh Tablets*, London 1953, et JCS 8 (1954), p. 1-30; 12 (1958), p. 124-129; 13 (1959), p. 19-33, 50-62.
AM: *Athenische Mitteilungen. Mitteilungen des Deutschen archäologischen Instituts, Athenische Abteilung*, Berlin.
AncSoc: *Ancient Society*, Leuven.
ANEP: J.B. Pritchard, *The Ancient Near Eastern Pictures relating to the Old Testament*, 2e éd., Princeton 1969.
ANET: J.B. Pritchard (éd.), *The Ancient Near Eastern Texts relating to the Old Testament*, 3e éd., Princeton 1969.
ANL, Quaderno: *Accademia Nazionale dei Lincei, Quaderno*, Roma.
ANLR: *Accademia Nazionale dei Lincei. Rendiconti. Classe di Scienze morali, storiche e filologiche*, Roma.
Annales ESC: *Annales. Économies, Sociétés, Civilisations*, Paris.
ANRW: H. Temporini-W. Haase (éd.), *Aufstieg und Niedergang der römischen Welt*, Berlin-New York 1972-.
AnSt: *Anatolian Studies*, London.
ANSMN: *American Numismatic Society. Museum Notes*, New York.
ANSP: *Annali della Scuola Normale Superiore di Pisa*, Pisa.
AntAfr: *Antiquités Africaines*, Paris.
AntJ: *Antiquaries Journal*, London.
AntKunst: *Antike Kunst*, Olten.
AOAT: Alter Orient und Altes Testament, Kevelaer-Neukirchen-Vluyn.
AÖAW.PH: *Anzeiger der Österreichischen Akademie der Wissenschaften. Philosophisch-historische Klasse*, Wien.
AP: A. Cowley, *Aramaic Papyri of the Fifth Century B.C.*, Oxford 1923.
APL: *Analecta Praehistorica Leidensia*, Leiden.
APN: K.L. Tallqvist, *Assyrian Personal Names*, Helsingfors 1914.
APNM: H.B. Huffmon, *Amorite Personal Names in the Mari Texts*, Baltimore 1965.
ARAB: D.D. Luckenbill, *Ancient Records of Assyria and Babylonia* I-II, Chicago 1926-27.
Arbor: *Arbor. Revista general de investigación y cultura*, Madrid.
ArchCl: *Archeologia Classica*, Roma.
ArchDelt: *Arkhaiologikòn Deltíon*, Athinai.
ARI: A.K. Grayson, *Assyrian Royal Inscriptions* I-II, Wiesbaden 1972-76.
ARID: *Analecta Romana Instituti Danici*, København, Odense, Roma.
ARM(T): Archives royales de Mari (transcrites et traduites), Paris.
ARU: J. Kohler-A. Ungnad, *Assyrische Rechtsurkunden*, Leipzig 1913.
ASAÉ: *Annales du Service des Antiquités de l'Égypte*, Le Caire.
ASBC-Abstract: *Association of Southwestern Biologists. Conference Abstract.*
ASOR: *American Schools of Oriental Research.*
'Atiqot: *'Atiqot.* English Series/Hebrew Series, Jerusalem.
Attridge-Oden, *Philo*: H.W. Attridge-R.A. Oden, *Philo of Byblos*, Washington 1981.
AulaOr: *Aula Orientalis*, Sabadell (Barcelona).
BA: *(The) Biblical Archaeologist.*
BAA: *Bulletin d'Archéologie Algérienne*, Paris, Alger.
Babelon, *Traité*: E. Babelon, *Traité des monnaies grecques et romaines*, I-IV, Paris 1901-32.
BAC: *Bulletin Archéologique du Comité des Travaux Historiques et Scientifiques*, Paris.
BAH: Bibliothèque Archéologique et Historique de l'Institut Français d'Archéologie de Beyrouth, Paris.
BAIAS: *Bulletin of the Anglo-Israel Archaeological Society*, London.
BAM: *Bulletin d'Archéologie Marocaine*, Rabat.

BaM: *Baghdader Mitteilungen*, Berlin.
BARead: *The Biblical Archaeologist Reader*.
BARev: *Biblical Archaeology Review*, Washington.
Barré, *God-List*: M-L. Barré, *The God-List in the Treaty between Hannibal and Philip V of Macedonia* (Johns Hopkins Near Eastern Studies [12]), Baltimore-London 1983.
BArte: *Bollettino d'Arte*, Roma.
BASOR: *Bulletin of the American Schools of Oriental Research*.
BAug: *Bibliothèque Augustinienne*, Paris.
Baumgarten, *Commentary*: A.I. Baumgarten, *The Phoenician History of Philo of Byblos. A Commentary* (ÉPRO 89), Leiden 1981.
BCH: *Bulletin de Correspondance Hellénique*, Paris.
Benz, *Names*: F.L. Benz, *Personal Names in the Phoenician and Punic Inscriptions* (Studia Pohl 8), Roma 1972.
BeO: *Bibbia e Oriente*, Milano.
BibNot: *Biblische Notizen*, Bamberg.
BICS: *Bulletin of the Institute of Classical Studies of the University of London*, London.
BIFAO: *Bulletin de l'Institut Français d'Archéologie Orientale*, Le Caire.
BiOr: *Bibliotheca Orientalis*, Leiden.
BJb.Beih.: *Bonner Jahrbücher. Beiheft*, Köln-Bonn.
BJRyL: *Bulletin of the John Rylands Library*, Manchester.
BMAP: E. Kraeling, *The Brooklyn Museum Aramaic Papyri*, New Haven 1953.
BMB: *Bulletin du Musée de Beyrouth*, Beyrouth.
BMC: *A Catalogue of the Greek Coins in the British Museum*, London.
BMC. Phoenicia: G.F. Hill, *Phoenicia. A Catalogue of the Greek Coins in the British Museum*, London 1910.
Bonnet, *Melqart*: C. Bonnet, *Melqart. Cultes et mythes de l'Héraclès tyrien en Méditerranée* (StPhoen 8), Leuven-Namur 1988.
Bordreuil, *Catalogue*: P. Bordreuil, *Catalogue des sceaux ouest-sémitiques inscrits de la Bibliothèque Nationale, du Musée du Louvre et du Musée biblique de Bible et Terre Sainte*, Paris 1986.
BRAH: *Boletín de la Real Academia de la Historia*, Madrid.
BRL^2: K. Galling (éd.), *Biblisches Reallexikon*, 2e éd., Tübingen 1977.
Bron, *Recherches*: F. Bron, *Recherches sur les inscriptions phéniciennes de Karatepe*, Genève-Paris 1979.
BSA: *The Annual of the British School at Athens*, London.
BSAS: *Bulletin de la Société Archéologique de Sousse*, Sousse.
BSFN: *Bulletin de la Société Française de Numismatique*, Paris.
BSGAO: *Bulletin de la Société de Géographie et d'Archéologie de la province d'Oran*, Oran.
BT: *Bibliografia topografica della colonizzazione greca in Italia e nelle isole tirreniche*, Pisa-Roma 1977-.
Bunnens, *Expansion*: G. Bunnens, *L'expansion phénicienne en Méditerranée*, Bruxelles-Rome 1979.
BZ: *Biblische Zeitschrift*, Neue Folge, Paderborn.
BZAW: Beihefte zur Zeitschrift für die alttestamentliche Wissenschaft, Giessen, Berlin.
CAD: *The Assyrian Dictionary of the Oriental Institute of the University of Chicago*, Chicago-Glückstadt 1956-.
CAH: *The Cambridge Ancient History*, Cambridge.
Cat. Mus. Alaoui: C. Picard, *Catalogue du Musée Alaoui. Nouvelle série. Collections puniques*, Tunis [1954-55].
CBQ: *The Catholic Biblical Quarterly*, Washington.
CCSL: Corpus Christianorum. Series Latina, Turnhout.
CdB: *Cahiers de Byrsa*, Paris.
CdÉ: *Chronique d'Égypte*, Bruxelles.
CEDAC Carthage: *Centre d'Études et de Documentation Archéologique de la Conservation de Carthage. Bulletin*, Tunis-Carthage.
CÉFR: Collection de l'École Française de Rome, Rome.
CGC: *Catalogue général du Musée du Caire*, Le Caire.
CHCL I: P.E. Easterling-B.M.W. Knox (éd.), *The Cambridge History of Classical Literature* I. *Greek Literature*, Cambridge 1985.
CHCL II: E.J. Kenney-W.V. Clausen (éd.), *The Cambridge History of Classical Literature* II. *Latin Literature*, Cambridge 1982.
CHI II: I. Gershevitch (éd.), *The Cambridge History of Iran* II, Cambridge 1985.
CHJ I: W.D. Davies-L. Finkelstein (éd.), *The Cambridge History of Judaism* I, Cambridge 1984.
CHM: *Cahiers d'Histoire Mondiale*, Paris.
CIE: M.J. Fuentes Estañol, *Corpus de las inscripciones fenicias, púnicas y neopúnicas de España*, Barcelona 1983.
CIG: *Corpus Inscriptionum Graecarum*, Berlin 1828-77.
CIL: *Corpus Inscriptionum Latinarum*, Berlin 1862-.
Cintas, *Manuel*: P. Cintas, *Manuel d'archéologie punique* I-II, Paris 1970-76.
CNSA: *Carte nationale des sites archéologiques et des monuments historiques*, Tunis 1988-.
CIS I: *Corpus Inscriptionum Semiticarum. Pars I Inscriptiones Phoenicias continens*, Paris 1881-.
CP: *Classical Philology*, Chicago.
CQ: *Classical Quarterly*. New Series, Oxford.
CRAI: *Comptes rendus de l'Académie des Inscriptions et Belles-Lettres*, Paris.
CTN III: S. Dalley-J.N. Postgate, *The Tablets from Fort Shalmaneser* (Cuneiform Texts from Nimrud III), London 1984.
CTun: *Cahiers de Tunisie*, Tunis.
DB: *Dictionnaire de la Bible*, Paris 1895-1912.
DBF: *Dictionnaire de Biographie Française*, Paris 1923-.
DBS: *Dictionnaire de la Bible. Supplément*, Paris 1928-.
DdA: *Dialoghi di Archeologia*, Milano, Roma.
DEB: *Dictionnaire encyclopédique de la Bible*, Turnhout 1987.
Desanges, *Pline*: J. Desanges, *Pline l'Ancien: Histoire Naturelle, Livre V, 1-46*, Paris 1980.
Desanges, *Recherches*: J. Desanges, *Recherches sur l'activité des Méditerranéens aux confins de l'Afrique* (CÉFR 38), Rome 1978.
DISO: C.-F. Jean-J. Hoftijzer, *Dictionnaire des inscriptions sémitiques de l'Ouest*, Leiden 1965.
DossArch: Les Dossiers de l'Archéologie, Dijon.
DossHistArch: (Les) Dossiers Histoire et Archéologie, Dijon.
Dussaud, *Topographie*: R. Dussaud, *Topographie historique de la Syrie antique et médiévale*, Paris 1927.
EA: Les tablettes d'el-Amarna numérotées d'après J.A. Knudtzon, *Die El-Amarna-Tafeln* (VAB 2), Leipzig 1915; A.F. Rainey, *El Amarna Tablets 359-379* (AOAT 8), 2e éd., Kevelaer-Neukirchen-Vluyn 1978; W.L. Moran, *Les lettres d'El Amarna* (LAPO 13), Paris 1987.
EAA: *Enciclopedia dell'Arte Antica, Classica e Orientale*, Roma 1958-66; *Suppl. 1970*, Roma 1973.
EAD: Exploration Archéologique de Délos, Paris.
EAE: Excavaciones Arqueológicas en España, Madrid.
EAEHL: M. Avi-Yonah-E. Stern (éd.), *Encyclopedia of Archeological Excavations in the Holy Land* I-IV, London-Jerusalem 1975-78.
EB: *Encyclopédie berbère*, La Calade (Aix-en-Provence).
Ebach, *Weltenstehung*: J. Ebach, *Weltentstehung und Kulturentwicklung bei Philo von Byblos*, Stuttgart 1979.
EH: A. Berthier-R. Charlier, *Le sanctuaire d'El-Hofra à Constantine*, Paris 1952-55.
EI: *Encyclopédie de l'Islam*, nouvelle édition, Leiden 1954-.
EJ: *Encyclopaedia Judaica* I-XVI, Jerusalem 1971-72.
EpAn: *Epigraphica Anatolica*, Bonn.

ÉPRO: Études préliminaires aux religions orientales dans l'Empire romain, Leiden 1961-.

ÉPHÉ, IVe Sect: Livret de la IVe Section de l'École Pratique des Hautes Études (Sciences historiques et philologiques), Paris.

ErIs: *Eretz-Israel*, Jerusalem.

ESE: M. Lidzbarski, *Ephemeris für semitische Epigraphik* I-III, Giessen 1900-15.

EV: *Enciclopedia virgiliana*, Roma 1984-.

EVO: *Egitto e Vicino Oriente*, Pisa.

FAC: J.M. Edmonds, *Fragments of Attic Comedy* I-III, Leiden 1957-61.

FF: *Forschungen und Fortschritte*, Berlin.

FGH: F. Jacoby, *Fragmente der griechischen Historiker*, Berlin-Leiden 1923-58.

FHG: C. Müller, *Fragmenta Historicorum Graecorum*, Paris 1841-70.

FolOr: *Folia Orientalia*, Kraków.

Forrer, *Provinzeinteilung*: E. Forrer, *Die Provinzeinteilung des assyrischen Reiches*, Leipzig 1920.

GAG: W. von Soden, *Grundriss der akkadischen Grammatik,* Roma 1952; *Ergänzungsheft*, Roma 1969.

Gamer-Wallert, *Funde*: I. Gamer-Wallert, *Ägyptische und ägyptisierende Funde von der Iberischen Halbinsel*, Wiesbaden 1978.

Gascou, *Politique municipale*: J. Gascou, *La politique municipale de l'Empire romain en Afrique Proconsulaire, de Trajan à Septime-Sévère* (CÉFR 8), Rome 1972.

GCS: Die griechischen christlichen Schriftsteller, Leipzig, Berlin.

GGM: C. Müller, *Geographi Graeci Minores* I-II, Paris 1855-61.

GIF: *Giornale Italiano di Filologia*, Napoli, Roma.

GLECS: *Groupe Linguistique d'Études Hamito-Sémitiques*, Paris.

Glotta: *Glotta. Zeitschrift für griechische und lateinische Sprache*, Göttingen.

GM: *Göttinger Miszellen. Beiträge zur ägyptologischen Diskussion*, Göttingen.

GNS: *Gazette Numismatique Suisse/Schweizer Münzblätter*, Bâle/Basel.

Gsell, HAAN: S. Gsell, *Histoire ancienne de l'Afrique du Nord*, I-VIII, Paris 1913-28.

Gubel, *Furniture*: E. Gubel, *Phoenician Furniture* (StPhoen 7), Leuven 1987.

HAnt: *Hispania Antiqua. Revista de Historia Antigua*, Madrid.

Hermes: *Hermes. Zeitschrift für klassische Philologie*, Wiesbaden.

Hölbl, *Kulturgut*: G. Hölbl, *Ägyptisches Kulturgut im phönikischen und punischen Sardinien* I-II (ÉPRO 102), Leiden 1986.

HistArchAN: *Histoire et archéologie de l'Afrique du Nord. Actes du IIIe colloque international (Montpellier, 1-5 avril 1985)*, Paris 1986.

HRR: H. Peter, *Historicorum Romanorum Reliquiae* I, 2e éd., Leipzig 1914; II, Leipzig 1906.

HSS: Harvard Semitic Series, Cambridge Mass.

HUCA: *Hebrew Union College Annual*, Cincinnati.

Huß, *Geschichte*: W. Huß, *Geschichte der Karthager*, München 1985.

IAM I: L. Galand-J. Février-G.Vajda, *Inscriptions antiques du Maroc* I, Paris 1966.

IAM II: M. Euzennat-J. Marion-J. Gascou, *Inscriptions antiques du Maroc* II. *Inscriptions latines*, Paris 1982.

ICO: M.G. Guzzo Amadasi, *Le iscrizioni fenicie e puniche delle colonie in Occidente* (Studi semitici 28), Roma 1967.

ICS: O. Masson, *Les inscriptions chypriotes syllabiques*, Paris 1961; 2e éd., Paris 1983.

ID: Inscriptions de Délos, Paris.

IEJ: *Israel Exploration Journal*, Jerusalem.

IF: *Istanbuler Forschungen*, Berlin.

IG: *Inscriptiones Graecae*, Berlin 1873-; *Editio minor* (IG^2), Berlin 1924-.

IGCH: M. Thompson-O. Mørkholm-C.M. Kraay, *An Inventory of Greek Coin Hoards*, New York 1973.

IGLS: *Inscriptions grecques et latines de la Syrie*, Paris 1929-.

IGRR: *Inscriptiones Graecae ad res Romanas pertinentes* I-V, Paris 1901-27.

IJNA: *The International Journal of Nautical Archaeology and Underwater Exploration*, London.

ILAfr: A. Merlin-L. Poinssot-L. Chatelain, *Inscriptions latines d'Afrique*, Paris 1923.

ILAlg I: S. Gsell, *Inscriptions latines de l'Algérie* I, Paris 1922.

ILAlg II: H.-G. Pflaum, *Inscriptions latines de l'Algérie* II/1, Paris 1957; II/2, Alger 1976.

ILS: H. Dessau, *Inscriptiones Latinae selectae* I-III, Berlin 1892-1916.

ILTun: A. Merlin, *Inscriptions latines de Tunisie*, Paris 1944.

IM: *Istanbuler Mitteilungen*, Istanbul, Tübingen.

InstAT: R. de Vaux, *Les institutions de l'Ancien Testament* I-II, Paris 1958-60.

IrAnt: *Iranica Antiqua*, Leiden.

Iraq: *Iraq*. Published by the British School of Archaeology in Iraq, London.

IRT: J.M. Reynolds-J.B. Ward-Perkins, *Inscriptions of Roman Tripolitania*, Roma-London 1952, et PBSR 23 (1955), p. 124-147.

IsNumJ: *Israel Numismatic Journal*, Jerusalem.

JA: *Journal Asiatique*, Paris.

JANES: *The Journal of the Ancient Near Eastern Society of Columbia University*, New York.

JAOS: *Journal of the American Oriental Society*, New Haven.

JBL: *Journal of Biblical Literature*, Philadelphia.

JCS: *Journal of Cuneiform Studies*, New Haven.

JDAI: *Jahrbuch des Deutschen archäologischen Instituts*, Berlin.

JEA: *Journal of Egyptian Archaeology*, London.

JEOL: *Jaarbericht van het Vooraziatisch-Egyptisch Genootschap 'Ex Oriente Lux'*, Leiden.

JESHO: *Journal of the Economic and Social History of the Orient*, Leiden.

JHS: *Journal of Hellenic Studies*, London.

JJS: *Journal of Jewish Studies*, Oxford.

JNES: *Journal of Near Eastern Studies*, Chicago.

JNG: *Jahrbuch für Numismatik und Geldgeschichte*, München.

JNSL: *Journal of Northwest Semitic Languages*, Leiden.

Jongeling, *Names*: K. Jongeling, *Names in the Neo-Punic Inscriptions*, Groningen 1983.

JRGZ: *Jahrbuch des Römisch-Germanischen Zentralmuseums,* Bonn.

JRS: *Journal of Roman Studies*, London.

JSS: *Journal of Semitic Studies*, Manchester, Oxford.

KAI: H. Donner-W. Röllig, *Kanaanäische und aramäische Inschriften*, Wiesbaden 1962-64 (3e éd., 1971-76).

KBL^3: L. Köhler-W. Baumgartner, *Hebräisches und Aramäisches Lexikon zum Alten Testament*, 3e éd., Leiden 1967-.

KBo: *Keilschrifttexte aus Boghazköi*, Leipzig-Berlin 1916-.

Keil, *Gr. Lat.*: H. Keil, *Grammatici Latini* I-VIII, Leipzig 1857-80.

Kition II: G. Clerc-V. Karageorghis-E. Lagarce-J. Leclant, *Excavations at Kition* II. *Objets égyptiens et égyptisants*, Nicosia 1976.

Kition III: M.G. Guzzo Amadasi-V. Karageorghis, *Fouilles de Kition* III. *Inscriptions phéniciennes*, Nicosia 1977.

Klio: *Klio. Beiträge zur Alten Geschichte*, Leipzig, Berlin.

KlP: *Der Kleine Pauly. Lexikon der Antike* I-V, Stuttgart

1964-75.

KTU: M. Dietrich-O. Loretz-J. Sanmartín, *Die keilalphabetischen Texte aus Ugarit*. Teil I. *Transkription* (AOAT 24/1), Kevelaer-Neukirchen-Vluyn 1976.

LA: *Libya Antiqua*, Tripoli.

LÄg: W. Helck-E. Otto-W. Westendorf (éd.), *Lexikon der Ägyptologie* I-VI, Wiesbaden 1972-86.

L'Africa romana: A. Mastino (éd.), *L'Africa romana. Atti del I/V convegno di studio, Sassari 1983/7*, Sassari 1984-88.

LAPO: Littératures anciennes du Proche-Orient, Paris.

LBW: P. Le Bas-W.H. Waddington, *Voyage archéologique en Grèce et en Asie Mineure pendant les années 1843 et 1844. Inscriptions grecques et latines recueillies en Grèce et en Asie Mineure* III. *Première partie: textes*, Paris 1870; *Deuxième partie: exploration*, Paris 1876.

Leglay, *Sat. Afr. Mon.*: M. Leglay, *Saturne Africain. Monuments* I-II, Paris 1961-66.

LÉC: *Les Études Classiques*, Namur.

Lepelley, *Cités*: Cl. Lepelley, *Les cités de l'Afrique romaine au Bas-Empire* I-II, Paris 1979-81.

LGPN: P.M. Fraser-E. Matthews, *A Lexicon of Greek Personal Names* I, Oxford 1987.

Libyca: *Libyca. Archéologie, épigraphie*, Alger.

LIMC: *Lexicon Iconographicum Mythologiae Classicae*, Zürich-München 1981-.

LS: *Libyan Studies*, London.

MAAR: *Memoirs of the American Academy in Rome*, Rome.

MAIBL: *Mémoires présentés par divers savants à l'Académie des Inscriptions et Belles-Lettres*, Paris.

MAnt(M): *Monumenti antichi (Miscellanea)*, Roma.

MARI: Mari. Annales de recherches interdisciplinaires, Paris.

MarMir: *The Mariner's Mirror*, London.

Masson-Sznycer, *Recherches*: O. Masson-M. Sznycer, *Recherches sur les Phéniciens à Chypre*, Genève-Paris 1972.

Mazard, *Corpus*: J. Mazard, *Corpus Nummorum Numidiae Mauretaniaeque*, Paris 1955.

MBAH: *Münstersche Beiträge zur antiken Handelsgeschichte*, Münster.

MDAIR: *Mitteilungen des Deutschen archäologischen Instituts, Römische Abteilung*, Mainz a/R.

MDOG: *Mitteilungen der Deutschen Orient-Gesellschaft*, Berlin.

MÉFR(A): *Mélanges de l'École française de Rome (Antiquité)*, Rome.

Mél. R. Dussaud: *Mélanges syriens offerts à Monsieur René Dussaud* I-II, Paris 1939.

MemANL: *Memorie. Accademia Nazionale dei Lincei. Classe di scienze morali, storiche e filologiche*, Roma.

MHA: *Memorias de Historia Antigua. Universidad de Oviedo*, Oviedo.

MIO: *Mitteilungen des Instituts für Orientforschung*, Berlin.

MJSEA: *Memorias de la Junta Superior de Excavaciones Arqueológicas*, Madrid.

MM: *Madrider Mitteilungen*, Mainz a/R.

MMJ: *Metropolitan Museum Journal*, New York.

MUSJ: *Mélanges de l'Université Saint-Joseph*, Beyrouth.

MVÄG: *Mitteilungen der Vorderasiatisch-Ägyptischen Gesellschaft*, Berlin-Leipzig.

NAHisp: *Noticiario Arqueológico Hispánico*, Madrid.

NAM: *Nouvelles Archives des Missions scientifiques et littéraires*, Paris.

Nauck[2]: A. Nauck, *Tragicorum Fragmenta*, 2e éd., Leipzig 1889.

NBL: M. Görg-B. Lang (éd.), *Neues Bibel-Lexikon*, Zürich 1988-.

NC: *The Numismatic Chronicle*, London.

NESE: *Neue Ephemeris für semitische Epigraphik*, Wiesbaden.

NNM: *Numismatic Notes and Monographs*, New York.

NotSc: *Notizie degli Scavi di Antichità*, Roma.

NP: Inscriptions néopuniques d'après la numérotation de P. Schröder, *Die phönizische Sprache*, Halle 1869, p. 63-72, et de Z.S. Harris, *A Grammar of the Phoenician Language*, New Haven 1936, p. 160-161.

OA: *Oriens Antiquus*, Roma.

OAColl: Orientis Antiqui Collectio, Roma.

OGIS: W. Dittenberger, *Orientis Graeci Inscriptiones selectae*, Leipzig 1903-05.

OLA: Orientalia Lovaniensia. Analecta, Leuven.

OLP: *Orientalia Lovaniensia. Periodica,* Leuven.

OLZ: *Orientalistische Literaturzeitung*, Leipzig, Berlin.

OMRO: *Oudheidkundige Mededelingen uit het Rijksmuseum van Oudheden te Leiden*, Leiden.

Onoma: *Onoma. Bulletin d'information et de bibliographie* (du) *Comité international des sciences onomastiques*, Louvain.

OpArch: *Opuscula Archaeologica*, Lund.

OpAth: *Opuscula Atheniensia*, Lund.

Opus: *Opus. Rivista internazionale per la storia economica e sociale dell'antichità,* Roma.

Or: *Orientalia.* Nova Series, Roma.

OrSuec: *Orientalia Suecana*, Uppsala, Stockholm.

OIP: Oriental Institute Publications, Chicago.

Padró i Parcerisa, *Documents*: J. Padró i Parcerisa, *Egyptian-Type Documents from the Mediterranean Littoral of the Iberian Peninsula before the Roman Conquest* I-III (ÉPRO 65), Leiden 1980-85.

Pap. Oxy.: *The Oxyrhynchus Papyri*, London 1898-.

Pap. Rylands IV: C.H. Robert-E.G. Turner (éd.), *Catalogue of the Greek and Latin Papyri in the John Rylands Library at Manchester* IV, Manchester 1952.

Pap. Zénon: voir PCZ.

PBSR: *Papers of the British School at Rome*, London.

PCPhS: *Proceedings of the Cambridge Philological Society*, Cambridge.

PCZ: C.G. Edgar (éd.), *Zenon Papyri* I-V, Le Caire 1925-40.

PdP: *La Parola del Passato*, Napoli.

Peckham, *Development*: J.B. Peckham, *The Development of the Late Phoenician Scripts*, Cambridge Mass. 1968.

PECS: R. Stillwell-W.L. MacDonald-M.H. MacAllister (éd.), *The Princeton Encyclopedia of Classical Sites*, Princeton 1976.

PEFQSt: *Palestine Exploration Fund. Quarterly Statement*, London.

PEQ: *Palestine Exploration Quarterly*, London.

PG: J.P. Migne, *Patrologia Graeca*, Paris 1857-68.

Phén: A. Parrot-M.H. Chéhab-S. Moscati, *Les Phéniciens. L'expansion phénicienne. Carthage* (L'Univers des Formes), Paris 1975.

PhMM: E. Gubel (éd.), *Les Phéniciens et le monde méditerranéen* (Catalogue d'exposition), Bruxelles 1986.

Piot: *Fondation Eugène Piot. Monuments et mémoires publiés par l'Académie des Inscriptions et Belles-Lettres*, Paris.

PL: J.P. Migne, *Patrologia Latina*, Paris 1844-55.

PLB: Papyrologica Lugduno-Batava, Leiden.

PM VII: B. Porter-R.L. Moss, *Topographical Bibliography of Ancient Egyptian Hieroglyphic Texts, Reliefs and Paintings* VII, *Nubia, The Desert and outside Egypt*, Oxford 1952.

PP: W. Peremans-E. Van 't Dack (éd.), *Prosographia Ptolemaica*, Louvain 1950-.

PRU: J. Nougayrol/Ch. Virolleaud, *Le Palais royal d'Ugarit* II-VI, Paris 1955-70.

PW: A. Pauly-G. Wissowa et al. (éd.), *Real-Encyclopädie der classischen Altertumswissenschaft*, Stuttgart, München 1893-.

Qadmoniot: *Qadmoniot. Quarterly for the Antiquities of Eretz-Israel and Bible Lands*, Jerusalem.

QAL: *Quaderni di Archeologia della Libia*, Roma.
QDAP: *Quarterly of the Department of Antiquities in Palestine*, Jerusalem.
QS: *Quaderni di Storia*, Bari.
RA: *Revue d'Assyriologie et d'Archéologie Orientale*, Paris.
RACrist: *Rivista di Archeologia Cristiana*, Città del Vaticano.
RAfr: *Revue Africaine*, Alger.
RAO: Ch. Clermont-Ganneau, *Recueil d'archéologie orientale* I-VIII, Paris 1885-1921.
RArch: *Revue Archéologique*, Paris.
RÄRG: H. Bonnet, *Reallexikon der ägyptischen Religionsgeschichte*, Berlin 1952.
RB: *Revue Biblique*, Paris.
RBN: *Revue Belge de Numismatique et de Sigillographie*, Bruxelles.
RBPhH: *Revue Belge de Philologie et d'Histoire*, Bruxelles.
RCCM: *Rivista di Cultura Classica e Medioevale*, Roma.
RDAC: *Report of the Department of Antiquities, Cyprus*, Nicosia.
RdÉ: *Revue d'Égyptologie*, Paris.
RÉA: *Revue des Études Anciennes*, Bordeaux.
RecConst: *Recueil des notices et mémoires de la Société archéologique de Constantine*, Constantine.
RÉG: *Revue des Études Grecques*, Paris.
RÉL: *Revue des Études Latines*, Paris.
RelFen: *La religione fenicia. Matrici orientali e sviluppi occidentali. Atti del Colloquio in Roma (6 marzo 1979)* (Studi semitici 53), Roma 1981.
Rep. VII-VIII: M.J. Rostovtzeff-F.E. Brown-C.B. Welles, *The Excavations at Dura-Europos. Preliminary Report of the Seventh and Eighth Seasons of Work, 1933-1934 and 1934-1935*, New Haven 1939.
REPPAL: *Revue des Études Phéniciennes-Puniques et des Antiquités Libyques*, Tunis.
RÉS: *Répertoire d'Épigraphie Sémitique*, Paris 1905-.
RFIC: *Rivista di Filologia e di Istruzione Classica*, Torino.
RGG³: *Die Religion in Geschichte und Gegenwart*, 3ᵉ éd., Tübingen 1956-65.
RGTC: *Répertoire Géographique des Textes Cunéiformes*, Wiesbaden 1974-.
RHA: *Revue Hittite et Asianique*, Paris.
RHist: *Revue Historique*, Paris.
RhM: *Rheinisches Museum für Philologie*, Frankfurt a/M.
RHR: *Revue de l'Histoire des Religions*, Paris.
RIDA: *Revue Internationale des Droits de l'Antiquité*, Bruxelles.
RIL: J.-B. Chabot, *Recueil des Inscriptions Libyques*, Paris 1940-41.
RIN: *Rivista Italiana di Numismatica e Scienze Affini*, Pavia.
RINASA: *Rivista dell'Istituto Nazionale di Archeologia e Storia dell'Arte*, Roma.
RLA: *Reallexikon der Assyriologie und vorderasiatischen Archäologie*, Berlin.
RNum: *Revue Numismatique*, Paris.
Roscher, *Lexikon*: W.H. Roscher (éd.), *Ausführliches Lexikon der griechischen und römischen Mythologie*, Leipzig 1884-1921; *Suppl.*, Leipzig 1921-37.
RPARA: *Rendiconti della Pontificia Accademia Romana di Archeologia*, Roma.
RPh: *Revue de Philologie, de Littérature et d'Histoire Anciennes*. Nouvelle série (1877-1926); 3ᵉ série (1927-), Paris.
RSF: *Rivista di Studi Fenici*, Roma.
RSN: *Revue Suisse de Numismatique/Schweizer numismatische Rundschau*.
RSO: *Rivista degli Studi Orientali*, Roma.
RT: *Recueil de Travaux relatifs à la philologie et à l'archéologie égyptiennes et assyriennes*, Paris.
RTP: H. Ingholt-H. Seyrig - J. Starcky - A. Caquot, *Recueil des tessères de Palmyre*, Paris 1955.
RTun: *Revue Tunisienne*, Tunis.
SAA I: S. Parpola, *The Correspondence of Sargon II*, Part I (State Archives of Assyria I), Helsinki 1987.
SAA II: S. Parpola - K. Watanabe, *Neo-Assyrian Treaties and Loyalty Oaths* (State Archives of Assyria II), Helsinki 1988.
SAK: *Studien zur altägyptischen Kultur*, Hamburg.
SB: *Sammelbuch griechischer Urkunden aus Ägypten*, Straßburg, Berlin-Leipzig, Heidelberg 1915-.
SBAW.PPH: *Sitzungsberichte der Bayerischen Akademie der Wissenschaften. Philosophisch-philologisch- und historische Klasse*, München.
SC: Sources Chrétiennes, Paris.
SCE: E. Gjerstad et al., *The Swedish Cyprus Expedition*, Stockholm 1934-48, Lund 1962-73.
SCO: *Studi Classici e Orientali*, Pisa.
SEG: *Supplementum Epigraphicum Graecum*, Leiden 1923-.
SEL: *Studi Epigrafici e Linguistici sul Vicino Oriente Antico*, Verona.
SEt: *Studi Etruschi*, Firenze, Roma.
SHAJ: *Studies in the History and Archaeology of Jordan*, London-New York.
Shnaton: *Shnaton. An Annual for Biblical and Ancient Near Eastern Studies*, Jerusalem.
SicArch: *Sicilia Archeologica*, Trapani.
SIMA: Studies in Mediterranean Archaeology, Göteborg.
SMEA: Studi Micenei ed Egeo-Anatolici, Roma.
SMSR: *Studi e Materiali di Storia delle Religioni*, Roma.
SPC: M. Sznycer-F. Bertrandy, *Stèles puniques de Constantine*, Paris 1987.
StMagr: *Studi Magrebini*, Napoli.
StPhoen: Studia Phoenicia, Leuven/Namur.
StS: *Studi Sardi*, Sassari.
StV II: H. Bengtson, *Die Staatsverträge des Altertums* II. *Die Verträge der griechisch-römischen Welt von 700 bis 338 v. Chr.*, 2ᵉ éd., München 1975.
StV III: H.H. Schmidt, *Die Staatsverträge des Altertums* III. *Die Verträge der griechisch-römischen Welt von 338 bis 200 v. Chr.*, München 1969.
Syll³: W. Dittenberger, *Sylloge Inscriptionum Graecarum*, 3ᵉ éd., Leipzig 1915-24.
TAPhA: *Transactions and Proceedings of the American Philological Association*.
Tel Aviv: *Tel Aviv. Journal of the Tel Aviv University, Institute of Archaeology*, Tel Aviv.
ThWAT: J. Botterweck-H. Ringgren-H.-J. Fabry (éd.), *Theologisches Wörterbuch zum Alten Testament*, Stuttgart 1970-.
TLE: M. Pallottino, *Testimonia Linguae Etruscae*, 2ᵉ éd., Firenze 1968.
TMAI: Trabajos del Museo Arqueológico de Ibiza, Eivissa.
TOu I: A. Caquot-M. Sznycer-A. Herdner, *Textes ougaritiques* I. *Mythes et Légendes* (LAPO 7), Paris 1974.
TPOA: J. Briend-M.-J. Seux, *Textes du Proche-Orient ancien*, Paris 1977.
TrabPreh: *Trabajos de Prehistoria*, Madrid.
TRE: *Theologische Realenzyklopädie*, Berlin-New York 1977-.
Trip: G. Levi Della Vida-M.G. Amadasi Guzzo, *Iscrizioni puniche della Tripolitania (1927-1967)*, Roma 1987.
TRU: P. Xella, *I testi rituali di Ugarit* - I (Studi semitici 54), Roma 1981.
TSSI I: J.C.L. Gibson, *Textbook of Syrian Semitic Inscriptions* I. *Hebrew and Moabite Inscriptions*, 2ᵉ éd., Oxford 1973.
TSSI II: J.C.L. Gibson, *Textbook of Syrian Semitic Inscriptions* II. *Aramaic Inscriptions*, Oxford 1975.
TSSI III: J.C.L. Gibson, *Textbook of Syrian Semitic Inscriptions* III. *Phoenician Inscriptions*, Oxford 1982.
UF: *Ugarit-Forschungen*, Kevelaer-Neukirchen-Vluyn.

VAB: Vorderasiatische Bibliothek, Leipzig.
VDI: *Vestnik Drevnei Istorii*, Moskva.
Vercoutter, *Objets*: J. Vercoutter, *Les objets égyptiens et égyptisants du mobilier funéraire carthaginois*, Paris 1945.
VO: *Vicino Oriente*, Roma.
VT: *Vetus Testamentum*, Leiden.
VTS: Vetus Testamentum, Supplements, Leiden.
Wild, *Ortsnamen*: S. Wild, *Libanesische Ortsnamen*, Beirut 1973.
WM I/1: H.W. Haussig (éd.), *Wörterbuch der Mythologie I/1. Götter und Mythen im Vorderen Orient*, Stuttgart 1965.
WO: *Die Welt des Orients*, Göttingen.
YCS: *Yale Classical Studies*, New Haven.
Yon, *Dictionnaire*: M. Yon, *Dictionnaire illustré multilingue de la céramique du Proche-Orient ancien*, Lyon 1981.
ZA: *Zeitschrift für Assyriologie und vorderasiatische Archäologie*, Berlin.
ZÄS: *Zeitschrift für ägyptische Sprache und Altertumskunde*, Berlin.
ZAW: *Zeitschrift für die alttestamentliche Wissenschaft*, Giessen, Berlin.
ZDMG: *Zeitschrift der Deutschen Morgenländischen Gesellschaft*, Wiesbaden.
ZDPV: *Zeitschrift des Deutschen Palästina-Vereins*, Wiesbaden.
ZVS: *Zeitschrift für vergleichende Sprachforschung*, Berlin, Göttingen.

AUTRES ABRÉVIATIONS ET SIGLES

akk.	akkadien
AO.	Antiquités Orientales du Musée du Louvre, Paris
ap. J.C.	après Jésus-Christ
aram.	araméen
A.T.	Ancien Testament
av. J.C.	avant Jésus-Christ
babyl.	babylonien
B.M.	British Museum (Musée Britannique), Londres
c.	*circa*, environ, vers
c.-à-d.	c'est-à-dire
carth.	carthaginois
cf.	voir, comparer
Cod. Palat.	Codex de la Bibliothèque Palatine de Heidelberg
col.	colonne
corr.	corrigé, correction
DSf	Inscription f de Darius I à Suse
E.	Est
éd.	éditeur(s)
ég.	ancien égyptien
fig.	figure(s), renvoi à une illustration du dictionnaire
fl.	*floruit*, apogée de l'activité
fr.	fragment
gr.	grec
hb.	hébreu
id.	même auteur
Ins.Ph.	Inscriptions phéniciennes du Musée de Nicosie, Chypre
l.	ligne(s)
lat.	latin
mill.	millénaire
Mt	Mont
N.	Nord
ND	Tablettes cunéiformes de Nimrud
néopun.	néopunique
n.s.	nouvelle série
N.T.	Nouveau Testament
O.	Ouest
Pap.	Papyrus
phén.	phénicien
pl.	planche, renvoi à une illustration des planches en couleur
pun.	punique
1QpHab.	Commentaire d'Habaquq de la grotte 1 de Qumrân
rom.	romain
RS	Tablettes cunéiformes de Ras Shamra/Ugarit
sér.	série
Suppl.	Supplément
s.	siècle(s)
S.	Sud
St	Saint
s.v.	sub voce
Talm.Bab.	Talmud de Babylone
Talm.Jér.	Talmud de Jérusalem
ug.	ugaritique
v.	verset
*	forme reconstituée
→	voir l'article
<	tire son origine de
>	changé en

LISTE DES CARTES

LISTE DES TABLEAUX

SOURCES ICONOGRAPHIQUES

AMBisi: *fig. 310.*
A. Merlin, *Le sanctuaire de Baal et de Tanit près de Siagu*, Paris 1910, pl. II, 2: *fig. 339.*
Archaeological Museum of the American University, Beyrouth: *fig. 213, 222, 312.*
Archives du Musée de Sousse: *fig. 163.*
Archives Dunand: *fig. 20, 229.*
Archives Picard: *fig. 165.*
Babelon, *Traité*, pl. CXVI, CXXI: *fig. 250 (1-3, 5, 6), 251 (2, 3).*
Badisches Landesmuseum, Karlsruhe: *fig. 180.*
Bardo, Tunis: *fig. 224, 243, 245.*
Bibliothèque Nationale, Cabinet des Médailles, Paris - Photo: J. Dufour: *fig. 43, 156, 157, 323-325, 342.*
British Museum, Londres: *fig. 23, 98, 152, 153, 250 (13), 275.*
CBeer: *fig. 333.*
CDoum: *fig. 272.*
Centre National de Tourisme, Beyrouth: *fig. 7, 34, 49, 50, 54-57, 160, 261, 266, 281, 294, 305, 306, 317, 328, 370, 371, 375, 376.*
CGómB: *fig. 78-87.*
Ch. Clermont-Ganneau, *Les fraudes archéologiques en Palestine*, Paris 1885, n°22: *fig. 135.*
CIS: *fig. 99, 120, 129, 198.*
W. Culican: *fig. 32, 377.*
Department of Antiquities, Chypre: *fig. 66-74, 76-77, 196.*
Deutsches Archäologisches Institut, Athènes: *fig. 107.*
Deutsches Archäologisches Institut, Madrid: *fig. 15, 150, 361, 363, 364.*
Deutsches Archäologisches Institut, Rome: *fig. 59.*
D. Harris/Brepols: *pl. Ia, VIb, VIIb, VIIIc.*
École Française d'Athènes - Photo: Ph. Collet: *fig. 22.*
E. Grant, *Rumeileh-Aïn Shems* III, Haverford 1934, pl. II: *fig. 21.*
EGub: *fig. 31, 42, 48, 100, 122, 123, 133, 134, 159, 291, 314, 315, 327, 337, 349, 381 et pl. Ic-d, IVb, VIIIe, Xa.*
EH, pl. IIB: *fig. 39.*
ELip: *fig. 16, 19, 61, 89-93, 114, 117-119, 151, 221, 249, 319-321, 362.*
FMol: *fig. 2, 14, 17, 65.*
Franceschi: *fig. 287.*
G. Gallot: *fig. 88, 154, 208.*
M. Gawlikowski, *Sztuka Syrii*, Warszawa 1976, fig. 44, 49: *fig. 37, 374.*
GBass: *fig. 373.*
GFal: *fig. 106, 108, 146, 236, 299, 300, 302, 303.*
R. Giveon, *Catalogue of the Egyptian Scarabs*, Freiburg-Göttingen 1985, n°7: *fig. 158.*
GTore: *fig. 27, 46, 47, 128, 227, 240, 260.*
HBenS: *fig. 354-357.*
HFrost: *fig. 25.*
Institut Français d'Archéologie du Proche-Orient: *fig. 280.*
Institut National d'Archéologie et d'Art, Tunis: *fig. 200.*
Iraqi Cultural Centre: *pl. Xb.*
İstanbul Arkeoloji Müzeleri: *fig. 1, 3, 4, 41, 326.*
JDeb: *fig. 5, 29, 64, 96, 116, 130, 144, 145, 147, 148, 192, 193, 211, 212, 220, 228, 244, 269, 271, 301, 322, 352, 353, 358-360, 378.*
JEla: *fig. 28.*
JHerm: *fig. 101, 161, 282.*
JHFern: *fig. 259, 273.*
S. Lancel: *La colline de Byrsa à l'époque punique*, Paris 1983, fig. 6, 21: *fig. 60, 62.*
Landesuniversität Saarbrücken - Photo: M. Zorn: *fig. 188-191.*
E. Lessing/Brepols: *pl. VIId, XV.*
Lidis/Brepols: *pl. II, III, IVc, V, VIIc, VIIIa, IX, XIa, XIIb, XIII, XIVa, XVIa.*
E.A. Llobregat: *fig. 126.*
Louvre, Paris: *fig. 26, 45, 178.*
Louvre, Paris - Photo: Chuzeville: *fig. 44, 52, 102, 104, 124, 125, 155, 178, 197, 214, 217, 218, 225, 241, 242, 262, 263, 274, 292, 293, 295, 296, 307-309, 338, 340, 341, 347, 348, 365, 366 et pl. VIc, XIb, XIVb.*
J. Luyten: *fig. 33 et pl. IVa, VIa, VIIId, XVIb-d.*
LVill: *fig. 18, 257.*
MAub: *fig. 183-185.*
MLeb: *fig. 94.*
MLeb-ELip: *fig. 95.*
MLeG: *fig. 8-10, 51, 110, 111, 246, 248, 279, 286, 339, 344-346.*
MPon: *fig. 199, 203, 207, 209, 329-332, 379, 380.*
MYon: *fig. 115, 196.*
Musée Archéologique, Grenade: *fig. 16, 210.*
Musée Archéologique, Héraklion: *fig. 177.*
Musée Archéologique, Rabat: *fig. 187.*
Musée National, Beyrouth: *fig. 250 (1).*
Musée National, Carthage: *fig. 63, 166, 180, 215, 264, 265, 270, 282.*
Musées Royaux d'Art et d'Histoire, Bruxelles - Photo: J. Luyten: *fig. 11, 24, 103, 131, 132, 162, 201, 316, 343.*
Museo Archeologico, Palerme: *fig. 205, 206, 284, 297, 313.*
Museo Archeologico di Villa Giulia, Rome: *fig. 109 et pl. IIIb.*
Museo Arqueológico, Ibiza: *fig. 127, 167-176, 202, 219, 237-239, 267 et pl. IVd, VIIIf.*
Museo Arqueológico Nacional, Madrid: *fig. 149, 368.*
Museo Arqueológico, Séville: *fig. 35.*
Museo Whitaker, Motyé: *fig. 231-235.*
MUSJ 45 (1969), p. 411: *fig. 30.*

Muzeum Narodowe, Cracovie - Photo: R. Kubiszek: *fig. 278.*
NJid: *fig. 38, 129.*
PBik: *fig. 75.*
PBord: *fig. 335, 336.*
G. Perrot-C. Chipiez, *Histoire de l'art dans l'Antiquité* III, Paris 1885, p. 327: *fig. 140.*
Photo J. Dufour: *fig. 53, 105, 136-139, 155, 186, 195, 288-290, 334 et pl. Ib, VIIIb, XIIa.*
O. Rossigneux: *fig. 216.*
PLer: *fig. 141-143.*
PNas: *fig. 252, 256 (3).*
R. Saidah, BMB 19 (1966), p. 65: *fig. 194.*
Schweizerischer Bankverein: *fig. 6, 12, 36, 40, 250 (4, 6-11), 253-255, 256 (1, 2), 258, 298.*
SLan / B. Op de Beeck: *fig. 13, 367.*
Soprintendenza Archeologica, Palerme: *fig. 229, 230.*
E. Stern: *fig. 112, 113.*
Syria 18 (1937), pl. XVII: *fig. 372.*
R. Tournus/Brepols: *pl. VIIa.*
Vercoutter, *Objets*, n°s 902, 909, 913: *fig. 276.*
Staatliche Museen, Berlin: *fig. 97, 382.*

Les Éditeurs tiennent à remercier la Société Générale de Banque, qui nous a libéralement autorisés à reproduire les clichés de M. Luyten.

TABLES DE TRANSCRIPTION

A Phénicien, hébreu et araméen

Consonnes

א	'	ז	z	מ	m	ק	q
ב	b	ח	ḥ	נ	n	ר	r
ג	g	ט	ṭ	ס	s	שׂ	ś
ד	d	י	y*	ע	ʿ	שׁ	š
ה	h	כ	k	פ	p	ת	t
ו	w*	ל	l	צ	ṣ		

* Uniquement dans l'emploi consonantique; pour l'emploi comme mater lectionis, voir ci-dessous.

Voyelles de l'hébreu

◌ְ	e*	◌ֳ	ŏ	◌ֵ	ē	◌ֹ	ō
◌ַ	a	◌ֶ	e	◌ֵי	ê	וֹ	ô
◌ֲ	ă	◌ֱ	ĕ	◌ִ	i	◌ֻ	u
◌ָ	ā, o	◌ֶי	eŷ	◌ִי	î	וּ	û

* Uniquement pour le šewa mobile; le šewa quiescent n'est pas noté.

B Grec

α	a	ζ	z	λ	l	π	p	φ	ph
β	b	η	ē	μ	m	ρ	r	χ	kh
γ	g	θ	th	ν	n	σ/ς	s	ψ	ps
δ	d	ι	i	ξ	x	τ	t	ω	ō
ε	e	κ	k	ο	o	υ	u	ʿ	h

Les accents, aigu, grave et circonflexe, sont rendus par les accents correspondants du français.

C Égyptien

3	b	m	h	s	q	t
ỉ	p	n	ḥ	ś	k	ṯ
	f	r	ḫ	š	g	d
w			ẖ			ḏ

D Akkadien

'	z	l	ṣ	a	ā
b	ḫ	m	q	e	ē
d	ṭ	n	r	i	ī
g	y	s	š	u	ū
w	k	p	t		

E Arabe

ا	'	د	d	ض	ḍ	ك	k
ب	b	ذ	ḏ	ط	ṭ	ل	l
ت	t	ر	r	ظ	ẓ	م	m
ث	ṯ	ز	z	ع	ʿ	ن	n
ج	ǧ (dj)	س	s	غ	ġ (gh)	ه	h
ح	ḥ	ش	š (sh/ch)	ف	f	و	w
خ	ḫ (kh)	ص	ṣ	ق	q	ي	y

F Ugaritique

'a	h	y	ḏ	p	ġ
b	w	k	n	ṣ	t
g	z	š	ẓ	q	'i
ḫ	ḥ	l	s	r	'u
d	ṭ	m	ʿ	ṯ	s̀

G Autres langues

La transcription suit l'usage scientifique le plus répandu.

ABADDIR Théonyme signifiant "Pierre du Puissant" (phén.* *'bn'dr*) et non "pierre puissante", car *'b(n)*, "pierre", est un substantif féminin, alors que *'addir* est un adjectif masculin. A. est attesté notamment par la dédicace *Abaddiri Sancto* (CIL VIII,21481), provenant de Zucchabar (Miliana), dans la vallée du Bas-Chélif, par St →Augustin (*Ep.* 17,2) et par Priscien de →Cherchel (*c.* 500 ap. J.C.). Pour ce dernier, l'A. serait "le →bétyle, pierre que Saturne a dévorée à la place de Jupiter" (*Inst. gr.* VII 32, cf. II 6; V 18; VI 45 = Keil, *Gr. Lat.* II, p. 313, cf. p. 47, 153, 234). Le recours à ce mythe, connu déjà d'Hés., *Th.* 485-486, permettrait de reconnaître dans le "Puissant" un avatar de →Saturne africain ou →Baal Hamon qui portait effectivement cette épithète (→Baal Addir) et dont le →bétyle aurait été le symbole (→Thala).

Bibl. S. Ribichini, *Poenus Advena*, Roma 1985, p. 113-125; K. Jongeling, JEOL 29 (1985-86 [1987]), p. 129-130. ELip

ABBAR En gr. *Abbar* (phén. *Ḥbr'*); grand prêtre, →suffète de Tyr pendant trois mois, vers 563/2, selon Fl. Jos., *C. Ap.* I 157. ELip

ABDALONYMOS En phén. *'bd'lnm*, gr. *Abdalṓnumos* ("Serviteur des dieux"), roi de Sidon intronisé par →Alexandre le Grand en 332, en remplacement de →Straton II ou III (Just. XI 10,8-9; Q.-Curce IV 1,18-26). Il est mentionné dans la dédicace gr.-phén. de son fils, trouvée en 1982 à →Cos. Le règne d'A. a dû se prolonger au-delà de la mort d'Alexandre en 323, jusqu'en 315, 312, voire 294. On s'accorde à lui attribuer le →"sarcophage (2) d'Alexandre" trouvé dans la nécropole royale de Sidon et conservé au Musée d'Istanbul (fig. 1).

Bibl. H. Berve, *Das Alexanderreich* II, München 1926, p. 3; V. von Graeve, *Der Alexandersarkophag und seine Werkstatt*, Berlin 1970. ELip

ABDASTRATOS En gr. *Abdástratos*, phén. *'bd'štrt* ("Serviteur d'Astarté"); roi de Tyr vers 921-913, selon Fl. Jos., *C.Ap.* I 122. →Straton. ELip

ABDÉ, TELL →Orthosia.

ABDÉLIM En phén. *'bd'lm* ("Serviteur de Dieu"), akk. *Ab-di-li-me/mu* ou *Ab-di-ili-mu*, gr. *Abdḗlimos*,

Fig. 1. Sarcophage dit d'Alexandre, attribué à Abdalonymos, Sidon (fin du IVe s. av. J.C.). Istanbul, Musée Archéologique.

lat. *Abdilim* ou *Avolim*, nom typiquement phén., répandu en Orient et en Occident. Il est porté notamment, au IXe s., par l'"auteur" (*ummânu*) des inscriptions akkadiennes du roi araméen Kapara (**Kabbārā'*), à Tell Ḥalaf / Gôzan, en Syrie du N.

Bibl. APN, p. 3b; Benz, *Names*, p. 149, 267; Jongeling, *Names*, p. 225; H.S. Sader, *Les États araméens de Syrie*, Beirut 1987, p. 11-13. ELip

ABDÉMON En phén. *'bd'mn*, gr. *Abdēmōn/oun* ou *Abdumōn* ("Serviteur d'Amon").

1 A., jeune sage à la cour de →Hiram I de Tyr, capable de résoudre les énigmes proposées par Salomon, d'après Fl. Jos., *A.J.* VIII 146.149; *C.Ap.* I 115.120.

2 A., roi de Sidon dans le dernier tiers du Ve s., fils de →Baalshillem I et père de →Baana (3). Il est connu par une inscription de →Bostan esh-Sheikh (TSSI III,29) et il est probable qu'on doive lui attribuer une série de monnaies sidoniennes du Ve s. On a proposé de lui assigner le →"sarcophage (2) du Satrape", découvert dans la nécropole royale de Sidon et conservé au Musée d'Istanbul, mais cette attribution est controversée (fig. 3-4).

3 A., roi de →Salamine de Chypre; d'origine phén. et "ami du roi des Perses" (Diod. XIV 98; cf. FGH 115, fr. 103), il a été imposé à la cité *c.* 415 par Darius II. Bien qu'on ne puisse plus lui attribuer les monnaies salaminiennes qu'on rattachait à son règne, celui-ci semble même avoir laissé des traces dans l'*Hélène* d'Euripide, représentée en 412. En effet, le personnage de →Teukros doit y figurer →Évagoras I qui venait de débarquer à Salamine pour la délivrer du joug d'A. (v. 87-90.147.150; cf. Isocr., *Ev.* 19-32).

4 A., Sidonien qui expédie de →Rhodes des présents pour Apollonios, le grand argentier de Ptolémée II et Ptolémée III, d'après le Pap. Ryl. Zénon 1, datable *c.* 258 av. J.C. (Pap. Rylands IV,554 = SB 7637).

Bibl. Ad 3: H. Grégoire - R. Goossens, *Les allusions politiques dans l'Hélène d'Euripide*, CRAI 1940, p. 206-227; M.J. Chavane - M. Yon, *Testimonia Salaminia* I, Lyon 1978, nos 242, 262; H. Troxell, *Carians in Miniature*, Festschrift für L. Mildenberg, Wetteren 1984, p. 249-257 (voir p. 253-254). ELip-MYon

ABDÈRE En pun. *'bdrn*, gr. *Abdēra* (Strab. III 4,3) ou *Abdara* (Ptol. II 4,7), lat. *Abdera* (Pline, *N.H.* III, 3,3), la plus orientale des colonies phén.-pun. de la Costa del Sol (Espagne), établie sur la colline de Montecristo, à l'E. de l'actuelle localité d'Adra, sur l'ancienne rive droite de l'Adra, dont l'embouchure formait un port d'accès facile et bien protégé (fig. 2). Les fouilles de 1970-71 ont mis au jour des vestiges pun. de la fin du Ve s., ainsi qu'une installation de salaison de poissons située à l'O. du bourg actuel. Une fouille d'urgence, menée en 1986 sur le versant E. de la colline de Montecristo, en bordure de l'ancien lit de l'Adra, a permis de dater les débuts de l'établissement phén. de la fin du VIIIe ou du début du VIIe s. La poterie du Bronze Final ibérique, faite à la main, s'y trouvait associée à la céramique à engobe rouge (*Red Slip*), avec un rebord de 2 cm, à des vases à trois anses et des trépieds, à un fragment de poterie et

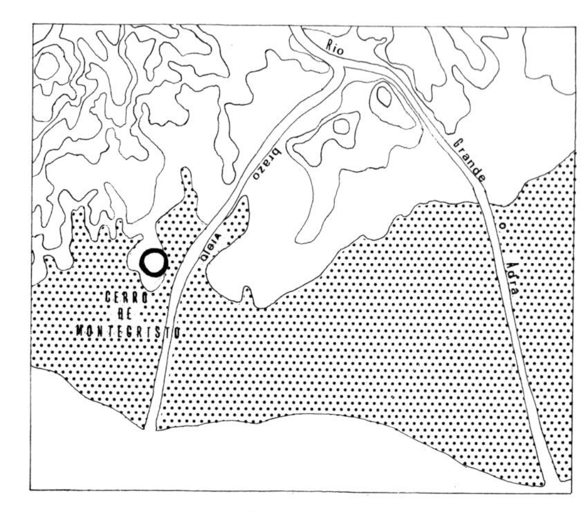

Fig. 2. Localisation des fouilles d'Abdère. Le pointillé indique les terres immergées à l'époque de l'établissement phén.

deux fragments d'albâtre protocorinthiens, à d'anciennes amphores et à un four semblable à celui de →Chorreras. Le niveau pun. du VIe s. a livré du matériel pun. caractéristique, ainsi que des coupes de céramique grise et un fragment d'aryballe décoré d'hoplites. Aux IIe-Ier s., les bronzes pun. d'A. présentent, au droit, une tête dite d'Hercule, puis un temple tétrastyle, et, au revers, des thons avec la légende néopun. *'bdr(n)* (fig. 257: 13). À l'époque de Tibère, l'effigie impériale figure au droit et le temple tétrastyle au revers, avec l'inscription lat. *Abdera*, néopun. *'bdrn*, ou les deux.

Bibl. R. Pascual Guasch, IJNA 2 (1973), p. 112; A. Tovar, *Iberische Landeskunde* II/1, Baden-Baden 1974, p. 83; M. Fernández Miranda - F.L. Caballero Zoreda, *Abdera*, Madrid [1975]. FMol

ABDESHMUN En phén.-pun. *'bd'šmn*, numide *Šmn*, gr. *Abduzmounos*, lat. *Abdismunis* (gén.), *Abdusmyn* ("Serviteur d'Eshmun").

1 A., suffète (*ḥšpṭ*) à →Kition au IVe s., fonction dont les attributions, dans cette ville, nous sont inconnues (Kition III, B 31).

2 A., chef des scribes (*rb sprm*) du temple d'Astarté à Kition, au début du IVe s. (Kition III, C 1, A, 14).

3 A., fils d'Hasdrubal (*'zrb'l*), prêtre du sanctuaire de Tanit dans la grotte d'→Es Cuieram, à Ibiza, au IIe s. av. J.C. (CIE 07.15B).

4 A., "prince" numide de la région de →Dougga portant le titre de *mmlkt* en pun. et de *gldt* en numide, c.-à-d. "roi". Il est le grand-père d'un Magon mentionné dans la bilingue de l'an 139/8 av. J.C. (KAI 101,3 = 4-5). ELip

ABDILE'TI En akk. *Ab-di-le-'-ti*, phén. *'bdl't* ("Serviteur de la Valeureuse"); roi d'→Arwad qui paya le tribut à Sennachérib en 701 (ANET, p. 287; TPOA, p. 119). ELip

ABDIMILK En akk. *Ab-di-mil-ki*, phén. *'bdmlk*, gr. syll. *A-pi-ti-mi-li-ko-ne* ("Serviteur du Roi"), nom

typiquement phén.
1 A., commandant de troupes (*rab kiṣir*) dans l'armée assyrienne, au VIIe s. (APN, p. 5b).
2 A., personnage de sang royal, vivant à Chypre au Ve s. (CIS I,89 = KAI 39 = ICS 220), grand-père du roi →Milkyaton de Kition et d'Idalion si le →Baalrôm (3) de CIS I,89 est identique à celui (2) de CIS I,88 et 90.
ELip

ABDIMILKUTTI / ABDIMILKOT En akk. *Ab-di-mil-ku-u-te/-mil-ku-ut-ti/-mi-il-ku-ti*, phén. *'bdmlkt* ("Serviteur de la Reine"); roi de Sidon à l'époque d'Asarhaddon, probablement successeur immédiat d'→Ittobaal (4) de Sidon. Après l'assassinat de Sennachérib (fin décembre 681/début janvier 680), A. s'allia à Sanduarri, roi cilicien de Kundu et Sissû, pour s'affranchir du joug assyrien, mais Asarhaddon s'empara de →Sidon en 677. A. parvint à s'enfuir par mer, mais il fut capturé et décapité en septembre/octobre 676. Sa tête, suspendue au cou d'un des ministres, fut portée par les rues de Ninive dans le cortège triomphal du roi d'Assyrie. Il résulte de l'organisation du territoire sidonien en province assyrienne, en 677/6, que le royaume de Sidon s'étendait sous A. depuis le →Litani jusqu'à la région de →Tripolis. La ville même de Sidon était alors très prospère, comme l'indiquent les inscriptions assyriennes qui soulignent la richesse du butin pris en 677 et parlent des "biens innombrables du trésor du palais d'A."

Bibl. AfO, Beih. 9, p. 8,48-50,101,111,123; ANET, p. 290-291; TPOA, p. 125-127.
ELip

ABIBAAL En akk. *A-bi-ba(-')-al*, phén. *'b(y)b'l*, gr. *Abibalos* ("Mon père est Baal").

Fig. 3-4. Sarcophage dit du Satrape, attribué notamment au roi Abdémon, Sidon (fin du Ve s. av. J.C.). Istanbul, Musée Archéologique.

1 A., roi de Tyr au Xe s., père de →Hiram I, selon Fl. Jos., *C.Ap.* I 113.117; *A.J.* VIII 144.147.
2 A., roi de Byblos connu par la dédicace phén. (KAI 5 = TSSI III,7) qu'il fit graver en l'honneur de la →Baalat Gubal sur la base d'une statue de Shéshonq I (*c.* 945-924), remploi qui suggère de dater le règne d'A. *c.* 900 av. J.C. NJid
3 A., roi de →Samsimuruna, requis par Asarhaddon, en 673, de fournir des matériaux nécessaires à la construction d'un nouveau palais à Ninive et mentionné encore comme vassal d'Assurbanipal. Il pourrait être identique à l'A. (*'byb'l*) d'un sceau appartenant à un personnage royal du VIIe s.
4 A., fils de →Yakinlu, roi d'→Arwad au temps d'Assurbanipal (ANET, p. 296; APN, p. 4a).
5 →Epipalos.

Bibl. Ad 3: ANET, p. 291,294; TPOA, p. 128,132; P. Bordreuil, Syria 62 (1985), p. 24-25. ELip

ABIMILK En phén. *'bmlk*, akk. *A-bi-mil-ki* ("Mon père est roi"), nom propre phén.-pun., porté notamment par un des fils de →Yakinlu, roi d'→Arwad au VIIe s. av. J.C.

Bibl. ANET, p. 296a; Benz, *Names*, p, 54. ELip

ABITINAE Cité antique de Tunisie, localisée à Chouchoud el-Bâtin, à 4 km au S. de Medjez el-Bab, sur la rive gauche de la Medjerda. Le lieudit Henchir el-Blida y a livré une inscription néopun. qui révèle l'origine pré-rom. et la culture pun. de la localité, connue surtout par les Actes des martyrs Saturninus, Dativus et leurs compagnons, martyrisés en 304.

Bibl. AATun, f^e 27 (Medjez el-Bab), n°s 78-79; R. Dussaud, BAC 1923, p. CCLII; A. Beschaouch, *Sur la localisation d'Abitina*, CRAI 1976, p. 255-266; Lepelley, *Cités* II, p. 56-62. ELip

ABU HAWAM, TELL Port antique de Haïfa (Israël), A.H. se trouve isolé dans le delta marécageux du Qishon, que l'on identifie au *Šîḥôr →Libnāt* de *Jos.* 19,26. Le site comprend une petite ville fortifiée et ses dépendances. Le tell a été exploré à de multiples reprises de 1929 à 1986. La ville phén., fortifiée, s'identifie avec la strate III mise au jour lors des fouilles de 1932-33; elle est constituée d'un ensemble assez dense de pièces mitoyennes à plan rectangulaire, ainsi que de bâtiments isolés qui s'étalent sur au moins six phases de construction, avant qu'une destruction par le feu ne scelle l'ensemble de la strate III et marque l'abandon du site, qui ne sera réoccupé qu'à l'époque perse. L'ensemble des vestiges architecturaux et de la céramique s'inscrit parfaitement dans un contexte phén.; en témoignent l'utilisation de pierres de taille et de piliers pour renforcer les murs et la présence de céramiques peintes bichromes ou à engobe rouge (*Red Slip*), parfois avec des bandes noires sur l'engobe (*Black-on-Red*). La céramique importée est représentée par des tessons égéens de la période sub-protogéométrique et de la fin du Géométrique Moyen II. La date de la strate III proposée par le fouilleur (1100-925? av. J.C.) doit être sensiblement changée à cause de la révision des fouilles anciennes: la vie de la strate III, qui suit de près la destruction de la strate IV aux alentours de l'an 1000, se prolonge au-delà de 750 av. J.C. et certains indices montrent qu'elle a pu être détruite dans le dernier tiers du VIIIe s., destruction qui doit être en rapport avec la conquête assyrienne. Après un abandon de deux siècles, le site est occupé à nouveau dans le cadre de l'expansion phén. sous la tutelle perse. Cette période dure au moins jusqu'au siège de Tyr par Alexandre, comme le montre le trésor de monnaies tyriennes trouvé dans la strate II.

Bibl. EAEHL, p. 9-12; R. Hamilton, *Excavations at Tell Abu Hawam*, QDAP 4 (1935), p. 1-69; J. Balensi - D. Herrera, *Tell Abou Hawam 1983-84. Rapport préliminaire*, RB 92 (1985), p. 82-128; id., *More about the Aegean Imports from Tell Abu Hawam*, Levant 18 (1986), p. 167-171; J. Balensi, *Tell Abū Hawām: un cas exceptionnel?*, M. Heltzer-E. Lipiński (éd.), *Society and Economy in the Eastern Mediterranean (c. 1500-1000 B.C.)*, Leuven 1988, p. 305-311; G. Finkielsztejn, *Tell Abu Hawam*, RB 96 (1989), p. 224-234. DHer

ABYDOS Entre le Ve et le IIIe s. de nombreux visiteurs ont laissé la trace de leur passage dans le temple de Séthi I (*c.* 1291-1279) à A., en aval de Thèbes d'→Égypte. Parmi eux des Phéniciens, dont l'un venait de la lointaine Arwad (RÉS 604) et un autre de Kition de Chypre (RÉS 1311). Un certain *B'l'bst*, résidant dans un quartier d'"→Héliopolis d'Égypte" (RÉS 1305) et son frère (?) *'bd'bst* (RÉS 1332) portent tous deux un théophore comportant le nom de la déesse égyptienne →Bastet, mais leur père porte un théophore phén. en →Sid, ainsi que leur aïeul qui est Tyrien. Écrits aussi en phén., les noms *Bgd'* et *Prsy* (RÉS 1334-1335) dénotent une origine iranienne, mais des théophores en Baal, tel *Ḥpṣb'l*, "Baal s'est réjoui" (RÉS 1307), Melqart et Eshmun attestent la présence d'une population phén. aux occupations variées: un parfumeur (RÉS 1316), des matelots (RÉS 1319), un tambour (RÉS 1322), un menuisier (RÉS 1356), un "lambrisseur (?)" (RÉS 1303), un marchand de dattes (RÉS 1359) et même un interprète (RÉS 1357).

Bibl. RÉS 604; 1303-1362; J. Teixidor, *Syria* 41 (1964), p. 285-290; W. Kornfeld, AÖAW.PH 115 (1978), p. 193-204. PBor

ACEBUCHAL →Ivoires 1 C.

ACHERBAS →Sicharbas.

ACHOLLA En lat. *Acho/ulla*, *Acylla*, gr. *Akholla* (Ptol. IV 3), ville antique de Tunisie, mentionnée par Liv. XXXIII 48,1 et Pline, *N.H.* V 30, et située dans la *Tab. Peut.* entre →Ruspe et Sullecthi (→Salakta) sur la côte de la →Byzacène. Selon Ét. Byz. (s.v.), A. fut fondée par des Maltais, c.-à-d. des Phéniciens établis à →Malte ou des Maltais phénicisés. En 149, A. se rallia aux Romains qui lui accordèrent le statut de "peuple libre" (App., *Lib.* 95; →Lex agraria Thoria). Selon une opinion ancienne, A. était localisée au N. du cap Kaboudia, sur la colline d'El-Alia, à 9 km au S. de Ras Salakta, où l'on a découvert, à la fin du siècle dernier, une nécropole pun. tardive; le matériel funéraire comportait des lampes de type pun. et des amphores avec une ou deux lettres pun., des stèles avec des figures humaines et des symboles religieux.

En réalité, il y a une erreur dans la *Tab. Peut.*, où il convient de corriger XII en XXI: le site d'A. correspond aux ruines de Ras Botria, à 10 km au S. du cap Kaboudia, comme le prouve désormais une inscription lat. trouvée en 1947 et nommant le "peuple achollitain". Outre les nombreuses ruines rom., on y a découvert un sanctuaire pun., probablement un →*tophet*, avec des stèles ornées du →"signe de Tanit" et des récipients contenant des ossements.

Bibl. PECS, p. 6-7; PW I, col. 250; Gsell, HAAN I, p. 372-373; II, p. 130-131; G.C. Picard, *Acholla*, CRAI 1947, p. 557-562; M.H. Fantar, *Tunisie*, L'espansione fenicia nel Mediterraneo, Roma 1971, p. 107-108, 136-137; Bunnens, *Expansion*, p. 312, 375 (n. 272), 380 (n. 304); Desanges, *Pline*, p. 306. SCec

AÇORES D'après un récit publié en 1778 par le savant suédois J. Podolijn, une tempête aurait rejeté en 1749 sur le rivage de l'île de Corvo un vase contenant des monnaies de Carthage et de Cyrène, dont Podolijn reçut les meilleurs exemplaires à Madrid, en 1761. Ce trésor monétaire est catalogué dans IGCH 2299, mais toute confirmation, directe ou indirecte, de cette trouvaille fait jusqu'à présent défaut, bien que des fragments de céramique découverts sur l'île puissent se rattacher au répertoire pun.

Bibl. W. Schwabacher, GNS 12 (1962-63); p. 22-26; H. Pfeiler, GNS 15 (1965), p. 53; H.H. Kricheldorf, GNS 15 (1965), p. 152; B.S.J. Isserlin, *Did Carthaginian Mariners reach the Island of Corvo (Azores)?*, RSF 12 (1984), p. 31-46; id., BAC, n.s., 19B (1983 [1985]), p. 25-28. ELip

ADARBAAL, ADHERBAL En phén.-pun. *'drb'l*, gr. *Aderballos*, *Adarbalos* (gén.), *Atarbas*, lat. *Ad(h)erbal*, *Adarbal* ("Baal est puissant"), anthroponyme fréquent à Carthage et dans le monde pun. ou punicisé.

1 A., commandant d'une des armées carth. qui, en 307, remportèrent une victoire sur les troupes d'→Agathocle, près de Carthage, puis les assiégèrent dans Tunis (Diod. XX 61,3).

2 A., stratège carth. lors de la 1re→guerre pun. En 249, il secourut →Lilybée assiégée par les Romains (Diod. XXIV 1,2; cf. Pol. I 44,1; 46,1) et, l'année suivante, remporta, au large de →Trapani, une grande victoire navale sur la flotte rom. de P. →Claudius (3) Pulcher (Pol. I 49-52). Il fut remplacé plus tard par →Hamilcar Barca (8).

3 A., officier de →Magon (6) en Espagne, au cours de la 2e →guerre pun. (Liv. XXVIII 30,4).

4 A., fils aîné du roi →Micipsa de Numidie. Il en appela à Rome pour résoudre le problème de la succession royale qui l'opposait à →Jugurtha, fils adoptif de Micipsa. Le Sénat rom. assigna à A. la partie occidentale de la Numidie, mais Jugurtha s'empara de sa capitale Cirta (→Constantine), en 112 av. J.C., et fit égorger A., bravant la décision de Rome qui se trouvait ainsi contrainte à la guerre connue sous le nom de "guerre de Jugurtha".

5 A., personnage de →Leptis Magna, au début du Ier s. av. J.C., portant le titre de *mpqd*, littéralement "fondé de pouvoir", que l'on retrouve dans la légende *mpqd Lpqy* des monnaies de la ville. Il est connu pour avoir érigé une statue en bronze en l'honneur des dieux poliades de Leptis, →Shadrapha et →Milkashtart (Trip 31 = KAI 119).

Bibl. Benz, *Names*, p. 60,261-262; Jongeling, *Names*, p. 225-226.

Ad 1-2: Gsell, HAAN III, p. 53-56,94-95; Huß, *Geschichte*, p. 198,243-244.

Ad 4: F. Decret-M. Fantar, *L'Afrique du Nord dans l'Antiquité*, Paris 1981, p. 121-130. ELip

ADARMILK En phén. *'drmlk* ("Le Roi est puissant"), roi de Byblos connu uniquement par la légende phén. *'drmlk mlk Gbl* des monnaies émises pendant son règne (fig. 251:1). La similitude stylistique des statères émis à son nom, trouvés à Byblos même, et des pièces d'→Azzibaal (4) suggère de situer le règne d'A. au milieu du IVe s.

Bibl. *BMC. Phoenicia*, p. LXV-LXVIII, 94-96; M. Dunand, *Fouilles de Byblos* I, Paris 1939, p. 407-409; Peckham, *Development*, p. 47-50. NJid

ADLUN En arabe *'Adlūn*, autrefois *'Adnūn* (Yaqut), toponyme qui provient de la *mutatio Ad Nonum*, signalée sur la voie côtière par l'*It. Burd.*, à 12 milles rom. (*c.* 18 km) au N. de Tyr (p. 583,14), ce qui est exact. La localité est connue pour la caverne paléolithique de Mġārit el-Bzāz, la stèle rupestre, illisible, de Ramsès II et la nécropole dont les caveaux taillés dans le rocher dateraient de l'époque phén. La ville, dont ce cimetière dépendait, a été identifiée à →Ornithopolis, mais cette opinion est rejetée par plusieurs savants et il convient de laisser la question ouverte, en attendant des fouilles futures.

Bibl. Dussaud, *Topographie*, p. 41-42; PM VII, p. 383. EGub

ADÔN En aram. *'dn* ("Seigneur"); dynaste syro-palestinien de la fin du VIIe s., dont la lettre araméenne sollicitant l'aide urgente du pharaon Néchao (Néko) II contre les armées babyloniennes de Nabuchodonosor II fut trouvée en 1942 à Saqqâra, en Égypte. Considéré d'abord comme un roitelet phén. à cause de son nom, A. est très probablement le dernier roi de la cité philistine d'Éqron, puisque c'est le nom de cette ville que l'archiviste égyptien semble avoir tracé, en caractères démotiques, au verso du papyrus: "Ce que le Grand d'Éqron a donné à...".

Bibl. B. Porten, *The Identity of King Adon*, BA 44 (1981), p. 36-52. ELip

ADONIBAAL En akk. *A-du-ni/nu-ba-'-al/li*, phén. *'dnb'l*, lat. *Adnibal/Adombal/Iddibal* ("Mon Seigneur est Baal").

1 A., roi de →Siyān. En 853, il prit part avec 30 chars et 10.000 hommes à la bataille de Qarqar, où la coalition anti-assyrienne mit en échec Salmanasar III (ANET, p. 279; TPOA, p. 86).

2 A., un des fils de →Yakinlu, roi d'→Arwad au temps d'Assurbanipal (ANET, p. 296).

3 A., fils d'Azzimilk, →suffète de →Carthage vers le IIIe s., membre d'une lignée aristocratique dont sont issus au moins quatre suffètes (CIS I,5988 = KAI 95).

4 A., fils d'Arish, flamine de César à →Leptis Magna, d'après une bilingue pun.-lat. de l'an 8 av. J.C. (Trip 21 = IRT 319 = KAI 120).

5 A., fils d'Hannibal, édile de →Leptis Magna d'après une bilingue pun.-lat. du IIe s. ap. J.C. (Trip 17 = IRT 599 = KAI 130). ELip

ADONIS 1 Nom A. est un théonyme gr.-lat. formé à partir de l'épiclèse *'Adōnî*, "Mon Seigneur!", des cultes sémitiques du N.-O. Utilisé comme épithète divine et comme prédicat des anthroponymes théophores dès le IIIe mill., le substantif *'adānu* > *'adōn*, "seigneur", muni du suffixe possessif *-iy/-î* de la première personne du singulier, est effectivement employé comme épiclèse dans les formules invocatoires du →Papyrus Amherst 63, col. 12 (13). Toutefois, dans les textes sémitiques, il ne désigne aucune divinité particulière, sauf dans la tradition juive, où le pluriel de majesté *'Adonāy*, littéralement "Messeigneurs", est devenu un succédané du nom ineffable de Yahvé. ELip

2 Mythologie grecque A *Héros mythique.* A., héros de la mythologie gr., aimé d'Aphrodite, est fils de →Myrrha et du père de celle-ci, →Kinyras, roi de Chypre (Ath. X 456 a) ou d'Assyrie (Hyg., *Fab.* 58), ou bien de Théias, roi d'Assyrie (Apd. III 14,4). Il naquit de l'écorce de l'arbre de la myrrhe, en qui sa mère avait été transformée (Apd. III 14,4; Ov., *Met.* X 486-502; Serv., *in Aen.* V 72; *in Buc.* X 18; *Myth. Vat.* II 34). Ailleurs (Hés., fr. 32 Rzach), il est fils de →Phoinix et d'Alphesibéa, ou né de Zeus (Prob., *in Buc.* X 18). Aphrodite, pour garder sa beauté, le cacha dans une corbeille qu'elle remit à Perséphone, qui ne voulut plus rendre l'enfant. Zeus établit qu'A. passerait un tiers de l'année tout seul, un autre avec Perséphone et le dernier avec Aphrodite. Mais le héros choisit de passer aussi avec cette déesse les quatre premiers mois (Apd. III 14,4). On le trouve dans des listes de chasseurs mythiques (*Myth. Vat.* I 232; II 130; III 7,3; Fulg., *Myth.* III 2). Toutefois sa camarade de chasse n'est pas Artémis, mais Aphrodite, ou Dionysos (Ath. X 456 a; cf. Plut., *Q.Conv.* IV 5, 3). Chasseur sans expérience et lâche, il est classifié comme *erômenos* d'Héraklès, Apollon et Dionysos (Plut., *ibid.*; Ath., *ibid.*; Phot., *Bibl.* 190). Priape (Schol. Théocr. I 81), Béroé (Nonnos XLII 276. 346), Hystaspès et Zariadrès (Ath. XIII 575 a) sont nommés comme fils d'A. et d'Aphrodite. Il mourut très jeune, tué par un sanglier, comme vengeance d'Artémis (Eur., *Hipp.* 1420-1422), ou d'Arès (Schol. Hom., *Il.* V 385 B; Nonnos XLI 209-211), ou d'Apollon (Phot., *ibid.*), ou de Perséphone (Auson., *Cup. cruc.* 56-58), ou des Muses (Schol. Lyc. 831). Ou bien il fut foudroyé par Zeus car il avait violé Érynomè (Serv., *in Buc.* X 18). Selon Serv. (*ibid.*), de son sang naquit la rose, mais, pour la plupart des sources, ce fut une espèce d'anémone qui porte encore le nom d'A.: de la couleur du sang (Ov., *Met.* X 734-739) et sans parfum (Schol. Théocr. V 92), elle pousse au printemps, juste avant le blé (Amm. XXII 9, 15). L'*adoneis* est aussi un genre de laitue, une hirondelle, qui n'a pas de demeure fixe (Hsch., *s.v.*), et un poisson amphibie (Ath. VIII 332 c) (allusion possible à l'aller et au retour d'A. de l'au-delà). A. est aussi un fleuve du Liban, le →Nahr Ibrahim.

B *Adonies.* En l'honneur d'A., on célébrait en Grèce les Adonies, en plein été, dans une atmosphère orgiaque. Elles se terminaient par des plaintes sur la mort du héros, dont la plus ancienne mention se trouve chez Sappho 140 et 168 (Lobel-Page). À Athènes, au Ve s. av. J.C., les Adonies étaient organisées en privé par les femmes, sur les toits des maisons. À Alexandrie, au IIIe s. (Théocr. XV et Schol.; Bion 1), on les célébrait dans le palais royal en présence de la reine: le simulacre d'A. était étendu sur le lit funèbre, nourri par la souveraine et à la fin jeté à la mer: A. était invité à "revenir" l'année suivante. À Byblos, selon des sources d'époque impériale (Luc, *Syr.* 6), un A. était adoré lors des fêtes publiques auxquelles participaient aussi les hommes et qui comportaient la →prostitution sacrée des femmes. Contrairement à Athènes et Alexandrie, la plainte était suivie par la joie de la "résurrection" (*égersis*) d'A. Durant les Adonies, dans tous les cas cités, on préparait les "jardins d'A." (*Adṓnidos kḗpoi*): on semait des laitues et des fenouils dans des récipients contenant peu de terre et gardés dans l'obscurité pour empêcher la croissance régulière; on les exposait ensuite au soleil et, à Alexandrie, on les jetait à la mer avec la statue d'A.

C *Origine et nature.* La généalogie et le milieu du mythe caractérisent A. comme "oriental" et plus précisément "phén.". Son nom révèle une origine sémitique: il dérive de *'dn*, "Seigneur", épithète des dieux et des rois. Par ailleurs, à la basse époque, on constate l'identification d'A. avec →Osiris (Damasc., *V.Is.* 106; Ét. Byz., s.v. *Amathoûs*; Luc., *Syr.* 7) et avec le Dumuzi/Tammuz de la mythologie suméro-akkadienne (Orig., *Sel. in Ez.* 8,13; Jér., *in Ez.* 8, 13-14). Tout cela a fait penser à une provenance orientale d'A. Mais, mises à part les interprétations d'A. comme "esprit de la végétation" et →"dying god" (Mannhardt, Frazer; cf. l'A./Eshmun proposé par R. Dussaud), on a généralement nié le caractère agraire du héros (Atallah), en soulignant, au contraire, le rapport avec Aphrodite et les parfums (Detienne), ou en faisant émerger le rôle de "chasseur raté" lié à une phase précéréalière (Piccaluga). A. constitue probablement l'interprétation gr. du type phén. du dieu "Seigneur" (*'dn*), caractérisé par une mort et un "réveil" (Ribichini), alors que les identifications d'A. avec Osiris, Tammuz et l'A. giblite sont tardives et partielles. En tout cas, A. est un héros gr. à tous égards: sa *katábasis*, lorsqu'il est en vie, est typique et son "retour" n'est qu'une évocation de sa mort irrévocable. Il ne se prête donc pas aux interprétations des cultes à mystères (Bianchi). Aussi les "potagers d'A." — bien qu'ils rappellent les "jardins" où les rois syriens étaient enterrés (Ribichini) — sont une réalité gr. et se présentent comme des plantations intentionnellement "manquées", capables de réactualiser la dimension préagraire d'A. (Piccaluga), lié à Aphrodite et non pas à Déméter, au roi et non pas à la démocratie (Detienne-Sabbatucci). BZanQ

3 Culte syro-phénicien La découverte d'un temple d'A. à Dura-Europos, en 1933-35, a permis de se faire une idée plus concrète du culte d'A. en milieu sémitique. À l'extrémité S.-E. d'une cour longue de 54 m et large de 8 à 11 m, se dresse le temple proprement dit, auquel on accède par quelques marches. À l'arrière du pronaos, plus large (10,3 m) que profond (5,5 m), un arc ouvre sur le naos flanqué de deux chambres latérales et, derrière le mur du fond du naos, se trouve une espèce de corridor, auquel aucune porte ne donne accès. Dans l'angle N.-O. de la cour se dresse un temple d'Atargatis et le côté N.-E. est longé par neuf salles de réunion pour les thiases, les →*marzeh* de la tradition sémitique. Aucun autre sanctuaire de Dura ne possède un tel nombre de salles pour les banquets sacrés. En 181/2 ap. J.C., deux pièces d'un intérêt particulier sont venues compléter les dépendances du temple: un "péristyle" et un "cellier", indice évident que la consommation du vin constituait un élément important des repas sacrés. La dédicace est faite par deux personnages, l'un au nom arabe de Solaios, l'autre au nom araméen de Gornaios, fils du grand prêtre et *desmophúlax*, titre qui doit désigner un fonctionnaire sacré, propre au culte d'A., et non pas un simple "geôlier". Le rituel ne devait pas comporter de sacrifices, car on n'a relevé aucune trace d'un grand autel dans la cour du temple et la disposition des lieux ne semble pas avoir permis au gros bétail d'y accéder et d'y être immolé. En revanche, le lien étroit entre le temple d'A. et celui d'Atargatis, de structure comparable, pourrait indiquer que A. était le parèdre de la →Dea Syria. Ces traits semblent caractériser A. comme un dieu agraire, plus spécialement un dieu de la vigne, auquel les membres des thiases s'unissaient mystiquement en buvant "le sang de la grappe", selon l'expression consacrée de la poésie sémitique (*Gn.* 49,11; *Dt.* 32,14; *Si.* 39,26). Ce caractère d'A. est confirmé par l'existence de vrais "jardins d'A.", tels les *kēpoi Adṓneōs* de 36 m de long, pourvus de "tavernes", qu'une inscription gr. mentionne à Laodicée-sur-Mer (IGLS IV, 1260). Ce n'étaient donc pas ces potagers éphémères et artificiels, qu'on plantait dans des vases, mais de vrais jardins destinés au culte d'A., semblables aux *kēpoi Adṓnidos* du palais de Domitien (Philostr., *V. Apoll.* 32) ou au "Jardin des dieux" (*gnt ''lym*) à →Palmyre (C. Dunant, *Le sanctuaire de Baalshamin à Palmyre* III, Rome 1971, n° 45B,12), appelé en gr. *hieròn álsos*, "Bois sacré", tout comme le lieu de culte d'A. à Bethléem: *Bethleem lucus adumbrat Thamuz, id est Adonidis* (Jér., *Ep.* 58,3). Les "tavernes" d'A. servaient à y boire du vin et peut-être aussi à pratiquer la prostitution sacrée, comme à →Afqa. Ces usages s'inscrivent dans le prolongement des célébrations antiques du vin nouveau au début de l'année commençant en automne, p. ex. à Ugarit. Du reste, on fêtait A. en Syrie "au tournant de l'année", *annuo cursu completo* (Amm. XXII 9,14), et la chanteuse d'Alexandrie termine son hymne des *Syracusaines* par le souhait: "Sois-nous propice, cher A., maintenant et favorable pour l'an nouveau" (Théocr. XV 143).

4 Culte punique Le culte d'A. est attesté en Afrique du N. à l'époque rom. C'est ainsi qu'un *sacerdos Adonis*, au nom typiquement pun., est mentionné dans une inscription de →Béchateur (*Thisi*: ILTun 1188) et qu'une dédicace des environs de →Néphéris, gravée entre 198 et 209, commence par les mots *Adoni Aug(usto) sac(rum)* (CIL VIII,24031). Ce titre d'A. ne se réfère pas au dieu syro-phén., mais au Baal Hamon pun., survivant dans Saturne africain. Le titre pun. de *'Adōn* précède normalement le nom de Baal Hamon dans les dédicaces pun., tout comme celui de *Dominus* est très souvent accolé au nom de Saturne. Sous ce simple qualificatif d'A. se cache donc le grand dieu de l'Afrique rom. ELip

Bibl. Ad 1: ThWAT I, col. 62-78; O. Eissfeldt, *Adonis und Adonaj*, Berlin 1970.

Ad 2: LIMC I/1, p. 222-229; I/2, p. 160-170; W. Mannhardt, *Wald- und Feldkulte* I, Berlin 1877; J.G. Frazer, *The Golden Bough* V, London 1906; W. Atallah, *Adonis dans la littérature et l'art grecs*, Paris 1966; G. Piccaluga, *Adonis e i profumi di un certo strutturalismo*, Maia, n.s., 26 (1974), p. 33-51; ead., *Adonis, i cacciatori falliti e l'avvento dell'agricoltura*, Il mito greco, Roma 1977, p. 33-48; B. Soyez, *Byblos et la fête des Adonies*, Leiden 1977; U. Bianchi-M.J. Vermaseren (éd.), *La soteriologia dei culti orientali nell'impero romano*, Leiden 1982, p. 633-646, 917-928; S. Ribichini, *Adonis. Aspetti "orientali" di un mito greco*, Roma 1981; *Adonis. Relazioni del colloquio in Roma (1981)*, Roma 1984; G.J. Baudy, *Adonisgärten. Studien zur antiken Samensymbolik*, Königstein 1986.

Ad 3: M.J. Rostovtzeff-F.E. Brown-C.B. Welles, *The Excavations at Dura-Europos. Preliminary Report of the Seventh and Eighth Seasons of Work, 1933-1934 and 1934-1935*, New Haven 1939; F. Cumont, *Le* desmophúlax *d'Adonis*, Syria 22 (1941), p. 292-295; J.T. Milik, *Dédicaces faites par des dieux (Palmyre, Hatra, Tyr) et des thiases sémitiques à l'époque romaine*, Paris 1972, p. 142, 204-205; J.C. De Moor, *New Year with Canaanites and Israelites* I-II, Kampen 1972.

Ad 4: J. Toutain, Bulletin de la Société nationale des Antiquaires de France 1915, p. 296-299; id., BAC 1918, p. CLXX-CLXXII; Gsell, HAAN IV, p. 238-239; M. Leglay, *Saturne africain. Monuments* I, Paris 1961, p. 92.

ADRA →Abdère.

AFQA En phén. *'pq*, hb. *'Apēqāh*, gr. *Aphaka/ē*, aujourd'hui *Afqa* ("source", "ruisseau"), localité au Liban, à 40 km au N.-E. de Beyrouth. Située à une journée de marche de Byblos et surplombant la vallée du fleuve Adonis (→Nahr Ibrahim), A. abritait un temple renommé d'Aphrodite →Astarté (Luc., *Syr.* 9), censément fondé par →Kinyras (Macr., *Sat.* I 21,1). Il renfermait la tombe d'→Adonis et était connu pour ses rites de →prostitution sacrée et son oracle. Il comprenait une piscine, dont on voit encore les restes, et des canalisations pour les lustrations en rapport avec le culte. Au IVe s. ap. J.C., Constantin ordonna sa destruction (Eus., *De laud. Const.* 8; *V. Const.* III 55), mais Zosime (I 58) et Sozomène (*Hist. Eccl.* II 5) parlent encore de prodiges ignés observés en ce lieu au Ve s. Le temple fut détruit par un tremblement de terre au VIe s. Aujourd'hui encore, A. est l'objet d'une vénération populaire en rapport avec la fécondité.

Bibl. S. Ribichini, *Adonis. Aspetti "orientali" di un mito greco*, Roma 1981, p. 159-165 (bibl.) NJid-CBon

AFRI L'origine du nom lat. et du peuple des *Afri* fait toujours l'objet de discussions. Toutefois, leur nom semble bien être libyque et il faut peut-être le rapprocher de celui d'→Ophir. Quant au peuple lui-même, que les auteurs lat. distinguaient généralement des Carthaginois, il vivait dans les plaines et sur les collines de la moyenne →Medjerda, où il s'adonnait à l'→agriculture et à l'élevage, fournissant à

→Carthage d'importantes quantités de blé (Pol. I 72) et de forts contingents militaires, surtout de cavalerie (Liv. XXIII 21,22; 28,14.44; 29,4; XXVIII 14,4). Ces conditions se sont maintenues, en gros, à l'époque rom.

Bibl. EB I, p. 208-217; W. Vycichl, *La peuplade berbère des Afri et l'origine du nom d'Afrique*, Onoma 19 (1975), p. 486-488; F. Decret-M. Fantar, *L'Afrique du Nord dans l'Antiquité*, Paris 1981, p. 22-26; J.-M. Lassère, *Les* Afri *et l'armée romaine*, L'Africa romana V, Sassari 1988, p. 177-184. ELip

AFRIQUE Le terme lat. *Africa* a été forgé à partir de l'ethnique →*Afri* et il était déjà employé à l'époque de la 2ᵉ →guerre pun., comme l'atteste le surnom d'*Africanus* attribué à P.C. →Scipion (5). Les opinions de certains historiens et philologues, qui l'ont rapproché du lat. *aprica*, "lieux ensoleillés", de l'arabe *faraqa*, "isoler", de l'adjectif osque **āfrico-*, "pluvieux", voire de l'ethnique "Phrygiens", ne méritent pas qu'on s'y attarde. Il est transcrit tardivement *Aphrikē* chez les historiens gr. de Rome, *'Afrîqā'* en hb. et *Ifriqiyā* en arabe. Il a eu des acceptions diverses selon les époques et les auteurs, mais il ne s'appliquait à l'origine qu'au pays des *Afri*, en Tunisie du N.-E., où le nom de Friguia désigne aujourd'hui la vallée moyenne de la →Medjerda. Il fut très tôt étendu à toute l'A. du N., l'Égypte exclue (Sall., *Jug.* 17-18; cf. 19,3), mais cette acception large ne correspondait pas à la nomenclature administrative des Romains. Ceux-ci donnèrent le nom d'*Africa* aux possessions carth. devenues province rom. en 146 av. J.C. et délimitées par la →*fossa regia* qui entourait un territoire de *c.* 25.000 km². Après sa victoire sur le parti de Pompée et →Juba I à →Thapsus, en 46, César réunit l'E. de la →Numidie jusqu'à l'Ampsaga, l'oued el-Kebir, aux possessions rom. (Pline, *N.H.* V 22,25; Ptol. IV 3,21; Solin XXV 15), scindées désormais en une *Africa Vetus* et une *Africa Nova*, cette dernière correspondant en gros à l'ancienne Numidie orientale. Son premier gouverneur fut l'historien Salluste (*Bell. Afr.* 97,1; App., *B.C.* II 100), qui avait pris part à la campagne de César (*Bell. Afr.* 8,3; 34,1.3; App., *B.C.* II 92). Les deux provinces s'opposèrent au début de la 3ᵉ guerre civile, l'*Africa Vetus* restant fidèle au Sénat, tandis que l'*Africa Nova*, commandée par T. Sextius, était favorable aux triumvirs. Le succès de ces derniers amena la réunification de l'*Africa*, qui fut confiée à Lépide de 40 à 36, puis reprise par Octave. Elle devint en 27 province sénatoriale, souvent appelée "A. proconsulaire" et gouvernée de →Carthage par un proconsul qui commandait aussi la *Legio III Augusta*. Son territoire était désormais beaucoup plus vaste que celui des anciennes possessions carth.: limité à l'E. par la →Cyrénaïque et à l'O. par la →Maurétanie, il incluait la →Tripolitaine, la →Tunisie et l'→Algérie orientale. Les guerres de Tacfarinas, le chef des Musulames numides (17-24), et les mouvements des tribus semi-nomades amenèrent Caligula (37-41) à confier à un légat le commandement de la *III Augusta* et la direction des régions frontalières, prélude de la réforme qui aboutira sous Septime-Sévère (193-211) à la création de la province impériale de Numidie, distincte de l'A. proconsulaire (fig. 5). Cette dernière revint au premier plan de l'actualité en 238, quand son proconsul se révolta contre Maximin et se fit proclamer empereur avec son fils (Gordien I et II); c'est le légat de Numidie, Capellianus, qui mit fin à la carrière des usurpateurs. Lors de la grande réforme administrative de Dioclétien (284-305), la province d'A., désormais divisée en trois — Tripolitaine, →Byzacène et A. proconsulaire proprement dite —

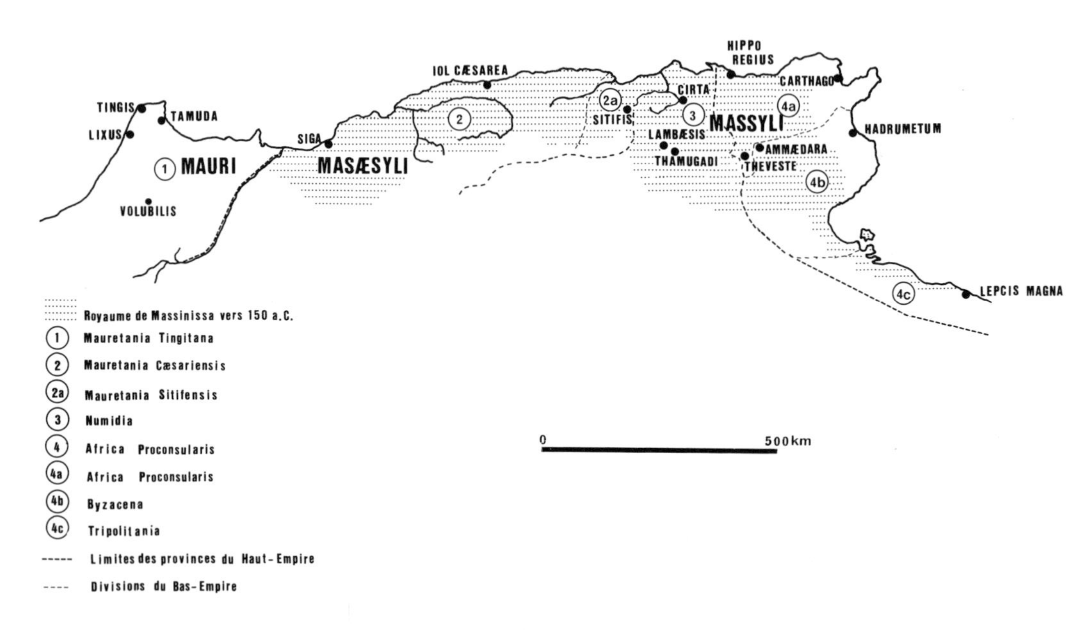

Fig. 5. Carte de l'Afrique numide et romaine.

Fig. 6. Tétradrachme de la campagne d'Afrique (c. 307 av. J.C.) au nom d'Agathocle. Coll. privée.

fut intégrée au diocèse d'A. avec les deux Numidies et les Maurétanies césarienne et sitifienne, la Maurétanie tingitane faisant partie du diocèse d' →Espagne. L'histoire de l'A. rom. aux IVe et Ve s. est dominée par les révoltes berbères, les mouvements sociaux des circoncellions, la crise donatiste, le prosélytisme manichéen et des insurrections, notamment celle de Firmus et de Gildon. Sa richesse proverbiale fut à l'origine de la fondation de nombreuses colonies rom. qui se superposèrent à la civilisation urbaine et à l'économie agricole de l'époque carth. et numide. Peuplée de Berbères, colonisée par les Phéniciens, très réceptive à l'influence de l' →hellénisme, soumise à la →romanisation, l'A. a eu aussi dans le monde antique une grande importance sur les plans intellectuel et spirituel, comme en témoigne le nombre d'Africains qui ont illustré la →littérature (2), le →droit et le christianisme occidental.

Bibl. ANRW II/10,2, p. 168-179, 182-193, 195-207, 209-220, 270-298, 316; Gsell, HAAN; P. Romanelli, *Storia delle province romane dell'Africa*, Roma 1959; J.-M. Lassère, *Ubique populus*, Paris 1977; J. Desanges, in C. Nicolet (éd.), *Rome et la conquête du monde méditerranéen* II, Paris 1978, p. 627-656; F. Decret - M. Fantar, *L'Afrique du Nord dans l'Antiquité*, Paris 1981. ELip

AGATHOCLE Tyran de Syracuse (Sicile), né à Reggio di Calabria (361-289), ennemi des Carthaginois, qu'il combattit en Sicile et attaqua en Afrique même (fig. 6), où il fit campagne en 310-307 (Diod. XX 6-18.30-44.54-70; Just. XXII 5-8; Orose, *Adv. Pag.* IV 6,24-32; Polyen, *Strat.* V 3,4-5). Malgré l'alliance anti-carth. conclue avec Ophellas de Cyrène (StV III,432) (→traités 7), l'expédition se solda par un échec. Assiégé dans →Tunis par les Carthaginois, A. s'enfuit par mer et les chefs de l'armée gr. conclurent un accord avec Carthage (StV III,436), suivi en 306 de la signature d'un traité de paix entre A. lui-même et les Carthaginois (StV III,437).

Bibl. Gsell, HAAN III, p. 18-63; Huß, *Geschichte*, p. 176-203. ELip

AGÉNOR →Kadmos.

AGREUS ÉT HALIEUS →Corporations.

AGRICULTURE Le laconisme des sources et le peu d'intérêt porté jusqu'ici par l'archéologie aux milieux ruraux de l'Antiquité ne permettent pas de se faire aisément une idée quelque peu précise de l'a. phén.-pun.

1 Phénicie La superficie restreinte du sol cultivable des cités phén., dont l'économie se basait surtout sur le →commerce et l'artisanat, exigeait l'exploitation du plus petit lopin de terre. Les contreforts du Liban en dessous de 1.000 m d'altitude étaient aménagés en terrasses pour la culture du blé, les vignes et les olivaies. L'irrigation était indispensable à la saison sèche (mai-octobre) et la découverte de digues, conduites d'eau et réservoirs indique que les ingénieurs phén. savaient mettre à profit les diverses sources d' →eau douce, dont le pays était bien pourvu. Le rapport de la 5e campagne syrienne de Thoutmès III souligne déjà les résultats de l'activité agricole de ces régions: "Les jardins étaient pleins de fruits; dans les pressoirs le vin ruisselait comme de l'eau; les grains sur les aires étaient plus abondants que le sable sur le rivage" (ANET, p. 239a). Bien que Tyr ait importé des denrées alimentaires (*1 R.* 5,25; *2 Ch.* 2,9; *Esd.* 3,7; *Ez.* 27,17-18), les Phéniciens exportaient à Athènes, aux Ve-IVe s., des fruits de palmiers et de la fleur de farine (Ath. I 27-28), et ravitaillaient en grain la Grèce et l'Égypte en période de disette (OGIS 56,20-21). L'*Expositio totius mundi et gentium* 32, source fiable pour ce qui regarde la géographie économique, affirme même que les villes phén. étaient "renommées pour leur productivité de blé, de vin et d'huile". L'élevage ovin et caprin se pratiquait sur les terrains situés à plus de 1.000 m d'altitude et partiellement boisés (→bois). Des troupeaux de menu bétail y paissaient sous la conduite de bergers (Strab. XVI 2,18). WVGu

2 Afrique du Nord L'a. était pratiquée de longue date chez les Libyens (→Libye) quand les premiers colons phén. débarquèrent en →Afrique. Hécatée de Milet en fait état *c.* 500 av. J.C. (FGH 1, fr. 334-335) et Sall., *Jug.* 17,5, juge que le sol de l'Afrique était effectivement "fertile en céréales, bon pour l'élevage", mais il le considère "stérile en arbres" et note la pénurie d'eau de pluie et de source. S'il y avait une propension à exagérer la fertilité du sol africain, ce dont Strab. XVII 3,11 se fait l'écho, les régions directement contrôlées par Carthage n'en rassemblaient pas moins les terroirs les plus riches du N. et du centre de la →Tunisie actuelle: la partie occidentale du Tell, les plaines de la moyenne et basse →Medjerda et du bassin de l'oued Miliane, les collines littorales du →Cap Bon, les coteaux du →Sahel. Ces sols, dans l'ensemble fertiles et bien arrosés, autorisaient le développement d'une a. diversifiée que les Carthaginois, contrairement à l'assertion de Cic., *Rep.* II 7, pratiquaient sur grande échelle au moins depuis le IVe s. En fait preuve la renommée internationale des agronomes pun. Hamilcar (Columelle XII 4,2) et surtout Magon (IIIe s.), dont le traité d'agronomie en 28 livres survécut à la destruction de Carthage: le Sénat rom. le fit traduire en lat. (Pline, *N.H.* XVIII 22) et une traduction gr., abrégée en 20 livres, avait été aussi établie par Cassius Dionysius d'Utique en 88 av. J.C. Si ces traductions sont perdues, il nous en reste des extraits touchant à l'a., à l'arboriculture, domaine où l'influence pun. fut déterminante, à la gestion des domaines; on les trouve chez plusieurs auteurs lat., dont Varron et Columelle, qui considérait Magon comme "le père de la science rurale" (I 1,13; cf.

Varron, *R.R.* I 1,10). Entre autres préceptes, Magon invitait les propriétaires terriens à demeurer sur leurs terres, au milieu de leurs exploitations, dans l'une de ces fermes fortifiées, entourées de vignobles, d'olivaies et de pâturages, dont les *turres* d'époque impériale rom. ont perpétué l'existence. Hannibal avait ainsi sa *turris* sur la côte de →Byzacène, entre →Acholla et →Thapsus (Liv. XXXIII 47). Les auteurs s'accordent à vanter la fertilité de cette région, *fertilitatis eximiae*, dit Pline, avec un rendement en grains de 100 pour 1, voire 150 pour 1 (*N.H.* V 24; XVIII 94.95). C'est au Cap Bon, où l'effet régulateur sur le climat d'une mer toujours proche s'alliait à la fertilité du sol, que l'on doit sans doute chercher une grande partie de ces vertes campagnes qui illustraient l'expérience agronomique de Magon. Elles nous sont connues grâce à la description qu'en fait Diod. XX 8,3-4, en relatant l'émerveillement des mercenaires d'→Agathocle qui avaient débarqué au Cap Bon à la fin du IVe s. L'armée du tyran sicilien traversa une région arrosée par des ruisseaux et des canaux d'irrigation, pleine de jardins et de vergers où poussaient toutes sortes d'arbres fruitiers. Les maisons de campagne se succédaient les unes aux autres, blanchies à la chaux et construites avec un luxe qui attestait la fortune de leurs propriétaires. En dehors des vignes, des olivaies et des vergers, on y voyait de vastes plaines où paissaient des troupeaux de bœufs et de moutons, des prairies humides propres à l'élevage des chevaux. On retrouve ces images d'opulence chez Pol. I 29,7, lorsqu'il décrit le corps expéditionnaire de →Régulus occupé, au milieu du IIIe s., à saccager la campagne et à détruire des demeures rurales magnifiquement aménagées, tout en s'emparant d'une grande quantité de bétail et en emmenant vers ses navires plus de 20.000 esclaves. Cet habitat rural, soigné et bien aménagé, est encore mal connu, mais une villa de la zone suburbaine de Carthage, récemment explorée à →Gammarth, en donne une image assez précise. À juste titre, Appien mentionne la fertilité du sol et son exploitation diligente parmi les sources principales de la richesse et de la puissance de Carthage (*Lib.* 67. 69). Dans les régions numides situées à l'O. des territoires carth., c'est la production céréalière qui devait être abondante, même avant que →Massinissa I ne contribuât au développement de l'a., notamment dans les domaines royaux (cf. Pol. XXXVI 16, 7-9). L'annexion des Grandes Plaines de la moyenne →Medjerda et de l'arrière-pays de →Leptis Minus, vers le milieu du IIe s., accrut encore les capacités productrices du royaume numide, dont le blé était exporté à Rome, à Rhodes ou à Délos. On sait fort peu de l'a. de la →Maurétanie, mais les grappes de raisin et les épis de blé représentés sur les monnaies des villes libres du →Maroc pun. (→numismatique 5; fig. 332) prouvent que l'a. et la viticulture faisaient la richesse des cités côtières. SLan-ELip

Bibl. Gsell, HAAN IV, p. 1-52; J. Tixeront, *Réflexions sur l'implantation ancienne de l'agriculture en Tunisie*, Karthago 10 (1959-60), p. 1-50; J.P. Brown, *The Lebanon and Phoenicia* I, Beirut 1966; S. Moscati (éd.), *I Fenici e Cartagine*, Torino 1972, p. 66-85; M. Zohary, *Geobotanical Foundations of the Middle East*, Stuttgart-Amsterdam 1973; J. Heurgon, *L'agronome carthaginois Magon et ses traducteurs en latin et en grec*, CRAI 1977, p. 441-456; F. Decret - M.H. Fantar, *L'Afrique du Nord dans l'Antiquité*, Paris 1981, p. 132-137, 211-218; B.S.J. Isserlin, *Phoenician and Punic Rural Settlement and Agriculture*, ACFP 1, Roma 1983, p. 157-163; M.H. Fantar, *À Gammarth avant la conquête romaine*, BAC, n.s., 17 B (1981 [1984]), p. 3-19; S.M. Cecchini, *Problèmes et aspects de l'agriculture carthaginoise*, HistArchAN, Paris 1986, p. 107-117; O. Borowski, *Agriculture in Iron Age Israel*, Winona Lake 1987; Yu.B. Tsirkin, *The Economy of Carthage*, StPhoen 6 (1988), p. 125-135; D.P. Kehoe, *The Economics of Agriculture on Roman Imperial Estates in North Africa*, Göttingen 1988; G. Marasco, *Aspetti dell'economia cartaginese fra la seconda e la terza guerra punica*, L'Africa romana V, Sassari 1988, p. 223-228.

AGRIGENTE En gr. *Akrágas*, lat. *Agrigentum*, colonie gr. sur la côte S. de la Sicile, fondée par →Géla *c.* 580 av. J.C. Au VIe-Ve s., A. devint une cité riche, peuplée et puissante, grâce à la politique expansionniste de ses tyrans, parmi lesquels le fameux Phalaris (570-554) et Théron, un des vainqueurs d'Himère (480). En 406, la cité fut prise et détruite par Carthage et ses temples furent rasés. Malgré les tentatives de Timoléon, qui la repeupla (338), du tyran Phintias (280) et de →Pyrrhus, qui la conquit (276), A. ne connut plus la même splendeur. Tombée aux mains des Carthaginois, elle fut plusieurs fois assiégée durant la 1e et la 2e →guerre pun. et occupée par les Romains, sous lesquels elle devint finalement une *civitas decumana*. Ses monuments sont nombreux, dont la célèbre colline de la "Vallée des Temples", mais rien de significatif ne se rapporte à la phase pun.

Bibl. PECS, p. 23-26; M. Lombardo - E. De Miro, *Agrigento*, BT III, Pisa-Roma 1984, p. 66-128 (bibl.). GFal

AHIMILK En akk. PAP/*A-ḫi-mil-ki/ku*, phén. *'ḥmlk* ("Mon frère est Roi" ou "Frère du Roi"), forme complète du nom de →Himilk.

1 A., un des fils de →Yakinlu, roi d'→Arwad au temps d'Assurbanipal (ANET, p. 286).

2 A., roi d'→Ashdod dans le second quart du VIIe s., vassal d'Asarhaddon et d'Assurbanipal (ANET, p. 291,294; TPOA, p. 128,132). ELip

AHIRAM / AHIRÔM En phén. *'ḥrm* ("Mon frère est exalté").

1 Roi de Byblos *c.* 1000 av. J.C. Son inscription funéraire (KAI 1 = TSSI III,4) fut gravée dans le premier quart du Xe s. par ordre de son fils →Ittobaal (1) sur le couvercle d'un sarcophage (ANEP 286,456-459) remontant probablement à la fin du Bronze Récent (*c.* 1250-1150: fig. 7). Le roi défunt figuré sur le bas-relief devait donc représenter, à l'origine, un autre souverain, dont la tombe, au moment de sa découverte, contenait encore des vases au nom de Ramsès II (1279-1212). Par conséquent, les scènes cultuelles gravées sur le sarcophage reflètent directement les us et coutumes du Bronze Récent.

2 Pour les autres personnages portant le nom d'A. →Hiram, même nom avec aphérèse.

Bibl. R. Dussaud, *Les inscriptions phéniciennes du tombeau d'Ahiram, roi de Byblos*, Syria 5 (1924), p. 135-157; P. Montet, *Byblos et l'Égypte*, Paris 1925, p. 228-238; M. Ha-

Fig. 7. Sarcophage d'Ahiram, roi de Byblos. Beyrouth, Musée National.

ran, *The Bas-Reliefs on the Sarcophagus of Ahiram*, IEJ 8 (1958), p. 15-25; R. Hachmann, *Das Königsgrab von Jebeil (Byblos)*, IM 17 (1967), p. 93-114; E. Porada, *Notes on the Sarcophagus of Ahiram*, JANES 5 (1973), p. 355-372; M. Metzger, *Königsthron und Gottesthron*, Kevelaer-Neukirchen-Vluyn 1985, *Text*, p. 259-260, 264, 271-273; M. Chéhab, *Observations au sujet du sarcophage d'Ahiram*, MUSJ 46 (1970), p. 107-117; R. Wallenfels, *Redating the Byblian Inscriptions*, JANES 15 (1983), p. 79-118 (en part. p. 79-84); W. Röllig, *Die Aḥīrōm-Inschrift*, Festschrift für U. Hausmann, Tübingen 1982, p. 367-373; B. Mazar, *The Early Biblical Period. Historical Studies*, Jerusalem 1986, p. 231-247; J. Teixidor, *L'inscription d'Aḥiram à nouveau*, Syria 64 (1987), p. 137-140; Gubel, *Furniture*, index. ELip

AÏN BARCHOUCH Site tunisien de la haute vallée de l'oued el-Hatab, proche d'→Althiburos. On y a trouvé diverses stèles anépigraphes décorées du croissant lunaire et du →"signe de Tanit", ainsi qu'une épitaphe néopun. Ces monuments, qui remontent au Ier s. av.-Ier s. ap. J.C., témoignent de l'existence d'un bourg indigène punicisé.

Bibl. AATun II, f^e^ 29 (Ksour), n° 116; P. Gauckler, *Nécropoles puniques de Carthage* II, Paris 1915, p. 333-334; C. Picard, *Catalogue du Musée Alaoui. Nouvelle série: Collections puniques* I, Tunis [1954-55], p. 250-253; M. Ghaki, REPPAL 1 (1985), p. 173. ELip

AÏN DALHIA KEBIRA →Tanger.

AÏNEL En phén. *'yn'l*, gr. *Enulos* ("[Prunelle de] l'œil de Dieu"); roi de →Byblos à l'époque de Darius III (335-331). En 333/2, il accompagnait avec ses vaisseaux la flotte perse de l'Égée, mais il s'en sépara quand Byblos fut tombée aux mains d'→Alexandre le Grand (Q.-Curce IV 1,15). Il rejoignit ce dernier à Sidon, au printemps 332, et mit ses vaisseaux au service du Macédonien lors du siège de →Tyr (Arr., *An.*, II 20,1). Alexandre le confirma vraisemblablement dans sa charge. Sur ses émissions monétaires, probablement toutes antérieures à la conquête macédonienne, A. porte le titre de "roi de Byblos" (*'yn'l mlk Gbl*). L'orthographe de son nom, avec un *yôd*, reflète l'influence de l'araméen, bien compréhensible à l'époque achéménide.

Bibl. PW Suppl. IV, col. 276; Babelon, *Traité* II/2, col. 539-542, n°s 873-878; *BMC.Phoenicia*, p. LXII, 96; H. Berve, *Das Alexanderreich* II, München 1926, p. 150, n° 299; Peckham, *Development*, p. 47-48, 50; J.W. Betlyon, *The Coinage and Mints of Phoenicia*, Chico 1982, p. 120-121,134. ELip

AÏN EL-ASKER En lat. *Sutunurca*; centre indigène de Tunisie sur la rive droite de l'oued Miliana, au S.-O. d'→Oudna (lat. *Uthina*, arabe *Awḏana*). On y a trouvé une dédicace lat. à Saturne, "dieu ancestral" et "père".

Bibl. AATun, f^e^ 28 (Oudna), n° 75; M. Leglay, *Saturne africain. Monuments* I, Paris 1961, p. 104-105. ELip

AÏN EL-KEBCH Site algérien à 1.200 m à l'O. de Ksar el-Kebch, dans la région d'Hippone, où l'on a découvert une inscription bilingue en libyque (RIL 451) et néopun.

Bibl. AAAlg, f^e^ 9 (Bône), n° 222; J.-B. Chabot, *Punica XXV,4*, JA 1918/1, p. 291-296. ELip

AÏN NECHMA →Guelma.

Fig. 8-9-10. Stèles votives d'Aïn-Tounga (IIe-IIIe s. ap. J.C.). Tunis, Bardo.

AÏN RCHINE Site d'une petite ville antique de Tunisie, pratiquement inexplorée, au S.-O. de la plaine de Fahs, dans une région marginale du territoire de la Carthage pun. La prospection a permis d'y déceler une inscription pun. gravée sur un bloc décoré d'un symbole solaire. La pierre, qui fut remployée, a dû faire partie d'un monument de l'époque pun.

Bibl. AATun, f^{e} 35 (Zaghouane); N. Ferchiou, *Une cité antique de la Dorsale tunisienne, aux confins de la* Fossa Regia: *Aïn Rchine et ses environs*, AntAfr 15 (1980), p. 231-259. ELip

AÏN TEBERNOK En lat. *Tubernuc*; antique chef-lieu d'une région agricole, à 9 km au S. de Grombalia, en Tunisie. On y a découvert, en 1893, un sanctuaire rural de →Saturne, remontant au Ier s. av.-Ier s. ap. J.C., avec des stèles décorées d'un →"signe de Tanit" anthropomorphisé et du croissant. Quelques stèles portent une brève inscription lat., mal gravée.

Bibl. AATun, f^{e} 29 (Grombalia), n° 205; P. Gauckler, *Note sur la découverte d'un nouveau sanctuaire punico-romain*, BAC 1894, p. 295-303; M. Leglay, *Saturne africain. Monuments* I, Paris 1961, p. 93-96. ELip

AÏN TOUNGA En lat. *Thignica*, aujourd'hui *'Ain Tunğa*, à près de 100 km au S.-O. de Carthage, en Tunisie. Ancien bourg indigène, profondément punicisé, A.T. dut recevoir assez tôt des colons rom., mais resta attachée à ses traditions, comme en témoignent l'onomastique, particulièrement riche en noms pun. plus ou moins romanisés, et l'emploi fréquent de l'expression pun. *nš' l'lm* (EH 87, 2), transcrite en lat. *nasililim*, pour désigner "l'offrande à la divinité". L'enceinte sacrée de →Saturne, à ciel ouvert, a livré plus de 500 stèles, figurées et inscrites, des IIe-IIIe s. ap. J.C. (fig. 8-10). Il y avait aussi à A.T. un temple d'Esculape (CIL VIII,15205), sans doute l'→Eshmun phén.-pun. romanisé.

Bibl. AATun, f^{e} 26 (Oued-Zerga), n° 109; M. Leglay, *Saturne africain. Monuments* I, Paris 1961, p. 125-202. ELip

AÏN ZAKKAR Site antique de Tunisie, à l'O. du Djebel Bargou, où l'on a trouvé une inscription funéraire néopun. du Ier s. av. J.C. (KAI 136).

Bibl. AATun II, f^{e} 30 (Maktar), n° 97; J.-B. Chabot, BAC 1936-37, p. 170-171; J.-G. Février, *À propos d'une épitaphe néopunique d'une prêtresse*, Mélanges de Carthage 1964-65, p. 93-95; Jongeling, *Names*, p. 9-10. ELip

AKKAR En arabe *'Akkār*, bourg du Liban qui a prêté son nom à la vaste baie s'infléchissant au N. de →Tripolis (*Ğūn 'Akkār*), ainsi qu'à la plaine s'étendant de Tripolis à Tartous et divisée en deux zones par le Nahr el-Kebir, l'antique Éleuthère. Bordées à l'E. par la chaîne du →Liban et le *Ğabal 'Anṣārīye*, ces deux zones sont riches en sites côtiers phén.: l'imposant *Tell 'Abdē*, au fond de la baie (→Orthosia), →Cheikh Zenad et, au N. du Nahr el-Kebir, →Ṭabbat el-Ḥammām, Tell →Ghamqé et →Tartous. D'autres sites importants du Ier mill. se trouvent à peu de distance de la côte, profitant autant du trafic côtier que des échanges avec la Syrie intérieure: Tell →Arqa, Tell →Kazel, →Amrit. Les prospections en cours (J.-P. Thalmann) apporteront sans doute de nouvelles informations sur le passé de cette région.

Bibl. J. Sapin, *Archäologische und geographische Geländebegebung im Grabenbruch von Ḥomṣ*, AfO 26 (1978-79), p. 174-176; H. Klengel, *Ṣumar/Simyra und die Eleutheros-Ebene in der Geschichte Syriens*, Klio 66 (1984), p. 5-18. EGub

AKKO En ug. *'ky*, ég. *'k3*, akk. *Akkā*, puis *Akkû*, hb. *'Akkô*, arabe *'Akkā*, gr. *Akē*, lat. *Ace* (Pline, *N.H.* V 17), ville d'Israël, à 14 km au N. de Haïfa. Le site ancien, où l'on a mis au jour des vestiges d'occupation remontant au début du IIe mill., se trouve à *Tell el-Fuḫḫār*, l'actuel *Tel 'Akkô*, près de la source d'Aïn es-Sitt, à l'E. de la ville des Croisés et à 700 m de la mer. Le choix des premiers habitants se comprend mieux si l'on note que le *Nahr Na'aman*, qui coule aujourd'hui à 800 m au S. du tell, bordait autrefois la colline de *kurkar* sur laquelle l'établissement primitif fut édifié, le dotant ainsi d'un mouillage bien protégé. Mentionnée dans les textes égyptiens dès le XIXe s., A. fut une ville cananéenne d'importance au Bronze Récent, quand elle apparaît dans les textes d'Ugarit et d'el-Amarna. L'A.T. la situe sur le territoire de la tribu d'Asher (*Jos.* 19,30; →Galilée), mais elle ne devint jamais israélite (*Jg.* 1,31) et les textes assyriens des VIIIe-VIIe s. la considèrent comme une ville phén., qui faisait partie du royaume de →Lulî de Sidon à la fin du VIIIe s. (ANET, p. 287b; TPOA, p. 119). Jusqu'à présent, les fouilles ont révélé peu de vestiges attribuables aux Xe-IXes. Les restes d'un bâtiment de 15 m de côté, divisé en trois chambres par des cloisons en briques crues, semblent dater du VIIe s.: le matériel trouvé dans le niveau de destruction peut appartenir à la ville prise par Assurbanipal qui fit empaler certains de ses habitants et fit emmener les autres en captivité (ANET, p. 300b). Dès le règne de Cambyse, A. devint un centre administratif important de l'Empire perse. La ville commença alors à s'étendre vers l'O., s'approchant de la mer; le port et ses dépendances furent construits à l'extrémité de la péninsule limitant au N. la baie de Haïfa. A. servit alors aux Perses de principale base navale et de place d'armes contre l'Égypte (Strab. XVI 2,25; Diod. XV 41,3), mais la découverte d'une table d'offrande d'Achoris (392-380; PM VII, p. 382) peut indiquer qu'A. était tombée aux mains de ce pharaon au cours d'une campagne militaire. A. jouait en même temps le rôle de port de commerce dans le trafic avec la Grèce, encouragé par des marchands gr. établis à A. (Dém., *Callipp.* 20; Isée IV 7). Le tell continua à être habité: dans un bâtiment à cour centrale, on a trouvé une fosse d'époque perse remplie de céramique, dont un →ostracon phén., qui atteste l'existence d'un lieu de culte phén. à A., et un autre, ne portant que des signes numériques. Trois ostraca, dont un araméen, sont venus au jour sur le tell en 1982, ainsi qu'un fragment d'une inscription monumentale phén. C'est du IIIe s. que doit dater l'amphore marquée d'une estampille au →"signe de Tanit", trouvée à un autre endroit du tell. Cependant, après avoir vu ses murs rasés en 312 par Ptolémée I (Diod. XIX 93,7), A. reçut le nom de *Ptolemaís*, qui est attesté déjà vers 259 par des Pap. de Zénon (PLB XXI, p. 496) et qu'elle conserva jusqu'à la fin de l'Antiquité, même sous les Séleucides, devenus maîtres de la ville en 219. Ses habitants s'intitulèrent alors "Antiochéens qui sont à Ptolémaïs" et la ville reçut d'Antiochos VII le titre de "sainte et inviolable", mais devint ensuite pratiquement indépendante. Convoitée par Alexandre Jannée (Fl.Jos., *A.J.* XIII 324), Ptolémée IX et Tigrane d'Arménie, A. finit par être incorporée à la province rom. de Syrie. À l'époque rom., les monnaies d'A. reviennent souvent à des types plus indigènes et représentent d'anciennes divinités sémitiques hellénisées.

Bibl. DBS I, col. 38-42; DEB, p. 30; EAEHL, p. 14-23; EJ II, col. 221-229; PECS, p. 742; PW XXIII, col. 1883-1886; Abel, *Géographie* II, p. 235-237; L. Kadman, *The Coins of Akko-Ptolemais*, Jerusalem 1961; H. Seyrig, *Divinités de Ptolémaïs*, Syria 39 (1962), p. 193-207; M. Dothan, *A Sign of Tanit from Tel 'Akko*, IEJ 24 (1974), p. 44-49; id., *Akko: Interim Excavation Report. First Season, 1973/74*, BASOR 224 (1976), p. 1-48; A. Lemaire, *Le monnayage de Tyr et celui dit d'Akko dans la deuxième moitié du IVe siècle av. J.-C.*, RNum, 6e sér., 18 (1976), p. 11-24; M. Dothan, *Tel Akko: Some Clues to the Picture of a Great City*, Festschrift R. Hecht, Jerusalem 1979, p. 131-141; id., *'Akko, 1980*, IEJ 31 (1981), p. 110-112; E. Lipiński, OLP 12 (1981), p. 110-111; M. Dothan - D. Conrad, *'Akko, 1982*, IEJ 33 (1983), p. 113-114; id., *'Akko, 1983*, IEJ 34 (1984), p. 189-190; Aḥituv, *Toponyms*, p. 48; M. Dothan, *A Phoenician Inscription from 'Akko*, IEJ 35 (1985), p. 81-94; H. Seyrig, *Scripta numismatica*, Paris 1986, p. 261-287. DHer

AKSHAPH En phén. *'kšp*, hb. *'Akšāp*, akk. *Akšapa*, ég. *'Iksp*, gr. *Exōpē*, ville du royaume de →Tyr mentionnée *c.* 333 av. J.C. sur un sceau urbain (fig. 137) et située près de la côte, en Israël, entre →Akko et le →Carmel, comme l'indiquent le Pap. Anastasi I 21,4-5 (ANET, p. 477b) et Skyl. 104, de sorte que l'on doit écarter, semble-t-il, l'identification d'A. avec Iksāf, à 27 km à l'E. de Tyr, ou avec et-Tell (Tel Kabri), à 12 km au N. d'Akko. Aussi a-t-on proposé de localiser A. soit à Tell →Keisān, à 8 km au S.-E. d'Akko, soit à Ḫirbet el-Harbağ, à 12 km au S.-E. de Haïfa. Au Bronze Récent, A. était une ville royale (EA 366,23; 367,1) et l'A.T. l'attribue théoriquement à la tribu d'Asher (*Jos.* 11,1; 12,20; 19,25).

Bibl. DEB, p. 30-31; EJ II, col. 212-213; E. Lipiński, RB 78 (1971), p. 86; J. Briend, *Akshaph et sa localisation à Tell Keisan*, RB 79 (1972), p. 239-246; P. Bordreuil, *De 'Arqa à Akshaph*, in *La toponymie antique*, Leiden 1977, p. 177-184 (voir p. 181-184); Aḥituv, *Toponyms*, p. 48-49; J.C. Greenfield, *A Group of Phoenician City Seals*, IEJ 35 (1985), p. 129-134. ELip

AKZIB En hb. *'Akzîb*, phén. **'kzb*, akk. *Ak-zi-bi*, aram. *('A)kdîb*, gr. *Ekdíppa*, arabe *ez-Zīb*, ville côtière d'Israël à 14 km au N. d'→Akko. A. est attribuée par la Bible à la tribu d'Asher (*Jos.* 19,29; *Jg.* 1,31) et les Annales de Sennachérib mentionnent sa conquête en 701 (ANET, p. 287; TPOA, p. 119). Les fouilles du tell, non publiées, ont montré que A., fondée au Bronze Moyen II, atteint son apogée aux Xe-VIe s. av. J.C. C'est à cette époque qu'appartiennent les bâtiments publics à cour centrale entourée sur trois côtés de longues salles: le matériel associé montre l'extension des relations commerciales d'A. La ville décline à la période perse pour retrouver son importance à l'époque hellénistique. Deux cimetières, contemporains en grande partie, illustrent des rituels différents: dans la →nécropole de l'E. (*er-Rās*), des hypogées taillés profondément dans la roche, avec un puits d'accès pourvu de marches, sont remplis d'inhumations et d'offrandes déposées au cours de 250/300 années à partir de la fin du XIe s. Dans la nécropole S. (*Buqbaq*), ce sont des hypogées collectifs, mais on y trouve aussi des incinérations associées aux inhumations (→tombes 1A,B). Un autre trait distinctif au S. est la présence d'une ouverture dans le toit de l'hypogée, surmonté d'un autel ou d'une *maṣṣēbāh*; ce dispositif doit être mis en relation avec des traditions cananéennes connues à Sidon. À *Buqbaq*, on trouve aussi d'autres types de sépultures, comme des inhumations individuelles disposées autour d'un carré central réservé au dépôt des offrandes (Xe s.). Plus tard, du VIIIe au début du VIe s., on y rencontre des tombes individuelles à inhumation ou incinération, avec urne ou jarre, ou bien de type mixte, avec les offrandes déposées dans un puits situé à proximité. Ces offrandes comprennent vases rituels, brûle-parfums, masques et figurines en argile (pl. Va; fig. 102), cruches et assiettes à engobe rouge, ainsi qu'urnes, cruches bichromes et jarres domestiques.

Bibl. DEB p. 31; EAEHL, p. 26-30; EJ II, col. 213-214; PECS, p. 292; B. Delavault - A. Lemaire, RSF 7 (1979), p. 3-5; M. Prausnitz, *Die Nekropolen von Akhziv*, H.G. Niemeyer (éd.), *Phönizier im Westen*, Mainz a/R 1982, p. 31-44.

DHer

ALALAKH En akk. *Alalaḫ*, actuellement Açana, site du S.-E. de la Turquie, sur la rive droite de l'Oronte, à *c.* 20 km au N.-E. d'Antakya. Les sept campagnes de fouilles, menées par L. Woolley en 1937-39 et 1946-49, y mirent au jour la capitale du royaume de Mukish à l'âge du Bronze. Les niveaux VII (XVIIe s.) et IV (XVe s.) livrèrent 456 tablettes cunéiformes et la remarquable inscription autobiographique du roi Idrimi, inscrite sur sa statue. Ces textes, surtout de nature économique, administrative et juridique, apportent une contribution importante à la connaissance de l'histoire du Levant à l'âge du Bronze et mentionnent diverses villes de la côte syro-phén., notamment →Ugarit, →Arwad, →Ammiya, de même que →Ébla, →Émar, l'île de →Chypre, le pays d'→Amurru, →Canaan. Les problèmes chronologiques gênent cependant l'interprétation historique d'un certain nombre de documents.

Bibl. NBL, col. 71-73; S. Smith, *The Statue of Idri-mi*, London 1949 (cf. ANET, p. 557-558; TPOA, p. 42-43); D.J. Wiseman, *The Alalakh Tablets*, London 1953, avec JCS 8 (1954), p. 1-30; 12 (1958), p. 124-129; 13 (1959), p. 19-33, 50-62 (cf. UF 1 [1969], p. 37-64; WO 5 [1969-70], p. 57-93; ZA 60 [1970], p. 88-123); L. Woolley, *Alalakh*, Oxford 1955 (cf. RB 64 [1957], p. 413-417); id., *Un royaume oublié*, Paris 1964; D.W. Thomas (éd.), *Archaeology and Old Testament Study*, Oxford 1967, p. 119-135; H. Klengel, *Königtum und Palast nach den Alalaḫ-Texten*, P. Garelli (éd.), *Le palais et la royauté*, Paris 1974, p. 273-282; D. Collon, *The Seal Impressions from Tell Atchana/Alalakh*, Kevelaer-Neukirchen-Vluyn 1975; N. Na'aman, *A New Look at the Chronology of Alalakh VII*, AnSt 26 (1976), p. 129-143; H. Klengel, *Die Palastwirtschaft in Alalakh*, E. Lipiński (éd.), *State and Temple Economy in the Ancient Near East* II, Leuven 1979, p. 435-457; M.-H. Carre Gates, *Alalakh Levels VI and V: A Chronological Reassessment*, Syro-Mesopotamian Studies 4/2 (1981), p. 11-50; D. Collon, *The Alalakh Cylinder Seals*, Oxford 1982.

ELip

ALALIA, puis **ALÉRIA** Ville de la côte E. de la Corse, fondée *c.* 565 par les →Phocéens, selon Hdt. I 165. Leur piraterie provoqua *c.* 540 une expédition punitive étrusco-carth. (StV II, 116), qui brisa la puissance maritime des Phocéens d'A. Contrairement à Hdt. I 166-167, ceux-ci n'abandonnèrent toutefois pas la ville, comme le prouvent les fouilles de la nécropole de Casabianda et de la cité qui attestent la continuation et l'importance de l'occupation gr. du site jusqu'à l'arrivée des Romains en 259 (cf. CIL I^2, 32). Les vestiges d'une présence étrusque sont par contre minimes. Un établissement militaire pun. y est attesté entre *c.* 270 et 259.

Bibl. PECS, p. 29-30; M. Gras, *À propos de la "bataille d'Alalia"*, Latomus 31 (1972), p. 698-716; Yu. B. Tsirkin, *The Battle of Alalia*, Oikumene 4 (1983), p. 209-221; M. Gras, *Alalia*, BT III, Pisa-Roma 1984, p. 137-145 (bibl.); Huß, *Geschichte*, p. 63-64, 230; J. Jehasse, Gallia 43 (1985), p. 380-389; L. et J. Jehasse, *Aléria antique*, nouv. éd., Lyon 1987.

ELip

ALARCÓN →Toscános.

ALASHIYA En akk. *A-la-ši-ia/a*, ég. *'I-r-ś ('À-la-sa)*, ug. *'Alṯy*, nom de →Chypre ou d'une région de l'île au IIe mill. av. J.C., malgré les doutes formulés encore par quelques archéologues. Ce toponyme est attesté depuis l'époque des archives de →Mari, au XVIIIe s., jusqu'au récit de →Wenamon, daté du XIe s., et sa portée géographique est confirmée au IVe s. par l'inscription bilingue de →Tamassos, en phén. et gr. (ICS 216 = RÉS 1213), qui mentionne un Apollon/Resheph *Alasiôtas*. C'est à tort qu'on identifie parfois le nom d'→Élisha avec celui d'A.

Bibl. LÄg VI, col. 1452-1455; L. Hellbing, *Alasia Problems* Göteborg 1979, en part. p. 65-97; J. Strange, *Caphtor/Keftiu. A New Investigation*, Leiden 1980; W. Helck, *Asija*, ZÄS 110 (1983), p. 29-36; C. Baurain, *Chypre et la Méditerranée orientale au Bronze Récent*, Paris-Athènes 1984; R.S. Merrillees, *Alashia Revisited*, Paris 1988.

ELip

ALBÂTRE L'emploi d'a., attesté par des pyxides dès l'époque →paléophén. et probablement stimulé par l'importation de récipients égyptiens, se rencontre dans le domaine de la vaisselle de luxe et celui de la →sculpture. Un groupe de palettes à fard, décorées de frises géométriques sur le pourtour de la cuvette centrale, semble avoir été très populaire en Palestine et en Phénicie aux VIIIe-VIIe s. (fig. 11). Des flacons destinés à l'huile parfumée, portant parfois des pseudo-hiéroglyphes ou des inscriptions cunéiformes secondaires, ont été trouvés dans les palais d'Assur et de Nimrud. Des flacons anthropomorphes représentant une déesse étaient exportés vers l'Étrurie et le monde gr.; le style syro-phén., qui les caractérise, se retrouve aussi sur un superbe vase anthropomorphe trouvé en Espagne, à →Tútugi (fig. 368). Toujours en Espagne, des vases en a. d'origine égyptienne, mais exportés par des Phéniciens, ont été trouvés en grand nombre à →Almuñécar et sur d'autres sites, le plus souvent remployés comme urnes funéraires (fig. 16). Enfin, on mentionnera les alabastres à parfum, dont l'ouverture très étroite épouse la forme d'un disque plat sur lequel on pouvait étaler le parfum, sans en perdre.

Bibl. M.E.L. Mallowan, *Nimrud and its Remains* I, London 1966, p. 169-172; H.O. Thompson, *Cosmetic Palettes*, Levant 4 (1972), p. 148-150; Gamer-Wallert, *Funde*; Yon, *Dic-*

Fig. 11. Palette à fard en albâtre (VIIIe s. av. J.C.). Bruxelles, Musées Royaux d'Art et d'Histoire.

tionnaire, p. 16; Padró i Parcerisa, *Documents* III, p. 64-101, 109-112, 117-120; AulaOr 4 (1986), p. 336-337 (bibl.).
EGub

ALBRIGHT, WILLIAM FOXWELL (25.4.1891 - 19.9.1971). Archéologue et orientaliste américain, dont la recherche s'étendait à tout le Proche-Orient ancien, avec un intérêt marqué pour le monde cananéen, auquel il rattachait la civilisation phén. Grâce à ses fouilles archéologiques en Palestine et au Yémen, d'une part, à ses publications philologiques, épigraphiques et historiques, d'autre part, A. acquit une influence considérable aux États-Unis et créa une École d'orientalistes et d'archéologues dont les idées continuent à marquer profondément la recherche américaine dans le domaine des études sémitiques et proche-orientales.

Bibl. TRE II, p. 193-195. ELip

ALCÁCER DO SAL →Portugal.

ALCANTARILLA →Ivoires 1C.

ALCOY Site remarquable d'Espagne, au confluent des vallées du Molinar et du Barxell, à *c.* 35 km au N. d'→Alicante. Peut-être est-il identique à l'*Althaía* de Pol. II 13,5 et la *Cartala* de Liv. XXI 5,4, capitale des Olcades ibériques, dont Hannibal s'empara en 221.

Bibl. Huß, *Geschichte*, p. 279. ELip

ALEXANDRE III LE GRAND Roi de Macédoine (336-323), fils de Philippe II (fig. 12). Après la victoire d'Issos en 333, A. envahit la Phénicie et reçut l'hommage d'Arwad, Byblos et Sidon. Seule →Tyr, forte de sa position insulaire et de sa flotte de guerre, offrit une résistance acharnée, espérant peut-être l'aide de Carthage (Q.-Curce IV 2,10-11; Diod. XVII 40,3; Just. XI 10,12-14). Un siège de huit mois, décrit

Fig. 12. Tétradrachme de Pergame (c. 297-281) à l'effigie d'Alexandre le Grand avec les cornes de Zeus Ammon. Coll. privée.

par Arr., *An.* II 16-24, Diod. XVII 40-46, Q.-Curce IV 2-4 et Plut., *Alex.* 24-25, se solda en août 332 par le massacre ou la vente en esclavage de sa population. La ville fut épargnée, car elle était sous la protection de →Melqart en qui A. reconnaissait l'Héraklès gr. qu'il revendiquait comme ancêtre et dont il propagea le culte en Orient. Avant d'envahir l'Égypte (fig. 121), A. conduisit encore un siège de deux mois devant Gaza, où il fut blessé (Q.-Curce IV 6,7-30). Les roitelets phén. purent garder leur trône à condition de s'aligner sur A., mais l'installation d'→Abdalonymos comme nouveau roi de Sidon montre bien à quel point A. se comportait en maître absolu de la Phénicie. S'il n'est pas certain que les cités phén. étaient intégrées dans les structures satrapales de l'Empire, leurs charges financières et militaires semblent avoir été plus lourdes qu'au temps des →Perses. Les conquêtes d'A. leur ont cependant donné la possibilité d'élargir le champ de leurs activités commerciales. Par ailleurs, la Phénicie dut fournir en 323 les marins destinés à coloniser les côtes arabes du Golfe Persique (Arr., *An.* VII 19,5). On ignore les suites de cette entreprise, interrompue peut-être par la mort d'A., mais Strab. XVI 3,4 soutient que les rivages du Golfe Persique comptaient des villes et des temples semblables à ceux des Phéniciens, ce que confirme Pline, *N.H.* IV 36 (→Arabie).

Bibl. H. Berve, *Das Alexanderreich* I, München 1926, p. 284-287; F.-M. Abel, *Alexandre le Grand en Syrie et en Palestine*, RB 43 (1934), p. 528-545; 44 (1935), p. 42-61; G. Glotz, *Histoire grecque* IV, Paris 1939, p. 70-76, 83-89; E. Will - C. Mossé - P. Goukowski, *Le monde grec et l'Orient* II, Paris 1975, p. 258-264, 307-308, 313-314; J. Seibert, *Die Eroberung des Perserreiches durch Alexander den Grossen, auf kartographischer Grundlage*, Wiesbaden 1985, p. 80-82; F. Verkinderen, *Les cités phéniciennes dans l'Empire d'Alexandre le Grand*, StPhoen 5 (1987), p. 287-308; Bonnet, *Melqart*, p. 51-59. ELip

ALGARROBO, RÍO →Chorreras, →Trayamar.

ALGER →Icosium.

ALGÉRIE

1 Origines des influences phénico-puniques Les vestiges de la civilisation phén. et pun. en A. (fig. 13) sont perceptibles grâce aux →fouilles (5) archéologi-

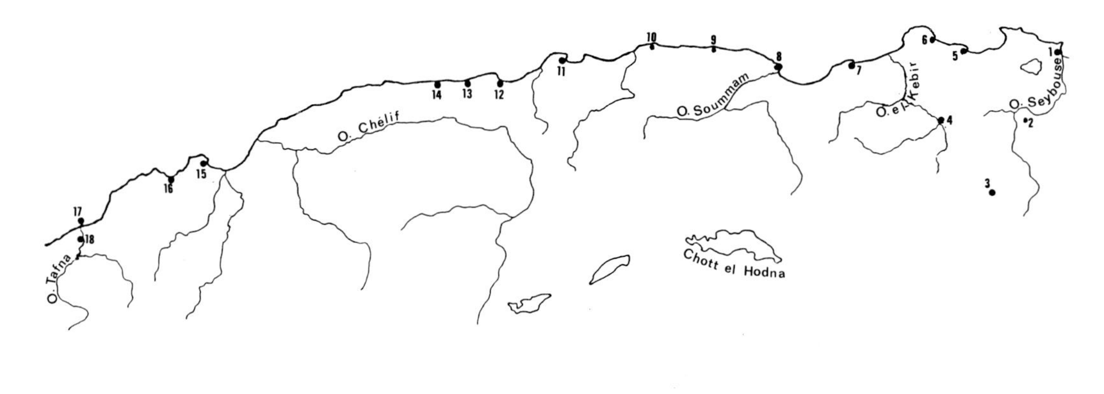

Fig. 13. Carte de l'Algérie pun.: sites principaux.

*1 Hippone (*Hippo Regius, *Annaba)*
*2 Guelma (*Calama*)*
3 Macomades *(Henchir el-Mergueb)*
4 Cirta *(Constantine)*
5 Rusicade *(Skikda)*
6 Chullu *(Collo)*
7 Igilgili *(Djidjelli)*
*8 Bougie (*Saldae*)*
9 Rusazus *(Port Gueydon)*
10 Rusuccuru *(Dellys)*
11 Icosium *(Alger)*
12 Tipasa *(Tipaza)*
13 Iol-Caesarea *(Cherchel)*
14 Gunugu *(Gouraya)*
15 Portus Magnus *(Saint-Leu, Arzew)*
16 Les Andalouses
17 Rachgoun
18 Siga *(Takembrit)*

ques ou signalés par la →toponymie (2) des sites côtiers. En fait, ils ont une triple origine: contacts avec les Hispano-Phéniciens d'→Andalousie, établissements dans la mouvance proprement carth., punicisation des royaumes numides des →Masaesyles et des →Massyles. En revanche, rien ne plaide jusqu'ici en faveur de l'existence d'une colonisation phén. directe du littoral algérien, depuis →Hippone à l'E. jusqu'à l'île de →Rachgoun à l'O., comme on l'a parfois proposé en se référant notamment à la fondation d'→Auza par →Ittobaal (1) de Tyr, selon la notice transmise par Fl. Jos., *A.J.* VIII 324, et en identifiant cette colonie avec *Auzia* ou *Auzea*, l'actuelle Sour el-Ghoslane qui est située à l'intérieur des terres et dans une région d'accès assez difficile, à 124 km au S.-E. d'Alger. Ce qui distingue donc l'impact de la civilisation phén.-pun. sur le territoire de l'actuelle A. de ce qu'il fut en →Tunisie et même au →Maroc, c'est qu'il ne résulte pas d'entreprises organisées à partir de l'Orient, c.-à-d. de →Phénicie ou de →Chypre, bien que des importations orientales, comme peut-être la 'gourde' à base ronde de →Tipasa (1) (→céramique 1; cf. fig. 70), ne soient pas exclues. C'est la petite île de Rachgoun qui a fourni le matériel le plus ancien, datable de la seconde moitié du VIIe s. Elle est chronologiquement suivie, un peu à l'E. des →Andalouses, par le site de →Mersa Madakh, qui semble avoir été habité dès le VIe s., de même que, nettement plus vers l'E., le site de Tipasa. Dans l'état actuel des connaissances, les vestiges les plus anciens, qui ne remontent qu'au milieu du VIIe s., ne proviennent pas des "comptoirs" plus proches de Carthage, mais des rivages de la "mer Ibérique". En outre, ils manifestent un "attardement provincial" par rapport à Carthage, illustré p.ex. à Mersa Madakh par une →lampe à engobe *Red Slip* (→céramique) et à bec unique au VIe s., époque où ce type de lampe a disparu depuis longtemps des séries carth. Or, on a pu remarquer que le "faciès" archéologique de ces établissements est souvent proche de celui des sites hispano-phén. S'il demeure impossible de préciser la nature exacte des rapports que la côte oranaise a entretenus aux VIIe-VIe s. avec les sites phén. de la côte andalouse, il est cependant clair qu'ils ont vécu en symbiose et que les établissements concernés d'Oranie échappaient alors au contrôle de Carthage, tout comme ils étaient précédemment restés à l'écart des premières entreprises phén. vers l'Occident. Et, plus tard, de part et d'autre de la "mer Ibérique", les affinités sont restées marquées, ce qui n'est point étonnant si l'on note que les deux côtes ne sont distantes que de 165 km.

2 Nature des établissements côtiers Les sites de la côte algérienne qui ont livré du matériel pun., parfois dès la haute époque, souvent au IVe-IIIe s., sont fréquemment qualifiés de "comptoirs" ou d'"échelles", appellations qui suggèrent un statut de relais commercial. On fait aussi remarquer qu'ils sont assez régulièrement échelonnés sur le rivage, tous les 30 ou 40 km, c.-à-d. séparés par des distances qui sont celles du cabotage au jour le jour. Ces considérations sous-entendent une mainmise carth. plus ou moins étroite, mais peuvent impliquer aussi une expansion hispano-phén., notamment sur la petite île de Rachgoun. Elles n'épuisent toutefois pas la réalité de tous ces établissements, p.ex. d'un site comme celui de Tipasa, dont les origines remontent au VIe s. et qui manifeste, dès les Ve-IVe s., une importance excédant celle d'un "comptoir". Si la prédominance du matériel — notamment →céramique (2) — de tradition pun. dans les →tombes (2) témoigne de l'influence matérielle et culturelle de Carthage, on sait néanmoins qu'il faut exclure un contrôle politique direct. De même y a-t-il peu de chances qu'un site comme Tipasa ait été une "colonie de peuplement": dans les →nécropoles (2), les monuments et le →mobilier funéraire sont pun. ou à la mode pun., mais les rites — orientations, réinhumations, pratique du rouge funéraire — relèvent de la tradition libyque, et le toponyme est, lui aussi, →libyque. L'usage de la →langue de Carthage, qu'il faut bien supposer, à côté de la langue indigène préexistante, n'a laissé nulle trace écrite, sinon sur les monnaies. On peut soupçonner enfin, mais avec prudence, faute d'éléments probants, qu'une cité apparemment prospère dès le IVe s. a dû jouer un certain rôle, à côté de ses voisines, telle →Cherchel, dans la formation des royaumes numides à partir du IIIe s. av. J.C.

3 Influences carthaginoises en Numidie L'A. orientale, région habitée par les Massyles, confinait aux territoires contrôlés directement par Carthage et était en contact permanent avec la civilisation carth., partiellement hellénisée, dont elle subissait l'influence culturelle, notamment dans le domaine de la langue, de la religion et de l'architecture. L'impact de la civilisation pun. est toutefois perceptible même en A. occidentale, chez les Masaesyles, dont la capitale →Siga possédait dès la fin du IIIe s. av. J.C. un atelier monétaire qui frappait des bronzes, puis des pièces d'argent, à l'effigie de →Syphax et de →Vermina, munies d'une légende pun. et de lettres de contrôle pun., signes évidents du statut de langue officielle reconnu au punique. À première vue, on pourrait songer en l'occurrence à l'influence du site voisin de l'île de Rachgoun, mais celui-ci fut abandonné dès la première moitié du Ve s. et c'est, par conséquent, une influence carth. qu'il faut reconnaître dans l'ambiance culturelle pun. que reflètent ces émissions masaesyles. Cette influence n'était pas due à une conquête militaire ou à une domination politique de Carthage, qui ne s'est même pas exercée sur les territoires massyles de l'A. orientale. La seule ville de l'actuelle A. dont on sache de façon sûre qu'elle fut prise de vive force par un général carth., →Hannon (17), vers 247 av. J.C., est à deux pas de la frontière tunisienne; c'est →Tébessa, appelée dans nos sources Hécatompylos par analogie avec Thèbes (Pol. I 73,1; Diod. XXIV 10,2). Au N.-E. de Tébessa, →Madaure, tombée à la fin du IIIe s. des mains de Syphax dans celles de →Massinissa I, n'appartenait pas à Carthage, non plus que →Guelma et, sensiblement plus à l'O., →Constantine, qui était à la fin du IIIe s. une des capitales de Syphax et la ville la plus importante du pays numide. Elle n'en était pas moins un foyer de la civilisation carth., comme en témoignent les centaines de stèles votives, munies de dédicaces pun., qui furent trouvées à El-Hofra, le site du →*tophet* de Constantine, actif notamment sous les règnes des rois numides Massinissa et →Micipsa (203-118 av. J.C.). Le →mausolée (1) du Médracen, construit au cœur de la Numidie pour un prince numide, s'orne d'une décoration en vogue dans l'architecture pun., comme la corniche à gorge égyptienne. Le pun., enfin, était la langue officielle de ce royaume indigène, celle des légendes monétaires et des épitaphes royales, et c'est à des princes numides que le Sénat rom. offrit, en 146 av. J.C., les bibliothèques de la Carthage détruite (Pline, *N.H.* XVIII 22). D'ailleurs, si l'on excepte la →Tripolitaine, c'est dans cette région de l'A. orientale qu'est la mieux attestée la survie de la langue pun., notamment à l'époque de St →Augustin, par qui l'on sait qu'elle était parlée couramment dans les campagnes voisines d'Hippone, mais aussi près de Guelma, ainsi qu'à →Macomades (3: Henchir el-Mergueb; Aug., *Ep.* 66,2; 108,14; 209,2-3; 20*,3; 21). Cette survivance de la langue de Carthage, plus d'un demi-millénaire après la chute de la ville, est le témoignage le plus éclatant de sa durable influence dans une région dont elle n'avait jamais été maîtresse.

Bibl. G. Vuillemot, *Reconnaissances aux échelles puniques d'Oranie*, Autun 1965; S. Lancel, *Tipasitana III: la nécropole préromaine occidentale de Tipasa*, BAA 3 (1968), p. 87-166; H.G. Horn - C.B. Rüger (éd.), *Die Numider*, Köln 1979, p. 75-87, 119-171; G. Camps, *Berbères. Aux marges de l'Histoire*, Toulouse 1980, p. 151-157.

SLan-ELip

ALICANTE Capitale de la Costa Blanca (Espagne), site probable — malgré des opinions contraires — de la gr. *Leukè Ákra* (Diod. XXV 10,3;12), lat. *Castrum Album* (Liv. XXIV 41,3) ou *Lucentum*, traduction

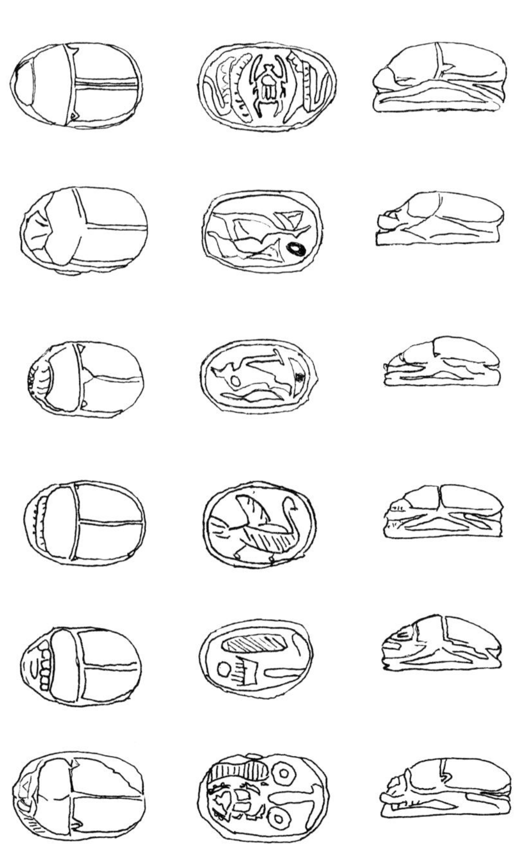

Fig. 14. Scarabées égyptiens et égyptisants de Peña Negra de Crevillente (VIIe-VIe s. av. J.C.). Alicante, Musée Archéologique.

probable du pun. *R'š lbn, "Cap Blanc", nom qui devait évoquer la blancheur des falaises d'A. et s'appliquer d'abord au mont Benacantil, remarquable position stratégique où s'élève le Castillo de Santa Bárbara. Diod. XXV 10,3 attribue à →Hamilcar (8) Barca la fondation de la ville, en 231; son emplacement correspond probablement à l'actuel quartier de Benalúa. La création de →Carthagène priva toutefois A. de son importance première. Une forte influence phén.-pun. est attestée dans l'arrière-pays, au S.-O. d'A., notamment à →Elche, à La Peña Negra de Crevillente et à Los Saladares, près d'Olihuera: les importations phén. (fig. 14) se font jour dans ces deux dernières localités indigènes à partir de 725-675 (cf. CIE 01.06) et sont suivies d'imitations locales de bonne qualité *c.* 600-535 av. J.C. Par ailleurs, on relèvera sur la côte, au N.-E. d'A., deux brèves épigraphes pun. du IVe s. venues au jour à la Illeta dels Banyets, près d'El Campello (CIE 01.01-02).

Bibl. PW III, col. 1767; XIII, col. 1563; AulaOr 4 (1986), p. 330 (bibl. de La Peña Negra et de Los Saladares); P.A. Barceló, *Karthago und die Iberische Halbinsel vor den Barkiden*, Bonn 1988, p. 119-121. FMol

ALIMENTATION

1 Orient L'a. des cités côtières phén., densément peuplées, devait poser des problèmes d'approvisionnement d'autant plus sérieux que les terrains propres à l'→agriculture étaient limités et que la côte syro-palestinienne se prête assez mal à la navigation de →pêche. →Wenamon parle de poissons, certainement salés, importés d'Égypte à Byblos (ANET, p. 28a; TPOA, p. 78), et c'est effectivement dans le Delta du Nil que les Phéniciens allaient pêcher "la semence des Eaux d'Horus" (*Is.* 23,3; cf. *Ex.* 7,18.21; *Nb.* 11,5; *Ez.* 29, 4-5; *Ps.* 105,29), c.-à-d. les poissons, qu'ils salaient et vendaient même à Jérusalem (*Ne.* 13,16). Wenamon se vit servir à →Dor du pain, du vin et de la viande de bœuf (ANET, p. 26a; TPOA, p. 73). Les mêmes mets figurent dans la scène du banquet funéraire représenté sur le sarcophage d'→Ahiram: le roi défunt tient une coupe, tandis que les deux plats posés sur la table contiennent une tête de bœuf et des galettes surmontées d'une miche de pain (fig. 7). D'après *1 R.* 5,25; *2 Ch.* 1,9; *Ez.* 27,17, Tyr importait d'Israël du froment, de l'orge, de la farine, du vin, de l'huile, du miel, de la graisse, mais le bon vin de Helbôn lui venait de Syrie (*Ez.* 27,18), les aromates de l'Arabie méridionale (*Ez.* 27,22), tandis que l'Égypte, au temps de Wenamon, exportait des sacs de lentilles vers Byblos (ANET, p. 28a; TPOA, p. 78). Tous ces mets ne constituaient pas l'ordinaire des gens du commun, mais ceux-ci agrémentaient certainement leur menu de légumes verts et de quelques fruits.

2 Occident Tout comme en Phénicie, les poissons et les fruits de mer devaient compter parmi les mets principaux, spécialement à Gadès, dont les pêcheurs descendaient vers le S. jusqu'à quatre jours de navigation (Strab. II 3,4). Ils y pêchaient des thons en quantité qu'ils salaient et exportaient à Carthage (Ps.-Arstt., *Mir. ausc.* 136). Les restes alimentaires trouvés à →Toscanos témoignent de la consommation de poisson, mais aussi de la viande de bœuf, de mouton et de chèvre, cependant que les résidus porcins y sont rares, peut-être en raison de l'interdiction de la viande de porc (Hérodien V 6,9; Porphyre, *Abst.* I 14; Sil. It. III 22-23), absente également des →tarifs sacrificiels qui mentionnent, en revanche, le bœuf, le veau, les capridés, les ovidés et la volaille, ainsi que le pain, les galettes, le lait, la graisse, les légumes, les fruits (KAI 69; 74; 76). Les offrandes alimentaires faites aux morts reflètent également le menu de la vie terrestre. Elles étaient constituées, aux IVe-IIIe s., de volaille, d'œufs, de poisson, de viande, notamment de porcelet, ce qui relativise les témoignages des auteurs classiques sur l'interdiction de la viande porcine. On devait se nourrir aussi des produits de la chasse et, selon Just. XIX 1,10-12, de viande canine. Pour préparer le pain et les galettes, que l'on cuisait au →four familial, on se servait de la farine de froment ou d'orge (Pline, *N.H.* XVIII 98). Festus signale un genre particulier de galettes, dénommées *punicum* (*De sign. verb.*, s.v.). La farine, le fromage, le miel et les œufs servaient à préparer une espèce de bouillie, la *puls punica*, qui semble avoir constitué un aliment de base des Carthaginois (Caton, *Agr.* LXXXV; cf. Plaute, *Poen.* 54; *Most.* 828), et l'on mangeait aussi des lentilles (Pline, *N.H.* XVIII 98). Les cités pun. étaient entourées de potagers (App., *Lib.* 117) et de vergers, où l'on cueillait figues (Caton, *Agr.* VIII 1), grenades (Caton, *Agr.* VII 3; Columelle XII 42,1; Martial XIII 42-43; Avienus, *Flaviano Myrmeico* 1), amandes, noix, poires (Pline, *N.H.* XVII 63-64), auxquelles on peut ajouter les dattes des palmiers, figurés si souvent sur les stèles et les monnaies pun. On prenait grand soin des vignobles (Columelle III 12,5; 15,4-5; *Arb.* IV 5), d'où l'on tirait du vin commun (Pline, *N.H.* XXXVI 166) et du vin de qualité, appelé *passum* (Columelle XII 39, 1-2; Pline, *N.H.* XIV 81; Palladius XI 19). Selon Platon (*Leg.* 674a-b), une loi carthaginoise aurait même visé à limiter les abus dans l'usage du vin. Quant à l'huile d'olive, Diodore mentionne son importation en Afrique à la fin du Ve s. av. J.C. (XIII 81,4-5), mais les olivaies furent plus tard nombreuses (Columelle, *Arb.* XVII 1; Pline, *N.H.* XVII 128; Aur. Victor, *Caes.* XXXVII 3) et les pressoirs carth. renommés (Caton, *Agr.* XVIII 9).

Bibl. Gsell, HAAN I, p. 159-168; IV, p. 1-52; G.C. et C. Picard, *La vie quotidienne à Carthage*, Paris 1958, p. 149-151 (1982[2], p. 159-162); S. Moscati (éd.), *I Fenici e Cartagine*, Torino 1972, p. 19-31; L. Milano, *Alimentazione e regimi alimentari nella Siria preclassica*, DdA 3 (1981), p. 85-121; E. Gubel, *Le pain des Phéniciens*, Entre-Nous 72 (1984), p. 11-14; S.F. Bondì, *L'alimentazione nel mondo fenicio-punico. L'aspetto economico-industriale*, L'alimentazione nell'antichità, Parma 1985, p. 167-184; *30 ans au service du Patrimoine*, Tunis 1986, p. 72. ELip

ALIPOTA En néopun. *'lpt'* ou *'lbt'*, — les deux lectures sont possibles, — gr. *Alipóta*, ville pun. de Tunisie que le *Stadiasme* 110 situe à 120 stades (*c.* 22 km) au N. d'→Acholla, localisée désormais au Ras Botria, à 22 km de la Chebba par la route côtière. Il est donc probable qu'il faut chercher A. non loin de la Marsa de la Chebba, site de la Justianopolis byzantine, où les bateaux pouvaient s'abriter au S. de la vaste saillie qui se termine par le cap Kaboudia, le

Caput Vada, le point le plus avancé du littoral tunisien entre les golfes de Gabès (Petite Syrte) et d'Hammamet. Le nom de *'lpt'* ou *'lbt'* pourrait s'entendre en phén.-pun. "Sur (*'ali*) le *B/Pota*", dont *Vada* serait une variante ou une forme dérivée.

Bibl. AATun, f^e 82 (la Chebba), n° 46?. ELip

ALISEDA, LA Localité à 30 km de Cacérès, en Estrémadure espagnole, où l'on a découvert en 1920 une sépulture féminine indigène du VIIe s., de structure apparemment tumulaire. La tombe contenait 62 bijoux ou pièces d'orfèvrerie de style phén., conservés aujourd'hui au Musée Archéologique National de Madrid. On y trouve notamment un ceinturon en or, travaillé au grènetis et au repoussé, orné de griffons, de palmettes et de héros luttant avec un lion (Phén 275), puis un diadème, des boucles d'oreille, des bracelets (Phén 292-295), des torques, les restes d'un collier, des sceaux, des bagues et une coupe, tous en or. Le dépôt funéraire comprenait aussi deux récipients en argent, une jarre de verre taillé et des fragments d'amphores phén. La richesse de cette tombe s'explique par la situation d'A. sur la voie terrestre qui unissait le Bas-Guadalquivir et Gadès à la région minière du N.-O. de la Péninsule, d'où les Phéniciens importaient l'étain.

Bibl. R. Mélida, *Tesoro de Aliseda*, Madrid 1921; A. Blanco, *Orientalia*, AEArq 21 (1956), p. 3-51; M. Almagro Gorbea, *El Bronce Final y el período orientalizante en Extremadura*, Valencia 1977. MEAub

ALJARAQUE Site sur la rive droite de l'estuaire de l'Odiel, près de →Huelva (Espagne). L'établissement orientalisant d'A. a livré de la céramique phén.-pun. des VIIe-Ve s. et c'est près d'A. qu'on a trouvé en 1923 le fameux dépôt de bronzes provenant d'une épave du IXe ou VIIIe s. av. J.C.

Bibl. J.M. Blázquez - J.M. Luzón- D. Ruiz Mata, *La factoría púnica de Aljaraque en la provincia de Huelva*, NAHisp 13-14 (1969-70 [1971]), p. 304-331; M. Almagro Basch, *Depósito de bronces de la Ría de Huelva*, Huelva. Prehistoria y Antigüedad, Madrid 1975, p. 213-220; M. Fernández Miranda - M. Ruiz Gálvez, *El depósito de la Ría de Huelva y su contexto cultural*, Oskitania 1 (1980), p. 65-80. ELip

AL-MINA Port situé en Turquie, sur la rive droite de l'estuaire de l'→Oronte, au débouché des routes vers la Syrie intérieure et la Mésopotamie. Les identifications du site avec *Butāmu*, *Poséidion*, *Húdatos Potamoí* et *Butullíon* ne sont pas satisfaisantes. Le site a été fouillé en 1936-1937 par C.L. Woolley qui a identifié dix niveaux, dont le plus ancien date du début du VIIIe s. La découverte de nombreux objets gr. importés a conduit à considérer ce site comme la plaque tournante du commerce gr. en Méditerranée orientale. Selon la catégorie d'objets jugée la plus significative, on a conclu qu'A.-M. avait été contrôlée par des Égéens, des Mycéniens, des →Eubéens ou des Chypriotes; on a aussi proposé d'y voir le siège de l'emprunt de l'→alphabet par les Grecs aux Phéniciens. Mais les produits gr. n'étaient pas toujours transportés par des Grecs, et on n'a pas tenu compte des objets appartenant à la culture des Sémites occidentaux, notamment des Phéniciens. Les objets phén. sont surtout nombreux dans le niveau III (*c.* 430-375), caractérisé par une période de reconstruction, l'introduction d'un monnayage divisionnaire et d'une nouvelle coutume funéraire. Ce niveau correspond à une modification importante dans l'occupation du site, probablement une arrivée massive d'Arwadiens. À l'époque perse, A.-M. était une ville portuaire phén., dépendant sans doute d'→Arwad; cosmopolite comme tous les carrefours commerciaux, elle abritait quelques résidents gr.

Bibl. PECS, p. 43-44; C.L. Woolley, *The Excavations at Al Mina, Sueidia*, JHS 58 (1938), p. 1-30, 133-170; E.S.G. Robinson, *Coins from the Excavations at Al-Mina (1936)*, NC, 5e sér., 17 (1937), p. 183-196; S. Smith, *The Greek Trade at Al Mina*, AJ 22 (1942), p. 87-112; A. Lemaire - F. Bron, *Tessons inscrits provenant des fouilles d'Al-Minah*, ACFP 1, Roma 1983, p. 677-686; J. Elayi, *Al-Mina sur l'Oronte à l'époque perse*, StPhoen 5 (1987), p. 249-266. JEla

ALMUÑÉCAR En pun. *Sks*, gr. *Síksos*, *Seks*, lat. *Sexs*, *Sexi*, fondation phén. du début du VIIIe s. sur la côte méditerranéenne de l'Espagne (fig. 15), faisant suite à des contacts avec les indigènes (Strab. III 5,5). Les plus anciens vestiges de l'établissement phén. — murets d'ardoise locale, céramique à vernis rouge (*Red Slip*), surtout des plats à bord étroit, fragments de coupes indigènes faites à la main — se font jour sur le versant de la colline de San Miguel qui surplombe le lieudit El Majuelo, près de la mer, où se trouvait une usine pun. et rom. de salaison de poissons, et à quelque distance du village indigène du Bronze Final, localisé au sommet de la colline. On relève les traces d'une occupation phén.-pun. continue jusqu'à l'époque rom., notamment dans trois nécropoles. Celle du Cerro de San Cristóbal ("Laurita"), partiellement fouillée en 1962, date de la fin du VIIIe au VIIe s. Elle est constituée de tombes à puits circulaires, creusées dans la roche à 3-4 m de profondeur, avec des niches dans lesquelles on plaçait les urnes contenant les restes incinérés du défunt et le mobilier funéraire composé de ses parures, de plats

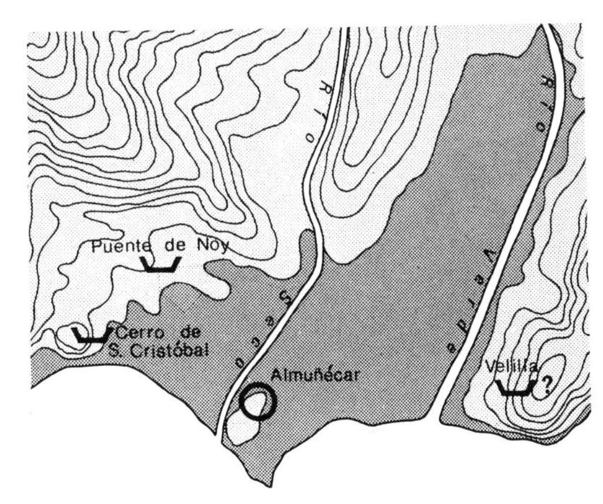

Fig. 15. Localisation des sites antiques d'Almuñécar. Le pointillé sombre indique les terres immergées à l'époque de l'établissement phén.

Fig. 16. Urnes d'albâtre trouvées à Almuñécar dans des sépultures de la fin du VIIIe-VIIe s. av. J.C. Grenade, Musée Archéologique.

et d'œnochoés à vernis rouge, exceptionnellement de deux kotyles protocorinthiens. Les urnes retrouvées sont en →albâtre (fig. 16), quartz ou autre pierre dure, et portent des inscriptions égyptiennes et des cartouches des pharaons Apophis I, Osorkon II, Takelot II et Shéshonq III, et une fois une épigraphe phén. (fig. 210; CIE 06.01; cf. 06.03). À 300 m au N. s'étend la nécropole phén.-pun. de Puente de Noy qui fut en usage depuis la seconde moitié du VIIe s., époque dont datent deux sépultures monumentales, jusqu'au Ier s. av. J.C. Elle a livré jusqu'à présent 170 tombes, dont la plupart consistent en fosses rectangulaires à murs droits, avec des escaliers latéraux creusés dans la roche ou construits en moellons. L'inhumation est ici plus fréquente que l'incinération, qui apparaît toutefois au IIIe s. La troisième nécropole, celle du Cerro Velilla, n'a pas encore été fouillée. Le monnayage d'A., dont on connaît six types, commence à la fin du IIIe s. av. J.C. (fig. 257:10) et se caractérise, au droit, par la tête de l'Héraklès à la léonté et, au revers, par la légende néopun. *m b'l Sks* (fig. 18), une étoile et le croissant avec un petit disque, ainsi que par deux thons, qui soulignent sans doute l'importance économique de la salaison de poissons.

Fig. 17. Amulettes d'Almuñécar (fin du VIIIe-VIIe s. av. J.C.).

Bibl. A. Tovar, *Iberische Landeskunde* II/1, Baden-Baden 1974, p. 81-82; E. Lipiński, OLP 15 (1984), p. 117-131 (bibl.); M. Pellicer, *Sexi fenicia y púnica*, AulaOr 3 (1985), p. 85-107; F. Molina Fajardo, *Almuñécar a la luz de los nuevos hallazgos fenicios*, AulaOr 3 (1985), p. 193-216; id. (éd.), *Almuñécar. Arqueología e historia* III, Maracena 1986; AulaOr 4 (1986), p. 322 (bibl.). FMol

ALPHABET

1 Origine de l'alphabet linéaire Tous les a. actuellement employés proviennent, en fin de compte, de l'ancien a. sémitique. L'état présent de la documentation indique que l'invention de l'a. a eu lieu *c.* 1600 av. J.C. en Canaan, zone d'influence égyptienne, et qu'elle a probablement tiré son inspiration des hiéroglyphes utilisés pour la valeur phonétique de ce qu'ils représentent, non pour leur sens. En effet, parmi ces phonogrammes hiéroglyphiques, on distingue un groupe de 24 signes qui comportent une seule consonne et sont appelés "alphabétiques" (fig. 19). Leur usage était limité, mais on s'en servait pour écrire des mots et des noms propres étrangers, notamment cananéens, p.ex. *k-p-n*, "Byblos", *m-k-t-r*, "Migdal". On connaît au moins trois inscriptions pictographiques "protocananéennes", trouvées à Sichem, Gézer et Lakish, qui témoignent de l'imitation de cet usage égyptien vers 1600. Il ne s'agit toutefois pas d'un emprunt servile, puisque trois innovations cruciales caractérisent la nouvelle écriture:

Fig. 18. Bronze de Sexi à l'effigie d'Héraklès, avec la légende néopun. m b'l Sks, *"des citoyens de Sexi" (Iᵉʳ s. av. J.C.). Coll. privée.*

A *Langue.* Les pictogrammes "protocananéens" ne sont pas un décalque des hiéroglyphes égyptiens et, encore moins, des signes hiératiques. Aussi ne se lisent-ils pas en égyptien, mais en cananéen. P.ex., le pictogramme de la maison ne se nomme pas *per*, comme en égyptien, mais *baytu* ou *bêtu*, en cananéen.

B *Acrophonie.* Chaque pictogramme représente la lettre initiale du mot sémitique désignant l'objet figuré. C'est ce qu'on appelle le principe acrophonique. P.ex., le signe de la maison, *baytu/bêtu*, représentait la lettre *b*. Comme tous les noms sémitiques commencent par une consonne, à l'origine seules les consonnes étaient représentées dans ce système d'écriture.

C *Alphabétisme exclusif.* Le nombre de signes correspondait primitivement au nombre de consonnes qui s'élevait alors à 27 ou 29. C'est ce nombre réduit de signes, apte à fixer par écrit n'importe quel mot et épargnant au scribe l'usage de centaines d'autres signes, qui témoigne d'un raisonnement linguistique nouveau, capable de se détacher complètement de la matérialité des objets.

Le tesson de Gézer, p.ex., porte trois signes aisément identifiables: la paume de la main, en cananéen *kappu*, un aiguillon, *lamdu*, et le plan d'une maison, *baytu/bêtu*, ce qui donne *klb*, c.-à-d. *Kalbu*, "chien", un nom propre bien attesté dans les langues sémitiques. On remarque un début de stylisation des signes un siècle plus tard, dans les inscriptions dites "protosinaïtiques" qu'on date du début du XVᵉ s., bien que Lundin veuille les abaisser jusqu'aux XIIIᵉ-XIIᵉ s. Il s'agit de 45 inscriptions brèves, gravées par des mineurs sémites au Sinaï, principalement à Ṣerābiṭ el-Khadem. Plusieurs inscriptions, dédiées à la déesse égyptienne Hathor, appelée communément "Dame", comportent une séquence de cinq signes représentant l'aiguillon, la maison, l'œil, l'aiguillon et la petite croix, nommée *taw* en sémitique. Il faut donc y lire *lbʿlt*, "à la Dame".

Hiéroglyphe	Trans-littération	Objet représenté
	ʾ	vautour
	i	roseau fleuri
(1) (2)	*y*	(1) roseaux fleuris (2) traits obliques
	ʿ	avant-bras
	w	petite caille
	b	pied
	p	siège cubique
	f	vipère cornue
	m	chouette
	n	filet d'eau
	r	bouche
	h	cour de maison
	ḥ	écheveau de fibres
	ḫ	placenta (?)
	ẖ	pis et queue
(1) (2)	*s*	(1) verrou (2) étoffe pliée
	š	pièce d'eau
	ḳ	pente
	k	corbeille à anse
	g	support de vase
	t	galette de pain
	ṯ	corde, longe
	d	main
	ḏ	serpent

Fig. 19. L'"alphabet" hiéroglyphique égyptien.

2 Alphabet cunéiforme L'utilisation intense de l'akkadien et de l'écriture cunéiforme, tant en Syrie qu'en Palestine, amena les scribes à transposer l'écriture linéaire alphabétique en signes cunéiformes. Cette transposition eut lieu au début du XIVᵉ s. et l'on en trouve des traces tant à →Ugarit qu'au Liban et en Palestine. C'est à Ugarit que l'on a découvert la plupart des textes en cunéiforme alphabétique, notamment des abécédaires (fig. 20), dont l'ordre des lettres est essentiellement le même que celui de l'a. phén. "classique". Ils présentent toutefois plusieurs particularités dont on peut conclure qu'ils représentent une adaptation locale d'un abécédaire plus ancien, constitué de signes linéaires:

A *Nombre de signes.* L'a. ugaritique compte 30 signes, qui notent toute la gamme des gutturales et des interdentales protosémitiques, dont certaines ont disparu dans les dialectes plus tardifs, notamment en phén. qui ne compte que 22 lettres.

B *Vocalisation.* L'a. ugaritique possède trois signes *'aleph*, suivis respectivement des voyelles *a, i, u.* Ces signes servaient à indiquer ces voyelles là même où l'occlusion de la glotte, qui constitue le *'aleph*, ne se faisait plus entendre, ainsi que dans les textes en langue hourrite, parler non sémitique que l'on écrivait également en cunéiforme alphabétique. L'invention de signes destinés à noter les voyelles eut donc lieu dès le XIVᵉ s., en Syrie du Nord, très probablement à Ugarit.

C *Signes complémentaires.* Si le signe cunéiforme indiquant le son *'a* se trouvait au début de l'a., les signes *'i* et *'u* étaient placés à la fin et n'étaient suivis que d'un signe indiquant une sifflante particulière qui n'était guère utilisée en dehors de quelques noms d'emprunt. On peut en conclure que les trois signes

Fig. 20. Abécédaire cunéiforme d'Ugarit, RS 12.63 = KTU 5.6 (XIIIe s. av. J.C.). Damas, Musée National.

Fig. 21. Abécédaire cunéiforme de Beth-Shemesh (c. 1200 av. J.C.). Jérusalem, Musée Rockefeller.

'i, 'u et *ś* ont été ajoutés à Ugarit à un a. préexistant, dont l'ordre des lettres était déjà fermement établi. Cet a. primitif, qui doit remonter au XVe s., comptait ainsi 27 signes.

D *Tracé des signes.* Comme les lettres *b, g, ḥ, w, k, š,* ' de l'a. ugaritique cunéiforme sont très proches, dans leur forme, de la lettre correspondante de l'a. linéaire, l'a. primitif devait être constitué de signes linéaires, dérivés des pictogrammes, puis transposés en cunéiformes avec des adaptations qu'imposait ce mode particulier d'écriture.

À côté de l'a. cunéiforme d'Ugarit, il existait, aux XIIIe-XIIe s., une variante courte de l'a. cunéiforme, attestée par quelques tablettes découvertes notamment à Ugarit même et en Palestine. Cet a., vraisemblablement abrégé, révèle déjà la disparition de certains phonèmes de la langue cananéenne plus ancienne, mais témoigne aussi de l'existence, au XIIIe s., d'un abécédaire différent, dont l'ordre des lettres était essentiellement le même que celui de l'abécédaire sud-arabique.

3 Alphabet sud-arabique C'est une tablette de Beth-Shémesh, près de Jérusalem, qui offre, en cunéiforme, l'abécédaire à peu près complet de l'a. attesté plus tard en Arabie méridionale (fig. 21). L'ordre des lettres y est complètement différent, puisque cet a. commence par les lettres *h, l, ḥ, m,* etc. Le déchiffrement de la tablette de Beth-Shémesh, réalisée en 1987 par A.G. Lundin, marque une étape importante dans l'étude de l'évolution de l'a. Elle prouve que l'a. sud-sémitique et l'a. nord-sémitique ou phén. ont la même origine et proviennent de Canaan. Il y eut cependant, aux XVe-XIVe s., deux "écoles" de scribes qui donnèrent une stylisation différente aux signes issus des pictogrammes et attribuèrent aux lettres de l'a. un ordre différent. La première "école" semble avoir trouvé des adeptes surtout dans la région côtière, ce qui explique son implantation en Phénicie. La seconde eut plus de succès à l'intérieur des terres, comme l'indiquent la tablette de Beth-Shémesh et les brèves inscriptions de →Kamid el-Loz, qui datent pareillement du XIIIe s. et préfigurent les lettres de l'a. sud-arabique.

4 Diffusion et évolution de l'alphabet L'a. cunéiforme disparut de l'usage au cours du XIIe s., tandis que l'a. du type sud-arabique, composé en définitive de 29 lettres, ne fit sa réapparition qu'au VIIIe s., dans l'actuel Yémen, mais on peut désormais être certain qu'il continua à être utilisé dans certaines régions orientales de la Syrie-Palestine avant d'avoir été transplanté en Arabie du S. C'est l'a. linéaire du type court qui se maintint dans les régions côtières de la Méditerranée orientale, mais il est attesté aussi à l'intérieur des terres, notamment par de brèves inscriptions sur pointes de flèches. C'est cet a. de 22 lettres qui devint l'a. phén. "classique". Le tracé de ses lettres connut une forte évolution dans l'→écriture pun. de la Méditerranée occidentale, mais il fut emprunté très tôt en Orient par les Araméens, les Hébreux, les Moabites, les Ammonites et les Édomites, ainsi que par les Phrygiens et les Grecs. Les plus anciennes inscriptions araméennes, hébraïques, moabites et ammonites en caractères phén., actuellement connues, datent du IXe s. et se distinguent des inscriptions phén. par l'attribution, à certains caractères, d'une valeur vocalique, outre que consonantique. Ainsi le *hé*, qui conserve sa valeur de consonne, peut aussi marquer le $\bar{a}$ ou le $\bar{e}$ longs à la fin des mots. Le *wāw* et le *yōd* peuvent être des consonnes ou des diphtongues, mais servent souvent à marquer les voyelles longues $\bar{\imath}$ et $\bar{u}$, plus tard aussi $\bar{o}$, même à l'intérieur d'un mot. En outre, le *'aleph* n'est plus toujours prononcé à la fin d'un mot, surtout dans l'article enclitique *ā'* de l'araméen, et fait ainsi office d'un indicateur de la voyelle *a*. L'invention de signes vocaliques, réalisée à Ugarit au XIVe s., trouve ainsi un complément dans l'écriture phén. utilisée par les Araméens et d'autres peuples ouest-sémitiques.

Les plus anciennes inscriptions alphabétiques gr. ne datent que du milieu ou de la seconde moitié du VIIIe s. et c'est à la même époque que remontent les premières inscriptions paléo-phrygiennes. Il ne fait guère de doute que l'a. paléo-phrygien et les a. archaïques gr. ont une origine commune que l'on doit vraisemblablement chercher dans un proto-a. gr., antérieur au VIIIe s., plutôt que directement phén. On a voulu faire remonter l'emprunt de l'a. phén. par les Grecs jusqu'au XIIe, voire au XVe s., à cause du tracé proto-cananéen de certaines lettres et des variations dans la direction de l'écriture, sinistroverse, dextroverse ou boustrophédon. L'inscription araméenne découverte en 1979 à Tell Fekheryé, en Syrie du N., témoigne cependant de la persistance des formes "proto-cananéennes" jusqu'au milieu du IXe s. et l'on connaît actuellement deux abécédaires boustrophédon du VIIIe s., l'un de Tell Halaf, l'autre de provenance inconnue. On pourrait donc dater du IXe s. les premiers emplois de l'a. phén. par les Grecs, surtout si l'emprunt avait eu lieu en Phénicie du N. ou en Cilicie, où Grecs et Phrygiens avaient aussi la possibilité de voir la disposition boustrophédon des inscriptions néo-hittites et l'utilisation araméenne des caractères phén. pour marquer les voyelles. L'emploi gr.-phrygien des signes vocaliques ' = *a*,

h = *e*, *w* = *u*, *y* = *i* est en effet identique à celui de l'araméen. Les Grecs n'ont donc pas inventé les signes vocaliques. Ils en ont simplement généralisé l'usage, attesté en milieu araméen dès le IXe s., et ils ont ajouté de nouvelles voyelles qu'ils ont indiquées au moyen de caractères phén. qui ne correspondaient à aucun phonème grec: *'* = *o*, *ḥ* = *ē*. Plus tard, ils ont encore ajouté l'*oméga*, créé à partir de l'*omicron*, tout comme ils ont introduit des consonnes complémentaires dont la forme s'inspire de variantes de caractères phén.: c'est ainsi que le *kappa* et le *khi*, le *digamma* et l'*upsilon* proviennent respectivement du *kāf* et du *wāw* phén.
L'a. gr.-sémitique est à l'origine des a. latin, étrusque, cyrillique, copte, des a. épichoriques d'Anatolie ou ibériques d'Espagne. La diffusion de l'a. phén. en Orient s'est effectuée surtout par l'intermédiaire de l'araméen, dont l'écriture se diversifia selon les régions, donnant naissance, notamment, à l'écriture nabatéenne dont dérive directement l'écriture arabe classique. En revanche, c'est de la variante sud-arabique de l'a. sémitique que procède en ligne directe l'a. éthiopien.

Bibl. CAH, III/1², p. 794-833, 989-998 (bibl.); DEB, p. 374-378 (bibl.); EJ, II,674-749; G.R. Driver, *Semitic Writing*, London 1973³; J. Starcky - P. Bordreuil, *Une des plus grandes découvertes de l'humanité: l'invention de l'alphabet*, DossArch 12 (1975), p. 91-106; M. Sznycer, *L'origine de l'alphabet sémitique*, L'espace et la lettre, Paris 1977, p. 79-123; J. Naveh, *Early History of the Alphabet*, Jerusalem 1982; P.K. McCarter, *The Early Diffusion of the Alphabet*, BARead 4 (1983), p. 197-212; B.S.J. Isserlin, *The Antiquity of the Greek Alphabet*, Kadmos 22 (1983), p. 151-163; M. Lejeune, *Sur les abécédaires grecs archaïques*, RPh 57 (1983), p. 8-12; A.G. Lundin, *Decipherment of the Proto-Sinaitic Script*, VDI 163 (1983-1), p. 79-95 (russe); H. Schwerteck, *Gedanken zum Verhältnis der iberischen zur phönizischen Schrift*, Studia A. Tovar, Tübingen 1984, p. 337-347; J. Ryckmans, *L'ordre alphabétique sud-sémitique et ses origines*, Mélanges linguistiques offerts à M. Rodinson, Paris 1985, p. 343-359; A.R. Millard, *The Infancy of the Alphabet*, World Archaeology 17 (1985-86), p. 390-398; É. Puech, *Origine de l'alphabet*, RB 93 (1986), p. 161-213; S.A. Kaufman, *The Pitfalls of Typology: On the Early History of the Alphabet*, HUCA 57 (1986), p. 1-14; J. de Hoz, *Escritura fenicia y escrituras hispánicas. Algunos aspectos de su relación*, AulaOr 4 (1986), p. 73-84; E.A. Knauf, *Haben Aramäer den Griechen das Alphabet vermittelt?*, WO 18 (1987), p. 45-48; M.G. Amadasi Guzzo, *Scritture alfabetiche*, Roma 1987; A.G. Lundin, *Ugaritic Writing and the Origin of the Semitic Consonantal Alphabet*, AulaOr 5 (1987), p. 91-99; id., *L'abécédaire de Bet Shemesh*, Le Muséon 100 (1987), p. 243-251; M. Bernal, *On the Transmission of the Alphabet to the Aegean before 1400 B.C.*, BASOR 267 (1987), p. 1-19; W.C. Watt, *The Byblos Matrix*, JNES 46 (1987), p. 1-14; M. Dietrich - O. Loretz, *Die Keilalphabete*, Münster 1988; E. Lipiński, *Les Phéniciens et l'alphabet*, OA 27 (1988), p. 231-260.
ELip

ALTAVA Cité indigène d'Algérie, à l'emplacement de l'actuel village d'Ouled Mimoun, à 33 km à l'E. de Tlemcen. La population locale semble avoir été composée de Bavares occidentaux, peuple sédentaire dont la punicisation doit remonter au temps des grands royaumes berbères, de Massinissa I à Juba II, mais ne se manifeste qu'au IIIe s. ap. J.C., époque dont datent les plus anciennes inscriptions lat. du site. Des dédicaces à des notables locaux leur attribuent les titres inhabituels de *rex sacrorum* et d'*amator patriae*, parallèles à ceux de *praefectus sacrorum* et d'*amator patriae* que l'on rencontre à →Leptis Magna où ils traduisent les titres pun. de *'dr 'zrm* (Trip 21,3; 24,1/2; 27,2), "préposé aux imprécations" (d'après l'akk. *izru* et l'arabe *'azr* "réprobation") et *mḥb 'rṣ* (Trip 27,2), "amant du pays". Il faut donc admettre, semble-t-il, qu'au IIIe s., à A., subsistaient des fonctions ou, tout au moins, des titres d'origine pun., tout comme ceux de *princeps* et de *prior* d'A. remontent probablement au libyque *gldt*, traduit en pun. par *mmlkt*, "roi" (KAI 101). Dans cette région excentrique, ils furent moins vite supplantés par des titres rom.

Bibl. AAAlg, f^e^ 31 (Tlemcen), n° 68; PECS, p. 44; G. Camps, *Les Bavares, peuple de Maurétanie Césarienne*, RAfr 99 (1955), p. 241-288; J. Marcillet-Jaubert, *Les inscriptions d'Altava*, Aix-en-Provence 1968; Lepelley, *Cités* I, p. 125-128; II, p. 522-534.
ELip

ALTHIBUROS En pun. *'ltbrš*, antique cité de Tunisie, localisée d'une manière certaine à Médéina, sur le haut plateau du Ksour, à 37 km au S.-E. du Kef et à 35 km à l'O. de Maktar. La cité se trouvait donc au-delà de la →*fossa regia*, mais ce secteur limitrophe du pays numide subissait, à l'époque pun., une forte influence, notamment religieuse, de Carthage. Sa richesse agricole et sa situation sur la route de Carthage à →Tébessa ont dû favoriser les contacts. On connaît peu de choses d'A. avant le IIe s. ap. J.C., mais des stèles et des inscriptions pun. et néopun. témoignent de l'existence d'un →*tophet*, de la pratique du sacrifice →*molk* et d'un culte de Baal Hamon, auquel Tanit ne semble pas associée. Un texte néopun. nous fait connaître l'existence, à A. comme à Maktar, d'une association →*mizreh* et de trois →suffètes (KAI 159). A. devint municipe sous Hadrien (CIL VIII 27769; 27775; 27781).

Bibl. AATun II, f^e^ 29 (Ksour), n° 97; PECS, p. 44-45; M. Leglay, *Saturne africain. Monuments* I, Paris 1961, p. 295-296; KAI I, p. 148-150; III, p. 85; Gascou, *Politique municipale*, p. 133-134; M. Ennaïfer, *La cité d'Althiburos et l'édifice des Asclépieia*, Tunis 1976, p. 15-29; Lepelley, *Cités* II, p. 63-64; M. Sznycer, *Une inscription punique d'Althiburos (Henshir Médéina)*, Semitica 32 (1982), p. 57-66.
SLan-ELip

AMANUS En phén. *Ḥmn*, akk. *Ḫamānu*, gr. *Amanôn óros*, lat. *Amanus*, massif montagneux au S.-E. de l'actuelle Turquie, connu déjà au IIIe mill. sous le nom de "Montagne des Cèdres" et, au Moyen Âge, sous celui de "Montagne Noire", que lui méritaient ses forêts. En fait, il convient de parler de deux massifs: le *Kızıl Dağ*, d'une part, et le *Nur Dağları*, d'autre part, soit le véritable A. des Anciens qui s'étend du col de Belen jusqu'au Taurus dans les environs de Maraş, séparant la Syrie de la Cilicie. L'équation A. = ^ḫur.sag^*Amana* des textes cunéiformes est séduisante, mais non démontrée de façon absolue. Certains (E. Laroche, E. von Schuler) identifient l'A. avec la montagne Nanni faisant paire avec *Ḫazzi* = *Casius* = *Ṣāpōn*. Dans tous les cas, au IIe mill., l'A. est une zone de mouvance hourrite. Une Ishtar hourrite (*Šauška*) était particulièrement vénérée sur le mont

Amana et devait y avoir un sanctuaire; une fête des colombes, de la lamentation et de la famille était célébrée en son honneur. Au Ier mill., →Zincirli, à l'E. de l'A., était le site de la capitale d'un royaume araméen, où l'on vénérait →Baal Hamon, et →Hassan-Beyli se trouve sur le versant O. de la montagne, sur la route menant à la vallée du Ceyhan, où →Karatepe fut édifiée. Plus tard, au temps de Strabon (XIV 5,18), Tarkondimotos, roi du mont A., porte un nom en *Tarḫunt*, le dieu de l'orage hittito-louvite.

Bibl. DEB, p. 41; RLA I, p. 92; Abel, *Géographie* I, p. 335-336; H. Gonnet, RHA 26 (1968), p. 116-117. RLeb

AMARNA, TELL EL- Nom moderne d'un site de Moyenne Égypte, sur la rive droite du Nil, à *c.* 300 km au S. du Caire, qui renferme les ruines d'Akhetaten, l'éphémère capitale du pharaon Aménophis IV-Akhenaton (*c.* 1352-1336). Ce site est surtout connu pour la trouvaille fortuite, faite vers 1887, de tablettes cunéiformes dont le nombre s'élève aujourd'hui à 382. Ces tablettes constituent les archives de la chancellerie royale et contiennent, outre quelques textes littéraires et lexicographiques, sans doute destinés à la formation des scribes, 350 lettres adressées aux pharaons Aménophis III, Aménophis IV (la majorité des documents) et Tutankhamon par les principaux souverains de l'époque, ainsi que par les princes des royaumes vassaux de Syrie-Palestine. Ces lettres sont rédigées en akkadien, la langue diplomatique du temps, mais celles qui émanent de Syrie-Palestine trahissent une nette influence ouest-sémitique, en particulier dans les formes verbales. D'autre part, elles sont émaillées de gloses qui donnent l'équivalent ouest-sémitique de mots akkadiens sans doute peu parlants à l'esprit du scribe. Plusieurs lettres proviennent des villes de Phénicie. Un groupe particulièrement important émane de →Byblos dont le roi Rib-Addi ne cesse de demander des secours contre les menaces que font peser sur lui les intrigues d'Abdi-Ashirta, puis de son fils Aziru, qui se taillent un royaume en →Amurru. Le ton de ces lettres n'est pas sans rappeler celui de la littérature sapientiale. D'autres missives émanent d'Ammunira de →Beyrouth, Zimredda de →Sidon, Abimilki de →Tyr et Satatna d'→Akko.

Bibl. DEB, p. 394-395; LÄg I, col. 173-174; VI, col. 309-319; M. Liverani, *Rib-Adda, giusto sofferente*, Altorientalische Forschungen 1 (1973), p. 175-205; W.L. Moran, *Les lettres d'el-Amarna*, Paris 1987. GBun

AMATASHTART En akk. ^f^GEMÉ-*as-ta-ar-ti*, phén. *'mt'štrt* ("Servante d'Astarté"), nom typiquement phén.

1 Surintendante (*šakintu/šakittu*) du palais neuf de Kalḫu (Nimrud) dans la seconde moitié du VIIe s. Vers 625, elle a donné sa fille Ṣubêt, "Gazelle", en mariage au phén. →Milkirâm (2), fils d'Abdi-Azuz, qui peut être l'éponyme assyrien de l'an 656.

2 Correction injustifiée du nom de →Immi-Ashtart.

Bibl. J.N. Postgate, *Fifty Neo-Assyrian Legal Documents*, Warminster 1976, n° 14, p. 103-107; id., *On Some Assyrian Ladies*, Iraq 41 (1979), p. 89-103 (voir p. 97-98); E. Lipiński, *Phéniciens en Assyrie: l'éponyme Milkirâm et la surintendante Amat-Ashtart*, ACFP 2, Roma (sous presse). ELip

AMATHONTE En gr. *Amathoũs*, ville de la côte S. de Chypre, occupée du XIe s. av. au VIIe s. ap. J.C. D'après les rares témoignages anciens dont on dispose, les Amathousiens étaient les descendants des compagnons de Kinyras (FGH 115, fr. 103,3), donc des "autochtones" (Skyl. 103), et les découvertes épigraphiques indiquent en effet que la langue encore inconnue, dite →étéochypriote, est restée langue officielle à A. jusqu'à la fin du IVe s. av. J.C. D'autres indices avaient toutefois fait penser, au siècle dernier, qu'A. était primitivement une ville phén. Les fouilles effectuées depuis 1975 permettent de poser les problèmes dans des termes plus clairs. Alors qu'A. connaît incontestablement une période de grand développement aux VIIIe-VIIe s., le nom de la ville semble être absent de la liste des dix rois chypriotes soumis à Asarhaddon et Assurbanipal: on a cependant tenté de l'identifier avec la →Carthage de Chypre ou, plus récemment, avec →Nuria = Kinyreia. L'hypothèse qui ferait d'A. la "Ville Neuve" pourrait s'appuyer sur la célèbre dédicace adressée vers le milieu du VIIIe s. à →Baal du Liban par un "gouverneur de Carthage, serviteur de Hiram roi des Sidoniens" (KAI 31 = TSSI III, 17), car, même si la provenance précise de l'inscription est contestée, il est très probable qu'elle a été trouvée dans la région de Limassol. En tout cas, la →céramique mise au jour dans la nécropole (→tombes 2 Bc) montre que dès le Xe s., et surtout entre la fin du IXe s. et le début du VIIe, A. entretient des relations avec le monde gr. (Eubée et Athènes) et avec la côte levantine: il y a de grandes chances pour que la richesse en cuivre de l'arrière-pays (Trôodos) soit à l'origine des échanges. La part prise par les Phéniciens dans le développement de la ville trouve peut-être un écho dans les noms sémitiques attribués à certaines divinités: →Adonis ou Adonis-Osiris, Malika assimilé à Héraklès, dont l'éponyme Amathous est aussi donné comme fils. Mais si la grande divinité d'A. est sans doute proche de l'→Astarté phén., elle est nommée "la Chypriote" ou l'"Aphrodite de Chypre" par les inscriptions gr. et "Vénus de Chypre" par une inscription lat. Les documents figurés montrent que l'influence phén. continue à s'exercer aux VIe-Ve s. (fig. 22), et deux →sarcophages (4) anthropoïdes de *c.* 450-400 laissent penser que des Sidoniennes ont été alors mariées à des princes locaux (fig. 282). Toutefois, si A. a évidemment tiré profit de sa fidélité aux Perses lors de la révolte ionienne de 498, l'absence presque totale d'inscriptions phén. (fig. 161) empêche de croire à l'existence d'une importante population sémitique dans la ville aux Ve-IVe s.; les rois que l'on connaît portent d'ailleurs des noms gr. En définitive, quel que soit le rôle qu'y ont joué les Phéniciens au début du Ier mill., A. représente le cas rare et intéressant d'une ville extrêmement ouverte aux cultures étrangères, phén., égyptienne, gr., sans être absorbée par aucune d'entre elles avant le IVe s.: c'est en cela qu'elle est vraiment "étéochypriote".

Bibl. PECS, p. 47-48; *Amathonte* I-IV, Paris 1981-88; A. Hermary, *Amathonte de Chypre et les Phéniciens*,

Fig. 22. Chapiteau hathorique, Amathonte (c. 500-450 av. J.C.). Limassol, Musée Régional.

St. Phoen 5 (1987), p. 375-388 (bibl.); M. Sznycer, *Une inscription phénicienne d'Amathonte*, StPhoen 5 (1987), p. 389-390; *La nécropole d'Amathonte: tombes 113-367* II-III, Paris 1987. AHerm

AMATOSIRI En phén. *'mt'sr* ("Servante d'Osiris"); canéphore (littéralement "porteuse de corbeille [sacrée]") d'Arsinoé II Philadelphe en 255/4, connue par une inscription d'→Idalion (CIS I,93 = KAI 40). Bien que l'élément théophore de l'anthroponyme soit le nom du dieu égyptien →Osiris, l'élément *'amat/'amot*, "servante", et les patronymes prouvent l'ascendance chypro-phén. de la jeune fille qui exerçait cette haute fonction du culte de la reine lagide déifiée. ELip

AMBROSIAI PETRAI Les "roches ambrosies", c.-à-d. divines, sont mentionnées en gr. sur des monnaies tyriennes du IIIe s. ap. J.C., qui les représentent sous la forme de deux stèles, dressées près d'un olivier sacré (fig. 23). Un auteur du Ve s., Nonnos XL 465-500, en fait des roches flottantes qui, une fois stabilisées, servirent de fondations à Tyr. Les a.p. sont parfois identifiées aux stèles consacrées par →Ousôos au feu et au vent (Eus., *P.E.* I 10, 10-11), mais les monnaies les associent soit à Héraklès (→Melqart), dont le temple devait les abriter, soit à Europe, sœur de →Kadmos, qui fut enlevée, selon une légende tardive, par Zeus incarné dans un taureau. Assimilée à →Astarté d'après une tradition rapportée au IIe s. ap. J.C. par Luc., *Syr.* 4, Europe est qualifiée de "prêtresse des a.p." sur une émission impériale de Tyr. L'"urne" qu'elle tient en mains pourrait être un réceptacle d'eau fécondante, qui serait aussi celle qui sourd au pied des a.p. figurées sur les monnaies.

Bibl. R. Mouterde, *Europe, prêtresse des roches ambrosiennes*, MUSJ 25 (1942-43), p. 77-79; E. Will, *Au sanctuaire d'Héraclès à Tyr*, Berytus 10 (1952-53), p. 1-8; W. Bühler, *Europa*, München 1968; B. Servais-Soyez, StPhoen 1-2 (1983), p. 100-103; P. Naster, Ambrosiai Petrai *dans les textes et sur les monnaies de Tyr*, StPhoen 4 (1986), p. 361-371; Bonnet, *Melqart*, p. 100-103. CBon-ELip

Fig. 23. Bronze tyrien de Gordien III (238-244) avec la représentation des "Ambroisiai Petrai". Londres, British Museum.

AMMAN *'Ammān*, la capitale de la Jordanie, occupe l'emplacement de la *Philadélpheia* hellénistique et de la *Rabbat* des Ammonites, dont le territoire s'étendait au Fer II du *Wādi Zarqa* (Yabboq), au N., au *Wādi Mūǧib* (Arnon), au S. Bien que A. fût située au croisement de grandes voies de commerce et sur la route des aromates (cf. ostracon IV d'Heshbon), que Tyr importait selon *Ez.* 27,22, les vestiges phén. dans le pays sont minimes: une inscription du VIIe s. incisée sur une cruche de *Tell es-Sa'idīye*, à *c.* 50 km au N.-O. d'A. (RSF 10 [1982], p. 10-11), un sceau ammonite du VIIe-VIe s. dédié à *'Ašt(art)* "dans Sidon" (Bordreuil, *Catalogue* 80), une monnaie tyrienne à *Ḫirbet el-Haǧǧār*, à moins de 10 km au S.-O. d'A. (BA 50 [1987], p. 101-104). C'est à l'époque hellénistique que doit remonter l'influence religieuse de Tyr, dont l'Héraklès semble s'être superposé à Milkom, le dieu poliade d'A. Une inscription gr. mentionne, semble-t-il, le "ressusciteur d'Héraklès" (IGLS XXI/2, 29), évoquant le rite de l'*égersis* de →Melqart, et les monnaies rom. représentent Héraklès ou le "char d'Héraklès", *Hērákleion hárma*, comme le nomme la légende gr. Sous Marc-Aurèle (161-180), son temple et sa statue gigantesque dominaient la cité de l'angle S.-E. de la citadelle. Astéria figure également sur les monnaies d'A. (→Astarté).

Bibl. DEB, p. 45-48 (bibl.); PECS, p. 703-704; TRE II, p. 455-463 (bibl.); D. Homès-Fredericq - J.B. Hennessy, *The Archaeology of Jordan I. Bibliography*, Bruxelles 1986; D. Homès-Fredericq, *Possible Phoenician Influences in Jordan in the Iron Age*, SHAJ 3 (1987), p. 89-96. FIsr-ELip

AMMIYA En akk. *Am-mi-ia*, ville de l'antique Liban, mentionnée dans les documents d'→Alalakh (AIT 166,19; 181,2), notamment dans l'Autobiographie d'Idrimi qui la situe en →Canaan (1. 20: ANET, p. 557b; TPOA, p. 43), et souvent dans la correspondance d'el-Amarna (EA 73,27; 74,25; 75,33; 81,13; 88,7; 95,45; 139,14; 140,11). Elle est distincte d'Ampi, l'actuelle Enfé (→Ampa), et probablement identique à la bourgade d'Amyūn, à 14 km au S. de →Tripolis, entre Kūsbā (→Kaspuna) et la côte. Les documents du Ier mill. ne la mentionnent pas. ELip

AMON En ég. *'Imn*, phén. *'mn*, hb. *'Amōn*, akk. *Amānu/Amūnu*, gr. *Ammōn*; dieu local de Thèbes, en Haute-Égypte, devenu au Nouvel Empire le dieu suprême de l'Égypte et assimilé, sous le nom d'A.-Rê, au dieu solaire Rê. Son animal sacré était le bélier. A. fut aussi le grand dieu de la XXIe dynastie ég. (*c.* 1070-945) dont le règne, à Tanis dans le Delta oriental, coïncide avec les plus anciennes attestations du culte d'A. en Phénicie (→Wenamon). Le bol de →Tekké (Xe s.) lui est dédié et l'élément théophore A. apparaît dans l'onomastique phén., tout comme Rê est attesté plus tard dans des noms mentionnés dans des inscriptions carth. (*'bdr', R'mlk*) mais portés, au moins dans certains cas (CIS I, 3778; 5789), par des ancêtres de Phéniciens originaires d'→Égypte (*Mṣry, Mṣrt*). Des →scarabées gravés du nom d'A.-Rê se retrouvent dans des sites phén.-pun. À la Basse Époque et à la période gr.-rom., le sanctuaire de →Zeus Ammon dans l'oasis de Siwa jouit d'une renommée internationale.

Bibl. DEB, p. 48-49; LÄg I, col. 237-248; LIMC I/1, p. 666-689; I/2, p. 534-554; WM I/1, p. 331-333; A. Lemaire, *Divinités égyptiennes dans l'onomastique phénicienne*, StPhoen 4 (1986), p. 87-98. ELip

AMPA En akk. *Am-pa*, nom de lieu probablement identique à l'Ampi des lettres d'el →Amarna et à l'actuelle Enfé, au S.-O. de Tripolis (Liban). A. appartenait au début du VIIe s. au grand royaume sidonien et fut annexée par Asarhaddon en 677/6 (AfO, Beih. 9, p. 48, col. III,4).

Bibl. Forrer, *Provinzeinteilung*, p. 65; Wild, *Ortsnamen*, p. 63-64. ELip

AMPURIAS En gr. *Empórion*, lat. *Emporiae*, cité gr. fondée par les →Phocéens *c.* 600 av. J.C. sur la côte N. de Catalogne. L'établissement primitif se situait sur l'îlot San Martín, connu plus tard sous le nom de *Palaiápolis*; la *Neápolis* surgit peu de temps après sur un promontoire, près d'un excellent port naturel à l'embouchure de la Fluviá et dans le voisinage de villages ibériques (Strab. III 4,8; Liv. XXVI 19; XXXIV 9). Au VIe s., A. relevait de l'orbite commerciale de Marseille, mais elle se lança au Ve s. dans une politique commerciale indépendante qui lui permit de dominer le marché espagnol de la céramique attique de luxe. Elle frappa sa propre monnaie et exerça une profonde influence hellénisante sur les Ibères du N.-E. de la péninsule. Aux IIIe-IIe s., elle maintint des relations commerciales avec →Carthage et →Ibiza (cf. CIE 05.04). Après le débarquement rom. à A. en 218 av. J.C., la ville devint un avant-poste de la politique rom. en Espagne.

Bibl. KlP II, col. 262-263; PECS, p. 303; M. Almagro, *Las fuentes escritas referentes a Ampurias*, Barcelona 1951; J.-P. Morel, *L'expansion phocéenne en Occident*, BCH 99 (1975), p. 853-896. MEAub

AMRIT Le site de l'actuelle *'Amrīt*, la *Marathos* des Grecs, en phén. *Mrt*, à 5 km au S. de →Tartous, était déjà habité à l'âge du Bronze. Mentionnée peut-être sous le nom de *Krt-Mrt* dans une liste de Thoutmès III, A. constituait la principale ville phén. de la Pérée d'→Arwad lors de l'arrivée d'Alexandre le Grand. Ses ruines, en particulier ses monuments rupestres, attestent sa splendeur à l'époque perse, du VIe au IVe s. av. J.C., quand l'art phén. intègre les traditions stylistiques égyptiennes, assyriennes, perses, puis gr. Près du tell, qui abrite les ruines de l'ancien habitat, se trouve le fameux →sanctuaire (1) rupestre, appelé en arabe *Ma'ābid* (pl. Ic). Son naos monumental de 3,5 × 3,8 m s'élève au milieu d'un lac artificiel de 47 × 39 m, entouré de galeries accessibles au N. par un portique (fig. 280). Au cours des travaux de restauration de ce monument, que l'on date du IVe s. av. J.C., on a découvert une →*favissa* contenant des ex-voto, surtout des statuettes, ainsi que deux dédicaces phén. des VIe-Ve s. qui paraissent témoigner d'un culte rendu en ce lieu au dieu →Eshmun. Au S. du tell s'étend la nécropole dont les tombes, creusées dans le roc, ont livré des →sarcophages (4) anthropoïdes en marbre (PhMM 9-10) et en terre cuite (pl. XIVb). Elles sont parfois surmontées de tours rondes ou carrées, coiffées éventuellement d'un dôme ou d'une pyramide. Les plus connus sont les *Maǧāzil*, en arabe "Fuseaux", deux tours cylindriques avec une chambre funéraire souterraine, accessible par une sorte de couloir à escalier (pl. Id). Un des *Maǧāzil* se dresse sur une base cubique, l'autre a un soubassement cylindrique, flanqué de quatre lions à mi-corps. Au S.-E. de ces tours funéraires s'élève le *Burǧ al-Bazzāqa*, la "Tour du Limaçon", dont la masse cubique abrite une chambre sépulcrale. On attribue ces monuments au IVe s., tandis que le stade creusé dans le roc, au N. du tell, et le grand hypogée découvert en 1976 à l'E. des *Maǧāzil* doivent dater du IIIe s. En revanche, c'est sans doute au VIe s. que remonte la fameuse stèle dite d'A., haute de 1,8 m et dédiée au dieu →Shadrapha (RÉS 234 = 1601; *Au pays de Baal et d'Astarté*, Paris 1983, n° 255). Sur deux piles de boules, représentant un terrain montagneux à la mode assyrienne, un dieu imberbe, vêtu à l'égyptienne d'un manteau arrondi, tombant à l'arrière jusqu'aux chevilles, et portant une couronne égyptienne dont jaillit un *uraeus*, se tient debout sur un lion, à la façon hittite, empoigne de la main gauche un lionceau et brandit une arme recourbée. Ce bas-relief ne reflète pas encore l'influence gr. À l'époque hellénistique, A. se dégage de l'emprise d'Arwad qui, en 148, tente vainement de reconquérir son ancienne colonie. Les monnaies d'A. portent un bouclier macédonien, ce qui signifie sans doute que la ville avait le statut de cité militaire. A. déclina au profit d'Antarados (Tartous) à l'époque rom.

Bibl. BRL², p. 105-107; E. Renan, *Mission de Phénicie*, Paris 1864-74; *BMC. Phoenicia*, p. XL-XLV, 119-125; E. Will, *La tour funéraire de la Syrie et les monuments apparentés*, Syria, 25 (1949), p. 258-312; J.-P. Rey-Coquais, *Arados et sa Pérée*, Paris 1974; M. Dunand-N. Saliby, *Le temple d'Amrith*, Paris 1985; P. Bordreuil, *Le dieu Eshmoun dans la région d'Amrit*, StPhoen 3 (1985), p. 221-230; É. Puech, *Les inscriptions phéniciennes d'Amrit et les dieux guérisseurs du sanctuaire*, Syria 63 (1986), p. 327-342; E. Gubel, Syria 66 (1989), *Baalim* V,4. PLer-ELip

AMULETTES Répandues en Orient comme en Occident, et attestées surtout dans les tombes d'enfants et de femmes, les a. se laissent regrouper en plusieurs catégories. Sur le plan typologique, les créations phén. et pun., telles que les figurines nues, les masques, les vases, le "signe de Tanit", les cippes, ne forment qu'une minorité. La plupart des a., représentant *c.* 60 types différents, se rattachent en effet à des prototypes égyptiens (pl. Ia; fig. 24). La matière et le style s'avèrent les paramètres les plus fiables pour distinguer la production locale des importations égyptiennes. En se basant sur ces critères, Hölbl distingue *a)* les importations égyptiennes caractérisées par une gamme de glaçures résistantes et *b)* des a. de fine faïence molle, de couleur jaune vive. L'origine phén. de ce dernier groupe, ainsi que *c)* des a. en stéatite, est maintenant établie, mais il est hasardeux de vouloir distinguer les exemplaires phén. et pun. Ce problème ne se pose guère pour *d)* un quatrième groupe d'a. pun., à faïence semivitreuse, où l'on note en plus une géométrisation des formes. Quant aux sujets traités, l'œil *oudjat* et l'*uraeus*, →Bès, Ptah →patèque (pl. Ib; fig. 267), →Isis nourrissant →Harpocrate (pl. Ia), le faucon et →Horus hiérakocéphale comptent parmi les a. les plus populaires. D'autres →divinités égyptiennes, ainsi que des animaux-attributs, des symboles hiérarchiques ou religieux, complètent la liste (fig. 17, 24),

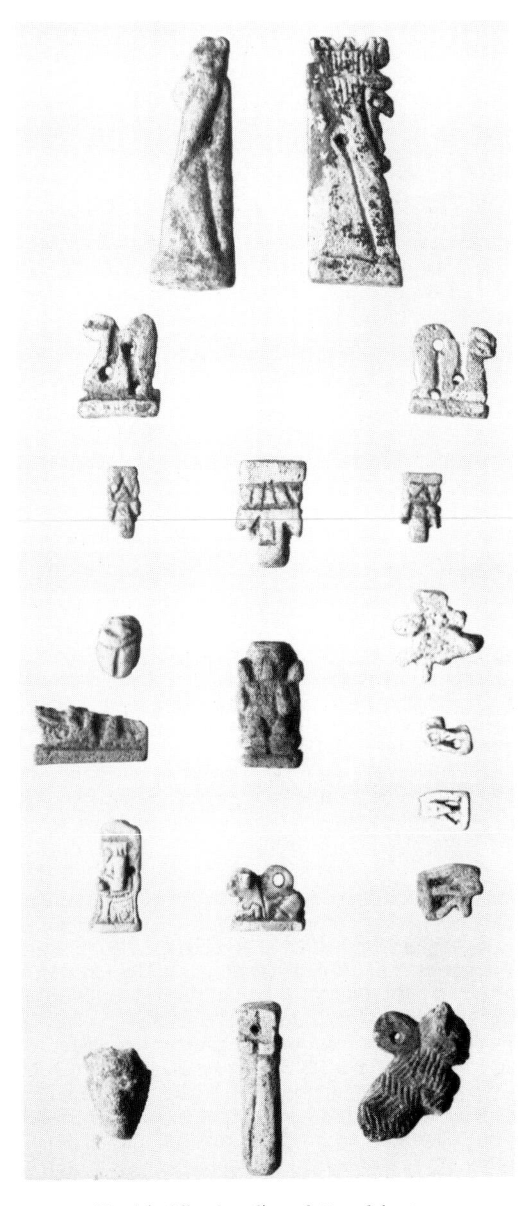

Fig. 24. Sélection d'amulettes phén.-pun. (VIIe-IVe s. av. J.C.). Bruxelles, Musées Royaux d'Art et d'Histoire.

à laquelle il faut ajouter les éléments floraux, des parties du corps humain, etc. Abstraction faite des motifs décoratifs des stèles, reliefs, ivoires et surtout des sceaux, la fonction apotropaïque des a. et leur rôle dans le processus de la fécondité ne font pas de doute.

Bibl. E. Acquaro, *Amuleti egiziani ed egittizzanti del Museo Nazionale di Cagliari*, Roma 1977; Hölbl, *Kulturgut*, p. 79-163; J.H. Fernández - J.P. Padró, *Amuletos de tipo egipcio del Museo Arqueológico de Ibiza*, Ibiza 1986. EGub

AMURRU Région située à l'O. de l'Euphrate et correspondant approximativement aux steppes de la Syrie centrale. À l'époque d'el-Amarna, il existait un royaume d'A. qui touchait à la Méditerranée au S. d'Ugarit et exerçait une pression constante sur les cités phén., notamment sur Byblos. Après les bouleversements qui marquèrent le début du XIIe s., Téglat-Phalasar I (1114-1076) donne le nom d'A. à l'ensemble de la Syrie, jusqu'à la Méditerranée qu'il qualifie de "Grande Mer qui est au pays d'A.", et il précise que Sumur aussi bien que →Palmyre se trouvent en A. (ANET, p. 275; TPOA, p. 71-72). Cet emploi du terme A. resta en usage chez les Assyriens jusqu'au VIIe s. L'inscription de "Zakarbaal, roi d'Amurru", gravée au XIe s. sur une pointe de →flèche acquise à Beyrouth (fig. 139), indique toutefois qu'un royaume d'A. existait au moins jusqu'au XIe s. Rien ne permet d'identifier ce roi à →Sakarbaal de Byblos, mentionné dans le récit de →Wenamon, et l'on pourrait penser, à titre d'hypothèse, à un souverain de Sumur, très probablement l'actuel Tell →Kazel.

Bibl. DEB, p. 49; RLA VII, p. 438-440; G. Kestemont, *Le Nahr el-Kebir et le pays d'Amurru*, Berytus 20 (1971), p. 47-55; J. Starcky, *La flèche de Zakarba'al, roi d'Amurru*, Archéologie au Levant. Recueil R. Saidah, Lyon 1982, p. 179-186. ELip

AMYKLAIOS Épithète de l'Apollon d'Amyclées, vénéré d'abord à Sparte, puis à Gortyne, en Crète, enfin à →Idalion, à Chypre, à partir du début du IVe s. C'est là qu'il fut identifié à →Resheph, qui reçut la même épithète.

Bibl. PECS, p. 52-53; →Mikal. ELip

ANAT En akk. *(Ḫ)anat*, en ugar. et phén. *'nt*; déesse ouest-sémitique dont l'apparition coïncide avec celle des clans amorites, vers 2000 av. J.C. Son nom est identique à celui de la ville de *'Ana(t)*, en akk. *(Ḫ)anat*, sur le Moyen-Euphrate, et il est lié à celui de la tribu de *'Anāh* (KAI 202 = TSSI II,5 A 2), en akk. *Ḫana*, attestée aux IIe et Ier mill. Dans la littérature d'→Ugarit, A. est la parèdre de →Baal, le dieu de l'orage, et elle est censée amasser les nuées et répandre la rosée, ce qui permettrait de rattacher son nom à la racine *'an*, dont dérive le substantif *'anān*, "nuage". Le culte d'A. était répandu au IIe mill. dans de vastes régions de la Syro-Palestine, également en Égypte, et il persista jusqu'à l'époque hellénistique dans certains milieux phén., apparemment restreints. Après le début du VIIe s., en effet, la déesse n'est vénérée avec certitude qu'à Chypre, à Idalion (RÉS 453; 1210) et à →Lapéthos, où elle était assimilée à Athéna et portait l'épithète "refuge des vivants" (*m'z ḥym*: KAI 42), et en Égypte (→Isis); l'élément théophore *'nt* apparaît encore dans de rares anthroponymes de Carthage et d'Hadrumète (Benz, *Names*, p. 382). Les autres attestations présumées du culte d'A. ne sont pas assurées: l'Anat →Béthel du traité de →Baal I de Tyr et d'Éléphantine (AP 22,125), l'Anat-Yahvé d'Éléphantine (AP 44,3) et l'Anatram de Délos (ID 2314) peuvent être des avatars d'A. aussi bien que des hypostases de l'"office divin" de Béthel, Yahvé ou Ra(')m, à l'instar de l'aram. *'wnt' dy Bl*, "office divin de Bēl", à Palmyre (RTP 37). En revanche, le nom d'A., contracté en *'t'* (*'Attā'* < *'Antā'* < *'Anat*), est entré dans la composition du théonyme Atargatis (en aram. *'tr't'/h*), la grande déesse syrienne de l'époque hellénistique et rom.

Bibl. DEB, p. 55-56; LÄg I, col. 253-258; RLA I, p. 104-105; IV, p. 74-76; WM I/1, p. 235-241. ELip

ANATOLIE L'A. de l'époque phén., particulièrement de la première moitié du Ier mill. av. J.C., se présente comme une mosaïque de peuples et de cultures. Le puissant royaume de l'Urartu domine le N.-E. de la région et diverses principautés néo-hittites se partagent le S.-E. du pays et le N. de la Syro-Mésopotamie, notamment le royaume de Karkémish sur le Moyen-Euphrate et celui d'Adana en →Cilicie. Au centre de l'A. se développe le royaume phrygien de Midas, tandis que l'O. est occupé par les Lydiens et les nombreuses cités gr. de la côte occidentale de l'A. Les plus anciennes traces de l'expansion commerciale et culturelle des Phéniciens dans cette vaste région remontent au IXe s. On trouve alors un prince du nom de →Gérdadi (1) sur le trône d'Aššа; le tribut de Sangara de Karkémish à Assurnasirpal II (ANET, p. 275b) et du royaume de Patina à Salmanasar III (ARAB I, 601) comprend, entre autres, des objets d'ivoire et de la pourpre, signe d'échanges commerciaux avec les Phéniciens. La céramique phén. fait son apparition à Tarse, où l'on soulignera aussi la présence d'Héraklès; le roi →Kilamuwa de →Zincirli fait rédiger son inscription commémorative en phén. (KAI 24 = TSSI III,13) et, au VIIIe s., le phén. est employé avec les pseudo-hiéroglyphes louvites à →Karatepe et à →İvriz, tandis que Yariris de Karkémish mentionne "l'écriture tyrienne" aussitôt après le louvite local parmi les douze langues qu'il se targue de connaître. Des sceaux à légende phén. apparaissent en Cilicie et le roi d'Adana fait graver une inscription en phén. à →Hassan-Beyli. Par ailleurs, la création de l'→alphabet phrygien, dérivé du phén., est assignable au plus tard à la première moitié du VIIIe s. L'expansion commerciale phén. se reflète dans l'ivoire et la pourpre offerts en tribut par Mutallu de Kummuḫ (Commagène) à Sargon II (ARAB II, 45), dans la pourpre du pays de Musasir, situé au S.-E. du lac de Van (ARAB II, 172), dans les transactions de marchands, tel Daganmilki actif à l'E. de l'Euphrate, où un prince →Gérdadi (2) règne alors dans la région de Harran. L'inscription phén. de →Cebelireis Dağı, à 15 km à l'E. d'Alanya, doit dater du VIIe s., période à laquelle remonte le trafic anatolien de Tyr évoqué dans *Ez.* 27,13-14 et 23, où référence est faite à →Kulmer. Au VIe s., on trouve à Éphèse une statuette phén. en ivoire, qui représente une femme debout, supportant ses seins, ainsi qu'une plaquette en os incisée en un style phén. artisanal. L'ancienneté et les particularités du culte de l'Héraklès tyrien à Érythrées, selon Paus. VII 5,5-8, méritent également d'être relevées ici. C'est au Ve s. qu'apparaissent les premiers témoignages de l'écriture sidétique, qui pourrait dériver, pour l'essentiel, d'un emprunt direct à l'→alphabet phén. Aux Ve-IVe s., Xén., *An.* I 4,6 et Skyl. 102 mentionnent la colonie phén. de →Myriandos et un fragment d'inscription phén. se fait jour à Karkémish, dans le temple de Kubaba (KAI 28). Enfin, les sarcophages à reliefs de Lycie s'inspirent de modèles de style sidonien, dont le →sarcophage "Lycien" de la nécropole royale de Sidon est le prototype (fig. 41).

Bibl. CAH III/1[2], p. 314-441, 941-955; C. Brixhe, *L'alphabet épichorique de Sidé*, Kadmos 8 (1969), p. 54-84; C. Brixhe - M. Lejeune, *Corpus des inscriptions paléophrygiennes*, Paris 1984, p. 279-282; B. Schmidt-Dounas, *Der Lykische Sarkophag aus Sidon*, Tübingen 1985, p. 42-60; A. Bammer, *Spuren der Phöniker im Artemision von Ephesos*, AnSt 35 (1985), p. 103-108; E. Lipiński, *Phoenicians in Anatolia and Assyria: 9th-6th Centuries B.C.*, OLP 16 (1985), p. 81-90; E. Akurgal, *Griechische und römische Kunst in der Türkei*, München 1987, pl. 68a; R. Lebrun, *L'Anatolie et le monde phénicien du Xe au IVe siècle av. J.-C.*, StPhoen 5 (1987), p. 23-33; Bonnet, *Melqart*, p. 153-157, 383-386. ELip

ANCRES Leur intérêt réside dans la variété de leurs formes, révélatrices de leur pays d'origine. Retrouvées en mer, les a. sont donc des indices de la "nationalité" des →navires de l'Antiquité et des routes maritimes qu'ils suivaient. La datation et la typologie des a. de l'âge du Bronze reposent surtout sur les ex-voto déposés dans des sanctuaires ou des tombeaux, p.ex. à Ugarit, Byblos, Kition, où elles symbolisent la richesse de la mer ou la sauvegarde des marins, dont le salut pouvait dépendre des a. Les hauts-fonds où, le vent changeant, les bateaux munis d'une voilure carrée primitive étaient contraints à stopper et, très souvent, à abandonner leurs a., ainsi que les côtes sans abri, telle la côte palestinienne, sont jalonnées d'a. Par contre, rares sont les →épaves qui les ont conservées, — celle d'→Ulu Burun faisant exception, — puisqu'on jetait les a. au moment du danger. À l'âge du Bronze, l'a. consistait en une pierre munie d'un trou d'attache pour la corde. Bientôt des cavités supplémentaires sont percées dans la partie inférieure afin de recevoir des bâtons. Ceux-ci s'accrochaient mieux au fond plat, mais sur un fond rocheux, ils risquaient de coincer l'a., ce qui explique la coexistence des deux types. Le critère du poids est décisif pour dater les a. à l'âge du Bronze. Vu l'usage moderne de petites a. en pierre, mieux vaut refuser comme antique, sauf contexte contraignant, une a. en pierre de moins de *c.* 50 kg, poids qu'un seul homme peut soulever. À l'âge du Bronze, la gamme de poids, au sein d'une même "famille", varie de moins de 1 kg à plus d'une tonne, selon l'emploi de l'a. (p.ex. pour ancrer l'outillage de pêche) et la nature des embarcations. L'âge du Fer apporta l'idée de l'a. "moderne": une barre de pierre ou "jas" lestait le haut d'un barreau de bois dont l'extrémité se terminait par un ou deux crochets pointus ou "bras". Le jas était attaché à l'opposé des bras pour assurer qu'une pointe puisse s'accrocher au fond. Subitement, au VIe s. av. J.C., le plomb supplante la pierre, donnant des jas plus robustes et plus lourds (fig. 25). Malgré le grand nombre récupéré par des plongeurs, ces derniers restent en général mal datés, sauf s'ils portent des estampilles, des inscriptions religieuses ou des monogrammes (p.ex. CIE 13.01). Ainsi, seule la décoration en forme de murex confirme l'emploi probable de ces jas par les bateaux pun., dont doit provenir le jas de *c.* 2 m de long, décelé par G. Kapitän au large de Filicudi, une des îles Éoliennes. Les jas sont absents sur terre, sans doute par suite du remploi du plomb. L'a. en fer avec chaîne n'apparaît qu'au Ier s. ap. J.C. dans des contextes rom.

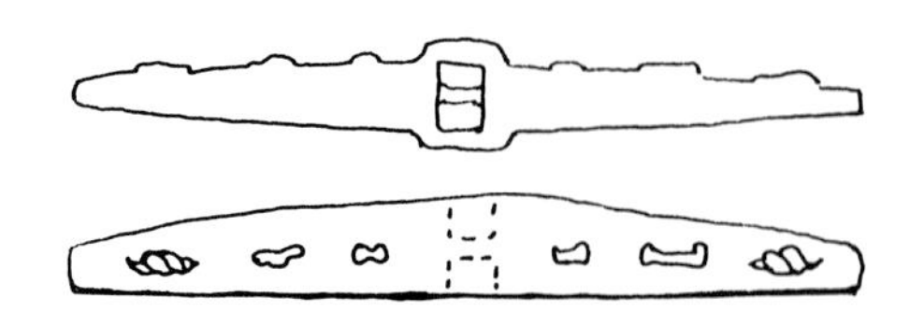

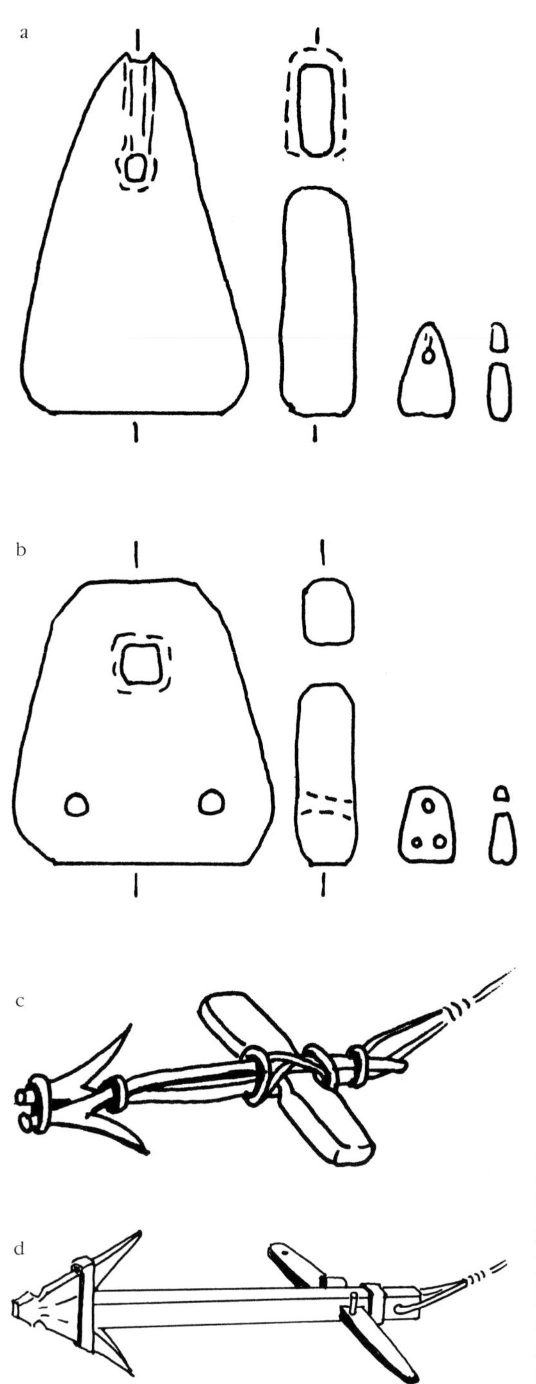

Fig. 25. Ancres phén.-pun.: a) forme typique de Byblos (Temple aux Obélisques), courante du XIXe au XVIe s., 6 à 150 kg; b) forme typique de Chypre (Kition), courante au XIIIe s., 6 à 150 kg; c) jas en pierre, gamme de poids de c. 20 à plus de 100 kg; d) jas en plomb détachable, long de c. 1,30 m, de type associé avec des amarrages utilisés par la flotte militaire pun.; e) jas en plomb de bateau marchand, de type quasi universel en Méditerranée dans la seconde moitié du Ier mill. av. J.C.

Bibl. H. Frost, *The Stone Anchors of Byblos*, MUSJ 45 (1969), p. 423-442; ead., *The Stone Anchors of Ugarit*, Ugaritica VI, Paris 1969, p. 235-245; ead. *The Kition Anchors*, in *Excavations at Kition* V/l, Nicosia 1985, p. 281-321; P. Chauvin - J. Yoyotte, RArch 1986-1, p. 59-61; H. Frost, *The Stone Anchors of Ugarit, Revised and Compared* (en préparation).

HFrost

ANDALOUSES, LES Le site des A. occupe le littoral d'une plaine côtière fertile, à 30 km à l'O. d'→Oran, de part et d'autre de l'oued Sidi Hamadi. Les fouilles ont permis d'y explorer deux →nécropoles (2) et d'identifier, entre les deux, une cité qui pourrait avoir été, à l'époque rom., les *Castra Puerorum* de l'*It. Ant.* et, au IVe s. av. J.C., l'escale d'Arylon ou de Mes de Skyl. 111, villes que le périple situe à l'E. de →Siga et dont les noms ne sont pas gr. La nécropole de l'E., remarquable par la coexistence de divers types de rites et de structures funéraires (→tombes 2), contient des →mobiliers datables entre la fin du IVe s. et le IIe s., où prédominent les influences →ibériques. À l'O. du site, des tumuli ont livré un matériel pun. qui peut remonter au VIe s. av. J.C. Entre les deux gisements funéraires, les ruines de la ville d'époque pun. couvrent environ 3 ha sur une éminence bordant la falaise. L'→architecture domestique (2A) en apparaît assez grossière, avec des maisons de plan rectangulaire, bâties sans fondations en parpaings de tuf liés à la terre. Les sols sont en terre battue, séparés du roc par un lit de sable. L'usage de la fenêtre était connu, puisqu'une pièce était dotée d'une ouverture de 30 cm de large, percée à un mètre du sol. Il convient de souligner qu'il s'agit d'un habitat dans un milieu où le substrat indigène devait être très vivant. La présence de poteries tournées carth. ou de céramiques ibériques n'implique donc pas forcément une origine pun. ou ibérique de leurs utilisateurs. Même le dédicant de la stèle à fronton triangulaire et à bas-relief avec scène d'offrande, trouvée sur le site et munie d'une brève inscription néopun., porte un nom qui est certainement libyque. On a reconnu aux A. la présence de teintureries grâce aux coquillages de murex relevés au cours des fouilles, mais difficilement datables. Le site a livré aussi des monnaies numides et maurétaniennes (→numismatique 5), notamment de →Vermina avec légende pun., ainsi que des graffiti, dont un (néo)pun. sur un vase de céramique campanienne B.

Bibl. G. Vuillemot, *Reconnaissances aux échelles puniques d'Oranie*, Autun 1965, p. 24-26, 156-308. SLan-ELip

ANDALOUSIE Région du S. de l'Espagne, d'une superficie de 87.271 km^2, qui correspond à la Bétique (*Baetica*) de l'époque rom. et comprend les provinces actuelles de Jaén, Cordoue, →Séville, →Huelva, Cadix (→Gadès), →Málaga, Grenade et Almería. Son nom provient de l'arabe *al-Andalus*, qui désignait toute la Péninsule Ibérique et qu'on a mis en rapport avec le nom des Vandales (*al-Andališ*), qui auraient dénommé la Bétique *Vandalicia*, quand ils traversèrent l'Espagne au Ve s. avant d'envahir l'Afrique du N. Les richesses naturelles de l'A. et sa position stratégique en firent une terre convoitée par les peuples de l'Antiquité, colonisateurs ou conquérants.

1 Basse Andalousie L'O. de l'A., appelé Basse A., avec les provinces de Cordoue, Séville, Huelva et Cadix, est marqué par la grande dépression du Guadalquivir, l'antique Bétis, qui donna son nom à la Bétique et fut parfois appelé Tartessos. Il se jette dans l'Atlantique et sa vallée, très fertile et riche en pâturages, constituait aussi la principale voie de communication du S. de l'Espagne. Au N., elle est séparée de la Meseta et de l'Estrémadure par la Sierra Morena, dont les versants S. abondent en minerais de cuivre et de plomb argentifère, au point que les →mines des provinces de Huelva et de Séville comptèrent dans l'Antiquité parmi les principales productrices d'or et d'argent. Les Phéniciens furent les premiers à exploiter ce potentiel de l'A. à une échelle industrielle, comme le montrent les vestiges de la →métallurgie antique de Riotinto ou d'Aznalcóllar, qui employait de la main d'œuvre indigène. La Basse A. était habitée alors par les Tartessiens ou Turdules (→Tarshish), qui devinrent très prospères grâce à la richesse du pays et dont la civilisation, la plus évoluée d'Ibérie, remontait à l'âge du Bronze. Leurs rapports avec les Phéniciens, aux VIIIe-VIe s., favorisèrent le développement de leur culture et de leur organisation politique. C'est l'établissement phén. de Gadès qui, tout en contrôlant les débouchés de l'arrière-pays tartessien et en drainant ses richesses, stimulait l'activité économique de la région et le développement de sa culture matérielle, marquée dans l'art par le style dit →orientalisant. Les principales cités tartessiennes se trouvaient dans la vallée du Guadalquivir, — ainsi Mesas de Asta, Lebrija, →Carambolo, Cerro Macareno, Quemados —, ou sur ses affluents que longeaient les voies de transhumance du bétail, — comme →Carmona, Setefilla, Osuna —, ou encore dans le voisinage des mines, — ainsi Huelva, Cerro Salomón. La répartition des localités indigènes indique toutefois que les Tartessiens maintenaient le contrôle de leur territoire et des voies d'accès aux sources de leur richesse. La densité du peuplement indigène était forte et les communautés, bien organisées, groupées en agglomérations anciennes, se caractérisaient par une structure sociale très hiérarchisée et étaient ouvertes aux stimulants économiques et culturels qui venaient du monde phén.-pun. On connaît également des localités tartessiennes sur le littoral atlantique, — à →Ébora, Huelva, — ce qui explique la rareté des établissements phén., réduits en fait à un seul, celui de Gadès, situé prudemment sur une île, au large de la côte. L'intérêt porté à ce territoire et à ses richesses économiques se manifesta plus tard par la mainmise carth. sur toute l'A., qui dura jusqu'à la conquête rom. en 206 av. J.C.

2 Haute Andalousie La situation en Haute A. est très différente. Cette région correspond à l'A. orientale bordant la Méditerranée, avec les provinces de Jaén, Grenade, Málaga et Almería. Elle est occupée en grande partie par le plus haut massif d'Espagne, les chaînes Bétiques, dont le point culminant, à 3.481 m, se trouve dans la Sierra Nevada, dans la province de Grenade. Ce relief montagneux configure un territoire très fermé et découpé par de petits cours d'eau qui débouchent sur la Méditerranée, comme l'Almanzora, le Vélez ou le Guadalhorce. Les recherches géologiques et archéologiques de 1983/4 ont montré que des golfes relativement profonds, situés à l'embouchure actuelle des cours d'eau, fractionnaient la côte méditerranéenne de l'A. au temps de la colonisation phén. et que les Phéniciens avaient établi la plupart de leurs factoreries aux abords immédiats de la mer, sur des îles ou des presqu'îles. Dans l'arrière-pays, les eaux du Genil et d'autres rivières de moindre importance sillonnent le haut pays et les vallées très fertiles. À l'époque de la colonisation phén., seul le district minier de Linâres, dans la province de Jaén, revêtait une certaine importance en raison de ses riches gisements de cuivre et de plomb argentifère. Cette région était habitée par les Orétains ou Orisses, dont →Cástulo était le centre principal. Le littoral méditerranéen des provinces de Grenade et d'Almería était peuplé de Bastules et de Mastiens, mais aucune de ces tribus indigènes n'était parvenue à la puissance et au développement culturel des Tartessiens de Basse A. La population de Haute A. semble avoir été clairsemée et avoir occupé surtout l'intérieur du pays, où elle restait fidèle aux traditions de la culture de l'Argar, typique de l'âge du Bronze. Pour ces diverses raisons, les Phéniciens et, plus tard, les Carthaginois n'eurent pas de peine à fonder des colonies sur la côte méditerranéenne de l'A., à l'opposé des Gaditains de la côte atlantique. Aussi les Phéniciens s'établirent-ils le long des côtes, presque inhabitées, des provinces de Málaga, Grenade et Almería, où la densité de leurs établissements était très forte: →Villaricos, →Abdère (Adra), Sexi (→Almuñécar), →Chorreras, Morro de Mezquitilla et →Trayamar, →Toscanos, Malaka (→Málaga), Cerro de la Tortuga, l'embouchure du →Guadalhorce et celui du Guadarranque (→Cerro del Prado). C'est cette situation qui explique aussi la rapidité avec laquelle les Phéniciens y gagnèrent le contrôle des vallées cultivables et des voies de pénétration vers l'intérieur des terres, comme cela fut encore le cas plus tard le long des côtes des provinces de Murcia et d'→Alicante. Par ailleurs, l'influence orientale n'eut pas le même impact en Haute A., où les indigènes, moins hiérarchisés et plus éloignés des centres phén. de la côte, ne témoignèrent pas de la réceptivité culturelle qui a caractérisé les Tartessiens de la vallée du Guadalquivir.

3 Bétique L'A. actuelle correspond à la *Baetica*, une de grandes divisions territoriales rom. de l'→Espagne conquise sur l'Empire carth. des Barcides au cours de la 2e →guerre pun. La Bétique devint définitivement province rom. en 27 av. J.C., quand Auguste la déclara province sénatoriale au même titre que la *Tarraconensis* et la *Lusitania*. Strabon l'appelle *Tourdētanía*, parce qu'elle était habitée par les Turdules et les Bastules (III 1,16; 2,1). Par ailleurs, il signale que, de son temps, la population du littoral andalou était surtout d'origine phén. (III 2,15). Les principales villes de la Bétique rom. étaient d'anciennes fondations phén., comme Gadès, ou des cités tartessiennes ou turdules, comme *Corduba* (Cordoue), *Hispalis* (Séville), *Astigi* (Ecija), *Carmo* (Carmona).

Bibl. R. Thouvenot, *Essai sur la province romaine de Bétique*, Paris 1940 (1973^2); A. Schulten - A. Tovar, *Iberische Landeskunde* I-II, Baden-Baden 1974^2-76; D. Nony, in C. Nicolet (éd.), *Rome et la conquête du monde méditerranéen* II, Paris 1978, p. 657-678; P.A. Barceló, *Karthago und die Iberische Halbinsel vor den Barkiden*, Bonn 1988; *Forschungen zur Archäologie und Geologie im Raum von Torre del Mar 1983/84*, Mainz a/R 1988, p. 3-154. MEAub

ANDR... DE LAPÉTHOS Un statère chypriote, daté *c.* 415-390, porte la légende phén. *lmlk 'ndr m Lpš*, "(Appartenant) au roi Andr(...), r(oi) de →Lapéthos". Le nom du souverain, peut-être Andr(agoras) (cf. LGPN I, p. 38b), ainsi que l'iconographie, avec Athéna au droit et Héraklès au revers, sont cependant gr. Le règne d'A. doit précéder immédiatement celui de →Démonikos II.

Bibl. Masson-Sznycer, *Recherches*, p. 100. ELip

ANDROCLÈS Dernier souverain d'→Amathonte, il n'est connu que par trois sources littéraires, un inventaire de Délos et deux dédicaces trouvées à Amathonte. Il participe au siège de Tyr en 332, où son navire est coulé (Arr., *An.* II 22,2), fait alliance en 321 avec Ptolémée contre Perdiccas (FGH 156, fr. 10,6) et doit fournir des garanties à Séleucos, en 315 (Diod. XIX 62,6). Il offre un tronc à offrandes et des statues de ses deux fils dans le sanctuaire de l'"Aphrodite de Chypre" à Amathonte et des couronnes d'or à l'Apollon de Délos, l'une en 313.

Bibl. A. Hermary - O. Masson, BCH 106 (1982), p. 235-242; P. Aupert, in *Amathonte* I, Paris 1984, p. 18-19. AHerm

ANIMAUX L'art figuratif du monde phén.-pun. donne à connaître de nombreuses espèces d'a. réels ou fantastiques, appartenant à une faune tant marine que terrestre. Leur image peut figurer sur les monnaies pour illustrer les ressources des cités: ainsi le dauphin (fig. 26) et le murex de Tyr, symboles respectifs de puissance maritime et d'industrie de la →pourpre, le maquereau (fig. 257:8) de Gadès, emblème de pêcheries (→garum). Porteurs de charges, ils apparaissent sur un →askos carth. en forme d'équidé chargé de jarres, dans deux sujets monétaires — l'un sidonien, montrant un attelage (fig. 250:4; 251:2; pl. XIa), l'autre espagnol, figurant un éléphant

Fig. 26. Stèle avec dauphin à queue deux fois bifide, surmonté d'un "signe de Tanit" anthropomorphisé, Constantine (c. 150 av. J.C.). Paris, Louvre.

et son cornac (fig. 257:2) — et peut-être aussi dans la proue chevaline des bateaux de charge phén., représentés sur les bas-reliefs assyriens. Les postes de garde tenus symboliquement par un taureau (fig. 266), un lion ou un sphinx (pl. Id; fig. 339) sculptés près d'un monument évoquent les a. qui aident l'homme à combattre les prédateurs. Devenus ses compagnons, ils ont éveillé chez lui un goût d'exotisme qui l'a poussé à les collectionner. La teneur des tributs assyriens paraît d'ailleurs indiquer qu'il y avait en Phénicie des a. curieux. Le témoignage des motifs soignés des stèles de Carthage ou de Sulcis incite à penser que les a. intéressaient aussi les Puniques, Mais dans l'art, leurs fonctions semblent avoir été surtout religieuses. Sous un aspect réel ou fantastique, ils représentaient des divinités (→Bastet, →Horus), des monstres (→griffon, →sphinx) ou des symboles (→disque ailé). Ils figuraient aussi des emblèmes apotropaïques (→amulettes, →œufs d'autruche, →scarabées) et des thèmes magiques d'objets rituels ou votifs (askos, →coupes, →rasoirs, →stèles).

Bibl. G. Bunnens, *Le luxe phénicien d'après les inscriptions royales assyriennes*, StPhoen 3 (1985), p. 121-133; *Des animaux et des hommes*, Bruxelles 1988. MTro

ANNA D'après la tradition littéraire rom. (Virg., *Aen.* IV; Ov., *Fasti* III 523-656; Sil.It. VIII 50-121), héroïne carth., souvent présentée comme la sœur et la confidente d'→Élissa-Didon. Son nom est sémitique occidental (phén. *Ḥn*, hb. *Ḥannāh*, "gracieuse"), mais ses éventuels antécédents phén. ou carth. nous échappent.

Bibl. EV I, p. 178-182. JLoicq

ANNABA →Hippone.

ANNALES Les royaumes phén. devaient posséder des annales à l'instar d'Israël, de Juda, de la Babylonie et de l'Assyrie. Le récit de →Wenamon en signale expressément l'emploi à Byblos, au XIe s. (ANET, p. 26a; TPOA, p. 76-77). On peut en supposer aussi l'existence à Carthage, ne serait-ce qu'en raison de l'institution des →suffètes, munis de pouvoirs annuels et éponymes. Les seuls textes effectivement conservés sont cependant ceux que Fl.Jos. (*C.Ap.* I 113-115.117-125.156-158; *A.J.* VIII 144-146.324; IX 284-287; XIV,284-287) a empruntés à Dios et à Ménandre d'Éphèse (FGH 783 et 785), qui avaient reproduit une version gr. des A. tyriennes ou, à tout le moins, des extraits sélectionnés par un historiographe. Il est impossible de savoir dans quelle mesure cette traduction gr. est fidèle à l'original, mais le libellé des passages repris par Fl. Jos. offre de telles analogies avec la forme des chroniques néo-babyloniennes et des notices bibliques tirées des A. des rois d'Israël et de Juda que le scepticisme ne paraît pas ici de mise.

Bibl. Cintas, *Manuel* I, p. 181-203; B.Z. Wacholder, *Eupolemus*, Cincinnati 1974, p. 110-113,219-223; G. Garbini, *Gli 'Annali di Tiro' e la storiografia fenicia*, Oriental Studies B.S.J. Isserlin, Leiden 1980, p. 114-127. ELip

ANTARADOS →Tartous.

ANTAS Site antique au N. d'Iglesias, dans le S.-O. de la Sardaigne. On a proposé de l'identifier à *Metalla* (Ptol. III 3,2; *It.Ant.* 85), vu sa situation aux abords d'antiques mines de fer. Le principal monument du lieu est un temple (→sanctuaires 3 B), dans lequel la

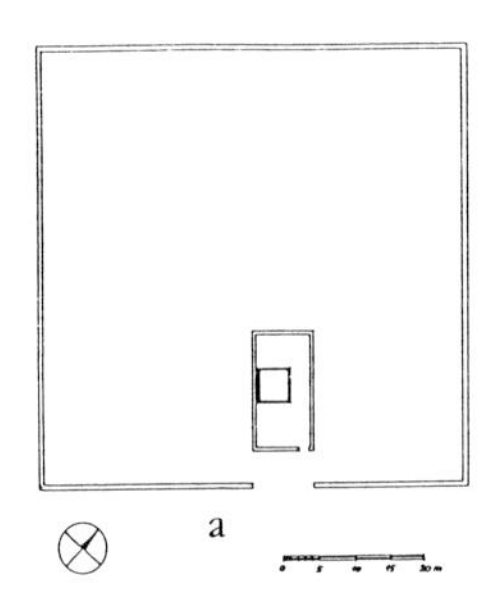

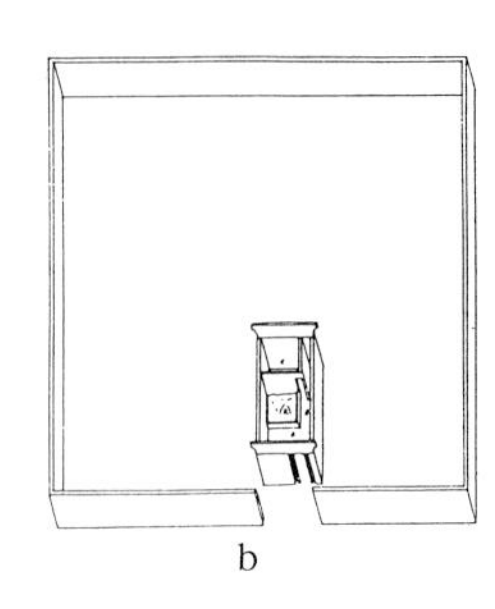

Fig. 27. Plan du temple pun. d'Antas: a) première phase; b) deuxième phase avec reconstitution axonométrique.

fouille menée en 1967-68 par F. Barreca a permis de distinguer deux phases pun. et une phase républicaine, antérieures au grand temple rom. dédié à →*Sardus Pater Babai*. En outre, les fouilles exécutées en 1984 par la Surintendance archéologique ont révélé une présence nuragique plus ancienne, attestée par une petite nécropole du IXe s. Cette continuité dans l'occupation du site permet de reconnaître dans le Sid Addir Babay pun. et le *Sardus Pater Babai* rom. des interprétations, sémitique et lat., d'une ancienne divinité locale, nuragique, →Babay, dont le nom est encore utilisé en langue sarde comme appellatif honorifique. Plusieurs inscriptions pun. du temple sont dédiées à →Sid et on connaît trois inscriptions lat. du lieu, deux provenant du temple et une troisième trouvée dans le village voisin. L'importance du sanctuaire dès l'époque pun. est confirmée par la présence de pièces gr. d'importation, telle une tête d'Aphrodite de la fin du Ve s. Durant la première phase pun., remontant à la fin du VIe s., le sanctuaire consistait en une simple cella rectangulaire, édifiée à l'intérieur d'un téménos qui renfermait le rocher sacré servant d'autel. La deuxième phase pun., datée du IIIe s., est documentée par un petit naos rectangulaire de *c.* 18×9 m, conforme à l'antique plan phén. de temples à trois chambres en enfilade, avec une annexe latérale (fig. 27). Le rocher sacré et l'orientation au N. ont été maintenus. Le temple était de style composite, avec des corniches à gorge égyptienne et des demi-chapiteaux doriques. Des décors architectoniques et une monnaie rom. témoignent d'une troisième phase, datant de l'époque républicaine (IIe s.), à laquelle a dû succéder le temple rom. restauré sous Caracalla, selon la grande inscription lat. postérieure à 213 ap. J.C. Les influences pun. y apparaissent encore dans le plan, l'orientation, l'entrée latérale et les deux petites vasques placées devant la double cella. On a proposé de reconnaître dans ce temple le *Sardopatoris fanum* des sources classiques.

Bibl. PECS, p. 58-59; *Ricerche puniche ad Antas*, Roma 1969; G. Sotgiu, *Le iscrizioni latine del tempio del Sardus Pater ad Antas*, StS 21 (1968-70 [1971]), p. 1-16; R. du Mesnil du Buisson, *Nouvelles études sur les dieux et les mythes de Canaan*, Leiden 1973, p. 229-240; F. Barreca, *Il tempio di Antas e il culto del Sardus Pater*, Iglesias 1975; V. Mossa, *La cosidetta "moneta di Metalla" e il tempio di Antas*, Sassari 1976; A. Minutola, *Originali greci provenienti dal tempio di Antas,* DdA 9-10 (1976-77), p. 399-

438; S. Moscati, *Italia punica*, Milano 1986, p. 11, 142, 157-159, 164-166, 193, 283-288; F. Barreca, *La civilità fenicia e punica in Sardegna*, Sassari 1986. GTore

ANTHROPOLOGIE Les Phéniciens n'ont pas laissé d'images convaincantes de leurs traits. L'examen des ossements découverts sur les sites phén.-pun. prend dès lors une place déterminante pour permettre de se figurer leurs types humains. Malheureusement, les squelettes effectivement décrits et mesurés sont fort rares et les études anthropologiques consacrées aux populations phén.-pun. sont pour la plupart anciennes et fragmentaires, parfois entachées d'un manque de rigueur. D'après des auteurs de la seconde moitié du XIXe s., le type phén. correspondrait à un sujet de taille moyenne, plutôt gracile, mésocéphale ou dolichocéphale; front étroit, peu élevé; sinus frontaux et maxillaires peu développés. À l'inverse, les bosses pariétales sont très accusées et situées sur un plan antérieur à celui qu'elles occupent d'ordinaire; la face est plutôt courte, marquée par une leptorhinie, des orbites larges et un léger prognatisme. Toutefois, ce portrait ne correspond pas parfaitement au caractère brachycéphale, voire hyperbrachycéphale de certains crânes découverts à Sidon, et les ossements dégagés en Afrique du N. sont, pour la plupart, d'un type assez différent. Ils appartiennent en majorité à des individus plutôt dolichocéphales, robustes et de taille élevée. La dolichocéphalie, déjà attestée à Carthage dans les tombes du VIIe s., caractériserait d'après Bertholon et Chantre 82 % de la population de cette ville. L'abaissement constant de l'indice céphalique, entre le VIe et le IIIe s., révélerait une accentuation du mélange ethnique au cours des temps. D'autre part, des influences négroïdes peuvent être décelées à tous les niveaux de la société carth.: ce fait a été établi à propos du →sarcophage (5) de la prêtresse →Arishutbaal et Cintas signale que près du quart des squelettes pun. exhumés dans le Cap Bon présentent des caractères analogues. D'après Chamla, les Puniques ne se distingueraient pas fondamentalement de leurs voisins. Comme eux, ils s'apparentent aux populations de la Méditerranée occidentale et de l'ancienne Égypte. Chez les uns comme chez les autres, des affinités avec les Syriens orientaux de l'époque parthe sont décelées. L'observation des deux séries fait apparaître un très grand polymorphisme dans les caractères crâniens et surtout faciaux, comme un dimorphisme sexuel appréciable. Quelques traits, enfin, sont plus variables selon les groupes. Près de 80 % des Puniques étudiés appartiendraient au type méditerranéen (contre 72 % des Protohistoriques): parmi eux, 47 % seraient mésocranes; les autres se partageraient à égalité entre hyperdolicho-dolichocrânes à face moyenne et hyperdolicho-dolichocrânes à face longue ou courte. Le reste de la population pun. se composerait d'éléments brachycéphales (8,33 %), mechtoïdes (4,16 %) et négroïdes (8,33 %). Les Puniques seraient plus petits et plus graciles que les autres Nord-Africains; ils auraient aussi un crâne plus allongé et plus large. Par contre, les crânes féminins des deux groupes tendent davantage vers la mésocranie. En outre, on trouve des sujets dont les bosses pariétales sont accusées aussi bien chez les Puniques que chez les Protohistoriques. Bref, ce serait une population polymorphe à dominante méditerranéenne avec des singularités locales.

Bibl. L. Bertholon - C. Chantre, *Recherches anthropologiques sur la Berbérie Orientale*, Lyon 1913; E. Pittard, *Les races et l'histoire*, Paris 1924, p. 401-412; G. Contenau, *Manuel d'archéologie orientale* I, Paris 1927, p. 80-126; M.-C. Chamla, *Les hommes des sépultures protohistoriques et puniques d'Afrique du Nord (Algérie et Tunisie)*, L'Anthropologie 79 (1975), p. 659-692; 80 (1976), p. 75-116; Cintas, *Manuel* II, p. 36-53; F. Fedele, *Antropologia fisica e paleoecologia di Tharros*, RSF 5 (1977), p. 185-193; 6 (1978), p. 77-79; 7 (1979), p. 67-112; 8 (1980), p. 89-98. ARey

ANTIGORI *Nuraghe* ou tour fortifiée de la civilisation →nuragique de la Sardaigne, à 12 km au N. de →Nora. On y a trouvé de la céramique mycénienne IIIB-C et de la poterie phén.-pun. des VIIe-IVe s.

Bibl. P. Bartoloni, *Ceramica fenicia e punica dal Nuraghe Antigori*, RSF 11 (1983), p. 167-175; M. Gras, *Antigori*, BT III, Pisa-Roma 1984, p. 251-252. ELip

ANTI-LIBAN L'A., en gr. *Antilíbanos* (*Jdt.* 1,7; Strab. XVI 2,16; Pline, *N.H.* V 20; Pol. V 45.49), est une chaîne montagneuse parallèle à la chaîne côtière du →Liban, bordant à l'E. la plaine de la →Béqaa. L' *'Ămānāh* de *Ct.* 4,8 (cf. *2R.* 5,12) n'en désigne probablement qu'un massif, le Djebel Zebedāni, au N.-O. de Damas. On ignore jusqu'où s'étendait, vers l'arrière-pays, le territoire des cités phén. et si, à un moment quelconque de leur histoire, l'A. a été sous contrôle phén.; la partie S. dépendait sans doute des →Araméens. Les rois assyro-babyloniens, notamment Téglat-Phalasar III et Sennachérib, exploitaient les forêts de l'A. (→bois) et ses carrières d'→albâtre (ARAB I,804; II,390,411).

Bibl. DEB, p. 1, 41, 67; E. de Vaumas, *Le Liban*, Paris 1954; J.P. Brown, *The Lebanon and Phoenicia* I, Beirut 1969; M. Cogan, "*...From the Peak of Amanah*", IEJ 34 (1984), p. 255-259. JEla

APHRODITE →Astarté.

APISA Nom de deux cités de constitution pun. en Tunisie, dans la région de →Bou Arada, territoire de la Carthage rom.

1 Apisa Maius Cité antique à l'emplacement de l'actuel Henchir Tarf ech-Chena. Elle était administrée en 28 ap. J.C. par deux suffètes aux noms et patronymes pun. (CIL V,4921).

2 Apisa Minus Cité voisine de la précédente; selon la dédicace d'un temple de Minerve, elle était administrée encore sous Antonin le Pieux (138-161) par deux suffètes, dont l'un portait le nom libyque de *Macer*, l'autre le nom pun. de *Baliato(n)*.

Bibl. Ad 1: AATun, f^{e} 34 (Bou Arada), n° 111; Lepelley, *Cités* II, p. 68-70.

Ad 2: A. Beschaouch, *Apisa Minus*, Africa 7-8 (1982), p. 169-177. ELip

APOLLON →Eshmun, →Resheph.

APOLLONIA Ville d'époque perse et hellénistique

en Israël, à 18 km au N. de →Jaffa et à moins de 4 km au N. de Tell →Makmish. Elle s'élevait à l'emplacement de l'ancien village arabe d'*Arsūf* et de l'actuel *Tel Aršāf*. Le nom sémitique du lieu perpétue peut-être celui de *Rešep* (*1 Ch.* 7,25), qui pouvait désigner une localité. Le prétendu toponyme Rishpon repose en revanche sur une lecture erronée des textes akk. (→Kaspuna). Les fouilles effectuées à A. en 1976-77 et 1980-81 ont permis d'y mettre au jour des vestiges de la ville de l'époque rom., byzantine, arabe et celle des Croisés, mais également des fragments de statuettes de terre cuite appartenant au répertoire du temps des Achéménides et analogues à celles du site voisin de Tell Makmish.

Bibl. EJ III, col. 187-188; PECS, p. 72; Abel, *Géographie* II, p. 247; I. Roll - E. Ayalon, *Apollonia/Arsuf - A Coastal Town in the Southern Sharon Plain*, Qadmoniot 15 (1982), p. 16-22 (hb.); R. Zadok, BiOr 42 (1985), col. 570-571. ELip

APOLLONIUS DE TYR Héros d'un roman anonyme de l'Antiquité dont la plus ancienne version connue est le texte lat. de l'*Historia Apollonii Regis Tyrii* (éd. G. Schmeling, Leipzig 1988) du Ve-VIe s. ap. J.C. Certains détails du récit pourraient cependant indiquer qu'il est basé sur un original gr. du IIe-IIIe s. ap. J.C. L'origine tyrienne d'A. n'apporte aucune information d'ordre historique sur la Phénicie.

Bibl. G.G.A. Koztekaas (éd.), *Historia Apolonii Regis Tyri. A Text Edition of the Two Principal Latin Versions*, Groningen 1983. ELip

ARAB AL-MULK →Paltos.

ARABIE Certaines sources antiques faisaient venir les Phéniciens des bords de la mer Érythrée (Hdt. I 1; VII 89) ou du golfe Persique (Strab. XVI 3,4). Bien qu'on ait tenté récemment d'exhumer cette théorie, rien ne semble actuellement la corroborer. Des liens commerciaux étroits ont dû exister entre la Phénicie et l'A., dont témoigne la Bible: à propos de Tyr, *Ez.* 27,20-22 mentionne ses relations avec Dédan, Qédar, Saba et Rama (*Naǧrān*). Ce commerce n'a pas laissé de trace en Phénicie, mais les noms de Tyr et Sidon apparaissent dans les inscriptions sud-arabiques de Ma'in, aux IIIe-IIe s. av. J.C. Des stèles dressées devant un temple commémorent 80 dédicaces d'hiérodules par des marchands minéens établis à l'extérieur: parmi elles, une *'bšmy* de Sidon (M 392, A 55-58). Enfin une inscription encore inédite, provenant de l'enceinte de la ville, mentionne le commerce avec Dédan, l'Égypte, Tyr et Sidon (Ch. Robin).

Bibl. DEB, p. 122-124, 555-556, 1139-1140; J. Ryckmans, *Les* 'Hierodulenlisten' *de Ma'in et la colonisation minéenne*, Mélanges E. van Cauwenbergh, Louvain 1961, p. 51-61; B. Couroyer, *L'origine des Phéniciens*, RB 80 (1973), p. 264-276; id., *Les Aamou-Hyksôs et les Cananéo-Phéniciens*, RB 81 (1974), p. 321-354, 481-523; *Iscrizioni sudarabiche - I. Iscrizioni minee*, Napoli 1974, p. 117; S. Moscati, *Studi fenici - 3. Origine dei Fenici*, RSF 3 (1975), p. 11-13. FBron

ARABIN →Tarhuna, Djebel.

ARABION En gr. *Arabíōn*, dernier roi de Numidie (45-41), fils de →Massinissa II qui, s'étant allié à →Juba I contre César, fut privé après Thapsus de son royaume, partagé entre →Bocchus II et →Sittius. A. s'enfuit alors en Espagne avec les Pompéiens survivants. Le meurtre de César donne cependant lieu, en →Afrique, à des luttes confuses pour le pouvoir, auxquelles A. prend une part très active. Revenu d'Espagne en 44, il tue Sittius, repousse Bocchus II vers l'O., sans doute jusqu'à la Soummam, et récupère son royaume (Cic., *Att.* XV 17,1; App., *B.C.* IV 54). Il ne parvient toutefois pas à arracher Cirta (→Constantine) aus Sittiani. Pendant ce temps, les gouverneurs de l'*Africa Vetus* et de l'*Africa Nova* étaient paralysés par leurs désaccords et finissent par entrer en lutte ouverte à la fin de 43, après la constitution du triumvirat. Dans ce conflit entre Q. Cornificius, gouverneur sénatorial de l'*Africa Vetus*, et T. Sextius, gouverneur césarien de l'*Africa Nova*, A. prend le parti de ce dernier, qui l'emporte grâce au ralliement d'A. Mais bientôt Sextius entre en lutte avec C. Fuficius Fango, partisan d'Octave, et, se méfiant d'A., le fait mettre à mort en 41 (App., *B.C.* IV 55-56; Dio C. XLVIII 22). Bocchus II et les Sittiani de Cirta récupèrent alors les territoires qu'A. leur avait repris en 44.

Bibl. G. Camps, *Les derniers rois numides: Massinissa II et Arabion*, BAC, n.s., 17 B (1981 [1984]), p. 303-311. ELip

ARADOS →Arwad, →Atlit.

ARAMÉENS Les A. sont un peuple sémitique dont les tribus se sont établies surtout en Syrie et en Mésopotamie. Bien que deux tribus a. soient mentionnées en Haute-Mésopotamie dès le début du XIIIe s., peut-être même avant cette date, le nom même des A. n'apparaît avec certitude qu'à la fin du XIIe s., dans les inscriptions de Téglat-Phalasar I (1114-1076). C'est en descendant du Haut-Habur, semble-t-il, que les vagues d'A. atteignent à la fin du XIIe s. le Moyen-Euphrate, l'oasis de Palmyre et la Babylonie septentrionale. Leur poussée migratoire se poursuit jusqu'au VIIe s., mais c'est dès le Xe s. qu'on relève la présence d'établissements a. à l'O. de la grande boucle de l'Euphrate et de la steppe syrienne. Ils y constituent divers royaumes, qui s'ajoutent à ceux de Haute-Mésopotamie, créés dès le XIe s.

1 Relations avec les Phéniciens Ces relations remontent au moins au Xe s., comme le montrent les alliances militaires et l'influence culturelle phén., solidement attestée au IXe s. En 853, les princes phén. d'→Arqa, d'→Arwad, d'→Ushnatu et de →Siyān participent à la coalition anti-assyrienne dirigée par Hadadidri, roi de Damas, et prennent part à la bataille de Qarqar. À →Zincirli, capitale du royaume a. de Sam'al, sur les contreforts de l'→Amanus, la première inscription royale connue, celle de →Kilamuwa (*c.* 825), est rédigée en phén. (KAI 24 = TSSI III,13) et contient une invocation à →Baal Hamon (fig. 382). Les plus anciennes inscriptions a. retrouvées à ce jour et gravées en →écriture phén., celles de Tell Fekheryé et de l'autel de Tell Halaf, datent du milieu du IXe s. et proviennent du royaume de Bît-Baḫiāni, dont Gozan/Guzana (Tell Halaf) était la capitale. La stèle de Barhadad (KAI 201 = TSSI II,1), probablement un roi d'Arpad, qui fut trouvée à Brēğ, à 7 km au N. d'Alep, date de *c.* 800 av. J.C. et est dédiée à →Melqart, le grand dieu tyrien (fig. 223). Quant à l'influence de l'art phén., elle est très sensible dans la →sculpture et le travail de l'→ivoire.

Il est probable que le royaume de Hamat, qui est passé aux mains des A. vers 800 av. J.C., a dominé au milieu du VIIIe s. les cités de la Phénicie du N., et les rebelles hamatéens sont accusés par Téglat-Phalasar III d'avoir "traîtreusement entraîné dans le camp d'Azriya'u les villes de leur voisinage au bord de la mer du soleil couchant" (TPOA, p. 97). Bien qu'il s'agisse, dans ce texte, d'événements de la révolte de 739/8, qui ne préjugent en rien de la situation antérieure, il est remarquable qu'aucun roi tributaire de cette région côtière n'apparaisse dans les listes de Téglat-Phalasar III et que celui-ci ait annexé, en 738/7, la Phénicie du N. avec le N. du royaume de Hamat, créant les provinces de Sumur (Simirra) et de Ḫatarikka. Rien n'indique, par contre, que les A. aient profité de leur hégémonie éphémère en Phénicie du N. pour se lancer eux-mêmes dans des opérations de commerce maritime.

2 Influence araméenne La disparition des royaumes a. au VIIIe s. ne marquait pas la fin de l'influence a. en Phénicie. Au contraire, l'a. devint alors l'idiome des chancelleries proche-orientales et le demeura jusqu'à l'époque hellénistique. Les A. accédèrent aux plus hautes fonctions dans les Empires néo-assyrien, néo-babylonien et achéménide, tandis que leur langue et leur culture avaient un certain impact sur la Phénicie aussi bien que sur d'autres provinces de ces Empires. Aussi n'est-il pas étonnant que le nom du roi sidonien →Baana (3), au Ve s., soit attesté, à la même époque, dans les milieux judéo-araméens et que l'orthographe *'yn'l* du nom du roi giblite →Aïnel, au IVe s., soit en réalité araméenne. On peut relever aussi l'emprunt de quelques vocables, tels *šgyt*, "abondant" (KAI 43 = TSSI III,36,9), ou *r't*, "décision" (KAI 60 = TSSI III,41,4), ainsi que certaines locutions, comme *bgw*, "à l'intérieur" (KAI 17 = TSSI III,30,1), ou *'š ly*, "à moi" (KAI 17 = TSSI III,30,2; KAI 43 = TSSI III,36,9), "à lui" (BMB 13 [1956], p. 52,2), tournure en soi parfaitement phén., mais dont l'emploi fréquent après un nom commun paraît refléter l'impact du *zy ly* de l'a. d'Empire, dont l'influence ne doit toutefois pas être exagérée.

Bibl. CAH II/2³, p. 529-536; III/1², p. 372-441, 949-955 (bibl.); CHI II, p. 698-713, 918-922 (bibl.); CHJ I, p. 70-129, 412-425 (bibl.); DBS I, col. 598-602; DEB, p. 125-126; EJ III, col. 287-288; TRE III, p. 590-599; H.S. Sader, *Les États araméens de Syrie*, Beirut 1987; W.T. Pitard, *The Identity of the Bir-Hadad of the Melqart Stela*, BASOR 272 (1988), p. 3-21. ELip

ARBUKALÉ En gr. *Arbukalē*, lat. *Arbocala*, ville d'Espagne de civilisation →ibérique, probablement l'actuelle Toro, en bordure du Douro (province de Zamora). Hannibal s'en empara en 220 (Pol. III 14,1; Liv. XXI 5,6).

Bibl. KlP I, col. 496-497. ELip

ARCHITECTURE DOMESTIQUE Si diverses structures monumentales, telles que →sanctuaires, →palais, →tombes appareillées, →fortifications ou aménagements portuaires (→ports), se sont conservées et font ici objet d'entrées spéciales, l'a.d. demeure un des aspects les moins connus de la civilisation phén.-pun., auquel les premiers fouilleurs n'ont accordé qu'une attention distraite.

1 Orient L'état actuel de la recherche ne permet pas encore de formuler des conclusions fermes touchant l'histoire de l'a.d. en Phénicie, alors que la maison ugaritique du Bronze Récent et la maison israélite de l'âge du Fer ont été soigneusement étudiées. Plusieurs facteurs contribuent à cet état de choses. Signalons d'abord la récupération des matériaux de construction, pratiquée encore plus intensément dans les villes insulaires, comme →Tyr ou →Arwad, que dans les agglomérations continentales. À cela s'ajoute, à Arwad, la faible profondeur de la nappe d'eau, qui fait souvent obstacle au bon déroulement des fouilles, alors que leur mise en œuvre est compromise ailleurs par l'extension du tissu urbain moderne, le plus souvent greffé sur les vestiges anciens, ou par l'instabilité politique de la région. Ces circonstances expliquent pourquoi l'→urbanisme, le plan des bâtiments tant officiels que privés, voire les procédés de construction nous échappent en grande partie.

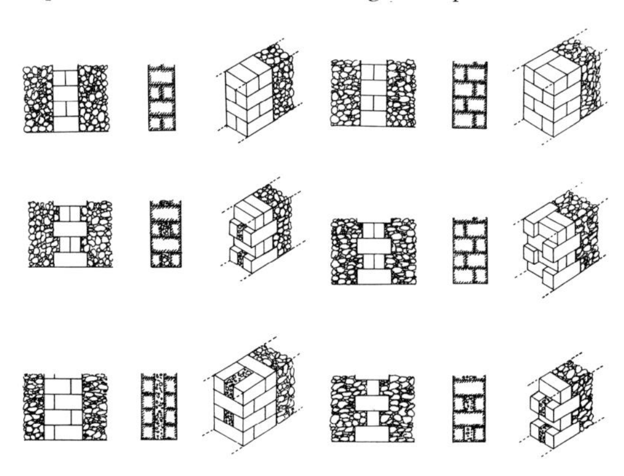

Fig. 28. Divers types d'appareillage de murs à piliers relevés dans l'architecture phén. par J. Elayi.

A *Époque paléophénicienne.* La situation est nettement meilleure en ce qui regarde l'époque →paléophén. Les fouilles de →Byblos et de →Kamid el-Loz ont dégagé non seulement des temples et des palais, mais aussi des maisons et, à Kamid el-Loz, des quartiers d'artisans. La publication des fouilles exécutées à Tell →Kazel, →Ardata et Tell →Hizzin contribuera sans doute à faire mieux connaître le développement de l'a.d. au Bronze Moyen et Récent. Par ailleurs, c'est à →Ugarit que l'on rencontre le prototype du "mur à (pseudo-)piliers", dit "phén."; ce mode de construction d'origine hittite connaîtra son plus grand développement sur le littoral phén. et dans les colonies phén. de l'Occident du VIe au IIIe s. av. J.C. Caractérisé par une alternance d'éléments non appareillés — blocages de pierres, gravier ou terre, consolidés éventuellement par quelque liant — et d'éléments appareillés en grès ou calcaire, de forme rectangulaire, il se distingue par sa solidité et fut probablement adopté par souci de parer au danger de séismes. L'intégration des (pseudo-)piliers dans les murs de cette facture permet de dresser une typologie comportant quatre sous-types, dont la fig. 28 illustre quelques exemples. EGub

B *Âge du Fer.* Si quelques vestiges de maisons sont connus à Tyr et à Sarepta, c'est plus au S., aux niveaux IV et III de Tell →Abu Hawam, aux niveaux 9 à 5 de Tell →Keisan, et au N., à →Ras Ibn Hani, aux niveaux G et H de Tell →Sukas, et à →Ras el-Bassit que les ensembles les plus cohérents ont été mis au jour. Il n'est cependant pas possible de définir un "type" de maison phén., à supposer qu'il en existe un. Les modèles paraissent appartenir à des ensembles régionaux, jordano-palestinien d'une part, syrien de l'autre.

a *Phénicie du Sud.* Dès la fin du XIe s. se développe au S., comme partout en Palestine, un module-type. On pourrait dire que c'est une maison à trois pièces adjacentes par leur long côté, ou isolées, ou flanquées sur leur petit côté d'une pièce transversale. Des piliers soutenant la toiture à l'intérieur des édifices sont régulièrement associés à ce modèle. À Tell Abu Hawam, il supplante un modèle septentrional de la fin du Bronze Récent, associant deux petites pièces sur le long côté d'une pièce rectangulaire. La technique du mur dit "phén.", avec des (pseudo-)piliers construits en carreaux et boutisses qui arment un mur en petit appareil, apparaît à la fin du IXe s. en Palestine, à Tyr et à Sarepta, plus tard à Tell Abu Hawam. Les Phéniciens, qui n'en sont pas nécessairement les inventeurs, ont répandu cette technique dans toute la Méditerranée. Dans les petites cités ne possédant pas de rempart, les maisons sont souvent regroupées en *insulae* entourées d'édifices isolés, sans orientation régulière. Les mêmes modèles se perpétuent sans évolution notable jusqu'à l'époque perse qui voit leur abandon pour des plans associant des petites pièces carrées à des cours, comme à →Shiqmona.

b *Phénicie du Nord.* Au N., l'ensemble de Ras Ibn Hani, qui remonte aux XIIe-XIe s., présente un plan régulier et orthogonal, suivant les orientations du Bronze Récent, et reprend des plans connus dans la région à la période précédente: trois larges pièces adjacentes par leur long côté, comme à Ras el-Bassit, ou large pièce flanquée de petites pièces carrées sur son long côté. C'est ce dernier modèle qui est également connu au Fer I à Tell Sukas. Le parallèle avec Tell Abu Hawam est frappant. À partir du VIIIe s., on distingue deux types de maisons à Tell Sukas et à Ras el-Bassit: des maisons comprenant un grand espace carré avec une pièce sur un côté ou bien des maisons à une seule pièce. Les contours des édifices sont fréquemment trapézoïdaux et il y a peu de maisons mitoyennes. Comme au S., le Ve s. est marqué par une rupture dans la conception des plans de maisons. On assiste à l'apparition d'ensembles beaucoup plus vastes et complexes, dont les niveaux IV-III d'→Al-Mina ont fourni les exemples les plus caractéristiques. FBrae

2 Occident L'uniformisation des modes de vie dans les divers aires culturelles du bassin méditerranéen devient sensible à partir du IVe s. av. J.C. et surtout à l'époque hellénistique. Elle tend à niveler les spécificités des cultures matérielles et rend ainsi difficile la tâche de cerner les traits propres à l'a.d. du monde pun. durant cette période. En revanche, l'habitat phén.-pun. de l'époque archaïque, aux VIIIe-VIIe s., semble avoir gardé, en Occident, la marque de ses origines sémitiques et orientales, mais il est encore très mal connu.

A *Époque archaïque.* Les plus anciens vestiges d'habitat actuellement connus dans le domaine phén. occidental remontent au VIIIe s. Ils ont été récemment mis au jour à →Carthage (2), au carrefour du *Decumanus Maximus* et du *Cardo X* de l'époque rom., à *c.* 400 m de distance du rivage. Ces constructions, avec sols en argile battue, dans lesquelles prédomine la brique crue, semblent témoigner de l'extension déjà considérable de l'établissement primitif de Carthage et de la forte densité de l'habitat. Sur le site de →Toscanos, en →Andalousie, des éléments de maisons qui entourent un bâtiment apparemment industriel remontent au VIIe s. av. J.C. Seule l'une d'entre elles ("maison H") semble présenter un plan élaboré dans lequel trois petits corps de bâtiment flanquent un espace à ciel ouvert. Sur la rive africaine de la "mer Ibérique", des restes d'habitation datables de la fin du VIIe s. ont été mis au jour en Oranie, dans l'île de →Rachgoun et à →Mersa Madakh. Les plans de ces "gourbis", mal connus, apparaissent sommaires: des petites pièces rectangulaires simplement juxtaposées, bâties de moellons liés à l'argile et accessibles par un seuil de porte surélevé, d'environ un mètre de large.

B *Époque classique et hellénistique.* C'est à partir du IVe s. que l'habitat pun. commence à être bien connu. Au Maroc, à →Lixus, on a daté du IVe s. un groupe de maisons "pun.-maurétaniennes" de plan rectangulaire, dépourvues de patio, dont les pièces juxtaposées, longues et étroites, sont simplement desservies par des corridors, mais dont les pavements de sols, en pierres, peuvent compter parmi les ancêtres des *lithostrota* pun. Ces pavements de galets rudimentaires ont été observés aussi en Oranie, dans les maisons des →Andalouses, qu'on peut dater du IIIe s. Plusieurs sites de la Sardaigne pun. ont fourni des vestiges d'habitat de cette époque. À

→Nora, où les plans sont en général simples, comme à Lixus, l'habitat se présente comme un complexe de petites pièces rectangulaires, sans patio, juxtaposées sans ordre apparent. En revanche, à →Monte Sirai surtout, certaines maisons fouillées comportent des plans centrés sur des cours (fig. 227) et des citernes aménagées dans l'habitation. À →Bitia, certaines maisons sont précédées de cours. En Sicile, c'est le site de →Motyé qui a fourni les meilleurs exemples d'un habitat des IVe-IIIe s., en particulier la "maison aux mosaïques", ainsi dénommée à cause de ses pavements de galets très élaborés, véritables *lithostrota*, à la fois géométriques et figurés; son plan comporte un péristyle supporté par des colonnes à chapiteaux doriques. Il s'agit cependant de la demeure d'un notable, tandis que les habitations ordinaires ne sont pas encore connues d'une manière suffisante. À →Sélinonte, au IIIe s., les maisons ont un couloir d'accès à partir de la rue, donnant sur une cour sans péristyle; on y observe en sous-sol la citerne pun. bien caractéristique, avec ses extrémités arrondies, ainsi que des traces de revêtements de stuc et des décors peints. À →Solonte, enfin, sur la côte N., les quartiers d'habitations de cette époque (IIIe-IIe s.) présentent un plan en damier, qualifié généralement d'"hippodamien". Dans ses *insulae*, les différentes pièces de la maison s'ordonnent autour d'une petite cour à péristyle, qui n'est cependant pas présente dans toutes les unités d'habitation.

C *Époque hellénistique en Tunisie.* Pour l'époque hellénistique du monde pun. occidental, c'est toutefois le domaine proprement carth. qui a fourni depuis peu les témoignages les plus significatifs de cette a.d.

a *Kerkouane.* Les fouilles de →Kerkouane, dans le →Cap Bon, ont exhumé des quartiers entiers d'une petite ville très probablement détruite au milieu du IIIe s. (fig. 29), à l'époque de l'invasion de →Régulus. Pour l'essentiel, l'urbanisme y date donc du IVe s. et du début du IIIe s. Il se caractérise par des lots de maisons, souvent contiguës les unes aux autres, de formes et de dimensions non standardisées. Les habitations de Kerkouane présentent, à défaut de plan-type, une disposition couramment reproduite: par un couloir ou vestibule, on accède de la rue à une cour plus ou moins vaste dans laquelle s'ouvre la margelle d'un puits; autour de cette cour s'ordonnent les pièces principales de la maison. Les pièces d'une superficie de 10 à 12 m^2 sont relativement fréquentes. Ce plan "centripète", le plus fréquent, alterne avec des plans linéaires et des plans "en enfilade". Dans certains cas bien attestés, la cour comporte un portique à colonnade, soit partiel, soit complet. Comme caractéristiques principales de ces habitations de Kerkouane, on citera le soin apporté à l'agencement des salles d'eau, avec de remarquables baignoires "sabots" (fig. 116), et la qualité des *pavimenta punica* (fig. 193), en *cocciopesto* ou *opus signinum* avec ciment rouge parsemé de fragments de marbre. Dans la plupart des maisons, on a relevé aussi la présence d'escaliers, aménagés souvent dans la cour intérieure. Ils conduisaient à la terrasse, à une chambre haute ou à un étage supérieur, dont l'existence, dans les demeures pun., est affirmée par Diod. XX 44,4 et App., *Lib.* 128, qui signale, à Carthage, des maisons de six étages.

Fig. 29. Kerkouane: vue d'un quartier de maisons pun. (IIIe s. av. J.C.).

b *Carthage.* À Carthage même, les fouilles récentes ont mis au jour de nombreux vestiges de l'habitat entre le IVe s. et la chute de la ville. On notera, en bord de mer, le "quartier Magon", où les fouilles allemandes ont mis en évidence des éléments d'habitations luxueuses à larges plans centrés sur d'assez vastes péristyles, et, à l'O. de la rue Septime-Sévère, un habitat qui semble différer nettement de ces grandes maisons et être dépourvu de décorations élaborées. Par ailleurs, sur la pente S. de la colline de →Byrsa, le "quartier Hannibal" révélé par les fouilles françaises, comporte plusieurs îlots, séparés par des rues qui se coupent à angle droit, et rassemble des unités d'habitation au plan standardisé, de faible superficie, pourvues de petites cours centrales à portiques partiels, avec puits d'accès à la citerne (fig. 60). Les murs, dont le gros œuvre révèle des appareils divers — pseudo-isodomes, *opus Africanum* ou *a telaio*, élévations en briques crues —, étaient enduits intérieurement et extérieurement, et la décoration stuquée était abondante. Aux sols, des revêtements à tesselles régulières de marbre blanc ou de terre cuite, en particulier dans les tons verdâtres et jaunâtres, alternent avec le pavement d'agglomérat (*opus signinum*). SLan/ELip

Bibl. Ad 1: E. Stern, *The Excavations at Tell Mevorakh and the Late Phoenician Elements in the Architecture of Palestine*, BASOR 225 (1977), p. 17-27; id., *Excavations at Tel Mevorakh* I, Jerusalem 1978; J. Elayi, *Remarques sur un type de mur phénicien*, RSF 8 (1980), p. 165-180; J. Briend - J.B. Humbert, *Tell Keisan (1971-1976), une cité phénicienne en Galilée*, Fribourg-Göttingen-Paris 1980; G. et O. Van Beek, *Canaanite-Phoenician Architecture: The Development of Two Styles*, ErIs 15 (1981), p. 70*-77*; J.-B. Humbert, *Récents travaux à Tell Keisan (1979-1980)*, RB 88 (1981), p. 373-398 (voir p. 392-397); F. Braemer, *L'architecture domestique du Levant à l'âge du Fer*, Paris 1982; E. Stern, *The Material Culture of the Land of the Bible in the Persian Period, 538-332 B.C.*, Warminster 1982, p. 54-60; O. Callot, *Une maison à Ougarit*, Paris 1983; J. Balensi, *Revising Tell Abu Hawam*, BASOR 257 (1985), p. 65-74 (voir p. 68-69); E. Stern, *The Excavations at Tel Dor*, E. Lipiński (éd.), *The Land of Israel: Cross-Roads of Civilizations*, Leuven 1985, p. 167-192; J. Lund, *Sukas VIII. The Habitation Quarters*, Copenhagen 1986; I. Sharon, *Phoe-*

nician and Greek Ashlar Construction Techniques at Tel Dor, Israel, BASOR 267 (1987), p. 21-42; Y. Shiloh, *The Casemate Wall, the Four Room House, and Early Planning in the Israelite City*, BASOR 268 (1987), p. 3-15.

Ad 2: M. Tarradell, *Lixus*, Tetuán 1959; G. Vuillemot, *Reconnaissances aux échelles puniques d'Oranie*, Autun 1965, p. 128-130, 140-144; 292-298; L. Natoli di Christina, *Caratteri della cultura abitativa Soluntina*, Scritti S. Caronia, Palermo 1965; p. 175-197; M. et D. Fantar, in *Monte Sirai-IV*, Roma 1967, p. 27-54; V. Tusa, in *Mozia-III*, Roma 1967, p. 88-90; *Mozia-V*, Roma 1969, p. 7-34; S. Moscati, *Fenici e Cartaginesi in Sardegna*, Milano 1968, p. 105-109; B.S.J. Isserlin - J. Du Plat Taylor, *Motya* I, Leiden 1974, p. 89-92; Cintas, *Manuel* II, p. 97-118; R. Martin, *Histoire de Sélinonte d'après les fouilles récentes*, CRAI 1977, p. 46-63; S. Lancel, *Fouilles françaises à Carthage. La colline de Byrsa et l'occupation punique*, CRAI 1981, p. 169-189; *Byrsa II*, Rome 1982, p. 13-49, 85-141; H.G. Niemeyer, *Die phönizische Niederlassung Toscanos: eine Zwischenbilanz*, id. (éd.), *Phönizier im Westen*, Mainz a/R 1982, p. 185-206; F. Rakob, *Deutsche Ausgrabungen in Karthago. Die punische Befunde*, MDAIR 91 (1984), p. 5-12; M. Fantar, *Kerkouane* II, Tunis 1985; A. Di Vita et al., Annuario della Scuola Archeologica di Atene e delle Missioni Italiane in Oriente, n.s., 46 (1984 [1988]), p. 7-96.

ARCHIVES Quoique l'archéologie n'ait pas encore relevé des traces d'a. phén., il n'y a pas de doute que chaque ville importante abritait, comme à l'époque amarnienne, des a. rassemblant des documents historiques, administratifs et légaux. Ménandre d'Éphèse, p.ex., s'appuyait sur les →Annales de Tyr (Fl.Jos., *A.J.* IX 283.287), conservées dans les a. avec d'autres documents ayant trait à l'histoire de la cité et à ses rapports avec les nations étrangères (*C.Ap.*I 107). Directement ou en se servant éventuellement de compilations gr., →Philon de Byblos et Dios faisaient usage de la même source, voire d'a. que le clergé gérait sans doute dans les temples. Les documents se présentaient sous forme de rouleaux de papyrus scellés par des cordes sur lesquelles on apposait des bulles. Le récit de →Wenamon fait allusion à l'importation de rouleaux de papyrus en Phénicie (ANET, p. 28a; TPOA, p. 78), tandis que l'aspect tramé du revers de plusieurs bulles retrouvées atteste leur emploi à cette fin. Une concentration de bulles dans un seul endroit est généralement considérée comme un indice de la présence d'a.; c'est notamment le cas, dans le monde phén., d'un ensemble de bulles d'origine malheureusement inconnue (fig. 159). D'autres ensembles, moins nombreux, proviennent, p.ex., de Samarie (VIIIe s.), de Kition (VIIe-Ve s.) et d'Akko (époque perse). À part le groupe de Sélinonte, ce sont surtout les centaines de bulles trouvées à Dermech (→Carthage) qui attestent l'existence d'a. dans le monde pun. aux alentours du IVe s. Par ailleurs, les bibliothèques renfermaient [illegible]

Bibl. [illegible] *Seals and Seal Impressions*, AJBA 1/1 (1968), p. 50-103 (voir p. 57-60). EGub

ARDAT(A), ARDÉ En akk. *Ardat(a)*, lat. *Ardacium*. Le site de l'A. des textes du IIe mill. est désormais identifié grâce à des découvertes fortuites et à une campagne de fouilles sur l'imposant Tell Ardi, à 10 km à l'E. de Tripolis (Liban). Situé sur la frange E. d'une plaine fertile et bien arrosée, A. contrôle une importante voie de passage qui, par la montagne, mène de la Méditerranée à Qadesh sur l'Oronte. D'après l'état actuel des recherches, le site a été occupé en permanence depuis le Néolithique jusqu'à nos jours. Les premières mentions de la ville figurent dans le récit des 5e et 6e campagnes syriennes de Thoutmès III (*c.* 1476-75 ou 1462-61; ANET, p. 239a). Un siècle plus tard, Rib-Addi de Byblos et son successeur Ili-Rapih informent la Cour d'el →Amarna de la menace qui pèse sur A. (EA 72; 75; 88), de l'occupation de la ville (EA 104; 109) et de l'assassinat de son roi (EA 149; 150). C'est peut-être dans ce cadre qu'il faut situer les événements rapportés dans la "Lettre du Général" trouvée à Ugarit (Ugaritica V, 20 v°). Bien que les fouilles attestent l'existence d'un établissement au Ier mill., A. ne semble pas avoir joué de rôle important à cette époque et son nom ne figure pas alors dans les sources écrites.

Bibl. H. Salamé-Sarkis, *Ardata-Ardé dans le Liban-Nord: une nouvelle cité cananéenne identifiée*, MUSJ 47 (1972), p. 123-145; id., *Chronique archéologique du Liban-Nord II: 1973-1974*, BMB 26 (1973), p. 99-102. HSar

ARGANTHONIOS →Tarshish.

ARG EL-GHAZOUANI →Kerkouane.

ARISHUTBAAL En phén. *'rštb'l* ("Objet désiré de Baal"), anthroponyme féminin abrégé souvent en *'ršt('/y)* et porté notamment par une (grande) prêtresse de Carthage, épouse de *Milqarthalōṣ* (CIS I,5941), à laquelle doit appartenir le fameux →sarcophage anthropoïde en marbre de la nécropole des Rabs (Phén 178), datable du IVe-IIIe s. et contenant le squelette d'une femme âgée. Le même nom est porté aussi par une servante de l'Astarté d'→Éryx (CIS I,3776) et par la mère de *Ḥalaṣba'al*, le propriétaire d'une lamelle historiée insérée dans un porte-amulette et datant probablement de la fin du VIe s. (CIS I,6067a).

Bibl. Benz, *Names*, p. 69-70, 174, 276; Jongeling, *Names*, p. 152, 227; E. Lipiński, *L'élément* 'rš *dans l'anthroponymie carthaginoise*, Studia Semitica necnon Iranica R. Macuch ...dedicata, Berlin 1989, p. 137-143. ELip

ARISTON En phén.-pun. *'ršt'*, gr. *Arístōn*, lat. *Aristo* ("Objet désiré").

1 A., marchand tyrien envoyé par →Hannibal (6), en 194, auprès de ses partisans à Carthage avec un message suggérant une alliance avec le →Séleucide Antiochus III le Grand (App., *Syr.* 8; Liv. XXXIV 61; Corn.Nép., *Hann.* 8,1-2). L'appel fait à un marchand tyrien, dont la venue à Carthage ne devait éveiller aucune suspicion, témoigne de l'existence des rela- [illegible] et la Métropole africaine jusqu'au IIe s. av. J.C.

2 A., →suffète mentionné dans la légende *Aristo Mutumbal Ricoce suf* d'une émission de bronzes portant au revers l'abréviation *Kar(thago)*. Il pourrait s'agir de suffètes d'une agglomération indigène qui aurait coexisté à Carthage avec la colonie rom. à la fin de 44 av. J.C.

Bibl. Ad 1: Huß, *Geschichte*, p. 427-428.

Ad 2: R. Martini, *Un probabile ritratto di M. Aemilius Lepidus su monete del secondo triumvirato emesse a Carthago*, RIN 84 (1982), p. 141-176. ELip

ARISTOTE →Constitution de Carthage.

ARMÉE 1 Orient On sait peu de choses des a. des cités phén. Les contingents qu'elle mirent en ligne en 853 pour combattre Salmanasar III (→guerre 1) étaient parfois bien maigres: 10 chars et 10.000 fantassins d'→Arqa, à peine 200 soldats d'→Arwad et 200 autres d'→Ushnatu, mais 30 chars et 10.000 hommes de troupe de →Siyān, d'après les estimations assyriennes (ANET, p. 278a; TPOA, p. 86). L'organisation de ces a. devait ressembler à celle de l'a. d'→Ugarit au XIIIe s. À l'époque achéménide, la marine phén. nous est quelque peu connue grâce à Hérodote qui décrit l'équipement des combattants montés sur les 300 trières phén. lors de l'expédition de Xerxès I en 480 (→armes): "sur la tête ils portaient des casques à peu près du type hellénique; ils étaient revêtus de cuirasses de lin et avaient des boucliers sans bordure et des javelots" (VII 89). Les navires phén. étaient commandés par le roi de Sidon, →Tabnit I (gr. *Tramnēs*), le roi de Tyr, →Mattan III, et le roi d'Arwad, →Maharbaal (2) (VII 98). Plus tard, les descriptions du siège de Tyr (→fortifications) par Alexandre, en 332, donnent une idée du courage et de l'ingéniosité des combattants tyriens (Arr., *An.* II 18-24; Diod. XVII 40-44; Q.-Curce IV 2-4). ELip

2 Occident L'histoire militaire de Carthage a été rapportée de façon étendue par les →auteurs classiques. Ces récits, dont de trop rares documents iconographiques (stèles) et des vestiges d'enceintes, forteresses ou armes illustrent le contenu, informent essentiellement sur les péripéties des guerres qui l'opposèrent aux Grecs de →Sicile et aux Romains (→guerres puniques), la valeur des chefs, les tactiques adoptées. L'institution militaire elle-même et son évolution au long de quelque 600 ans restent mal définies. Des citoyens parfois, des sujets tenus de servir, des auxiliaires fournis par les alliés, des mercenaires formaient des contingents de fantassins et de cavaliers, lourdement ou légèrement armés. L'artillerie, le matériel de siège, les chars (V[e]-IVe s.), les éléphants (IIIe s.) complétaient les effectifs, dont certains étaient spécialisés: frondeurs baléares, lanceurs de javelots ibères et numides. Les troupes, regroupées par ethnie, étaient commandées par des officiers subalternes issus de leur nation. Les officiers supérieurs et les généraux, — ces derniers élus par le peuple, — appartenaient à l'aristocratie carth. La fonction de général ne constituait point une sinécure: le peuple jaloux des vainqueurs, sévère vis-à-vis des vaincus, était prompt à condamner à la crucifixion. Au temps des →Barcides, le charisme du chef lui assurait la fidélité des soldats et le protégeait des craintes stérilisantes. La structure de l'a., son importance numérique, l'organisation des recrutements échappent. La marine de guerre n'est pas mieux connue. Les anciens s'accordaient à souligner l'habileté des équipages, à même d'exécuter à grande vitesse des manœuvres délicates. Amiraux et capitaines étaient choisis au sein de l'aristocratie, les pilotes parmi les citoyens, équipage et rameurs dans le bas-peuple, à moins qu'ils ne fussent esclaves. JDeb

Bibl. Gsell, HAAN II, p. 331-460; HAAN III; S. Moscati (éd.), *I Fenici e Cartagine*, Torino 1972, p. 219-241, 675-701; C. et G.-C. Picard, *La vie quotidienne à Carthage au temps d'Hannibal*, Paris 1982², p. 195-219; M. Heltzer, *The Internal Organization of the Kingdom of Ugarit*, Wiesbaden 1982, p. 103-130; Huß, *Geschichte*, p. 475-480.

ARMES Plusieurs →tombes phén. et pun. renferment des armes, épées, pointes de →flèche, javelines et fragments de cottes de maille; toutefois, leur nombre réduit ne permet pas d'en définir les caractéristiques dans un cadre typologique. Plusieurs plaquettes d'ivoire trouvées à Sarepta, Tharros et Carthage ornaient probablement des fourreaux d'épées et des poignards; la poignée d'un poignard en ivoire d'Idalion représente une léontomachie et des dizaines d'œillères et d'autres éléments de harnais de cheval, en ivoire ou en bronze, sont l'œuvre d'ateliers phén., tandis que des boucliers de la grotte de l'→Ida

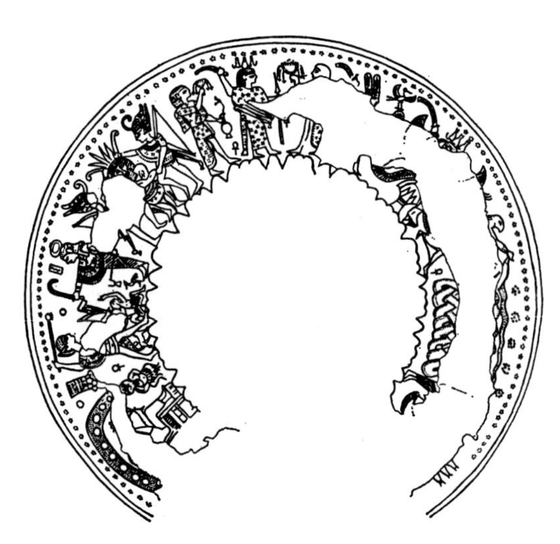

Fig. 30. Patère en bronze avec figurations d'un dieu tenant une massue et d'une déesse armée d'une lance, d'une harpé et d'une épée (IXe-VIIIe s. av. J.C.). Londres, British Museum.

Fig. 31. Scarabée représentant une déesse armée d'une hache fenestrée (fin du VIIe s. av. J.C.). Hambourg, Musée d'Art et d'Artisanat.

Fig. 32. Bague en or de Carthage, figurant un dieu armé d'une double hache et d'un bouclier orné d'une tête de lion (Ve s. av. J.C.). Tunis, Bardo.

Fig. 33. Balles de fronde, Carthage (IVe-IIe s. av. J.C.). Anvers, Musée Vleeshuis.

ou d'→Amathonte portent une décoration phénicisante. Des boucliers ronds, comparables à l'*aspis* gr., sont représentés sur plusieurs coupes en métal, ainsi que dans la glyptique phén.-pun. Ils sont munis parfois d'un ombon en forme de tête de lion (fig. 32). La masse d'armes est portée par les "Baalim" vainqueurs de style oriental et égyptisant, ainsi que par Héraklès ou son équivalent sémitique (fig. 30, 176). Toujours dans le domaine de la glyptique, ce dernier porte parfois un arc à la manière du roi perse. Dans le contexte cultuel, on retrouve des armes d'un type archaïque, comme la hache fenestrée (fig. 31), la double hache (fig. 32) ou le cimeterre (fig. 30). Dans le milieu pun., plusieurs stèles figurent des trophées, symboles de dieux guerriers. Les casques, les boucliers et les harnais carth. semblent avoir une origine gr., tandis que l'épée à antennes est une importation européenne. La découverte de nombreuses balles de fronde (fig. 33), qui témoignent de la persistance de cette a. orientale, va de pair avec celle de véritables boulets de 5 à 30 kg qui servaient de munition aux catapultes développées par les Carthaginois. Enfin, on n'oubliera pas une des a. les plus redoutables de l'armée carth., c.-à-d. l'éléphant, véritable char d'assaut et a. psychologique par excellence (fig. 257:2).

Bibl. DEB, p. 130-131, 141, 218, 238, 260, 484, 509, 534, 640, 642; G.C. et C. Picard, *La vie quotidienne à Carthage au temps d'Hannibal*, Paris 1982², p. 200-207. EGub

ARQA En akk. *Er-qàt/qa-ta*, puis *Ar-qa-a*, en ég. *ʿ3qty/m*, aram. *ʿArqā*, gr. *Arkē*, lat. *Arca Caesarea Libani*, arabe *ʿIrqā*, gentilice hb. *ʿArqî*, aujourd'hui *Tall ʿArqā*, puissant tell tabulaire à 17,5 km au N. de Tripolis, au Liban. Cet important site de la Phénicie du N., habité au moins depuis le Bronze Moyen, est mentionné dès le début du IIe mill. dans les textes égyptiens d'exécration, les documents hittites et akkadiens, puis dans la Bible (*Gn.* 10,17; *1 Ch.* 1,15), les sources gr.-rom., aram., arabes. Conquise par Thoutmès III (ANET, p. 241b), A. reste dans la mouvance égyptienne jusqu'à l'époque d'el →Amarna (EA 100), mais semble passer alors de l'allégeance égyptienne (EA 88; 103) sous l'autorité d'Abdi-Ashirta d'Amurru (EA 62) et de son fils Aziru, qui fait mourir le roi Aduna d'A. (EA 75,26; 139,15; 140,10). Dix mille soldats d'A. (*Ir-qa-na-ta-a-a*) prennent part en 853 à la bataille de Qarqar contre Salmanasar III (ANET, p. 279a; TPOA, p. 86) et Téglat-Phalasar III semble incorporer la ville à la province de Hamat (ANET, p. 283b; TPOA, p. 101). Les fouilles de 1972-79 ont identifié des →tombes (1A) des VIIIe-VIIe s. sur le tell même. L'habitat du Fer II paraît donc avoir été assez réduit sur le tell, ce qui ne concorde pas, à première vue, avec l'importante participation des gens d'A. à la bataille de Qarqar. L'épigraphie phén. [illegible]e limite jusqu'ici à deux inscriptions sur jarres des [illegible]-VIIe s. À l'époque hellénistique et rom., l'agglomé[illegible] s'étend dans la plaine, où l'on relève des vestige[illegible]tat dès le Fer II.

Bibl. DEB, p. [illegible]II, col. 117-118; RLA V, p. 165-166; A. Alt, *Kleine Schr*[illegible]II, München 1959, p. 130-132; Wild, *Ortsnamen*, p. 12[illegible]Starcky, *Arca du Liban*, Cahiers de l'Oronte 10 (1971-[illegible]103-113; E. Will, *Tell ʿArqa*, DossArch 12 (1975), p. 44-[illegible]Bordreuil, *Une inscription phénicienne sur jarre prov*[illegible]*des fouilles de Tell ʿArqa*, Syria 54 (1977), p. 25-30; id., [illegible]*ʿArqa à Akshaph*, La toponymie antique, Leiden 1977, p. [illegible]84; R. Zadok, WO 9 (1977-78), p. 55-56; J.-P. Thalmann, [illegible]*ʿArqa (Liban Nord). Campagnes I-III (1972-1974). Ch*[illegible]*Rapport préliminaire*, Syria 55 (1978), p. 1-151; id., [illegible]*qa 1978-1979. Rapport provisoire*, BMB 30 (1978), p. 6[illegible]; id., *Les niveaux de l'Âge du Bronze et de l'Âge du Fer à T*[illegible] *ʿArqa (Liban)*, ACFP 1, Roma 1983, p. 217-221; P. Bordreuil, *Nouveaux apports de l'archéologie et de la glyptique à l'onomastique phénicienne*, ACFP 1, Roma 1983, p. 751-755 (voir p. 751-753). ELip

ARSE →Sagonte.

ARSLAN TASH En akk. *Ḫadattu*, toponyme araméen de Turquie signifiant "(Ville) neuve". Située à l'E. de l'Euphrate, entre Karkémish et Harran, A.T. est souvent mise en rapport avec la civilisation phén. suite à la découverte d'une importante collection d'ornements de meubles en ivoire (fig. 179), ainsi que de deux amulettes portant des inscriptions dites "phén.-araméennes" (TSSI III, 23-24). Plusieurs plaquettes d'ivoire décoraient jadis un lit, qu'un fragment inscrit en araméen associe "à notre Seigneur Hazaël" (TSSI II,2), nom d'un roi de Damas *c.* 843-803. Aussi est-il tentant de considérer cette collection comme le(s) tribut(s) damascène(s) transporté(s) par les Assyriens à A.T. au cours du VIIIe s. La diversi[illegible]té stylistique de l'ensemble, qui oscille entr[illegible] phén. et araméen, pourrait ainsi s'expliquer p[illegible] la *koinè* artistique qui aurait caractérisé la production des ateliers ivoiriers de la capitale d'Aram. Quant aux deux amulettes, leur authenticité a été récemment contestée avec de sérieuses raisons à l'appui.

Bibl. F. Thureau-Dangin - A. Barrois - G. Dossin - M. Dunand, *Arslan-Tash*, Paris 1931; (E. Petrasch-) J. Thimme,

Phönizische Elfenbeine, Karlsruhe 1973; I.J. Winter, *Is there a South Syrian Style of Ivory Carving in the Early First Millennium B.C.?*, Iraq 43 (1981), p. 101-130; S.D. Sperling, *An Arslan Tash Incantation*, HUCA 53 (1982), p. 1-10; J. Teixidor, *Les tablettes d'Arslan Tash au musée d'Alep*, AulaOr 1 (1983), p. 105-108; P. Amiet, *Observations sur les "Tablettes magiques" d'Arslan Tash*, AulaOr 1 (1983), p. 109. EGub-ELip

ART L'a. phén. fait partie de l'a. levantin qui se situe au confluent des influences égyptiennes, mésopotamiennes, anatoliennes et égéennes, mais la tendance →égyptisante est plus marquée en →Phénicie qu'ailleurs, tant dans le style que l'iconographie. Les différents aspects de l'a. phén.-pun., de même que son rôle dans la formation du style →orientalisant ou sa réaction à l'→hellénisation envahissante, sont traités dans les différents articles traitant aussi bien de l'→architecture domestique, des →fortifications, →palais, →temples, →tombes et →mausolées, que de la →céramique, →coroplastie, du travail des →coupes métalliques, de l'→ivoire, du →cuir, de la fabrication des →meubles et des →trônes, des →thymiatères et de la →faïence, des →masques et des →rasoirs, des →sarcophages et des →ossuaires, des →sceptres. D'autres articles sont consacrés à la →glyptique, la →mosaïque, la →peinture, notamment celle des →œufs d'autruche, la →musique, la →numismatique, l'→orfèvrerie avec la technique de →granulation et le travail des →pierres (semi-)précieuses, la →sculpture, notamment celle des →stèles, la →verrerie, sans oublier les types iconographiques aussi caractéristiques que le →griffon, le →"smiting god" ou le →"temple boy". ELip

ARTÉMIS Déesse gr., identifiée implicitement avec →Tanit dans le double nom d'*Artemídōros* et de *'bdtnt* porté par un Sidonien enseveli à Athènes *c.* 400 av. J.C. (KAI 53 = TSSI III,40; fig. 318), puis attestée à Chypre à partir de la fin du IVe s. par de rares témoignages épigraphiques qui lui attribuent des épithètes diverses: *Agrotéra* ("de la vie sauvage") à →Paphos (fin IVe s.); *Epékoos* ("secourable") à Khytroi-Kephalovrysi (IIIe s.); *Agoraîa* ("de la place publique") à Vouni (IIe s.). C'est à →Kition que son culte est le mieux attesté: une inscription hellénistique mentionne le grand prêtre d'A., gouverneur de l'île (SEG XII, 549; XVI, 787), et une autre le thiase d'A. (LBW 2725). De cette période date aussi la statue d'A. de Kition, copie d'un original de tradition praxitélienne (Musée de Vienne). Plus tard, trois ou quatre inscriptions du IIe s. ap. J.C. lui donnent l'épithète de *Paralía* ("des Salines", plutôt que "des rivages"), dans un sanctuaire situé au bord du Lac Salé de Kition, près des salines en exploitation. On a pu ainsi attribuer avec vraisemblance au culte d'A. les figurines de terre cuite de ce site qui, à partir de l'époque classique, en présentent les attributs caractéristiques. Par comparaison, les séries semblables trouvées sur d'autres sites de l'île (Achna, →Salamine) et, par suite, toutes les représentations de déesses de la chasse (Sinda, →Pyla, →Amathonte) ont permis d'y reconnaître également des cultes d'A. L'apparition d'A. à Chypre à l'époque classique doit être considérée comme une marque de l'hellénisation, mais sa personnalité divine hérite en réalité d'aspects locaux et orientaux beaucoup plus anciennement présents dans l'île, particulièrement à Kition.

Bibl. M. Ohnefalsch-Richter, *Kypros, die Bibel und Homer* I, Berlin 1893, p. 314-336; T.B. Mitford, AJA 65 (1961), p. 120-142; A. Caubet, RDAC 1976, p. 169-173; J. Pouilloux, *Cyprus between the Orient and the Occident*, Nicosia 1986, p. 410-421 (bibl.); M. Yon, StPhoen 9 (sous presse). MYon

ARTISANAT →Corporations.

ARWAD En phén. *'rwd*, hb. *'Arwad*, éblaïte *'À-ra-wa-ad*, akk. *Ar-wa-da, Ar-ma-(ad-)da/dá/de*$_4$, *A-ru-da, A-ru-ad-da* (et var.), gr./lat. *Arados*, arabe *er-Ruwād*, île de Syrie, située à 2,5 km de la côte, face à →Tartous, l'ancienne Antarados, d'où provient l'appellation d'"île d'Antarados" qui désigne parfois A. (Antonin de Plaisance, p. 159,7). La ville d'A. fut construite sur le plus grand îlot d'une chaîne de récifs s'étendant jusqu'à →Tripolis, au S. (fig. 34). Son périmètre de 1,5 km indique l'exiguïté de l'île où l'on construisait des maisons à plusieurs étages (Strab. XVI 2,13). Le tracé du port et les restes d'un mur d'enceinte de taille considérable (fig. 143), datant de l'époque rom., constituent les seuls vestiges de l'Antiquité. Leur datation, tout comme celle de menues trouvailles (fig. 293), demeure problématique, car la densité de l'habitat, la nature rocheuse du sol et les remontées d'eau empêchent toute vérification archéologique.
Le nom d'A. apparaît pour la première fois au IIIe mill. dans les archives d'→Ébla, puis dans celles d'→Alalakh (AlT 146,22; 174,3; 181,12; 298,43) et d'→Amarna, quand A. semble appuyer la cause des rebelles malgré ses relations commerciales avec l'Égypte. Dès la campagne de Téglat-Phalasar I d'→Assyrie (1115-1077), les sources cunéiformes relèvent l'existence d'une aire continentale d'A. (ANET, p. 275a; TPOA, p. 71), qui devait sans doute assurer le ravitaillement de l'île et permettre l'enterrement des morts. Le souci de mettre cette "tête de pont" et son arrière-pays, incluant peut-être →Sumur, à l'abri d'une emprise assyrienne devient par la suite un facteur prioritaire dans la politique de la cité phén. La ville paie le tribut à Assurnasirpal II (883-859; ANET, p. 276b) et, en 853, →Mattanbaal I, roi d'A., envoie 200 soldats à Qarqar pour faire face à Salmanasar III. La réduction des pays vaincus en provinces, sous Téglat-Phalasar III (744-727), semble couper A. de ses dépendances continentales au profit de Sumur, devenue la capitale de la province homonyme. En 701, →Abdile'ti, roi d'A., paie le tribut à Sennachérib et son successeur →Mattanbaal III est requis de faire exécuter des travaux pour Asarhaddon (680-669). Un "service d'ost" est ensuite imposé à →Yakinlu, dont le fils →Az(z)ibaal se voit désigné par Assurbanipal (668-630) pour succéder à son père. Un roi d'A., dont le nom n'est pas cité, figure au VIe s. parmi les personnages de la Cour de Nabuchodonosor II à Babylone, où l'on employait alors des charpentiers arwadiens et giblites (ANET, p. 308), signe de leur renommée dans le domaine de la menuiserie et des constructions navales. À l'épo-

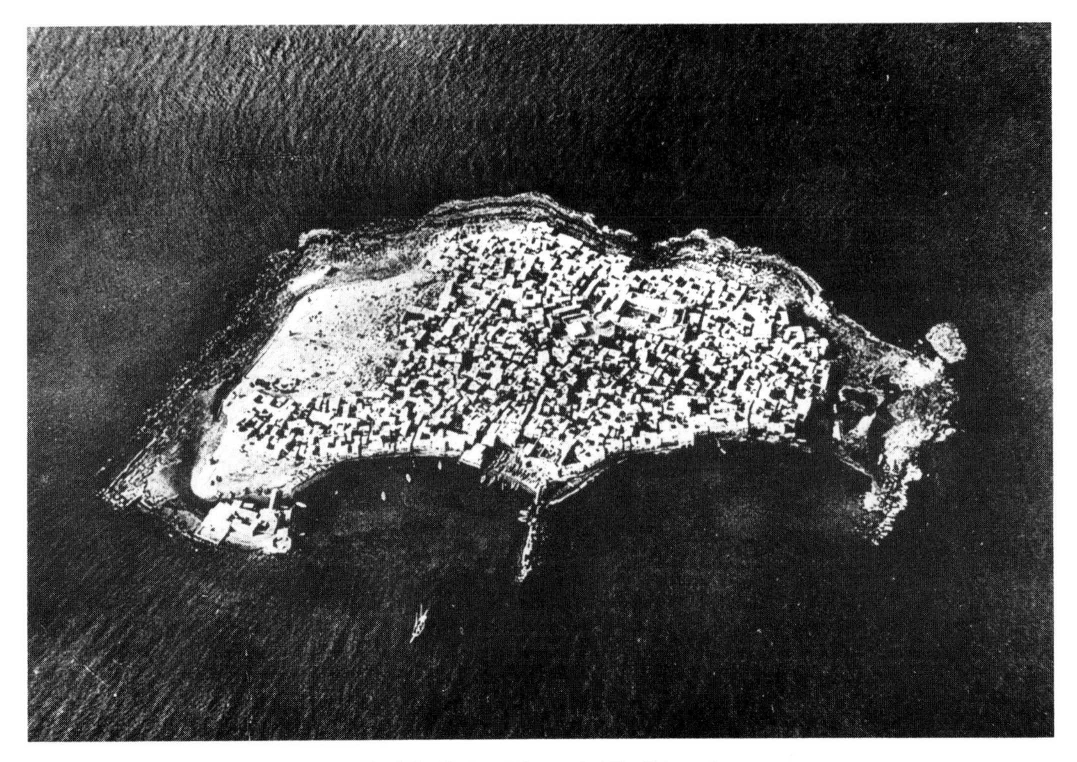

Fig. 34. Photo aérienne de l'île d'Arwad.

que perse, la flotte d'A. sert la cause des Achéménides et →Maharbaal (2), fils d'→Az(z)ibaal (2), un des commandants de la flotte phén.-perse sous Xerxès I (485-465), n'est vraisemblablement autre que le roi d'A. Le dernier dynaste, →Gérastratos (2), est maître d'un territoire qui s'étend de →Paltos à Sumur et qui dépendra d'A. sous les Séleucides, qui lui accordèrent l'autonomie. Sur les hauteurs faisant face à l'île se dressait alors le grand sanctuaire arwadien de Zeus de →Baetocécé. Sur l'île même, l'épigraphie atteste le culte de →Melqart (IGLS VII, 4001), de →Kronos (4002), d'Asklépios (4004, →Eshmun) et d'Aphrodite (→Astarté), dont le temple est mentionné par Chariton. Sur des séries monétaires d'A. figure une divinité marine (fig. 250:6-8), également attestée par la →glyptique phén.-sarde, indice possible d'une participation arwadienne à la colonisation phén. de l'Occident. Par ailleurs, A. aurait pris part à la fondation de Tripolis du Liban (Skyl. 104).

Bibl. DEB, p. 147; PECS, p. 82; H. Seyrig, *Arados et sa Pérée sous les rois séleucides*, Syria 28 (1951), p. 191-206; id., *Questions aradiennes*, RNum, 6e sér., 6 (1964), p. 9-67; J.-P. Rey-Coquais, *Arados et sa Pérée*, Paris 1974; Gubel, *Furniture*, p. 24-26; J. et A.G. Elayi, *A Treasure of Coins from Arwad*, JANES 18 (1986), p. 3-24. EGub

ASCALON En hb. *'Ašqelôn*, akk. *Ašqalūna/Asqalūna* ou *Išqilūna/Isqalūna*, ég. *'I-ś-q-3-n* ou *'I-s-q-nr-n*, gr. *Askálōn*; l'ancien toponyme est préservé par le nom arabe de *Ḫirbet 'Asqalān*, sis à 3,5 km au S.-O. de la ville moderne d'Ashqelôn, en Israël. Le site antique, dont une fouille de grande envergure a commencé en 1985, couvre une superficie de *c.* 64 ha. A. fut une des plus importantes cités côtières de Canaan, mentionnée dans les textes égyptiens dès le début du IIe mill. À l'époque d'el →Amarna, elle était gouvernée par un prince au nom indo-aryen de Widya, qui adressa plusieurs lettres à Aménophis IV (EA 320-326; cf. 287,14-16). Prise par le pharaon Merneptah en 1207 (ANET, p. 378; TPOA, p. 67; ANEP 334), elle devint après le XIIe s. une des cinq cités royales de la Pentapole philistine (*Jos.* 13,3; *Jg.* 14,19; *1 S.* 6,17; *2 S.* 1,20). L'influence phén. s'y manifeste à l'âge du Fer II par des fragments de →céramique (1) de luxe phén., notamment de la *Samaria Ware*, et par l'emprunt de l'→alphabet, avec une stylisation particulière de certaines lettres (IEJ 35 [1985], p. 9, 18), tandis que l'ancien substrat cananéen est perceptible dans l'onomastique. D'après Skyl. 104, A. était sous les Achéménides une cité tyrienne et *Za.* 9,3-5 suggère, à tout le moins, l'existence de rapports étroits entre Tyr et A. La statuette phén. d'une déesse enceinte, trouvée à un niveau de l'époque perse, reflète l'influence de la Phénicie, dont témoignent aussi les sources gr. et la numismatique. Selon Hdt. I 105, le grand temple d'A. était dédié à Aphrodite Ourania, que les Ascalonites établis à →Délos nommaient "→Astarté palestinienne" (ID 1719-1721; 2305) et que l'on assimila à Atargatis, la Derkéto de Diod. II 4 et Paus. I 14.16. Ce sont même des Phéniciens d'A. qui auraient introduit le culte d'Aphrodite Ourania à →Paphos et sur l'île de Cythère (Hdt. I 105; Paus. I 14,7; III 23,1), au large du Cap Malée (Péloponnèse). Ces légendes reflètent le prestige dont la sanctuaire d'Astarté à A. jouissait dès l'époque perse, au plus tard. Des monnaies de l'époque rom. mentionnent la →Pane Baal, représentée en déesse armée; d'autres figurent Astarté à la colombe ou Héraklès, dont les liens avec Tyr sont bien connus.

Bibl. DEB, p. 153-154 (bibl.); EAEHL, p. 121-130; PECS, p. 98-99; G. Morgan, *Aphrodite Cytherea*, TAPhA 108 (1978), p. 115-120; P. Lévêque, *Astarté s'embarque pour Cythère*, Hommages à L. Lerat, Besançon 1984, p. 451-460; Aḥituv, *Toponyms*, p. 69-71; L. Stager - D. Esse, *Ashkelon, 1985-1986*, IEJ 37 (1987), p. 68-72. ELip

ASHDOD En ug. *'Addd*, hb. *'Ašdod*, ég. *'I-s-d-d*, akk. *Ašdādu*, puis *Ašdūdu* (babyl.) ou *Asdūdu* (assyr.), gr. *Azōtos*, arabe *Esdūd*, site antique d'Israël, proche de la ville moderne d'A., à 15 km au N.-E. d'→Ascalon. Le tell se trouve en bordure des dunes, à 4,5 km de la côte; comme d'autres villes de la plaine côtière, A. est donc une agglomération distincte de son port maritime, appelé en assyrien *Asdudimmu*, "A.-sur-Mer". Immédiatement à l'E., des terres arables sont arrosées par le Nahal Lakish, qui fut probablement navigable jusqu'à A. L'emplacement de la ville sur la *via Maris* et ses facilités d'approvisionnement en ont fait un centre commercial important dès le début de son histoire connue. Au XIVe s., elle est mentionnée dans les textes d'→Ugarit; au Ier mill., elle fait partie de la Pentapole philistine, devient un royaume vassal de l'Assyrie, une province babylonienne, puis perse. À la fin du VIe s., la politique des Achéménides vise à maîtriser l'Égypte et à contrôler l'expansion commerciale gr. avec l'appui des populations locales. La côte palestinienne est ainsi placée sous la tutelle des rois de →Tyr et de →Sidon. Les structures de la période perse, fouillées à A., sont malheureusement très perturbées par les niveaux postérieurs. On a cependant pu distinguer trois phases d'occupation, de la fin du VIe au IVe s., dans les restes d'un bâtiment public à quatre larges salles. On a retrouvé aussi les vestiges d'une forteresse au N. d'A. et des tombes à plusieurs chambres, taillées dans le *kurkar* à 1 km au S.-E. d'A. Ces trouvailles justifient la qualification de "grande ville" que Hdt. II 157 accorde à A. à l'époque perse. Le culte de →Dagon (*1 S.* 5; 6,17; *1 M* 10,83-84; 11,4), l'onomastique sémitique des souverains à l'âge du Fer II et l'emploi de l'alphabet phén. témoignent de l'influence du substrat cananéen et du milieu ambiant sur la couche philistine de la population, mais les deux inscriptions sur jarre des VIIIe-VIIe s., trouvées à A., ne sont pas phén. au sens propre du mot (IEJ 35 [1985], p. 10, 16-17).

Bibl. BRL^{2}, p. 13-15; DEB, p. 151-152; EAEHL, p. 103-114; Abel, *Géographie* II, p. 253-254; M. Dothan et al., *Ashdod I-IV*, 'Atiqot. English Series 7 (1967); 9-10 (1971); 15 (1982); Y. Porath, *A Fortress of the Persian Period*, 'Atiqot. Hebrew Series 7 (1974), p. 43-55 (hb.). DHer

ASHÉRA Le mot a., calqué sur l'hb. *'ašērāh*, correspond au phén. *'šrt*, à l'aram. *'trt* et à l'akk. *aširtu*. Il désignait un lieu saint, éventuellement planté d'arbres (*Dt.* 16,21; *Jg.* 6,25-30), comme l'ont encore compris les anciens traducteurs grecs et latins de la Bible, qui l'ont rendu par "arbres", "bois", "bosquet", faisant allusion aux bosquets sacrés des cultes de fertilité. La mention du "lieu saint du dieu de Hammôn" dans une inscription phén. d'→Umm el-Amed (KAI 19 = TSSI III,31,4), celle d'un(e) "préposé(e) du lieu saint" (*'š 'l 'šrt*) sur un →ostracon phén. d'→Akko (IEJ 35 [1985], p. 81-94, pl. 13A-B), l'usage du pluriel *'ašērîm* et, plus tard, *'ašērôt* en hb., ainsi que l'emploi du mot a. avec un suffixe pronominal dans des inscriptions paléo-hébraïques, notamment à →Kuntillet Ajrud (*'šrth*, "son lieu saint"), excluent l'interprétation des auteurs modernes qui considèrent l'a. comme le nom propre d'une déesse cananéenne, identique à la *'Atrt* des textes d'Ugarit et d'Arabie du S., voire comme son symbole cultuel. Le seul texte hb. où a. est apparemment employé comme théonyme est *1 R.* 18,19, où toute l'expression "quatre cents prophètes de l'a." a été interpolée.

Bibl. ANRW II/19,2, p. 409-412; DEB, p. 152 (bibl.); ThWAT I, col. 473-481; E. Lipiński, *The Goddess Aṯirat in Ancient Arabia, in Babylonia, and in Ugarit*, OLP 3 (1972), p. 101-119; id., *The Syro-Palestinian Iconography of Woman and Goddess*, IEJ 36 (1986), p. 87-96 (voir p. 91-95); W.A. Maier, *'Ašerah: Extrabiblical Evidence*, Atlanta 1986 (bibl.); J. Day, *Asherah in the Hebrew Bible and Northwest Semitic Literature*, JBL 105 (1986), p. 385-408. ELip

ASIDO Ville antique d'Espagne, identifiée avec Medina Sidonia, à 32 km, à vol d'oiseau, au S.-E. de →Gadès. À l'époque rom., elle émettait un monnayage à légende "libyphénicienne" (fig. 257:14).

Bibl. A. Tovar, *Iberische Landeskunde* II/1, Baden-Baden 1974, p. 150-151 ELip

ASILAH / AZILA →Dchar Djedid.

ASKLÉPIOS →Eshmun.

ASKOS Nom gr. d'un récipient en peau, employé pour désigner un petit vase à versoir latéral et à anse de panier, dont la forme dérive de celle de la gourde. Toutefois, le nom d'a. s'applique aussi à des récipients zoomorphes à deux ouvertures, rencontrés souvent dans les tombes phén.-pun. (fig. 172-173; pl. IVd).

Bibl. Yon, *Dictionnaire*, p. 27-28, 208-209, 256; PhMM 173, 182-184. EGub

ASSEMBLÉE DU PEUPLE L'a.d.p., c.-à-d. la réunion délibérante de l'ensemble des hommes libres, jouissant des droits civiques dans une localité et un territoire donnés, est une ancienne institution sémitique, connue aussi bien chez les Phéniciens que chez les Puniques. Dans le royaume de Juda, elle portait le nom de *'am hā'āreṣ*, "le peuple du pays", et c'est sous ce même nom de *'m 'rṣ* qu'elle est mentionnée à Byblos au Ve s. (KAI 10 = TSSI III,25,10-11). Ailleurs, dans les royaumes d'Israël, de Tyr ou de Sidon, le terme *'m*, "peuple", est suivi du nom de l'entité géographique: *'am Yiśrā'ēl*, "le peuple d'Israël", *'m Ṣr*, "le peuple de Tyr" (KAI 18,5-6; 19 = TSSI III,31,8), *'m Ṣdn*, "le peuple de Sidon" (KAI 60 = TSSI III,41,1), mentionnés tous les deux dans des formules de datation, emploi que l'on retrouve à Chypre, à Lapéthos (KAI 43 = TSSI III,36,5), et dans l'île de Gozzo (KAI 62,1). Cette valeur officielle ou juridique de *'m*, déterminé par le nom de la cité ou du territoire, est attestée aussi pour l'île de →Pantelleria (CIS I,265), →Ibiza (CIS I,266), *Ynr* (CIS I,267), →Rosh Melqart en Sicile (CIS I,264; 3707), l'île de San Pietro (CIS I,5606), →Sulcis (Antas III), →Cagliari (Antas I, II), →Bitia (KAI 173 = ICO, Sard. npun. 8), en Sardaigne, la ville de *Cissi* au Cap →Djinet (KAI 170), celle de *'ytnm* (KAI 99), →Leptis Magna (Trip. 2; 31,4; 32,2) et souvent pour Carthage. Les inscriptions phén.-pun. ne révèlent malheureusement pas quels étaient les pouvoirs et les prérogatives de ces a.d.p., sauf dans le cas de la formule *lm y'ms 'm Qrtḥdšt*, d'où il semble résulter que l'a.d.p. à Carthage avait le droit de déporter un citoyen engagé pour dettes (→droit). C'est donc à la lumière des lettres d'el→Amarna et des textes bibliques relatifs aux a.d.p. en Israël et Juda, à l'aide aussi des informations glanées chez les auteurs gr. et lat., qui évoquent le fonctionnement de l'a.d.p. à Carthage, et des témoignages lat. sur le rôle du peuple de la cité nord-africaine dans la vie municipale à l'époque rom. que l'on peut se faire une idée de la place importante de l'a.d.p. dans les institutions phén.-pun. On aurait cependant tort de concevoir ses délibérations à l'image de celles d'un parlement européen. Dans les grands centres, le pouvoir exécutif devait surtout tenir compte des manifestations tumultueuses d'approbation ou de réprobation des citoyens réunis, des *b'lm* de la cité, selon la terminologie phén.-pun. Convoqués à Carthage par les →suffètes, du moins à partir d'une certaine époque (Liv. XXXIII 46,5-7; 47,2), ils s'y réunissaient sur la grande place (Diod. XXX 9, 4; 44,3; XXXII 6,4; App., *Lib.* 127; Liv. XXX 24,10; XXXIII 47,10; 48,10; Just. XXII 7,8; XXXI 2,3), ailleurs aux portes de la ville (CIL VIII 26517). L'a.d.p. carth. avait, semble-t-il, du moins à l'époque des guerres pun., le pouvoir d'élire les généraux (Pol. I 82,12; Diod. XXV 8) et peut-être aussi les suffètes (Arstt., *Pol.* II 11,4), ce que suggère la présentation des duumvirs aux suffrages du peuple à l'époque rom. Le pouvoir des a.d.p. dépendait des circonstances géopolitiques et de l'importance de la cité, et il a dû évoluer au cours des temps.

Bibl. DEB, p. 156-157; ThWAT VI, col. 177-194; N. Slouch, *Representative Government among the Hebrews and the Phoenicians*, JQR 4 (1913-14), p. 303-310; Gsell, HAAN II, p. 226-231; J.A. Wilson, *The Assembly of a Phoenician City*, JNES 4 (1945), p. 245; W. Seston, *Remarques sur les institutions politiques et sociales de Carthage*, CRAI 1967, p. 218-223; id., *Des "portes" de Thugga à la "Constitution" de Carthage*, RHist 237 (1967), p. 277-294; J. Gascou, *La politique municipale de l'Empire romain en Afrique proconsulaire de Trajan à Septime-Sévère*, Paris 1972; M. Sznycer, *L'"Assemblée du peuple" dans les cités puniques*, Semitica 25 (1975), p. 47-68; id., in C. Nicolet (éd.), *Rome et la conquête du monde méditerranéen* II, Paris 1978, p. 581-584; Lepelley, *Cités* I, p. 140-149. ELip

ASSOCIATIONS RELIGIEUSES On ne connaît pas en Phénicie d'autres formes d'a.r. que le →"thiase" ou →*marzeḥ* (*mrzḥ*). Le substantif "communauté" (*gw*) apparaît dans une inscription votive privée d'El-Hofra (KAI 164) et dans l'inscription bilingue des Sidoniens du Pirée (KAI 60), où *gw* est une alternative de *mrzḥ*, puisqu'il s'agit d'une a. qui célèbre la fête de ce nom, peut-être pour mieux rendre l'idée d'une communauté à la gr. (*koinón*). Dans le domaine pun., trois types d'a. ont des activités cultuelles (KAI 69,16): outre le thiase, le "clan" (*špḥ*), c.-à-d. une forme de groupement gentilice, et le →*mizreḥ*, qui représente une collectivité plus large que les précédentes, mais qui réunit comme elles des membres (*ḥbrnm*) avec un président (*rb*) et constitue donc un collège bien défini dont on ignore encore le caractère: gentilice, financier ou territorial. On connaît surtout les a.r. constituées par les Phéniciens émigrés, qui sont sans doute nées de l'habitude qu'ils avaient de se réunir sous la protection d'un dieu, soit dans un sanctuaire du lieu, à Memphis (Hdt. II 115), Phalère (Denys d'Halic., *De Dinarco* 10, 312, 4 R), →Pouzzoles ou Délos (ID 1519, 2), soit sans doute dans un cadre domestique, comme au Pirée (KAI 59) ou à Démétrias (BCH 93 [1969], p. 696), soit enfin en construisant sur un terrain concédé par la cité (IG II-III^2, 337; ID 1519-1520). Autour du culte s'est développée une organisation plus ou moins complexe pour permettre aux marchands et aux marins (ID 1519-1520: *émporoi, nauklēroi;* ID 1520: *endocheís*), non seulement d'honorer "leurs dieux ancestraux" (ID 1774; 1776; 1781; 1783; 1785; 1789: *theoì pátrioi*) et de célébrer leurs "rites ancestraux" (IG II-III^2, 1262), mais aussi de trouver sur place des locaux d'hébergement et d'entrepôt, comme dans l'établissement bérytien à Délos, une certaine entraide aussi (ID 1519,9-10) et peut-être même un lieu d'asile. Les a.r. des Tyriens et des Bérytiens à Délos se sont développées sous la protection de Rome et sur le modèle gr.: leur nom est gr., formé à la manière de celui des thiases (Héracléistes, Poséidoniastes); leurs textes sont rédigés en gr., avec une terminologie gr. Elles ont mis en place une organisation corporative avec assemblées, reddition de comptes et dispositif financier imité de celui de l'érane athénien. Il n'y a pas d'attestation ailleurs d'a.r. à caractère professionnel — seulement des offrandes de corps de métier — mais il existait peut-être des corporations sacerdotales, p.ex. à Paphos (Hsch. s.v. *Kínurades*).

Bibl. C. Clermont-Ganneau, RAO 3 (1900), p. 22-40; P. Bruneau, *Recherches sur les cultes de Délos*, Paris 1970, p. 621-630; id., *Les cultes de l'établissement des Poseidoniastes de Bérytos à Délos*, Hommages M.J. Vermaseren I, Leiden 1978, p. 160-190; S. Ribichini, *Temple, sacerdoce, économie à Carthage*, BAC, n.s., 19B (1983[1985]), p. 29-37; M.-F. Baslez, *Les communautés d'Orientaux dans la cité grecque*, L'étranger dans le monde grec, Nancy 1988, p. 139-158. MFBas

ASSYRIE L'A. a joué un rôle important dans l'histoire phén. de la première moitié du Ier mill. et les sources assyriennes, rédigées dans l'une des deux grandes variantes dialectales de l'akkadien — l'autre étant le babylonien — sont, avec l'A.T., notre principale documentation concernant la Phénicie à cette époque. Certes, déjà Shamshi-Addu I, l'usurpateur amorite du trône assyrien, se glorifie au XVIIIe s. d'avoir érigé une stèle "au pays de *La-ab-a-an* (sans doute le Liban), sur le rivage de la Grande Mer", mais cette expédition n'eut pas de lendemain. Téglat-Phalasar I (1115-1077), qu'une de ses campagnes a mené jusqu'en Phénicie, reçut le tribut des villes de →Sidon, →Byblos et →Arwad (→Tyr n'est pas nommée) et fit une promenade en mer dans les parages d'Arwad. Au cours de cette excursion il aurait tué de ses mains un animal extraordinaire qui n'est sans doute qu'un dauphin. La campagne de Téglat-Phalasar I n'eut aucune conséquence durable pour la Phénicie et, après le règne de ce souverain, l'A. sombra dans l'anarchie, qui dura jusqu'au Xe s. La période néo-assyrienne (*c.* 1000-612), qui lui fait suite, est la plus prestigieuse de l'histoire de l'A. Deux phases sont à distinguer. Du Xe au milieu du VIIIe s., les Assyriens lancent régulièrement des expéditions militaires dont le but essentiel semble être d'ordre économique — faire du butin ou percevoir le tribut — bien plus qu'elles ne visent à soumettre les régions parcourues. Téglat-Phalasar III (744-727) inaugure la seconde phase. Les pays vaincus sont convertis en provinces et incorporés à l'A. La déportation systématique des populations contribue à unifier l'Empire, tout en brisant les velléités de résistance locale.

La Phénicie occupe une position particulière dans ce mouvement d'expansion. Relativement épargnée au début, elle ne sera jamais complètement intégrée à l'Empire. Lorsque la puissance assyrienne s'effondrera, Arwad, Byblos et Tyr seront toujours, nominalement du moins, indépendantes. Cette position privilégiée est probablement due à des facteurs géographiques et politiques. Facteurs géographiques: protégées par la masse du mont Liban et échelonnées le long d'une étroite plaine côtière, elle-même compartimentée par des accidents naturels, les cités phén. sont relativement faciles à défendre et ne se trouvent pas sur une grande voie de communication terrestre. Elles ne constituent donc pas un obstacle à l'expansion assyrienne et, dénuées de puissance militaire — sur terre du moins —, elles ne constituent pas une menace sérieuse pour les envahisseurs. Facteurs politiques: très tôt, en fait dès la campagne de Téglat-Phalasar I, les cités phén. ont pratiqué une politique de soumission volontaire, payant tribut dès que les armées assyriennes apparaissaient, ce qui dispensait ces dernières d'exercer une pression plus forte.

La période de la pression assyrienne est aussi celle de l'expansion phén. en Méditerranée. La nature du lien qui unit ces deux mouvements n'est pas claire. La première idée qui se présente à l'esprit est que nombre de Phéniciens, effrayés par la progression assyrienne, ont cherché refuge à l'O. Mais on peut soutenir avec autant de vraisemblance que, étant donné les relations le plus souvent pacifiques que les cités phén. ont entretenues avec les conquérants assyriens, la constitution d'un grand empire continental aurait ouvert de nouveaux marchés aux Phéniciens et stimulé leur rôle d'intermédiaires entre l'E. et l'O. On peut aussi se demander si le problème n'est pas plus complexe. La constitution de l'Empire assyrien, en favorisant le développement de l'économie phén., aurait aussi permis un développement démographique auquel les colonies occidentales auraient servi d'exutoire. La question demeure ouverte.

Le premier roi d'A. à avoir perçu un tribut de cités phén. au Ier mill. est Assurnasirpal II (883-859), bientôt suivi par Salmanasar III (858-824) qui reçut plusieurs fois l'hommage des villes de la côte pendant qu'il faisait campagne contre les puissances araméennes de l'intérieur (pl. II-IIIc). Adad-nirari III (810-783), après une période d'anarchie, perçoit le tribut de Tyr et de Sidon, et est le premier à évoquer l'obligation d'un tribut permanent dans ce contexte. Les sources sont ensuite silencieuses jusqu'au règne de Téglat-Phalasar III (744-727). Celui-ci incorpore la côte nord-syrienne dans l'Empire et semble exercer une sorte de protectorat au moins sur Tyr et Sidon. Il n'est pas sûr que Salmanasar V (726-722) ait fait campagne en Phénicie: notre seule source sur ce point est une citation de Ménandre d'Éphèse par Fl. Jos. (*A.J.* IX 283-287), qui peut faire une confusion avec la campagne de Sennachérib. Sargon II (721-705) se vante, sans donner de détails, d'avoir pacifié Tyr. C'est seulement avec Sennachérib (704-681) que nous voyons, pour la première fois avec certitude, une campagne dirigée directement contre une ville phén.: Tyr qui, assiégée, est privée de ses possessions sur la terre ferme, mais préserve son indépendance. Asarhaddon (680-669) impose un traité de vassalité à →Baal I de Tyr et anéantit Sidon dont le roi →Abdimilkutti lui avait tenu tête en s'alliant à un roi de →Cilicie. Sidon, rasée, est remplacée par une ville neuve appelée Kar-Asarhaddon. Assurbanipal (668-627), célèbre pour la bibliothèque qu'il réunit à Ninive, continue à exercer, non sans résistance apparemment, une sorte de protectorat sur Tyr, Byblos et Arwad où, après avoir assiégé l'île, il choisit un successeur au roi →Yakinlu parmi les fils de ce dernier. Après Assurbanipal, l'A. entre dans une période de crise dont elle ne sortira jamais. En 612, la prise de Ninive par une coalition de Mèdes et de Babyloniens marque la fin de l'histoire assyrienne.

Bibl. ANET, p. 274-301; ARAB I-II; CAH III/1^{2}, p. 238-281, 930-941; DEB, p. 158-160; TPOA, p. 70-72, 85-134; A. Parrot, *Assur*, Paris 1969^{2}; A.K. Grayson, *Assyrian Royal Inscriptions* I-II, Wiesbaden 1972-76; B. Oded, *The Phoenician Cities and the Assyrian Empire in the Time of Tiglath-Pileser III*, ZDPV 90 (1974), p. 38-49; J. Elayi, *Les cités phéniciennes et l'empire assyrien à l'époque d'Assurbanipal*, RA 77 (1983), p. 45-58; P. Garelli, *Remarques sur les rapports entre l'Assyrie et les cités phéniciennes*, ACFP 1, Roma 1983, p. 61-66; G. Kestemont, *Tyr et les Assyriens*, StPhoen 1-2 (1983), p. 53-78; G. Bunnens, *Considérations géographiques sur la place occupée par la Phénicie dans l'expansion de l'empire assyrien*, StPhoen 1-2 (1983), p. 169-193; Y. Ikeda, *Assyrian Kings and the Mediterranean Sea. The Twelfth to Ninth Centuries B.C.*, Abr-Nahrain 23 (1984-85), p. 22-31; H.W.F. Saggs, *The Might that was Assyria*, London 1984; G. Bunnens, *Le luxe phénicien d'après les inscriptions royales assyriennes*, StPhoen 3 (1985), p. 121-133.

GBun

ASTARTÉ En ug. *ʿṯtrt*, phén. *ʿštrt*, gr. *Astártē*, déesse attestée relativement tard, au contraire de son cor-

Fig. 35. Statuette en bronze d'Astarté, dite de Séville ou d'El Carambolo (VIIIe s. av. J.C.). Séville, Musée Archéologique.

respondant masculin *ʿṯtr*; elle est mentionnée pour la première fois en Égypte, sous Aménophis II (1438-1412), en rapport avec la protection des chevaux (ANET, p. 244b). En Égypte encore, A. apparaît sous le nom d'Asiti (*ʿ-ś-i-t'*, *ʿst*) sous Séthi I (1291-1279), en tant que déesse asiatique à cheval. On la trouve ensuite à Ugarit comme *ʿṯtrt ṣwd(t)*, "A. la chasseresse" (KTU 1.92,2), mais aussi comme déesse de l'amour et de la guerre.

1 Sidon A. est connue comme déesse poliade de Sidon (*1 R.* 12,5.33; *2 R.* 23,13). Ses rois des VIe-Ve s., →Eshmunazor I et →Tabnit I, mentionnent avant leur titre royal celui de prêtre d'A. (KAI 13 = TSSI III,27); →Eshmunazor II ne porte pas ce titre, mais sa mère →Immi-Ashtart est "prêtresse d'A." (KAI 14 = TSSI III,28, 14-15). Tous deux construisent en commun un temple pour A. dans "Sidon de la mer" (l. 15) et un autre pour A. "nom de Baal" (*šm Bʿl*: l. 18). Cette hypostase de Baal est aussi connue à Ugarit par la malédiction de Keret (KTU 1.16, VI,56). Un sceau est dédié à *ʿšt* "dans Sidon" (Bordreuil, *Catalogue* 80). Pour Luc., *Syr.* 4, l'A. de Sidon était identifiée à Séléné. Dans les dédicaces de trois statuettes d'enfants du temple d'→Eshmun à Bostan esh-Sheik, près de Sidon, A. est mentionnée, à côté d'Eshmun (*lʿštrt lʾdny lʾšmn*: 18 BMB [1965], p. 106); ces deux divinités avaient donc un sanctuaire commun.

2 Tyr À l'époque hellénistique, A. appartient à la triade Baal Shamim/Hadad - A./Astéria - Melqart/Héraklès. Son culte est plus ancien. Elle apparaît comme *^dAs-tar-tú* dans le traité entre Asarhaddon et Baal (VIIe s.: AfO Beih. 9, p. 109), sous son aspect guerrier. D'après Fl. Jos. (*A.J.* VIII 145-146 = *C.Ap.* I 113-118), →Hiram I lui construisit un nouveau temple avec Héraklès-Melqart et →Ittobaal II fut, avant son avènement, "prêtre d'A." (Fl. Jos., *C.Ap.* I 123). Près de Tyr, à *Ḫirbet eṭ-Ṭayibē*, se trouve un trône de pierre consacré à A. "dans son sanctuaire" (KAI 17 = TSSI III,30). À →Umm el-Amed et Massub, au S. de Tyr, des dédicaces étaient adressées à →Milkashtart (KAI 19 = TSSI III,31).

3 Byblos D'après son inscription (KAI 29 = TSSI

III,20), la boîte en ivoire trouvée à →Ur et peut-être orginaire de Byblos, était offerte à A.. La →Baalat Gubal n'était cependant pas une forme d'A.

4 Séville Les plus anciennes traces d'A. ont été trouvées hors de Phénicie, ainsi près de Séville, sur une statuette de bronze des VIIIe-VIIe s., consacrée à *'štrt ḥr* (TSSI III,16). Cette pièce provient certainement de Phénicie ou de Chypre. La déesse trouve un écho dans l'ugaritique *'ttrt ḫr* (KTU 1.43,1) et dans l'Ishtar "hourrite", plus exactement de Ninive: ^{d}IŠ$_{8}$.DAR *ḫur-ri* (PRU IV, p. 230, l. 6), ég. *'str ḫr*. Elle était particulièrement puissante et est nommée comme déesse de Sidon dans des rituels hittites dès le XIIIe s. (KBo II,9 I 4; 36 Vs 14).

5 Chypre La plus ancienne inscription mentionnant vraisemblablement A. provient d'un temple phén. du quartier Kathari de Kition: sur une coupe de céramique de la fin du IXe s. on lit une dédicace encore mal expliquée (Kition III,D 21). Ce temple est distinct de celui du monticule de Bamboula, où s'élevait un sanctuaire d'Astarté (Kition III, C1,A4). C'est probablement de Chypre que provient aussi le médaillon d'or trouvé à Carthage en 1894 et daté de la fin du VIIIe s. (KAI 73 = TSSI III,18). Il nomme A. et Pygmalion, une association dont la logique nous échappe. D'autre dédicaces nous sont connues à l'importante A. de Paphos (*'štrt Pp*) qui, d'après de nombreuses inscriptions de Palaepaphos, correspond exactement à l'Aphrodite Paphia.

6 Occident Sous son nom ou sous une forme interprêtée, A. apparaît dans de nombreuses colonies phén. en Méditerranée. À Rhodes (KAI 44 = TSSI III,39), un préposé au temple porte le titre d'"époux d'A." (*mtrḥ 'štrny*); à Gozzo existait un temple d'A. (KAI 62,3) et, à Malte, elle reçoit des offrandes (ICO Malta 9,3; 15; 31,1). Les textes de Pyrgi montrent l'équivalence entre A. et Uni-Junon (KAI 277 = TSSI III,44). Au Ve s., elle suivait donc encore les Phéniciens dans leurs entreprises. En Sicile, l'A. d'→Éryx (CIS I,135) est attestée plus tard comme Vénus; elle y possédait un grand temple et se répandit de là en Sardaigne (CIS I,140), en Afrique du N. À Carthage, A. a toutefois pu parvenir directement de Tyr ou de Sidon. Elle y avait naturellement, comme →Tanit, un temple, en dépit de son rôle secondaire en Afrique du N. (KAI 81; CIS I,3779; 4882).

7 Égypte Au IIe-Ier s., il y avait à →Memphis un temple et un prêtre d'A.: son culte y était donc encore vivant.

8 Personnalité d'Astarté La personnalité d'A., comme celle de l'Ishtar babylonienne, est multiforme. Elle est pour l'essentiel une déesse de l'amour charnel et de la fécondité. En tant que telle, elle fut souvent représentée comme "déesse nue". L'A.T. témoigne du caractère partiellement orgiastique du culte d'A. et se prononce à plusieurs reprises contre les *'aštārôt*, attestées au pluriel seulement dans l'A.T. (*Jg.* 10,6; *1 S.* 7,4; 12,10; etc.). Elle fut assimilée à la gr. Aphrodite et à la rom. Vénus, mais également à l'égyptienne →Isis, la gr. Héra et la rom. Junon. Elle est aussi déesse de la guerre et de la chasse: c'est pourquoi les armes de Saül furent déposées dans le temple d'A. (*1 S.* 31,10), et elle fut représentée, en Égypte, à cheval ou dans un char de guerre, parfois avec une hache fenestrée. En tant que déesse céleste — en gr. *Asteria, Astronóē, Astroárkhē*, en lat. *Urania*, — elle est identifiée à l'étoile du soir, rarement avec la lune (Séléné). Son animal sacré est, comme pour Ishtar, le lion.

Bibl. DEB, p. 160-161 (bibl.); LÄg I, col. 499-511; LIMC II/1, p. 1077-1085; II/2, p. 739-741; PW II, col. 1776-1778; W.F. Albright, *Yahweh and the Gods of Canaan*, London 1968, p. 115-117, 197-212; W. Herrmann, *Aštart*, MIO 15 (1969), p. 6-55; W. Helck, *Betrachtungen zur grossen Göttin und den ihr verbundenen Gottheiten*, München-Wien 1971; M. Weippert, *Über den asiatischen Hintergrund der Göttin "Asiti"*, Or 44 (1975), p. 12-21; E. Gubel, *An Essay on the Axe-Bearing Astarte*, RSF 8 (1980), p. 1-17; A.N. Modona - F. Prayon (éd.), *Die Göttin von Pyrgi*, Firenze 1981.

WRöl

ASTARYMOS En gr. *Astharumos*, phén. *'štrt'm* ("Astarté est mère"); frère et successeur de →Methonastartos, roi de Tyr *c.* 888-880, assassiné par son frère →Phellès (Fl. Jos., *C. Ap.* I 123). ELip

ASTRONOÉ En gr. *Astronoē*, variante gr. du nom d'→Astarté, qui vise à souligner ses attributions dans le domaine astral et céleste. Elle apparaît dans une inscription tyrienne du Ier s. ap. J.C., après Héraklès. Leur proximité et leur qualification de "dieux" permet de supposer qu'il s'agit du couple poliade de Tyr, →Melqart et Astarté. A. est aussi le nom d'un port tyrien, d'après diverses épitaphes tardives. D'après Damascius, A., qualifiée de "mère des dieux", s'éprit d'un jeune chasseur, l'Asklépios →Eshmun de Béryte, qui se châtra pour lui échapper, mais qu'elle ramena à la vie grâce à la chaleur vivifiante, allusion probable à une hiérogamie cultuelle (Damasc., *V. Is.*, fr. 348). Ce mythe, qui amalgame des éléments hétéroclites, sidoniens, bérytains et anatoliens (Attis et Cybèle), propose A. comme le symbole de la divinité parèdre d'un dieu acteur d'une disparition et d'un retour à la vie. On doit enfin se demander si A. ne peut pas être rapprochée de la forme pun. *'štrny*, qui figure dans le titre religieux de →*miqim elim*, dit aussi *mtrḥ 'štrny*, peut-être "époux d'Astarté". Mais ce titre reste problématique, de même que la forme particulière *'štrny*.

Bibl. R. Dussaud, *Héraclès et Astronoé à Tyr*, RHR 63 (1911), p. 331-339; J.-G. Février, *Astronoé*, JA 256 (1968), p. 1-9; J.-P. Rey-Coquais, BMB 29 (1977), p. 100-101, 132-134; M. Chéhab, *Fouilles de Tyr. La nécropole* II-IV, Paris 1984-86, t. II, p. 139; t. III, p. 666, 675, 676, 733. CBon

ATHÉNA →Anat.

ATHÈNES Les stèles funéraires phén.-gr. (CIS I,115-117 = KAI 53-55 = TSSI III,40) témoignent de la présence d'une colonie phén. à A. dès le IVe s. Cette communauté bilingue était de provenance diverse, de Sidon, de Kition, d'Ascalon, et comptait des personnages renommés, tel le philosophe →Zénon de Kition, métèque à A. à partir de 312, qui fut, avec Zénon de Sidon, un des premiers Phéniciens à venir s'instruire de la →philosophie dans ce centre de la pensée antique et y fonda, en 301, l'École stoïcienne. Il y avait de grands bailleurs de fonds, comme Théodore le Phénicien (Dém., *C. Phorm.* 6), ou de simples courtiers, tel Pythodoros le Phénicien, connu vers 394 (Isocr., *Trapez.* 4). Les inscriptions gr. attestent aussi la présence, depuis le IVe s. au moins, de Phéniciens engagés dans de petits métiers artisanaux et même ruraux. La fin des →guerres médiques favorisa l'émigration phén. qui constitua des communautés stables et organisées, comme le montrent les décrets en faveur des gens de Sidon (IG II-III², 141), vers 365, et des métèques de Kition (IG II-III², 337), en 333. Puis, dans les années 330, le droit de propriété est octroyé "selon la loi" aux Phéniciens de Tyr et de Sidon (IG II-III², 342 et 343). Les communautés phén. du →Pirée étaient tout aussi importantes, surtout à partir du IIIe s., semble-t-il. La présence carth. est également attestée à A., non seulement par l'arrivée d'une ambassade qui conclut en 406 un →traité (8) entre A. et les généraux carth. qui assiégeaient alors Agrigente (StV II,208), mais aussi par l'enseignement de la philosophie dispensé à A. par Hérillos (IIIe s.) et →Hasdrubal (13) (IIe s.) de Carthage. Elle est peut-être impliquée, par ailleurs, par la connaissance qu'avait Aristote de la →Constitution carth.

Bibl. M.-F. Baslez, *L'étranger dans la Grèce antique*, Paris 1984; ead., *Cultes et dévotions des Phéniciens en Grèce: les divinités marines*, StPhoen 4 (1986), p. 289-305; ead., *Le rôle et la place des Phéniciens dans la vie économique des ports de l'Égée*, StPhoen 5 (1987), p. 267-285. ELip

ATHIENOU →Golgoi.

ATLIT En hb. *'Atlît*, arabe *'Aṯlīṯ*, site d'Israël à 15 km au S. de Haïfa, distinct de →Qarta. L'établissement primitif occupait la presqu'île rocheuse du Château-Pèlerin des Croisés, dont le flanc N. a servi d'appui à un double port phén., avec des quais construits en pierres de taille et deux môles, respectivement de 100 m et de 130 m de long, dont les extrémités étaient surmontées d'une tour et laissaient à l'E. une entrée large de 200 m. Le port disposait d'une seconde entrée à l'O., entre deux îlots. L'usage militaire de ces installations est suggéré par la découverte, aux abords du port, d'un bélier d'assaut, en bronze, parfaitement conservé, qui avait appartenu à un vaisseau de guerre de *c.* 300 av. J.C. L'importance de ce port invite à reconnaître dans A. l'"*Arados*, ville des Sidoniens", que Skyl. 104 mentionne entre le mont →Carmel et →Dor. Les →tombes (1A) à crémation découvertes dans les collines à l'E. de la côte attestent la présence phén. dès le VIIIe-VIIe s.; cette nécropole comporte aussi deux hypogées rupestres avec puits d'accès de la fin du VIe s. À l'époque perse, un nouveau site fut choisi pour les sépultures, à peu de distance de la baie qui borde la presqu'île au S., mais n'a pas servi de port. En 1930-31, C.N. Johns y dégagea 14 des 25 hypogées identifiés, mettant au jour un matériel funéraire semblable à celui d'autres nécropoles phén., p.ex. d'→Amrit ou de →Kamid el-Loz: de la céramique locale et attique, des alabastres, bijoux, fibules, scarabées et objets de toilette.

Bibl. EAEHL, p. 130-140; EJ III, col. 821-822; A. Raban, *Die antiken Häfen des Mittelmeeres*, Ruperto Carola, Sonderheft, Heidelberg 1981, p. 39-83 (voir p. 55-58); E. Linder-Y. Ramon, *A Ram of an Ancient Warship*, Qadmoniot 14 (1981), p. 39-43 (hb.); E. Stern, *The Material Culture of the Land of the Bible in the Persian Period, 538-332 B.C.*, Warminster 1982, p. 70-72; A. Raban (éd.), *Harbour Archaeology*, Oxford 1985, p. 30-40. EGub-ELip

AU-DELÀ →Eschatologie.

AUGUSTIN, SAINT (354-430). Évêque d'→Hippone (*Hippo Regius*) de 394 à 430, en Afrique proconsulaire. Né à Thagaste (→Souk Ahras), petite ville de la →Numidie orientale, A. semble avoir appartenu à une famille de vieille tradition africaine (*Ep.* 17,2). En tout cas, c'est avec sympathie qu'il évoque la lutte finale de Carthage, allant jusqu'à parler de *ille Scipio vester* quand il s'adressait aux Romains de son temps (*Civ.* I 30; III 18). Il avait une certaine notion de la langue pun., dont il cite quelques mots ou sentences dans ses écrits, et savait qu'elle était apparentée à l'hébreu. Quand il était devenu évêque, A. insistait pour que l'on nommât des prêtres qui sussent parler le punique à leurs ouailles (*Ep.* 209,2-3; *in Epist. Ioh.* 2,3).

Bibl. A. Mandouze, *Saint Augustin*, Paris 1968; F. Vattioni, *S. Agostino e la civiltà punica*, Augustinianum 8 (1968), p. 434-467; G. Bonamente, *Il* metus Punicus *e la decadenza di Roma in Sallustio, Agostino ed Orosio*, GIF 27 (1975), p. 137-163; F. Vattioni, *Glosse puniche*, Augustinianum 16 (1976), p. 505-555 (voir p. 532-534); W. Röllig, *Das Punische im Römischen Reich*, Die Sprachen im Römischen Reich der Kaiserzeit, Köln 1980, p. 285-299 (voir p. 297-298); A. Penna, *Vocaboli punici in S. Girolamo e in S. Agostino*, ACFP 1, Roma 1983, p. 885-895 (bibl.); I. Opelt, *Augustins Epistula 20* (Divjak), *ein Zeugnis für lebendiges Punisch im 5. Jhd. n. Chr.*, Augustinianum 25 (1985), p. 121-132. ELip

AUTEURS CLASSIQUES Au temps de F.K. →Movers, les a.c., gr. et lat., constituaient la source unique — ou de peu s'en faut — des →études phén.-pun. Les →fouilles archéologiques, les progrès de l'→épigraphie, aussi bien sémitique que gr.-lat., et le déchiffrement des tablettes d'→Ugarit (3-4) ont modifié cette situation sans toutefois la changer radicalement, en raison de la nature même des vestiges archéologiques, de la concision des documents épigraphiques et de la date des textes d'Ugarit, qui remontent au Bronze Récent.

1 Historiographes Les historiographes gr. et lat. demeurent la principale source d'information pour les conflits qui opposèrent les Grecs, puis les Romains, aux Orientaux et aux Carthaginois. Les *Histoires* d'Hérodote d'Halicarnasse (*c.* 484- *c.* 425) restent ainsi irremplaçables pour la connaissance des →guerres médiques (Hdt. V 28-IX). Elles témoignent, par ailleurs, de l'existence d'une légende complète de →Kadmos (cf. Isocr., *Hel.* 67-68), signalent le →périple (1) d'Afrique sous Néchao (Hdt. IV 42) et informent sur les Tyriens de →Memphis (II 142), Tartessos (→Tarshish 3), la →Libye (IV 168-199), l'expédition avortée de Cambyse contre Carthage (III 17.19) ou la bataille d'→Himère (VII 165-167). Hérodote reste cependant très discret sur le monde phén.-pun. de l'O. et Thucydide (*c.* 455-*c.* 395), dont la *Guerre du Péloponnèse* traite de l'expédition athénienne de 415-413 en →Sicile (3) (Thc. VI-VII), ne fait qu'évoquer les colonies phén. de l'île (V 2,6). Les conflits du Ve s. semblent trouver un écho dans les tragédies d'→Euripide et l'œuvre du rhéteur Isocrate (436-338) contient des informations sur la Phénicie (p.ex. *Ev.* 62; *Pan.* 161; *Ph.* 102), la présence phén. à →Chypre vers la fin du Ve s. (p.ex. *Ev.* 19-21; 26; 47; 62; 66-67; *Ni.* 28; *Bi.* 18; 20) et, sporadiquement, les guerres de Sicile (*Pa.* 85; *Ar.* 44-45; *Ep.* I 8; cf. *Ni.* 24). Si Xénophon (*c.* 428/7-*c.* 354) ne fait que des rares allusions aux Phéniciens, tandis que ses mentions des Carthaginois en Sicile sont des interpolations (*An.* I 3,7; 5,21; II 2,24; 3,5), Aristote (384-322) donne un aperçu important de la →constitution carth. Beaucoup d'écrits anciens sont perdus, notamment l'*Histoire universelle* d'Éphore (IVe s.) et l'*Histoire* de →Timée (IVe-IIIe s.), dont ne subsistent que des fragments (FGH 70 et 566), de même que celle d'Hiéronymos de Cardia (IVe-IIIe s.), auquel Plutarque (Ier-IIe s.) doit le meilleur de sa *Vie de →Pyrrhus* (cf. FGH 154). Toutefois, Diodore de Sicile (Ier s. av. J.C.) fait usage de diverses œuvres perdues dans sa *Bibliothèque historique*, qui donne une vue d'ensemble de l'→expansion phén. en Méditerranée, informe sur l'histoire de →Carthage, mais ne distingue pas toujours les Phéniciens des Carthaginois, auxquels Diodore attribue, p.ex., la fondation de →Motyé (XIV 47,4). On lui doit également une description des →mines espagnoles (III 12-14; V 35-38) et un récit du siège de →Tyr par →Alexandre le Grand (XVII 40-46), relaté aussi par Quinte-Curce (Ier s. ap. J.C.) et Arrien (*c.* 96-169). Les livres V-VIII de l'*Histoire romaine* d'Appien sont consacrés aux →guerres pun., dont la première est racontée aussi par Diod. XXII 13-XXIV 14. Une source exceptionnelle pour la connaissance de ces conflits est l'*Histoire* de Polybe (208?-132?), qui a exploité des historiens gr. pro-carth., tels que Philinos d'Agrigente (*fl. c.* 225), pour la 1re guerre pun. (FGH 174), Silenos (FGH 175) et Sôsylos (FGH 176) de Lacédémone (*fl.* 218 av. J.C.), pour la 2e guerre, auteurs que Polybe critique toutefois avec âpreté (Pol. I 14; III 20,5). La monumentale *Ab Urbe condita* de Tite-Live (59 av.-17 ap. J.C.) est aussi une source de premier ordre, surtout pour la 2e guerre pun., car les écrits des anciens annalistes rom., Q. Fabius Pictor, L. Cincius Alimentus, qui fut capturé par →Hannibal (6) (Liv. XXI 38,3), G. Acilius et L. Cassius Hemina ne subsistent qu'en fragments (HRR). L'utilisation historique des sources rom. se heurte toutefois à un problème d'objectivité, vu l'inimitié croissante des Romains à l'égard des Puniques (*fides Punica*) et l'absence de tout récit équivalent de provenance carth. Le personnage incarnant cette attitude anti-carth. était Caton l'Ancien (234-149), dont les *Origines* IV ont servi de source à l'histoire de la 2e guerre pun. écrite par L. Cœlius Antipater (IIe-Ier s.), qui a utilisé aussi des archives familiales (Liv. XXVII 27,13) et l'œuvre de Silenus (Cic., *Div.* I 24,49). Salluste (*c.* 86-*c.* 35) doit être nommé ici en raison de sa *Guerre de →Jugurtha* et Cornelius Népos (*c.* 99-*c.* 24) pour ses biographies, plutôt conventionnelles, d'→Hamilcar (8) et d'→Hannibal (6). Aux yeux des Romains de leur époque, les guerres pun. appartenaient à un passé révolu, comme le font déjà sentir les stéréotypes utilisés par Cicéron (106-43), p.ex. *Inv.* I 11.17 et *Off.* I 34.38, ou les recueils d'*exempla* de Sénèque et de Valerius Maximus, auxquels fait suite le désintéressement de Tacite (I^e-IIe s.), qui ne livre que quelques données éparses sur le monde phén.-pun. (*Ann.* XI 14-15; XVI 1; *Hist.* II 78). Aussi l'importance des historiographes de l'époque impériale dépend-elle de la qualité de leurs sources, ainsi que de l'intelligence qu'ils en avaient. L'*Histoire romaine* de Velleius Paterculus (*c.* 20 av. - après 31 ap. J.C.), dont le livre I s'achève avec la chute de Carthage et celle de →Corinthe (146 av. J.C.), est renommée pour la date assignée à la fondation de →Gadès par les Tyriens, en 1104/3 (I 2,1), suivie de peu par celle d'→Utique, puis celle de Carthage, en 817/6 (I 6,4) ou 814/3 (I 12,5). L'*Histoire des Carthaginois* de l'empereur Claude (10 av.-54 ap. J.C.), rédigée en gr. (Suét., *Cl.* 42) et mentionnée peut-être par Serv., *in Aen.* I 343.738, est perdue, tout comme les *Histoires philippiques* de Trogue Pompée (Ier s. av. - Ier s. ap. J.C.), dont seuls subsistent les *Prologues*, une sorte de sommaire d'où il appert que le livre XVIII était consacré aux Phéniciens et à leur expansion en Méditerranée. L'œuvre a cependant été abrégée au 1/5 environ par Justin (*Épitomé*), un auteur du IIIe s., dont la fiabilité est discutable, mais dont l'exposé conserve diverses traditions concernant le monde phén.-pun., notamment les origines de Carthage et de Gadès, ainsi que les guerres pun. L'*Histoire romaine* de Dion Cassius (IIIe s.), qui lui est de peu antérieure, n'est connue en partie que par l'*Épitomé* de Zonaras (XIIe s.). Les données relatives à l'histoire des Phéniciens de l'Orient sont plus maigres. Pour son apologie du judaïsme, *Contre Apion*, et ses *Antiquités judaïques*, Flavius Josèphe (37/8-après 100) a utilisé non seulement la →Bible, mais aussi des sources hellénistiques, notamment Dios, Hestiaios, Hiéronymos l'Égyptien, Philostrate (FGH 785-787, 789) et la compilation d'Alexandre Polyhistor (*c.* 105-*c.* 40), auquel il semble avoir emprunté des extraits de Ménandre d'Éphèse, basés à leur tour sur des →Annales tyriennes (FGH 783). Il réécrit toutefois l'histoire dans l'optique de son temps et d'un point de vue qui reflète une certaine émulation entre des auteurs gr. de la Phénicie et de la Judée.

2 Poètes et romanciers Si le nom des Phéniciens, attesté déjà chez Homère (*Od.* XIII 272); XV 415.419.473; cf. IV 83; XIV 291), est une création gr. (→Phoinix), son emploi est parfois confus et la chronologie que les a.c. assignent à la première expansion phén. au temps de Kadmos, situé bien avant la guerre de Troie, relève de la fantaisie épique ou poétique dont l'influence se fait sentir aussi chez les historiographes. Les données des poèmes homériques, qui donnent une idée du →commerce phén. en →Égée, sont encore très sobres, mais la légende de Kadmos s'enrichit progressivement d'éléments nouveaux qui répondent à une mode de l'époque gr.-rom. C'est alors que foisonnent les écrits gr. intitulés *Phoinikiká, Perí Phoinikēs, Phoinikikaí Historiaí*, dont on n'a souvent conservé que le titre ou des fragments qui ne permettent guère de se faire une idée de leur contenu. Or, celui-ci pouvait varier à l'extrême si l'on en juge d'après les *Phoinikiká* de Lollianos, ceux de Claudios Iolaos et la *Phoinikikḗ Historía* de →Philon de Byblos. L'œuvre attribuée à Lollianos (Pap. de Cologne 3328 et *Pap. Oxy.* 1368) est un roman, probablement du IIe s. ap. J.C.; on y trouve une scène d'amour au cours d'une fête religieuse et un sacrifice humain suivi d'une orgie sexuelle, motifs qui devaient être considérés alors comme typiquement phén. et justifiaient l'intitulé de l'œuvre. Quant à Philon de Byblos, il traitait, vers la même époque, du passé mythique et légendaire de la Phénicie, tandis que Claudios Iolaos (Ier s. ap. J.C.) nous a laissé des étymologies de toponymes (FGH 788). On manque aussi de données sur les comédies d'Alexis (*c.* 375-*c.* 275) et de Ménandre (342/1-293/89), intitulées *Karkhēdónios* (FAC II, p. 100; IIIb, p. 259-267), dont le *Poenulus* de →Plaute peut partiellement dériver. Cette dernière comédie, écrite après la 2e guerre pun., révèle tout l'intérêt du public rom. pour Carthage. Déjà le *Bellum Punicum* de Gnaeus Naevius (*c.* 270/65-*c.* 204/1), poème épique en 7 livres (Suét., *Gram.* 2) dont n'ont subsisté que des menus fragments, était consacré surtout à la 1re guerre pun., à laquelle Naevius avait pris part (Gell., *Noct.* XVII 21.45), tandis que la 2e guerre pun. faisait l'objet des livres VIII-IX des *Annales* (fr. 214, 287 Skutsch) de Q. Ennius (239-169), composées en hexamètre dactylique. Les livres I-III de Naevius auraient traité des antécédents mythiques du conflit pun.-rom. et l'œuvre aurait eu une influence profonde sur l'*Énéide* de Virgile (71-19). Celui-ci, en opposant les destins d'→Énée et d'→Élissa-Didon (*Aen.* IV), incarnait dans ses personnages l'histoire des rapports pun.-rom., comme l'indiquent les mentions de protagonistes des guerres pun. (VI 841-846.855-859; X 11-12) et l'allusion possible à Hannibal, qui serait le vengeur de l'imprécation lancée par Didon (IV 622-629). Si Virgile garde des préjugés anti-pun. (I 302.661), il ne présente pas l'épisode de la "peau de bœuf" (I 365-368) comme un exemple de la *fides Punica* et fait voir comment Didon recourt, en désespoir de cause, aux rites de magie sympathique pour reconquérir l'amour d'Énée (IV 478-521). Il ne faut pas perdre de vue que le projet de l'*Énéide* fut conçu l'année même où Octave installait 3000 colons à Carthage (29 av. J.C.), s'apprêtant à rebâtir la ville. Les commentaires de Servius, *in Aen.*, qui utilise des sources perdues, peuvent présenter un intérêt historique, mais l'optique de son temps, le Ve s., ne peut être projetée sur l'âge augustéen, remarque qui vaut à fortiori pour leur version élargie, appelée *Servius Danielis* du nom de son premier éditeur, P. Daniel (Paris 1600). Si l'*Énéide* a influencé les *Punica* de Silius Italicus (*c.* 26-*c.* 101), une épopée de 12.000 vers sur la 2e guerre pun. (éd. J. Delz, Leipzig 1987), cette œuvre s'en distingue par sa lourdeur, son goût pour l'érudition et ses intermèdes mythologiques, auxquels on est redevable de quelques informations concernant, p.ex., Gadès et son temple d'Hercule. Elle a aussi une saveur moralisante, opposant le héros Scipion au perfide Hannibal.

3 Mythographes Si l'on excepte quelques données de base tirés de la →mythologie phén. et peut-être les éléments d'une →théogonie recueillis par →Phérécyde (1) au VIe s. av. J.C., les témoignages des a.c. relatifs aux dieux et aux mythes prétendûment phén. relèvent plus de la mythographie gr.-lat. que de la religion phén.-pun. Cela vaut, à des degrés divers, pour la *Bibliothèque* du Pseudo-Apollodore (Ier s. ap. J.C.), conservée partiellement sous forme d'épitomé par J. Tzétzès (XIIe s.), les *Dionysiaques* de Nonnos de Panopolis (Ve s. ap. J.C.), dont le livre XL se rapporte à Tyr et répercute un écho hénothéiste des légendes phén. Il en va de même des éléments des cosmogonies phén. transmises par le néoplatonicien Damascius (*c.* 460-540) dans son *Traité des premiers principes* et de la *Chronographie* byzantine de Jean Malalas d'Antioche (*c.* 491-578): précieuse pour les informations concernant son temps, cette chronique universelle fourmille d'erreurs, ajoute des traits romanesques à des traditions plus anciennes, p.ex. celle de la fondation de Carthage, et reflète un →évhémérisme populaire. Si l'œuvre de →Philon de Byblos émerge de cet ensemble, c'est moins par son contenu que par l'origine giblite de l'auteur, sa référence à l'autorité de →Sanchuniathon et la place que lui accorde →Eusèbe de Césarée. Les *Œuvres morales* de Plutarque (Ier-IIe s. ap. J.C.) comportent un *Traité d'Isis et d'Osiris*, qui contient des éléments de mythes phén., et le *De dea Syria*, attribuée à Lucien de Samosate (*c.* 120-*c.* 180), livre des informations sur des divinités et des formes de culte phén. (*Syr.* 3-9), notamment celui d'→Adonis, tout en se référant directement au sanctuaire d'Atargatis à Hiérapolis de Syrie.

4 Géographes, périégètes et lexicographes Les périples et les écrits géographiques méritent une attention particulière, car ils se fondent, en définitive, sur la perception directe des sites, la notation des toponymes et des distances. Parmi les →périples, il faut relever non seulement celui d'Hannon, traduit du pun. en gr., mais aussi ceux du Pseudo →Skylax, du Pseudo →Skymnos et d'Himilcon, dont →Avienus semble avoir eu connaissance. Par ailleurs, on ne soulignera pas assez l'importance de l'œuvre géographique d'→Ératosthène, de →Strabon, de →Pline l'Ancien. Même les écrits de →Pomponius Méla et de →Denys le Périégète contiennent des informations intéressantes sur la géographie, voire l'histoire de l'aire phén.-pun. Par contre, la *Périégèse de la Grèce* de Pausanias (*fl. c.* 150 ap. J.C.) contient peu de données fiables concernant le monde phén., même si l'auteur affirme s'être informé auprès d'un Phénicien (VII 23,7-8; IX 28,2; X 32,18). Dans les écrits plus tardifs, il faut relever les renseignements géographiques, outre les témoignages historiques, de l'*Histoire contre les païens* de Paul Orose (c. 375/80-après 417) et les *Origines* d'→Isidore de Séville, où les étymologies jouent un grand rôle. Comme elles portent souvent sur la →toponymie, elles fournissent des informations comparables à celles des géographes et des périégètes. Ceci vaut également pour l'œuvre lexicographique d'Hésychios (Ve s. ap. J.C.), d'Étienne de Byzance (VIe s.), pour l'*Etymologicum Magnum Genuinum* et l'*Etymologicum Parvum*, compilés sous la direction de Photius (IXe s.), pour la *Souda* (Xe s.) et l'*Etymologicum Magnum* (XIIe s.). Ces lexiques contiennent de nombreuses notices géographiques, historiques et linguistiques concernant la Phénicie, les fondations vraies ou présumées des Phéniciens, Carthage, les divinités phén.-pun. Toutes ces informations, tirées de sources anciennes souvent perdues, sont cependant privées de leur contexte, tout comme les scholies à diverses œuvres classiques, et doivent donc être utilisées avec précaution. La prudence s'impose à fortiori dans le cas des légendes et des mythes prétendûment phén., auxquels les a.c., surtout tardifs, ont fait subir des déformations profondes.

Bibl. CHCL I-II; Bunnens, *Expansion*; F. Mazza - S. Ribichini - P. Xella, *Fonti classiche per la civiltà fenicia e punica* I, Roma 1988; *Dictionnaire des auteurs grecs et latins de l'Antiquité et du Moyen Âge*, Turnhout 1991.

Ad 1: *Historiographia antiqua*, Leuven 1977; A. Momigliano, *Problèmes d'historiographie ancienne et moderne*, Paris 1983; M. Piérart, *L'historien ancien face aux mythes et aux légendes*, LÉC 51 (1983), p. 47-62, 105-115; F. Càssola, *Tendenze filopuniche e antipuniche in Roma*, ACFP 1, Roma 1983, p. 35-39; M. Dubuisson, *L'image du Carthaginois dans la littérature latine*, StPhoen 1-2 (1983), p. 159-167; G. Schepens, *The Phoenicians in Ephorus' Universal History*, StPhoen 5 (1987), p. 315-330; F. Mazza, *L'immagine dei Fenici nel mondo antico*, I Fenici, Milano 1988, p. 548-567.

Ad 2: P. Wathelet, *Les Phéniciens dans la composition formulaire de l'épopée grecque*, RBPhH 52 (1974), p. 5-14; K.-H. Niemann, *Die Darstellung der römischen Niederlagen in den Punica des Silius Italicus*, Bonn 1975; M. von Albrecht, *Naevius' Bellum Poenicum*, E. Burch (éd.), *Das römische Epos*, Darmstadt 1979, p. 15-32, 401-402; T.E. Kinsey, *Tyre and Sidon in Virgil's Aeneid*, Philologus 125 (1981), p. 149-151; R. Vincenzi, *Cartagine nell'Eneide*, Aevum 59 (1985), p. 97-106; F. Spaltenstein, *Commentaire des* Punica *de Silius Italicus (livres 1 à 8)*, Genève 1986.

Ad 3: M. van den Valk, *On Apollodori Bibliotheca*, RÉG 71 (1958), p. 100-168; A. Henrichs, *Die Phoinikika des Lollianos*, Bonn 1972; H.W. Attridge - R.A. Oden, *De dea Syria*, Missoula 1976; M. Hörig, *Dea Syria*, Kevelaer - Neukirchen - Vluyn 1979.

Ad 4: PW XII, col. 2432-2482; Y. Janvier, *La géographie d'Orose*, Paris 1982; id., *La géographie de l'Afrique du Nord chez Orose*, BAC, n.s., 18B (1982 [1988]), p. 135-151.

Cet article se base partiellement sur des notices fournies par C. Bonnet, M. Dubuisson, V. Krings. ELip

AUZA Ville de Libye fondée par →Ittobaal (1) de Tyr, contemporain d'Achab d'Israël, s'il faut en croire une notice de Ménandre d'Éphèse conservée par Fl. Jos., *A.J.* VIII 324. L'historicité de cette fondation demeure problématique: rien ne la confirme, rien ne la dément. Une ville d'*Auzia* ou *Auzea*, attestée plus tardivement (Ptol. IV 2; Tac., *Ann.* IV 24; *It. Ant.* 30,6) et généralement identifiée à l'actuelle Sour el-Ghozlane, à 124 km au S.-E. d'Alger, pourrait porter le nom de cette antique A.

Bibl. AAAlg, f^e 14 (Médéa), n° 105; Bunnens, *Expansion*, p. 141 et l'index; Lepelley, *Cités* II, p. 534-538. GBun

AVIENUS, RUFUS FESTUS Poète didactique lat. de la seconde moitié du IVe s. ap. J.C., auteur d'*Aratea* (éd. J. Soubiran, Paris 1981) et d'une *Descriptio orbis terrae* (éd. P. van de Woestijne, Brugge 1961), adaptations libres, en hexamètres, des *Phénomènes* d'Aratos et de la *Périégèse* de →Denys, ainsi que d'un périple en trimètres iambiques dont sont conservés les 713 premiers vers, connus par leur seule *editio princeps* (Venise 1488; éd. A. Berthelot, Paris 1934; J.P. Murphy, Chicago 1977) et relatifs à un voyage de la Bretagne à la Ligurie (*Ora maritima*). L'*Ora*, témoin principal du →périple d'Himilcon, dériverait d'un modèle gr. en iambes, à situer peut-être dans le sillage d'Apollodore, aux IIe-Ier s. av. J.C. Les *Histoires* (II, fr. 5) de Salluste, source de la description perdue du Marais Maiotis (*Ora* 32-34), ont dû suggérer l'identification de Tartessos à Gadès (*Descr.* 610-619; *Ora* 85.267-271).

Bibl. A. Holder, *Avienus*, Innsbrück 1887; A. Schulten, *Fontes Hispaniae antiquae* I, Barcelona 1955^2; J.-J. Dupuich, Mélanges R. Dion, Paris 1974, p. 225-231; Huß, *Geschichte*, p. 84-85. DMar

AYIA IRINI En gr. *Hágia Eirḗnē*, site du N.-O. de Chypre, sur la baie de Morphou, exploré par la mission suédoise en 1930 (sanctuaire) et par une mission italienne en 1970-73 (ville et nécropole). Le sanctuaire a livré des milliers de statues et figurines en terre cuite qui apportent un témoignage essentiel sur la religion et l'art chypriotes archaïques. Une influence phén. est discernable dans certains thèmes iconographiques, mais aussi, probablement, dans la quantité exceptionnelle des scarabées découverts (*c.* 300). Les fouilles plus récentes ont montré qu'à l'époque archaïque la céramique phén. était particulièrement abondante à A.I., ce qui, ajouté à quelques inscriptions sur vases, a permis de supposer l'existence, vers le VIIe s., d'un comptoir phén. sur le site ou dans les environs.

Bibl. SCE II, p. 642-824 (cf. E. Gjerstad, RDAC 1979, p. 245); Masson-Sznycer, *Recherches*, p. 94-96; V. Karageorghis (éd.), *Archaeology in Cyprus 1960-1985*, Nicosia 1985, p. 182-194; P.M. Bikai, *The Phoenician Pottery*, in *La nécropole d'Amathonte. Tombes 113-367* II, Nicosia 1987, p. 1-19. AHerm

AZATIWADA En phén. *'ztwd*, en hiéroglyphes louvites *Á*+x-*za-ti-wa/i-tà-sa*, dynaste d'Azatiwad/taya, l'actuelle →Karatepe, qui a été promu par le roi Awariku I (→Urikki) d'Adana, en →Cilicie. Il a ensuite veillé au maintien de la famille d'Awariku sur le trône d'Adana et a installé, dans la nouvelle ville d'Azatiwad/taya, le dieu →Baal *Krntryš*, probablement le dieu de l'orage d'une ville de ce nom, peut-être Kelenderis, sur la côte de la Cilicie Trachée. On notera que le nom de la ville d'Azatiwad/taya, en phén. *'ztwdy*, est identique à l'ancien nom d'Aspendos, attesté par la légende monétaire *Estwediius* jusqu'à la fin du IVe s. av. J.C. (fig. 36). Comme la ville appartenait encore *c.* 400 av. J.C. au royaume de →Cilicie (Xén., *An.* I 2,12), la notice d'Hellanikos (Ve s.), "Aspendos, ville de Pamphylie, fondation d'Aspendos" (FGH 4, fr. 15), peut impliquer sa fondation par le même A. qui évoque un transfert de populations vers l'O. du royaume (TSSI III,15 A,I,20-21). Les inscriptions bilingues de Karatepe, qui relatent la longue et féconde carrière d'A., doivent être datées de *c.* 750 ou *c.* 700 av. J.C., ce qui situerait l'activité d'A. dans la première ou la seconde moitié du VIIIe s.

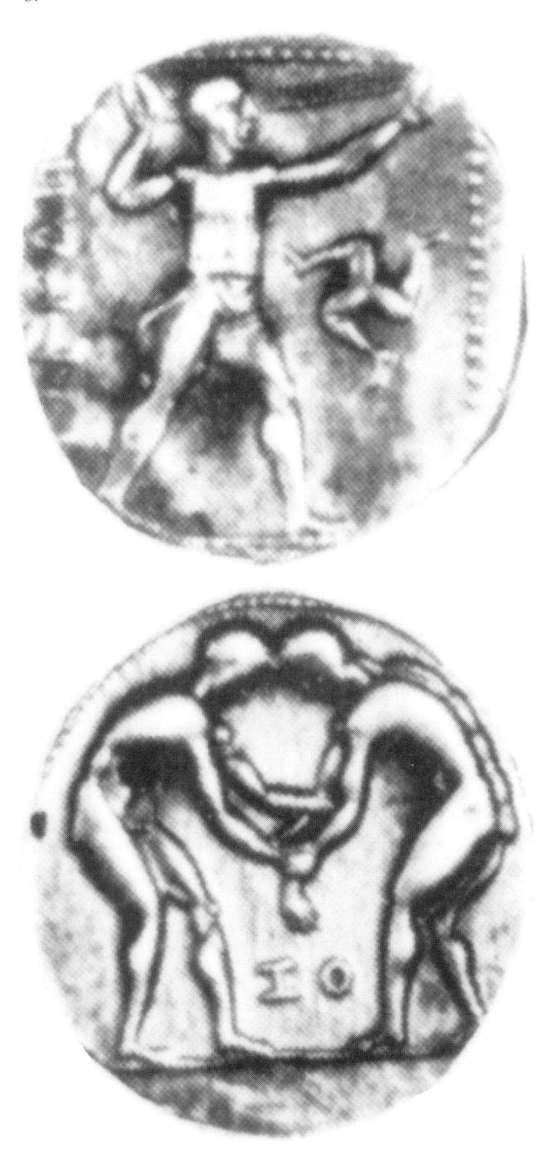

Fig. 36. Statère d'Aspendos avec la légende Estwediiu *(c. 380 av. J.C.). Coll. privée.*

Bibl. CAH III/1², p. 429-431; KAI 26; TSSI III,15; H. Grégoire, *Azitawadda-Estwed*, La Nouvelle Clio 1-2 (1949-50), p. 122-127; R. Goossens, *À propos des inscriptions de Karatepe*, ibid., p. 201-205; K.R. Veenhof (éd.), *Schrijvend Verleden*, Leiden-Zutphen 1983, p. 46-54. ELip

AZEFFOUN →Rusazus.

AZIZ BEN TELLIS Centre antique d'Algérie, qui correspond probablement à l'*Idicra* de l'*It.Ant.* La culte de →Caelestis (CIL VIII,8239; 8241) et de →Saturne (CIL VIII,8245; 8247; 8254; BAA 4 [1970], p. 301-312) y est bien attesté. Une particularité du lieu sont les dédicaces des prêtres de Saturne qui comportent une sorte de →tarif sacrificiel (3).

Bibl. AAAlg, f^e^ 17 (Constantine), n° 214; M. Leglay, *Saturne africain. Monuments* II, Paris 1966, p. 63-65; id., StPhoen 6 (1988), p. 217-219, 232-234. ELip

AZUZ Théonyme phén., prononcé peut-être *'Azzūz*. Il est attesté dès le VIIe s. dans le nom d'*Abdi-*^(d)^*A-zu-zi*, en écriture alphabétique *'bd'zz*, "Serviteur d'A." Au IIe s. av. J.C., A. entre dans la composition du nom divin *'zz Mlk'štrt*, "le Fort de →Milkashtart" (CIE 04.03), qui semble désigner le dieu tutélaire de Gadès, assimilé à l'Héraklès à la peau de lion (→Melqart). On ignore quelle divinité se cachait primitivement sous cette épithète de "Fort".

Bibl. Benz, *Names*, p. 162; R. Zadok, BASOR 230 (1978), p. 57-58; E. Lipiński, OLP 15 (1984), p. 94-99. ELip

AZ(Z)IBAAL En phén. *'zb'l*, akk. *A-zi-ba-(')al*, gr. *Azbálos*, corr. de *Agbálou* ("Ma force est Baal").
1 A., fils de →Yakinlu, roi d'Arwad, choisi par Assurbanipal pour succéder à son père entre 665 et 649 (ANET, p. 296a; APN, p. 48b).
2 A., père de →Maharbaal (2), probablement roi d'Arwad au début du Ve s. (Hdt. VII 98).
3 A., roi de →Kition vers le milieu du Ve s., fils et successeur de →Baalmilk I (2). C'est de son règne que date l'annexion d'→Idalion, comme l'indique la modification de titulature par rapport à son père. A. est connu par son monnayage d'argent (*BMC. Cyprus*, p. XXXII, 10-13; fig. 252:2) et par deux inscriptions phén. de son fils →Baalmilk II (3).
4 A., roi de Byblos dans la première moitié du IVe s., fils de Paltibaal, grand prêtre de la →Baalat Gubal, et de →Batnoam. Il est connu par l'inscription phén. du sarcophage de sa mère et par son monnayage qui porte au verso la légende *'zb'l mlk Gbl*.

Bibl. Benz, *Names*, p. 165.
Ad 4: J. Elayi, *Les monnaies préalexandrines de Byblos*, BSFN 41 (1986), p. 13-16. JEla

AZ(Z)IMILK En phén. *'zmlk*, gr. *Azemilkos* ("Ma force est le Roi"), nom fréquent dans l'onomastique phén.-pun. (Benz, *Names*, p. 165-167), porté par le(s) dernier(s) roi(s) de →Tyr.
1 A. I, roi de Tyr de 347 à 322, voire 309. En effet, l'émission des oboles tyriennes en argent du temps d'A. se poursuit jusqu'à l'année 26, c.-à-d. 322, et les tétradrachmes alexandrins en argent portant l'abréviation *'k*, vraisemblablement *'(zml)k*, vont jusqu'à l'année 39, c.-à-d. 309. Diverses inscriptions datées du règne d'A. proviennent de →Shiqmona, →Libnat, →Akshaph, →Bit-Zitti, →Bêt-Bétèn et →Sarepta. Au moment de la campagne d'→Alexandre en Phénicie, A. se trouvait en mer avec la flotte phén.-perse d'Autophradate et c'est son fils qui fit partie de l'ambassade accueillant Alexandre à Palaetyr (→Usu) en hiver 333/2 (Arr., *An.* 15,7; cf. Q.-Curce IV 2,2). L'obstination du Macédonien, qui voulait avoir accès à l'île de Tyr, déclencha l'opposition des Tyriens

et le siège de la ville, qui dura sept mois et fut très dur. Les Tyriens perdirent 8.000 hommes (Arr., *An.* II 24,4), 6.000 tués et 2.000 crucifiés, précise Q.-Curce IV 4,16-17. Alexandre épargna toutefois le roi A., réfugié dans le sanctuaire de →Melqart (Arr., *An.* II 24,5), et le laissa apparemment sur le trône. A. devait encore régner en 315, quand Tyr soutint un siège de quinze mois contre Antigone (Diod. XIX 59,3; 61,5). À partir de la même année, il dut avoir un co-régent en la personne d'un encore hypothétique A. II.

2 A. II, successeur possible d'A. I., dont l'existence est impliquée, semble-t-il, par une seconde série de tétradrachmes alexandrins portant l'abréviation *'z*, vraisemblablement *'(zml)k*, et datés de 8 à 11, années qui correspondraient à 309-306 av. J.C. Les années 1 à 7 seraient celles de la co-régence avec A. I. Le règne d'A. II, fils ou petit-fils d'A. I, a dû prendre fin en 306/5, quand Antigone se fit proclamer "roi".

Bibl. H. Berve, *Das Alexanderreich* II, München 1926, p. 13; A. Lemaire, *Monnayage de Tyr et celui dit d'Akko dans la deuxième moitié du IVe siècle av. J.-C.*, RNum, 6e sér., 18 (1976), p. 11-24; J.W. Betlyon, *The Coinage and Mints of Phoenicia*, Chico 1982, p. 54-59, 73-76. ELip

B

BAAL En akk. URU *Ba-'-li*, nom d'un lieu qui fut le but ou le point d'aboutissement d'une campagne assyrienne en 803. On a suggéré de l'identifier à →Baal Saphon, à →Baal Râsh ou à une cité qui resterait encore à déterminer.

Bibl. RLA II, p. 429; H. Cazelles, CRAI 1969, p. 115, n. 15; E. Lipiński, RB 78 (1971), p. 88-92; A.R. Millard - H. Tadmor, Iraq 35 (1973), p. 63, n. 23. ELip

BAAL En phén. *B'l*, forme abrégée d'un nom théophore en Baal, comme Abibaal, Baalyaton.

1 B. I, roi de →Tyr, contemporain d'Asarhaddon et d'Assurbanipal (VIIe s. av. J.C.). Mentionné pour la première fois à propos du sac de →Sidon par Asarhaddon en 677, il aurait alors reçu les villes de →Marubbu et →Sarepta, jusque-là dépendantes de Sidon (TPOA, p. 127). Après quelques années de fidélité à l'alliance assyrienne — au cours desquelles il aurait participé à la construction du palais d'Asarhaddon à Ninive —, il se rapproche de l'Égypte de Taharqa. Asarhaddon, partant à la conquête de l'Égypte en 671, met alors le siège devant Tyr, sans parvenir à en déloger B. (ANET, p. 291-292; TPOA, p. 128-131). Assurbanipal, en route vers l'Égypte en 667, reçoit l'allégeance de 22 rois "de la côte, du milieu de la mer et de la terre ferme", dont B. Deux ans plus tard, la révolte gronde, mais B., assiégé par l'armée d'Assurbanipal, réussit à préserver son trône (ANET, p. 294-296; TPOA, p. 132-133) et une certaine indépendance, puisque Assurbanipal, quelques années plus tard, conquiert →Usu, la Tyr continentale, mais ne souffle mot de Tyr elle-même qui doit échapper à son autorité (ANET, p. 300). Le principal document datant du règne de B. est le →traité (4) ou plutôt le serment de fidélité (*adê*) que lui imposa Asarhaddon à un moment difficile à fixer (ANET, p. 533-534; SAA II, 5). Ce document interdit à B. d'accomplir aucun acte politique en dehors de la présence d'un commissaire assyrien et réglemente la circulation de ses navires. B. est représenté sur une stèle inscrite d'Asarhaddon, qui le tient en laisse (ANEP 447).

2 B. II, roi de Tyr, contemporain de Nabuchodonosor II de Babylone (Fl. Jos., *C.Ap.* I 156). Il succède à →Ittobaal III (5) qui eut à subir le siège de Nabuchodonosor.

Bibl. RLA I, p. 327; H.J. Katzenstein, *The History of Tyre*, Jerusalem 1973, p. 259-294, 332-333; G. Pettinato, *I rapporti politici di Tiro con l'Assiria alla luce del "trattato tra Asarhaddon e Baal"*, RSF 3 (1975), p. 145-160; J. Elayi, *Les cités phéniciennes et l'empire assyrien à l'époque d'Assurbanipal*, RA 77 (1983), p. 45-58. GBun

BAAL Originellement appellatif, d'après le sémitique *b'l* "possesseur, seigneur, époux", comme encore dans *Mlqrt b'l Ṣr* (CIS I,122 = KAI 47 = TSSI III, 21-22; cf. aussi *B'lt Gbl*). Dans le domaine syrophén., B. désigne assez tôt une divinité, presque toujours le dieu de la tempête. B. est attesté dans les noms propres d'Ébla (*c.* 2300 av. J.C.), d'Abu Salabikh, ensuite à Mari et dans les textes d'el-Amarna. Particulièrement important dans la mythologie ugaritique, comme Baal du Saphon et fils de →Dagan, il règne comme dieu de la tempête sur les nuages (cf. son titre de "chevaucheur des nuées"), le tonnerre, l'éclair, la pluie et la neige. Il est le tout-puissant (*'al'iyn*), maître de la terre (*zbl b'l 'rṣ*) et roi. Son mythe relate sa mort face à →Môt et son retour de l'au-delà comme dieu de la végétation, mais aussi sa maîtrise de l'ordre contre le chaos de la mer (→Yam). Volontiers figuré comme un taureau, il est représenté sous son aspect anthropomorphe avec une coiffe à cornes et un faisceau de foudres. Dans les textes phén. proprement dits, B. est rarement cité: *yd B'l*, "main de B." (KAI 30, 4), *brk B'l*, "béni de B." (KAI 26 A, I, 1) et *b'br B'l w'lm*, "par la grâce de B. et des dieux" (l. 8). On relèvera en outre les expressions *pn B'l* (gr. *Phanebal*), "face de B.", épithète de →Tanit, parèdre de B., dans d'innombrables dédicaces, *šm B'l* "nom de B." (KAI 14,18, pour Astarté), ou *sml B'l* "image de B." (KAI 12,3-4, sans nom divin). Son caractère de dieu suprême des panthéons locaux résulte de l'association fréquente de son nom à des toponymes: B. de Sidon (KAI 14,18), B. de Kalenderis (KAI 26 A,II,19-20); à des hauts lieux de culte: B. Saphon (KAI 69,1), B. du Liban (KAI 31,1-2), B. du Hermon (*Jg.* 3,3) et aussi Baal du Tabor et du Carmel; à des *numina*: B. Hamon (p.ex. KAI 24,16), B. *ymm* (KAI 37 B,4), B. *mgnm* (KAI 78,3-4), B. *ṣmd* (KAI 24,15), tardivement B. *pn 'rṣ* ("B. face de la terre": KAI 27,14-15) et surtout B. *šmm* ("B des cieux": p.ex. KAI 4,3). Il pouvait aussi être caractérisé par un adjectif: B. *'dr* (KAI 9 B,5). L'*interpretatio graeca* de B. est Zeus; pour les Romains, il est Jupiter.

Bibl. DEB, p. 172-173; ThWAT I, col. 706-727 (bibl.); G. Pettinato, *Preugaritic Documentation of Baal*, The Bible World, New York 1980, p. 203-209. WRöl

BAAL ADDIR En phén. *B'l 'dr*, théonyme signifiant "Seigneur puissant". Il est attesté à Byblos, vers 500 av. J.C. (KAI 9,B 5), et très souvent en Afrique du N., spécialement à →Constantine, à l'époque des rois numides →Massinissa I et →Micipsa (203-118 av. J.C.). Il y apparaît comme un équivalent de →Baal Hamon (EH 4-19;27;42;63;241; SPC 101;128), dont le nom peut même être suivi de l'épithète "roi puissant" (*mlk 'dr*: EH 31) ou "seigneur puissant" (*bl 'dr*: KAI 162). On rencontre aussi le B.A. à →Bir Tlelsa (KAI 138), à →Henchir Guergour (JA 1916/1, p. 460-463) et dans des inscriptions lat. de →Sigus, près de Constantine (CIL VIII,19121-19123 = ILAlg II, 6486-6488), qui sont dédiées *deo patrio Baliddiri Aug(usto)*, *[d]eo sancto [Ba]liddiri*. Par ailleurs, une dédicace latine à *Baldir Aug(usto)* provient de Guelaat bou Sba (Aïn Kila bou Sba), près de →Guelma (CIL VIII,5279 = ILAlg I, 445), tandis qu'une autre, à *Baliddiri*, a été trouvée à Aïn Guettar (AAAlg, f[e] 17

[Constantine], n° 293). Si B.A. est identique à Baal Hamon, il est normal qu'il ait un caractère agraire et, par conséquent, chthonien.

Bibl. PW Suppl. I, col. 238; WM I/1, p. 270; Gsell, HAAN IV, p. 295-297; J.-G. Février, *À propos de Ba'al Addir*, Semitica 2 (1949), p. 21-28; S. Ribichini, *Agrouheros, Baal Addir et le Pluton Africain*, HistArchAN, Paris 1986, p. 133-142; K. Jongeling, JEOL 29 (1985-86 [1987]), p. 129; J. Ferron, *Restauration de l'autel et gravure d'une image sacrée dans un sanctuaire sabélien de Ba'al 'Addir*, REPPAL 3 (1987), p. 193-227; J. Gascou-J. Guéry, AntAfr 25 (1989), p. 152-154. ELip

BAALAT GUBAL En phén. *B'lt Gbl*, ég. *Nbt Kbn/Kpny*, "Dame de Byblos", gr. *Baaltis*; déesse suprême de →Byblos dont le nom est attesté en Égypte depuis le Moyen Empire et considéré dès alors comme un titre de Hathor, tout comme dans les mines de turquoise de Serabit el-Khadem, dans le Sinaï, où les inscriptions protosinaïtiques (→alphabet 1C) donnent le nom de *B'lt* à Hathor. Celle-ci étant vénérée à Byblos dès l'Ancien Empire (*c.* XXVe-XXIVe s.), il est vraisemblable que l'identification de la B.G. à Hathor remonte à cette haute époque; elle est documentée en Égypte jusqu'à la fin des temps pharaoniques, puisque "Hathor, Dame de Byblos", est encore mentionnée dans le mammisi du temple d'Edfou sous Ptolémée X (107-88). À cette époque, la symbiose de Hathor et d'→Isis était réalisée depuis longtemps et c'est en Isis-Hathor que la B.G. est donc représentée à Byblos au temps de →Yehawmilk (1): assise sur un trône de type égyptien, habillée de la robe collante des déesses égyptiennes, avec la dépouille de vautour, surmontée du disque solaire entre les cornes, sur la tête. Sa main droite est levée en signe de bénédiction et la gauche empoigne un sceptre *ouadj* (fig. 265). C'est la symbiose d'Isis-Hathor qui est probablement aussi à l'origine du voyage mythique d'Isis à Byblos, raconté par Plut., *Is.Os.* 13-16, ainsi que de l'assimilation de la B.G. à Aphrodite (Luc., *Syr.* 6) et à "Astarté, la très grande déesse", l'équivalent gr. de B.G. dans la dédicace gr.-phén. d'un petit trône votif (*c.* IVe s.: Syria 62 [1985], p. 182-183). Il est vrai que la brève formule phén. pourrait être postérieure et indépendante de l'inscription gr. D'autres légendes locales relatives à la B.G. se reflètent dans le récit syriaque du Pseudo-Méliton qui date probablement du début du IIIe s. ap. J.C. et témoigne d'une manière éloquente de l'→évhémérisme de l'auteur ou de sa source gr.: "Le peuple de la Phénicie adorait B. (*Blty*<*Baaltis*), reine de Chypre, car elle s'était éprise de Tammuz (→Adonis 2C, 3), fils de →Chousor, roi des Phéniciens, et avait quitté son propre royaume pour venir habiter à Byblos, une forteresse des Phéniciens, assujétissant en même temps tous les Chypriotes au roi Chousor. Car, bien qu'elle eût aimé Arès avant Tammuz, elle avait commis l'adultère avec ce dernier et son époux Héphaïstos, qui l'avait prise sur le fait et était jaloux d'elle, vint tuer Tammuz dans la montagne du Liban, alors que celui-ci était en train de chasser le sanglier. Depuis lors, B. est restée à Byblos et elle est morte à →Afqa, où Tammuz avait été enseveli" (W. Cureton, *Spicilegium Syriacum*, Leiden 1855, p. 43-44). Les amours de la B.G. et de Tammuz s'exprimaient probablement au niveau rituel par un mariage sacré, comme le suggère plus tard la pratique des Sabéens de Harran qui, lors de la fête de Tammuz, dressaient pour B. une tente nuptiale au milieu du sanctuaire (D. Chwolson, *Die Ssabier und der Ssabismus*, St. Petersburg 1856, t. II, p. 32-33, 235-239). Pour des raisons inconnues, Philon de Byblos assimile la B.G. à Dionè (Eus., *P.E.* I 10,35). L'antique nom propre de la B.G. n'est pas connu et c'est sous ce titre de B.G. qu'elle apparaît déjà dans les anciennes inscriptions giblites (X^e-IXe s.) des rois →Abibaal, →Elibaal (fig. 124) et →Shapatbaal, puis chez Yehawmilk (Ve s.) et dans de brèves dédicaces phén.

Bibl. A. Erman, *Die "Herrin von Byblos"*, ZÄS 42 (1905), p. 109-110 (cf. 45 [1908], p. 9); H. Gauthier, *Dictionnaire des noms géographiques*, Le Caire 1925-31, t. V, p. 197-198; E. Gubel-P. Bordreuil, *Statuette fragmentaire portant le nom de la Baalat Gubal*, Semitica 35 (1985), p. 5-11; E. Gubel, *Une nouvelle représentation du culte de la Baalat Gubal?*, StPhoen 4 (1986), p. 263-276. ELip

BAALAZOR En phén. *B'l'zr*, en gr. *Balatoros/Badezōros* ("Baal a aidé").

1 B., roi de Tyr *c.* 846-841 (gr. *Badezōros*: Fl.Jos., *C.Ap.* I 124) →Baal-manzer (2).

2 B., roi de Tyr *c.* 556 (gr. *Balatoros*: Fl.Jos., *C.Ap.* I 157). ELip

BAALBEK En hb. *Ba'al b^{e}kî* ("Baal des pleurs"), aram. *B^e'el bak* ou *B^e'el d^e-bāk*, gr. *Helioúpolis* ("Cité du Soleil"); localité du N. de la →Béqaa libanaise, célèbre pour les ruines de temples rom. (fig. 37), dont le plus grand recouvre le centre religieux de la principauté syro-arabe des →Ituréens, créée dans cette région vers le IIe s. av. J.C. On ne connaît pas avec précision les dates d'édification des temples, ni le rituel des deux autels monumentaux qui se dressent dans la cour du grand temple de Zeus-Jupiter et sont munis d'escaliers internes (fig. 38). On sait que Trajan consulta l'oracle de ce temple avant sa campagne parthe (113-115 ap. J.C.), mais les travaux ne furent achevés que sous Philippe l'Arabe (244-249). La construction des autres temples, notamment du temple dit de Bacchus, a dû débuter au IIe s., sous les Antonins, et se prolonger au IIIe s. ap. J.C. À l'origine, le principal culte de B. s'est adressé à un couple divin de fonction agraire, un dieu du ciel et de l'orage, dispensateur des pluies fertilisantes, et une déesse de la fécondité. Leurs noms syriens, Hadad et Atargatis, se devinent sous les noms gr.-rom. de Zeus-Jupiter et d'Aphrodite-Vénus. La particularité de B. est la place donnée à une troisième figure, Hermès-Mercure, qui se présente sous la forme d'un dieu-terme flanqué de deux béliers et que les Juifs de l'époque rom. nommaient *Marqôlîs*, évidemment →Mercure. On peut le considérer comme une hypostase du grand dieu, son messager, à l'instar de l'"Ange de Bēl", *Mal'ak-Bēl*, à Palmyre ou de l'"Ange de →Milkashtart" à →Umm el-Amed. Les ex-voto jetés par les fidèles dans la source d'Aïn el-Djoudj, près de B., sont une expression populaire du culte rendu à ces dieux, figurés par les ex-voto en question. Un des spécimens connus, représentant le dieu de l'orage, est inscrit du nom de Zeus (PhMM 141).

Bibl. ANRW II/19,2, p. 403-405; PECS, p. 380-382 (bibl.); WM I/1, p. 270; T. Wiegand, *Baalbek*, Berlin 1921-25; P. Collart - P. Coupel, *L'autel monumental de Baalbek*, Paris 1951; J.T. Milik, *Dédicaces faites par des dieux*, Paris 1972, p. 432-433; Wild, *Ortsnamen*, p. 219-223; U. Hajjar, *La triade d'Héliopolis-Baalbek* (ÉPRO 59), Leiden 1977; P. Collart - P. Coupel, *Le petit autel de Baalbek*, Paris 1977; F. Ragette, *Baalbek*, London 1980. ELip

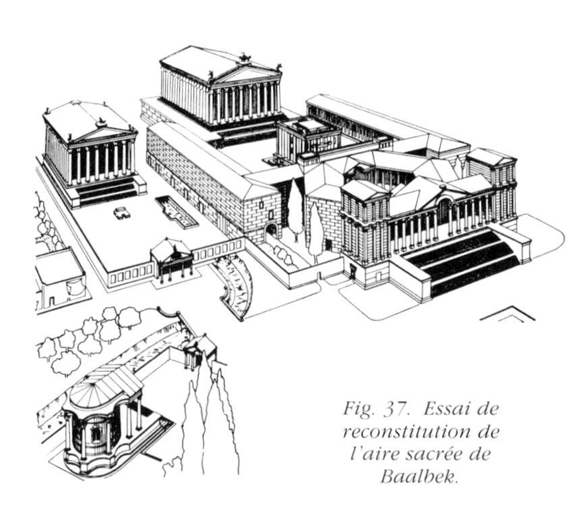

Fig. 37. Essai de reconstitution de l'aire sacrée de Baalbek.

Fig. 38. Reconstitution de la façade du temple de Zeus Héliopolitain, Baalbek.

BAAL DU LIBAN En phén. *B'l Lbnn*, théonyme attesté jusqu'à présent par les seules dédicaces du gouverneur de la →Carthage de Chypre (CIS I,5 = KAI 31 = TSSI III,17). Les fragments de ces deux inscriptions sur patères de bronze datent de la seconde moitié du VIIIe s. et furent trouvés très probablement dans la région de Limassol. La localisation exacte du sanctuaire chypriote du B. du L. est inconnue, mais on pourrait songer au village de →Phas(s)oula, à environ 10 km au N. de Limassol, où l'on vénérait à l'époque rom. le Zeus "Labranios".

Bibl. E. Lipiński, StPhoen 1-2 (1983), p. 209-211; O. Masson, *La dédicace à Ba'al du Liban (CIS I, 5) et sa provenance probable de la région de Limassol*, Semitica 35 (1985), p. 33-46; M. Sznycer, *Brèves remarques sur l'inscription phénicienne de Chypre, CIS I, 5*, Semitica 35 (1985), p. 47-50. ELip

BAAL HAMON **1 Origine** Le théonyme phén. *B'l Ḥmn*, gr. *Balamoun*, lat. *Balamon*, signifie selon toute vraisemblance "Seigneur de l'→Amanus". La plus ancienne attestation connue de ce nom divin remonte à *c.* 825 et provient de →Zincirli, capitale d'une principauté araméenne située précisément sur les pentes orientales de l'Amanus (KAI 24 = TSSI III,13,16). L'oronyme *Ḥmn* est attesté aussi en phén. par le nom de lieu *P'r Ḥmn* (Bordreuil, *Catalogue* 4; cf. KAI 26 = TSSI III,15,A,6), "Pahar de l'Amanus", ainsi que par divers textes akk. où la forme *Ḫamānu* préserve la voyelle *ā*, devenue *ō* en phén. L'ancien maître de l'Amanus était le dieu →Dagan/Dagon, dont B.H. devait être un titre qui supplanta au Ier mill. le théonyme proprement dit.
2 Diffusion En Orient, le culte de B.H. est encore attesté par une amulette du VIe s. provenant de la région de Tyr (StPhoen 4 [1986], p. 82-86), par les dédicaces au Bêl Hamon palmyrénien (*Bl Ḥmwn*) et par les anthroponymes *Ḫa-mu-na-a-a* et *Ab-di-Ḫe-mu-nu* / *'bdḥmn* (Benz, *Names*, p. 154; BASOR 230 [1978], p. 58), dans lesquels le théonyme est réduit au second élément, à moins que ce ne soit la montagne divinisée. En Occident, B.H. est invoqué sur presque toutes les stèles inscrites qui proviennent des champs d'urnes liés aux sacrifices →*molk*, aussi bien à Malte (KAI 61 = TSSI III,21-22) qu'à Carthage, à Hadrumète, à Mididi, à Constantine et dans les colonies carth. de Sicile et de Sardaigne. Il fut assimilé à →Kronos, à →Saturne et à →Pluton, mais continua à être vénéré sous le nom de B.H. jusqu'au Ier s. ap. J.C. (CdB 3 [1953], p. 113-118). Son culte est attesté encore plus tard sous les titres de →Baal Addir et de Baal Qarnaïm, le *Balcarnen(sis)* des inscriptions lat., qui était vénéré sur le Djebel →Bou Qourneïn. Nulle donnée concrète ne permet de supposer qu'on l'ait confondu avec →Zeus Ammon de Siwa, dont le culte connut une diffusion étonnante sous l'Empire rom., notamment au Maghreb.
3 Nature B.H. est, tout comme Dagon et Saturne, un dieu de l'agriculture et il apparaît sous les traits d'une divinité agraire. Des chatons de bague d'Utique et de Carthage, la remarquable stèle d'Hadrumète (fig. 163), la statue du temple de →Thinissut (fig. 339) ou celle, en bois, du musée de La Valette, l'*aureus* de Clodius Albinus, la statuette de →Genoni et une stèle d'El-Hofra (→Constantine; fig. 39) le représentent assis sur un trône ou debout, avec une tige de blé — parfois disparue — ou trois épis dans la main gauche (StPhoen 4 [1986], p. 330-333,342-343). C'est peut-être au B.H. que fait encore allusion le symbole des épis qui apparaît sur diverses émissions monétaires pun. ou néopun. (fig. 254:6; 332). Les épithètes de *frugifer* et *deus frugum*, attribuées à Saturne africain, ne font que confirmer l'essence agraire du grand dieu pun., qui a conservé les traits

Fig. 39. Baal Hamon dans l'édicule du registre supérieur d'une stèle en calcaire d'El-Hofra (IIIe-IIe s. av. J.C.). Constantine, Musée.

propres de Dagon. C'est ainsi que s'explique aussi l'offrande du sacrifice *molk* à B.H., puisque le sacrifice humain est une caractéristique des cultes de fertilité. La couronne de végétaux que B.H. porte sur le bronze de Genoni, la stèle d'El-Hofra et la statue de Thinissut contribue à mettre en lumière sa nature propre, de même que la dédicace d'un bosquet ensemencé et planté, faite au dieu →Kronos d'Arwad (IGLS VII,4002). En effet, celui-ci est B.H. et Dagon, comme l'*E.M.* (p. 196, 52) le note encore à propos du toponyme *Bētagōn*, en précisant que Dagon est le Kronos des Phéniciens. En revanche, malgré la conjonction fréquente d'éléments solaires et végétaux dans les croyances religieuses, on ne relève aucune trace tangible d'une solarisation de B.H. Au contraire, le soleil et la lune apparaissent à l'époque rom. comme des satellites du Saturne africain (fig. 287,345,346). Dans l'onomastique pun., le nom de B.H. est réduit au seul élément *Ba'al*.

Bibl. LIMC III/1, p. 72-75; III/2, p. 61-62; WM I/1, p. 271-272; Gsell, HAAN IV, p. 277-292; G.C. Picard, *Les religions de l'Afrique antique*, Paris 1954, p. 56-79; M. Leglay, *Saturne Africain. Monuments* I-II, Paris 1961-66; L. Foucher, *Hadrumetum*, Tunis 1964, p. 39-42; M. Leglay, *Saturne Africain. Histoire*, Paris 1966; C. Picard, *Victoires et trophées puniques; la souveraineté de Baal Hammon*, StMagr 3 (1970), p. 55-72; T.C. Gouder, *Baal Hammon in the Iconography of the Ancient Bronze Coinage of Malta*, Scientia 36 (1973), p. 1-16; E. Lipiński, *Zeus Ammon et Baal-Ḥammon*, StPhoen 4 (1986), p. 307-332; A. Roobaert, *Sid, Sardus Pater ou Baal Ḥammon? À propos d'un bronze de Genoni*, StPhoen 4 (1986), p. 333-345; E. Lipiński, *Syro-Fenicische wortels van de Karthaagse religie*, Phœnix 28 (1982 [1984]), p. 51-84; id., *Les racines syro-phéniciennes de la religion carthaginoise*, CEDAC Carthage 8 (1987), p. 28-44 (voir p. 33-35). ELip

BAALHANON En phén. *B'lḥnn* (pun. *B'lḥn'*), akk. *Ba-'-al-ḫa-nu-nu* ("Baal s'est montré favorable"), nom propre phén., porté par un des fils de →Yakinlu, roi d'→Arwad au VIIe s. av. J.C.

Bibl. ANET, p. 296a. ELip

BAAL KR *B'l kr* apparaît dans l'inscription phén. de →Cebelireis Dağı, datée de *c.* 625-600 av. J.C. S'agissant d'un texte relatif à des donations de terres, on ignore s'il est question d'un lieu ou, éventuellement, de citoyens (*b'l*) en rapport avec une fournaise ou un pâturage, selon l'interprétation adoptée pour le terme *kr*. Les mêmes mots figurent sur un vaste provenant de Sidon, mais aujourd'hui perdu, daté du Ve s. av. J.C. Ses quatre côtés représentaient un rituel au cours duquel un dieu, probablement Melqart de Tyr, était brûlé, enseveli et pleuré, puis rappelé à la vie. Sous une scène furent gravés les mots *B'l kr*, servant sans doute de titre à la divinité en question: étant donné l'iconographie, "Baal de la fournaise" plutôt que "Baal du pâturage".

Bibl. P.G. Mosca - J. Russell, *A Phoenician Inscription from Cebel Ires Dağı in Rough Cilicia*, Epigraphica Anatolica 9 (1987), p. 1-27; Bonnet, *Melqart*, p. 78-80 (bibl.). CBon

BAAL KRNTRYSH En phén. *B'l Krntryš*, théonyme mentionné plusieurs fois dans l'inscription bilingue (louvite-phén.) de →Karatepe (KAI 26 = TSSI III,15; A II,19; III,2-3.4; C IV,20). Le correspondant louvite se lit *Tarḫuza* ARḪA *usanuwami* — avec une variante BONUS *usanuwami* — qui pourrait correspondre à Tarchunt *benevolens*. →Azatiwada instaure le culte de B.K. dans sa capitale, ce qui constitue un grand honneur. Mais faut-il interpréter K. par le louvite ou le phén.? Si l'on opte pour le louvite, pourquoi dans la version en cette langue trouve-t-on une autre épithète? Vouloir reconnaître dans *tryš* le nom de →Tarse est contredit par la graphie phén.-araméenne usuelle *Trz*. L'hypothèse isolant un radical *krn* + suffixes louvites est séduisante. La racine *krn*, sur la base de l'épithète *bêl kurrinni* attribuée à Teshub de Kahat, peut être rapprochée de l'akk. *kurrinnu*, "symbole divin". Quoi qu'il en soit, B.K. est le nom sous lequel les Phéniciens vénéraient le dieu de l'orage du pays d'Adana.

Bibl. M. Weippert, *Elemente phönikischen und kilikischen Religion in den Inschriften von Karatepe*, ZDMG Suppl. I/1, Wiesbaden 1969, p. 191-217; Bron, *Recherches*, p. 183. RLeb

BAAL MALAGÊ En akk. ᵈ*Ba-al-ma-la-ge-e*; la seule mention de ce dieu figure dans les malédictions finales du traité imposé à →Baal I de Tyr par Asarhaddon (SAA II, 5, IV, 10'). Il y est invoqué en même temps que →Baal Shamêm et →Baal Saphon afin de provoquer la perte des navires tyriens en cas de non-respect du traité. Ceci pourrait en faire un dieu des intempéries ou de la navigation. Son nom a été expliqué de diverses manières sans aboutir à une proposition convaincante: *Malagê* serait équivalent à l'épithète →*Meilíchios* que Philon de Byblos (Eus., *P.E.* I 10,11) attribue à Zeus et qui serait une transcription du sémitique *mlḥ*, "marin", ou *Malagê* transcrirait un hypothétique *malga'* qui signifierait "port", ou encore *Malagê* exprimerait une idée d'abondance et ferait de B.M. une forme de →Dagan.

Bibl. F.O. Hvidberg-Hansen, *Ba'al-malagê dans le traité entre Asarhaddon et le roi de Tyr*, AcOr 35 (1973), p. 57-81; G. Bunnens, StPhoen 4 (1986), p. 120-121. GBun

BAAL-MANZER / MA'ZER En akk. *Ba-'-li-ma-an-zer*, ugar. *B'lm'ḏr*, phén. **B'lm'zr*, gr. *Balbazeros* ("Baal est un refuge").

1 B. I, roi de Tyr *c.* 928-922 d'après Fl. Jos., *C. Ap.* I 121, qui le nomme *Balbazeros*.

2 B. II, roi de Tyr *c.* 846-841, qui paya le tribut à Salmanasar III en 841 (TPOA, p. 88). Il est mentionné dans *C. Ap.* I 124, où il est appelé *Badezōros*, corruption de *Balezōros*.

Bibl. E. Lipiński, *Ba'li-ma'zer II and the Chronology of Tyre*, RSO 45 (1971), p. 59-65; Bordreuil, *Catalogue* 11. ELip

BAAL MARQOD Forme particulière de Baal, apparentée à l'égyptien →Bès et connue par 3 inscriptions gr. (*Balmarkodēs*) et 15 lat. (*Balmarcod*), trouvées dans les ruines du sanctuaire de Dēr el-Qal'a, près de Beit Mery, au N.-O. de Beyrouth; ses colonnes de *c.* 2 m de diamètre rappellent Baalbek. Le "Baal de la danse" (* *B'l mrqd*, cf. *koirános komón*: LBW 1855) fut assimilé à Jupiter; sa parèdre, qui possédait une chapelle dans un sanctuaire adjacent, fut identifiée avec Junon (CIL III, 6669). B.M. était donc vraisemblablement un aspect du dieu de la tempête (cf. *Ps.* 29,6). Près du temple, il y avait une source bienfaisante (CIG III, 4536), de sorte que B.M. se présente aussi comme un dieu guérisseur et fécondant (cf. le surnom de *mēgrin*: CIL III, 6668, d'après la racine *grn*, "aire de battage"). Son culte fut introduit par les soldats à Rome (CIL VI, 403) et en Dacie (CIL III, 7680). Des sources sémitiques le concernant nous font défaut.

Bibl. Ch. Clermont-Ganneau, *Le temple de Baal Marcod à Deir el-Kala'a*, RAO 1 (1888), p. 101-114; id., RArch, 4ᵉ sér., 2 (1904), p. 225; S. Ronzevalle, *ibid.*, p. 29-49. WRöl

BAALMILK, BAALMALOK En phén. *B'lmlk*, anthroponyme théophore dont la prononciation n'est pas toujours assurée. En effet, le nom de *B'lmlk* est transcrit en akk., au VIIᵉ s., par *Ba-(')al-ma-lu-ku* et en gr., au IIIᵉ s., par *Balmalakos*. Dans ces cas, le second élément de l'anthroponyme est le verbe *malak*, en position pausale *malōk*, ce qui donne *Ba'al-malōk*, "Baal est (devenu) roi". Cependant, l'emploi du substantif *milk* à la place du verbe *malōk* est connu par le nom tardif de *Bonomilēx*, dérivé de *Ba'al-milk*, "Baal est roi", et attesté à Chypre par une Passion de martyrs.

1 B., en akk. *Ba-(')al-ma-lu-ku* (APN, p. 49a), un des fils du roi →Yakinlu d'Arwad, au VIIᵉ s. (ANET, p. 296a). ELip

2 B. I, roi de →Kition dans la première moitié du Vᵉ s. Fondateur d'une nouvelle dynastie, il a sans doute commencé à régner après l'écrasement de la révolte chypriote de 479 par Xerxès (Hdt. V 105-116) et était roi au temps du siège — apparemment infructueux — d'→Idalion par "les gens de Kition alliés aux Mèdes" (ICS 217), *c.* 470. Il est connu par son monnayage (fig. 252:1) et par deux inscriptions de son petit-fils B. II.

3 B. II, "roi de Kition et d'Idalion" dans la seconde moitié du Vᵉ s., à une époque prospère pour Kition. Il est connu par son monnayage (fig. 252:3) et par deux inscriptions phén. qui mentionnent aussi son père →Az(z)ibaal (3) et son grand-père B. I. MYon

4 B., personnage phén. de →Rhodes, au IIIᵉ s., portant le titre de →*miqim elim* (KAI 44 = TSSI III,39).

5 B., en gr. *Balmalakos*, personnage mentionné dans les archives de Zénon, au IIIᵉ s. (PP VI, nº 16538).

6 B., en gr. *Bonomilēx*, martyr chypriote identifié à *Rēginos* dans une Passion conservée à →Phassoula et remontant probablement au IVᵉ s. ap. J.C. ELip

Bibl. Ad 2-3: G.F. Hill, *BMC. Cyprus*, London 1904, p. XXX-XXXIII; A.M. Honeyman, *The Phoenician Inscriptions of the Cyprus Museum*, Iraq 6 (1939), p. 106-108; Peckham, *Development*, p. 17-23; M. Yon, *Le royaume de Kition. Époque classique*, StPhoen 9 (sous presse).
Ad 6: E. Lipiński, StPhoen 1-2 (1983), p. 225-231.

BAAL MRP' **1 Sources phéniciennes** B.M. est vraisemblablement un théonyme, attesté dans une inscription dédicatoire de Kition au IVᵉ s. av. J.C. (Kition III, A 26). Il signifierait "Baal guérissant" ou "Seigneur de la guérison" et aurait peut-être un rapport avec le mois *mrp' / mrp'm*, documenté à Chypre (Kition III, A 1; RÉS 453), à Malte (ICO Malta 2,3), à Carthage (CIS I, 179,5) et à Constantine (KAI 111,3). Dans l'état actuel de nos connaissances, il n'est pas possible d'identifier B.M. et de déterminer l'origine du nom du mois *mrp'(m)*. PXel

2 Sources juives La Tosephta du traité *Shabbat* 6-7 regroupe un certain nombre de pratiques païennes des Ier-IIIe s. ap. J.C. qu'elle qualifie de "coutumes amorites". Le chap. 7,5-6 signale parmi elles un emploi particulier du terme *mrp'*, "santé", considéré comme un emprunt à un milieu non juif: "Dire *marpē'* est une coutume amorite. R. Éléazar bar Sadoq (Ier-IIe s. ap. J.C.) ne disait pas *marpē'*, car c'est autant de perdu pour l'étude. Dans la maison de Rabban Gamaliel (Ier s. ap. J.C.), on ne disait pas *marpē'*" (cf. Talm. Bab., *Berakhot* 53a). Il s'agit vraisemblablement d'une formule phén. liée à l'éternuement, analogue au gr. *íasis* (Talm. Jér., *Berakhot* 6,6,10d), qui attirait à l'origine la protection d'une divinité.

Bibl. F. Vattioni, *Mal. 3,20 e un mese del calendario fenicio*, Biblica 40 (1959), p. 1012-1015; Kition III, p. 36-38. ELip

BAAL-RÂSH / RÔSH En akk. *Ba-'-li-ra-'-si*, phén./hb. **B'l-r'š*, c.-à-d. "Baal du Cap" ou du "Promontoire", nom d'un sanctuaire sis "face à la mer", où Salmanasar III érigea une stèle en 841 et reçut le tribut du roi →Baalma(n)zer (2) de Tyr et du roi Jéhu d'Israël. Comme l'édition des Annales assyriennes, faite en 839, précise que B.-R. se trouve "en face du pays de Tyr", il ne peut s'agir du cap voisin du →Nahr el-Kelb, à *c.* 100 km au N. de Tyr, et encore moins de l'actuel site de Reshba'l, à l'extrémité N. du Liban, à *c.* 30 km de la Méditerranée à vol d'oiseau. On doit situer le sanctuaire aux confins des royaumes de Tyr et d'Israël, soit au Mont →Carmel, soit au promontoire de →Ras en-Naqura. Vu que le Mont Carmel portait alors le nom de *Rō'š hak-Karmel* (*1 R.* 18,42; *Am.* 1,2; 9,3), Rās en-Nāqūra, plus proche de Tyr, a toutes les chances d'être le B.-R., que l'on identifie communément au *r-(ỉ-)š q-d-š* des listes topographiques égyptiennes à partir de Thoutmès III (1504-1450). C'est probablement à un autre site que se réfère la dédicace grecque *Diì tōi en Résāi*, transcription du toponyme araméen *Rêšā'*, "cap" ou "cime". Ce peut être la colline même de *Qaṣṣūba*, à l'E. de Byblos, où l'on a trouvé le petit autel portant la dédicace.

Bibl. ANET, p. 280; TPOA, p. 87-89; S. Ronzevalle, *Quelques monuments de Gebeil-Byblos et de ses environs*, RB 12 (1903), p. 404-410 (voir p. 409); Y. Aharoni, *Mount Carmel as Border*, Archäologie und Altes Testament. Festschrift für K. Galling, Tübingen 1970, p. 1-7 (voir p. 6-7); E. Lipiński, *Note de topographie historique: Ba'li-Ra'ši et Ra'šu Qudšu*, RB 78 (1971), p. 84-92; J. Elayi, *Ba'lira'si, Rêsha, Reshba'l. Étude de toponymie historique*, Syria 58 (1981), p. 331-341; Aḥituv, *Toponyms*, p. 162-163. ELip

BAALRÔM En phén. *B'lrm* ("Baal est élevé", "exalté"), nom de plusieurs personnages de la dynastie phén. de →Kition aux Ve-IVe s.

1 B., roi de Kition c. 400, attesté uniquement par son monnayage (fig. 252:4), dont les caractéristiques stylistiques le placent entre →Baalmilk II et → Milkyaton.

2 B., père du roi Milkyaton et donc contemporain du précédent, mais mentionné sans aucun titre (CIS I,88 = Kition III, F 1; CIS I,90).

3 B., fils d'→Abdimilk (2), mentionné *c.* 388 dans une bilingue d'→Idalion (CIS I,89 = KAI 39 = ICS 220) et qualifié en gr. syllab. de *wa-na-xe*, titre que portaient selon Isocrate les fils et filles du roi (*Ev.* 72, pour Salamine).

Bibl. G.F. Hill, *BMC. Cyprus*, London 1904, p. XXIII-XXV; Peckham, *Development*, p. 18-21; M. Yon, *Le royaume de Kition. Époque classique*, StPhoen 9 (sous presse). MYon

BAAL SAPHON En ug./phén. *B'l Ṣpn*, hb. *Ba'al Ṣ^e^pôn*, akk. ^d^*Ba-al-ṣa-pu-nu*, "Seigneur du Saphon".

1 Mont Saphon B.S. est, à l'origine, le dieu de l'orage qui se manifeste sur le Mont Saphon, l'actuel Djebel el-Aqra', à *c.* 40 km au N. d'→Ugarit. Appelé *Ḫaz(z)i* en hittite et en akkadien, d'où vient le nom gr. de *Kásios*, ce mont sert d'"observatoire" à Teshub, le dieu hourrite de l'orage, qui aperçoit de son sommet le dragon Ullikummi (ANET, p. 123b); son nom sémitique de *Ṣpn* pourrait effectivement se rattacher à la racine *ṣph* signifiant "observer", bien qu'il ait servi plus tard à désigner le N. Si le S. ne joue un rôle dans les mythes d'Ugarit que parce qu'il est la résidence de Baal, les rituels et l'onomastique (Benz, *Names*, p. 401-402) reconnaissent son caractère divin, la Bible y voit une montagne sacrée en concurrence avec Sion (*Is.* 14,12-15; *Jb* 26,7-13; *Ps.* 48,2-3; 89,13) et Philon de Byblos compte le *Kásios* au nombre des quatre montagnes saintes des Phéniciens (Eus., *P.E.* I, 10,9). Par *Ex.* 14,2.9; *Nb.* 33,7 et la lettre phén. expédiée de →Tahpanhès (KAI 50), l'actuel Tell Defenneh en bordure du Delta oriental, on apprend l'existence d'un lieu saint de B.S. en Égypte. Identique au Zeus Kasios de l'époque gr.-rom., B.S. y était vénéré sur la hauteur de *Ḏpn*, évidemment le phén. *Ṣpn*, entre le lac Sirbonis et la Méditerranée, lieu connu aussi d'Hdt. III 5; c'est le site de *Rās Qaṣrūn* ou *el-Ǧels*, à 55 km à l'E. de Péluse.

2 Culte de Baal Saphon Les plus anciens témoignages du culte de B.S. nous viennent d'Ugarit, où les ancres votives de son temple attestent sa qualité de protecteur de la navigation. Au XIIIe s., B.S. fait aussi l'objet d'un culte à Memphis, en rapport avec une barque sacrée (ANET, p. 249a). Invoqué à témoin dans le traité imposé au VIIe s. par Asarhaddon au roi →Baal de Tyr (AfO, Beih. 9, p. 109, col. IV, 10), il y est chargé de déchaîner la tempête en cas de félonie. Il est mentionné ensuite sur une amulette tyrienne du VIe s. (StPhoen 4 [1986], p. 82-86), époque à laquelle son culte est attesté aussi dans la région de la branche pélusiaque du Nil (KAI 50), où il connut un grand succès jusqu'à l'époque rom.; B.S. y est assimilé à Horus (Strab. XVI 2,26), ce dont témoigne notamment le →Papyrus Amherst 63, col. 12 (13),15-16. Sans doute est-ce lui que la description de Memphis chez Hdt. II 112 qualifie de Protée, un dieu marin de la mythologie gr. Sous le nom de Zeus Kasios, il est vénéré à Délos par un Égyptien (ID 2180-2181) et un Bérytain (ID 2182), également à Corfou (Pline, *N.H.* IV 52; Procope, *Hist. Bell.* VIII 22,23-26) et en Espagne, où son nom figure sur une

Fig. 40. Monnaie en bronze de Séleucie de Piérie avec l'effigie de Trajan (98-117) et le temple tétrastyle de Zeus Kasios (ZEUS CACIOC) contenant son bétyle. Coll. privée.

ancre de plomb, sans compter une série de documents mineurs, B.S. avait un temple à Carthage, dont doit provenir le célèbre "Tarif sacrificiel de Marseille" (KAI 69) qui le mentionne dans son incipit. Protecteur de la navigation, il peut aussi déchaîner la tempête, ce qui explique que →Typhon, un des ennemis les plus redoutables de Zeus dans la mythologie gr. (cf. *Il.* II 781-783), pourrait avoir emprunté son nom au S. et certains de ses traits à B.S.

Bibl. ThWAT VI, col. 1093-1102 (bibl.); P. Chuvin - J. Yoyotte, *Documents relatifs au culte pélusien de Zeus Casios*, RArch 1986, p. 41-63; C. Bonnet, *Typhon et Baal Ṣaphon*, StPhoen 5 (1987), p. 101-143. CBon

BAAL SHAMÊM En phén. *B'lšmm*, aram. *B'lšmyn*, akk. ^{d}*Ba-al-sa-me-me*, "Seigneur des Cieux", déjà traduit correctement chez St Aug., *Quaest. Hept.* VII 16, par *Dominus Coeli*. Ce titre fut appliqué dès le IIe mill. aux divinités suprêmes des panthéons syro-palestiniens, anatoliens ou suméro-akkadiens. Au Ier mill., B.S. s'imposa comme divinité autonome et son culte connut une grande diffusion dans le monde araméen, où il est attesté du IXe s. av. au IIIe s. ap. J.C. Il apparaît en Phénicie dès l'inscription de →Yahimilk, roi de Byblos au Xe s., où il est cité avant la →Baalat Gubal et les dieux de Byblos (KAI 4 = TSSI III,6,3). Au VIIIe s., l'inscription phén. de →Karatepe le place en tête des dieux auxquels Azitawada fait appel pour garantir la pérennité de sa dédicace (KAI 26 = TSSI III,15 A,III,18). Dans le texte louvite, c'est le "Dieu de l'orage du ciel" qui lui correspond. Au VIIe s., B.S. est un des garants du traité signé entre le roi de Tyr et Asarhaddon d'Assyrie; il y est associé à →Baal Saphon et à →Baal malagê (AfO, Beih. 9, p. 109, col. IV,10). Certains Modernes le reconnaissent dans le Baal dont →Jézabel la Tyrienne implanta le culte sur le →Carmel (*1 R.* 18), où une dédicace gr. du IIe-IIIe s. ap. J.C. nomme le "Zeus Héliopolitain du Carmel" (IEJ 2 [1952], p. 118-124). À l'époque hellénistique, B.S. apparaît dans une inscription phén. d'→Umm el-Amed, où il avait un temple (KAI 18), et il est qualifié en gr. de *Zeùs Hupsístos*, "Zeus Très-Haut", *Zeùs Megístos Keraúnios* (CIS II,3912), "Zeus Très-Grand Foudroyant", ou *Theòs Hágios Ouránios*, "Dieu Saint Céleste", titre sous lequel il était vénéré jusqu'au IIIe s. ap. J.C. dans le temple tyrien de →Qedesh, en →Galilée. Son culte avait pris un essor considérable sous les →Séleucides qui en avaient fait, sous le nom de Zeus Olympien, une sorte de dieu dynastique. Aussi est-il probablement mentionné sous ce nom chez Fl. Jos. (*C.Ap.* I 113.118; *A.J.* VIII 5,3) et chez Eupolème (FGH 723, fr. 2), qui attribuent à →Hiram I la consécration au Zeus Olympien d'une colonne d'or dans son sanctuaire situé sur un îlot de Tyr. On signalera aussi une base de statue dédiée près de Byblos à "Zeus Très-Haut" (M. Dunand, *Fouilles de Byblos* I, n° 1141) et une tablette de bronze de →Baetocécé offerte à "Zeus Keraunios" (IGLS VII,4041). À Carthage, deux textes mentionnent des prêtres de B.S. (CIS I,379; 5955) et une stèle commémorative le place en tête d'une liste de divinités, devant Tanit, Baal Hamon et Baal *mgnm*. On ne peut toutefois en déduire qu'il dominait le Panthéon de Carthage au IIIe s. av. J.C. À la même époque, une dédicace de Cagliari est adressée à B.S. de l'île des →Éperviers (KAI 64 = ICO Sard. 23) et une inscription de Chypre semble le mentionner (Kition III, F 2). Il est cité par Plaute (*Phoen.* 1027: *Balsamem*) et Philon de Byblos (Eus., *P.E.* I 10,7), qui en fait un dieu solaire ou cosmique, conformément au symbolisme tardif qui le représente sous la forme d'un aigle étoilé. Un papyrus magique gr. du IVe s. ap. J.C. le donne pour fils d'Ouranos (*Pap. gr. mag.* 106). On reste dans l'incertitude totale touchant son iconographie phén.-pun.

Bibl. LIMC III/1, p. 75-78; WM I/1, p. 273; O. Eissfeldt, *Ba'alšamēm und Jahwe*, ZAW 57 (1939), p. 1-31 (= *Kleine Schriften* II, Tübingen 1963, p. 171-198); D. Sourdel, *Les cultes du Hauran à l'époque romaine*, Paris 1952, p. 19-31; H.J.W. Drijvers, *Ba'al Shamîn, de Heer van de Hemel*, Assen 1971; F. Vattioni, *Aspetti del culto del Signore dei Cieli*, Augustinianum 12 (1972), p. 479-515; 13 (1973), p. 37-73; R.A. Oden, *Ba'al Šāmēm and 'Ēl*, CBQ 39 (1977), p. 457-473; J. Teixidor, *The Pagan God*, Princeton 1977, p. 40-42, 130-140; G. Garbini, *Gune Bel Balsemen*, StMagr 12 (1980), p. 89-92. CBon

BAALSHILLEM En phén. *B'lšlm* ("Baal a récompensé"), anthroponyme attesté dans le monde phén. et pun. (Benz, *Names*, p. 100).

1 B. I, roi de Sidon dans la seconde moitié du Ve s., connu par une inscription phén. de →Bostan esh-Sheikh (TSSI III,29). Il était le père du roi →Abdémon (2).

2 B. II, roi de Sidon *c.* 400 av. J.C., fils de →Baana (3). Il est connu par l'inscription phén. de Bostan esh-Sheikh qui est gravée sur une statuette de →"temple boy" (fig. 294) et dédiée en son nom au dieu →Eshmun (TSSI III,29). Il n'y porte pas lui-même de titre royal et il n'est donc pas certain qu'il soit effectivement monté sur le trône et qu'on doive lui attribuer une émission de monnaies sidoniennes. Il aurait commandé le sarcophage "lycien" de la nécropole de Sidon (fig. 41), à moins que ce ne fût son père Baana.

3 B., en gr. *Praxidēmos*, personnage connu par une inscription bilingue, en phén. et gr., trouvée près de →Larnaka-tis-Lapithou et dédiée *c.* 290 av. J.C. à →Anat/Athéna (KAI 42). Il est probablement identique au prêtre de →Poséidon Narnakios, dont on possède une inscription gr. du même site (LBA 2779).

Bibl. Ad 2: B. Schmidt-Dounas, *Der lykische Sarkophag aus Sidon*, Tübingen 1985.
Ad 3: I. Michaelidou-Nicolaou, *Prosopography of Ptolemaic Cyprus*, Göteborg 1976, Π 46-47. ELip

BAAL ṢMD Le dieu araméen *B'l ṣmd* est attesté dans la malédiction finale de l'inscription phén. de →Kilamuwa (KAI 24 = TSSI III, 13,15): qui briserait l'inscription, aurait la tête fracassée par le dieu (*yšḥt.r'š.b'l.ṣmd*). L'élément *ṣmd* peut indiquer un "attelage" mais, ici, il désigne plus probablement la "massue" de Baal, l'arme qui sera employée par le dieu pour fracasser la tête de l'éventuel profanateur.

Bibl. B. Landsberger, *Sam'al*, Ankara 1948, p. 46; P. Swiggers, *Commentaire philologique sur l'inscription phénicienne du roi Kilamuwa*, RSF 11 (1983), p. 133-147 (voir p. 146-147). PXel

BAALYASOP En phén. *B'lysp*, néo-assyrien *Ba-(')al-ia-šu-pu* ("Baal a ajouté" un enfant), nom propre phén.-pun., porté notamment par un des fils de →Yakinlu, roi d'→Arwad au VIIe s. av. J.C.

Bibl. ANET, p. 296a; Benz, *Names*, p. 94. ELip

BAANA En phén. *B'n'*, double hypocoristique, probablement de *Ba'alnātan* ("Baal a donné").

1 B., nom cananéen de deux préfets du royaume de Salomon (Xe s.), l'un de la vallée de Yizréel, avec les villes de →Megiddo et de Tanak (*1 R.* 4,12), l'autre de la plaine d'→Akko et de la région avoisinante (*1 R.* 4,16).

2 B., personnage du VIIIe s., dont le nom est incisé sur les deux œillères d'un harnais, trouvées à →Idalion (Chypre).

3 B., roi de →Sidon vers la fin du Ve s., connu par une inscription phén. de →Bostan esh-Sheikh (TSSI III,29) et par des émissions monétaires (fig. 250:1-2). Il était fils du roi →Abdémon (2) et père de →Baalshillem II. On lui attribue le sarcophage "lycien" de la nécropole de Sidon (fig. 41). Son nom, attesté à la même époque en milieu judéo-araméen (*Esd.* 2,2; *Ne.* 3,4; 7,7; 10,28), n'est pas d'origine phén.

Bibl. Peckham, *Development*, p. 76, n. 25; H. Gabelmann, *Die Inhaber des Lykischen und des Satrapensarkophages*, AA 1982, p. 493-495; E. Lipiński, *Le Ba'ana' d'Idalion*, Syria 63 (1986), p. 379-382, 421-422; L. Mildenberg, *Baana*, ErIs 19 (1987), p. 28*-35*. ELip

BABAY En pun. *B'by/Bby*, épithète qui désigne le dieu →Sid dans certaines inscriptions retrouvées dans le temple d'→Antas, en Sardaigne. Elle a été interprétée comme un nom de lieu ou, plus souvent, comme un terme transcrivant un vocable d'origine sarde qui signifierait "père" ou "ancêtre". Cette dernière hypothèse est à l'origine de la théorie qui fait de B. la divinité masculine suprême des Sardes. B. aurait été vénéré à Antas, dès l'époque nuragique,

Fig. 41. Sarcophage "lycien" de Sidon, attribué au roi Baana (fin du Ve s. av. J.C.). Istanbul, Musée Archéologique.

dans un sanctuaire antérieur à celui de Sid, que les fouilles n'ont pas réussi à mettre au jour. B., ancêtre des Sardes, se serait perpétué à l'époque pun. sous le nom de Sid et, à l'époque rom., sous celui de →Sardos/Sardus Pater. On signalera encore l'hypothèse récente qui rapproche B. du dieu égyptien Bébon/Babys.

Bibl. G. Garbini, *Le iscrizioni puniche di Antas*, AION 29 (1969), p. 317-331; F. Barreca, *Il tempio di Antas e il culto di Sardus Pater,* Iglesias 1975; F. Mazza, B'by *nelle iscrizioni di Antas: dati per una nuova proposta*, RSF 16 (1988), p. 47-56. AROob

BABYLONIE 1 Époque néo-babylonienne En 1160, le roi d'Élam Shutruk-nahhunte met fin à la domination cassite sur Babylone. Il saccage tout le pays et emporte à Suse un butin considérable, dont la stèle du Code de Hammurabi actuellement au Louvre. Jusque vers 900, la situation politique au Proche Orient est des plus confuses. Quelques grandes lignes se dégagent: le développement de l'influence égyptienne, l'installation de principautés araméennes en Syrie et sur le Moyen-Euphrate, la fixation des Hébreux en →Canaan, le maintien de quelques royaumes néo-hittites au S. du Taurus, la ruine d'→Ugarit à la suite de l'invasion des →"Peuples de la Mer", le déclin de →Byblos compensé par la naissance de cités commerçantes phén.: →Arwad, →Sidon, →Tyr. À l'E., les Mèdes et les Perses s'installent en Iran; dans le N. mésopotamien, l'→Assyrie se réveille et retrouvera sous Assurnasirpal II (883-859) l'éclat qu'elle connaissait près d'un millénaire plus tôt. Quant à la B., son effacement politique est compensé par la prééminence religieuse à laquelle elle-même se voue et que les souverains d'Assyrie lui reconnaissent. L'anarchie babylonienne n'empêche pas Salmanasar III, appelé à l'aide, de traiter Babylone avec égard (850), ni Shamshi-Adad V (823-811) de se considérer comme roi de Sumer et d'Akkad, ni Adad-nirari III (810-783) de faire ses dévotions dans les sanctuaires du S. et d'introduire en Assyrie le culte du dieu Nabû. Téglat-Phalasar III va régner à Babylone (728), mais avec Sargon II (721-705), c'est l'hostilité ouverte. Marduk-apla-iddina, un Chaldéen du S., fait alliance avec l'Élam et s'installe sur le trône. Il doit s'enfuir en 710, mais reviendra sous Sennachérib (704-681). Une déportation massive de Babyloniens, d'Araméens et de Chaldéens ne ramène pas le calme et, en 689, le roi d'Assyrie saccage Babylone. C'est un sacrilège qu'il paye de sa vie huit ans plus tard et que son fils Asarhaddon s'emploiera à racheter. Il conservera la fiction de l'indépendance babylonienne en y installant sur le trône Shamash-shum-ukin, le frère d'Assurbanipal. Dès ce moment, la sécession de Babylone est continuelle jusqu'en 612, lorsque Mèdes et Babyloniens balayent Ninive. Le prestige de Babylone monte alors au zénith et la ville acquiert une splendeur incomparable. Le Chaldéen Nabopolassar s'installe sur le trône, tandis que les Égyptiens, profitant de la ruine de l'Assyrie, occupent Karkémish. En 605, Nabuchodonosor II les en chasse et rouvre la Syro-Palestine aux Babyloniens. En 587, c'est la prise de Jérusalem et la déportation à Babylone de son roi Sédécias. C'est ensuite la capture de Tyr après un très long siège et la pacification momentanée de l'O. Des troubles suivent la mort de Nabuchodonosor (562). Cyrus II monte sur le trône de Perse en 559, tandis que le pouvoir à Babylone passe aux mains de Nabonide en 555. Celui-ci, fils d'une prêtresse du dieu-lune Sîn de Harran, s'absorbe dans une réforme religieuse qui l'éloigne de sa capitale et dans laquelle ses sujets voient une offense à Marduk. Lorsque Cyrus le Perse entre à Babylone en 539, il ne rencontre pas d'opposition. La vieille capitale restera la gardienne des antiques traditions littéraires et religieuses. C'est le rôle qu'elle continue de jouer jusqu'au début de l'ère chrétienne. AFin

2 Phéniciens en Babylonie La conquête de la Phénicie par Nabuchodonosor II, achevée en 573/2 par la reddition de Tyr, va de pair avec la déportation en B. de la classe dirigeante et de la main-d'œuvre qualifiée. Quand *c.* 555, c.-à-d. au temps de l'avènement de Nabonide, l'ancienne dynastie tyrienne est autorisée à remonter sur le trône, on va chercher à Babylone les princes →Maharbaal (1), puis →Hiram III (3) (Fl. Jos., *C.Ap.* I 158), que Nabuchodonosor II avait manifestement déportés. Par ailleurs, un texte administratif trouvé dans une annexe du palais à Babylone mentionne "126 Tyriens", puis "(x +) 190 matelots de Tyr", ensuite "8 menuisiers de Byblos" et "3 menuisiers d'Arwad", outre des gens d'Ascalon avec leur prince (Mél. R. Dussaud, p. 928-929). Un autre effet du siège et de la chute de Tyr fut paradoxalement d'intensifier les relations entre la métropole méditerranéenne et la B., à supposer que la *Ṣurru* des documents néo-babyloniens soit bien Tyr. Mais il est vraisemblable que c'est une localité de la B. centrale, située entre Nippur et Uruk (RGTC VIII, p. 280-281), et peuplée notamment de Phéniciens déportés. P.ex., d'Uruk provient une quittance pour des provisions destinées "au roi et aux soldats qui sont avec lui au pays de *Ṣurru*", de Sippar, un document traitant de la vente de sésame, transaction dans laquelle interviennent des gens de *Ṣurru*. Certains de ces textes ont été rédigés à *Ṣurru* même; ils ont trait à une vente de bétail, à une fourniture de dattes "aux notables de la ville de *Ṣurru*", etc. Dès 580/79, on trouve à Uruk un déporté de la seconde génération, "fils du Sidonien", qui porte le nom bien akkadien de Nergal-tēši-ēṭir, tout comme on en rencontre un à Babylone en 548/7, qui s'appelle Itti-šarri-inēia, mais est fils d'un Baalyaton. La boîte en ivoire trouvée à →Ur (pl. VIIc) peut provenir d'un butin, mais la localité de *Bīt-Ṣūrāya*, "Maison des Tyriens", située près de Nippur, est certainement une colonie de déportés tyriens, tout comme l'*Arqā* voisine de Nippur doit être un habitat de gens originaires de l'→Arqa libanaise. On connaît d'autres cas similaires et le *ḫaṭru* ou "communauté des Tyriens" existait encore près de Nippur à l'époque de Darius II (423-405). Un aspect différent de la présence phén. en B. se profile derrière le fait que →Hanûn, le chef des agents commerciaux de Nabuchodonosor II *c.* 570, était probablement d'ascendance phén. En tout cas, des textes du temps de Nabuchodonosor II et de Nabonide font état de fer en provenance du Liban et de Simyra (Tell →Kazel), d'où l'on importait aussi du vin (RLA VI, p. 646b). De même, c'est en passant par les ports phén. que l'on acheminait en B. le fer et surtout le cuivre de *Iamāna*, qui était Chypre plutôt que la côte ionienne ou la Grèce. Par contre, on s'explique difficilement la découverte, à Tyr même, d'une tablette babylonienne de l'an 30 de Darius I (492/1), qui ne décèle aucun lien avec la Phénicie. ELip

Bibl. Ad 1: CAH III/1², p. 282-313; DEB, p. 176-181 (bibl.); E. Unger, *Babylon. Die heilige Stadt nach der Beschreibung der Babylonier*, Berlin 1931; H.W.F. Saggs, *The Greatness that was Babylon*, London 1962.

Ad 2: E. Unger, *Nebukadnezzar II. und sein Šandabakku (Oberkommissar) in Tyrus*, ZAW 44 (1926), p. 314-317; A.L. Oppenheim, *Essay on Overland Trade in the First Millennium B.C.*, JCS 21 (1967), p. 236-254; G. Wilhelm, *La première tablette cunéiforme trouvée à Tyr*, BMB 26 (1973), p. 35-39; H.J. Katzenstein, *The History of Tyre*, Jerusalem 1973, p. 295-347; R. Zadok, *Phoenicians, Philistines, and Moabites in Mesopotamia*, BASOR 230 (1978), p. 57-65 (en part. p. 59-61); F. Joannès, *La localisation de Ṣurru à l'époque néo-babylonienne*, Semitica 32 (1982), p. 35-43; id., *Trois textes de Ṣurru à l'époque néo-babylonienne*, RA 81 (1987), p. 147-158.

BAETOCÉCÉ En gr. *Baitokaikē*, *Baitokheikhei*, *Betokhikhi*, *Bēkhikhi*, aujourd'hui *Ḥoṣn Suleimān*, sanctuaire antique de Syrie à 30 km à l'E. de →Tartous, situé au cœur des monts Alaouites, à près de 1.000 m d'altitude. Une longue inscription gr. souligne l'importance religieuse et économique de ce haut-lieu de la Pérée d'→Arwad depuis l'époque hellénistique jusqu'au Bas-Empire rom. Son origine phén. est confirmée, semble-t-il, par la brève dédicace gr. IGLS VII,4041 dont le verbe est sous-entendu, mais qui qualifie le sanctuaire de *tokamēlil*, transcription probable du phén. *tqm 'lm*, "asile de dieu", mots aussitôt traduits en gr. par "l'asile (*kotokhēn*) de B.". Il était dédié à Zeus, surnommé Céleste et *Keraúnios*, "fulgurant", que l'on avait assimilé au →Baal local. Les constructions préservées datent probablement du IIIᵉ s. ap. J.C., mais l'autel de bronze, qui se trouvait à l'E. de la cella, a été dédié en 185/6. Le site n'a pas encore été fouillé.

Bibl. IGLS VII,4028-4041; PECS, p. 135; D. Krencker - W. Zschietzschmann, *Römische Tempel in Syrien* I-II, Berlin 1938, p. 65-101; H. Seyrig, *Arados et Baetocécé*, Syria 28 (1951), p. 191-206; J.-P. Rey-Coquais, *Arados et sa Pérée*, Paris 1974; J. Sapin, *Les transformations d'un domaine de la couronne dans la Trouée de Homs (Syrie) de Tiglat-Phalazar III à Auguste*, Transeuphratène 1 (1988), p. 21-54. ELip

BAIÃO →Portugal.

BAILON →Belo.

BAISIPPO En gr. *Baisippṓ* (Ptol. II 4,10), lat. *Baisipo* (monnaies) ou *Baesippo* (Pline, *N.H.* III 7; Pomp. Méla II 96), aujourd'hui Barbate, localité d'Espagne à *c.* 35 km à l'O. de Tarifa, entre Cadix et Gibraltar. L'existence d'un établissement phén. à B. a été discutée. En tout cas, on a trouvé au bord du marais situé sur la rive gauche du fleuve Barbate un grand vase d'→albâtre de fabrication égyptienne portant une inscription hiéroglyphique et datable entre les IXᵉ et VIIᵉ s. av. J.C.; cette pièce trouve ses parallèles exacts dans celles mises au jour dans la nécropole du Cerro de San Cristóbal à →Almuñécar (fig. 16).

Bibl. A. Tovar, *Iberische Landeskunde* II/1, Baden-Baden 1974, p. 65-66; Gamer-Wallert, *Funde*, p. 80-85; A. Saez Espligares, *Hallazgos arqueológicos en Barbate*, Boletín del Museo de Cádiz 2 (1979-80), p. 45-47; Padró i Parcerisa, *Documents* III, p. 76. PRou

BALĀWĀT En akk. *Imgur-Enlil*, site assyrien à 28 km au S.-E. de Mossul (Iraq), connu surtout pour le revêtement en bronze des portes du palais d'Assurnasirpal II (883-859) et de Salmanasar III (858-824), ainsi que des portes du temple du dieu Mamu, portant un ornement semblable avec une inscription d'Assurnasirpal II. Il s'agit d'un placage constitué de longues bandes métalliques historiées. Les thèmes de cette décoration, gravée et martelée, se rapportent aux campagnes assyriennes. Une de ces bandes représente le tribut de Tyr (et de Sidon). On y voit les remparts de la cité insulaire d'où part un bateau qui transporte le tribut vers la côte, où Salmanasar III reçoit un premier cortège de nobles et de porteurs (pl. IIc). Le tribut consiste en vaisselle de luxe, sacs de vin, défenses d'éléphant, étoffes, cônes d'encens (?) et récipients contenant des lingots. Une deuxième bande, fragmentaire, qui décorait l'autre battant de la porte, ne diffère que légèrement de la première. Enfin, Tyr serait également représentée sur une bande de la porte d'Assurnasirpal au temple de Mamu.

Bibl. ANEP 356-365, 625; RLA V, p. 66-67; L.W. King, *Bronze Reliefs from the Gates of Shalmaneser, King of Assyria*, London 1915; E. Unger, *Die Wiederherstellung des Bronzetores von Balawat*, AM 45 (1920), p. 1-105; R.D. Barnett, *Assyrische Palastreliefs*, Prag 1959, p. 137-173; id., ErIs 9 (1969), p. 6*, n. 6; A. Parrot, *Assur*, Paris 1969², fig. 121-129, 138-146; H.J. Katzenstein, *The History of Tyre*, Jerusalem 1973, p. 162-166. EGub

BALÉARES En gr. *Gumnēsiai*, puis *Baliareis* ou *Baliarídes*, lat. *Baleares*, îles de la Méditerranée occidentale (Espagne). Hormis quelques références classiques à la présence de mercenaires baléares, frondeurs célèbres, dans les →armées carth. au cours des guerres de →Sicile, au IVᵉ s., et lors des →guerres pun., les activités phén.-pun. dans les B. sont un acquis récent de la recherche. Le nom de B. désignait seulement Majorque et Minorque, toutes deux sur la voie maritime des îles qui jalonnent la Méditerranée. À Majorque, on constate la présence sporadique d'objets phén. et surtout pun., dès la fin du VIᵉ s. av. J.C., dans les villages de civilisation autochtone, appelée talayotique. Il faut les mettre en relation avec la colonisation d'→Ibiza, réalisée dès le milieu du VIIᵉ s. L'entreprise coloniale devient plus intense à partir du IVᵉ s., et l'on connaît maintenant un vrai comptoir commercial établi par les Ébusitains sur l'îlot de Na Guardis, au sud de Majorque, où se regroupent entrepôts, maisons, ateliers métallurgiques. Ce site, récemment fouillé, constitue actuellement notre principale source d'information non seulement sur les relations entre Ibiza et les B., mais aussi sur l'industrie et l'artisanat punico-ébusitains, ainsi que sur la construction de structures non funéraires. D'autres centres sont connus à Es Trenc et à Es Turó de Ses Beies. La recherche à Minorque, moins poussée, n'a encore fait connaître que le débarcadère de Cales Coves, fréquenté aussi par les Ébusitains. Tous ces centres prendront un grand essor qui durera jusqu'à la conquête des îles par les Romains en 123 av. J.C., quand s'ouvre une période de crise. Pendant cinq siècles, les B. ont constitué un marché aussi important que ceux de l'E. de la Péninsule Ibérique et du Midi de la France pour les marchands pun. qui y côtoyaient peut-être au début leurs concurrents gr., mais qui ont rapidement su s'imposer et créer un débouché régulier et sûr pour leurs produits.

Bibl. CIE 10.01-29 (Majorque), 12.01-31 (Minorque); KlP I, col. 816-187; M. Fernández Miranda - M. Belén, *El Fondeadero de Cales Coves (Alayor, Menorca)*, Madrid 1979; V.M. Guerrero Ayuso, *Asentamiento púnico de Na Guardis*, Madrid 1984; id., *La colonización púnico-ebusitana de Mallorca. Estado de la cuestión*, Ibiza 1984. JHFern

BAMBOULA →Kition.

BANASA Nom indigène, puis lat. d'une ville sur la rive gauche du Sebou, à 30 km à l'intérieur des terres, dans la plaine du Gharb, une des plus riches du Maroc. En dessous des ruines actuelles, vestiges d'édifices rom. des IIe-IIIe s. ap. J.C., les fouilles ont permis la découverte de niveaux d'occupation pré-rom., dont le plus ancien, avec ses ateliers de potiers ibéro-pun., remonte au VIe-Ve s. Leur céramique se retrouve dans presque tous les tumulus et centres pré-rom. de la plaine du Gharb, jusqu'au Zerhoun. Sous les rois de →Maurétanie, B. n'eut pas le privilège de battre une monnaie autonome. Après la mort de →Bocchus II, entre 33 et 27 av. J.C., Octave promut B. au rang de colonie rom., qui atteignit son apogée aux IIe-IIIe s. ap. J.C.

Bibl. PECS, p. 140-141; R. Thouvenot, *Une colonie romaine de Maurétanie Tingitane: Valentia Banasa*, Paris 1941; A. Luquet, *La céramique préromaine de Banasa*, BAM 4 (1964), p. 117-144; S. Girard, *L'alluvionnement du Sebou et le premier Banasa*, BAC, n.s., 17B (1981 [1984]), p. 145-154; ead., *Banasa préromaine. Un état de la question*, AntAfr 20 (1984), p. 11-93. MPon

BANIYĀS En gr. *Balaneion*, lat. *Balneae*, ville de la côte syrienne, à 40 km au N. de →Tartous. Elle faisait partie de la Pérée d'Arwad, constituée d'un ensemble de localités côtières fondées par →Arwad, vers laquelle elles drainaient les marchandises acheminées de la plaine intérieure de la Syrie du N. par les passes du *Ğebel 'Anṣāriyē*. Le site de B. n'a jamais été fouillé, mais on peut y reconnaître les →fortifications de l'ancienne place forte dans un coude du Nahr Baniyās (fig. 140, 141). À l'époque hellénistique, les cités de la Pérée d'Arwad deviennent autonomes, chacune battant sa monnaie propre, mais usant de l'ère commune "de la liberté", inaugurée en 259 av. J.C. B. entre alors dans la mouvance de nouveaux circuits commerciaux créés par les villes fondées par les →Séleucides, telles que Laodicée-sur-Mer ou Apamée-sur-l'Oronte.

Bibl. Dussaud, *Topographie*, p. 127-129; J.-P. Rey-Coquais, *Arados et sa Pérée*, Paris 1974. LBad

BANNO En pun. *Bn'*, gr. *Bánnōn*, lat. *Banno*, anthroponyme pun. dérivé du verbe *banō*, "bâtir, créer", ou formé par l'abréviation du nom *B'lhn'*.

1 B., gouverneur de la région entre l'Èbre et les Pyrénées, nommé par Hannibal au début de la 2e →guerre pun. (Zon. VIII 25). Son nom, moins usité, devint probablement "Hannon" chez Pol. III 35,4; 76,5-6; Liv. XXI 60, 5-6, et "Magon" chez Liv., *Per.* XXI; Orose, *Adv. Pag.* IV 14,9.

2 B. Tigillas ("Coloquinte"?), porte-parole de l'ambassade carth. envoyée en 149 à Utique (App., *Lib.* 82-86), auprès des consuls qui lui firent part de l'ultime exigence rom., celle d'abandonner Carthage.

Bibl. Benz, *Names*, p. 89, 288; Huß, *Geschichte*, p. 442. ELip

BARCIDES Le nom de B. remonte au surnom *Bárkas* (gr.) / *Barca* (lat.) d'→Hamilcar (8) qui, dans les dernières années de la 1re →guerre pun. (264-241) et durant la seconde moitié de la →guerre des Mercenaires (241-238), remplissait les fonctions de navarque et de stratège. Ce surnom était probablement en pun. *brq*, "éclair". Faisaient partie des B. →Hannibal (6), →Hasdrubal (5) et →Magon (6), les fils d'Hamilcar, ainsi que →Hasdrubal (4), le gendre d'Hamilcar. On ne sait pas si les ancêtres d'Hamilcar appartenaient déjà à la haute société carth., mais Hamilcar, en tout cas, éleva sa famille à un degré de prestige et de pouvoir que peu de familles avaient atteint. Il n'est donc pas surprenant que ses adversaires politiques les suspectaient, lui et son gendre Hasdrubal, de vouloir instaurer une royauté monarchique ou une tyrannie. Si on fait abstraction de la base économique, le succès d'Hamilcar est imputable à deux facteurs: un savoir-faire militaire hors du commun et une politique populaire menée d'une manière conséquente. Il déroba à son rival →Hannon (17) la "stratégie de la Libye" et se fit attribuer le riche territoire ibérique comme zone d'opération. En Ibérie, avec laquelle les Carthaginois avaient déjà eu de multiples rapports, mais pour laquelle les Romains n'avaient manifesté jusque-là aucun intérêt, Hamilcar s'efforça d'élargir territorialement et matériellement la base de l'État carth. Il plaça sous contrôle carth. des parties étendues de l'Espagne du S., où se trouvaient les importantes →mines d'argent et de cuivre. De Leukè Akra (→Alicante), il fit un centre militaire et administratif. Quand il mourut en 229/8, il eut pour successeur son gendre Hasdrubal, qui utilisa plus la persuasion que la force. Il atteignit en Ibérie une position semblable à un roi et ne fit rien pour le cacher. Selon toute vraisemblance, il fit battre des monnaies qui le représentaient en roi hellénistique (fig. 165). À →Carthagène, il créa le nouveau centre de la province ibérique de Carthage. Par le traité de l'Èbre, conclu avec les Romains (StV III,503), il parvint à délimiter les sphères d'intérêt militaire (226/5). Après son assassinat (automne 221), les soldats élirent leur favori Hannibal comme nouveau stratège et le *dēmos* carth. confirma à l'unanimité ce vote (Pol. III 13,4). Par la suite, Hannibal, qui était devenu le commandant en second d'Hasdrubal vers l'automne 224, fit campagne contre diverses tribus ibériques. En raison de ses succès, il devint pratiquement le maître des territoires au S. de l'Èbre. Toutefois, le conflit grandissant avec les Sagontins en 219, qui cherchaient à s'assurer l'aide des Romains, aboutit à l'éclatement de la 2e guerre pun. (218-201). Trois invasions conduisirent alors les B. en Italie: Hannibal en 218, Hasdrubal en 207 et Magon en 205-203, mais ils ne parvinrent pas à abattre les Romains. Lors de la bataille de →Naraggara, en 202, les Carthaginois conduits par Hannibal perdirent leur position de grande puissance. À la suite de manœuvres d'adversaires du sein de l'aristocratie, qui collaborèrent de manière indigne avec des sénateurs rom., l'ex-suffète Hannibal se vit contraint un soir d'été, en l'an 195, de quitter sa ville natale, où il ne devait jamais revenir. Ses concitoyens le bannirent, détruisirent sa maison et confisquèrent ses biens. C'était la fin de la dynastie des B.

Bibl. Huß, *Geschichte*, p. 246-428. WHuß

BARIA →Villaricos.

BARIK-SHAMASH En ph. *Brkšmš* ("Bénis, ô →Shamash!"); roi de →Lapéthos (Chypre) *c.* 346-330, lequel régna au moins quinze ans d'après l'inscription phén. de →Larnaka-tis-Lapithou III,6 (Le Muséon 51 [1938], p. 285-298). Son nom pourrait apparaître aussi sur une monnaie à légende phén. sous la forme abrégée *br*. Comme B. interrompt une séquence de noms dynastiques gr., on a pensé qu'Artaxerxès III (358-338) aurait pu le placer sur le trône après la révolte de neuf rois chypriotes (Diod. XVI 42,3-5), *c.* 350-346, mais il ne serait pas surprenant qu'un membre de la famille régnante de Lapéthos ait porté un nom phén.

Bibl. E.S.G. Robinson, *Greek Coins acquired by the British Museum 1938-48*, NC, 6e sér., 8 (1948), p. 43-65 (en part. p. 65); J.C. Greenfield, *Larnax tēs Lapethou Revisited*, StPhoen 5 (1987), p. 391-401 (en part. p. 395-398). ELip

BARNETT, RICHARD D. (23.1.1909-29.7.1986). Historien de l'art, dont les nombreuses publications couvrent tout le domaine de l'art proche-oriental. Après des études à Cambridge et un séjour prolongé à la *British School* d'Athènes, B. travailla au Musée Britannique de Londres où il fut nommé conservateur du département des *Western Asiatic Antiquities* en 1956. Parmi ses ouvrages concernant la civilisation phén. on relèvera *A Catalogue of the Nimrud Ivories* (London 1957, 1975²), *Ancient Ivories in the Middle East and Adjacent Countries* (Jerusalem 1982), ainsi que l'ouvrage posthume, publié avec C. Mendleson, *Tharros: A Catalogue of Material in the British Museum from Phoenician and Other Tombs at Tharros* (London 1987).

Bibl. J. Curtis, *Bibliography of R.D. Barnett*, AnSt 33 (1983), p. 219-227. EGub

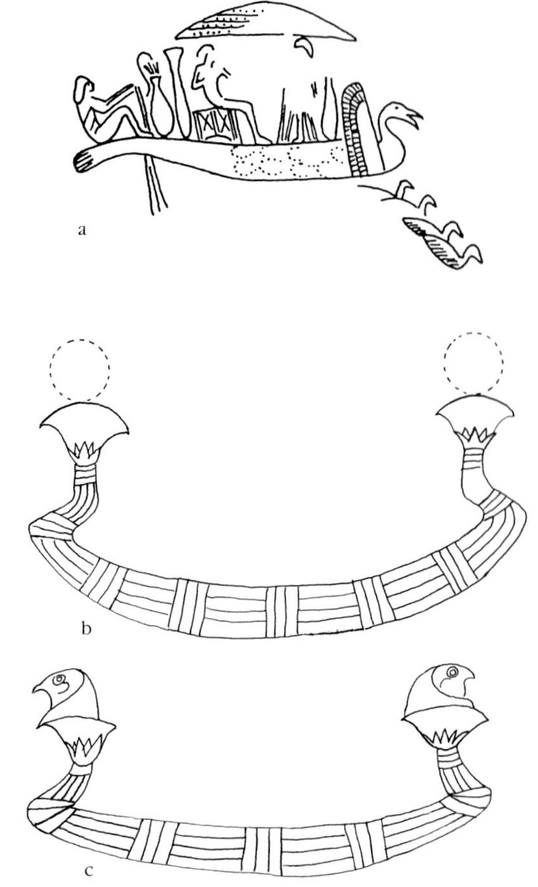

Fig. 42. Types de barques phén. d'après des ivoires, des coupes et des sceaux des VIIIe-Ve s. av. J.C.

BARQUE La b. phén. se distingue du vaisseau de guerre et du bateau de commerce (→navires). On en connaît deux types dans l'art figuratif. La b. à têtes de canard, conçue au début du Ier mill., semble issue d'une tradition égéo-philistine, mais figure aussi sur un relief de →Karatepe. La coque est parfois munie d'une paire d'ailes. Quand la proue n'assume pas la forme d'une deuxième tête d'oiseau, elle peut se terminer par une queue ornithomorphe (fig. 42a). Ce type de b. ne semble guère avoir survécu à l'âge du Fer II, contrairement à la b. du second type, s'inspirant de la b. solaire égyptienne. Ses connotations religieuses sont corroborées par le contexte iconographique dans lequel elle apparaît dans une série hétéroclite de documents, qui s'ouvre apparemment au VIIIe s. avec les →ivoires ornant des meubles. La b. y est associée au disque solaire portant la couronne *hmhm* ou à des divinités égyptiennes, voire à leurs symboles: →Horus, →Thot, →Isis allaitant Horus, →Osiris, le →scarabée tétraptère. Le disque solaire ou les divinités centrales peuvent être flanquées de personnages ou de symboles secondaires: l'oiseau d'Horus, l'*uraeus*, le →thymiatère. Jusque vers 650, les →coupes métalliques reprennent les mêmes thèmes iconographiques, tout en y ajoutant l'image d'un dieu barbu d'aspect oriental. Les bijoutiers, surtout les artistes lapidaires, reproduisent ces motifs jusqu'à la fin du Ve s. Les exemples les plus détaillés de la b. reflètent ces modèles égyptiens: des rayures horizontales y indiquent les faisceaux de roseaux ou de papyrus superposés et liés par des cordes verticales. Proue et poupe se terminent le plus souvent par un faisceau de papyrus couronné du disque solaire (fig. 42b) ou d'un cartouche et servent parfois de support à des oiseaux. Ailleurs, les extrémités de la coque sont décorées de têtes humaines portant le pschent, voire d'ornements hiérako- ou criocéphaliques qui s'inspirent de certaines b. processionnelles égyptiennes (fig. 42c).

Bibl. Hölbl, *Kulturgut* I, p. 270-272, 281-283, 313; E. Acquaro, *La barca di papiro nella glittica punica di Sardegna*, Studi E. Bresciani, Pisa 1986, p. 13-19; Gubel, *Furniture*, cat. 48, 51, 53, 63, 83, 84, 91, 92, 101-103, 128, 132, 159, 160. EGub

BARTHÉLEMY, JEAN-JACQUES (20.1.1716-3.4.1795). "Associé" de l'Académie des Inscriptions et Belles-Lettres, à Paris, B. y présenta le 1.4.1758 une communication intitulée "Réflexions sur quelques monuments phén. et sur les alphabets qui en résultent", dans laquelle il proposait le déchiffrement du phén. Le point de départ en était l'inscription bilingue de Malte, en phén. et en gr. (CIS I,122 = KAI 61 = TSSI III,21-22; fig. 125), dont B. avait complété le déchiffrement par l'analyse des légendes phén. de diverses monnaies de Tyr et de Sidon et par l'étude de deux des trente-trois inscriptions phén. que Richard Pococke avait trouvées à →Kition en 1738 (fig. 198).

Bibl. M. Badolle, *L'Abbé Jean-Jacques Barthélemy et l'hellénisme en France dans la seconde moitié du XVIIIe siècle*, Paris 1927; M. David, *En marge du mémoire de l'abbé Barthélemy (1758) sur les inscriptions phéniciennes*, Studia Semitica I. Bakoš dicata, Bratislava 1965, p. 81-94; A. Dupont-Sommer, *Jean-Jacques Barthélemy et l'ancienne Académie des Inscriptions et Belles-Lettres*, Paris 1971. ELip

BARUMINI Le territoire de B. (Sardaigne) a livré des monnaies pun. et sardo-pun. dont la date correspond à celle de la céramique ionienne de *c.* 260-200 av. J.C., trouvée sur le site nuragique de Su Nuraxi, à 1 km au N.-O. de B.

Bibl. A. Corretti, *Barumini*, BT IV, Pisa-Roma 1985, p. 4-13 (bibl.). ELip

BASTET En ég. *B3sty.t*, phén. *'bst*, aram. *-wbsty*, akk. *-ubasti/-ubašte*, gr. *-oubasti(s/os)*; déesse de Bubastis, ville du Delta oriental du Nil, aisément accessible aux Phéniciens et aux Grecs (Hdt. II 59-60.67.138). Représentée depuis la XVIIIe dynastie égyptienne en jeune femme à tête de chatte et symbolisée par les figurines de chats en bronze ou en faïence, B. fut vénérée par les Phéniciens au moins depuis le VIIIe s., époque des XXIIe et XXIIIe dynasties (*c.* 945-715) qui avaient fait de Bubastis leur capitale. En font preuve l'onomastique phén.-pun. et les nombreuses →amulettes à tête de chatte ou en forme de chatte retrouvées dans des sites phén. et pun., surtout à Carthage et à Ibiza (fig. 24). Assimilée aux déesses-lionnes comme Sekhmet, B. apparaît souvent comme une réplique souriante de ces dernières. Hathor est souvent dépeinte comme Sekhmet, quand elle est en colère, et B., quand elle est bienveillante.

Bibl. LÄg I, col. 628-630; LIMC III/1, p. 81-83; Benz, *Names*, p. 258-259; E. Lipiński, *Les Phéniciens à Ninive au temps des Sargonides: Ahoubasti, portier en chef*, ACFP 1, Roma 1983, p. 125-134; J.H. Fernández - J. Padró, *Amuletos de tipo egipcio del Museo arqueológico de Ibiza*, Ibiza 1986, p. 52-55 (bibl.). ELip

BATNOAM En phén. *Btn'm* ("Fille de délices"); mère du roi →Az(z)ibaal de Byblos (4). Son sarcophage, réutilisé, a été trouvé en 1929 près du Château des Croisés. L'inscription, qui décrit l'habit funéraire de B. (→pourpre 2), est datable paléographiquement de la première moitié du IVe s. (KAI 11 = TSSI III,26).

Bibl. M. Dunand, *Inscription phénicienne de Byblos*, Kêmi 4 (1931 [1933]), p. 151-156, pl. X; P. Swiggers, *The Phoenician Inscription of Batnu'am*, OLP 11 (1980), p. 111-116. ELip

BATROUN En akk. *Bat-ru-na*, gr. *Bótrus*, aujourd'hui *El-Batrūn*, ville d'une petite plaine côtière du Liban, à 15 km au N. de Byblos, dont B. dépendait à l'époque d'el →Amarna (EA 78; 79; 81; 87; 90; 93; 124), mais elle finit par tomber entre les mains d'Abdi-Ashirta d'Amurru (EA 88,16). Située à l'écart de l'ancienne route côtière, qui contournait le massif du →Théouprosopon bordant à l'E. la plaine de B., la ville n'a jamais été dotée d'installations portuaires importantes. Ménandre, cité par Fl. Jos., *A.J.* VIII 324, attribue toutefois à →Ittobaal I de Tyr (IXe s.) la fondation (nouvelle) de B., qui est peut-être citée au temps d'Asarhaddon sous le nom de →Bitirume. Plus tard, Pol. V 68,7-8 mentionne l'occupation de B. par Antiochos III le Grand (223-186) lors de la 4e guerre de Syrie. À la fin de l'époque hellénistique, Strab. XVI 2,18 la désigne comme un des repaires des brigands ituréens éliminés par Pompée.

Bibl. PW III, col. 793; P. Chebli, *Notes archéologiques recueillies dans le district de Botrys-Batroun (Mont-Liban)*, RB 10 (1901), p. 583-591; *BMC. Phoenicia*, p. LIX-LX; Dussaud, *Topographie*, p. 71; H. Salamé-Sarkis, *Batroun à travers les sources de l'histoire*, Beyrouth (à paraître). HSar

BAUDISSIN, WOLF WILHELM GRAF (26.9.1847-6.2.1926). Orientaliste, théologien et historien des religions, B. enseigna l'Ancien Testament à Strasbourg (1876), Marburg (1881) et Berlin (1900). Il se distingua surtout dans le domaine de l'histoire des religions sémitiques, plus spécialement de la religion phén., qui fut l'objet de son ouvrage monumental *Adonis und Esmun* (Leipzig 1911), où il établit la typologie des dieux mourant et ressuscitant.

Bibl. O. Eissfeldt, *Bibliographie*, BZAW 33, Giessen 1918, p. 1-16, 418-419; id., *Kleine Schriften* I, Tübingen 1962, p. 115-142. ELip

BÉCHATEUR En lat. *Thisi*, bourgade à 15 km à l'O. de Bizerte, en Tunisie. Elle avait conservé sous le Haut-Empire des traditions pun., comme en témoigne une inscription lat. qui fait connaître un prêtre d'→Adonis (4) nommé Muthumbal (ILTun 1188).

Bibl. AATun, f^e 2 (Bizerte), n° 32; Lepelley, *Cités* II, p. 256. ELip

BEDDOUZA, CAP L'ex-cap Cantin, à 30 km au N. de →Safi, au Maroc. C'est peut-être le *promuntorium Solis* de Polybe (Pline, *N.H.* V 9) et le *Hēlíou oros* de Ptol. IV 1,2. Il n'est pas évident que ce nom provient d'une confusion de *Solóeis* (→Solo) avec *Sol*, "soleil", vu que le nom de lieu cananéen *Har Heres* (*Jg.* 1,35) signifie "Mont du Soleil". Ce peut donc être la traduction d'un toponyme phén.-pun.

Bibl. Desanges, *Pline*, p. 112-113. ELip

BÉJA En lat. *Vaga*, arabe *Bāğa*; ville de Tunisie, au centre des "Grandes Plaines" (*magni campi*) du bassin moyen de la →Medjerda (*Bagrada*). Elle entre dans l'histoire lors de la 2e →guerre pun., quand elle figure parmi les cités qui ont envoyé des soldats à Hannibal (Sil.It. III 259). En effet, située à 105 km à l'O. de →Carthage, la ville faisait certainement partie du domaine pun., vu que Carthage ne pouvait pas posséder les "Grandes Plaines" sans être maîtresse de B., qui en était le grand centre urbain, une "cité grande et prospère", comme le dit Sall., *Jug.* 69,3. Mais, en 146, lors de la chute de Carthage, B. n'appartenait plus au territoire pun., puisqu'elle n'est pas comprise dans les limites de l'*Africa Vetus* rom. (Sall., *Jug.* 29,4; 47,1; 66,2). →Massinissa I avait dû s'en emparer et, de fait, à la fin du IIe s., elle était une des principales places fortes de →Jugurtha et le marché le plus important du royaume numide. De nombreux commerçants italiques y résidaient alors (Sall., *Jug.* 47,1), mais la ville fut pillée et dévastée par Metellus après le massacre d'une garnison rom. en 109 av. J.C. (Sall., *Jug.* 66-69). La permanence urbaine de B. jusqu'à l'époque actuelle ne fut pas propice à la conservation des inscriptions et aux fouilles. Toutefois, une inscription lat. de 197 ap. J.C., trouvée à B., fait allusion à la réfection d'un temple des *Cereres* (CIL VIII, 14394; cf. 10564), c.-à-d. de →Déméter et Koré, tandis que le fameux bas-relief aux sept divinités libyques, Macurtam, Iunam, Macurgum, Matilam, Bonchor, Vihinam et Varsissima, y atteste la survie des cultes indigènes jusqu'au IIIe s. ap. J.C. (→Makéris). Une nécropole pré-rom. a été fouillée au XIXe s. dans un faubourg N. de B. Les tombes à puits mises au jour ont fourni de la →céramique (2) modelée indigène et de la poterie tournée de tradition pun., ainsi que du matériel d'importation qui autorise une datation aux IIe-Ier s. av. J.C. Les environs de B. ont livré aussi quelques stèles dédiées à →Saturne, qui reflètent la permanence de l'influence pun. à l'époque rom., de même que des stèles funéraires du Ier s. ap. J.C., dont une, conservée à Naples, porte une épitaphe néopun. (NP 13).

Bibl. AATun, f^{e} 18 (Béja), n° 128; R. Cagnat, *La nécropole punique de Vaga*, RArch 1887-1, p. 39-55; Gsell, HAAN VI, p. 248; M. Leglay, *Saturne africain. Monuments* I, Paris 1961, p. 266-267; A.M. Bisi, *Le stele neo-puniche del Museo Nazionale di Napoli*, AION 32 (1972), p. 135-150 (en part. la stèle n° 5); Gascou, *Politique municipale*, p. 168-171; A. Mahjoubi, *Recherches d'histoire et d'archéologie à Henchir el-Faouar*, Tunis 1978, p. 39-40,46-47; Desanges, *Pline*, p. 298-299; Lepelley, *Cités* II, p. 228-230. SLan-ELip

BELALIS MAIOR L'actuel Henchir el-Faouar, à 8 km au N.-E. de →Béja, en Tunisie, est le site d'une vieille bourgade indigène, où les fouilles ont montré un habitat ininterrompu du IIIe s. av. J.C. aux premiers siècles de l'Islam. La localité a dû faire partie du territoire carth., tout comme Béja. À l'époque rom., il y avait un sanctuaire de →Saturne, qui a livré quelques stèles, un temple d'Apollon (→Eshmun) et un lieu de culte dédié à Jupiter Sabazios.

Bibl. AATun, f^{e} 18 (Béja), n°s 130, 131; CIL VIII, 14433-14437; PECS, p. 148; A. Mahjoubi, *La découverte d'une nouvelle cité romaine à Henchir el-Faouar*, CRAI 1960, p. 382-391; M. Leglay, *Saturne africain. Monuments* I, Paris 1961, p. 267-268; A. Mahjoubi, *Recherches d'histoire et d'archéologie à Henchir el-Faouar*, Tunis 1978; Lepelley, *Cités* II, p. 78-81. ELip

BELO En →"libyphénicien" *Byl'n* (monnaies), gr. *Baílōn* (Ptol. II 4,5), *Belōn* (Strab. III 1,8; Marcien Hér. II 9) ou *Bēlos* (Ét. Byz.), lat. *Bailo* (monnaies), *Baelo* (Pline, *N.H.* III 7), *Bello* (Pomp. Méla II 96) ou *Belone Claudia* (*It. Ant.* 407,3; *Rav.* 305,15; 344,9), aujourd'hui Bolonia, localité d'Espagne à *c.* 15 km à l'O. de Tarifa, entre Cadix et Gibraltar. Les fouilles archéologiques conduites depuis 1917 ont mis au jour une ville rom. dont le site n'est occupé qu'à partir de la fin du IIe - début du Ier s. av. J.C. Le texte de Skyl. 1 a fourni un argument (García y Bellido) pour faire de B. — qui n'est pas citée — un des "*emporía*" carth. au-delà des Colonnes d'Hercule, mais aucun document, littéraire, épigraphique ou archéologique, n'étaie l'hypothèse d'une présence phén. ou pun. à l'emplacement de B., qui est une ville d'époque rom.

Bibl. PECS, p. 134; A. García y Bellido, *Fenicios y Cartagineses en España*, Madrid 1942, p. 50-51; A. Tovar, *Iberische Landeskunde* II/1, Baden-Baden 1974, p. 66-67; *Belo* I-V, Paris 1973-88. PRou

BÉLOS **1** B., en gr. *Bēl(e)os*/*Bēlaios*, lat. *Bel(i)us*, d'après l'aram. *Be'l* ("seigneur" et aussi "fécondateur"), nom antique de plusieurs rivières de Syro-Phénicie, notamment de l'actuel *Nahr Na'aman*, en Israël, qui se jette dans la Méditerranée à la hauteur d'→Akko-Ptolémaïs, dont le monnayage impérial représente B. comme un dieu-fleuve. Le renom de la rivière venait surtout de la qualité du sable vitrifiable exploité sur ses bords dans l'Antiquité, précisément près de la tombe du roi mythique Memnon (Fl.Jos., *B.J.* II 189). Selon Claudios Iolaos, Héraklès, blessé par l'hydre de Lerne, trouva dans le B. la plante qui le guérit (FGH 788, fr. 1). CBon

2 B., transcription gr. du théonyme *Be'l*/*Bēl* et nom d'un personnage mythique de la parentèle de →Kadmos. Bien que la mythographie gr. l'ait souvent lié à l'Égypte, où il serait né et aurait enfanté Aigyptos et Danaos (Apd. II 1,4), son nom trahit son origine babylonienne. Le culte de *Bēl*, sous le nom duquel se cachait Marduk, connut en effet un certain succès parmi les Phéniciens du temps des →Séleucides, comme l'indiquent les noms d'Asbélos à →Rhodes (LGPN I, p. 90b) et de Yatanbēl, prêtre de →Nergal, au →Pirée (KAI 59), tous les deux du IIIe s. av. J.C. Il est possible que les *Babyloniaca* de Bérose, prêtre de Bēl établi à →Cos, aient favorisé la diffusion du culte de ce dieu. ELip

Bibl. LIMC III/1, p. 90-93; PW V, col. 259-264; Abel, *Géographie* I, p. 187, 465-468; J. Balty, *Le* Belus *de Chalcis et les fleuves de Ba'al de Syrie-Palestine*, Archéologie au Levant. Recueil R. Saidah, Lyon 1982, p. 287-298.

BENCARRÓN →Ivoires 1C.

BÉQAA En arabe *Biqā'*; la B. fait partie de la faille est-africaine qui s'étend jusqu'au Taurus et comprend la vallée de l'Oronte, du Jourdain et la Mer Rouge. À l'O., elle est bordée par les flancs orientaux, riches en sources, du →Liban, qui atteignent des sommets de plus de 3.000 m. à l'E., par l'→Anti-Liban qui, au S., dans l'→Hermon, atteint presque 3.000 m. et, au N.-E., s'atténue progressivement vers le désert syrien. Au S., la B. est barrée par la vallée étroite de →Litani, entre l'Hermon et le Liban; au N., elle est ouverte et s'aplanit, au N. de Rabli, jusqu'au bassin d'Homs. Sa longueur est de *c.* 110 km, sa largeur, de 8 à 14 km. Elle s'élève en moyenne à 900 m d'altitude et, près de →Baalbek, elle atteint, à 1.100 m., son sommet qui correspond à la ligne de partage des eaux entre le Litani et le Nahr el-Asi. Au S. de Baalbek, la B. comprend une plaine fertile et irriguée sur 750 km^2 et, plus au N., une zone peu accidentée avec de nombreuses oasis. La B. est intéressante dans la mesure où elle est riche en trouvailles du Paléolithique et du Néolithique. Vers la fin de l'âge de la Pierre, un lac étendu se forma dans la moyenne B.; il a laissé des traces et des auteurs gr., p.ex. Théophr., *H.P.* IX 7,1; *C.P.* VI 18,2 et Pol. V 45,10; 46,3, en connaissent l'existence. Toujours en place au Moyen Âge, il s'assécha au XIXe s. Dans l'Antiquité, la B. joua un rôle important dans les communications. Elle constituait la principale voie de communication entre l'Égypte et la Syro-Mésopotamie, en plus de la voie côtière difficile à parcourir en des endroits tels que le →Nahr el-Kelb et le Ras eš-Šaqqa (→Théouprosopon). La route passait à travers la vallée du Jourdain et le Wadi et-Taym, franchissait le Wadi Abu Abbad dans la B. et poursuivait, plus au N., à travers la vallée du Nahr el-Asi. L'expansion égyptienne au Nouvel Empire vers la Syrie utilisa la B., comme le montrent les textes d'el→Amarna. La ville de Kumidi (→Kamid el-Loz), en marge de la B. méridionale, fut le siège d'un *Rabû* qui, en tant que délégué du pharaon, devait représenter ses intérêts. À l'époque hellénistique, la B. joua un rôle relevant dans la lutte entre →Séleucides et →Ptolémées.

Bibl. Dussaud, *Topographie*, p. 396-412; R. Hachmann, in *Kamid el-Loz - Kumidi*, Bonn 1970, p. 43-47. RHach

BÉROÉ / BÉROUTH →Beyrouth.

BÈS Dieu égyptien d'aspect grotesque ou effrayant, aux noms et fonctions multiples, réputé, en particulier, protéger contre les serpents et les scorpions, favoriser l'amour, la fécondité, les naissances; danseur et musicien, il se rattache au cercle d'Hathor. Depuis le Moyen Empire, B. est figuré, normalement de face, comme un dieu léonin au visage grimaçant, vêtu de la dépouille du fauve dont la queue apparaît entre ses jambes écartées; il est barbu, coiffé d'une couronne de plumes ou de palmes. Cette image apparaît en Syrie-Phénicie et à Chypre au cours du Bronze Récent sur des sceaux-cylindres, des vases en faïence et des ivoires, notamment à Megiddo et à Kition avec inscription chypro-minoenne. B. est sans doute assimilé dès cette époque à des divinités locales. On dispose presque uniquement de documents figurés pour apprécier la diffusion et la signification de B. en Syrie-Phénicie, à Chypre et dans la zone d'influence pun. au Ier mill. Les objets de style syro-phén. trouvés à →Nimrud — statuettes et vases en bronze, ivoires —, ainsi que les deux B. en relief de Karatepe, montrent qu'au VIIIe s. l'image et les fonctions du dieu égyptien sont bien connues sur la côte du Levant; cependant, cette iconographie traditionnelle connaît rapidement des modifications inspirées par les représentations d'autres personnages divins: ainsi la tête de B. se rapproche parfois de celle des démons grimaçants babyloniens et sa couronne peut faire place à des cornes, comme le montrent les têtes en ivoire de la tombe 79 de →Salamine et de nombreux exemples postérieurs, en particulier à Chypre. C'est encore à Chypre que l'on observe, au VIIe s., les adaptations les plus intéressantes de l'image de B.: un ex-voto sculpté trouvé à →Pyla associe à une tête grimaçante et léonine une dédicace phén. au dieu →Resheph Sh[éd ?] (fig. 274), et une →coupe en argent provenant d'Idalion montre plusieurs B. vêtus de la peau de lion qui portent ou combattent un lion à la manière des héros orientaux, annonçant l'iconographie de l'Héraklès gr. L'image de B. connaît sa plus grande diffusion dans le monde phén.-pun. entre le VIIe et le IVe s. sous la forme d'amulettes et de scarabées (fig. 43; pl. Ib) — où le rapprochement avec Héraklès est souvent explicite —, plus rarement dans les terres cuites (fig. 44) et les sculptures en pierre; mentionnons cependant les quatre B. du →sarcophage (2) d'Amathonte (début du Ve s.) qui soulignent le rôle du dieu dans le domaine funéraire. À l'époque hellénistique et rom., les particularités du B. chypro-phén. tendent à s'effacer, mais elles connaissent une certaine renaissance aux IIe-IIIe s. ap. J.C. sous la forme de statues en pierre trouvées à Amathonte (maître des lions) et en Sardaigne où, une main levée et l'autre tenant un serpent, il reproduit l'iconographie pun. ancienne. Cette représentation de B. devint à Ibiza le type canonique du monnayage local (fig. 257:6).

Fig. 43. Scarabéoïde représentant Bès, Amrit (VIe s. av. J.C.). Paris, Bibliothèque Nationale.

Bibl. LIMC III/1, p. 98-112; III/2, p. 74-89; W. Culican, *AJBA* 1/1 (1968), p. 93-98; V. Wilson, Levant 7 (1975), p. 77-

Fig. 44. Vase figurant Bès, Phénicie (VIe-IVe s. av. J.C.). Paris, Louvre.

103; Kition II, p. 118, 127-130; A.M. Bisi, RSF 8, (1980), p. 19-42; C. Bonnet, StPhoen 3 (1985), p. 231-240; Hölbl, *Kulturgut*, p. 104-116, 304-311, 405-407. AHerm

BÊT-BÉTÈN En phén. *Bt Bṭn*, gr. *Bethbeten*, abrégé en hb. *Beṭen*, gr. *Batne/Batnaí*, localité phén. d'Israël, attestée par un cachet fiscal phén. du IVe s. av. J.C. et mentionnée en *Jos.* 19,25 avec →Akshaph parmi les villes de la tribu d'Asher. Elle est localisée par Eus., *Onom.*, p. 52,20, à 8 milles rom. (12 km) à l'E. d'→Akko et pourrait être identique à la *Bôṭnāh*, dont la fête païenne (*yārîd*) est signalée dans le Talmud de Jérusalem, *'Abōdāh Zārāh* I 4 (39d). Le nom d'*Abṭūn/Ibṭīn* s'est conservé non loin de Ḫirbet el-Harbaǧ, et le site voisin de Tell el-Fār, à 12 km au S.-E. de Haïfa et à 17 km au S./S.-E. d'Akko, pourrait correspondre à l'*Acbatana* que Pline, *N.H.* V 75, place approximativement sur le →Carmel. Il est possible que B.-B. est le lieu d'origine de Porphyre (232/3-*c.* 305: KlP IV, col. 1064-1069; PW XXII, col. 275-313), vu que Jérôme, *Praef. ep. Gal.* (PL XXVI, col. 310), et Jean Chrysostome, *Homil. VI 3 in I Cor.* (PG LXI, col. 52), l'appellent "Batanéote" et que lui-même se dit "Tyrien" (*Vita Plotini* 7). De son vrai nom *Málkos* et surnommé souvent "Phénicien", Porphyre s'est effectivement intéressé à →Sanchuniathon et à l'*Histoire phénicienne* de →Philon de Byblos.

Bibl. P. Bordreuil, *Du Carmel à l'Amanus*, Géographie historique au Proche-Orient, Paris 1988, p. 301-314 (voir p. 302-303). ELip

BÉTHEL, ANAT-BÉTHEL Le traité conclu entre Asarhaddon d'Assyrie et →Baal I de Tyr (VIIe s. av. J.C.) mentionne, parmi les dieux garants du pacte, B. et A.-B.: d*Ba-a-a-ti-'ilī*meš, d*A-⌜na⌝-ti-ba-⌜a⌝-[a-ti-'i]ī*meš (AfO, Beih. 9, p. 109, l. 6). On a proposé d'en faire des divinités phén., plus particulièrement tyriennes, bien qu'elles soient citées parmi les divinités mésopotamiennes, alors que les dieux phén. sont regroupés à la fin du texte, après la formule "les dieux (du pays) au-delà du fleuve". Par ailleurs, la relation de B. et d'A.B. avec le *Baitylos* de Philon de Byblos (Eus., *P.E.* I 10,16 → bétyle) semble problématique et trop générale, alors que leur présence dans le traité s'explique par l'araméïsation qui caractérise à cette époque la religion assyro-babylonienne. Les deux théonymes sont abondamment attestés dans les papyrus araméens d'Égypte, de sorte qu'on peut exclure un rapport direct avec le monde phén.

Bibl. DEB, p. 205 (bibl.); WM I/1, p. 273-274; R. Borger, *Anat-Bethel*, VT 7 (1957), p. 102-104; Barré, *God-List*, p. 43-44. PXel

BÉTIQUE →Andalousie.

BETTIOUA →Portus Magnus.

BÉTYLE Le b., littéralement "maison de Dieu" (cf. *Gn.* 28,18), est une pierre dressée, une stèle, une idole, un bloc ou table de pierre, de formes et dimensions diverses (fig. 236), qui localise la présence divine et marque l'emplacement d'un lieu saint. Outre le terme b., la terminologie religieuse des Sémites du N.-O. s'est servi aussi des mots *'bn*, "pierre", *mṣbt/h*, "pierre dressée", *skn*, "menhir", "stèle".

1 Culte Les Sémites n'ont jamais adoré les b. en tant que pierres, mais seulement dans la mesure où ils manifestaient la présence divine. C'est l'origine de la conception des pierres animées dont Philon de Byblos fait état (Eus., *P.E.* I 10,23; cf. Hippolyte, *Ref. haer.* V 7,10). Les appellations du b. sont cependant devenues des noms divins, en particulier au Ier mill. av. J.C.: ainsi →Béthel, *'Abn*, connu en Afrique du N. comme élément composant le nom du dieu →Abaddir, et →Sakon, attesté dès *c.* 2000 av. J.C. (OLZ 79 [1984], col. 456).

2 Formes Un des b. les plus souvent signalés est celui de la monnaie giblite de Macrin, au IIIe s. ap. J.C., où l'on voit une pierre conique dressée dans la cour du sanctuaire (fig. 250:13). Un b. semblable figure au centre d'une cella tripartite sur des monnaies de →Paphos et un monolithe en forme de cône, haut d'environ 1,41 m, a été retrouvé à →Gozzo. Des centaines de b. taillés en piliers, isolés (fig. 231), en couple (fig. 317), en triade (fig. 205) ou en double

Fig. 45. Stèle d'Hadrumète avec une double triade de bétyles, le "signe de Tanit" et les symboles astraux (IVᵉ s. av. J.C.). Paris, Louvre.

triade (fig. 45), figurent sur les →stèles pun. et les cippes en forme de →trônes. Outre le cas du Temple dit des Obélisques à →Byblos (fig. 56), au IIᵉ mill., on a trouvé un pilier de *c.* 1,50 m dans les couches les plus anciennes de →Mogador et une pièce analogue, à →Monte Sirai. Le culte des b. fleurit à l'époque gr.-rom. avec la pierre noire d'Émèse, vénérée par Élagabal, ou le b. hémisphérique qui symbolisait →Baal Saphon à Séleucie de Piérie (fig. 40). Sur des monnaies de bronze de Tyr et de Sidon, apparaît un b. de forme sphérique ou ovoïde, parfois sous la forme d'un vase comparable aux urnes de pierre pleine du sanctuaire d'Eshmun à →Bostan esh-Sheikh et à l'→"idole-bouteille" des stèles pun. Peut-être avait-il quelque rapport avec l'hydrophorie, si importante dans les rituels de fertilité et de fécondité. Ce b. est en tout cas distinct des "pierres ambrosiennes" (→Ambrosiai Petrai) de Tyr (fig. 23). Il semble que l'on ait parfois tenté d'anthropomorphiser le b.; ainsi, deux des b. sphériques ou ovulaires de Carthage (Musée de Carthage 900.27; Bardo C 1 : Ca-23) sont gravés d'un visage humain stylisé. Au revers de la pièce du Bardo, on lit le mot obscur *krhm* ou *phrm* écrit en lettres pun. du VIᵉ-Vᵉ s.
Si la fonction religieuse du b. ne fait pas de doute, il est difficile de préciser le rôle cultuel d'un type particulier de b. et de distinguer l'ex-voto du symbole cultuel de la divinité.

Bibl. BRL², p. 206-209; InstAT II, p. 109-110; ThWAT I, col. 50-53; IV, col. 1064-1074; WM I/1, p. 274, 430; C. Daremberg-E. Saglio, *Dictionnaire des antiquités grecques et romaines* I, Paris 1877, p. 642-647; S. Ronzevalle, *Le prétendu "char d'Astarté" et son bétyle dans la numismatique de Sidon*, MUSJ 16 (1932), p. 51-63; 18 (1934), p. 109-147; E. de Manneville, *Le bétyle de Malte*, Mél. R. Dussaud, Paris 1937, p. 895-902; B. Soyez, *Le bétyle dans le culte de l'Astarté phénicienne*, MUSJ 47 (1972), p. 147-169; E.D. Stockton, *Phoenician Cult Stones*, AJBA 2/3 (1974-75), p. 1-27; J. Ferron, *Le bétyle inscrit du Musée National du Bardo*, Africa 5-6 (1978), p. 95-106; M.L. Famà, *L'area sacra con altare a tre betili di Solunto*, SicArch 42 (1980), p. 7-42; S. Moscati, *Baitylos. Sulla cronologia delle più antiche stele puniche*, ANLR, 8ᵉ sér., 36 (1981), p. 101-105; S. Ribichini, *Poenus Advena*, Roma 1985, p. 115-125; H. Seyrig, *Scripta varia*, Paris 1985, p. 469-476. ELip

BEULÉ, CHARLES-ERNEST (29.6.1826-4.4.1874). Membre de l'Institut de France, archéologue et historien de l'art gr., fouilleur des Propylées de l'Acropole d'Athènes, auteur de nombreux ouvrages. Il inaugura en 1859 l'exploration scientifique des ruines de Carthage et en publia les résultats dans ses *Fouilles à Carthage* (Paris 1861).

Bibl. DBF VI, col. 362-363; G.-G. Lapeyre-A. Pellegrin, *Carthage punique*, Paris 1942, p. 25-28. ELip

BEYROUTH En ug./phén. *B'rt* ("Puits" au pluriel), akk. *Be-ru-ta, Bi-ru-ú/ut-ti*, gr. *Bérutos*, lat. *Beritus, Birito*, arabe *Bairūt*, capitale du Liban, qui fut une cité royale à l'époque d'el →Amarna (XIVᵉ s.), sous le prince Ammunira (EA 92; 101; 114; 118; 138; 141-143; 155). Elle est mentionnée dans les documents d'→Ugarit, contre laquelle B. semble avoir mené au XIIIᵉ s. une véritable "guerre du vin" (PRU IV, p. 162; *Ugaritica* V, 41). Les archives d'Ugarit ont livré notamment une lettre du roi de B. au préfet d'Ugarit (PRU III, p. 12-13) et un acte de rachat d'une famille détenue par les gens de B. (KTU 3.4). La ville semble avoir perdu toute importance au XIIᵉ s. et rien ne paraît justifier son identification à la →Birû du temps d'Asarhaddon (VIIᵉ s.). Ce n'est qu'à l'époque perse, au IVᵉ s., que Skyl. 104 mentionne "la ville et le port septentrional" de B. Surnommée Laodicée de Phénicie, B. émet à partir de 187 un monnayage autonome, puis, à partir d'Antiochos IV Épiphane (175-164), un monnayage à l'effigie des souverains séleucides avec la légende phén. "(appartenant) à Laodicée, mère en Canaan". Le revers de ces monnaies figure →Poséidon, le dieu de B., auquel les marchands bérytains de →Délos dédient au IIᵉ s. av. J.C. un sanctuaire sur l'île. B. subit les contrecoups de la lutte pour le pouvoir entre →Tryphon et Antiochos VII Sidète (138-129), mais retrouve sa prospérité à l'époque rom. Élevée au rang de colonie par

Auguste, elle est renommée, à partir du IIIe s. ap. J.C., pour son École de →droit. Philon de Byblos (Eus., *P.E.* I 10,15) et Nonnos (XLI 83-262) la personnifient sous le nom de Béroé ou Bérouth, dont Philon fait l'épouse d'→Elioun; elle est représentée sur des monnaies de B. au IIIe s. ap. J.C.

Bibl. ANRW II/8, p. 135-163; *BMC. Phoenicia*, p. 80-81; PECS, p. 152; PW III, col. 321-323; P. Collinet, *L'histoire de l'École de droit de Beyrouth*, Paris 1925; J. Lauffray, *Forums et monuments de Béryte*, Beyrouth 1949; R. Mouterde-J. Lauffray, *Beyrouth, ville romaine*, Beyrouth 1952; Wild, *Ortsnamen*, p. 122; N. Jidejian, *Beirut through the Ages*, Beirut 1973, P. Bruneau, *Les cultes de l'établissement des Poseidoniastes de Bérytos à Délos*, Hommages à M.J. Vermaseren I, Leiden 1978, p. 160-190; P. Bordreuil - N. Tabet, Syria 62 (1985), p. 180-181; 63 (1986), p. 421, 423-424. NJid-ELip

BIBLE **1 A.T.** Les termes Phénicie et Phéniciens n'apparaissent jamais dans la B. hébraïque; dans la traduction gr. (LXX), ils correspondent soit à →"Canaan" (*K^e na'an*), soit à →"Sidon/Sidonien" (*Ṣîdôn*/*Ṣîdonî*), ces termes étant aussi employés par les Phéniciens eux-mêmes. Cependant, la B. constitue une source littéraire importante de notre connaissance de la civilisation phén., surtout dans ses rapports avec →Israël. D'après *Gn.* 10,15, Sidon est le premier-né de Canaan, à côté de l'Arqite, de l'Arwadite et du Sémarite. Le territoire phén. est limitrophe d'Israël (*Jos.* 11,8; 13,4.6; *2 S.* 24,6.7): Zabulon domine le pays de Sidon (*Gn.* 49,13), tandis que la tribu d'Asher atteint "Sidon-la-Grande" (*Jos.* 19,28). En fait, les Ashérites vivaient parmi les "Cananéens" (*Jg.* 1,31-32) et le territoire phén. de cette tribu correspondait au royaume de Tyr qui s'étendait le long de la côte jusqu'au Mont →Carmel. Dans la première moitié du Xe s., peut-être déjà sous David (*2 S.* 5,11; *1 Ch.* 14,1; 22,4), mais surtout sous Salomon (*1 R.* 5,15-32; *2 Ch.* 2,2-15), Tyriens et Israélites développèrent leurs relations politiques et économiques: "et il y eut la/une paix entre →Hiram et Salomon et ils conclurent une alliance (*b^e rît*)" (*1 R.* 5,26). Cette alliance facilita les échanges commerciaux et technologiques entre les deux pays (*1 R.* 7,13-47), ainsi que des expéditions commerciales conjointes vers le pays d'→Ophir (*1 R.* 9,26-28; 10,11-22). Pour rééquilibrer les échanges, Salomon dut céder à Hiram le pays de →Kabul, à l'E. de la plaine d'Akko (*1 R.* 9,10-14). Un certain culte de l'→Astarté phén. fut reconnu à →Jérusalem (*1 R.* 11,5.23).
Au IXe s., Omri, roi d'Israël (*c.* 881-874), pratiqua, à nouveau, une politique d'alliance avec les Phéniciens de Tyr en mariant son fils, Achab, avec →"Jézabel fille d'→Ittobaal (2), roi des Sidoniens" (*1 R.* 16,31). Cette alliance, en partie dirigée contre l'Assyrie, entraîna le développement du culte de →Baal à Samarie (*1 R.* 16,31.32), provoquant la réaction d'Élie au Mont →Carmel (*1 R.* 18,20-40); Élie lui-même trouva un moment refuge à →Sarepta (*1 R.* 17,9). Les privilèges accordés au culte de Baal à Samarie, par Jézabel (*1 R.* 18,4.22), et à Jérusalem, par Athalie, furent supprimés par les coups d'État de Jéhu, à Samarie, en 841 (*2 R.* 10,18-28), et de Yehôyada, à Jérusalem, en 835 (*2 R.* 11,18). À partir du VIIIe s., plusieurs prophètes n'hésitent pas à critiquer et à menacer les Phéniciens, spécialement Tyr (*Am.* 1,9.10; *Is.* 23; *Jr.* 25,27; 27,3; 47,4; *Ez.* 26-28; 32,30; *Jl.* 4,4; *Za.* 9,2-4; cf. *Ps.* 83,8; 87,14), avec allusion à sa résistance aux Néo-Babyloniens (*Jr.* 27,3; *Ez.* 29,18).
Après l'Exil, la construction du "second temple" (*c.* 520-515) nécessita, à nouveau, l'aide technique des Phéniciens, "Sidoniens et Tyriens" (*Esd.* 3,7) et *Ne.* 13,16 atteste la présence de commerçants tyriens à Jérusalem vers le milieu du Ve s. À l'époque séleucide, la Phénicie s'étend jusqu'à →Jaffa (*2 M.* 4,21-22), tandis que la Cœlé-Syrie et la Phénicie sont soumis au même "stratège" (*2 M.* 3,5.8; 4,4; 8,8; 10,11).
De manière générale, dans la B. hébraïque, "Cananéen" est parfois synonyme de commerçant/trafiquant (*Za.* 14,21; *Pr.* 31,24; *Jr.* 40,30).
2 N.T. D'après *Mt.* 15,21, Jésus se retira une fois dans la région de Tyr (et Sidon) et y rencontra une "Cananéenne" (*Mt.* 15,22) ou "Syro-phénicienne" (*Mc.* 7,26) dont la foi préfigure celle des Phéniciens auxquels s'adressèrent les Hellénistes fuyant Jérusalem (*Ac.* 11,19), puis les "apôtres" Barnabé et Paul (15,3). Ce dernier utilisa plus tard un bateau allant de Lycie en Phénicie qui le débarqua à Tyr, où il resta sept jours, puis à Ptolémaïs →Akko (*Ac.* 21,2-7).

Bibl. Y. Aharoni, *Mount Carmel as Border*, Archäologie und Altes Testament. Festschrift für K. Galling, Tübingen 1970, p. 1-7; H. Katzenstein, *The History of Tyre*, Jerusalem 1970; B. Peckham, *Israel and Phoenicia*, F.M. Cross et al. (éd.), *In Memoriam G.E. Wright*, Garden City 1976, p. 224-248; J.A. Soggin, *La religione fenicia nei dati della Bibbia*, RelFen, Roma 1981, p. 81-88; H. Donner, *The Interdependence of Internal Affairs and Foreign Policy during the Davidic-Solomonic Period*, T. Ishida (éd.), *Studies in the Period of David and Solomon*, Tokyo 1982, p. 205-214; A.R. Green, *David's Relations with Hiram*, C. Meyer-M. O'Connor (éd.), *Essays in Honor of D.N. Freedman*, Winona Lake 1983, p. 373-397; Z. Gal, *Cabul, Jiphtah-El and the Boundary between Asher and Zebulun*, ZDPV 101 (1985), p. 114-127; E. Lipiński, *Products and Brokers of Tyre according to Ezekiel 27*, StPhoen 3 (1985), p. 213-220; Z. Kallai, *Historical Geography of the Bible*, Jerusalem 1986, p. 204-224; A. Lemaire, *Les Phéniciens et le commerce entre la Mer Rouge et la Mer Méditerranée*, StPhoen 5 (1987), p. 49-60. ALem

BIR BOU REKBA →Thinissut.

BIR ED-DREDER Site de la Tripolitaine intérieure (Libye), à 45 km au S.-E. de Mizda, où l'on a trouvé plusieurs inscription lat.-pun. (IRT 886).

Bibl. R. Goodchild, *Libyan Studies*, London 1976, p. 59-71; A.F. Elmayer, *The Reinterpretation of Latino-Punic Inscriptions from Roman Tripolitania*, LS 14 (1983), p. 86-95 (voir p. 88-89); 15 (1984), p. 93-105 (voir p. 93-100). ELip

BIRGI En akk. *Bi-ir-gi-'*, phén. **B'r-gḫ*, "Fontaine jaillissante"; localité du royaume de Sidon, annexée par Asarhaddon en 677/6 (AfO, Beih. 9, p. 48, col. III,5). Son identification avec l'actuelle Barğa, à 12 km au N. de Sidon, demeure incertaine. ELip

BIR TLELSA Petit centre rural de Tunisie, à 9 km au N.-E. d'→El-Djem, où l'on a trouvé un autel portant une dédicace néopun. à →Baal Addir (KAI 138), ainsi que douze stèles anépigraphes provenant vraisemblablement de ce même sanctuaire pun.-rom.

Bibl. AATun, f^e 55 (El-Djem); M. Leglay, *Saturne africain. Monuments* I, Paris 1961, p. 259-262; M. Sznycer, *Observations sur l'inscription néopunique de Bir Tlelsa*, Semitica 30 (1980), p. 33-41; J. Ferron, *Restauration de l'autel et gravure d'une image sacrée dans un sanctuaire sabélien de Ba'al 'Addir*, REPPAL 3 (1987), p. 193-227. ELip

BIRÛ En akk. *Bi-'-ru-u*, phén. **B'rt*, "Puits", ville du royaume de Sidon, annexée par Asarhaddon en 677/6 (AfO, Beih. 9, p. 48, col. III,3). On l'identifie parfois à →Beyrouth.

Bibl. RLA II, p. 32; Forrer, *Provinzeinteilung*, p. 65. ELip

BIT-ARḪA Localité du territoire d'→Amurru, mentionnée dans les lettres d'el →Amarna (EA 79,21; 83,29), peut-être aussi sous la forme *Bit-Arqa* (EA 91,9). Son emplacement exact est inconnu, mais la ville devait être prochu de *Ṣumur* (Tell →Kazel). ELip

BIT-GISIMEIA En akk. *Bît-Gi-si-me-ia*, ville du royaume de Sidon, annexée par Asarhaddon en 677/6 (AfO, Beih. 9, p. 48, col. III,5). On a proposé de la situer au *Ḫān el-Qāsimiye*, à 7,5 km au N.-E. de Tyr, à l'embouchure du →*Liṭāni*, mais cette localisation n'est pas assurée (RLA II, p. 41). ELip

BITIA En néopun. *Byt'n* ("Maison de la Source"), gr. *Bithia* (Ptol. III 3,3), avec l'ethnique *Vitenses* (*B* > *V*: Pline, *N.H.* III 7,85), important centre phén.-pun. sur la côte S. de la →Sardaigne, où Ptol. III 3,3 distingue, sous l'Empire, la ville et le port de B. Les restes de la ville, dont on a relevé des traces de murailles, se trouvent près de l'étang de Chia, qui communique avec la mer et a sans doute abrité le port de l'époque phén.-pun. Sur la colline de la Torre di Chia, site possible de l'acropole, on a mis au jour les vestiges de maisons de type pun., attesté encore à l'époque rom., peut-être aussi des restes de sanctuaires; les tessons trouvés sur le site permettent de faire remonter les origines de l'établissement à la première moitié du VIIe s. L'urbanisation moderne ne permet toutefois plus de reconnaître les vestiges identifiés par les fouilleurs. C'est du milieu du VIIe s. que datent aussi les plus anciennes tombes de la vaste nécropole située sur la plage et utilisée jusqu'à la période rom. On y a reconnu plusieurs types de sépultures, quatre niveaux (A-D) et les deux rites funéraires d'incinération (VIIe-VIe s.) et d'inhumation (VIe s. av. -IIe s. ap. J.C.). Les sépultures archaïques à incinération du niveau phén. des VIIe-VIe s. (D) consistent en de simples fosses, éventuellement renforcées par des murets en pierres et contenant l'urne. Le riche mobilier funéraire d'importation, gr. et étrusque, permet de dater les débuts de ce niveau *c.* 650 av. J.C. Le niveau pun. des VIe-IVe s. (C) est caractérisé par l'emploi d'"auges" construites ou de simples caissons servant à l'inhumation des cadavres. C'est l'inhumation dans des jarres de terre cuite qui est répandue au niveau pun. des IVe-IIIe s. (B). Le niveau A date déjà de l'époque rom. À côté de la nécropole, on a découvert une →*favissa* contenant un grand nombre d'ex-voto en terre cuite (fig. 47), en rapport avec le culte d'une divinité guérisseuse, peut-être de →Bès (→Eshmun?, →sanctuaires 3C), dont on a trouvé une statue massive en grès (Phén 237) dans le temple tout proche de type pun., dit de Bès, qui a été utilisé jusqu'au temps de l'Empire rom. (fig. 46). Le nom de la divinité est malheureusement perdu dans la dédicace néopun. du IIe-IIIe s. ap. J.C., découverte au même endroit et datée encore de suffètes éponymes (KAI 173 = ICO Sard. Npu. 8), tandis que les résultats des fouilles suédoises de 1953-55 sont toujours inédits. Par ailleurs, on a pu localiser le →*tophet* de B. sur l'îlot de Su Cardulinu.

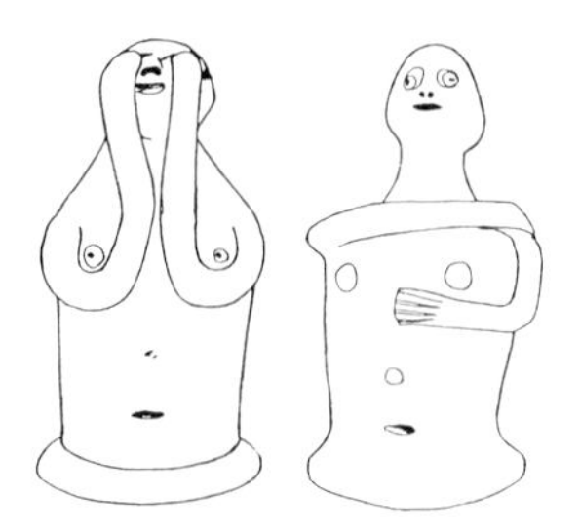

Fig. 47. Figurines votives en terre cuite trouvées dans le temple dit de Bès, Bitia (IIIe-Ier s. av. J.C.). Cagliari, Musée Archéologique National.

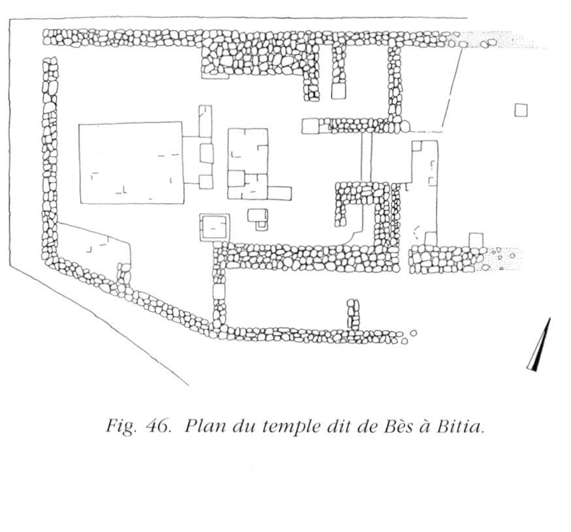

Fig. 46. Plan du temple dit de Bès à Bitia.

Bibl. ANRW II/11,1, p. 525-526; A. Taramelli, *Scavi e restauri in Sardegna*, BArte 25 (1931-32), p. 224-230; id., *Scavi nell'antica Bithia a Chia*, BArte 27 (1933-34), p. 288-291; F. Barreca, in *Monte Sirai-II*, Roma 1965, p. 142-160; G. Pesce, *Le statuette puniche di Bithia*, Roma 1965; S. Moscati, *Il popolo di Bithia*, RSO 48 (1968), p. 1-4; G. Pesce, *Chia (Cagliari)*, NotSc 22 (1968), p. 309-345; S.M. Cecchini, *I ritrovamenti fenici e punici in Sardegna*, Roma 1969; M.E. Aubet, *Los depósitos votivos púnicos de Isla Plana (Ibiza) y Bithia (Cerdeña)*, Santiago de Compostela 1969; M.L. Uberti, *Le figurine fittili di Bithia*, Roma 1973; M. Gras, *Céramique d'importation étrusque à Bithia (Sardaigne)*, StS 23 (1973-74 [1975]), p. 131-139; G. Tore - M. Gras, *Di alcuni reperti dell'antica Bithia (Torre di Chia - Sardegna)*, MÉFRA 88 (1976), p. 51-90; F. Barreca, *Le fortificazioni fenicio-puniche in Sardegna*, Atti del 1° Convegno Italiano sul Vicino Oriente Antico, Roma 1978, p. 115-128 (voir p. 120); P. Bartoloni, *Una oenochoe italo-geometrica d'imitazione fenicia a Bithia*, RSF 8 (1980), p. 47-50;

E. Acquaro, *Uova di struzzo dipinte da Bithia*, OA 20 (1981), p. 57-65; C. Tronchetti, *Torre di Chia*, SEt 49 (1981), p. 528-529; P. Agus, *Il Bes di Bitia*, RSF 11 (1983), p. 41-47; P. Bartoloni, *La ceramica fenicia di Bithia*, ACFP 1, Roma 1983, p. 491-500; G. Ugas - R. Zucca, *Il commercio arcaico in Sardegna: importazioni etrusche e greche (620-480 a.C.)*, Cagliari 1984, p. 103-112, 172-173; M. Gras, *Trafics tyrrhéniens*, Rome 1985; E. Acquaro -P. Bartoloni, *Interazioni fenicie nel Mediterraneo centrale: l'Africa e la Sardegna*, Interscambi culturali e socio-economici fra l'Africa settentrionale e l'Europa mediterranea, Napoli 1986, p. 191-202; S. Moscati, *Italia punica*, Milano 1986, p. 226-239, 380; O. Galeazzi, *Gli ex-voto di Bithia: una interpretazione storico-medica*, RSF 14 (1986), p. 185-199; F. Barreca, *La civiltà fenicio-punica in Sardegna*, Sassari 1986; G. Tore, *Chia*, BT V, Pisa-Roma 1987, p. 269-273.
GTore

BITIAS Compagnon d'→Élissa sur la personne duquel peu de renseignements nous sont parvenus. Virg., *Aen.* I 738, se contente de le mentionner. Serv., *in Aen.* I 738, cite un passage perdu de Tite-Live, selon lequel B. aurait été préfet de la flotte pun. Sil. It. II 409 le dépeint comme un vieillard juste et vénérable présidant à la construction et au peuplement de Carthage. L'historicité de ce personnage est fort problématique. Il semble appartenir à une tradition littéraire née en milieu rom. au temps de la République.

Bibl. PW III, col. 544. GBun

BITIRUME En akk. *Bi-ti-ru-me*, ville du royaume de Sidon, annexée par Asarhaddon en 677/6 (AfO, Beih. 9, p. 48, col. III,4). On a proposé de l'identifier à *el-Barāmiyē*, faubourg de →Sidon sis près du *Nahr el-'Awwālī*, ou à *Bruttos*, toponyme qui est mentionné dans l'*It. Burd.* (p. 583,6). La liste d'Asarhaddon, qui énumère les localités du S. au N., suggère d'y voir →Batroun, avec une permutation *n* > *m*.

Bibl. RLA II,45; E. Forrer, *Provinzeinteilung*, p. 65. ELip

BIT-ṢUPURI En akk. *Bît-Ṣu-pu-ri*, phén. **Bt-Ṣpr*, ville du royaume de Sidon, annexée par Asarhaddon en 677/6 (AfO, Beih. 9, p. 48, col. III,1). On a proposé de la localiser à *'Aïn Ṣawfar*, à 21 km au S.-E. de Beyrouth, ou à *Tell Buraq*, à 8 km au S. de Sidon, où l'on situe →Ornithopolis et la *Ḏ-p-r* des textes égyptiens. La première localisation repose sur la similitude des noms, la seconde suppose que Ornithopolis est la traduction gr. du phén. *Bêt-Ṣippōr*, "Maison de l'Oiseau".

Bibl. Forrer, *Provinzeinteilung*, p. 65; A. Jirku, ZDPV 53 (1930), p. 156. ELip

BIT-ZITTI En akk. *Bît-zi-it-ti*, phén. *Bt-zt*, "Maison de l'olivier", ville forte du royaume sidonien, qui se soumit à Sennachérib en 701 (ANET, p. 287b; TPOA, p. 119). Elle pourrait correspondre à *Zaitā/Zêtā*, à 7 km au S. de Sidon, mais relevait de Tyr au IVe s., comme l'indique la mention de *Btzt* à côté de l'abréviation *'z* du nom du roi →Az(z)imilk de Tyr sur un sceau urbain de B.-Z.

Bibl. J.C. Greenfield, *A Group of Phoenician City Seals*, IEJ 35 (1985), p. 129-134. ELip

BIZERTE **1 Ville** En gr. *Hippou Akra* > *Hippakritai* > *Hippagreta*, lat. *Hippo Diarrhytus*, arabe *Banzart/d*, ville de Tunisie, à 65 km au N.-O. de →Carthage. L'établissement antique se trouvait entre la mer et un lac, dont l'émissaire le traversait, particularité qui est à l'origine du nom latinisé d'*Hippo Diarrhytus*, "*Hippo* traversée par les flots", porté par la colonie rom. qui fut fondée aux premiers temps de l'Empire. Des textes gr. se rapportant à l'époque pun. donnent à B. le nom d'*Hippou Akra* (Skyl. 111; Diod. XX 55,3;57,6), qui dut s'appliquer d'abord au Cap Bizerte, à 6 km au N. de la ville, voire au Cap Blanc, qui portait en latin le nom de *promuntorium Candidum* (Pomp. Méla I 34; Pline, *N.H.* V 23) et qui ferme le golfe de B. au N.-O. Le rôle du port de B. à l'époque des guerres de →Sicile (3) se reflète probablement dans le trésor de monnaies qui y fut enfoui *c.* 420 av. J.C. et qui comptait des tétradrachmes d'→Agrigente, de →Géla, de Messine, de →Syracuse et d'→Athènes (IGCH 2259). En 308 av. J.C., →Agathocle s'empara du site (Diod. XX 55,3), en vit l'importance et entreprit d'en faire une place-forte et un port militaire (App., *Lib.* 110). Lors de la 1re →guerre pun., des corsaires italiens réussirent à pénétrer dans le chenal, selon Zon. VIII 16, où *Hippo* est plus probablement B. que →Hippone. En 240, lors de la →guerre des Mercenaires, les remparts de la ville continrent les révoltés commandés par Matho (→Mattan 7) (Pol. I 70,9; 73,3; 77,1), puis repoussèrent →Scipion (5) l'Africain en 203 et Pison en 148 (App., *Lib.* 30.110). Mais de ces remparts il ne subsiste rien, non plus que du reste de l'agglomération antique. Rien ne prouve que le toponyme *'p'* de certaines monnaies de Sidon désigne B. ou Annaba (→Hippone), et il est peu probable que le nom *'pwn*, qui apparaît sur des monnaies africaines du Ier s. av. J.C. concurremment avec *Ṭp'tn*, →Tipasa (1), se rapporte à une de ces deux *Hippo*; ce pourrait être, p.ex., l'anthroponyme gr. *Híppōn* (LGPN I, p. 237b), porté par un notable.

2 Environs Divers témoignages de l'époque pun. ont été recueillis dans les environs immédiats de B. Un trésor de bracelets, ingots et 150 pièces d'argent, dont 18 tétradrachmes de Carthage, a été mis au jour dans la plus grande des îles Cani, à 23 km au N.-E. de B. (IGCH 2301): ce trésor semble avoir été enfoui peu avant la chute de Carthage. Le site de Sidi Yahia, sur la rive O. du lac de B., près de Menzel-Bourguiba, a livré une nécropole pun. des IIIe-IIe s. av. J.C., où dominent les ensevelissements sous jarre. Au lieudit Henchir Beni Nafa, à 6 km à l'O. de B., on a découvert une importante →nécropole (2) à chambres hypogées voûtées, accessibles par des puits sans escaliers. Trois rites funéraires ont été observés dans ces caveaux à sépultures multiples: des ensevelissements en connexion anatomique, des incinérations, enfin des dépôts d'ossements sans connexion, qui ont fait penser à un rituel de décharnement préalable. Le →mobilier funéraire (2), qu'on peut dater des IIIe-IIe s. av. J.C., comprend une proportion notable de poteries modelées, caractéristiques d'un faciès indigène ou d'un peuplement libyco-pun. Enfin, sur la frange méridionale du lac, une prospection récente (1986) a permis d'identifier trois petites installations qu'on peut dater entre la fin du IVᵉ et le début du IIᵉ s. Relativement bien préservées, elles conservent des murs armés de belles harpes et même des colonnes. L'essentiel de la céramique relevée en surface est constitué d'amphores pun.

Bibl. AATun, fᵉ 2 (Bizerte), nº 63; Gsell, HAAN II, p. 146-148; Desanges, *Pline*, p. 212-213; îles Cani: A. Merlin, BAC 1916, p. CCIV-CCVIII; Sidi Yahia: A. Merlin, BAC 1919, p. CLXIX et 197-215; Henchir Beni Nafa: A. Merlin, BAC 1918, p. CCXLIX-CCLVII; P. Cintas, BAC 1963-64, p. 159; rive sud du lac: F. Chelbi, *Prospection archéologique dans la région de Bizerte (année 1986)*, REPPAL 3 (1987), p. 71-115 (en part. p. 81). SLan-ELip

BOCCHUS En pun. *Bqš*, nom numide de deux rois de →Maurétanie.

1 B. I, roi de Maurétanie entre *c.* 110 et *c.* 80 av. J.C. Beau-frère de →Jugurtha, il est d'abord son allié contre Rome (Sall., *Jug.* 80,3-83,4; 97,1-3; 101,5-9), puis le livre à Sylla à la suite d'une embuscade (105) (Sall., *Jug.* 113). Grâce à un traité avec le vainqueur, il agrandit son royaume aux dépens de la →Numidie occidentale et obtient le titre d'"ami et d'allié du peuple rom." La frontière orientale de ce royaume agrandi se laisse difficilement déterminer sur une carte, mais elle se situait au moins au Bas-Chélif.

2 B. II, fils de →Mastanesosus, roi de Maurétanie de 49 à 33 av. J.C., d'abord de concert avec son frère →Bogud II, qu'il chassera en 38 avec l'appui d'Octave, en raison de ses sympathies antoniennes. À sa mort, Octave recueillit l'héritage de cette vaste Maurétanie qui s'étendait de l'Atlantique à l'Ampsaga. Il en confia la couronne à →Juba II, en 25 av. J.C. MDub-ELip

BOCHART, SAMUEL (30.5.1599-16.5.1667). Hébraïste et pasteur de l'Église réformée française, connu pour son œuvre monumentale et très érudite *Geographia sacra seu Phaleg et Chanaan*, parue d'abord à Caen en 1646, puis rééditée en 1662³ par P. de Villemandy à Leiden et Utrecht. La première partie de l'ouvrage (*Phaleg*) traite de la Table des Peuples en *Gn.* 10 et la seconde (*Chanaan*) est consacrée aux Phéniciens, dont B. est cependant porté à exagérer l'influence. Ses recherches toponymiques mènent plus d'une fois à des résultats corrects, mais font parfois appel à de fausses étymologies qui préparent la voie au "pan-phénicisme" de F.C. →Movers. Les œuvres complètes de B. ont été publiées à Leiden en 1675 et, en 4ᵉ éd., plus correcte, en 1712.

Bibl. DB I, col. 1823-1824; DBF VI, col. 743; W.R. Whittingham, *Essay on... Samuel Bochart*, 1829; E.H. Smith, *S. Bochart*, Caen 1833; L.-D. Paumier, *Éloge historique de Samuel Bochart*, Rouen 1840. ELip

BODASHTART En phén. *Bd'štrt*, gr. *Boudastratos, Bodostōr, Bōstaros, Bōstōr* et var., lat. *Bostar* ("Dans/par la main d'Astarté"), anthroponyme très commun.

1 B., roi de Sidon, petit-fils d'→Eshmunazor I et successeur d'→Eshmunazor II. On a découvert au temple d'Eshmun à →Bostan esh-Sheikh une vingtaine d'inscriptions de B., duplicata avec quelques variantes (RÉS 287; 288; 767; Syria 5 [1924], p. 14-16; KAI 15; 16). B. a construit ou restauré, dans différents quartiers de Sidon, plusieurs édifices (p.ex. CIS I,4), dont l'identification n'est pas encore assurée, et le temple dédié à Eshmun; il est parfois associé dans cette dernière entreprise à son fils →Yatanmilk. JEla

2 B., stratège carth. au cours de la 1ʳᵉ →guerre pun. (Pol. I 30,1). Fait probablement prisonnier à la bataille d'Adun, peut-être l'*Uthina* des Romains (→Oudna), à *c.* 25 km au S. de Tunis, il périt de mauvais traitements dans la captivité (Diod. XXIV 12).

3 B., commandant des troupes mercenaires de Sardaigne au moment de leur révolte en 239, au cours de laquelle il fut tué par les rebelles (Pol. I 79,2).

4 B., commandant des troupes carth. de la région de l'Èbre au cours de la 2ᵉ →guerre pun. (Pol. III 98-99; Liv. XXII 22,4-20; Zon. IX 1).

5 B., un des envoyés d'→Hannibal (6) aux pourparlers avec les émissaires de →Philippe V de Macédoine (Liv. XXIII 34,1-9; 38,1-7).

6 B., commandant carth. de →Capoue au cours de la 2ᵉ guerre pun. (Liv. XXVI 5,6; 12,10; App., *Hann.* 43).

Bibl. Benz, *Names*, p. 82-88; Jongeling, *Names*, p. 154,231.

Ad 2-6: Huß, *Geschichte*, p. 235, 260-261, 327 (n. 245), 342 (n. 261), 372. ELip

BODBAAL En phén. *Bdb'l*, akk. *Bu-di-ba-al* ("Dans/Par la main de Baal"), nom propre phén.-pun., porté notamment par un des fils de →Yakinlu, roi d'→Arwad au VIIᵉ s. av. J.C.

Bibl. ANET, p. 296a; Benz, *Names*, p. 75. ELip

BODO En phén.-pun. *Bd'*, gr. *Boōdē* ou *Bodēs*, hypocoristique de toute une série de noms théophores signifiant "Dans/Par la main de" Dieu.

1 B., fils d'Eshmunadon, prêtre de →Resheph *ḥṣ* à Kition, sous le règne de →Pumayyaton, au milieu du IVᵉ s. (Kition III, A 2).

2 B., sénateur carth. et vice-amiral de la flotte au cours de la 1ʳᵉ →guerre pun. En 260, il fit prisonnier à Lipari le consul rom. Cn. Cornelius Scipio Asina (Pol. I 21,6-8; Zon. VIII 10) (→Scipions 1).

Bibl. Benz, *Names*, p. 74-75, 283-286. ELip

BOGUD En néopun. *Bg't* (cf. pun. *B'gt*: CIS I,5940), gr. *Bogouas*, lat. *Bogus, Bogudis* (Jongeling, *Names*, p. 230-231), nom numide de deux rois de →Maurétanie.

1 B. I, fils et successeur de →Bocchus I sur le trône de Maurétanie (*c.* 80 av. J.C.). Il supporte Pompée contre →Hiarbas (2) (Orose, *Adv. Pag.* V 21).

2 B. II, fils de →Mastanesosus, roi de Maurétanie avec son frère →Bocchus II de 49 à 38 av. J.C.; il gouverne la partie occidentale du royaume (Pline, *N.H.* V 19). Il se voit confirmer son pouvoir par César, mais, ayant soutenu Antoine après 44, il est chassé de son trône par son frère, qui profite d'une révolte éclatée à →Tanger et bénéficie de l'appui d'Octave. B. II mourra en 31 dans l'armée d'Antoine, en Orient. MDub-ELip

BOIS L'arrière-pays syro-phénicien et l'île de Chypre étaient couverts dans l'Antiquité de forêts, sans doute jusqu'à 1.500/1.900 m d'altitude, limite actuelle du cèdre. Leur déboisement systématique n'a pas dû commencer avant l'époque d'Hadrien, peut-être même plus tard. D'après les sources anciennes et les restes actuels, les principales essences représentées à l'âge du Fer étaient le cèdre (akk. *erēnu*, hb. *'erez*, lat. *Cedrus Libani*), le pin (ég. *'š*, lat. *Pinus Halepensis*), le sapin (lat. *Juniperus oxycedrus*), le buis (akk. *taskarinnu*), le cyprès (akk. *šurmēnu*, lat. *Cupressus sempervirens*), le genévrier (deux espèces: akk. *burāšu*, hb. *b^erōš*, et akk. *daprānu*), l'ébène? (akk. *ušû*) et une essence non identifiée (akk. *elammaku*, hb. *'almuggîm*). Le cèdre surtout avait une valeur symbolique, comme aujourd'hui encore au Liban. Il était utilisé comme b. de construction à cause de son prestige, de sa dureté et de son caractère imputrescible, mais il était en concurrence avec d'autres b., plus légers et au fût plus régulier, comme le pin ou le sapin. On tirait du cèdre divers produits d'usage courant et ses emplois médicaux et religieux étaient multiples. Les plus beaux b. phén. étaient exportés vers divers horizons, particulièrement l'Égypte et la Mésopotamie (fig. 48). Les plus anciennes attestations de ce commerce remontent au IIIe mill. À l'époque proprement phén. (*c.* 1200-300 av. J.C.), on constate que →Wenamon, dont l'histoire est censée se dérouler au XIe s., vient à Byblos se procurer du b. Salomon obtient auprès de →Hiram I de Tyr le b. nécessaire à ses constructions (*1 R.* 9,11; *1 Ch.* 22,4; *2 Ch.* 2,2-15). Les rois assyriens font abattre des cèdres au →Liban et imposent aux cités phén. la livraison d'autres essences parmi les produits qui composent leur tribut annuel. Une lettre retrouvée à Nimrud (Iraq 17 [1955], p. 127-130), qui date probablement du règne de Téglat-Phalasar III, montre le gouverneur assyrien réglementant l'exploitation de la forêt libanaise et s'opposant à l'exportation de b. vers la Philistie et l'Égypte. Dans la littérature assyro-babylonienne, deux courants se dégagent qui associent, l'un, le cèdre à l'→Amanus, l'autre, au Mont →Liban. Pour le premier de ces courants, bien représenté à l'époque néo-assyrienne, le Liban est la montagne du cyprès. À l'époque perse, lorsque les Juifs reconstruisent le temple de →Jérusalem, ce sont les Tyriens et les Sidoniens qui fournissent le b. nécessaire (*Esd.* 3,7), tandis que les souverains achéménides se font aménager des "réserves royales" (*pardēs*: *Ne.* 2,8; *parádeisos*: Diod. XVI 41,5).

Fig. 48. Bas-relief de Karnak (Égypte), représentant des princes de Canaan en train d'abattre des cèdres du Liban en signe de soumission (XIIIe s. av. J.C.).

Bibl. J. Thiébaut, *Flore libano-syrienne*, Paris 1953; E. de Vaumas, *Le Liban* I, Paris 1954; E.W. Beals, *The Remnant Cedar Forests of Lebanon*, Journal of Ecology 53 (1965), p. 679-694; M.B. Rowton, *The Woodlands of Ancient Western Asia*, JNES 26 (1967), p. 261-277; M.W. Mikesell, *The Deforestation of Mount Lebanon*, Geographical Review 59 (1969), p. 1-28; J.P. Brown, *The Lebanon and Phoenicia* I, Beirut 1969; G. Bunnens, *Le luxe phénicien d'après les inscriptions royales assyriennes*, StPhoen 3 (1985), p. 121-133; J. Elayi, *L'exploitation des cèdres du Mont Liban par les rois assyriens et néo-babyloniens*, JESHO 30 (1987), p. 14-41. GBun-JEla

BOMILCAR En phén.-pun. *Bdmlqrt*, gr. *Bomilk(h)as*, lat. *Bomilcar, Boncar*, avec variantes ("Dans/Par la main de Melqart"), anthroponyme très répandu, spécialement à Carthage où il est porté, entre autres, par plusieurs suffètes (p. ex. CIS I,208; 209; 5523,3).

1 B., envoyé carth., mentionné *c.* 330-300 dans le psephisma attique IG II-III^2, 418; il pourrait être identique au commandant en chef du moment (→B.2). B. essaya peut-être d'engager les Athéniens à prendre des mesures contre Ophellas de Cyrène (→Cyrénaïque), l'allié d'→Agathocle (StV III, 432). KGeus

2 B., homme politique carth. et chef militaire à la fin du IVe s. L'image de B. oscille dans l'histoire. Cela tient sans doute à l'existence de factions dans la société carth. et à des traditions de rivalités qui en résultent. Après le débarquement d'Agathocle en Afrique, en 310, cette polarisation mena — sans doute pour la première fois dans l'histoire de Carthage — à l'élection de deux chefs militaires égaux en droit: B., dont l'oncle →Hamilcar (5) avait mené, à l'égard d'Agathocle, une politique conciliante qui avait échoué, et →Hannon (11), sur la parenté duquel nous ne sommes pas renseignés (Diod. XX 10,1-2). Les deux commandants furent vaincus lors d'une bataille dans les environs de Carthage (Diod. XX 10,2-13,3; Just. XXII 6,5-7; Orose, *Adv. Pag.* IV 6,25). Selon Diod. XX 12,5, B. était déjà à cette date de connivence avec Agathocle pour obtenir la tyrannie, ce qui est cependant peu vraisemblable. Mais deux ans plus tard, en 308, B., qui occupait toujours les fonctions de commandant en chef, réalisa effectivement un coup d'État qui était cependant mal préparé (Diod. XX 43,1-44,6; Just. XXII 7,7-11). Contrairement à la parole donnée, B., fait prisonnier, fut traité de manière déshonorante et exécuté. Du haut de la croix, il reprochait encore à ses concitoyens non seulement le traitement injuste infligé à son oncle Hamilcar, mais aussi celui réservé au prétendu traître →Hannon (9) et à son fils →Giscon (3), auxquels il s'est manifestement senti lié. Si B. — dans l'esprit de ses adversaires oligarchiques — a lancé une action hostile à l'État, c'était plutôt une haute trahison (Diod.) qu'une trahison de son pays (Just.). B. a probablement été guidé par l'idée que seul un chef monarchique serait en mesure de surmonter les problèmes urgents de la ville. WHuß

3 B., navarque carth., père d'→Hannon (21) Pol. III 42,6; (Liv. XXI 27,2). Il était chargé du ravitaillement au cours de la 2ᵉ →guerre pun., dans les années 215 (Liv. XXIII 41,10-12), 213 (Liv. XXIV 36, 3-7) et 212 (Liv. XXV 25,11-13; 27,2-12). En 211, il essaya en vain de bloquer par mer le ravitaillement de la garnison rom. de Tarente (Pol. IX 9,11). KGeus

Bibl. Benz, *Names*, p. 75-81, 283-286; Jongeling, *Names*, p. 154, 230.
Ad 2: PW III, col. 679-680; O. Meltzer, *Geschichte der Karthager* I, Berlin 1879, p. 372-375, 387-388, 394-395, 525-527; Huß, *Geschichte*, p. 178 (n. 10), 186-187, 195, 496 (n. 4).

Fig. 49. "Tribune d'Eshmun", Bostan esh-Sheikh (Vᵉ-IVᵉ s. av. J.C.). Beyrouth, Musée National.

BÔNE →Hippone.

BORDJ HELLAL →Chemtou.

BOSA Localité à l'embouchure du Temo, sur la côte O. de la →Sardaigne, d'où proviennent deux fragments d'inscriptions phén., datant peut-être du VIIIᵉ s. (CIS I,162-163 = ICO Sard. 18; 20). On a proposé de localiser la B. phén. sur l'Isola Rossa, reliée aujourd'hui à la plage de B. (Schmiedt), sur le site de Terridi, au S. de l'embouchure du Temo (Tore), ou à S. Pietro Extramuros, à 3 km de l'embouchure (Barreca), où l'on a trouvé des monnaies pun., un scarabée et une amulette égyptisante, mais seulement des vestiges d'une nécropole et d'un habitat d'époque rom., signalé par Ptol. III 3,7 et *It.Ant.* 83,8.

Bibl. ANRW II/11,1, p. 528-529; G. Spano, *Bosa Vetus*, Bosa 1878; G. Schmiedt, *Antichi porti d'Italia*, L'Universo 45 (1965), p. 254-256; G. Tore, *La localizzazione della Bosa arcaica*, Il Convegno 30 (1977), p. 8; F. Barreca, *La civiltà fenicia e punica in Sardegna*, Sassari 1986, p. 15, 25, 282; M.G. Amadasi Guzzo, *Forme della scrittura fenicia in Sardegna*, La Sardegna nel Mediterraneo tra il secondo e il primo millennio a.C., Cagliari 1987, p. 377-378, 380. GTore

BOSTAN ESH-SHEIKH En arabe *Bustān eš-Šēḫ*, site à 2 km au N.-E. de →Sidon, sur la rive S. du *Nahr el-Awwāli*, le *Bostrenos* de l'Antiquité (Den. Pér. 917) et l'*Asclepius fluvius* d'Antonin de Plaisance (p. 160,1; 196,17), qui en mentionne aussi la source où se trouvait un →sanctuaire (1) renommé d'→Eshmun, puis d'Asklépios. Il était situé à *c.* 1 km de l'embouchure de la rivière, au milieu de vergers qu'évoque "le bois sacré d'Asklépios" chez Strab. XVI 2,22, et les inscriptions sidoniennes en font mention au Vᵉ s. →Immi-Ashtart et son fils →Eshmunazor II se glorifient d'avoir bâti ce "sanctuaire de la source de Yidal contre (*l-b*) la montagne" (KAI 14 = TSSI III,28,17), bien que les travaux n'aient été menés à bien que sous →Bodashtart (1), comme en témoignent les deux séries d'inscriptions de fondation qui étaient réparties dans les assises d'un podium monumental, chaque série comportant dix exemplaires, la première au seul nom du roi Bodashtart (KAI 15), la seconde au nom du roi et du prince héritier →Yatanmilk (KAI 16). →Renan avait déjà signalé le site qu'il visita en 1864. La découverte fortuite des premiers exemplaires de l'inscription de Bodashtart en 1900 y amena les →fouilles de T. Macridi-Bey en 1901 et celles de W. von Landau en 1903-04. Le dégagement des ruines, entrepris en 1963 par M. →Dunand, permit de mettre au jour un ensemble unique de monuments s'échelonnant du VIᵉ s. av. au VIᵉ s. ap. J.C. Le temple primitif d'Eshmun semble avoir été un haut massif pyramidal avec une rampe d'accès et une réserve d'eau. Cet édifice, attribué à la période néo-babylonienne (605-539), a été englobé dans un podium de *c.* 70 × 50 m, adossé effectivement contre la montagne et s'élevant encore à *c.* 22 m de hauteur. Il supportait un sanctuaire qui a dû rester en usage jusqu'au milieu du IVᵉ s., époque dont doit dater aussi la "tribune" ou l'autel trouvé près de l'angle N.-O. du podium: haut de *c.* 7 m, il est orné de divinités et d'une farandole de danseuses (fig. 49), gravées en relief dans un style proche de celui des →sarcophages (2) royaux de Sidon. À l'E., en contrebas du podium, s'élève une grande chapelle, peut-être du IVᵉ s. av. J.C.: elle est pourvue d'une piscine pavée et d'un trône en pierre (fig. 50), vraisemblablement de l'→Astarté sidonienne, flanqué de sphinx, entouré de lions et appuyé contre le mur de fond qui est orné de scènes de chasse en bas-relief (Phén 109,115). À l'O., une autre chapelle est centrée sur un chapiteau orné de quatre bucrânes, sans doute du IVᵉ s. av. J.C. D'autres vestiges datent de l'époque rom.: un escalier monumental, un autel cubique et des colonnes d'un grand portique entourant des bassins et d'autres installations cultuelles. Au cours de la fouille, on

Fig. 50. Piscine du "trône d'Astarté" au temple d'Eshmun à Bostan esh-Sheikh (IVe s. av. J.C.).

a trouvé notamment huit →ostraca phén. de l'époque achéménide, des milliers de petites verroteries et de nombreuses statuettes en marbre représentant un enfant (→"temple-boy"), souvent en train de taquiner un volatile. Le socle de l'une d'elles porte la dédicace phén. du prince →Baalshillem (2), fils du roi →Baana (3) (fig. 294; TSSI III,29). Ces ex-voto offerts à Eshmun évoquent la fonction du dieu sauveur, qui s'exerçait à travers les ablutions auxquelles les enfants étaient sans doute soumis dans les bassins sacrés et thérapeutiques, alimentés en eau courante. Une inscription phén. datée de l'an 14 de Bodashtart et trouvée à 3 km en amont du temple fait peut-être allusion à des travaux en rapport avec l'adduction de l'eau du Nahr el-Awwāli à la source *Ydl*, souvent mentionnée (KAI 14 = TSSI III,28,17; 29; BMB 26 [1973], pl. XIII après p. 24), qui servait aux ablutions rituelles et était, en réalité, le débouché d'un conduit antérieur au temple du Ve s.

Bibl. T. Macridy, *Le temple d'Echmoun à Sidon*, RB 11 (1902), p. 489-515; 12 (1903), p. 69-77; 13 (1904), p. 390-403; W. von Landau, *Vorläufige Nachrichten über die im Eschmuntempel bei Sidon gefundenen phönizischen Altertümer*, MVÄG 9/5 (1904); 10/1 (1905); M. Dunand, *Sondages archéologiques effectués à Bostan ech-Cheikh*, Syria 7 (1926), p. 1-7; id., *Nouvelles inscriptions phéniciennes du temple d'Echmoun*, BMB 18 (1965), p. 105-109, 114-115; 19 (1966), p. 103-105; 20 (1967), p. 27-44, 162-165; A. Vanel, *Six "ostraca" phéniciens trouvés au temple d'Echmoun, près de Saïda*, BMB 20 (1967), p. 45-95; M. Dunand, BMB 22 (1969), p. 101-107; id., *La statuaire de la favissa du temple d'Echmoun à Sidon*, Archäologie und Altes Testament. Festschrift für K. Galling, Tübingen 1970, p. 61-67; id., *La piscine du trône d'Ashtarté*, BMB 24 (1971), p. 19-25; id., *Le temple d'Echmoun à Sidon*, BMB 26 (1973), p. 7-25; id., *Verroteries d'enfants*, BMB 30 (1978), p. 47-50; id., *L'iconographie d'Echmoun*, ACFP 1, Roma 1983, p. 515-519; R.A. Stucky, *Tribune d'Echmoun*, Bâle 1984; M. Dunand, *La source d'Ydlal dans le temple d'Echmoun à Sidon*, MUSJ 50 (1984), p. 149-154; E. Will, *Un problème d'interpretatio graeca: la pseudo-tribune d'Echmoun à Sidon*, Syria 62 (1985), p. 105-124. ELip

BÖTTICHER, JOHANN FRIEDRICH WILHELM (6.6.1798-6.4.1850). Professeur de gymnase et historien allemand, auteur de la première histoire de Carthage, *Geschichte der Carthager* (Berlin 1827), dans laquelle B. tient déjà compte des connaissances élaborées par A.H.L. Heeren dans les domaines de l'histoire économique et de l'histoire des institutions.

Bibl. K. Halm, *Boetticher*, Allgemeine Deutsche Biographie III, Leipzig 1876, p. 36. ELip

BOU ARADA Localité de la riche plaine de Fahs, en Tunisie, à 80 km à vol d'oiseau au S.-O. de Carthage. Cette région est caractérisée par la forte concentration de bourgs indigènes punicisés: *Bisica, Avitta Bibba, Abbir Cella, Biracsaccar, Sululos, Sicilibba, Furnus Minus, Thabora,* →*Apisa Maius* et *Minus*, →*Suo*, →*Sucubi*, *Aradi*, etc. La profonde colonisation pun. se marque à l'époque rom. par la persistance du suffétat et de l'anthroponymie pun. La ville d'*Aradi*, dont semble provenir le nom actuel de B.A., se trouvait (probablement) dans les collines avoisinantes, où s'étendent les ruines d'une cité d'époque rom.

Bibl. AATun., f^e 34 (Bou Arada), n° 51 (*Avitta Bibba*), n° 99 (*Aradi*); Lepelley, *Cités* II, p. 71-72; A. Beschaouch, *Sur trois cités de l'Afrique chrétienne: Gunela, Aradi et Midicca*, CRAI 1983, p. 683-693. ELip

BOU GRARA →Gigthis.

BOUGIE En gr. *Sálda*, lat. *Saldae*, peut-être *Sild* dans Skyl. 111, qui indique entre Thapsa et Cherchel une ville de *Sida*, à corriger éventuellement en *Sild*, aujourd'hui *Beğaya*, en Algérie. Strab. XVII 3,12 a déjà souligné l'importance de cet excellent port, près de l'embouchure de la Soummane. Au milieu du XIXe s. on y a signalé des stèles pun. avec "une figure dans la pose de l'adoration, c.-à-d. les bras levés...; dans le fronton est invariablement sculpté l'emblème du soleil et de la lune. Quelques-unes... contiennent une courte inscription en langue phén. ou pun." (RArch 8 [1851-52], p. 574). Cette description sommaire indique qu'il s'agit de stèles avec le →"signe de Tanit" anthropomorphisé et surmonté du croissant et du disque. Nulle trace de ces stèles n'a été retrouvée.

Bibl. AAAlg, f^e 7 (Bougie), n° 12; PECS, p. 797; M. Leglay, *Saturne africain. Monuments* II, Paris 1966, p. 297-298; Desanges, *Pline*, p. 173-174; Lepelley, *Cités* II, p. 505-508. ELip

BOU QOURNEIN Massif montagneux de Tunisie qui domine les environs de Carthage. Il culmine vers 550 m par deux pointes qui lui donnent son nom, en arabe "la montagne des deux cornes". En 1891 on y a découvert un sanctuaire et de nombreuses stèles. Très délabré, le sanctuaire de haut-lieu se présente comme un téménos à ciel ouvert de tradition sémitique, fermé par un mur d'enceinte et contenant un massif construit, qui a été identifié comme autel, mais qui doit être plutôt une citerne. Les quelque 600 stèles retrouvées au sommet et sur la pente S. du massif occidental en font l'un des sanctuaires les plus importants d'Afrique du N. Elles sont dédiées au *Saturnus Balcaranensis*, transcription lat. du phén.-pun. *Ba'al Qarnêm*, le "Baal des deux cornes". Qualifié parfois d'*Augustus*, de *dominus* et de *deus magnus*, le dieu est invoqué une fois *pro salute* de Septime-Sévère, de Caracalla et de leur *domus divina*. Les ex-voto datés le sont entre 139 et 221: c'est sans doute la période de splendeur du sanctuaire qui, simple téménos au Ier s., a été enrichi de quelques constructions aux IIe-IIIe s., mais qui était encore fréquenté à la fin du IVe s.: des lampes et des monnaies le prouvent. Deux sortes de stèles se laissent distinguer: les unes en pierre, gravées plus ou moins grossièrement au trait ou traitées en relief plat, ornées seulement de symboles: la harpé, une palme, un croissant seul ou flanqué d'étoiles; de tradition pun., elles datent du Ier ou du début du IIe s. ap. J.C. Les autres sont en marbre, traitées en haut relief, et souvent dans un cadre architectural, ornées de figures anthropomorphiques: le buste du dieu barbu et voilé, avec ses assesseurs le Soleil et la Lune, des scènes de sacrifice, ainsi un prêtre officiant sur un autel embrasé, entouré des victimes habituelles, le taureau et

Fig. 51. Stèle de Bou-Qournein figurant une scène de sacrifice (IIe-IIIe s. ap. J.C.). Tunis, Bardo.

le bélier (fig. 51, 279); ce sont des stèles rom. des IIe-IIIe s.
Les inscriptions gravées sur les ex-voto comportent en général trois parties: d'abord le nom du dieu au datif: *Saturno domino Balcaranensi Augusto sacrum*; puis le nom du fidèle au nominatif: la plupart sont ici des citoyens portant les *tria nomina*; enfin la formule votive *votum solvit animo libens* et quelquefois une date consulaire. Un certain nombre d'ex-voto émanent de *sacerdotes* qui font état d'une vision onirique, *ex viso admonitus*, ou du rite de consécration, *intravit sub iugum*.

Bibl. AATun, fe 21 (La Goulette), no 8; J. Toutain, *Le sanctuaire de Saturnus Balcaranensis au Djebel Bou-Kourneïn*, Paris 1892, p. 3-124; M. Leglay, *Saturne Africain. Monuments* I, Paris 1961, p. 32-73. MLeG

BOU REGREG →Sala.

BOUSTROPHÉDON Écriture tracée alternativement de droite à gauche et de gauche à droite en un mouvement imitant le va-et-vient des bœufs labourant un champ. Les Grecs l'utilisèrent en adoptant l'alphabet phén. Le début de cet usage est antérieur au IXe s. av. J.C. Les plus anciens témoins existent en Crète et dans les Cyclades (Théra, Mélos). Paus. V17,6 compare ce procédé à la course du char contournant les deux bornes placées dans l'axe de l'hippodrome. Outre le cas des inscriptions paléo-phrygiennes (VIIIe-Ve s. av. J.C.) et des pseudo-hiéroglyphes hittites, on notera un emploi plus tardif de ce système graphique en sud-arabique.

Bibl. P. Berger, *Histoire de l'écriture dans l'Antiquité*, Paris 1892, p. 130-133; J.-G. Février, *Histoire de l'Écriture*, Paris 1948, p. 381-396. JFer

BRONZES Les Phéniciens étaient renommés pour le travail du b.: les Annales assyriennes, l'A.T. et Homère en témoignent. Un bronzier tyrien, →Hiram, réalisa, pour Salomon, les objets en b. du Temple de Jérusalem. Cependant, la documentation archéologique relative à cette production est assez limitée, particulièrement dans la Phénicie de l'âge du Fer. La plupart des b. trouvés à Byblos appartiennent à l'âge du Bronze. Par contre, de nombreuses pièces du Ier mill. ont été découvertes ailleurs en Orient et dans le bassin méditerranéen: →coupes, cruches, →thymiatères, un bouclier d'→Amathonte, objet très rare, décoré d'une frise zoomorphe au repoussé, et une hache sur laquelle est incisée une scène d'adoration d'une déesse armée. Mieux attestées sont les statuettes anthropomorphes en b. Beaucoup sont de provenance inconnue, mais au moins une douzaine proviennent de la Phénicie propre; d'autres pièces ont été mises au jour à Chypre, →Samos et en Occident. Ces b. sont souvent d'un style nettement égyptisant. Ils étaient travaillés en pleine fusion, selon la technique de la cire perdue et, parfois, ils étaient recouverts d'une feuille d'or ou d'argent. Tant par leur technique que par leur iconographie, les b. phén. continuent la grande tradition bronzière cananéenne du IIe mill., dont on connaît divers exemplaires de Byblos, Ugarit, Megiddo, etc.

1 Dieu combattant Un type iconographique bien connu, qui survit au Ier mill., est le dieu de l'orage en train d'abattre l'ennemi (→"Smiting God"). Il tient toujours un bras levé, en train de frapper avec une arme généralement perdue. Le dieu, debout, porte un pagne et, sur la tête, une couronne conique de type égyptien. Les diverses identifications avec →Baal, →Resheph ou →Hadad ne sont pas assurées. Plusieurs de ces b. sont d'origine orientale, mais souvent on ignore le contexte, d'où la difficulté de proposer une datation précise, voire de préciser s'ils sont du IIe ou du Ier mill. Quelques exemplaires, datables des Xe-VIIe s., ont été découverts à Samos et en Occident (1 en Sicile [fig. 302], 4 au moins en Espagne). À l'âge du Fer se manifeste aussi la version féminine du même type, attestée à ce jour seulement en Phénicie et dans les régions voisines. Il s'agit d'une déesse guerrière, peut-être →Anat ou →Astarté. Elle revêt une longue tunique collante sur un corps élancé et porte sur la tête une perruque échelonnée, ainsi qu'une couronne égyptienne, parfois associée à une tiare à trois cornes de tradition syrienne. De tels exemplaires ont été découverts à Qal'at Faqra (Liban), Tel Dan (Israël) et un provient de la collection Ortiz (fig. 52). Sur un b. du Louvre, la déesse tient exceptionnellement une hache bipenne dans une main dressée et un poignard dans l'autre, une longue épée lui pendant à la ceinture. Il faut enfin signaler le fameux groupe de Tartous, peut-être d'époque perse, où une déesse armée et son aurige sont debout dans un char (pl. III).

2 Dieu bénissant Ce type est représenté par la déesse à couronne hathorique du Louvre, debout, le corps plat et stylisé, une feuille d'argent sur le visage et sur la coiffure tripartite (pl. IIa). Elle a le bras droit levé et la main ouverte en signe de salut, tandis que la gauche tenait un attribut perdu. Un b. semblable provient de l'Héraion de Samos. Un dieu bénissant, dans la même pose, mais assis sur un trône, avec une couronne *atef*, provient de Byblos et remonte peut-être à l'époque perse. D'Espagne, il faut citer la célèbre "Astarté" de Séville (→Carambolo) représentée en déesse nue assise, avec une coiffure à l'égyptienne et portant une inscription phén. du VIIIe s. sur la base (fig. 35).

3 Personnage C'est une figure masculine debout, avec le vêtement usuel et la tiare à l'égyptienne, dans une attitude typique de la statuaire pharaonique. Les bras adhèrent au corps, ou l'un est porté sur le torse, l'autre étant pendant. Les mains, dont les poings sont toujours fermés, ne semblent tenir aucun objet (fig. 53). On en connaît divers exemplaires de Chypre, de Samos et de l'Espagne.

4 Divers On signalera encore des b. de types plus rares: une statuette caryatide du Louvre représentant une déesse nue avec les mains portées sur les seins; un joueur de lyre de Tyr; la déesse qui allaite un enfant, attestée à Byblos et Tell Kazel. De Sardaigne proviennent les b. masculins de →Nurra et d'Olmedo, ainsi que trois statuettes, peut-être d'un atelier pun. local de →Monte Sirai, parmi lesquelles un joueur de cistre. Un des deux petits b. masculins de Barra de Huelva, portant peut-être une fleur de lotus sur le torse, représente un dieu de la végétation. Plusieurs b. égyptisants ont été trouvés récemment dans l'île de San Pietro à →Gadès, d'où provient aussi une statuette momiforme, avec le visage couvert d'une feuille d'or, qui représente le dieu →Ptah (fig. 149).

Fig. 52. Bronze figurant une déesse guerrière (c. 750-700 av. J.C.). Coll. privée.

Fig. 53. Bronze figurant un personnage à couronne conique (début du Ier mill. av. J.C.). Coll. privée.

Bibl. O. Negbi, *Canaanite Gods in Metal*, Tel Aviv 1976; H. Seeden, *The Standing Armed Figurines in the Levant*, München 1980; ead., *Peace Figurines from the Levant*, Archéologie au Levant. Recueil R. Saidah, Lyon 1982, p. 107-120; A. Spycket, *La statuaire au Proche-Orient ancien*, Leiden 1981, p. 402-403; P.R.S. Moorey - S. Fleming, *Problem in the Study of the Anthropomorphic Metal Statuary from Syro-Palestine before 333 B.C.*, Levant 16 (1984), p. 67-90; G. Falsone, *Phoenicia as a Bronzeworking Centre in the Iron Age*, J.E. Curtis (éd.), *Bronzeworking Centres of Western Asia*, London 1988, p. 227-250. GFal

BULLA REGIA En néopun. peut-être *Bb'l* (monnaies), actuellement *Ḥammām Darrağī*; ville antique de Tunisie dans la vallée moyenne de la Medjerda, les "Grandes plaines" des auteurs anciens. En 203, →Scipion (5) l'Africain guerroie dans cette région qui fait alors partie du domaine pun. (Pol. XIV 9). →Massinissa I s'en empare vers le milieu du IIe s. (App., *Lib.* 68): B.R. devient probablement résidence royale, d'où son qualificatif *regia*. Peut-être est-elle même la capitale du roi →Hiarbas, qui y est tué par Pompée en 81 (Orose, *Adv. Pag.* V 21, 14). En raison de ce passé, B.R. obtient, de César ou d'Auguste, le titre d'*oppidum liberum* (Pline, *N.H.* V, 22). Les fouilles ont confirmé l'ancienneté de l'occupation du site: vaste nécropole mégalithique avec inhumation en position accroupie; tombes pré-rom., dont une chambre funéraire à puits contenant des céramiques de tradition pun. et des monnaies numides; stèles, dont certaines inscrites, appartenant à l'époque néopun. Le mode de construction de l'enceinte, qui délimite encore la cité rom., permet de l'attribuer à une période antérieure à la conquête césarienne. Les recherches récentes ont fourni des informations plus précises. Au N. de la ville, une longue phase d'occupation s'achève sur des niveaux appartenant à la période pun.: monnaies carth., datables fin IVe-début IIIe s. pour les plus anciennes, et trésor de pièces d'électrum et d'argent enfoui *c.* 230. Dès lors, B.R. est intégrée dans le commerce méditerranéen: le matériel y évoque celui qui caractérise Carthage à la veille de sa destruction. À l'époque numide, un quartier est implanté selon un urbanisme de type gr. Dans la partie S. de la ville, un vaste bâtiment, aux fondations de blocs soigneusement taillés, date de 100-80 av. J.C. Ces données, recoupant la découverte de vestiges numides en d'autres points du site, permettent de penser que la ville hellénistique occupait sensiblement la superficie qui sera celle de la cité rom.

Bibl. AATun, f[e] 24 (Fernana), n° 137; PECS, p. 171-172; J.-G. Février, *Inscriptions puniques et néopuniques inédites*, BAC, n.s., 1-2 (1965-66), p. 223-229 (voir p. 228-229); Gascou, *Politique municipale*, p. 115-119; Y. Thébert, *La romanisation d'une cité indigène d'Afrique: Bulla Regia*, MÉFRA 85 (1973), p. 247-312; A. Beschaouch -R. Hanoune - Y. Thébert, *Les ruines de Bulla Regia*, Rome 1977; Desanges, *Pline*, p. 199-200; Lepelley, *Cités* II, p. 87-90; R. Hanoune, *Bulla Regia: bibliographie raisonnée,* Recherches archéologiques franco-tunisiennes à Bulla Regia I/1 (CÉFR 28/I-1), Rome 1983, p. 5-48; H.R. Baldus, *Naravas und seine Reiter*, München 1983, p. 9-19; A. Ben Younès, *Stèles néopuniques de Bulla Regia*, REPPAL 1 (1985), p. 1-21; M. Khanoussi, *Note préliminaire sur Bulla la Royale*, REPPAL 2 (1986), p. 325-335. YThéb

BULLES →Archives, →Sceaux.

BU NJEM Site de l'oued Kebir, à *c.* 125 km au S.-O. de Syrte (Libye), appelé dans l'Antiquité *Chol, Chosol, Golas, Gholaia,* toponyme conservé sur place par un Bir Kilayah. Occupé *ex nihilo* par l'armée romaine en 201 ap. J.C., abandonné avec la petite ville adjacente en 259/263, B.N. se trouvait probablement sur le territoire des Maces (Hdt. IV 175; Skyl. 109; Diod. III 49; Pline, *N.H.* V 34), alliés des Carthaginois depuis au moins la fin du VIe s. (Hdt. V 42). Déjà partiellement civilisés selon Diodore, probablement au contact des Emporia — un chamelier mentionné à B.N. s'appelle Iddibal —, ils se sédentarisent, dans l'oued Kebir, après le milieu du Ier s. ap. J.C. Un riche mausolée de Bir as-Shawi, à 90 km au S.-W. de B.N., illustre les tendances de l'art libycopun. de la Tripolitaine. À B.N. même, on distingue mal l'influence de l'art indigène punicisé — stèle de petite fille représentée selon le schéma du "signe de Tanit" — de celle des soldats d'origine africaine, se manifestant dans la statuaire militaire de style libycopun. L'écriture et les dieux indigènes actuellement connus sont libyques, et non pun.

Bibl. R. Rebuffat, BAC, n.s., 19B (1983 [1985]), p. 253-254 (bibl.). RReb

BU SETTA →Tripoli.

BYBLOS En phén. *Gbl*, hb. *G[e]bal*, akk. *Gubla* ou *Gubal*, ég. *Kbn* ou *Kpn*, gr. *Búblos*, avec assimilation de *G* en *B* et un gentilice *Búblios*, "Giblite", en arabe *Ǧubail*, ville du Liban à 30 km au N. de Beyrouth (ANEP 709). Grâce aux fouilles de P. →Montet (1920-24) et de M. →Dunand (1925-59), les grandes lignes de l'histoire de B. sont connues presque sans interruption depuis le Ve mill.

1 Âge du Bronze Village de pêcheurs néolithiques *c.* 4500, B. devient au IIIe mill. un centre de commerce international grâce à ses relations avec l'Égypte, la Mésopotamie et le monde égéen. Mentionnée dans les textes d'→Ébla, de l'Égypte et de Sumer, B. est aux IIIe-IIe mill. une ville importante, dotée de temples monumentaux et ceinte d'un rempart massif en pierre (Phén 18-19), dans lequel sont percées deux portes, l'une regardant vers l'arrière-pays, l'autre vers la mer, symboles du trafic caravanier avec la Syrie et d'échanges commerciaux avec l'Égypte et l'Égée. Le temple du Bronze Ancien II, qui comportait des salles en enfilade et resta en usage jusqu'à l'époque rom., était dédié à la →Baalat Gubal. En face de ce sanctuaire, on édifia vers le milieu du IIIe mill. le "Temple en L" (Phén 39), voué à une divinité masculine. Ses fondations servirent au Bronze Moyen II (*c.* 1800) à l'édification du "Temple aux Obélisques", ainsi nommé à cause de *c.* 30 pierres levées trouvées dans un parvis du temple (fig. 56), qualifié aussi de temple de →Resheph en raison des figurines mises au jour dans ses sous-sols, avec nombre d'autres objets précieux (fig. 57; Phén 3,51-57, 60-64, 68). C'est à cette époque que semble remonter la tentative éphémère de l'emploi à B. d'une écriture →pseudo-hiéroglyphique (ANEP 287), encore non déchiffrée. Le premier souverain de B. nommément connu est Abd-Addi (*Eb-da-dì*), mentionné *c.* 1977 av. J.C. dans deux textes sumériens (AfO 19 [1959-60], p. 120-122). La nécropole royale de B., découverte en 1922, révéla neuf hypogées renfermant plusieurs →sarcophages, contemporains pour la plupart de la XIIe dynastie égyptienne. Ceux d'Abishemu I (Phén 26) et de son fils Yapishemuabi I contenaient des offrandes de grand prix (fig. 54, 55, 261; Phén 27-38), notamment des présents somptueux des pharaons Amenemhet III et IV (XIXe-XVIIIe s.). Parmi leurs successeurs du XVIIIe s., on connaît notamment Yantin(ammu), qui était un contemporain de Zimri-Lim de →Mari (Syria 20 [1939], p. 111) et fut enseveli dans la tombe IV. La tombe V abritait trois sarcophages, dont celui d'→Ahiram remonte au Bronze Récent (fig. 7). La correspondance en provenance de B. et de son roi Rib-Addi est la mieux représentée dans les archives d'el →Amarna (EA 67-142; 362). Elle reflète très bien l'instable situation politique dans la Syro-Phénicie du XIVe s. et les nombreux "canaanismes" de cette documentation écrite en akkadien révèlent les particularités de l'idiome →paléophén. de B. En revanche, B. n'apparaît que rarement dans les textes d'Ugarit, au XIIIe s. (KTU 4.338; PRU VI,81; 126).

2 Âge du Fer et époque gréco-romaine Au XIe s., B. conserve sa renommée internationale. Elle constitue le but du voyage de l'émissaire égyptien →Wenamon, qui se rend auprès de →Sakarbaal, roi de B., et elle paye tribut à Téglat-Phalasar I, roi d'Assyrie (ANET, p. 275a). C'est l'époque où B. fait déjà usage de l'écriture alphabétique phén., attestée notamment par une série d'inscriptions royales des Xe-IXe s. (KAI 1-7 = TSSI III,1-9), qui nous font connaître les rois Ahiram, →Ittobaal (1), →Yahimilk, →Abibaal (2), →Elibaal (fig. 124) et →Shapatbaal I. Le nom des souverains de B. qui payent tribut à Assurnasirpal II en 866 (ANET, p. 276b) et à Salmanasar III en 838 (ANET, p. 280b) n'est point spécifié dans les Annales assyriennes. En revanche, →Shapatbaal II est mentionné en 737 et 729/8 parmi les tributaires de Téglat-Phalasar III, →Urumilk I parmi ceux de Sennachérib en 701 et →Milkyasap parmi les vassaux d'As-

Fig. 54. Pectoral en or de la tombe du roi Abishemu, Byblos (XIXe-XVIIIe s. av. J.C.). Paris, Louvre.

sarhaddon en 670, puis ceux d'Assurbanipal. Cette période n'est cependant pas illustrée par des trouvailles archéologiques et la documentation écrite elle-même fait défaut pour les années *c.* 650-500 av. J.C. À l'époque perse, dont datent les vestiges d'une forteresse (fig. 142; Phén 110), on connaît les rois →Shapatbaal III, →Urumilk II, →Yehawmilk, →Elpaol, →Azzibaal, →Adarmilk et →Aïnel, qui se rallia à Alexandre le Grand. Les possibilités nouvelles qu'offrait l'immense Empire des Achéménides profitent à B., comme à d'autres cités phén., et le déclin relatif de l'époque hellénistique, quand B. devient la possession des Ptolémées, puis des Séleucides, est largement compensé par un regain de magnificence à l'époque rom., ainsi que par la diffusion des cultes giblites dans l'ambiance syncrétiste de l'hellénisme. En particulier, les cultes de l'Aphrodite giblite, l'antique Baalat Gubal, et d'→Adonis se répandent dans les milieux gr., cependant que les liens particuliers de B. avec l'Égypte, attestés dès le IIIe mill. av. J.C., survivent dans le mythe d'→Isis et d'→Osiris, transmis par Plutarque (Ier s. ap. J.C.). Par ailleurs, B. étant au Ier mill. av. J.C. la principale exportatrice de →papyrus à destination du monde hellénique, son nom gr. de *Búblos* vient à désigner en gr. aussi bien le papyrus (Eschyle, *Suppliantes* 761) que les rouleaux sur lesquels on écrivait (Hdt. II 100). De là dérive aussi le nom gr. des "écrits" ou "livres" (*biblía*: Hdt. I 125; III 42; V 14) et de la Bible, le livre par excellence.

Bibl. BRL², p. 53-54; DEB, p. 222-223 (bibl.); PECS, p. 176; RLA III, p. 673-675; P. Montet, *Byblos et l'Égypte*, Paris 1928-29; M. Dunand - J. Cauvin, *Fouilles de Byblos* I-II, IV-V, Paris 1937-73; M. Dunand, *Byblia grammata*, Beyrouth 1945; E.J. Wein-R. Opificius, *7000 Jahre Byblos*, Nürnberg 1963; M. Dunand, *Byblos, son histoire, ses ruines, ses légendes*, Paris 1964 (1968²); Peckham, *Development*, p. 43-63; Wild, *Ortsnamen*, p. 249-251; N. Jidejian, *Byblos à travers les âges*, Beyrouth 1977; D. Lorton, *Where was Ancient Egypt's KPN (Y)*, Discussions in Egyptology 6 (1986), p. 89-99; J. Leclant, *Le rayonnement de l'Égypte au temps des rois tanites et libyens*, Tanis. L'or des pharaons, Paris 1987, p. 77-84.

NJid-ELip

BYRSA En gr. *Búrsa*, lat. *Byrsa*, nom d'un quartier de →Carthage dont la signification et la portée restent problématiques. On a voulu y voir une déformation du toponyme sémitique *Boṣrāh*, avec une métathèse des consonnes et une vocalisation différente, voire une transcription de la légende *b'rṣt* (*ba'arṣōt*) des monnaies siculo-pun. (fig. 256:3). La seule explication proposée à ce jour, qui admette l'origine phén. du nom et tienne compte de sa consistance phonétique, est celle de *bi'r-ša*, "Puits de Brebis". Dans les textes classiques relatifs à la fondation de Carthage (Virg., *Aen.* I 367; Just. XVIII 5,9), B. apparaît liée à un jeu de mots étiologique: débarquée en Afrique, →Élissa-Didon achète aux indigènes autant de terre que peut en ceindre une peau de bœuf, en gr. *búrsa*, mais une fois découpée en lanières très

Fig. 55. "Théière" en argent de la tombe du roi Abishemu, Byblos (XIXe-XVIIIe s. av. J.C.). Beyrouth, Musée National.

Fig. 56. Temple aux Obélisques, Byblos (XIXe-XVIIIe s. av. J.C.).

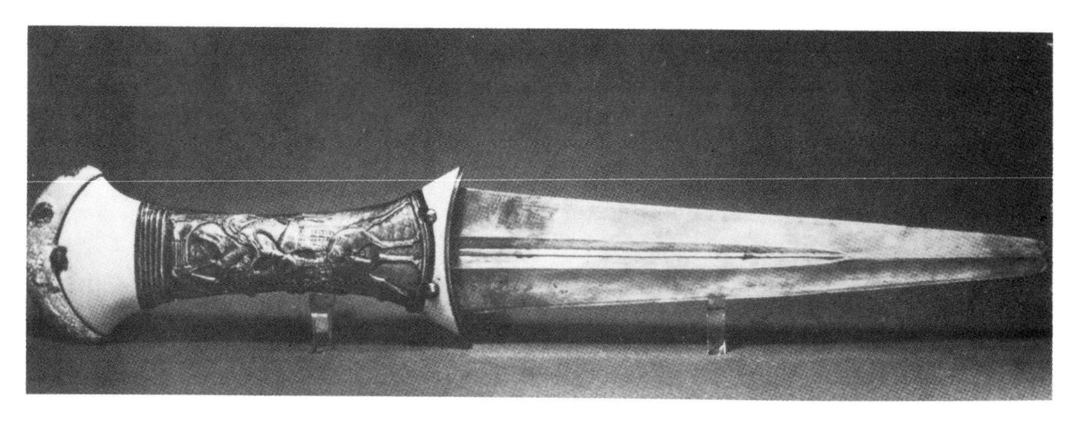

Fig. 57. Manche de poignard en or et ivoire trouvé dans le Temple aux Obélisques, Byblos (XIXe-XVIIIe s av. J.C.). Beyrouth, Musée National.

minces ! La légende, qui pourrait dériver d'une étiologie populaire pun. (*bi'r-ša>b*^{e}*'ur-ša*, "avec une peau de brebis"), atteste au moins que le Grec ou le Carthaginois hellénisé qui l'a mise en circulation considérait le quartier de Carthage appelé B. comme le lieu du premier établissement. Si l'on tient compte, par ailleurs, de la remarque de Serv., *in Aen.* IV 670 (*Carthago ante Byrsa, post Tyros dicta est*), et si l'on note que l'appellation *Karkhēdōn*, transcrivant en grec *Qartḥadašt*, n'est pas attestée avant le Ve s., on pourra émettre l'hypothèse que B. est l'appellation première de la colonie tyrienne, appliquée ensuite au noyau central de la cité. Nombreux sont en effet, de Strabon jusqu'à Servius et Orose, les textes qui distinguent, dans l'enveloppe urbaine de la grande Carthage, un secteur central, appelé B., d'un ensemble de faubourgs d'habitat moins dense, appelé Megara. Toutefois, cette appellation de B. reste ambiguë, car le mot est employé, au sens large, pour désigner le noyau urbain central (Strab. XVII 3,15; App., *Lib.* 117; Zon., IX 30) et, au sens restreint, pour indiquer la citadelle qui sera l'ultime bastion de défense de la ville en 146 (Strab. XVII 3,14; App., *Lib.* 128; Orose, *Adv. Pag.* IV 22,5-6). En ce sens étroit, la colline dite "de Byrsa" (naguère de Saint-Louis) pouvait effectivement constituer l'acropole de la cité punique, mais l'arasement de son sommet au début de l'époque impériale rom., lors de l'édification du centre monumental de la nouvelle colonie, ne permet pas à l'archéologie d'en apporter la preuve formelle. Toutefois, les données de la topographie jointes aux témoignages des auteurs anciens et aux résultats de la fouille conduite à mi-pente sur le versant S. de cette colline, dans l'axe des ports, rendent très vraisemblable cette localisation de la citadelle de Carthage au IIe s. av. J.C.

Bibl. Gsell, HAAN I, p. 382-385; II, p. 7-11; III, p. 376-377; 399-400; W. Huss, *Der Name der Byrsa von Karthago*, Klio 64 (1982), p. 403-406; cf. 65 (1983), p. 319; S. Lancel, *Les fouilles de la mission archéologique française et le problème de Byrsa*, StPhoen 6 (1988), p. 61-89; E. Lipiński, *Byrsa* (sous presse).

SLan-ELip

BYZACÈNE *Bussátis* (Pol. III 23, 2) ou *Buzákis* (Pol. XII 2, 1) *khṓra*, nom probablement indigène, qui désignait en gr. la zone de l'actuel →Sahel tunisien s'étendant du golfe de Gabès (Petite Syrte) à celui d'Hammamet (fig. 367); en lat. *Byzacium* (Liv. XXXIII 48,1; Pline, *N.H.* V 24). La ville principale en était →Hadrumète (Sousse). Célèbre pour sa fertilité et ses récoltes exceptionnelles de céréales (Pline, *N.H.* V 24; XVII 41; XVIII 94), la B. devait constituer une circonscription carth. de l'antique →Tunisie. Aussi verra-t-elle en 203 débarquer Hannibal revenant d'Italie pour s'y approvisionner en blé avant l'ultime phase de la 2e guerre pun. Il est cependant probable que la B. occidentale, c.-à-d. la zone steppique au N. des chotts et à l'O. de la riche région du Sahel, échappait aux structures territoriales pun., puis au cadre municipal rom., et était peuplée de tribus berbères semi-nomades. — La région relève sous l'Empire de l'→Afrique proconsulaire, une vaste province qui s'étend de Carthage aux Autels des →Philènes, à la limite de la Cyrénaïque. Dioclétien (284-305) la divisera en trois: une Afrique proconsulaire restreinte au N. de la Tunisie actuelle, la B. (*Provincia Valeria Byzacena*), occupant le centre et le S. de la Tunisie, et la →Tripolitaine (fig. 5).

Bibl. ANRW II/10,2, p. 299-307, 316-317; J. Ferron, *La Byzacène à l'époque punique. État actuel des connaissances*, CTun 44 (1963), p. 31-46; J. Desanges, *Étendue et importance du Byzacium avant la création, sous Dioclétien, de la province de Byzacène*, ibid., p. 7-22; id., *Pline*, p. 226-229.

MDub-ELip

C

CABIRES Génies gr. d'origine peut-être anatolienne, confondus souvent avec les →Dioscures. Selon Hdt. III 37, ils auraient eu un temple à Memphis et seraient les fils d'Héphaïstos →Ptah. En revanche, Philon de Byblos voit en eux des descendants de →Sydyk, qu'il considère comme les constructeurs du premier navire et associe à la médecine et à la magie (Eus., *P.E.* I 10,14). Asklépios, c.-à-d. →Eshmun, serait de leur nombre en tant que huitième fils de Sydyk (I 10,38), ce que confirme Damasc., *V.Is.* 302. Les C. auraient dédié un temple sur le Mont Kasios, sans doute à →Baal Saphon (Eus., *P.E.* I 10, 20). Les huit C. phén. sont probablement figurés sur une monnaie de Beyrouth du temps d'Élagabal.

Bibl. *BMC. Phoenicia*, p. LVIII,83; pl. X,12; B. Hemberg, *Die Kabiren*, Uppsala 1950. ELip

CADIX, CÁDIZ →Gadès.

CAELESTIS Héritière de la grande déesse de Carthage →Tanit, associée à →Baal Hamon dans les textes pun. de →Thinissut, C. est dans les textes lat. du même site associée à *Saturnus* comme sa parèdre. Mais tandis que dans le groupe Baal-Tanit, la prééminence revient tantôt à l'un, tantôt à l'autre, le couple →Saturne-Caelestis est plus homogène: les composants ont la même valeur. Tantôt sous le nom de *Iuno C.*, tantôt sous celui de *Virgo C.*, elle est qualifiée de *dea magna, dea sancta, sanctissima, aeterna, domina*, toutes épiclèses également accolées à *Saturnus*. Comme celui de son parèdre, son culte couvrait toute l'Afrique du N., à partir de la Tripolitaine, où il est attesté à →Oea, à →Sabratha et à →Leptis Magna; il était surtout en faveur dans les milieux populaires et ruraux, sans exclure pour autant les citadins: à →Dougga, p. ex., et à →Thuburbo Maius, elle avait de magnifiques temples. Le développement des deux cultes fut parallèle, comme leur déclin: en plein essor au IIe et dans la première moitié du IIIe s., en recul au IVe s., il subsistait encore au temps de St Augustin (*Enarrationes in Psalmos* 62,6; 98,14; *Serm.* 105,9.12; *Civ.* II 4 et 26) et de Salvien (*De Gubernatione Dei* VIII 9,13).
C. était représentée toujours voilée, soit assise sur un lion, soit trônant, accompagnée d'un ou de plusieurs lions; quelquefois la tête était sommée d'un croissant ou entourée d'une guirlande ou de serpents aux queues nouées, comme sur les stèles de La →Ghorfa. Comme Saturne, elle est maîtresse des animaux et règne sur la terre; elle règne sur le ciel et ses astres, le Soleil et la Lune qui l'accompagnent, et également sur le monde des morts et de l'au-delà. Sur la terre, elle est en particulier pourvoyeuse de pluie (*pollicitatrix pluviarum*) et, à ce titre, déesse de l'abondance, parfois appelée *Ops regina* ou *sancta*, et déesse nourricière, *Nutrix*. On comprend, dans ces conditions, qu'elle partage sa symbolique avec son parèdre, notamment sa symbolique astrale: le croissant et le disque, qui la définissent bien comme *caelestis*.

Bibl. ANRW II/17,4, p. 2203-2223; Gsell, HAAN IV, p. 243-277; G.C. Picard, *Les religions de l'Afrique antique*, Paris 1954, p. 66-79, 105-106; M. Leglay, *Saturne africain. Histoire*, Paris 1966, p. 215-222; N. Benseddik, *Un nouveau témoignage du culte de Tanit-Caelestis à Cherchel ?*, AntAfr 20 (1984), p. 175-181. MLeG

CAERE →Pyrgi.

CAGLIARI En pun. *Krly*, gr. *Káralis*, lat. *Carales*, ville et excellent port naturel au fond du golfe de C., sur la côte S. de la →Sardaigne. La ville antique était située sur les étangs de S. Igia (S. Gilla), à l'O., et de Molentargiu, à l'extrémité méridionale du Campidano, la grande plaine du S. de la Sardaigne, région habitée dès la préhistoire. Pomp. Méla II 123 prétend que C. est, avec →Sulcis, la plus ancienne ville de la Sardaigne, mais Paus. X 17,5 attribue cet honneur à →Nora et affirme que C. a été fondée par les Carthaginois (X 17,9). Le fait est que les tessons gr. et phén., découverts dans la partie O. de la ville, remontent à la fin du VIIIe s., mais les plus anciens vestiges architecturaux mis au jour dans cette zone, aux abords de l'étang de S. Igia, ne datent que des VIe-IVe s. C'est aussi à la seconde moitié du VIe s. que remontent les premières →tombes (2A,B) de la vaste nécropole de Tuvumannu et de Tuvixeddu, qui fut en usage jusqu'à l'époque impériale rom., mais n'a livré qu'une double épigraphe pun., trouvée à S. Avendrace (→Hawwat). Ses hypogées, à puits d'accès verticaux de 2 à 8 m de profondeur, ont un décor en bas relief ou peint en rouge, où alternent →"signes de Tanit", caducées, rosaces, croix, fleurs de lotus et autres symboles végétaux, têtes de taureau, personnages divins, Gorgone, le soleil, le croissant, des figures géométriques, également des éléments architecturaux, comme deux corniches à gorge égyptienne. Des restes de l'enceinte fortifiée pun. du IIIe s. ont été identifiés sur le versant O. de la haute colline du Castello, qui contient une citerne pun. et serait l'acropole de la C. pun. Des vestiges de →sanctuaires (3B) sont venus au jour dans la Via Malta, le Largo Carlo Felice, peut-être dans le quartier de S. Igia, où il y aurait eu un lieu saint en rapport avec →Bès, et près de la cathédrale, où se serait dressé un temple d'→Isis, ensuite aux abords de l'église de l'Annunziata, où une inscription pun. du IIIe s. av. J.C. (KAI 65 = ICO Sard. 36) et une main votive dédiée à →Eshmun (fig. 128; CIS I,141 = ICO Sard. Npu. 4) indiquent la présence d'un sanctuaire, puis dans le quartier de S. Paolo, près de l'étang de S. Igia, où l'on a reconnu un →*tophet*. En dehors de la ville, le cap S. Elia était l'emplacement d'un sanctuaire de l'Astarté d'→Éryx (CIS I, 140 = ICO Sard. 19) et le site de Su Magoru, près d'Assemani, au bord de l'étang de S. Igia, devait être dédié à →Sid, comme le suggèrent les nombreux ex-voto trouvés à cet endroit. On signalera aussi l'inscription consacrée à →Baal Shamêm de l'île des →Éperviers, trouvée à C. en 1877. La ville (*Krly*) est mentionnée au IIIe s. av. J.C. dans deux inscriptions pun. d'→Antas.

Bibl. ANRW II/11,1, p. 496-503; PECS, p. 196-197; PW III, col. 1567-1568; A. Taramelli, *La necropoli punica di Predio Ibba a S. Avendrace, Cagliari*, MAnt 21 (1912), p. 45-218; P. Mingazzini, *Cagliari*, NotSc, 8e sér., 3 (1949), p. 213-274; S.M. Cecchini, *I ritrovamenti fenici e punici in Sardegna*, Roma 1969, p. 33-38; M.L. Uberti, ACFP 1, Roma 1983, p. 801-803; G. Tore-R. Zucca, *Cagliari*, BT IV, Pisa-Roma 1985, p. 231-238; S. Angiolillo, *A proposito di un monumento con fregio dorico rinvenuto a Cagliari*, Studi G. Lullu, Cagliari 1985, p. 99-110; *S. Igia, capitale giudicale*, Pisa 1986, p. 119-197; S. Moscati, *Italia punica*, Milano 1986, p. 187-201; F. Barreca, *La civiltà fenicio-punica in Sardegna*, Sassari 1986, en part. p. 287-289; I. Chessa, *Ceramiche fenicie da Cagliari*, Studi di archeologia e antichità I, Cagliari 1987, p. 19-25. GTore

CALENDRIER Les renseignements sur le c. phén. proviennent du matériel épigraphique. Par analogie avec la situation des cultures avoisinantes, on reconstruit une année de 12 mois lunaires, fixés sur la base de l'observation de la nouvelle lune (*ḥdš* en phén.). Ainsi l'inscription de Kition III, C 1 (Ve s. av. J.C.) donne un compte-rendu des dépenses effectuées dans un sanctuaire à partir du "jour de la néoménie"; la même inscription nomme (A,3) peut-être des "magistrats de la néoménie" (*'ln ḥdš*) en rapport avec des cérémonies devant se dérouler à ce moment. Nous ne connaissons pas la manière de procéder pour accorder le c. lunaire à l'année solaire. Le partage des mois en semaines, la division du jour et le moment du début du jour nous sont aussi inconnus. D'après ce que nous savons du c. hébraïque courant et du c. mésopotamien, il est vraisemblable que le début de l'année coïncidait au printemps (mars-avril) avec une fête, éventuellement celle de la résurrection d'une divinité telle que →Melqart. L'inscription de Gézer, dite "calendrier" (KAI 182), suggère toutefois un début de l'an en automne (cf. *Ex.* 23,16). Les mois devaient être en rapport avec les activités agricoles ou avec des cérémonies religieuses, les unes et les autres pouvant donner le nom au mois lui-même: p.ex. le mois de *p'lt* ("travaux"), attesté à Chypre et en Afrique du N., et le mois de *zbḥ šmš* ("sacrifice(s) pour le soleil"), attesté à Chypre et à Pyrgi. Les autres noms de mois connus — parfois identiques à ceux du c. hébraïque préexilique — sont: *'tnm, bl, krr, mrp'm*. On n'en connaît pas toujours la place dans l'année.

Bibl. DEB, p. 64-66; RLA V, p. 297-303; E. Koffmahn, *Sind die altisraelitischen Monatsbezeichnungen mit den kanaanäisch-phönikischen identisch?*, BZ, n.s., 10 (1966), p. 197-219; J.-P. Rey-Coquais, *Calendriers de la Syrie préromaine d'après des inscriptions inédites*, Actes du Ve Congrès international d'épigraphie grecque et latine, München 1973, p. 564-566. MGAmG

CALPÈ, MONT Les auteurs anciens se réfèrent souvent aux Colonnes d'Hercule. Une de ces colonnes était le rocher de Gibraltar, que l'on appelait *Kálpē* en gr., *Calpe* en lat. (Strab. I 3,5; III 1,8; 2,1; 5,5). Bien que le site ait pu servir de refuge aux navires (Asinius Pollio, *Ad fam.* X 32,1), C. n'était pas une ville, contrairement à Strab. III 1,7, où il doit être question de →Carteia. Toutefois, l'endroit appelé "Gorham's Cave", situé près du Río Guadarranque, du côté oriental du rocher de →Gibraltar, a livré du matériel phén.-pun.

Bibl. A. Tovar, *Iberische Landeskunde* II/1, Baden-Baden 1974, p. 72-73. FMol

CANAAN En phén. *Kn'n*, hb. *K[e]na'an*, akk. *Kinaḫnu > Kinaḫḫu*, avec variantes, gr. *Khanaan*, lat. *C(h)ana(a)n*, région qui, selon la Bible, s'étend du Jourdain et de la Mer Morte à la Méditerranée et dont les habitants sont qualifiés de Cananéens. Le nom de C. pourrait déjà figurer dans les textes d'Ébla sous la forme *Kà-na-na*, mais la première mention sûre de Cananéens se trouve dans une lettre de →Mari: des pillards et des *Ki-na-aḫ-nù* assiègent une ville de Haute Mésopotamie (Syria 50 [1973], p. 279). C. est attesté ensuite à →Alalakh (XVe s.), dans les lettres d'el →Amarna (XIVe s.), à →Ugarit (XIIIe s.), dans plusieurs textes égyptiens et hittites, dans la Bible, dans la légende phén. des monnaies de "Laodicée de C." (→Beyrouth) et peut-être dans une inscription de Constantine (EH 102). Selon St Aug., *Exp. ad Rom.* 13, les paysans d'Afrique du N. se qualifiaient à son époque de *Chanani* pour se distinguer des citadins christianisés (→langue 2). Une tradition gr., qui pourrait remonter à Hécatée de Milet, connaît un pays de *Khnā*. Une théorie ancienne fait de C. un nom de la Phénicie. Elle repose sur les arguments suivants: 1) *Is.* 23,8; *Za.* 14,21; *Pr.* 31,24; *Jb* 40,30 utilisent "Cananéen" dans le sens de "marchand", or le commerce est l'activité essentielle de la Phénicie; 2) *Gn.* 10,15 fait de Sidon le premier-né de C.; 3) Laodicée de C. est connue par ailleurs comme Laodicée de Phénicie; 4) *Khnā* serait le premier nom de la Phénicie (Eus., *P.E.* I 10,39); 5) les *Chanani* de St Aug. sont d'origine pun., donc phén.; 6) la *Khananaía* de *Mt.* 15,22 devient une *Syrophoinikíssa* en *Mc.* 7,26. Ces arguments sont renforcés par diverses spéculations étymologiques, dont la plus répandue s'appuie sur la présence, dans les textes akkadiens de Nuzi (XVe s.), d'un mot *kinaḫḫu*, analogue au nom akkadien de C. et désignant une teinture, que l'on suppose rouge. On dresse alors un parallèle entre le gr. →*Phoínix*, qui signifie à la fois "Phénicien" et "rouge", et le sémitique *Kinaḫḫu/K[e]na'an*. Le sens du substantif *kinaḫḫu* et la couleur concernée ne sont cependant pas connus et l'équivalence entre C. et la Phénicie est tardive. L'explication la plus vraisemblable est celle de R. de Vaux: le nom de C., dont l'origine première nous échappe, désignait au Nouvel Empire égyptien la province d'Asie que les Israélites ont envahie. La Bible n'a fait qu'adopter la terminologie égyptienne et si, au Ier mill., une certaine affinité se décèle entre C. et Phénicie, c'est probablement que les Phéniciens sont les ultimes représentants des Cananéens du IIe mill., mais, même à cette époque, il n'y a pas assimilation complète des deux notions.

Bibl. RLA V, p. 352-355; TRE XVII, p. 539-556 (bibl.); E.A. Speiser, *Oriental and Biblical Studies*, Philadelphia 1967, p. 324-331; R. de Vaux, *Le pays de Canaan*, JAOS 88 (1968), p. 23-30. GBun

CANI, ÎLES →Bizerte.

CANNES →Guerres puniques.

CANNITA, PIZZO Petit établissement phén.-pun. en Sicile, à 10 km à l'E. de Palerme, sur une colline rocheuse dominant la basse vallée de l'Eleuthère. Dans la plaine de Portella di Mare, aux pieds de la colline, furent découverts en 1695 et 1725 deux →sarcophages (4) anthropoïdes de style phén., en marbre blanc, datables de *c.* 525-450 av. J.C., conservés aujourd'hui au Musée de Palerme. Sur le couvercle sont représentées deux femmes debout, d'aspect nettement grécisant, vêtues d'une longue tunique; une d'elles tient en main un alabastre (fig. 284). En 1864, d'autres tombes pun. à chambre hypogée furent découvertes dans la même nécropole, ainsi qu'une portion d'enceinte. Le site de C. remonte certainement aux VIe-IVe s. et est, en fait, quasi entièrement à fouiller. En superficie, on remarque des restes de maisons pun. en technique *a telaio*. Parmi les découvertes pun. occasionnelles, on signalera quelques petits autels (*arulae*) de terre cuite avec des animaux en relief, un →askos en forme d'âne et un brûle-parfum à double coupe. Digne d'intérêt est aussi une coupe attique avec dédicace du IVe s. à Athéna. L'identification de C. avec l'antique Kronia reste incertaine.

Bibl. C. Citro, *Topografia, storia e archeologia di Pizzo Cannita*, Atti Acc. Scienze, Lettere e Arti di Palermo 13 (1952-53), p. 265-299; V. Tusa, *I centri punici della Sicilia*, Kokalos 18-19 (1972-73), p. 41. GFal-ASpa

CANTIN, CAP →Beddouza, Cap.

CAP BON **1 Géographie** Vaste promontoire du N.-E. de la Tunisie, le C.B. ferme à l'E. le golfe de Tunis (fig. 367). Tendu comme un doigt vers la →Sicile, distante à peine de 140 km, il prolonge vers le N.-E. la chaîne Dorsale tunisienne, étirant sur 70 km ses plateaux. Le C.B. jouit d'un climat amène avec une température moyenne de 11° ou 12° en hiver, celle de l'été ne dépassant guère 25°. L'eau ne manque pas, la région recevant partout plus de 400 mm de pluie. Ces conditions climatiques justifient peut-être son nom actuel, qui semble être d'origine gênoise ou pisane (*Capo Bono*) et est attesté depuis le milieu du XIIIe s. Le C.B. se termine au N. par le Ras Addar (393 m), en gr. *Hermaía ákra* ("cap d'Hermès"), lat. *Mercurii promontorium* ("cap de Mercure"), et au N.-O. par le Ras el-Ahmar, d'où l'on aperçoit, à 12 km, l'île de Zembra, l'*Aigimo(u)ros* des Grecs (Zon. IX 27) et l'*Aegimurus* des Romains (Flor., *Epit.* I 18,30-32), dont le nom a certainement une origine pun. (*'y*, "île", suivi d'une détermination). C'est un rocher de 432 m d'altitude, véritable forteresse naturelle pourvue d'une seule petite crique sur la côte S., où l'on distingue les traces d'un port antique. Verrou et point de passage obligé entre les deux bassins de la Méditerranée, comme le montre l'histoire des rapports de Carthage avec la Sicile, puis avec →Rome, le C.B. fut aussi la tête de pont des entreprises de débarquement en pays pun., d'abord des mercenaires d'→Agathocle, puis du corps expéditionnaire de →Régulus. On doit au récit de ces expéditions, respectivement chez Diod. XX 8,3-4 et Pol. I 29,7, des descriptions vives en couleur des vertes campagnes du C.B., qui permettent de se faire une idée du succès de l'→agriculture (2) pun. et de l'opulence rurale de la région, densément peuplée. C'est sa fertilité qui explique la fondation de colonies rom. par César dans le C.B., à *Curubis* (AATun, f[e] 30 [Nabeul], n° 61), à *Clupea* (→Kélibia), peut-être aussi à *Neapolis* (→Nabeul) et à →*Carpis*, deux *coloniae Iuliae* dont la fondation effective pourrait cependant dater d'Auguste. L'emplacement de ces colonies est révélateur des régions riches du C.B., où l'oranger, le citronnier et le jasmin prospèrent aujourd'hui, aussi bien que l'olivier, près des anciens pâturages pun. convertis en champs de céréales. Les images idylliques des auteurs classiques ne s'appliquent toutefois pas à tout le promontoire, car les terres autour de →Kerkouane, p.ex., sont relativement pauvres, marécageuses et exposées à des vents humides et violents du N.-E.

2 Villes Les sources gr. de l'histoire militaire de →Carthage nous renseignent aussi sur les villes que nourrissait la terroir du C.B. Après avoir débarqué aux Latomies d'→El-Haouaria, à quelques kilomètres au S.-O. du Ras Addar et au N.-E. du village de Sidi Daoud, l'antique →Missua, et après avoir "brûlé ses vaisseaux", Agathocle marcha sur Mégalépolis (Diod. XX 8,2) qu'il prit d'assaut et pilla. Ce toponyme de "grande ville", encore attesté comme siège d'un *episcopus Meglapolitanus* dans la *Notitia dignitatum* (éd. O. Seek, Berlin 1876, p. 616) du début du Ve s. ap. J.C., est évidemment une traduction du pun., peut-être *Rabbōt* (cf. Ét. Byz., s.v. *Phoinikē*), comme *Neápolis* et *Aspis/Clupea*, sur la côte orientale du C.B. Mais, à la différence de ces dernières, on ne sait où situer cette Mégalépolis, qu'on a tendance à chercher dans le triangle déterminé par Korba (*Curubis*), Grombalia et Hammamet. Cette région, la plus riche du C.B., commence à révéler son passé pun., qui survit à l'époque rom., p.ex. à →Aïn Tebernok, à →Siagu, à →Thinissut ou à Menzel Bou Zelfa (AATun, f[e] 22 [Menzel Bou Zalfa]), qui a livré une dédicace *Domi(no) Saturno Sicingesi* (ILTun 833), avec une épithète à valeur sans doute topique, et où, à 4 km au S., une statuette de divinité assise sur un →trône flanqué de →sphinx est venue au jour à Beni Khaled (BAC 1932-33, p. 474). La découverte, à l'O. de Korba, de stèles funéraires typiques de la Carthage pun. rattache directement ces localités à leur passé pun. C'est peut-être dans la même région qu'il faut chercher aussi l'emplacement de Tynès la Blanche, "distante de Carthage de 2.000 stades" (*c.* 370 km), dont Agathocle s'empara ensuite (Diod. XX 8,7) et qu'il faut évidemment distinguer de Tunis. Dans ces cas, les deux séries d'information, textuelle et archéologique, ne se superposent pas. Il n'en va pas de même avec →Néphéris ou Kélibia, où l'information historique est recoupée par l'investigation archéologique. La prospection systématique du C.B. a permis d'y relever des points d'appui fortifiés qui pouvaient communiquer entre eux à vue, lorsqu'ils n'étaient pas trop distants les uns des autres, comme c'est le cas pour la forteresse de Kélibia et le fortin de →Ras ed-Drek, où l'on a proposé de localiser la Hermaia de Skyl. 110-111 et de Strab. XVII 3,16, ruinée selon Strabon en même temps que Carthage. Sur la côte O. du promontoire, le saillant de →Ras el-Fortass avait été, lui aussi, solidement fortifié. Pour autant qu'on puisse les dater avec quelque précision, ces défenses semblent avoir été mises en place dès le Ve s. et pourraient avoir été abandonnées dans la seconde moitié du IIe s. av. J.C. Cependant, les précautions prises par Carthage pour défendre ces villes et campagnes, qui étaient aux avant-postes de son territoire africain, n'ont pas toujours suffi à les protéger des entreprises extérieures. Ainsi la petite cité de Kerkouane, dont on ignore toujours le nom antique, ne se releva pas d'une destruction que le contexte archéologique invite à situer vers le milieu du IIIe s. et donc à mettre en rapport avec l'expédition de Régulus. Des fouilles suffisamment développées et maintenant bien publiées donnent une image nette et bien diversifiée de ce que devaient être ces petites villes du C.B. pun. entre le Ve et le IIIe s. av. J.C. Kerkouane, comme ses pareilles sises sur la façade maritime, devait être tournée vers la mer et vivre en particulier de la pêche (→chasse et pêche) et d'un artisanat dont la mer fournissait la matière première: on y a mis au jour des ateliers de salaison (→garum) et une industrie de la →pourpre. La qualité de l'habitat dégagé par les fouilles et la richesse des nécropoles avoisinantes manifestent la prospérité bien réelle du C.B. pun. Il y a lieu de mentionner aussi les gisements funéraires des environs de Menzel Témine ou Témime (AATun, f^e^ 23 [Mennzel Heurr], n° 2), à Sidi Djemaïl ed-Dîn et à Sidi Salem. Les nombreux caveaux identifiés comportent un escalier d'accès, le dromos et une chambre funéraire décorée à l'ocre rouge, et certains d'entre eux devaient être pourvus d'une superstructure. Leur architecture élaborée et leur riche →mobilier funéraire militent en faveur de l'existence d'une grande cité pun. sous l'actuelle ville de Menzel Témine ou dans ses environs immédiats, aux IVe-IIIe s. av. J.C. D'autres nécropoles ont été identifiées sur le versant occidental du C.B., ainsi dans les parages de l'ancienne Carpis. Il ne fait pas de doute que le nombre de sites pun. reconnus au C.B. ira en augmentant.

Bibl. Gsell, HAAN III, p. 28-31, 79-82; *Prospezione archeologica al Capo Bon* I-II, Roma 1973-83; M. Fantar, *Nécropoles puniques aux environs immédiats de Menzel Témime au Cap Bon (Tunisie)*, Karthago 19 (1977-78), p. 120-122; id., *Présence punique au Cap Bon*, Africa 5-6 (1978), p. 51-70; id., *Découvertes dans une nécropole punique,* Doss HistArch 69 (1982-83), p. 36-42; id., *Kerkouane* I, Tunis 1984, p. 14-19, 31-37; id., *L'archéologie punique au Cap Bon: découvertes récentes*, RSF 13 (1985), p. 211-221; *30 ans au service du Patrimoine*, Tunis 1986, p. 58-126; M. Fantar, *Présence punique et libyque dans les environs d'Aspis au Cap Bon*, CRAI 1988, p. 502-518; id., *Régulus en Afrique*, StPhoen 10 (1989), p. 75-84. SLan-ELip

CAPO DI PULA →Nora.

CAPO MANNU →Cornus.

CAPO SAN MARCO →Tharros.

CAPOUE Ville de Campanie (Italie), qui est entrée *c.* 338 av. J.C. dans la sphère d'influence rom. Au cours de la 2e →guerre pun., après la bataille de Cannes, en 216, C. s'est rendue à Hannibal et est devenue la centre des opérations carth. contre Rome. Reprise par les Romains en 211, elle fut sévèrement châtiée.

Bibl. PECS, p. 195-196; Gsell, HAAN III, p. 159, 165; J. von Ungern-Sternberg, *Capua im Zweiten Punischen Krieg*, München 1975; Huß, *Geschichte*, p. 335-372; M. Bonghi Jovino - L. Burelli, *Capua*, BT IV, Pisa-Roma 1985, p. 455-476 (bibl.). ELip

CAPSA →Gafsa.

CAPUSSA En pun. *K(bs)n*, lat. *Capussa* (Liv. XXIV 29), roi des →Numides massyles *c.* 206 av. J.C., fils et successeur d'Oezalcès, neveu de Gaïa et cousin de →Massinissa I. Sur les monnaies à légende pun. *kn*, émises sous son bref règne, l'effigie royale figure au droit et un cheval galopant, au revers. C. fut tué au cours de la lutte que lui a livré Mazetullus, membre d'une branche cadette de la maison royale.

Bibl. G. Camps, *Une monnaie de Capussa, roi des Numides massyles*, BAC, n.s., 15B-16B (1979-80 [1984]), p. 29-32. ELip

CARAMBOLO, EL Établissement tartessien de la vallée du Guadalquivir, découvert près de Séville (Espagne) en 1958. La localité, située sur un promontoire dominant le fleuve en un point névralgique pour les communications vers l'intérieur de l'→Andalousie, attira l'attention des Phéniciens de →Gadès, qui établirent des relations commerciales avec sa population. Le lieu était déjà habité au Bronze Final (Xe-VIIIe s. av. J.C.), époque dont date la céramique faite à la main, peinte et décorée avec des motifs géométriques d'une grande qualité. Dès la fin du VIIIe s. arrivent à El C. des importations phén. provenant de la région de Gadès, parmi lesquelles on remarque de nombreuses amphores, plats et œnochoés à bobèche. Le site doit sa célébrité à la découverte d'un trésor de parures en or trouvé dans une cachette aménagée au début du VIe s. Le trésor était composé de 21 pièces d'or massif qui ont probablement fait partie de l'habit de cérémonie d'un chef indigène. Leur style ornemental est un mélange de traditions de l'Orient et du monde atlantique. C'est, en fait, le style qui exprime le mieux l'art tartessien →orientalisant des VIIe-VIe s. Parmi les pièces du trésor on remarque un grand pectoral rectangulaire pesant 245 g, décoré de rosettes incrustées en capsule, deux bracelets cylindriques décorés de rosettes et d'hémisphères, huit plaques rectangulaires, un collier et plusieurs médaillons. Le trésor, l'architecture et le plan de cette localité sévillane montrent la richesse et l'opulence atteintes par la société indigène à l'époque de la colonisation phén. La distribution de la céramique locale d'El C. dans le territoire tartessien et la topographie de la zone témoignent d'une société articulée autour d'un nombre réduit de centres de pouvoir qui, comme El C., →Carmona ou Setefilla, dominaient des régions riches en ressources minières et agricoles, ainsi qu'en bétail. Il convient d'ajouter que la fameuse statuette de l'→"Astarté de Séville" aurait été trouvée à El C. (fig. 35; TSSI III,16 = CIE 14.01).

Bibl. J. Maluquer de Motes, *Nuevos hallazgos en el área tartésica*, Zephyrus 9 (1958), p. 201-219; J. de Mata Carriazo, *Tartessos y El Carambolo*, Madrid 1973; AulaOr 4 (1986), p. 327-328 (bibl.). MEAub

CARIENS Si le C. d'un texte de →Mari (A. 1270) est suspect et la localisation de *Karkiša/Karkiya* des textes →hittites incertaine, les *Kāres* "barbarophones" d'Hom., *Il.* II 867, sont bien les C. qui habitaient au Ier mill. av. J.C. le S.-O. de l'→Anatolie, entre les →Lydiens, au N., et les →Lyciens, au S. Employés comme mercenaires en Égypte (Hdt. II 152.154.163; III 11), où ils sont attestés surtout à →Memphis, ils jouissaient de la renommée d'excellents matelots et navigateurs, tel →Skylax de Caryanda (Hdt. IV 44), ce qui les fit parfois associer aux Phéniciens (p.ex. Thc. I 8,1; Xén., *Cyr.* I 1,4; VI 2,10). Comme ces derniers, ils avaient aussi fait partie de la flotte de guerre de Xerxès I (Hdt. VII 93.97.98).

Bibl. KlP III, col. 118-121; RLA V, p. 423-425; W. Eilers, *Das Volk der* karkā *in den Achämenideninschriften*, OLZ 38 (1935), col. 201-213; O. Masson, *Le nom des Cariens dans quelques langues de l'Antiquité*, Mélanges... É. Benveniste, Paris 1975, p. 407-414; T. Petit, *À propos des "satrapies" ionienne et carienne*, BCH 112 (1988), p. 307-322. ELip

CARMEL En hb./phén. *Karmel*, gr. *Kármēlos*, lat. *Carmelus*, crête longue de 20 km, en Israël, dont le promontoire s'avançant dans la Méditerranée est considéré comme la limite méridionale des territoires tyriens. Appelé probablement "Museau de Gazelle" (ANET, p. 228b) dans une inscription égyptienne du temps de Pépi I (*c.* 2330-2280), ce serait le "Cap Saint", *R-(ỉ-)š q-d-š*, des listes toponymiques égyptiennes, bien qu'une identification avec le →Ras en-Naqura soit également possible (→Baal Râsh). Le Pap. Anastasi I, de l'époque de Ramsès II (1279-1212), donne vraisemblablement au C. le nom de *W-s-r* et mentionne son cap (*r-s*). D'après *1 R.* 18, les prophètes de Baal y sacrifiaient au IXe s. à leur dieu, qui pouvait être le Baal de Tyr, →Melqart, puisque ses fidèles étaient les protégés de →Jézabel la Tyrienne et que *1 R.* 18,27 paraît faire allusion au rituel de Melqart et à son rôle de saint patron des trafiquants. Au IVe s., Skyl. 104 qualifie le C. de "montagne sainte de Zeus" et une inscription phén. du IIIe-IIe s., gravée sur une dalle épaisse et trouvée sur les pentes du C. à Haïfa, pourrait se rattacher au sanctuaire du C. (RSF 7 [1979], p. 13-14). En 69 ap. J.C., Vespasien y consulte un oracle (Tacite, *Hist.* II 78,3; Suét., *Vesp.* VIII 6), dont Orose eut encore connaissance en 415 (*Adv. Pag.* VII 9). Une dédicace au "Zeus Héliopolitain du Carmel" (IEJ 2 [1952], p. 118-124) y témoigne *c.* 200 ap. J.C. de l'identification de l'ancien Baal du C. avec le Zeus de →Baalbek. Enfin, le néoplatonicien Jamblique (*c.* 250-325) affirme que Pythagore demeurait souvent seul dans un sanctuaire du C. (*Vita Pythagorae* III 15).

Bibl. ANRW II/8, p. 13-16; DEB, p. 235-236; ThWAT IV, col. 340-351; TRE XVII, p. 657-658, H.P. Kuhnen, *Nordwest-Palästina in hellenistisch-römischer Zeit. Bauten und Gräber im Karmelgebiet*, Weinheim 1987; Aḥituv, *Toponyms*, p. 124-125, 151, 162-163; Bonnet, *Melqart*, p. 137, 139, 142-143. ELip

CARMONA En gr. *Karmṓnē*, lat. *Carmo/Karmo*, ville antique d'Espagne, à 33 km à l'E. de Séville. La zone de Los Alcores et la nécropole de Cruz del Negro, riche en →ivoires hispano-phén. des VIIe-VIe s., ont révélé l'existence d'une agglomération tartessienne influencée par l'art →orientalisant. Selon App., *Iber.* 25.27, P. →Scipion (5) battit sous ses murs, en 206 av. J.C., les troupes carth. d'→Hasdrubal (8). Au temps de la révolte anti-rom. de 197 av. J.C., C. était une forteresse du roi Lixinius (Liv. XXXIII 21,6). Sa nécropole d'époque rom. (Ier s. av. - IIIe s. ap. J.C.) conserve de nettes traces d'une influence pun., perceptible dans les chambres funéraires et les fosses des sépultures à crémation.

Bibl. PECS, p. 197-198; A. Tovar, *Iberische Landeskunde* II/1, Baden-Baden 1974, p. 155-157; M. Bendala (Galán), *La necrópolis romana de Carmona (Sevilla)*, Sevilla 1976; id., *La perduración púnica en los tiempos romanos. El caso de Carmo*, Huelva arqueológica 6 (1982), p. 193-203; C.J. Pérez, AulaOr 4 (1986), p. 328 (bibl.). ELip

CARNÉ En phén. *Qrn*, gr. *Kárnē* ou *Kárnos*, l'actuel *Tall Qarnūm*, à 4 km au N. de →Tartous, en Syrie. Port continental d'→Arwad, distant de 2,6 km de l'île, C. servait de mouillage aux petites embarcations qui transportaient les marchandises jusqu'à l'île d'Arwad. Les seuls vestiges connus de C. sont des monnaies de l'époque hellénistique, qui témoignent d'un culte particulier d'→Eshmun-Asklépios. À l'époque rom., le port d'Antarados (→Tartous) supplanta définitivement C.

Bibl. *BMC. Phoenicia*, p. XXXVIII-XL, 111-112; Dussaud, *Topographie*, p. 125; J.-P. Rey-Coquais, *Arados et sa Pérée*, Paris 1974. LBad

CARPIS La C. rom., l'actuel lieudit Mraïssa, en Tunisie, se trouve à la base du →Cap Bon, sur la côte O. du golfe de Tunis. Elle y fait face à Carthage, distante de 22 km, et devait correspondre à un bourg pun., auquel une colonie rom. se juxtaposa dès le temps de César ou d'Octave Auguste. Des vestiges de la localité pun. sont apparus près du marabout de Sidi Raïs, où l'on a mis au jour trois hypogées accessibles par un puits muni d'escaliers. Ils renfermaient des corps inhumés et un →mobilier funéraire constitué de →céramique (2) de tradition pun. et à vernis noir, qui suggère une datation aux IVe-IIIe s. Par ailleurs, à Karoubia, à proximité de cette nécropole, on a découvert deux têtes de statuettes en terre cuite, dont l'une, féminine, pourrait figurer →Tanit. Cette découverte témoigne peut-être de l'existence d'un sanctuaire rural d'époque rom., semblable à celui de →Thinissut.

Bibl. AATun, fe 21 (La Goulette), no 15; A. Merlin, BAC 1911, p. CCXIX-CCXX; L. Poinssot, BAC 1927, p. 166-167; Desanges, *Pline*, p. 221-222. SLan-ELip

CARTEIA En gr. *Kartēía*, lat. *Carteia*, localité

pun., puis colonie rom. d'Espagne, au fond de la baie d'Algéciras, à *c.* 1.500 m au S.-E. du →Cerro del Prado, site d'un établissement phén. dont C., au nom éminemment phén.-pun., fut la continuation. En effet, si l'établissement du Cerro del Prado fut actif au moins jusqu'au IVe s., les plus anciens vestiges pun. de C. ne remontent qu'au IIIe s. av. J.C., quand Timosthène vit son enceinte et son arsenal, attribuant sa fondation à Héraklès →Melqart (Strab. III 1,7-8 corr. Casaubon). Au cours des fouilles, on a retrouvé des restes de cette enceinte, de la céramique campanienne des IIIe-IIe s. et des monnaies pun. d'Espagne. La plupart des vestiges repérés sont cependant rom., les plus anciens datant de la République. La flotte rom. vint pour la première fois à C. en 206 (Liv. XXVIII 30,3) et la fondation de la colonie rom. de C. fut décidée dès 171 av. J.C. (Liv. XLIII 3).

Bibl. KlP I, col. 1062; PECS, p. 437; PW III, col. 1617-1620; D.E. Woods - F. Collantes de Treán - C. Fernández-Chicarro, *Carteia* (EAE 58), Madrid 1967; A. Tovar, *Iberische Landeskunde* II/1, Baden-Baden 1974, p. 70-72. ELip

CARTHAGE En phén.-pun. *Qrtḥdšt* ("Ville neuve"), gr. *Karkhēdṓn*, parfois *Kharkēdṓn*, d'où confusion occasionnelle avec *Khalkēdṓn* (p.ex. *Ez.* 38,13 gr.), lat. *Carthago/Karthago*, hb. talmudique *Qartîgnî*, arabe *Qarṭāǧanna*.

1 Histoire D'après les données de Timée (FGH 566, fr. 60), C. fut fondée en 814/3 ou 813/2; selon le témoignage unanime des auteurs anciens, ses fondateurs furent des citoyens de la ville de Tyr. Une des causes déterminantes du choix du site de C. aura été sa situation favorable du point de vue commercial et défensif. Il se peut qu'à la tête de la nouvelle fondation se trouvait d'abord un *skn* ("gouverneur"), qui agissait au nom du roi de Tyr. Peut-être au VIIIe-VIIe s., quand C. s'émancipa politiquement, le *mlk*

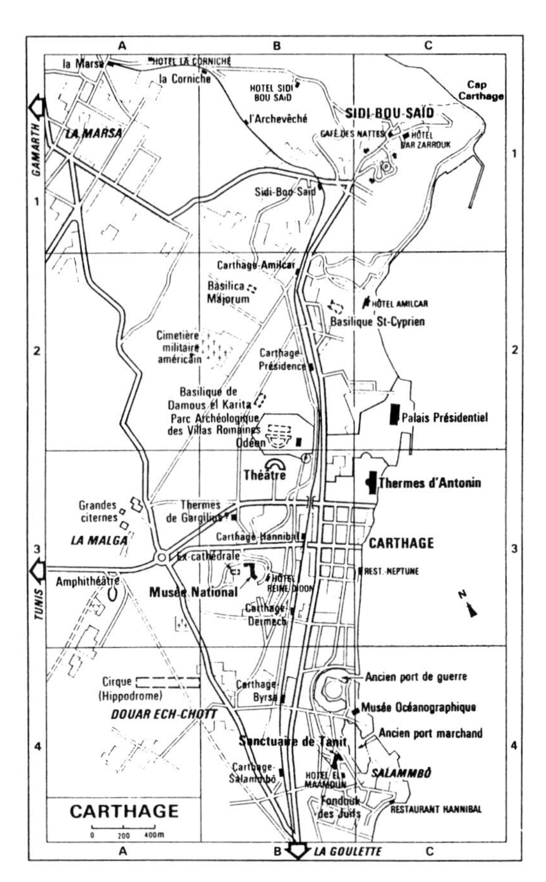

Fig. 58. Plan de Carthage.

Fig. 59. Blocs de fondation du rempart maritime de Carthage au Ve s. av. J.C., sous le Decumanus I *de l'époque rom.*

Fig. 60. Quartier pun. tardif de Byrsa (début du IIe s. av. J.C.): l'îlot C aménagé, avec les unités d'habitation C 2 et C 3.

Fig. 62. Mobilier funéraire de la tombe A. 136 de Byrsa, Carthage (VIIe s. av. J.C.).

("roi") carth. prit-il la place du *skn* tyrien. Au cours du VIe s., il semble que le roi ait été remplacé par un *šp̣t* ou deux *šp̣tm*, "juges" ou →"suffètes". Après une période de stabilisation, la ville connut un essor relativement rapide grâce à un vaste réseau de relations commerciales, soigneusement entretenues et ensuite protégées militairement. Cet essor conduisit finalement à la création de comptoirs et de colonies. En outre, C. réussit, dans des proportions croissantes, à coordonner et à contrôler les divers mouvements d'expansion phén. et à rassembler les divers comptoirs et colonies de l'Occident en un seul Empire qui s'étendait depuis les Autels des →Philènes jusqu'à →Mogador et →Gadès, et englobait les →Baléares, la Corse (→Alalia), la →Sardaigne et l'O. de la →Sicile. Dans la plupart de ces régions éclatèrent des conflits militaires avec les populations indigènes ou immigrées, dont l'occasion fut la défense ou l'extension des intérêts carth.

Particulièrement nombreuses et importantes furent les guerres que menèrent les Carthaginois contre des Grecs de →Sicile (3), à savoir au milieu et vers la fin

Fig. 61. Tombeaux bâtis du versant S.-O. de Byrsa (fin du VIIe-VIe s. av. J.C.), Carthage.

du VIe s., dans la deuxième décennie du Ve s., en 480, puis dans les années 410-405, 397-392, 382-374 ou 373, 368-362(?), 345-339(?) et 311-306, dans la deuxième décennie du IIIe s. et dans les années 278-275.

L'intervention carth. en faveur des Mamertins de Messine en 264 conduisit au conflit avec la puissance rom. en pleine expansion. Les relations entre les deux États s'étaient développées jusqu'alors sans heurt grâce aux →traités (9) conclus entre eux dans la première moitié du Ve s., puis en 348, 343, 306 et 278/9, mais les événements de 264 marquèrent le début de la première des trois →guerres pun. qui furent toutes imposées aux Carthaginois par les Romains. La dernière de ces guerres conduisit à la fin de l'existence de Carthage en tant qu'État.

Depuis le VIe s. au plus tard, la Constitution de la ville était essentiellement oligarchique, ce qui reflète l'organisation de la société carth. comprenant une classe dirigeante et un peuple pourvu de droits comptés. Même si des divergences apparaissaient à l'occasion, les Carthaginois s'accordaient pour tenir en haute estime la religion traditionnelle. WHuß

2 Archéologie (fig. 58). **A** *Nécropoles.* Active dès les dernières décennies du XIXe s., surtout sous l'énergique et persévérante impulsion d'A.L. →Delattre, l'entreprise de redécouverte du site pun. de C. s'est limitée longtemps au domaine funéraire. Avant la 1re guerre mondiale, on connaissait déjà l'essentiel de l'arc dessiné par les →nécropoles (2) qui prennent le site en écharpe et limitent à l'O. et au N. le secteur proprement urbain, des pentes S. de la colline de →Byrsa (fig. 61) au plateau de Bordj Djedid, en passant par la colline dite de Junon et le plateau de l'Odéon avec la colline voisine de Sainte-Monique. Les données chronologiques les plus anciennes étaient alors fournies par certaines →tombes (2) de la colline de Junon et surtout par la fouille des lieux dits Dermech et Douimès (fig. 181, 182, 183, 214, 215, 217, 218). Là, mêlée souvent à un abondant matériel →égyptisant, la céramique gr. d'accompagnement, notamment proto-corinthienne, pouvait servir de critère de datation, comme on l'a reconnu plus tard.

Elle a permis de dater du début du VIIe s., plus rarement de la fin du VIIIe s., le mobilier funéraire de nombre de sépultures (fig. 63, 180) et notamment la →céramique phén.-pun., dont les critères intrinsèques de datation restaient encore imprécis (pl. IVa; fig. 62). Même dans le meilleur des cas, la chronologie des sépultures les plus anciennes restait de près d'un siècle en deçà de la date de 814 av. J.C. Parmi les plus belles découvertes effectuées dans les nécropoles pun. de C., on citera quatre magnifiques →sarcophages (5) et deux →ossuaires "à statue", des →masques grimaçants et des protomés, masculins ou féminins, des poteries gr. de →Corinthe et de la Grande-Grèce, une grande variété de →lampes, des aiguières en bronze, des →ivoires (1B) et des os avec des gravures ou des sculptures de qualité, des →verreries, des intailles, des →scarabées, des →sceaux, des bagues, sans oublier les →stèles (2B) funéraires.

B *Tophet.* L'année 1922 fut marquée par la découverte capitale du →*tophet* (3) (fig. 64) dans le secteur S. de la ville, près de la rive occidentale du port rectangulaire, dans le quartier dit de →Salammbô. Souvent reprise et interrompue, et publiée de façon très partielle, la fouille du *tophet* devait révéler après la 2e guerre mondiale le niveau le plus ancien de cette accumulation sur neuf strates de milliers d'urnes sacrificielles surmontées de →stèles (2A) votives. Un "dépôt de fondation", d'abord daté très haut dans l'enthousiasme de la découverte, puis ramené prudemment à une date voisine de 730/725, fournit encore une des dates les plus hautes que l'archéologie puisse proposer pour C. L'étude de cette aire sacrificielle a du reste été renouvelée ces dernières années par une équipe américaine travaillant dans le cadre de la campagne internationale patronnée par l'UNESCO à partir de 1974. Elle a beaucoup apporté à la connaissance de la C. pun., notamment par ses urnes, ses stèles et les ossements calcinés d'enfants ou d'agneaux de substitution sacrifiés et ensevelis dans l'enceinte sacrée, où l'on a pu distinguer trois grandes périodes d'utilisation, appelées Tanit I (730-600), Tanit II (600-300) et Tanit III (300-146 av. J.C.). L'enceinte a été désacrée par les Romains, qui ont transporté dans d'autres quartiers de la ville un grand nombre de stèles du niveau supérieur pun., contemporain de la prise de C. La tradition du lieu saint n'en persista pas moins et un sanctuaire de →Saturne fut élevé plus tard à l'emplacement même du *tophet*, sans en occuper toute la superficie.

C *"Chapelle Carton" et "Fontaine aux mille amphores".* En 1916, L. Carton découvrit à *c.* 500 m à l'O. du *tophet*, aux abords de la gare de Salammbô alors en construction, les restes d'un sanctuaire pun. d'époque hellénistique, dit "chapelle Carton". Consistant en une *cella* rectangulaire de 4 m sur 4,8 m. La paroi de fond était probablement occupée par un baldaquin, flanqué de colonnettes doriques, qui devait abriter la statue de culte. Il était précédé de deux cloisons en terre battue, revêtues de stuc peint, qui formaient une sorte de niche. Des banquettes longeaient les murs et des consoles portaient des statuettes votives: des →Baals pun., une déesse aux ailes d'épervier, une autre léontocéphale, des figures coiffées du calathos. On doit aussi à L. Carton la découverte, non loin de la conque de Bordj Djedid, d'une fontaine antique, près de laquelle A.L. Delattre avait déjà rencontré un dépôt de *c.* 2.000 grandes amphores.

Fig. 63. Élément de diadème en argent doré: scarabée ailé à tête féminine. Tombe L. 13, Byrsa, Carthage (début du VIe s. av. J.C.).

Fig. 64. Section du tophet *de Salammbô, Carthage (présentation moderne des stèles).*

D *Ports.* En dépit de quelques contestations, l'accord s'était généralement fait sur l'identification des actuelles lagunes avec les bassins ou →cothons des →ports intérieurs de la C. pun. Les travaux d'une équipe britannique dans l'îlot du bassin circulaire, dit de l'Amirauté, ont confirmé qu'il s'agissait bien d'un îlot artificiel, en gros conforme à une célèbre description d'Appien (*Lib.* 96). D'un diamètre de 325 m, il offrait un plan d'eau de *c.* 4 ha, le centre étant occupé par l'îlot qui comportait des cales de radoub entourant, au centre, la capitainerie du port de guerre ou amirauté (fig. 270, 271). Mais il ne semble pas que ces installations soient antérieures au début du IIe s., c.-à-d. à l'époque où le →traité (9) de 202/1 avait mis fin à la 2e →guerre pun. et avait en principe privé C. de sa flotte de guerre. Si la fouille a mis en évidence des traces d'installations portuaires précédentes, celles-ci ne seraient pas, en toute hypothèse, antérieures au IIIe s. C'est également cette date, au plus tôt l'extrême fin du IVe s., que la fouille d'une équipe américaine sur le bord O. de la lagune rectangulaire assigne à la mise en place du bassin du port marchand, qui mesurait plus de 300 m de long sur *c.* 150 m de large et offrait un plan d'eau de plus de 4,5 ha. Il communiquait par un chenal de 20 m de large avec le port militaire et s'ouvrait sur la mer par un goulet situé au S. Quant à l'aspect qu'avait tout ce

secteur de C. avant le creusement des bassins, il ne peut faire l'objet que d'hypothèses, tout comme le point crucial de savoir où cette puissance maritime qu'était C. avait installé ses ports avant le IIIe s.
E *Habitat.* C'est dans le domaine de la connaissance de l'habitat et de l'→urbanisme de la cité pun., surtout aux temps archaïques et à l'époque hellénistique, que les plus importants progrès ont été réalisés depuis les débuts de la campagne patronnée par l'UNESCO. L'emplacement de l'habitat archaïque de C., contemporain des plus anciennes couches du *tophet* et des plus anciennes sépultures trouvées, était complètement inconnu jusqu'en 1983, quand un mur de maison avec deux sols en argile battue, datant de la fin du VIIIe s., fut reconnu pour la première fois à C.-Hannibal. Depuis lors, et surtout depuis 1987, divers vestiges de la ville archaïque ont été identifiés dans la partie N. de la plaine littorale et en bas du versant E. de →Byrsa, un des sondages de la mission allemande ayant livré une dizaine de sols archaïques superposés du VIIIe s. av. J.C. L'habitat archaïque peut désormais être tracé sur une largeur de *c.* 400 m du rivage jusqu'à la mi-pente de Byrsa. Même le schéma orthogonal de l'habitat de la zone côtière remonte à l'époque archaïque, dont datent aussi des vestiges d'ateliers métallurgiques à l'E. de la rue de Septime-Sévère et une grande quantité de céramique, notamment une cruche d'importation phén. ou chypriote de la première moitié du VIIIe s. av. J.C. Il est évident que ces découvertes reposent le problème de la date de la fondation de C. La C. hellénistique a également bénéficié des fouilles récentes dans le domaine de l'urbanisme et de l'habitat domestique. Au bord de la mer, une équipe allemande a mis au jour divers éléments d'un ensemble de maisons qui a subi des remaniements à partir de sa première implantation, au Ve s., jusqu'à la chute de la ville, et qui apparaît lié à un rempart maritime dont le tracé lui-même a évolué (fig. 59). Enfin, sur la pente S. de Byrsa, une équipe française a exhumé tout un quartier (fig. 60) qui, daté du début du IIe s., figure parmi les toutes dernières réalisations urbaines de la cité pun. Ses ruines portent la trace des furieux combats qui marquèrent la chute de C. au printemps de 146 av. J.C. Il faudra ensuite attendre plus d'un siècle pour que la vie y reprenne dans la *Colonia Concordia Iulia Karthago* (cf. App., *Lib.* 136).
3 Mythe Le nom lat. ou gr. de C. devint aussi celui du fondateur mythique de la ville, compagnon de →Zoros. La légende, à laquelle ces personnifications se rattachent, eut moins de succès que celle d'→Élissa-Didon. En revanche, C. devint la cité des Amazones dans une tradition juive transmise par le Talmud de Jérusalem (*Bābā Meṣi'ā* 8c) et des textes parallèles (*Berēšît Rabbā* 33,1; *Wayyiqrā' Rabbā* 27). Selon cette tradition, Alexandre le Grand parvint à C. après avoir traversé les "montagnes de ténèbres" et il s'avança jusqu'à une autre ville dont le nom est "Afrique". SLan-ELip

Bibl. Ad 1: O. Meltzer-U. Kahrstedt, *Geschichte der Karthager* I-III, Berlin 1879-1913; Gsell, HAAN; G.C. Picard, *Vie et mort de Carthage*, Paris 1970; C. Nicolet (éd.), *Rome et la conquête du monde méditerranéen* II, Paris 1978, p. 473-481, 545-593; Huß, *Geschichte*; M. Le Glay, *Les premiers temps de la Carthage romaine: pour une révision des dates*, BAC, n.s., 19B (1983 [1985]), p. 235-247; E. Lipiński (éd.), *Carthago* (StPhoen 6), Leuven 1988.
Ad 2: CEDAC Carthage; PECS, p. 201-202; L. Carton, *Un sanctuaire punique découvert à Carthage*, Paris 1929; Cintas, *Manuel* I-II; H. Hurst-L. Stager, *A Metropolitan Landscape: the Late Punic Port of Carthage*, World Archaeology 9 (1978), p. 334-346; S. Lancel et al., *Byrsa* I-III, Rome 1979-85; H. Benichou-Safar, *Les tombes puniques de Carthage*, Paris 1982; L.E. Stager, *Phoenicisch Karthago. De handelshaven en de tofet*, Phoenix 28 (1982 [1984]), p. 84-113; F. Rakob, *Deutsche Ausgrabungen in Karthago. Die punischen Befunde*, MDAIR 91 (1984), p. 1-5; S. Lancel, *La renaissance de la Carthage punique*, CRAI 1985, p. 727-751; F. Rakob, *Carthage punique: fouilles et prospections archéologiques de la mission allemande*, REPPAL 1 (1985), p. 133-156; id., *Zur Siedlungstopographie des punischen Karthago*, MDAIR 94 (1987), p. 333-349; S. Lancel, *L'enceinte périurbaine de Carthage lors de la troisième guerre punique*, StPhoen 10 (1989), p. 251-278.

CARTHAGE DE CHYPRE En phén. *Qrtḥdšt*, akk. *Qar-ti-ḫa-da-as-ti*, "Ville neuve" fondée par les Phéniciens à Chypre vers le milieu du VIIIe s., au plus tard, puisque →Hiram II de Tyr (*c.* 736-729) y était déjà représenté par un gouverneur. Le roi →Damusi de C. est cité en 673 parmi les tributaires chypriotes d'Asarhaddon, puis parmi ceux d'Assurbanipal, dont les fondés de pouvoir devaient résider à Kition, où la stèle de Sargon II fut érigée dès 707 et où il n'y avait pas à l'époque de souverain local (Fl.Jos., *A.J.* IX 284). Un compte rendu de dépenses mentionne *c.* 400 un certain "Abdoubasti le Carthaginois" parmi le personnel du temple d'Astarté à Kition, ville que le même document appelle *Kt* (TSSI III,33 = Kition III,C,1) et dont la C. en question est par conséquent distincte. Certains auteurs y voient par conséquent un "faubourg neuf" de Kition. Toutefois, comme la dédicace au →Baal du Liban, avec la plus ancienne mention de la C. de Chypre, provient très probablement d'un site voisin de Limassol, c'est Limassol, la "Ville neuve" (gr. *Néa pólis*) du Bas-Empire, ou →Amathonte qui doivent correspondre à C., d'autant plus qu'un roi d'Amathonte manquerait sinon dans la liste assyrienne. Le développement urbanistique d'Amathonte au VIIIe s. confirmerait du reste cette identification. Des Carthaginois, dont le roi →Iomilkos, sont mentionnés à Délos jusqu'au IIe s. av. J.C. et il est possible que ce soient des Chypro-Phéniciens plutôt que des Africains.

Bibl. E. Lipiński, *La Carthage de Chypre*, StPhoen 1-2 (1983), p. 209-234; A. Hermary, *Amathonte de Chypre et les Phéniciens*, StPhoen 5 (1987), p. 375-388; C. Baurain, *Le rôle de Chypre dans la fondation de Carthage*, StPhoen 6 (1988), p. 15-27. ELip

CARTHAGE SARDE Deux dédicaces pun. de Sardaigne, l'une de →Tharros (ICO, Sard. 32), l'autre d'→Olbia (fig. 260; ICO, Sard. 34), mentionnent une *Qrtḥdšt*, "Ville neuve". La première date l'achèvement d'un monument religieux du suffétat d'Adonibaal et de Himilkot, "suffètes à C." (l. 9), tandis que le dédicant de la seconde inscription affirme appartenir au "peuple de C." ou commander "l'armée de C.", suivant le sens donné au mot *'m* (ll. 1-2). Les deux formules indiquent que la C. en question est une ville distincte de Tharros et d'Olbia. On a donc émis l'hypothèse d'une C. sarde rebaptisée *Neápolis* et située au S. du Capo della Frasca, à l'emplacement de →S. Maria di Nàbui qui préserve le nom de la *Neápolis* connue de Ptol. III 3,2.6.7, de Pline, *N.H.* III 85, et citée dans l'*It. Ant.* 84 et la *Tab. Peut.* III 5. Cette hypothèse se heurte toutefois à l'absence d'importants vestiges pun. qui rendraient justice à la solennité exceptionnelle des deux dédicaces. Il faut en conclure, semble-t-il, que celles-ci se réfèrent à la C. d'Afrique et proviennent de généraux ou d'amiraux carthaginois présents en Sardaigne au temps de la 1re →guerre pun. (264-241), ce qui correspondrait à la date présumée des deux inscriptions et à la haute dignité des dédicants pourvus d'une longue généalogie.

Bibl. PECS, p. 615; PW XVI, col. 2123-2124; M.G. Guzzo Amadasi, *Neapolis = Qrtḥdšt, in Sardegna*, RSO 43 (1968), p. 19-21; S.M. Cecchini, *I ritrovamenti fenici e punici in Sardegna*, Roma 1969, p. 59-60; G. Chiera, *Qarthadasht = Tharros?*, RSF 10 (1982), p. 197-202.; E. Lipiński, *Carthaginois en Sardaigne à l'époque de la première guerre punique*, StPhoen 10 (1989), p. 67-73. ELip

CARTHAGÈNE En pun. *Qrtḥdšt* ("Ville neuve"), lat. *Carthago Nova*, gr. *(Néa) Karkhēdṓn* ou *Kainḕ pólis*, ville d'Espagne auprès du cap de Palos, sur une baie qui est le meilleur port de la côte méridionale de l'Espagne (fig. 65) et offre des salines propices à l'industrie de salaison, à proximité de mines d'argent très riches (Pol. X 8,2; 10,1-5). C. fut fondée par →Hasdrubal (4) *c.* 228 av. J.C. (Pol. II 13), dans les parages de Mastia, une ville des Tartessiens (Avienus, *Ora* 449-452). Hasdrubal y construisit un magnifique palais (Pol. X 10,9), y installa de vastes chantiers et arsenaux (Pol. III 95,2; X 8,2.5; Liv. XXVI 51,8; App., *Iber.* 23), ainsi qu'un atelier monétaire dont proviennent les documents les plus significatifs de cette courte période qui sépare la fondation de C. de sa prise par →Scipion (5) l'Africain en 209. En effet, des monuments décrits par Polybe (X 10), qui visita C. en 133, et des vestiges de l'époque barcide, on n'a retrouvé jusqu'à présent que de la céramique pun., surtout des amphores, de la fin du IIIe et du début du IIe s. En revanche, des traces d'un commerce phén.-pun. antérieur au IIIe s. sont venues au jour tant dans la ville même, sous forme de poterie, qu'en mer, près du cap de Palos, où l'on a découvert une ancre en plomb portant des monogrammes d'apparence phén. (CIE 13.01) et l'épave d'un bateau du IVe s., repérée au "Bajo de la Campana I", près de l'Isla Grosa; il transportait, entre autres, des défenses d'éléphant, certaines avec une inscription phén. (CIE 13.02-05). Dans l'arrière-pays, on peut relever, p.ex., un graffito pun. sur un plat précampanien trouvé dans une tombe de la nécropole ibérique d'El Cigarralejo, près de Mula (prov. de Murcia). Par ailleurs, les trouvailles de poterie avec estampilles ou épigraphes (néo)pun. (CIE 13.06-12) témoignent de l'usage de la langue pun. dans la région de C. jusqu'au Ier s. av. ou ap. J.C.

Fig. 65. Plan de la Carthagène antique.

Bibl. KlP I, col. 1063; PECS, p. 202-203; PW III, col. 1620-1626; H.H. Scullard, *Scipio Africanus in the Second Punic War*, Cambridge 1930, p. 56-99, 290-299; F.W. Walbank, *A Historical Commentary on Polybius* II, Oxford 1967, p. 205-211; R. Étienne, *À propos du "garum sociorum"*, Latomus 29 (1970), p. 297-313 (voir p. 302-305); J. Más, *El puerto de Cartagena*, Cartagena 1979; J.R. García del Toro, *Cartagena*, Cartagena 1982; M. Koch, *Alḗtēs, Mercurius und das phönikisch-punische Pantheon in Neukarthago*, MM 23 (1982), p. 101-113; id., *Isis und Sarapis in Carthago Nova*, MM 23 (1982), p. 347-352; A. Rodero Riaza, *La ciudad de Cartagena en época púnica*, AulaOr 3 (1985), p. 217-225; J. Sanmartín Ascaso, *Inscripciones fenicio-púnicas del sureste hispánico (I),* AulaOr 4 (1986), p. 89-103. FMol-ELip

CARTHALON En pun. *Mlqrtḥlṣ*, gr. *Karthálōn*, lat. *C/Karthalo* ("Melqart a sauvé"), anthroponyme bien attesté à Carthage, où il est porté notamment par des suffètes (p.ex. CIS I,5523,3).

1 C., prêtre carth. vers le milieu du VIe s. Il fit offrande de la dîme du butin pris par son père →Malchus en Sicile à Hercule-Melqart à Tyr. Comme C., après son retour, hésitait à se ranger du côté de son père en révolte, celui-ci le fit crucifier (Just. XVIII 7,7-15; Orose, *Adv.Pag.* IV 6,8). KGeus

2 C., commandant en chef carth. durant la 1re →guerre pun. Il semble avoir assumé ce commandement dès 256, après le rappel d'→Hamilcar (7) de Sicile. En 255 (?), après le succès carth. près de Tunis et la catastrophe navale rom. au large de Camarine, il s'empara de la base d'opérations rom. à Agrigente (Diod. XXIII 18,2). L'année suivante, lorsque la lutte reprit en Sicile avec une force accrue, C. put tenir →Trapani, mais pas Palerme (Diod. XXIII 18,3-5; Zon. VIII 14,4-5). Il s'ensuivit un affaiblissement notable de la position carth. dans l'île. Cinq ans plus tard, en 249, C. dirigeait la flotte carth. dans les eaux siciliennes, apparemment sous le commandement suprême d'Adherbal (→Adarbaal 2) (Pol. I 53,2-4). Des attaques contre les navires rom. près de →Lilybée (Pol. I 53,1-7) et près de Phintias ne furent cependant que des succès partiels (Pol. I 53,10-13; Diod. XXIV 1,7) et la nouvelle défaite des Romains près de Camarine (Pol. I 54; Diod. XXIV 1,8-9) était due plus à leur manque d'expérience sur mer qu'aux capacités stratégiques et tactiques de C. C. obtint des succès mineurs lors de la reprise passagère du fort d'Aigithallos, près d'Éryx, en 249 (Diod. XXIV 1,10-11; Zon. VIII 15,14), et lors de raids effectués sur la côte italienne en 248 (Zon. VIII 16,1). Il semblerait qu'il n'est pas venu à bout de problèmes causés par des mutins (Zon. VIII 16,2). La situation militaire de Carthage en Sicile s'améliora seulement sous →Hamilcar (8) Barca, le successeur de C. WHuß

3 C., hypostratège carth. dont les cavaliers numides exterminèrent, en 217, le détachement de cavalerie rom. de L. Hostilius Mancinus (Liv. XXII 15,4-10). Après la bataille de Cannes, il fit prisonniers 2000 soldats rom. en fuite (Liv. XXII 49,13). Il est possible qu'il a été commandant de Tarente jusqu'à la prise de la ville en 209, quand il fut abattu par un soldat rom. (Liv. XXVII 16,5; App., *Hann.* 49).

4 C., négociateur carth. qui se rendit à Rome après la bataille de Cannes pour traiter avec le Sénat au nom d'Hannibal (Liv. XXII 58,7-9).

5 C., officier recruteur carth. en Espagne, s'il faut lire C. à la place de *dictator* dans Liv. XXIII 13,8.

6 C., envoyé carth.; en 212, sur ordre d'Hannibal, il aurait porté le cadavre de Ti. Sempronius Gracchus (→Gracques 2) dans le camp rom. (Liv. XXV 17,7).

7 C., homme politique carth. du "parti national-démocrate". Avec →Hamilcar (16) le "Samnite", il chassa en 151 le "parti" de →Massinissa I hors de la ville (App., *Lib.* 68; 70).

8 C., boétharque carth. qui, en 153, attaqua les Numides dans une région contestée par →Massinissa I et Carthage, et incita les paysans libyens à la révolte contre eux (App., *Lib.* 68). Pour apaiser les Romains, il fut condamné à mort (App., *Lib.* 74). KGeus

Bibl. Benz, *Names*, p. 140, 311.
Ad 2: O. Meltzer, *Geschichte der Karthager* II, Berlin 1896, p. 310-311, 328-338, 573-581; Huß, *Geschichte*, p. 237-238, 244-247.

CARTIMA Petite ville de l'Espagne rom., l'actuelle Cártama, située sur une colline surplombant le Guadalhorce, à moins de 20 km de l'embouchure. Le site a livré plusieurs inscriptions lat. (CIL II, 1949-1962; 5488), d'où il résulte que la ville était administrée par des décemvirs (CIL II, 1953), que l'on a considérés comme une survivance d'institutions pun. (cf. CIS I, 175). Le toponyme a une apparence phén.-pun. et mérite d'être comparé au nom de la localité sidonienne de →Qartimme, "Ville-sur-Mer". Il siérait mieux à l'établissement phén. découvert à l'embouchure du →Guadalhorce, mais il a pu se déplacer suite à l'abandon du site côtier au VIe av. J.C. C. n'a pas fait l'objet de fouilles modernes, mais on y a trouvé au XIXe s. une mosaïque représentant Héraklès avec les symboles de ses Douze travaux.

Bibl. PW III, col. 1626-1627; T.R.S. Broughton, *Municipal Institutions in Roman Spain,* CHM 9 (1965), p. 126-142 (en part. p. 130); A. Tovar, *Iberische Landeskunde* II/1, Baden-Baden 1974, p. 132. ELip

CASTILLO DE DOÑA BLANCA Site d'une localité tartessienne près de Puerto de Santa María, à l'embouchure du Guadalete (fig. 147), face à →Gadès (Espagne). Les fouilles en cours depuis 1979 ont permis de reconnaître dans le tell, mesurant 300 m de long sur 200 m de large, une séquence stratigraphique continue de 8 à 10 m qui correspond à la période allant de la première moitié du VIIIe à la fin du IVe s. av. J.C. et est contemporaine, par conséquent, de l'époque phén. à Gadès. La nécropole constituée de tumulus y occupe une surface de 1 km^2. Un des résultats majeurs des fouilles de ce site →orientalisant serait de montrer que l'influence phén. s'est fait sentir dans la région de Gadès à partir de la première moitié du VIIIe s. et que les origines de l'établissement phén. de Gadès remontent approximativement à la même époque.

Bibl. D. Ruiz Mata, *Las cerámicas fenicias del Castillo de Doña Blanca*, AulaOr 3 (1985), p. 241-263; id., *Castillo de Doña Blanca*, MM 27 (1986), p. 87-115. ELip

CÁSTULO Ville rom. d'origine ibérique située près de Linares, en →Andalousie (Espagne). Bâtie en un point stratégique, au croisement des principales routes vers Tartessos, Grenade et la côte méditerranéenne, capitale d'un district minier de premier ordre, riche en plomb argentifère, elle devint une des villes les plus importantes de la Haute Andalousie. La première occupation du site par les Ibères orétains date du Bronze Final. C. éveilla rapidement l'intérêt des Phéniciens de la zone de →Gadès à cause de ses ressources minières et, comme résultat, tomba dans leur sphère d'influence. La richesse de la région s'exprime dans l'art →orientalisant de C., dans ses tombeaux princiers et dans le plan de la ville jusqu'à l'époque rom. L'épouse d'→Hannibal (6), Imilce, était originaire de C. (Sil. It. III 66.97-107; IV 774-807; cf. Liv. XXIV 41,7). Durant les →guerres pun., la ville ibérique prit parti pour Carthage.

Bibl. PECS, p. 208; A. Blanco, *El ajuar de una tumba de Cástulo*, AEArq 36 (1963), p. 40-69; J.M. Blázquez, *Cástulo* I-IV, Madrid 1975-84. MEAub

CEBELIREIS DAĞI Montagne du S.-O. de la Turquie, dont un versant portait la cité antique de Laertes, située à 15 km à l'E. On y a découvert en 1980 une longue inscription phén. du dernier quart du VIIe s. av. J.C. Son but semble être de légitimer le droit de *Msnzmš* sur certains vignobles de la région. Plusieurs anthroponymes anatoliens, souvent de facture louvite, y sont rendus en phén., dont *Wryk* qui n'est autre qu'un des rois →Urikki. Certains toponymes sont aussi évocateurs de la plaine cilicienne: *'drwz*, probablement Adrassos, et *Kw*, Qué. L'inscription contient une référence à →Baal *kr*.

Bibl. P.G. Mosca - J. Russel, *A Phoenician Inscription from Cebel Ires Dağı in Rough Cilicia*, EpAn 9 (1987), p. 1-28. RLeb

CÈDRE →Bois.

CÉRAMIQUE 1 Orient C'est seulement depuis vingt ans qu'on connaît le répertoire et la séquence de la Phénicie même. Les fouilles de →Sarepta, →Tyr, Tell →Keisan, Tell →Abu Hawam et →Kition à Chypre ont livré assez de matériel pour qu'on en élabore la chronologie. Au Bronze Récent, la côte syro-phén. a le même répertoire c. que le reste de

Fig. 66-67-68. Céramique phén.: plats bichromes et cruche Red Slip.

Canaan. Après *c.* 1200, lorsque l'aire cananéenne se réduit à la zone côtière, émerge un répertoire distinct, plus proche de la c. chypriote que de celle de l'arrière-pays. La c. de l'âge du Fer connaît deux grandes périodes: une phase *Bichrome*, *c.* 1200-850, et une phase *Red Slip*, *c.* 850-550. Pendant la première phase, les cercles concentriques noirs, rouges et parfois blancs constituent la décoration la plus prisée. Après *c.* 850, le décor à engobe rouge poli est plus répandu, tandis que le décor bichrome n'est utilisé que pour les bandes, exceptionnellement pour les cercles. Vu le haut niveau de l'artisanat phén. en général, la qualité médiocre des vases surprend. En effet, la c. est d'ordinaire très fruste, sauf de rares exceptions comme la très belle *Red Slip* produite après *c.* 850. La forme la plus courante est alors celle de grands plats ouverts avec un rebord évasé, un engobe (*slip*) rouge soigneusement poli (*burnished*) et, sur la base, des cercles concentriques incisés et peints (fig. 66-67); la paroi est si mince qu'il est rare de trouver des spécimens intacts. Appelée d'abord c. de Samarie (*Samaria Ware*), où elle fut identifiée pour la première fois, elle devrait être qualifiée plutôt de *Phoenician Fine Ware*. À la même époque que ces plats, on trouve des cruches à très bel engobe rouge et parfois noir (fig. 68). L'apparition de ces types, inspirés peut-être de prototypes en métal, fut bientôt survie d'une production en masse de qualité inférieure.

À l'exception de cette manifestation de créativité, due peut-être à un seul atelier, le répertoire phén. présente des traits accusés de conservatisme pendant plus de sept siècles: évolution très lente et nombre de formes de base limité. En fait, la production de chaque période se réduit à quelques formes courantes, dont les principales sont la jarre de stockage, le plat ouvert et la cruche. Pendant tout l'âge du Fer, la jarre n'évolua guère par rapport au type cananéen du Bronze Récent: un bord vertical bas, une épaule carénée et deux anses descendant de l'épaule à la panse qui se termine en pointe (fig. 69). *C.* 800 apparaît une variante appelée "jarre torpedo"; souvent faite d'une argile plus dure (*Crisp Ware*), elle est un peu plus haute et plus étroite; avec le temps, sa panse présente un étranglement et, au terme de l'âge du Fer, la base est en forme de cloche. Le plat phén. courant est très frustre, avec une base détachée à l'aide d'une ficelle et des parois évasées. Les variations des extrémités de la lèvre se révèlent utiles pour la chronologie. Au début de l'âge du Fer, l'arête présente une petite saillie qui devient peu à peu un petit bourrelet, avant de disparaître au profit d'un simple lèvre. Au terme de la phase *Bichrome*, les cercles concentriques noirs et rouges sur la face interne des plats sont courants; par la suite, ce décor disparaît et on retrouve sur la lèvre un petit bourrelet qui grossit et prend un profil concave au cours de la période *Red Slip*, jusqu'à ce que la majeure partie de l'intérieur soit couverte par ce bord.

La cruche avec un col en arête est le vase phén. le plus typique et le plus utile pour la chronologie. Dérivée probablement de la gourde de pèlerin à deux poignées du Bronze Récent, elle a une seule poignée au début de l'âge du Fer et ses flancs sont régulièrement décorés de cercles concentriques bichromes ou polychromes (fig. 70). Au début, son bord est simple et sa base ronde nécessite l'usage d'un support; à partir de *c.* 950, il en existe une version à fond plat circulaire (fig. 71). Peu à peu, la lèvre développe une extrémité carrée. Deux types de décor coexistent alors: des bandes concentriques bichromes sur le col, en plus des cercles concentriques (fig. 72), et un enduit rouge poli général (fig. 73). Au début de la phase *Red Slip*, les cercles concentriques disparaissent (fig. 74) et, à la fin du VIIIe s., la lèvre carrée cède la place à une bobèche (*mushroom lip*) (fig. 75). Au

Fig. 69. Céramique phén.: amphore commerciale.

tique, il existe de nombreuses productions régionales sur lesquelles l'influence indigène est plus ou moins importante: nuragique en Sardaigne, tartessienne en Espagne. Il n'y a cependant aucun doute quant à l'origine orientale des produits occidentaux: la plupart des prototypes peuvent être retrouvés dans les centres de la Phénicie. L'étude de la c., déjà complexe en raison de l'étendue de la colonisation phén., se complique encore du fait de l'absence d'un corpus ou, tout au moins, d'un ouvrage général de référence, qui unifierait les principaux types connus, comme c'est le cas pour la plupart des catégories de la c. gr. et rom.

A *Formes d'origine orientale.* Parmi les formes les

70

71

Fig. 70-71. Céramique phén.: "cruches à arète".

VIIe et au début du VIe s., cette lèvre s'élargit et la panse s'allonge (fig. 76-77); telle est la forme la plus courante rencontrée dans les colonies phén.

À l'âge du Fer, presque toutes les formes phén. sont reproduites par des formes chypriotes ou reproduisent ces dernières, ce qui n'a pas été sans entraîner des confusions. Dans bien des cas cependant, un examen direct de ce qui, à première vue, semble identique, révèle des traits distincts; les versions chypriotes sont toujours de meilleure qualité: leur pâte est plus fine et plus dure, la forme et le décor plus soignés. Les spécimens phén. sont souvent faits d'une pâte très tendre qui s'émiette; on trouve fréquemment des vases de guingois, couverts d'empreintes de doigts et au décor maculé d'éclaboussures. Leur utilité comme indicateur chronologique n'en est toutefois pas affectée et la poterie phén. commence à livrer des indices précis sur l'histoire de l'expansion phén. en Méditerranée. Les plus anciens spécimens identifiés à ce jour en dehors de la Phénicie même sont ceux d'un lot très riche de Palaepaphos-Skales, dans l'O. de Chypre, daté du XIe s., ceux de →Crète, du Xe s., et quelques tessons de →Huelva, en Espagne, datant probablement du début du VIIIe s. PBik

2 Occident La c. est un élément essentiel permettant de déceler la présence phén. en Méditerrannée occidentale, où l'œil averti distingue aisément ses caractéristiques particulières. De Carthage à l'Atlan-

Fig. 72-77. Céramique phén.: cruches.

plus courantes d'origine orientale, il faut noter: 1) les œnochoés à bobèche (fig. 78) et à embouchure trilobée (fig. 79), destinées respectivement à l'huile et au vin, ainsi que les petites bouteilles ou jarres à fond arrondi; — 2) les bols carénés et les grands plats à bord légèrement recourbé et à cuvette centrale (fig. 86), ainsi que les →lampes à un et surtout deux becs (fig. 85); — 3) les trépieds, connus en Orient dès le IIIe mill., mais faits en pierre, alors qu'en Occident ils sont normalement en terre cuite, donc plus fragiles; leur usage est encore discuté: bases d'appui pour amphores ou plutôt mortiers, aisément transportables, pour la préparation de colorants, peintures, etc. (fig. 84); — 4) les amphores dont deux types principaux sont représentés, l'un dans l'extrême Occident, l'autre en Méditerranée centrale; tous deux proviennent de la "jarre cananéenne" du IIe mill., mais l'amphore occidentale dite "à sac" (fig. 82) et aussi R-1, à cause de son identification dans les fouilles de →Rachgoun, a des prototypes plus directs en Palestine à l'âge du Fer II A-B (Megiddo, Hazôr) et à Tyr, dès le XIe s. av. J.C. Dans les fouilles de ce dernier site, le type est très abondant dans la strate IX (IXe s.), qui semble être à l'origine de la forme exportée en Occident et répandue dans la région du Détroit de Gibraltar. Le type fréquent à Carthage, en Sardaigne et Sicile, etc., a un corps plus allongé qu'ovoïde, sans l'épaulement caractéristique de la

R-1. La décoration habituellement utilisée sur bon nombre des formes, particulièrement sur bols, plats et jarres diverses, est un engobe rouge d'origine également orientale, bien connu en Phénicie et à Chypre (*Red Slip Ware*); sa couleur peut varier entre le rouge foncé et le châtain clair. La décoration à bandes et filets noirs, bruns et rouges est fréquente, elle aussi.

B *Formes développées à partir de prototypes orientaux.* Outre les formes qui viennent directement de l'Orient, les colonies phén. ont développé des modèles qui leur sont propres, soit à partir de prototypes orientaux peu utilisés en Phénicie, soit en empruntant des formes ou des techniques qu'elles ont trouvées dans les régions où elles ont été établies. Parmi les premières, il faut relever: 1) les *pithoi* ou jarres ovoïdes à deux ou quatre anses doubles et petites, qui vont de la lèvre à la partie supérieure du corps (fig. 81). Elles sont attestées à Tell er →Reqeish, à →Khaldé et dans quelques autres sites orientaux, mais ne semblent pas y avoir été très répandues. Rares en Méditerrannée centrale, elles ont connu un grand succès en Espagne, en Algérie et au Maroc; très souvent elles portent une décoration de bandes et filets de couleurs différentes, foncées en général. — 2) Les urnes du type *Cruz del Negro* — du nom du site andalou où elles furent découvertes en grand nombre —, appelées aussi "amphores à col" ou "jarres à décrochement", possèdent un corps globulaire ou ovoïde, deux anses doubles et un haut col caréné qui se termine par une lèvre assez marquée (fig. 83); décorée souvent comme les *pithoi*, cette forme se retrouve en Occident, plus rarement en Sicile, où elle reflète déjà une certaine évolution. — 3) Les ampoules ou petits flacons à huile, au goulot renflé et au corps ovoïde, bien connus depuis les fouilles de →Mogador, sont une des c.-guides de la colonisation phén. d'Occident; retrouvées en Orient à →Akzib, →Byblos, Sarepta, Tyr, elles ont connu une large diffusion, confirmée par leur présence dans tous les centres coloniaux, de Carthage à l'Atlantique (fig. 80).

C *Formes empruntées à la céramique indigène.* L'influence des cultures indigènes sur les colonies phén. est illustrée le mieux dans le cas de la c. grise phén. d'Occident. Parfaitement distinguée maintenant des productions gr., qui sont postérieures, cette c. est produite dans le S. et le S.-E. de l'Espagne. Elle conserve les types de bols et de plats orientaux, mais s'en distingue par une pâte et une surface gris foncé, polie, qui résulte d'une technique tartessienne remontant au IIe mill. (fig. 87).

Toutes ces productions, sans exception, sont de la c. tournée. Cependant, surtout aux VIIIe-VIIe s., les colonies phén. ont fait usage d'une certaine quantité de c. modelée qui correspond à des productions locales destinées à l'usage commun (cuisine, etc.) et ne constitue pas un produit indigène, comme on l'avait pensé. Ce genre de récipients disparaît pratiquement au VIe s. L'occupation permanente des sites antiques jusqu'à nos jours, qui empêche la fouille des habitats et oblige à intensifier les recherches dans les nécropoles, a marqué les études actuelles de la c., tout comme nombre d'autres aspects de la culture phén. Par conséquent, nous connaissons bien les vases déposés dans les tombes et les ensembles funéraires, mais seules les plus récentes recherches en Italie, en Espagne et à Carthage permettent maintenant d'aborder l'étude systématique des associations de c. d'usage courant: vaisselle domestique, de transport, de cuisine, etc. CGómB

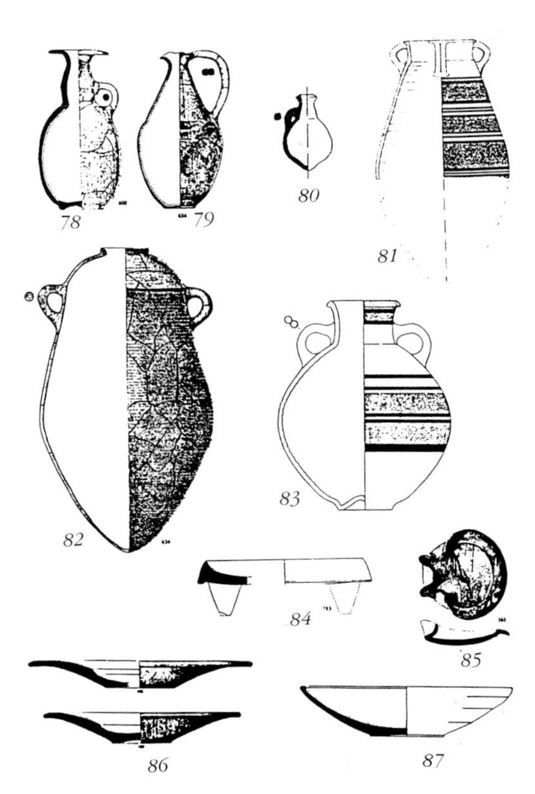

Fig. 78-87. Céramique pun.

Bibl. Ad 1: J. du Plat Taylor, *The Cypriot and Syrian Pottery from al Mina, Syria,* Iraq 21 (1959), p. 62-92; R. Saidah, *Fouilles de Khaldé,* BMB 19 (1966), p. 51-90; S.V. Chapman, *A Catalogue of Iron Age Pottery from the Cemeteries of Khirbet Silm, Joya, Qrayé and Qasmieh of South Lebanon,* Berytus 21 (1972), p. 55-194; P. Bikai, *The Pottery of Tyre,* Warminster 1978; W.P. Anderson, *A Stratigraphic and Ceramic Analysis of the Late Bronze and Iron Age Strata of Sounding Y at Sarepta (Sarafand, Lebanon),* Diss. Univ. of Pennsylvania 1979; J. Briend - J.-B. Humbert, *Tell Keisan,* Paris 1980; P. Bikai, in V. Karageorghis (éd.), *Palaepaphas-Skales,* Konstanz 1983, p. 396-406; J. Fernández Jurado, *Tell Abu Hawam: Catálogo de los materiales del Estrado III,* Mémoire de l'École Biblique et Archéologique française de Jérusalem, Jérusalem 1983; J.N. Coldstream, *Cypriaca and Cretocypriaca from the North Cemetery of Knossos,* RDAC 1984, p. 122-137; C. Briese, *Früheisenzeitliche bemalte Phönizische Kannen von Fundplätzen der Levanteküste,* Hamburger Beiträge zur Archäologie 12 (1985), p. 7-118; J. Fernández Jurado, *La influencia fenicia en Huelva,* AulaOr 4 (1986), p. 211-225; P.M. Bikai, *The Phoenician Pottery,* in *La nécropole d'Amathonte. Tombes 113-367* II, Nicosia 1987, p. 1-19.

Ad 2: P. Cintas, *Céramique punique*, Paris 1950; A.M. Bisi, *La ceramica punica. Aspetti e problemi*, Napoli 1970; P. Bartoloni, *Studi sulla ceramica fenicia e punica di Sardegna*, Roma 1983; G. Maass-Lindemann, *Vasos fenicios de los s. VIII-VI en España. Su procedencia y posición dentro del mundo fenicio occidental*, AulaOr 4 (1986), p. 227-239; M. Vegas, *Karthago: stratigraphische Untersuchungen 1985. Die Keramik aus der punischen Seetor-Strasse*, MDAIR 94 (1987), p. 352-412.

CERNÉ →Mehdia.

CERRO DE LA MORA Site indigène →orientalisant près de Moraleda de Zafayona, à 30 km à l'O. de Grenade (Espagne).

Bibl. AulaOr 4 (1986), p. 329 (bibl.). ELip

CERRO DE LA TORTUGA Site d'un village ibéro-pun. des IVe-IIe s. av. J.C., à 3 km au N.-O. du centre de Málaga (Espagne) et à 3 km de la côte méditerranéenne; il se trouve à 174 m d'altitude.

Bibl. AulaOr 3 (1985), p. 134, n. 75; 4 (1986), p. 319 (bibl.). ELip

CERRO DEL MAR →Toscanos.

CERRO DEL PEÑON →Toscanos.

CERRO DEL PRADO Établissement phén. d'Espagne situé près de San Roque, au fond de la baie d'Algéciras, à *c.* 1.500 m au N.-O. de la →Carteia rom. Le site surplombe de *c.* 20 m la rive gauche du Río Guadarranque et se trouve aujourd'hui à 1.500 m du rivage, séparé de la mer par un cordon de dunes et un large marais. Dans l'Antiquité, la mer bordait le monticule habité, où l'on discerne des murs de pierres et des murs de briques en argile séchée. Seules des prospections de surface ont été effectuées. L'étude du matériel phén. récolté — céramique polychrome, à engobe rouge, sans décor, des amphores — permet de situer le début de l'occupation phén. dans le courant du VIIe s. Cet établissement est resté actif au moins jusqu'au IVe s., comme l'attestent les fragments de vases phén., quelques tessons peints imitant les productions de la Grèce de l'E. et les fragments de vases attiques à vernis noir ou d'amphores corinthiennes.

Bibl. M. Pellicer - L. Menanteau - P. Rouillard, *Para una metodología de localización de colonias fenicias en las costas ibéricas: el Cerro del Prado*, Habis 8 (1977), p. 217-251; P. Rouillard, *Brève note sur le Cerro del Prado*, MM 19 (1978), p. 152-160; H. Schubart, *Phönizische Niederlassungen an der Iberischen Südküste*, H.G. Niemeyer (éd.), *Phönizier im Westen*, Mainz a/R 1982, p. 207-234 (en part. p. 213). PRou

CERRO DEL VILLAR →Guadalhorce.

CERRO DE MONTECRISTO →Abdère.

CERRO DE SAN CRISTOBAL →Almuñécar.

CERRO MACARENO →Andalousie, →Séville.

CERRO SALOMÓN →Huelva, →Métallurgie.

CEUTA En arabe *Sabta*, enclave espagnole sur la côte marocaine de la Méditerranée, où la ville moderne recouvre les vestiges d'un site antique, dont les origines sont préhistoriques. Sa situation sur une presqu'île se prête à une escale maritime au pied du Mont Acho ou *Abyla* (Pline, *N.H.* III 4; V 18), l'actuel

Fig. 88. Vue aérienne de la presqu'île de Ceuta et des Colonnes d'Hercule.

Djebel Mousa (842 m). Cette deuxième Colonne d'Hercule domine l'entrée S. du Détroit de Gibraltar (fig. 88, 154). Identifiée à *Ad Abilem*, C. eut des rapports commerciaux avec les villes voisines de l'époque pun. Les monnaies de →Gadès, →Málaga, Cástulo-Caesaraugusta (Zaragosse), →Carthagène, →Mérida, →Carmona, trouvées sur la plage, confirment aussi les relations de C. avec des comptoirs de la Péninsule Ibérique. Cependant, aucune monnaie autonome à légende pun., propre à la ville, n'a été retrouvée, ce qui indiquerait, s'il faut émettre une hypothèse risquée, que C. était une escale plutôt qu'un marché exportateur.

Bibl. PECS, p. 215; C. Posac, *Monedas púnicas e hispanoromanas halladas en Ceuta*, Tamuda 6 (1958), p. 117-127; Desanges, *Pline*, p. 148-149. MPon

CHABOT, JEAN-BAPTISTE (16.2.1860-7.1.1948). Théologien et sémitisant français, Ch. se distingua d'abord dans le domaine de la littérature syriaque, à laquelle il s'initia à l'Université de Louvain sous la direction de T.J. Lamy. Cependant, dès 1893, le marquis de →Vogüé s'adjoignit Ch. pour la rédaction des parties phén. et araméenne du CIS, auquel Ch. travailla sans relâche sa vie durant, enrichissant le CIS de plusieurs milliers d'inscriptions, surtout pun. et palmyréniennes. Les quatre premiers volumes du RÉS, destiné à préparer et à compléter le CIS, sont en grande partie son œuvre et son *Recueil d'inscriptions libyques* (Paris 1940-41) n'a été achevé que quelques mois avant sa mort. Ses nombreuses études d'épigraphiste sont dispersées dans différentes revues, dont le JA a publié ses *Punica* (1916-18), ainsi que dans les *Comptes rendus* de l'Académie des Inscriptions et Belles-Lettres, dont il devint membre en 1917.

Bibl. G. Ryckmans, *Jean-Baptiste Chabot, 1860-1948*, Le Muséon 61 (1948), p. 141-152; A. Merlin, CRAI 1948, p. 23-30. ELip

CHAR Dès la fin du IVe-début du IIIe mill., la documentation archéologique fait connaître deux types de c.: un c. lourd à quatre roues (ANEP 169, 303) et un plus léger, à deux roues, toujours pleines (ANEP 163, 166). Un type de c. léger, avec deux roues à quatre rayons, fait son apparition avant 1500. On le relie à la domestication du cheval. Le c., traîné le plus souvent par deux chevaux, est employé pour la guerre et pour la chasse (ANEP 390). En milieu syrien, les premières représentations de c. se trouvent sur des cylindres paléosyriens et montrent des iconographies et un style locaux. Au XIVe s., la coupe en or d'→Ugarit à scène de chasse atteste une iconographie d'origine égyptienne, que l'on retrouve sur les panneaux en ivoire de →Megiddo (1350-1150) et sur la boîte en ivoire d'Enkomi (1200-1150). Au Ier mill., tandis que les schémas iconographiques se transmettent avec un conservatisme remarquable, les détails dans la représentation du c. et du harnachement varient suivant les époques et les ateliers. Les monuments de production phén. sont plutôt liés à la culture figurative égyptienne; ceux de production syrienne se rapprochent plutôt de l'art figuratif mésopotamien. Les figurations les plus nombreuses apparaissent sur des →coupes de Nimrud, de Grèce et d'Italie (Préneste, Caere) (fig. 109), ainsi que sur des ivoires, surtout d'Assyrie; leur chronologie s'échelonne entre la fin du IXe et le milieu du VIIe s. (pl. IIIa). Dans la zone phén., des exemplaires de c. ont été retrouvés surtout à Chypre dans des contextes funéraires, où ils sont rapportés à l'idéologie de la société homérique; les modèles de celle-ci sont en partie reconduits au Proche-Orient, où le c. est un symbole divin ou royal. En plus des textes, surtout d'Ugarit et de la Bible, la symbolique liée au c. est attestée par les modèles de c. et par les porte-bassins à quatre roues. Les seules mentions épigraphiques du c. en phén. (*'glt*) sont RÉS 1207 (Chypre) et CIS I,346 (Carthage), où il s'agit de "fabricants" de c.

Bibl. F. Studniczka, *Der Rennwagen im syrisch-phönikischen Gebiet*, JDAI 22 (1907), p. 147-196; A. Moortgat, *Der Kampf zu Wagen in der Kunst des alten Orients. Zur Herkunft eines Bildgedankens*, OLZ 33 (1930), p. 842-854; A. Salonen, *Hippologica Accadica*, Helsinki 1956; M.G. Amadasi, *L'iconografia del carro da guerra in Siria e Palestina*, Roma 1965; M.A. Littauer - J.H. Crouwel, *Wheeled Vehicles and Ridden Animals in the Ancient Near East*, Leiden-Köln 1979; P.R.S. Moorey, *The Emergence of Light, Horse-Drawn Chariot in the Near East c. 2000-1500*, World Archaeology 18 (1986), p. 196-215; C. Pare, *From Dupljaja to Delphi: The Ceremonial Use of Wagon in Later Prehistory*, Antiquity 63/238 (1989), p. 101-111; G. Camps, *Les chars sahariens. Images d'une société aristocratique*, AntAfr 25 (1989), p. 11-40. MGAmG

CHASSE, PÊCHE La faune du Proche-Orient antique était nettement plus riche que de nos jours. Beaucoup d'→animaux ont disparu suite à des changements de climat, mais surtout à cause d'interventions humaines: déboisement, chasse excessive, etc. Pendant l'âge d'or de la Phénicie, on pouvait y chasser le lynx (*Lynx pardina*), le léopard (*Felis pardus*), le lion (*Felis leo*), le chacal (*Canis aureus*), l'hyène (*Hyaena hyaena*), l'ours (*Ursus syriacus*), le daim (*Cervus mesopotamicus*), le chevreuil (*Cervus capreolus*), l'éléphant (*Elephas syriacus*), le porc-épic (*Hystrix hirsutissimus*), sans compter une longue liste d'oiseaux, de reptiles, d'amphibies et d'insectes. L'histoire de la ch. en Phénicie concerne avant tout les souverains étrangers. Les pharaons égyptiens y organisaient des parties de ch., comme les Assyriens: Assur-bel-kala (1074-1057) y faisait p.ex. la ch. au bœuf sauvage, au lion et à l'éléphant (AKA, p. 138, col. IV). Les rois perses firent aménager un *paradeisos*, un vaste terrain de ch., aux environs de Sidon (Diod., XVI 41,4). Nous ignorons les façons dont la population locale s'exerçait à la ch., qui semble avoir été modérée, puisque les élevages ovins et caprins suffisaient à l'approvisionnement en viande. C'est pourquoi les fouilles de la factorerie pun. de →Toscanos — où les meilleures recherches ont été effectuées en ce domaine — n'ont fourni que quelques vestiges témoignant de la pratique de la ch. Toutefois, Xén., *Cyn.* II 4, recommande l'usage du lin carth. pour la confection de certains filets employés à la ch.

La p., par contre, était pratiquée de façon intensive. La ville de Sidon aurait même tiré son nom de cette activité. Les habitants de →Gadès allaient pêcher le thon à quatre jours de navigation du Détroit de Gibraltar (Ps.-Arstt., *Mir. ausc.* 136; Strab. II 3,4). L'habileté des Phéniciens semble avoir été telle que des souverains étrangers, p.ex. Assur-bel-kala, recherchaient leur compagnie lorsqu'ils allaient harponner les cétacés. Après la prise, les poissons étaient salés (→garum) et distribués le long des voies commerciales habituelles. C'est ainsi p.ex. que des marchands phén. approvisionnaient Jérusalem en poissons (*Ne.* 13,16). Ce qu'il y avait de plus remarquable chez les Phéniciens, c'était la collecte du murex, le coquillage d'où l'on tirait la →pourpre.

Bibl. E. Soergel, *Die Tierknochen aus der altpunischen Faktorei von Toscanos*, MM 9 (1968), p. 111-115; P. Mouterde, *La faune du Proche-Orient dans l'Antiquité*, MUSJ 45 (1969), p. 445-462; J.K. Anderson, *Hunting in the Ancient World*, Berkeley 1985. WVGu

CHEIKH ZENAD Petit hameau à 4 km au S. du →Nahr el-Kebir, parcouru par le Nahr el-Khoreïbi. Sur sa rive gauche se dresse un tell assez étendu mais peu élevé, au pied duquel gisent les restes d'une installation portuaire. Au-delà de la rivière, la fouille d'une nécropole d'époque perse a livré, entre autres, un superbe rhyton attique. Faute de fouilles, on ne sait préciser le nom de la ville phén. que ce tell recouvre: si →Mahalata correspond à →Tripolis et →Kaïsa à →Qalamoun, on pourrait songer à →Maïsa.

Bibl. E. Pottier et al., *La nécropole de Cheikh Zenad*, Syria 7 (1926), p. 193-208; J.B. Pritchard, *Recovering Sarepta, a Phoenician City*, Princeton 1978, p. 11. EGub

CHELLA →Sala.

CHEMTOU En lat. *Simitthus*, site du N.-O. de la Tunisie, connu à l'époque rom. pour ses carrières de marbre numidique (Pline, *N.H.* V 2; Isid., *Orig.* XVI 5,16), rose et jaune, exporté par le port de *Thabraca*, aujourd'hui *Ṭabarqa* (→Tabarka). Le site de C. comprend un sanctuaire de haut-lieu, bâti par →Micipsa peu après 148 av. J.C. à la mémoire de son père →Massinissa I (fig. 89, 90, 91), puis transformé par les Romains en temple de →Saturne. On a relevé à C. un ensemble extraordinaire de *c.* 300 petits reliefs rupestres (fig. 92, 93), encore inédits, qui figurent notamment des scènes de sacrifice et furent sculptés au flanc de la montagne sacrée, où l'on a également trouvé une stèle en marbre de la fin du IIe s. av. J.C. portant un →"signe de Tanit". La région comptait aussi des monuments funéraires mineurs, comme l'indique la bilingue en néopun. et numide du lieudit *Borǧ Hellal* (KAI 139), à la sortie de C., d'où proviennent également des inscriptions unilingues numides. Mais c'est la découverte de la nécropole numide des IVe-Ier s. av. J.C. sous le forum rom. qui a révélé des monuments funéraires de tradition locale, caractérisés par une architecture originale.

Bibl. AATun, f^e^ 31 (Ghardimaou), n° 70, cf. n° 77 (Bordj Hellal); PECS, p. 841; M. Sznycer, *Le texte néopunique de la bilingue de Bordj Helal*, Semitica 27 (1977), p. 47-57; H.G. Horn - C.B. Rüger (éd.), *Die Numider*, Köln 1979, p. 120-129, 173-180, 424-433, 464-469, 572-573; F. Rakob-F. Kraus, *Chemtou*, Du. Die Kunstzeitschrift 1979/3, p. 36-

Fig. 89. Architrave de la fausse porte du sanctuaire dédié à Massinissa I, Chemtou (c. 140 av. J.C.).

Fig. 90-91. Blocs de la frise du sanctuaire dédié à Massinissa I, Chemtou, décorés, l'un, d'une rondache avec le symbole de l'œil; l'autre, d'une cotte d'arme et d'une égide à tête de Gorgone (c. 140 av. J.C.).

Fig. 92-93. Reliefs rupestres de Chemtou.

70; J.-M. Lassère, *Remarques sur le peuplement de la colonia Iulia Augusta Numidica Simitthus*, AntAfr 16 (1980), p. 27-44; Desanges, *Pline*, p. 291-292; Lepelley, *Cités* II, p. 163-164; *30 ans au service du Patrimoine*, Tunis 1986, p. 130-131. ELip

CHERCHEL En arabe classique *Ašrašāl*, l'antique *Iol-Caesarea*, en Algérie, à 27 km à l'O. de →Tipasa (1). L'élément pun. *Iol*, qui figure au IVe s. av. J.C. dans la liste des comptoirs énumérés par Skyl. 111, se décompose probablement en *'y-ḥl* (hb. *ḥôl*), "Île de sable". C'est précisément dans l'îlot fermant le port de C. que l'on a trouvé les premiers vestiges d'une occupation datable du Ve s. av. J.C. L'agglomération devait déjà être étendue à une date ancienne, puisque les fouilles entreprises par une équipe algéro-britannique au centre de la ville moderne ont révélé, sous le dallage sévérien du forum (*c.* 200 ap. J.C.), des niveaux d'occupation de cette même époque, avec de la céramique et une lampe pun. que les fouilleurs datent aussi haut que le VIe s. av. J.C. On ne sait pas bien à quel moment l'ancien "comptoir" pun. devint une cité royale numide: peut-être dès le IIIe s. av. J.C., sous les rois →masaesyles. En tout cas, vers la fin du IIe s. av. J.C., l'inscription pun. de C. à la gloire de →Micipsa (KAI 161) y atteste l'existence d'un sanctuaire dédié à la mémoire du roi →massyle, qui avait régné de 148 à 118 av. J.C. C. devint ensuite la capitale du roi →Bocchus II de →Maurétanie, au temps de César (Strab. XVII 3,12), puis →Juba II y régna sous le protectorat rom. de 25 av. J.C. à 23 ap. J.C. (Pline, *N.H.* V 20; Strab. XVII 3,12; Pomp. Méla I 30). Son règne contribua grandement au développement et à l'ordonnance urbanistique de la ville, dont Juba changea le nom en *Caesarea* en l'honneur d'Auguste. Divers auteurs supposent que les copies de statues gr. trouvées à C. proviennent d'une collection constituée par le roi. Après l'annexion de la Maurétanie à l'Empire en 40, C. devint le chef-lieu de la nouvelle province de Césarienne. Avec les 370 ha enfermés dans sa muraille, longue de 7 km, elle était certainement l'une des villes les plus importantes d'Afrique et obtint de Claude (41-54) le statut de colonie rom.

Bibl. AAAlg, f^e 4 (Cherchel), n° 16; PECS, p. 413-414; H.G. Horn-C.B. Rüger (éd.), *Die Numider*, Köln 1979, p. 111-116, 227-242, 488-545; Desanges, *Pline*, p. 162-164; N. Benseddik - S. Ferdi - P. Leveau, *Cherchel*, Alger 1983; P. Leveau, *Caesarea de Maurétanie*, Rome 1984, p. 9-13; N. Benseddik, *De Caesarea à Shershel. Premiers résultats de la fouille du forum*, BAC, n.s., 19B (1983 [1985]), p. 451-456; T.W. Potter, *Models of Urban Growth. The Cherchel Excavation 1977-81*, BAC, n.s., 19B (1983 [1985]), p. 457-468; P. Salama, *Vulnérabilité d'une capitale*: Caesarea *de Maurétanie*, L'Africa romana V, Sassari 1988, p. 253-269; N. Benseddik-W. Potter, *Rapport préliminaire sur la fouille du forum de Cherchel*, Alger (sous presse).
SLan-ELip

CHORRERAS Site phén. de la côte de →Málaga, à 800 m à l'E. de la vallée du Río Algarrobo. Les fouilles de 1974 y mirent au jour une des plus anciennes colonies phén. du S. de l'Espagne, puisque ses origines remontent au milieu du VIIIe s. Située sur un promontoire élevé, Ch. a fourni d'abondants vestiges archéologiques d'une seule période d'occupation, *c.* 750-700 av. J.C. Parmi les trouvailles il faut signaler les restes de grands bâtiments séparés par des espaces ouverts et des rues. La présence, dans ces bâtiments, d'un nombre élevé d'amphores et de récipients de grandes dimensions indique que Ch. était un centre commercial de stockage et d'échange de vin, d'huile et de céréales. Le site fut abandonné au début du VIIe s. av. J.C. et ne fut occupé plus tard que de manière sporadique. Il est probable que les Phéniciens de Ch. sont allés grossir la population de la colonie voisine du →Morro de Mezquitilla, convenant mieux à une occupation permanente de la fertile vallée du Río Algarrobo.

Bibl. M.E. Aubet, *Excavaciones en las Chorreras*, Pyrenae 10 (1974), p. 79-108; M.E. Aubet - G. Maass - H. Schubart, *Chorreras. Eine phönizische Niederlassung östlich der Algarrobo-Mündung*, MM 16 (1975), p. 137-159; G. Maass-Lindemann, *Chorreras 1980*, MM 24 (1983), p. 76-103; AulaOr 4 (1986), p. 321 (bibl.).
MEAub

CHOUSOR En phén.-pun. *Kšr/Kyšr*, ug. *Kṯr*, ég. *Kṣrty*, gr. *Khousōr*; dieu artisan et architecte, dont le nom signifie "expert". Il est connu par les textes d'Ugarit, où il est identifié au dieu mésopotamien Éa, puis il est mentionné par Mochos de Sidon (Damasc., *Princ.* 125c), Philon de Byblos, qui l'assimile à Héphaïstos et à Zeus →Meilichios (Eus., *P.E.* I 10,11-12), et le Pseudo-Méliton, qui considère Ch. comme le roi des Phéniciens et le père de Tammuz, dont s'était éprise la →Baalat Gubal. Bâtisseur du palais de Baal, selon les mythes d'Ugarit, il était aussi le dieu forgeron et armurier, l'initiateur de la pêche et des constructions navales, doté de surcroît de pouvoirs magiques. Son culte n'est attesté au Ier mill. que par l'onomastique phén.-pun., à moins qu'il ne fût vénéré aussi sous le nom d'→Eresh. Sur la stèle du tailleur de pierres égyptien Usersetekh, il ne se distingue de →Resheph que par l'équerre qu'il tient de la main droite et qui le caractérise. L'orthographe égyptienne de son nom semble témoigner d'une confusion avec les Kosharôt, sages-femmes divines connues par les tablettes d'Ugarit (*Kṯrt*), le Ps. 68,7 (*Kôšārôt*) et Philon de Byblos ou Porphyre (Eus., *P.E.* I 10,43), qui leur donne, au singulier, le nom de *Khousarthis* et spiritualise leur fonction en leur attribuant la mise en plein jour de la théologie phén. Leur nom n'est qu'un féminin correspondant au masculin *Kšr* et signifie donc "expertes".

Bibl. WM I/1, p. 295-297; J. Leibovitch, *Un nouveau dieu égypto-cananéen*, ASAÉ 48 (1948), p. 435-444; E. Lipiński, *Psalm 68:7 and the Role of the Košarot*, AION 31 (1971), p. 532-537; Benz, *Names*, p. 336; P. Xella, *Il dio siriano Kothar*, P. Xella (éd.), *Magia*, Roma 1976, p. 111-125; E. Lipiński, *Éa, Kothar et El*, UF 20 (1988), p. 137-143.
ELip

CHRÉTÈS →Mehdia.

CHRONOLOGIE La c. permet de situer dans le temps les événements et les phénomènes culturels les uns par rapport aux autres. Nous sommes habitués aujourd'hui à une chronologie absolue, mais le Proche-Orient antique et le monde phén.-pun., en particulier, n'utilisaient jusqu'à l'époque hellénistique que des c. relatives. Par ailleurs, la terminologie des archéologues varie suivant les régions concernées par la civilisation phén.-pun. et leur c. n'est en principe que relative. Elle est basée sur la stratigraphie et consiste à comparer entre eux les artefacts des différents niveaux d'un même tell, puis des autres tells de la même aire archéologique, et enfin d'autres régions. Elle ne se laisse convertir en c. absolue que d'une manière approximative, une marge d'erreur de *c.* 25-50 années devant être considérée comme minime au Ier mill. av. J.C.

1 Systèmes de comput Le monde phén.-pun. a connu divers systèmes de comput, parfois utilisés simultanément.

A *Règne du roi*. La manière la plus répandue consistait à indiquer le quantième de l'année royale, le nom même du roi n'étant indiqué que si le document était destiné à durer plus ou moins longtemps. P.ex., la dédicace d'un autel de Kition porte la date de "l'an 21 du roi Pumayyaton" (Kition III, A 2), mais deux jarres de →Shiqmona sont simplement datées de l'an "25 du roi" (IEJ 37 [1987], p. 28). Ce système est utilisé aussi en Occident, dans l'inscription de →Pyrgi, et encore à l'époque hellénistique, quand les documents sont datés des années de règne des →Lagides, p.ex. à Chypre (KAI 43 = TSSI III,36) ou à Umm el-Amed (KAI 19 = TSSI III,31), puis en Tripolitaine, à l'époque rom., p.ex. quand une dédicace pun. (Trip 21) est datée du 11e consulat de César Auguste (8 av. J.C.). Pour convertir pareilles données en chiffres de c. absolue, il faut connaître l'année d'intronisation des rois et la longueur de leurs règnes respectifs. Dans le cas des États phén., on peut se servir, à cet effet, de la liste des rois de Tyr dressée par Ménandre d'Éphèse et transmise par Flavius Josèphe (*C.Ap.* I 116-126.155-160), des émissions monétaires datées des années de règne d'un souverain, des synchronismes rapportés surtout par les sources néo-assyriennes et gr.-lat., ainsi que des supputa-

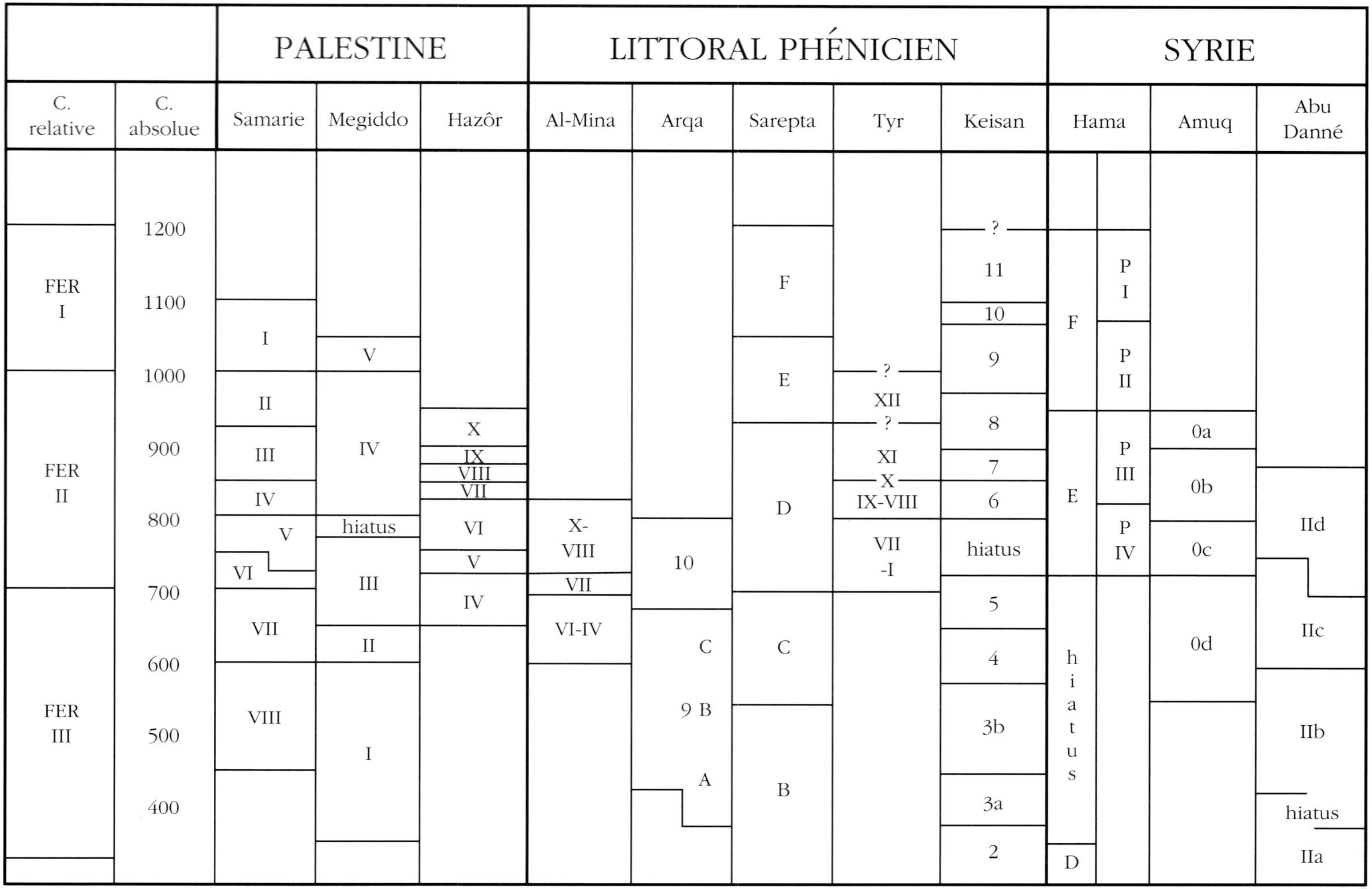

		PALESTINE			LITTORAL PHÉNICIEN					SYRIE		
C. relative	C. absolue	Samarie	Megiddo	Hazôr	Al-Mina	Arqa	Sarepta	Tyr	Keisan	Hama	Amuq	Abu Danné
FER I FER II FER III	1200 1100 1000 900 800 700 600 500 400	I II III IV V VI VII VIII	V IV hiatus III II I	X IX VIII VII VI V IV	X-VIII VII VI-IV	10 C 9 B A	F E D C B	? XII ? XI X IX-VIII VII-I	? 11 10 9 8 7 6 hiatus 5 4 3b 3a 2	F E hiatus D P I P II P III P IV	0a 0b 0c 0d	IId IIc IIb hiatus IIa

Fig. 94. Périodes archéologiques.

tions basées sur les successions dynastiques. L'emploi combiné de ces données permet d'établir des dates approximatives qui sont toujours marquées d'un coefficient d'incertitude (*c.*), plus ou moins important, même si elles sont exprimées en chiffres absolus (fig. 114).

B *Magistrat éponyme.* À Carthage et dans l'aire d'influence pun., on pouvait indiquer la date par la mention des magistrats éponymes de l'année en question, les →suffètes. C'est ainsi que le "tarif de Marseille" est daté de l'éponymat de deux suffètes portant le même nom de *Ḥlṣb'l* (KAI 69). Il y avait certainement des listes de suffètes qui en faisaient connaître la succession, comme c'était le cas en Assyrie, où on a retrouvé des listes de magistrats éponymes qui permettent aujourd'hui encore de situer chronologiquement chacun d'eux. Ce n'est malheureusement pas le cas à Carthage, ni dans aucun autre centre de civilisation pun. Faute de listes de suffètes, ces données ne sont donc pas utilisables pour la c.

C *Ère.* À l'époque hellénistique, les cités phén. de l'Orient font usage non seulement de l'ère des →Séleucides, qui commence en 312/11 av. J.C. (KAI 18), mais aussi de diverses ères locales, qui ne sont pas bien connues. On trouve ainsi des inscriptions phén. datées de l'an 57 de l'ère de Kition (KAI 40), qui commence en 311/10 av. J.C., de l'an 33 de l'ère de Lapéthos (KAI 43 = TSSI III,36), qui débute en 307/6 av. J.C., de l'an 143 de l'ère de Tyr (KAI 18), qui a dû commencer en 275 av. J.C., de l'an 14 de l'ère de Sidon (KAI 60 = TSSI III,41), qui doit être une ère antérieure à celle qui a débuté en 111 av. J.C. Cette diversité de computs ne facilite pas l'établissement d'une c.

2 Périodisations archéologiques Les périodisations archéologiques relatives à la civilisation phén.-pun. sont compliquées du fait de l'emploi de terminologies diverses et de l'expansion de la culture phén. qui a atteint des régions qui appartenaient à des niveaux différents de la civilisation matérielle. C'est ainsi, p.ex., que le Bronze Final de l'Ibérie (1050-725) correspond chronologiquement au Protogéométrique et au Géométrique de l'Égée, au Chypro-Géométrique à Chypre, au Fer II de la Syro-Palestine, que certains qualifient en Syrie de Néosyrien et, en Israël, d'Israélite II, tandis que les égyptologues parlent alors de dynasties tanite (*c.* 1080-945) et kushite (*c.* 945-715), et les assyriologues, de l'époque néo-assyrienne (*c.* 1000-600). ELip

A *Syro-Palestine.* Les spécialistes de l'archéologie syro-palestinienne ont à ce jour proposé plusieurs périodisations relatives à l'âge du Fer en Syro-Palestine. L'EAEHL synthétisa en 1975 de manière astucieuse les propositions de plusieurs chercheurs. Les archéologues travaillant actuellement en Palestine semblent s'être pour la plupart ralliés à cette systématisation qui se caractérise par une division de l'âge du Fer en deux grandes phases (I et II), subdivisées en périodes (IA-IB-IIA-IIB-IIC), l'âge du Fer étant compris entre les "invasions des Peuples de la Mer" (*c.* 1200 av. J.C.) et la prise de Jérusalem par les Babyloniens (587 av. J.C.). En ce qui concerne l'archéolo-

	Syro-Palestine	Chypre	Grèce-Égée	Monde Ibérique
1300	Bronze Récent IIB	Chypriote Récent IIC	Mycénien IIIB	Bronze Récent I
1200	Fer I	Chypriote Récent IIIA-B	Mycénien IIIC	Bronze Récent II
1100		Chypriote Récent IIIC Chypro-Géométrique I	Sub-Mycénien	Bronze Récent III
1000	Fer II		Protogéométrique	Bronze Final Ancien
900		Chypro-Géométrique II	Géométrique Ancien	Bronze Final Plein
800		Chypro-Géométrique III	Géométrique Moyen	Bronze Final Récent
700	Fer IIIA (IIC)	Chypro-Archaïque	Géométrique Récent	Fer I
600			Archaïque	Fer II (Ibérique)
500	Fer IIIB (Perse)	Chypro-Classique	Classique	
400				
300	Hellénistique	Hellénistique	Hellénistique	
200				Fer Ibéro-Romain
100	Romain			

Fig. 95. Sites archéologiques caractéristiques.

gie syrienne, le consensus ne s'est pas encore établi. Depuis les fouilles réalisées lors du Mandat français, la tendance générale est à scinder l'âge du Fer en trois phases (Fer I - Fer II - Fer III). Traditionnellement, l'on en situe la fin *c.* 550-530 av. J.C., soit au terme de l'époque dite "néo-babylonienne", la période perse étant considérée séparément comme une époque de transition mal définie entre la fin de l'âge du Fer et l'époque séleucide. Si la première phase (Fer I) est placée de manière unanime au premier ou aux deux premiers siècle(s) après la période troublée et mal documentée des "invasions", en revanche, la limite entre la période suivante (Fer II) et la fin de l'âge du Fer (Fer III) paraît assez floue. Il nous semble assez raisonnable d'allier les données archéologiques aux faits historiques en plaçant cette frontière dans les années contemporaines de la prise des royaumes araméens par les Assyriens. La date de 720 av. J.C. (prise de Hama) pourrait, à cet effet, très bien convenir. En revanche, nous préférons inclure la période de prédominance politique perse dans le cadre de l'âge du Fer. Les données archéologiques encouragent cette position car le matériel — particulièrement la céramique — des sites ayant révélé des vestiges de cette époque trouve naturellement sa place dans la longue tradition de l'âge du Fer. L'impact hellénistique est par contre d'un tout autre ordre. C'est en accord avec ces arguments que nous proposons de placer la fin de l'âge du Fer *c.* 330 av. J.C. Nous suggérons donc la division d'un âge du Fer compris entre 1200 et 330 av. J.C. en trois phases (Fer I - Fer II - Fer III), le Fer III étant quant à lui subdivisé en deux périodes (Fer IIIa - Fer IIIb). Le Fer I correspond aux époques des "invasions" et de l'établissement des royaumes araméens du Levant; le Fer II équivaut à l'époque d'indépendance des royaumes araméens de Syro-Palestine; le Fer III est, dans un premier temps, contemporain de l'époque des hégémonies assyrienne et babylonienne; dans un second temps, contemporain du pouvoir perse (Fer IIIa et Fer IIIb). Dans le cadre de cette proposition de périodisation, nous présentons à la fig. 94 un aperçu des périodisations locales élaborées par les fouilleurs de quelques sites majeurs de Palestine, de Syrie et du littoral levantin, en indiquant chaque fois les niveaux archéologiques des tells. MLeb

B *Bassin méditerranéen.* L'→expansion et la colonisation phén. en Occident, à partir du début du Ier mill. av. J.C., ne sont souvent perceptibles que grâce aux artefacts, surtout à la →céramique d'origine ou d'inspiration orientales. Ces artefacts apparaissent associés à de la céramique chypriote, gr. ou ibérique, dont l'étude comparative peut mener à l'établissement d'une c. des établissements phén. La fig. 95, une synopse simplifiée des périodes archéologiques et des phases culturelles intéressant l'époque phén.-pun. n'a d'autre but que de montrer une certaine correspondance chronologique entre les diverses régions et cultures en rapport avec les Phéniciens et les Puniques. ELip

Bibl. CAH II/2^3, p. 1038-1045; III/1^2, p. 890-899; EAHL; P.R.S. Moorey, *Cemeteries of the First Millennium B.C. at Deve Hüyük, near Carchemish*, Oxford 1980.

CHULLU L'actuel lieudit Collo, en Algérie, sur le versant oriental du Cap Bougaroun, l'antique *Promontorium Metagonium* (Pomp.Méla I 33), est le site de C., comme le prouvent la persistance du toponyme et la position assignée à la ville par Ptol. IV 3,2, l'*It. Ant.*, p. 3, et la *Tab. Peut.* Le port antique se trouvait sans doute à l'emplacement du port actuel, qui offre un bon mouillage. On a fouillé à C. des caveaux funéraires (→tombes 2C) où l'incinération coexiste avec l'inhumation. Un de ces caveaux d'époque pun. fut construit selon un plan en enfilade, avec un long couloir suivi de deux chambres funéraires, l'une dans le prolongement de l'autre. Cette disposition a été souvent relevée dans les sépulcres pun., p.ex. à →Leptis Minus. En l'occurrence, l'origine pun. de la →nécropole (2) est confirmée par des poteries pun. tardives qui y sont associées à des céramiques importées d'époque hellénistique: vases à vernis noir, lampes de type gr. On y a relevé des exemplaires du monnayage carth. et numide. On peut ainsi dater ces gisements funéraires entre le milieu du IIIe s. et le début du Ier s. av. J.C. Dès cette époque, sans doute, furent établies à C. des teintureries de pourpre qui lui valurent une certaine renommée (Solin XXVI 1). C. a fait partie de la confédération cirtéenne dès le temps de →Sittius et a reçu le titre de colonie au plus tard sous Trajan (98-117). Il faut la distinguer d'un *municipium Chul* situé près de Menzel Bou Zelfa, au S.-O. du →Cap Bon (CRAI 1975, p. 112-118), ainsi que d'un municipe *Chlulitanum* ou *Chullitanum* de la →Byzacène (CIL VI,1684). L'origine phén.-pun. du toponyme, d'après le sémitique *ḥwl*, "pourtour", est possible, mais pas certaine en raison, notamment, du redoublement du *l*.

Bibl. AAAlg, f^e^ 8 (Philippeville), n° 29; S. Gsell, *Fouilles de Gouraya*, Paris 1903, p. 42-46; Desanges, *Pline*, p. 191-194. SLan-ELip

CHYPRE **1 Géographie** C. est une île de 9.251 km^2, située à 65 km de la côte anatolienne (Cilicie) et à 85 km de la côte syrienne; 350 km la séparent des bouches du Nil et 400 km, de →Rhodes, la plus proche des îles de l'Égée. C. présente trois grandes régions (fig. 96): la chaîne de Kyrenia borde la côte N., où les sites de →Lapéthos et de →Larnaka-tis-Lapithou ont livré des textes phén. La plaine centrale, appelée Mésaoria, comprend les sites de Morphou, →Lédra (Nicosie), →Chytroi, →Golgoi, →Idalion, →Kition et →Salamine. Enfin, le gros tiers S.-O. de l'île, avec les sites de →Tamassos, →Amathonte, →Kourion, →Paphos et →Soloi, est occupé par le massif du Trôodos (alt. 1.953 m). C'est dans ses contreforts, richement boisés, que se rencontrent les gisements cuprifères qui, aux yeux des populations voisines, constituèrent longtemps le principal attrait de l'île.

2 Contacts avec l'Orient Les contacts de C. avec l'Orient remontent au Néolithique, attesté surtout par les gisements de Khirokitia, dont les habitants sont peut-être venus de Syrie *c.* 7000 av. J.C., et ceux de Kalavassos-Tenta. Les monuments architecturaux et les documents artistiques d'Erime, Lemba et Kalavassos témoignent des progrès rapides de la civilisation chypriote du Chalcolithique, laquelle suggère des contacts avec l'Anatolie et prépare la brillante époque de l'âge du Bronze, quand le minerai de C. sera exporté en →Mésopotamie par l'intermédiaire des villes syriennes. C'est surtout le Bronze Récent qui est bien documenté grâce aux riches découvertes d'Enkomi, près de Salamine, de Kition, de →Hala Sultan Tekké, de Palaepaphos et d'autres sites. C., connue alors sous le nom d'→Alashiya, entretient des relations commerciales et diplomatiques avec l'Anatolie, l'→Égée, l'→Égypte et la Syrie-Palestine. La brillante civilisation des XVe-XIIIe s. est cependant bouleversée à partir de *c.* 1225 av. J.C. par l'arrivée des Égéens, puis des Achéens fuyant le Péloponnèse après la ruine des grands centres mycéniens de la Grèce continentale. Les découvertes de Maa-Palaekastro, Pyla-Kokkinokremos et Palaepaphos revêtent à cet égard une importance particulière, jetant une nouvelle lumière sur cette période cruciale de l'histoire de C., quand un texte →hittite de Shuppiluliuma II (*c.* 1200 av. J.C.) parle de trois rencontres navales avec les "ennemis d'Alashiya" et les "navires d'Alashiya" (KBo XIII,38, r. III). Il n'est toutefois pas question du roi de C. et il doit s'agir d'envahisseurs achéens qui ont colonisé une partie de l'île dès la fin du XIIIe s. C'est à eux que se réfère aussi une lettre du Grand Intendant de C. au roi d'→Ugarit, l'informant que vingt bateaux ennemis ont levé l'ancre à une destination inconnue (*Ugaritica* V, p. 83-85). Les Grecs l'emportèrent à C., où une brève inscription gr. en syllabaire chypriote de Palaepaphos prouve que le gr. était parlé dans l'île dès le XIe s. Le caractère égéen des habitats de l'île s'affirme de plus en plus, principalement dans la poterie. Céramique et architecture attestent que C. entre de 1200 à 1050 dans une nouvelle ère et est peuplée par une population partiellement nouvelle. Des destructions eurent encore lieu *c.* 1075, suite à un phénomène naturel ou à l'arrivée d'une dernière vague d'immigrants, qui confinèrent les anciens habitants de l'île, les →Étéochypriotes, dans certaines régions de C., où leur langue et une écriture dérivée du chypro-minoen resta en usage jusqu'à l'époque hellénistique. Divers sites détruits, p.ex. Enkomi et Kition, furent réoccupés après le désastre, mais la période de 1050-950 av. J.C. constitue à C. un âge obscur, un *Dark Age*, au terme duquel les Phéniciens font leur apparition dans l'île.

3 Impact phénicien A *Phase archaïque (Xe-VIIIe s.).* La période des Xe-VIIIe s., antérieure au contrôle assyrien de C., est décisive pour l'essor des établissements phén. issus, d'une part, des contacts séculaires de l'île avec la côte levantine et, d'autre part, de l'→expansion phén. en Occident. On n'hésite plus aujourd'hui à dater l'installation des Phéniciens à C. avant 900 av. J.C. En effet, langue et écriture, qui en sont les témoignages les plus tangibles, le montrent d'une manière éloquente. L'inscription funéraire Ins. Ph. 6 du Cyprus Museum, de provenance exacte inconnue, remonte au début du IXe s. et prouve que, peu de temps après 900 av. J.C., des Phéniciens installés à C. ont éprouvé le besoin de pourvoir le tombeau d'un personnage important d'imprécations contre d'éventuels profanateurs, rédigées en écriture et langue phén. Déjà à cette date, l'implantation phén. dans l'île doit donc être considérable. D'autre part, un document apparemment phén. de *c.* 850-750 av. J.C. provient de →Khirokitia, à 20 km à l'E. d'Amathonte, et une →inscription phén. sur vase, datable du IXe s., est venue au jour à Salamine, près d'une jarre phén. servant de sépulture à un enfant. Par ailleurs, l'inscription d'allure phén. gravée sur une cruche de Palaepaphos-Skalès pourrait témoigner de l'emploi de l'écriture phén. pour noter une langue chypriote, comme ce serait éventuellement

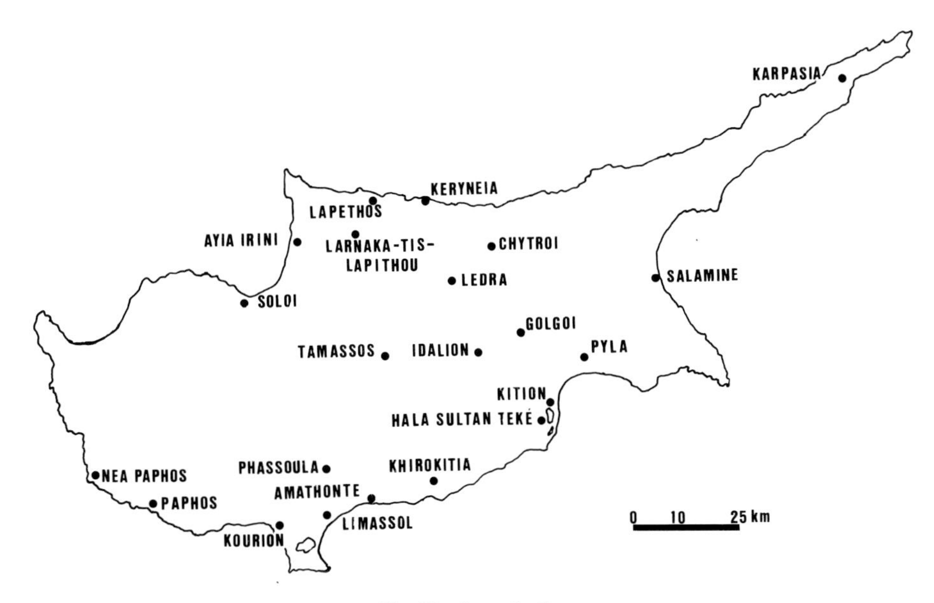

Fig. 96. Carte de Chypre.

le cas du texte, tout aussi énigmatique, de Kition III, D 21, que l'on date *c.* 800 av. J.C. Un autre fait qui semble désormais acquis, outre l'ancienneté de l'installation des Phéniciens à C., est la dispersion de leurs établissements, puisqu'une vingtaine de localités disséminées sur tout le pourtour de l'île fournissent au moins un document phén. inscrit. En revanche, il est beaucoup plus difficile de déterminer la nature de chacun de ces établissements, la gamme de possibilités étant large: comptoir commercial, point d'appui fortifié, cité coloniale, cité-royaume, ou bien simple présence de marchands et d'artisans. Si le terme *mlkt* de la stèle de →Nora, dédiée au dieu →Pumay (TSSI III,11), signifie "roi de Kition" (< *mlk kt*; cf. Kition III, A 1), cette ville doit constituer une Cité-État phén. au IXe s., c.-à-d. à l'époque des premiers sanctuaires phén. du quartier de Bamboula et de la reconstruction du grand temple 1 du quartier de Kathari. Au VIIIe s., *c.* 735, la Carthage de C. est une cité coloniale gouvernée par un fondé de pouvoir (*skn*) du roi →Hiram II de Tyr, Kition se voit ramenée à l'obédience par le roi →Lulî de Sidon (Fl. Jos., *A.J.* IX 284), tandis que les tombes princières de Salamine attestent à leur manière l'influence phén. L'existence de cités-royaumes à C. est toutefois démontrée à la fin du VIIIe s. par les inscriptions de Sargon II (721-705), quand, pour la première fois, les Assyriens entrent en contact direct avec C. Ces textes mentionnent "les sept rois de *Ia'*, région de *Iadnāna*", toponyme qui désigne C. et peut s'interpréter dans le sens d'"Île (phén. *'y*) des Danouniens" (phén. *Dnnym*), c.-à-d. des gens d'Adana, en →Cilicie.

B *Hégémonie assyrienne et égyptienne (VIIIe-VIe s.).* Sargon II se targue, vers la fin de son règne, d'avoir reçu l'hommage des rois de C., pays "dont ses ancêtres n'avaient jamais entendu le nom" (ANET, p. 284). C'est ce qu'affirme la stèle érigée en 707 à Kition (fig. 97), qui doit être le centre du pouvoir assyrien dans l'île. Les Assyriens laissent subsister les cités-royaumes, qui sont au nombre de dix en 673, selon la liste des vassaux chypriotes d'Asarhaddon (fig. 98), reprise sans modification au temps d'Assurbanipal (ANET, p. 291b, 294). On notera que les souverains d'Idalion, Chytroi, Paphos, Soloi, Kourion, Tamassos et Lédra portent tous des noms parfaitement gr., peut-être aussi le dynaste de →Nuria, probablement Marion; seuls les rois →Qish de Salamine et →Damusi de Carthage semblent avoir un nom phén., ce qui était prévisible en raison du toponyme même de Carthage et de l'influence phén. à Salamine. Si les renseignements nous manquent sur l'éventuelle domination néo-babylonienne de C., Hdt. II 182 signale la conquête de l'île par le pharaon Amasis (568-526), qui la réduit à payer un tribut et s'assujettit plusieurs villes (Diod. I 68). Ses bonnes relations avec Cyrène (Hdt. II 181) ne sont probablement pas étrangères à l'influence du culte de →Zeus Ammon dans l'île.

C *Époque perse (VIe-IVe s.).* C. fait soumission à Cambyse (529-522 av. J.C.), probablement en 526/5, mais se joint à la révolte ionienne de 499/8, à l'exception d'Amathonte (Hdt. V 104). Les Perses reconquièrent l'île dès 498 après avoir fait le siège des cités révoltées, en particulier Soloi et Paphos (Hdt. V 108-116). Les royaumes chypriotes prennent parti

Fig. 97. Stèle de Sargon II trouvée à Kition (707 av. J.C.). Berlin, Musées de l'État.

Fig. 98. Prisme d'Asarhaddon trouvé à Ninive, avec la liste des rois de Chypre. Londres, British Museum.

Fig. 99. Autel dédié à Resheph ḥṣ par le roi Pumayyaton de Kition, marbre blanc (341 av. J.C.). Paris, Louvre.

pour l'un ou l'autre belligérant dans les →guerres médiques. S'ils fournissent 150 vaisseaux à la flotte de Xerxès I en 480 (Hdt. VII 90; cf. Diod. XI 75,2), l'intervention de Pausanias (Thc. I 94.128; Diod. XI 44), le vainqueur de Platées (479), provoque une nouvelle révolte anti-perse *c.* 478-470, notamment à Idalion, qui est assiégée par les Perses et leurs alliés phén. de Kition. Le royaume d'Idalion disparaît ensuite pour être annexé à celui de Kition, qui absorbe aussi le royaume de Tamassos. Tout comme les Assyriens l'avaient vraisemblablement fait au VIIe s., ainsi les Achéménides semblent s'appuyer surtout, aux Ve-IVe s., sur l'élément phén. de l'île, particulièrement fort à Kition (fig. 99). En tout cas, C. est bien aux mains des Perses à l'époque du combat de l'Eurymédon, en 468 (Diod. XI 60,5; Plut., *Cimon* 11), même si Cimon tente une attaque contre l'île à l'issue de cette bataille (Polyen, *Strat.* I 34). Les Athéniens organisent une nouvelle expédition à C. en 460 (IG I^2, 929; Thc. I 104,2), puis en 450: ils s'emparent alors de Marion et entament le siège de Kition, tandis que la plupart des villes gr. font leur soumission à Cimon (Thc. I 112,2-3; Plut., *Per.* 10; *Cimon* 18-19; Diod. XII 3-4; Corn. Nép., *Cimon* III 4). Sa mort et la disette obligent cependant les Athéniens à lever le siège de Kition et ils doivent "livrer bataille au large de Salamine contre les Phéniciens, les Ciliciens et les Chypriotes" (Thc. I 112,4). Le départ des escadres athéniennes (449) marque l'abandon virtuel de C. aux Perses, confirmé par la paix de Callias qui met fin aux guerres médiques. C. reste soumise aux Achéménides jusqu'à l'ascension d'→Évagoras I en 412, qui chasse le Phénicien →Abdémon de Salamine. Les relations entre Grecs ou Étéochypriotes grécisés et Phéniciens ne se présentent toutefois pas sous la forme d'une opposition farouche. On peut constater les cas d'une coexistence harmonieuse entre les divers groupes ethniques, p.ex. à Larnaka-tis-Lapithou, où plusieurs inscriptions semblent le suggérer, à Lapéthos, où des émissions monétaires sont pourvues de légendes phén. (fig. 252:7,8) et où alternent noms royaux phén. et gr., ou encore à Marion, où certaines monnaies portent une légende bilingue, en syllabaire chypriote et en phén. La défaite d'Évagoras I, soutenu pourtant par les Grecs et l'Égypte, renforce la position de la dynastie phén. de Kition et la révolte anti-perse de neuf rois de C., qui s'associent *c.* 351 au soulèvement de Tennès (→Tabnit II) en Phénicie, est de courte durée. En 333, C. rallie la cause d'Alexandre le Grand et ses flottes participent au siège de Tyr.

D *Époque hellénistique.* Après la mort d'Alexandre, C. passe d'abord à Antigone, puis à Ptolémée I, qui supprime en 311/10 les cités-royaumes chypriotes. Démétrios I Poliorcète s'empare de l'île en 306, mais Ptolémée I la reprend dès 295/4. Dès lors, C. reste au pouvoir des →Lagides pendant deux siècles et demi, jusqu'à son annexion par Rome en 58 av. J.C. et son rattachement à la province de Cilicie. Sous les Lagides, l'hellénisation des régions étéochypriotes et phén. fait de rapides progrès, mais les inscriptions phén. et l'onomastique attestent la permanence de la langue et des traditions phén. dans l'île. Qui plus est, des familles d'ascendence phén., comme celle de →Zénon de Kition, semblent appartenir alors à l'élite intellectuelle, voire aux classes privilégiées de l'île, dont sont issus Gérastratos, Yatanbaal et Héragoras, investis au IIIe s. de la plus haute charge administrative, à ce qu'il semble, celle de "stratège (de l'île)", en phén. *rb 'rṣ*, "chef du pays". C'est jusqu'au IVe s. ap. J.C. que l'anthroponymie, notamment celle des Passions des →martyrs chypriotes, conserve la trace du passé phén. de l'île.

5 Culture et religion Dans la culture de C., il est assez malaisé de repérer les éléments proprement phén., le langage et l'écriture mis à part. Cependant, les →coupes métalliques d'Idalion (pl. VIc; fig. 263) et d'Amathonte, les splendides →meubles plaqués d'→ivoire et d'incrustations multicolores, découverts dans les tombes de Salamine, la →céramique, notamment la vaisselle de luxe, dite de Samarie et probablement fabriquée sur place, les →sarcophages (2,4) d'Amathonte, voilà quelques-uns des domaines de l'art où l'influence phén. est tangible. Les chapiteaux proto-éoliques qui ornent des piliers, p.ex. dans les tombes princières de Tamassos, à Kition, à Golgoi ou à Trapeza près de Salamine, dérivent de l'architecture phén. des IXe-VIIe s., dont l'impact est sensible aussi à Samarie ou à Ramat Rahel près de Jérusalem. Il en va de même des balustres à décor floral, reproduites dans des fausses fenêtres à Tamassos ou à Pyla, ou encore de certains chapiteaux hathoriques (fig. 22). Quant à la religion, tout un panthéon phén. est attesté à Chypre: →Baal, →Eshmun, →Melqart, →Resheph, →Astarté, →Anat auxquels il faut ajouter →Pumay et →Sasm, divinités caractéristiques des Chypro-Phéniciens. L'iconographie religieuse est cependant difficile à interpréter, faute d'inscriptions directement apposées sur les images de style souvent →orientalisant. Elles peuvent figurer des dieux phén., gr. ou étéochypriotes, dont les épithètes, p.ex. Apollon Amycléen ou Resheph Alasiote, et les noms doubles, comme Eshmun-Melqart, révèlent un faisceau d'assimilations imparfaites et s'échelonnant sur un long laps de temps. Si les figurines de femmes enceintes (fig. 197) et les statuettes du →"temple boy" (fig. 333) reprennent des types iconographiques de la côte phén., →Bès, p.ex., apparaît à C. dès l'âge du Bronze et les figurations du type de →Zeus Ammon (fig. 296) ne sont pas empruntées à la Phénicie. En revanche, la double tablette de comptes de Kition III, C 1 livre des informations intéressantes sur le culte phén., notamment en rapport avec la →prostitution sacrée, et le grand temple 1 du quartier de Kathari, dont l'ordonnance rappelle le dispositif du temple de Jérusalem, doit être un exemple de la grande architecture religieuse phén. (→sanctuaires).

Bibl. CAH III/1², p. 511-533, 987-989; III/3², p. 57-70, 478-479; ICS; KlP III, col. 404-408; PW XII, col. 59-117; SCE; G.F. Hill, *A History of Cyprus* I, Cambridge 1940; Masson-Sznycer, *Recherches*; J. Seibert, *Zur Bevölkerungsstruktur Zyperns*, AncSoc 7 (1976), p. 1-28; V. Karageorghis, *Cyprus from the Stone Age to the Romans*, London 1982; D. Hunt (éd.), *Footprints in Cyprus*, London 1982; StPhoen 1-2 (1983), p. 209-234; 3 (1985), p. 203-211; 4 (1986), p. 127-168; 5 (1987), p. 331-412; 6 (1988), p. 15-41; C. Baurain, *Chypre et la Méditerranée orientale au Bronze Récent*, Paris-Athènes 1984; C. Beer, *Quelques aspects des contacts de Chypre aux VIIIe et VIIe siècles avant notre ère*, Opus 3 (1984), p. 253-276; PhMM, p. 35-40; H.J. Watkin, *The Cypriot Surrender to Persia*, JHS 107 (1987), p. 154-163; Bonnet, *Melqart*, p. 313-341; Gubel, *Furniture*; V. Tatton-Brown, *Ancient Cyprus*, London 1988; S.M. Lubsen-Admiraal - J. Crouwel, *Cyprus & Aphrodite*, 's Gravenhage 1989; E. Lipiński, *The Cypriot Vassals of Esarhaddon*, M. Cogan - I. Ephal (éd.), *Ah, Assyria...*, Jerusalem 1991.
ELip

CHYTROI En gr. *Khútroi*, akk. *Ki-it-ru-si*; capitale d'un petit royaume chypriote, dans la partie N. de l'île, entre →Lédra et →Salamine, avec plusieurs sites autour de Kythrea. L'histoire en est très mal connue, mais il s'agit évidemment de *Kitrusi* dans la liste d'Asarhaddon (AfO, Beih 9, p. 60, l. 64), avec un roi *Pi-la-a-gu-ra(-a)*, probablement Philagoras, seul connu pour Chytroi. Le territoire a dû être absorbé assez rapidement par Salamine. On a des témoignages épigraphiques assez nombreux, en gr. syllabique (ICS 234-251) et alphabétique. En outre, un document phén. (RÉS 922) a été découvert en 1908, probablement un fragment de sarcophage en terre cuite, avec les restes de quatre lignes (Musée de Nicosie, Ins. Ph. 4). C'est un texte funéraire, avec malédiction contre les violateurs de sépulture, à dater vraisemblablement du VIIe s.

Bibl. ICS, p. 258-266; PECS, p. 223-224; PW III, col. 2530-2532; SCE IV/2, p. 440, 450; T.B. Mitford, AJA 65 (1961), p. 127-131; Masson-Sznycer, *Recherches*, p. 104-107.
OMas

CILICIE En akk. *Ḫilakku*, aram. *Hlk*, gr. *Kilikía*, lat. *Cilicia Tracheia* et *Pedias*. Au IIe mill., la C. au sens large correspond plus ou moins au Kizzuwatna, un royaume intégré à l'Empire hittite par Shuppiluliuma I, auquel on ajoutera à l'O. une partie de l'Arzawa oriental, annexé plus tard. Les populations y étaient majoritairement louvites, à l'exception du Kizzuwatna oriental, à majorité hourrite. C'est par cette région que les mythes syro-hourrites s'introduisirent chez les Hittites. Dès le IIe mill., des contacts étroits existaient entre le monde syro-phén. et la C. Entre Ugarit et Ura (Olbè) circulaient du blé, des denrées précieuses, des travailleurs saisonniers et des marchands. Plusieurs fonctionnaires d'Ugarit, et même un prince, ont un nom louvite. Après l'effondrement de l'empire hittite, la C. fut le siège de royaumes louvites ou louvito-araméens aux noms et limites fluctuants: Ḫilakku, Qué/Ḫume (région de Tarse), Gurgum, Ya'diya/Sam'al (région de →Zincirli), Adana, Pirindu. Le Ier mill. révèle de fortes implantations phén. en C. Les sources ne font-elles pas de l'éponyme Kilix un Phénicien (Hdt. VII 91)? À →Tarse, la céramique phén. est attestée de 850 à 600 et, après 500, un culte de Baal, celui de →Melqart étant plus douteux, y est manifeste. Plusieurs sceaux phén. ont été trouvés en C., ainsi que quelques inscriptions importantes: Zincirli (IXe s. av. J.C.); →Hassan-Beyli (VIIIe s.); →Karatepe (bilingue, VIIIe-VIIe s.); →Cebelireis Dağı (VIIe s.). Sur le plan militaire, signalons une alliance entre le roi de Sidon →Abdilmilkutti et le roi cilicien Sanduarri, afin de faire face à Asarhaddon. Au Ve s. av. J.C., Xén. (*An.* I 6) signale l'importance de la communauté phén. de →Myriandos.

Bibl. RLA IV, p. 402-403; P.H.J. Houwink ten Cate, *The Luwian Population Groups*, Leiden 1961, p. 17-44; E. Lipiński, *Phoenicians in Anatolia and Assyria, 9th-6th Centuries B.C.*, OLP 16 (1985), p. 81-84; Bordreuil, *Catalogue* 38-39; R. Lebrun, *L'Anatolie et le monde phénicien du Xe au IVe s. av. J.-C.*, StPhoen 5 (1987), p. 23-33.
RLeb

CINTAS, PIERRE (22.9.1908-12.7.1974). Fonctionnaire de l'administration des Douanes, C. est venu assez tard à l'archéologie: comme inspecteur des Antiquités de Tunisie, puis comme directeur de la Mission archéologique française de 1956 à 1961. Ses premiers travaux, en collaboration avec le Dr E.G. Gobert, ont porté sur *Les tombes du Jbel Mlezza* (RTun 38-40 [1939], p. 135-198), tombes pun. de la région de →Kerkouane. En 1946, il a publié à Tunis sa thèse de doctorat portant sur les *Amulettes puniques*. Ses principales découvertes se situent à Sousse (*Le sanctuaire punique de Sousse*, RAfr 91 [1947], p. 1-80), à Carthage sur le littoral de →Salammbô, où il fouilla le →*tophet* (*Un sanctuaire précarthaginois sur la grève de Salammbô*, RTun 1948, p. 1-31), à →Tipasa, en Algérie, où il explora des tombeaux (*Fouilles puniques à Tipasa* RAfr 92 [1948], p. 263-330), à Utique (*Deux campagnes de fouilles à Utique*, Karthago 2 [1951], p. 1-88) et à Kerkouane, où il mit au jour une ville pun. non oblitérée par l'occupation romaine (*Une ville punique au Cap Bon, en Tunisie*, CRAI 1953, p. 256-260). Parmi ses autres publications, il faut signaler: *Céramique punique* (Tunis 1950), *Découvertes ibéro-puniques d'Afrique du Nord* (CRAI 1953, p. 52-57), *Contribution à l'étude de l'expansion carthaginoise au Maroc* (Paris 1954), *La céramique de Motyé et le problème de la date de fondation de Carthage* (BAC 1963-64, p. 107-115), *Manuel d'archéologie punique* I-II (Paris 1970-76).

Bibl. G. Souville, *Pierre Cintas*, AntAfr 11 (1977), p. 7-10.
MLeG

CIRTA →Constantine.

CISSI →Djinet, Cap.

CITÉ-ÉTAT Ville libre fortifiée qui, avec son territoire, souvent exigu, formait un mini-État gouverné par un roi, un dynaste, une oligarchie ou l'assemblée du peuple. La C.-É. était la forme habituelle de l'État en Canaan à l'époque du Bronze Récent, comme le montrent les lettres d'el→Amarna. Elle survécut en Phénicie aux bouleversements du début du XIIe s., persista à →Arwad, →Byblos, →Sidon et →Tyr jusqu'à l'époque hellénistique, fut adoptée par les cinq principautés philistines, se retrouve à →Chypre au moins dès le VIIe s. et fut implantée dans les établissements phén. en Occident, à →Carthage, à →Gadès et ailleurs. Si le principe dynastique réglait normalement la succession au trône en Phénicie même et à Chypre, c'est un →suffétat électif qui caractérisait les cités phén.-pun. de l'Occident. On a comparé la →Constitution de Carthage à celle d'une *pólis* gr. et on a voulu expliquer l'→hellénisation rapide des C.-É. phén. par les analogies institutionnelles qu'elles présentaient avec la *pólis* gr. classique.

Bibl. E. Kirsten, *Die griechische Polis als historisch-geographisches Problem des Mittelmeerraumes*, Bonn 1956; V. Ehrenberg, *Der Staat der Griechen* I-II, Leipzig 1957; id., *Polis und Imperium*, Zürich-Stuttgart 1965, en part. p. 549-586; R. Drews, *Phoenicians, Carthage and the Spartan* Eunomia, AJPh 100 (1979), p. 45-58; F. Millar, *The Phoenician Cities: A Case Study of Hellenisation*, PCPhS 209 (1983), p. 55-71; Ju.B. Tsirkin, *Carthage and the Problem of* polis, RSF 14 (1986), p. 129-141. ELip

CITÉ PÉRÉGRINE Cité de l'Empire rom., spécialement en Afrique du N. et dans la Péninsule Ibérique, qui s'administrait selon ses anciennes lois et coutumes locales. L'organisation municipale de ces c.p. revêt donc une grande importance pour la connaissance des institutions pun. ELip

CITÉ SUFFÉTALE Cité qui était administrée par deux, parfois trois →suffètes, et dont l'administration municipale ressemblait par conséquent à celle de Carthage. À l'époque de l'Empire rom., on connaît en Afrique du N. encore une trentaine de c.s., dont certaines continuèrent à être gouvernées par des suffètes jusqu'en plein IIe s. ap. J.C. Ceux-ci furent remplacés ensuite par des duumvirs ou des triumvirs, dont les titres représentent surtout une latinisation de l'ancien titre pun. Dans l'état actuel de nos connaissances, ces c.s. sont →Althiburos, →Apisa Maius et Apisa Minus, Aradi, Avitta Bibba, Biracsaccar, Calama (→Guelma), Capsa (→Gafsa), Curubis, Gadiaufala, Gales (→Djebel Mansour), →Leptis Magna, Limisa (→Ksar Lemsa), →Maktar, Masculula (→Henchir Guergour), Henshir Oulad Slim, →Siagu, →Sucubi, Tepelte, Thaca, Themebra, Thibica, Thimiliga, →Thinissut, →Henshir el-Aouine près d'→Oudna, →Dougga, →Volubilis, →Utique?.

Bibl. C. Poinssot, Karthago 10 (1959), p. 125; T. Kotula, *Remarques sur les traditions puniques dans la constitution des villes de l'Afrique romaine*, African Bulletin 17 (1972), p. 9-28; G.C. Picard, *Une survivance du droit public punique en Afrique romaine: les cités sufétales*, I diritti locali nelle provincie romane (ANL, Quaderno 194), Roma 1974, p. 125-133. ELip

CLAUDII Importante famille rom., qui comptait diverses branches et dont plusieurs membres ont joué un rôle significatif dans les 1e et 2e →guerres pun. On les énumère ici dans l'ordre de leurs premiers consulats.

1 *Ap(pius) Cl. Caudex*, consul en 264, a ouvert les hostilités en prenant la mer avec une flotte fournie en partie par les anciens alliés de Tarente, pour s'assurer de Messine que venait d'évacuer la garnison carth. Cette initiative provoque un retournement subit de la politique d'Hiéron II de Syracuse qui conclut une alliance avec Carthage et envoya sur-le-champ un corps expéditionnaire à Messine. Les sources (Pol. I 11-12; 15) divergent sur le détail des engagements et les succès des Romains. D'ailleurs, Ap. Cl. n'a pas obtenu le triomphe, et l'élection au consulat, l'année suivante, d'un membre de la *gens Valeria*, hostile aux Cl., a marqué un changement de politique.

2 *Ap. Cl.*, tribun militaire envoyé en 264 à Messine pour engager des pourparlers avec la garnison carth. (Zon. VIII 8).

3 *P. Cl. Pulcher*, fils de Caecus, consul en 249, tenta un coup de main dans le port de Trapani pour intensifier le siège de →Lilybée. Mais il fut pris à revers par Adherbal (→Adarbaal 2) et perdit 93 de ses 123 vaisseaux: c'est la plus grosse défaite navale subie jusque-là par les Romains. Contraint de choisir un dictateur, il est jugé en cour martiale et meurt peu après.

4 *M. Cl. Marcellus* (Pol. II 34; VIII 1; 3-7; 37; X 32; Liv. XX *Per.*; XXIII 14-15; XXIV 9-10; XXV 23-24; 29-30; XXVII 12-13; App., *Hann.* 50; Plut., *Marc.*) a pris part à la 1re guerre pun., puis, consul en 222 avec →Scipion (3) Calvus, a combattu contre les Gaulois Insubres et Gésates, dont il tua le chef Viridomar. Après Cannes, il réorganise les troupes rom. débandées (216), puis, Hannibal étant passé en Campanie, défend Nole (215) et, à nouveau consul (214), prend Casilinum, prélude à la reconquête de la Campanie et du Samnium. C'est toutefois en Sicile, où la mort d'→Hiéron II de Syracuse (215) avait accru l'influence carth., qu'il acquiert sa célébrité, au demeurant non exempte d'ombre. Mettant à profit les troubles politiques à Syracuse, jusque-là son alliée, il enlève Leontinoi (Lentini) avec son collègue Cl. Pulcher (5) et assiège Syracuse elle-même (213). Celle-ci ne cède (212-211) que quartier par quartier après une longue, héroïque et savante résistance (Archimède), et malgré les secours envoyés de Carthage par →Himilcon (9), puis par →Bomilcar (3). Marcellus livre la ville au pillage, puis rentre à Rome, qu'il embellit d'œuvres d'art emportées de Syracuse, mais où il ne reçoit que l'*ovatio*. Réélu consul (210 puis 208), il reprend part à la lutte contre Hannibal en Italie du S., mais doit faire face à l'hostilité des représentants de la plèbe. Il est mortellement blessé au cours d'une reconnaissance dans la région de Vénouse, où il s'était imprudemment exposé avec son collègue et plusieurs officiers. Celui qu'on appelait l'"Épée de Rome" était l'ancêtre de Cl. M., neveu et gendre d'Auguste.

5 *Ap. Cl. Pulcher*, fils de P. Cl. Pulcher (3) et collègue du précédent en 212, a combattu à Cannes et commandé en Sicile. Consul, il s'appuie sur Casilinum (cf. ci-dessus) pour mettre le siège devant Ca-

poue, passée dans le camp d'Hannibal (†210).
6 *C. Cl. Nero*, légat de Marcellus en 214, sert ensuite comme préteur et propréteur en Campanie où il achève le siège de Capoue (211). Cette même année, il remplace en Espagne les deux →Scipions (3-4) tués, et repousse →Hasdrubal (5) au N. de l'Èbre, mais le laisse s'échapper lors de négociations; cet insuccès le fait relever par le jeune →Scipion (5), futur Africain (210). L'heure de la revanche arrive pour lui lorsque, consul avec M. Livius Salinator (207), il rejoint à étapes forcées son collègue à Senigallia (*ager Gallicus*) afin d'empêcher une jonction entre Hannibal et son frère Hasdrubal. Il enferme et écrase dans la vallée escarpée du Métaure l'armée de ce dernier, qui est tué au combat (Pol. XI 1; Liv. XXVII 43-44). Cette victoire, célébrée à Rome par trois jours d'actions de grâces, devait retourner la fortune de la guerre en Italie.

Bibl. F. Cassola, *I gruppi politici romani nel III sec. a.C.*, Trieste 1962; A. Lippold, *Consules. Untersuchungen zur Geschichte des römischen Konsulates von 264 bis 201 v. Chr.*, Bonn 1963.
Ad 1: A. Lippold, Orpheus 1 (1954), p. 154-169; J. Molthagen, *Der Weg in den 1. Punischen Krieg*, Chiron 5 (1975), p. 89-127.
Ad 4: EAA II, p. 707; M. Caltabiano, *La morte del consule Marcello nella tradizione storiografica,* Contributi dell'Istituto di studi antichi dell'Università del Sacro Cuore 3 (1975), p. 65-81.
Ad 5: J. von Ungern-Sternberg, *Capua im Zweiten Punischen Krieg*, München 1975. JLoicq

CLERGÉ Le rôle des temples dans la société phén.-pun. se reflète dans l'importance du c. Les sources, pour la plupart épigraphiques, font connaître toute une série de noms de fonctionnaires dont le rôle dans le culte demeure inconnu ou douteux.
1 Sources phénico-puniques Le terme générique pour "prêtre" est *khn*. Il devait à l'origine désigner le principal membre du c. d'une divinité donnée, car il est porté par des rois: à Sidon au Ve s. av. J.C., le roi est aussi "prêtre d'→Astarté" (*khn ʿštrt*) et la reine-mère d'→Eshmunazor II est "prêtresse" (*khnt*) de la même déesse; à Byblos, le père du roi →Azzibaal (4) a le titre de "prêtre de la →Baalat (Gubal)" (*khn Bʿlt*). Les liens entre royauté et sacerdoce sont du reste bien attestés par les auteurs anciens. À partir du IVe s. av. J.C., les inscriptions de Carthage mentionnent des individus ayant le titre de *khn* ou de *rb khnm*, "prêtre en chef", avec les équivalences féminines de *khnt* et de *rb khnt*. À Chypre (fin du Ve s.), la tablette Kition III, C 1 nomme une série de personnes recevant un paiement dans un temple de →Kition: dépendants liés régulièrement au culte, personnel subalterne, ouvriers employés occasionnellement. À rappeler: les *ʾln ḥdš* ("magistrats de la Néoménie"?), présidant peut-être aux cérémonies se déroulant à la nouvelle lune, les "chantres" (*šrm*), les "sacrificateurs" (*zbḥm*), un personnage appelé "maître de l'eau" (*bʿl mym*), les "boulangers" (*ʾpm*), les "barbiers" (*glbm*), attestés également à Carthage avec la spécification *glb ʾlm*, "barbiers de la divinité", qui confirme leur rapport avec le culte. Les *klbm* ("chiens") et les *grm* ("clients") seraient liés à la →prostitution sacrée. Tandis que le *bʿl zbḥ* de KAI 69 est l'individu qui apporte son sacrifice, et non un membre du c., le *zbḥ* est assimilé à l'époque rom. au *flamen*, ce qui démontre son appartenance au c. À cette même période, d'autres titres pun. se rapportent au c. de tradition pun. comme le *pʿl ḥšḥm*, chargé peut-être des cérémonies employant des couronnes ou des branches de feuillage; quelques titres traduisent des fonctions rom., les identifiant éventuellement à des charges sacerdotales pun., comme le *ʾdr ʿzrm* correspondant au *praefectus sacrorum*. Toujours discutée est la fonction du →*miqim elim*, attesté à Chypre, à Rhodes et à Carthage. Des commissions en rapport avec le culte sont mentionnées à Carthage: "dix hommes préposés aux sanctuaires" (*ʿšrt hʾšm ʾš ʿl hmqdšm*: KAI 80,1) ou "trente hommes préposés aux dépenses" (*šlšm hʾš ʿl hmšʾtt*: KAI 69), en rapport avec les offrandes cultuelles. Il est enfin possible de considérer comme membres du c. les individus qui, toujours à Carthage, se disent "serviteurs" (*ʿbd*, fém. *ʾmt*) du temple d'une divinité ou membres du "personnel" d'un temple (*ʿm bt*).

MGAmG

2 Sources gréco-latines Les sources épigraphiques gr. en Phénicie et lat. en Afrique du N. témoignent de l'existence d'une structure hiérarchisée du c. phén. et pun. jusqu'à l'époque impériale rom. Les titres gr. de *deuterostátēs* de →Baal Marqod, de *pemptostátēs* de Zeus à Sidon ou de *hebdomostátēs*, pareillement à Sidon, révèlent le maintien d'une hiérarchie de classes sacerdotales en Phénicie jusqu'au Ier-IIe s. ap. J.C. Il y en aurait eu au moins sept à Sidon. Les inscriptions pun. confirment leur existence, puisqu'elles font état d'une "deuxième classe" (*ḥšnʾ/h*) sacerdotale (CIS I,359,5; 4859,4; RÉS 249,1.2; cf. 1853), attestée encore à l'époque rom. en Afrique du N., où l'on connaît alors des *sacerdotes loci primi* et *loci secundi* dans le culte de →Saturne et de la →Caelestis (ILAlg II,804; 807; 813; 814; CIL VIII, 12406); après eux venaient les *ministri dei Saturni* (CIL VIII, 6961 = ILAlg II,504), qui constituaient le personnel subalterne. Les *sacerdotes* formaient un collège sacerdotal, à la tête duquel se trouvait un *magister* (StPhoen 6 [1988], p. 209-211), dont le titre pourrait correspondre à *rb khnm*. Aucune femme n'est affublée du titre de prêtresse dans les inscriptions des stèles dédiées à Saturne, mais elles apparaissent sur les reliefs en vêtements sacerdotaux (fig. 278). Selon Tert., *De exhort. cast.* 13, il y avait de son temps des prêtresses de la "Cérès africaine", attestées d'ailleurs par l'épigraphie lat. (→Déméter et Koré), qui étaient tenues au célibat. Sil. It. III,23-27 témoigne d'un usage semblable dans le temple d'Héraklès à →Gadès, desservi par des prêtres voués au célibat, la barbe et les cheveux rasés, vêtus de robes de lin sans ceinture, ornées d'une large bande brodée, les pieds nus dans le sanctuaire. Les inscriptions lat. d'Afrique du N. contiennent également des allusions aux étapes de la vie sacerdotale, couronnée à 65 ans par l'"entrée sous le joug", une sorte de jubilé qui consacrait l'assujettissement total du fidèle au dieu.

ELip

Bibl. J.-G. Février, *Magistratures et sacerdoces puniques*, RA 42 (1948), p. 83-87; G.C. et C. Picard, *La vie quotidienne à Carthage*, Paris 1958, p. 69-81 (1982[2], p. 67-81); M. Leglay, *Saturne africain. Histoire*, Paris 1966, p. 359-400;

G. Levi Della Vida, *Magistrature romane e indigene nelle iscrizioni puniche tripolitane,* Studi E. Volterra VI, Milano 1971, p. 457-469; Masson-Sznycer, *Recherches,* p. 21-68; J.-P. Rey-Coquais, *Inscriptions grecques inédites, découvertes par Roger Saidah,* Archéologie au Levant. Recueil R. Saidah, Lyon 1982, p. 395-408 (voir p. 395-398); Huß, *Geschichte,* p. 543-545; M. Le Glay, *Nouveaux documents, nouveaux points de vue sur Saturne africain,* StPhoen 6 (1988), p. 187-237 (en part. p. 232-234); J.-P. Rey-Coquais, *Sur une comparaison entre le clergé phénicien et le clergé "africain",* L'Africa romana V, Sassari 1988, p. 397-402.

CLERMONT-GANNEAU, CHARLES (17.2.1846-15.2.1923). Sémitisant français qui, devenu en 1867 drogman-chancelier au Consulat de France à Jérusalem, eut un merveilleux début de carrière scientifique en acquérant pour le Musée du Louvre la stèle de Mésha, roi de Moab (1870), puis en découvrant, à Jérusalem, l'inscription gr. qui interdisait aux non-juifs l'accès du Temple hérodien (1871). Chargé en 1876 d'un cours d'archéologie orientale à l'École des Hautes Études à Paris, devenu membre correspondant (1880), puis ordinaire (1889), de l'Académie des Inscriptions et Belles-Lettres, il reçut en 1890, sur proposition d'E. →Renan, une chaire d'"Épigraphie et antiquités sémitiques" au Collège de France. Il dirigea les fouilles françaises à Éléphantine, en 1906 et 1907, et travailla au CIS. Son intérêt pour le domaine phén. apparaît dans ses nombreux travaux réunis dans ses *Études d'archéologie orientale* I-II (Paris 1880-1896) et son *Recueil d'archéologie orientale* I-VIII (Paris 1888-1924).

Bibl. DBF VIII, col. 1504-1506; R. Dussaud, *Les travaux et les découvertes archéologiques de Charles Clermont-Ganneau,* Syria 4 (1923), p. 140-173; H. Ingholt, *Bibliographie de Charles Clermont-Ganneau,* RArch, 5e sér., 8 (1923), p. 139-158; R. Cagnat, *Notice sur la vie et les travaux de M.Ch. Clermont-Ganneau,* Paris 1924; A. Dupont-Sommer, *Un dépisteur de fraudes archéologiques: Charles Clermont-Ganneau (1846-1923),* Paris 1974; E. et J. Gran-Aymerich, *Charles Clermont-Ganneau, à la recherche des Phéniciens,* Archéologia 222 (1987), p. 71-79. ELip

COIFFURE L'art figuratif phén.-pun. reproduit divers types de c. réservés aux divinités, aux rois et aux prêtres. Les types indigènes de c. sont représentés par le *polos* (fig. 100a), sorte de chapeau cylindrique assez bas, et le *lebbadé* (fig. 100b), bonnet conique, appelé ainsi à cause de sa ressemblance avec le couvre-chef des Druzes. Le premier se rencontre au Fer I et II comme coiffe de divinités féminines avant de devenir, à l'époque achéménide, la c. traditionnelle d'un dieu barbu, qualifié de Baal Horon et figuré surtout par les coroplastes (pl. VIb). Plusieurs stèles du sanctuaire d' →Umm el-Amed indiquent que cette c. faisait également partie du costume sacerdotal, ce que confirment certaines stèles pun. (pl. XVd). Quant au *lebbadé*, il est attesté dès le début du IIe mill., notamment par les statuettes de guerriers de Byblos (Phén 42), et ne disparaît définitivement qu'à la fin de l'époque perse. Si cette c. reste associée au Ier mill. à des personnages guerriers, p.ex. au →"Smiting God", elle est portée aussi par d'autres divinités (fig. 53) et même par des →sphinx. Les porteurs des c. sont donc interchangeables, ce qui est également mis en évidence dans le groupe, beaucoup plus important, de c. d'origine étrangère. Les couronnes égyptiennes *hemhemet* (fig. 30, 100c) et *atef* (fig. 30, 100d; pl. IIIa), les couronnes solaires (fig. 30, 100e; pl. IIIa), lunaires (fig. 52, 100f) ou hathoriques (fig. 100g, 365; pl. IIa) sont souvent reprises dans l'iconographie des divinités locales. Par contre, la double couronne ou le *pschent* (fig. 30, 100h) semble avoir été adopté par les rois phén. des VIIIe-VIIe s.: ses composantes, la couronne rouge (fig. 100j) et la couronne blanche (fig. 100i), sont attestées plus rarement. Quant aux autres c. d'origine étrangère, le bonnet phrygien (fig. 100k) est associé exclusivement à un dieu guerrier, tandis que le *kydaris* perse se rencontre occasionnellement comme c. de →Bès, d'un dieu encore non identifié ou du sphinx. La couronne murale ou crénelée (fig. 100l) et la coiffe isiaque (fig. 100m) ne sont guère représentées en dehors des monnaies, tandis que le *kalathos* (fig. 100n, 127, 330) se retrouve aussi bien sur certains reliefs que dans la coroplastie des époques perse et hellénistique. Finalement, la c. de plumes ou de palmes de Bès (fig. 43, 186) est attestée également dans les milieux pun. et est portée par →Baal Hamon (fig. 39, 339). EGub

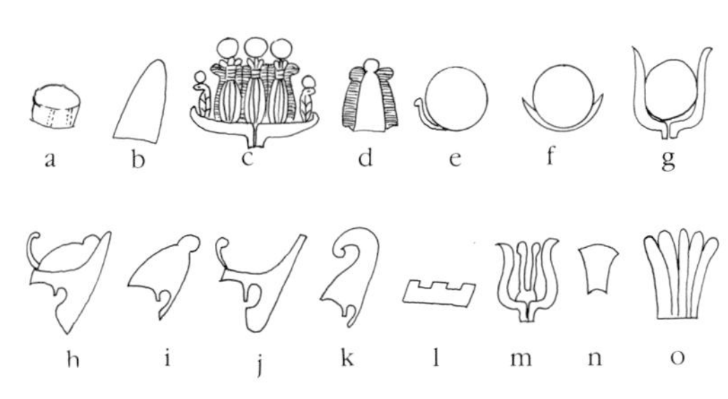

Fig. 100. Types de coiffures phén.

COLLECTIONNEURS Les c. d'antiquités ont parfois joué un rôle considérable dans les études phén.-pun. grâce aux pièces rares ou significatives qu'ils ont acquises. On trouvera ci-dessous de brèves notices concernant quelques figures marquantes de c.

1 Honoré d'Albert, Duc de Luynes (1802-1867), rassembla une collection d'antiques et de monnaies léguées après sa mort au Cabinet des Médailles à Paris (J.L.A. Huillard-Breholles, *Notice sur M. le Duc de Luynes,* Paris 1868).

2 Napoléon Antoine Pérétié (1808-1882), premier interprète au consulat de France, puis consul à Beyrouth, où il mourut, rassembla une importante collection d'antiquités phén. dont la plupart furent acquises par d'autres collectionneurs.

3 Parmi eux figure au premier chef Louis De Clercq (1836-1901), dont Pérétié fut pendant vingt ans le fidèle correspondant, à la tête d'un vaste réseau de rabatteurs voués particulièrement au pillage de la nécropole d'Amrit. La collection De Clercq se caractérise par une remarquable homogénéité spatio-temporelle voulue par son créateur qui entendait n'acquérir que des objets "provenant pour la plupart directement de fouilles faites dans un pays détermi-

né et d'après un plan fixé d'avance". Indispensable à l'intelligence de la production syro-phén. de la seconde moitié du Ier mill., elle a été léguée en partie au Cabinet des Médailles de Paris.
4 Parmi les autres clients de Pérétié figurent des diplomates, tels que J. Löytved, dont la collection a été dispersée, A. von Ustinow, dont la collection appartient maintenant aux Musées d'Oslo. Beaucoup plus importante est celle du Rvd J. Grenville Chester qui est répartie entre l'Ashmolean Museum d'Oxford et le British Museum de Londres.
5 Les découvertes dans la région de Sidon ont enrichi plusieurs collections dont la plus connue est celle du Dr G. Ford, directeur de la mission presbytérienne américaine. Elle comportait dix-neuf sarcophages anthropoïdes trouvés à Aïn Héloué, qui furent donnés au Musée National Libanais, à Beyrouth, ainsi que d'autres antiquités, maintenant exposées au musée archéologique de l'Université Américaine de Beyrouth.
6 C'est par la vente de la collection formée par le général Luigi →Palma di Cesnola, consul américain et russe à Larnaka (1865-1877), que plusieurs antiquités phén. de Chypre furent acquises par des musées, en premier lieu par le Metropolitan Museum de New York. PBor-EGub

COLONISATION →Expansion phénicienne.

COLONNA-CECCALDI, GEORGES (7.1.1840-3.9.1879). Érudit français. Attiré très jeune par l'Orient, C.-C. séjourne à Beyrouth de sept. 1866 à oct. 1871, et fait de nombreux voyages d'étude en Syrie-Phénicie, en Égypte et surtout à Chypre, où son frère Tiburce était Consul de France. Il visite les grands sites de l'île et donne sur les fouilles de →Palma di Cesnola et de Lang des informations précieuses. Ses essais sur l'histoire et l'art chypriotes, en particulier sur le rôle tenu par les Phéniciens, essais repris dans son ouvrage posthume *Monuments antiques de Chypre, de Syrie et d'Égypte* (Paris 1882), témoignent d'un esprit pénétrant et novateur, mais il meurt trop tôt, n'ayant pu consacrer que quelques articles aux antiquités de Phénicie. Son frère Tiburce découvrit sur le site d'Idalion plusieurs vases portant des inscriptions phén. (Masson-Sznycer, *Recherches*, p. 111-112). AHerm

COLONNES D'HERCULE →Calpè, Mont, →Ceuta.

COLUMNATA Cité rom. d'Oranie, localisée près de l'actuel village de Sidi Hosni, à 25 km au N.-E. de Tiaret (Algérie). La découverte de céramique campanienne B du IIIe-IIe s. av. J.C. sur le site de Kef Smaar, aux approches du village, atteste l'existence d'un établissement pré-rom. en relations avec un centre pun., puisqu'au moins un graffite de la céramique en question consiste en lettres pun.

Bibl. P. Cadenat, *Un établissement pré-romain dans la région de Tiaret (Oranie),* AntAfr 6 (1972), p. 29-58 (en part. p. 40). ELip

COMMERCE **1 Sources d'information** Le Phénicien a laissé dans la littérature gr.-lat. l'image d'un commerçant avec toutes les connotations positives mais surtout négatives (→piraterie) que cela suppose. Mais l'archéologie apporte une contribution importante à l'étude du c. phén. par l'examen des →céramiques phén. et de leur diffusion, des amphores commerciales et de leur contenu — vin, huile, conserves de poisson et de viande, céréales — et de tous les produits de l'artisanat. Toutefois, une des principales lacunes réside dans l'absence d'→épaves: celles d'→Ulu Burun (Kaş) et du cap→Gelidonya sont trop anciennes et relèvent plus de la circulation commerciale de l'époque mycénienne que de l'activité phén. au sens strict; le navire de Marsala est un bateau de guerre; seule, l'épave d'El Sec (Baléares), du début du IVe s. av. J.C., nous donne peut-être l'image d'un navire pun. chargé du matériel le plus varié: amphores de Samos, vases attiques, amphores gréco-italiques.
Les témoignages littéraires les plus anciens se trouvent dans un papyrus et dans la Bible. Un papyrus raconte l'histoire de l'égyptien →Wenamon et de ses transactions commerciales, au XIe s., avec le roi phén. de Byblos; il s'agit essentiellement de bois, comme dans les relations, rapportées par la →Bible, entre les Phéniciens et le roi Salomon qui en avait besoin pour la construction du temple de →Jérusalem au début du Xe s.
2 Commerce de détail Qui étaient les commerçants phén. ? Il n'y a pas de réponse simple étant donné notre mauvaise connaissance des réalités sociales phén. Les Tyriens qui partaient vers Carthage et l'Andalousie étaient des aristocrates qui possédaient des navires équipés pour de tels voyages, de même que les Phéniciens qui, dans l'*Il.* XXIII 741-745, offrent au roi de Lemnos un cratère d'argent. Mais l'*Od.* nous donne surtout la description d'un commerçant-camelot, qui vend sa pacotille au hasard de ses pérégrinations dans la mer →Égée et se transforme volontiers en marchand d'esclaves ou en ravisseur de filles. Ce c. de détail (*kapēleía*) porte sur de petits objets de luxe (*athúrmata*); on y trouve des scarabées égyptiens, souvent imités par les Phéniciens, des coquillages incisés, des œufs d'autruche peints, des bijoux, des objets d'ivoire, des vases à parfum, des verreries et des faïences, des coupes d'argent ou de bronze. Le monde pun. continue cette tradition phén. et les ateliers de Carthage et de Tharros se distingueront particulièrement. Derrière le fait commercial apparaît ainsi la grande originalité du milieu phén.-pun.: une aptitude à transformer la matière première en objet; cet artisanat est une donnée de base de ces sociétés et le commerçant ravitaille l'artisan avant de trouver chez lui la pacotille mais aussi des pièces somptueusement décorées dans la grande tradition orientale.
3 Importation de matières premières La recherche du métal — cuivre surtout mais aussi argent — est au cœur du c. phén. De là, l'intérêt pour le S. de l'Espagne, le S. de la Sardaigne, l'Étrurie et peut-être Thasos (Hdt. VI 46-47). C'est la recherche de l'étain, indispensable complément du cuivre pour la fabrication du bronze, qui les amène dans l'Atlantique, en direction de la Cornouaille.
4 Aire d'expansion Plus généralement, le c. entraî-

ne les Phéniciens sur toutes les côtes de la Méditerranée: en Cilicie, en Égypte (*Od.* XIV 287-291; Hdt. II 112), à Chypre, à Rhodes, en "Libye" (Afrique), en Sicile, en Sardaigne, en Espagne et au pays d'→Ophir, placé traditionnellement du côté de la mer Rouge. On ne sait pas exactement quel rôle revint aux Phéniciens et aux →Eubéens dans la diffusion des objets orientaux d'Arménie et de Syrie intérieure vers l'O., mais nul doute que l'action des Phéniciens et de leur marine fût importante puisque nous constatons que le phénomène →orientalisant s'est accompagné de l'arrivée en Étrurie du S. d'artistes et d'artisans phén. et syriens. La cohabitation que l'on constate à Ialysos (→Rhodes) et à →Pithécusses (Ischia) entre Phéniciens et Grecs est le symbole d'un monde où le commerce rassemble plus qu'il ne divise. Mais le courant →orientalisant qui irrigue la Méditerranée d'E. en O., du golfe d'Alexandrette à Chypre, à la Crète et à l'Italie et l'Andalousie, n'est pas destiné aux milieux phén. de l'O. mais aux grandes sociétés indigènes occidentales: Étrusques de Toscane et du Latium, Nuragiques de Sardaigne et Ibères d'Espagne.

5 Place de commerce La pratique même de l'échange est extrêmement difficile à cerner en raison de la rareté de la documentation. Un texte célèbre (Hdt. IV 196) décrit un "troc à la muette" sur une plage africaine où les Carthaginois viennent chercher de l'or; l'indigène agit dans le cadre du don qui suppose, dans les sociétés primitives, un contre-don, alors que le Carthaginois commerce: différence de mentalité qui explique que chacun soit satisfait de l'échange. Face à ce modèle qui se situe aux antipodes du commerce gr.-rom., où l'échange a lieu au cœur de la cité, sur l'agora ou le forum, le monde archaïque méditerranéen a connu l'*emporion*, lieu d'échange extra-urbain mais placé sous le contrôle de la puissance locale et où les sanctuaires jouent un rôle décisif. Pour Hdt. IV 152, Tartessos est un *emporion*, comme →Naucratis en Égypte; Gravisca, en Étrurie méridionale, l'était probablement aussi, comme d'ailleurs →Al-Mina et Pithécusses où l'on ne connaît cependant pas encore de sanctuaire. Mais notre connaissance des établissements phén. archaïques de Sicile, de Sardaigne ou d'Afrique est encore insuffisante pour dire si tel ou tel site présentait les caractères d'un *emporion* ou bien ceux d'une agglomération urbaine, comme Tyr ou Sidon. L'*emporion* reste un modèle gr. ou, à tout le moins, la vision gr. d'un modèle économique donné. On doit donc se contenter de dire que l'établissement phén. qui deviendra — à Carthage, en Sicile, en Sardaigne — une ville pun., était une base qui permettait le développement d'un artisanat local, source de c. avec le monde indigène voisin. Des indications en ce sens peuvent être perçues chez Skyl. 112 et chez Thc. VI 2. Dans de tels établissements, les installations liées au c., les magasins, devaient avoir une place importante mais l'archéologie ne nous apporte que de rares éléments, sauf à →Toscanos et à →Motyé.

Bibl. E. Speck, *Handelsgeschichte des Altertums* III/1, Leipzig 1905, p. 1-200; Gsell, HAAN IV, p. 1-169; G.C. et C. Picard, *La vie quotidienne à Carthage*, Paris 1958, p. 165-189 (1982², p. 177-193); R. Junge, *Weltgeschichte der Standortentwicklung der Wirtschaft in der Klassengesellschaft* I, Berlin 1961, passim; S. Moscati (éd.), *I Fenici e Cartagine*, Torino 1972, p. 89-150; G. Bunnens, *Commerce et diplomatie au temps de Hiram Iᵉʳ de Tyr*, JESHO 19 (1976), p. 1-31; id., *La mission d'Ounamon en Phénicie*, RSF 6 (1978), p. 161-175; Yu.B. Tsirkin, *Economy of the Phoenician Settlements in Spain*, E. Lipiński (éd.), *State and Temple Economy in the Ancient Near East* II, Leuven 1979, p. 547-566; L.-M. Hans, *Zur Rolle Sardiniens in der karthagischen Handelspolitik im 4. Jh. v. Chr.*, MBAH 5(1985), p. 65-76; S. Ribichini, *Temple et sacerdoce dans l'économie de Carthage*, BAC, n.s., 19B (1983[1985]), p. 29-37; M. Gras, *Trafics tyrrhéniens archaïques*, Rome 1985; M. Botto, *I commerci fenici e la Sardegna nella fase precoloniale*, EVO 9 (1986), p. 125-149; A. Lemaire, *Les Phéniciens et le commerce entre la Mer Rouge et la Mer Méditerranée*, StPhoen 5 (1987), p. 49-60; M.F. Baslez, *Le rôle et la place des Phéniciens dans la vie économique des ports de l'Égée*, StPhoen 5 (1987), p. 267-285; Yu.B. Tsirkin, *The Economy of Carthage*, StPhoen 6 (1988), p. 125-135; E. Lipiński, *Carthage et Tarshish*, BiOr 45 (1988), col. 60-81; D.W.J. Gill, *Silver Anchors and Cargoes of Oil*, PBSR 56 (1988), p. 1-12 (bibl.); M. Gras - P. Rouillard - J. Teixidor, *L'univers phénicien*, Paris 1989. MGras

CONSTANTINE En arabe *(al-)Qusṭanṭiniyya*, actuellement *Qusanṭina*, l'antique *Cirta (Regia)*, en néopun. *Krṭn* d'après des légendes monétaires du IIᵉ s. av. J.C., orthographe qui ne plaide pas en faveur d'une origine phén. *qart*, "ville", du toponyme. C. occupe un plateau en forme de trapèze protégé à l'E. et au N. par les gorges profondes du Rhummel (*Ampsaga*) et par des flancs abrupts au S. et à l'O. Elle n'est accessible qu'au S.-O. par un isthme autrefois plus étroit. Capitale de →Syphax, allié de Carthage, C. est mentionnée pour la première fois à la fin de la 2ᵉ guerre pun. Après la défaite carth., →Massinissa I et ses successeurs en firent leur capitale jusqu'à la fin du royaume numide en 46 av. J.C. Grâce à Massinissa, puis à →Micipsa, C. s'est ouverte à la civilisation pun. et au monde hellénistique. Au IIᵉ s., elle accueillit des immigrants carth. qui, aux côtés d'un petit nombre

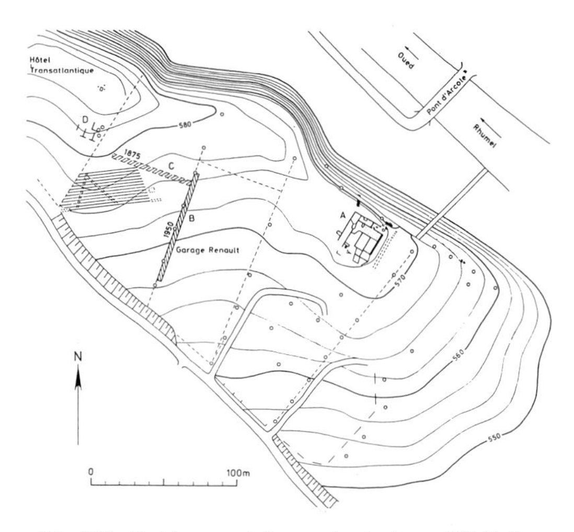

Fig. 101. Emplacement du sanctuaire pun. d'El-Hofra, Constantine (fin du IIIᵉ-milieu du Iᵉʳ s. av. J.C.).

de Grecs et d'Italiens, participèrent au développement de la ville. La langue pun. devint alors la langue officielle (stèles, monnaies). Hormis un îlot d'habitat à Sidi M'Cid (fin IIIe s.), on n'a rien retrouvé des constructions de cette époque, qui pourraient refléter le style gr.-pun. propre aux derniers temps de Carthage. Mais l'intérêt de C. réside dans l'existence du sanctuaire d'El-Hofra (→*tophet*), consacré à Baal Hamon, où l'on a retrouvé 850 stèles votives (fig. 101). La plupart des inscriptions sont rédigées en pun. et en néopun., un petit nombre en gr. et en lat. Les symboles sont ceux des stèles de Carthage: →"signe de Tanit", caducée, main, etc. Avec ce sanctuaire au rayonnement court (fin IIIe-milieu Ier s.), C. est après Carthage le second centre religieux de tradition pun. en Afrique du N. Après 146 av. J.C., elle est un conservatoire des traditions culturelles et religieuses pun., et garde le nom de *Cirta* jusqu'au début du IVe s. ap. J.C.

Bibl. AAAlg, f^e 17 (Constantine), n° 126; PECS, p. 224-225; A. Berthier-R. Charlier, *Le sanctuaire punique d'El-Hofra à Constantine*, Paris 1952-55; Mazard, *Corpus*; M. Leglay, *Saturne Africain. Monuments* II, Paris 1966, p. 22-31; Gascou, *Politique municipale*, p. 111-115; J. Février - A. Berthier, BAA 6 (1975-76), p. 78-79; H.C. Horn - C.B. Rüger (éd.), *Die Numider*, Köln 1979, p. 117-118, 408-409, 548-571; A. Berthier, *Un habitat punique à Constantine*, AntAfr 16 (1980), p. 13-26; Lepelley, *Cités* II, p. 383-399; F. Bertrandy -M. Sznycer, *Les stèles puniques de Constantine*, Paris 1987. FBer

CONSTITUTION DE CARTHAGE Les institutions politiques de Carthage jouissaient d'un grand prestige chez les auteurs gr. et lat. (cf. Pol. VI 52,1-2), mais Aristote (384-322) est le seul écrivain antique dont on ait conservé une description quelque peu détaillée de la C. de C. dans le livre II de sa *Politique* (chap. 11). C'est la seule C. non gr. que le Stagirite ait incluse dans la série des modèles proposés. Elle aurait contenu les meilleures institutions de chacun des trois systèmes politiques, monarchique (→suffétat, →royauté), aristocratique (→Sénat), démocratique (→assemblée du peuple). L'image qu'Aristote en donne correspond vraisemblablement aux institutions carth. de la première moitié du IVe s. et les indications plus tardives, contenues dans le livre V de sa *Politique*, en diffèrent déjà à certains égards. Un certain Hippagoras aurait ainsi traité de la C. de C. (Ath. XIV 27a) et Pol. VI 51-52 lui accorde quelque attention.

Bibl. Gsell, HAAN II, p. 183-244; R. Weil, *Aristote et l'histoire*, Paris 1961; E. Bacigalupo Pareo, *I supremi magistrati a Cartagine*, Contributi di storia antica in onore di A. Garzetti, Genova 1977, p. 61-87; M. Sznycer, in C. Nicolet (éd.), *Rome et la conquête du monde méditerranéen* II, Paris 1978, p. 561-565; Huß, *Geschichte*, p. 458-466; id., *Probleme der karthagischen Verfassung*, ACFP 2, Roma (sous presse). ELip

CORDOUE L'actuelle province espagnole de C. (Córdoba) fait partie de l'→Andalousie. Elle ne contient pas de colonies phén., mais diverses localités tartessiennes de la région ont livré du matériel phén.-pun. remontant jusqu'au VIIe s., notamment des ivoires travaillés, des faïences, des objets en pâte de verre. On peut signaler, entre autres, les sites d'Ategua, de La Colina de los Quemados et d'El Llanete de los Moros, près de Montoro.

Bibl. PECS, p. 239-240; J.C. Martín de la Cruz - M.P. San Nicolás Pedraz, *Influjos orientales en la provincia de Córdoba*, AEArq 58 (1985), p. 3-17; AulaOr 4 (1986), p. 329 (bibl.). ELip

CORINTHE En gr. *Kórinthos*, lat. *Corinthus*, ville de Grèce dont la position clé sur l'Isthme et les deux ports de Léchaion et de Cenchrées firent un centre majeur d'industrie, de commerce et de plaisir. Un lieu commun liait sa destruction en 146 av. J.C. à celle de Carthage, intervenue la même année. Tout témoignage direct d'une présence phén. à haute époque fait défaut, mais C. importait du poisson dans des amphores pun. au Ve s. av. J.C. Aphrodite y possédait plusieurs sanctuaires (Paus. II 2,3; 5,1), où son culte (Ath. XIII 573c-574b) devait être lié à la →prostitution sacrée (Strab. VIII 6,20-23; XII 3,36), à laquelle n'est peut-être pas étrangère l'histoire du jeune homme ensorcelé par une Phénicienne (Philostr., *V. Apoll.* IV 25). Athéna était honorée à C. sous l'épithète de Phoinikè, indice possible d'un patronage de teinturiers, et il existait un lieu appelé Phoinikaion (AJA 46 [1942], p. 69-72). Il faut renoncer à voir dans le héros corinthien →Mélicerte une version gr. de →Melqart.

Bibl. ANRW II/7,1, p. 438-548; PECS, p. 240-243; E. Will, *Korinthiaka*, Paris 1955; C.G. Koehler, *Corinthian Developments in the Study of Trade in the Fifth Century*, Hesperia 50 (1981), p. 449-458; J.B. Salmon, *Wealthy Corinth. A History of the City to 338 B.C.*, Oxford 1984; Y. Maniatis et al., *Punic Amphoras Found at Corinth, Greece: An Investigation of their Origin and Technology*, Journal of Field Archaeology 11 (1984), p. 205-222; H.D. Saffrey, *Aphrodite à Corinthe. Réflexions sur une idée reçue*, RB 92 (1985), p. 359-374; C.K. Williams, *Corinth and the Cult of Aphrodite*, M.A. Del Chiaro (éd.), *Studies in Honor of D.A. Amyx*, Columbia 1986, p. 12-24; D. Musti-M. Torelli, *Pausania, guida della Grecia. Libro II. La Corinzia e l'Argolide*, Milano 1986. VKri-ELip

CORNUS En gr. *Kórnos*, lat. *Cornus*, peut-être pun. * *Qrn*, si le toponyme est sémitique; localité de →Sardaigne où les rebelles sardo-pun. d'Hampsicora et leurs alliés carth. ont été battus par les Romains en 215, au cours de la 2e →guerre pun. (Liv. XXIII 40,5; 41,5). Ptol. III 3,7 situe C. entre →Bosa et →Tharros, et la découverte de l'inscription lat. CIL X,7915, qui mentionne l'*ordo Cornensium* et le *populus Cornensium*, permet effectivement de localiser C. dans la région de Santa Caterina di Pittinuri et de S'Archittu, au N.-E. du Capo Mannu, près duquel devait se trouver le port, le *Korakōdēs limēn* de Ptol. III 3,2. L'acropole de C. se trouvait sur la colline de Corchinas, près de S'Archittu. Elle est entourée de nécropoles pun., dont le matériel archéologique n'est pas antérieur au Ve s. av. J.C., ce qui fait penser à une fondation carth. Une partie de la ville se trouvait peut-être au S.-E. de Corchinas, au lieudit Campu 'e Corra.

Bibl. ANRW II/11,1, p. 523-525; PECS, p. 244; A. Taramelli, *Cuglieri. Ricerche e esplorazioni nell'antica Cornus*, NotSc 15 (1918), p. 285-331; A. Mastino, *Cornus nella sto-*

ria degli studi, Cagliari 1979; F. Barreca, *La civiltà fenicia e punica in Sardegna*, Sassari 1986, p. 293-294. GTore

COROPLASTIE La c. est très répandue au Proche-Orient, où l'on rencontre ses trois procédés de fabrication: modelage à la main retouché à la pointe pour le rendu des détails, façonnage sur le tour avec application de parcelles d'argile, moulage à travers un estampoir ou tampon (travail à la matrice plate) ou à travers un moule univalve (travail à la matrice en creux). Les types de statuettes les plus courants dans le répertoire cananéen de l'âge du Bronze sont les femmes joignant les mains ou se soutenant les seins (fig. 102), le *naiskos* avec image divine (fig. 104), les joueuses de tympanon (fig. 103; pl Vc). Des types nouveaux en naissent, repris par l'artisanat phén. de l'âge du Fer: la *pillar woman* au corps fait au tour, les protomés et les →masques apotropaïques (fig. 213-219, 229, 230), la femme enceinte (fig. 197), les scènes de genre, avec des personnages engagés dans des activités quotidiennes (pl. Va), etc. Ces types phén. du Ier mill., mieux connus grâce aux découvertes d'→Akzib, →Sarepta (1) et →Shiqmona pour la période archaïque, d'→Amrit (pl. Vd), de →Kharayeb et des épaves de Tyr (fig. 105) et de →Shavê Zion pour les époques perse et hellénistique, sont transmis au monde colonial de l'O. méditerranéen qui reçoit un répertoire fortement influencé par les ateliers chypriotes, auxquels les Phéniciens empruntent plusieurs motifs iconographiques et maints détails de l'habillement. Au Levant, l'influence gr. n'apparaît qu'à partir de l'époque perse, mais les types hellénisants se greffent très tôt sur le répertoire proche-oriental dans les colonies phén. de l'O. Ce phénomène, favorisé par les rapports politiques et commerciaux entre Carthage et la Sicile gr., se manifeste depuis le VIe s. par l'importation de →moules et de terres cuites de Sélinonte, Agrigente, Géla, et par l'imitation des détails de la →coiffure et de la parure (*kalathos*, collier). La c. pun. emprunte à la Phénicie les trois techniques de fabrication, mais avec des spécialisations qui vont s'accentuer, les pièces au tour demeurant en général les plus fidèles aux modèles proche-orientaux:

Fig. 104. Naiskos *miniature, Hélaliéh près Sidon (Ve s. av. J.C.). Paris, Louvre.*

Fig. 102. Figurine de déesse portant les mains à la poitrine en signe de fécondité, Akzib (VIIIe-VIe s. av. J.C.). Paris, Louvre.
Fig. 103. Statuette de femme tenant un tambourin, Kamelarga-Kition (VIe s. av. J.C.). Bruxelles, Musées Royaux d'Art et d'Histoire.

1 *C. modelée à la main*. Très rare en Occident, elle se borne à une figurine de femme nue en Sardaigne, à deux scènes de genre à Carthage et à un brûle-parfum de Gadès.

2 *C. faite au tour*. Elle est représentée par des séries d'ex-voto des *tophet* de Carthage et de Motyé, des pièces de la Illa Plana à →Ibiza (fig. 168) et de →Bitia (fig. 47). Il s'agit d'idoles au corps en cloche ou à profil ovoïdal, aux bras et aux attributs sexuels en appliqué, portant parfois des lampes sur la tête et

Fig. 105. Groupe de figurines provenant d'une favissa *marine près de Tyr (Ve s. av. J.C.). Coll. privée.*

entre les mains, avec des bandes en croisillon peintes sur la poitrine.

3 *C. tirée d'un moule univalve.* Ces pièces imitent les principaux types de Phénicie, Syrie du N. (Neirab) et Palestine: femmes nues se soutenant les seins ou tenant les bras étendus le long des flancs, à la coiffure égyptisante, femmes enceintes assises (typologie limitée à Carthage), protomés féminins au *klaft*, avec influence des protomés gr.-orientaux, dont quelques exemplaires ont été mis au jour à Carthage (fig. 217, 218), à Motyé (fig. 230) et en Sardaigne. Une série pun., fortement influencée par la Sicile, s'échelonne des types archaïques de la déesse à la colombe ou au *polos* aux péplophores de style sévère (surtout à Ibiza) et aux ex-voto à la tête coiffée du *kalathos*, courants dans les sanctuaires siciliotes de →Déméter et Koré à l'époque hellénistique.

À côté des statuettes moulées, le monde pun. connaît d'autres objets à fonction cultuelle ou funéraire: des *arulae* figurant des luttes d'animaux (Himère, Motyé, Solonte, →Kerkouane), des →moules "à gâteaux" (fig. 237-239), des disques au dieu cavalier (Carthage, Ibiza) ou à symbolique eschatologique et funéraire (Kerkouane).

Bibl. S. Moscati (éd.), *I Fenici e Cartagine*, Torino 1972, p. 335-371; M.L. Uberti, *Le figurine fittili di Bitia*, Roma 1973; J. Ferron-M.E. Aubet, *Orants de Carthage*, Paris 1974-75; M.L. Uberti, *Le terrecotte*, Anecdota Tharrhica, Roma 1975, p. 17-50; S. Moscati, *Il mondo punico*, Torino 1980; M.J. Almagro Gorbea, *Corpus de las terracotas de Ibiza*, Madrid 1980; ead., *Catálogo de las terracotas de Ibiza del Museo Arqueológico Nacional*, Madrid 1980; A.M. Bisi, *La coroplastica fenicia d'Occidente*, AulaOr 3 (1986), p. 285-294; PhMM, p. 111-141; A.M. Bisi, *Le terrecotte figurate*, I Fenici, Milano 1988, p. 328-353; A. Ciasca, *Le protomi e le maschere*, ibid., p. 354-369. AMBi

CORPORATIONS Les inscriptions dédicatoires et funéraires ont conservé un grand nombre de noms phén.-pun. de métiers, que l'on faisait suivre au nom propre du donateur ou du défunt, et l'iconographie des stèles pun. évoque souvent la profession du dédicant en figurant les outils typiques de son métier. La question se pose de savoir si les artisans — ou du moins certains d'entre eux — étaient organisés en c., mises sur pied par l'État, le palais, le temple, le gros entrepreneur ou les gens de métier eux-mêmes. Les artisans qui ont travaillé au temple de →Jérusalem avaient été envoyés par le roi →Hiram I de Tyr, ceux que mentionne la tablette des comptes de Kition (CIS I,86 = TSSI III,33 = Kition III,C 1) étaient au service du temple d'Astarté, et les deux mille ouvriers de l'arsenal de Carthagène (Pol. X 17,9) travaillaient pour l'État des Barcides. Il devait cependant exister des corps de métiers dotés de leur propre organisation, comme le suggèrent les titres, p.ex., de *rb ḥrš*, "artisan en chef" (CIS I,64 = Kition III, B 9), et *bn nsk*, "fils de fondeur" (SEt 45 [1977], p. 59), peut-être simple membre de la c. de fondeurs, ainsi que l'énumération collective de "peseurs de monnaies" (*šql mḥtt*), de "fondeurs d'or" (*nsk ḥrṣ*), de "l'établissement de fours" (*bt tnrm*), de "fabricants de sandales" (*p'l sdlm*), dans l'inscription urbanistique de Carthage (ANLR 21 [1966], p. 201-210), mais il est douteux que le mot *sḥrt* y signifie "c.". Malgré la pauvreté de ces données, on est en droit de supposer l'existence de c. artisanales, d'autant plus que les →thiases religieux (→*marzeḥ*) et les associations dénommées →*mizreḥ* témoignent de la tendance qu'avaient les Phéniciens à s'associer. En marge des c., il convient de mentionner les anciennes castes professionnelles. S'inspirant d'une tradition sémitique qui rattachait les castes des nomades pasteurs, musiciens, forgerons ambulants, à des ancêtres dont le nom rappelait les métiers de leurs descendants (*Gn.* 4,20-21), →Philon de Byblos (Eus., *P.E.* I 10,11) attribue un ancêtre aux chasseurs et aux pêcheurs, à savoir Agreus, "Chasseur" (hb. *ṣayyād*), et Halieus, "Pêcheur" (hb. *dayyāg*, ug. *dgy*), qu'il insère dans une généalogie fictive. Les noms d'Agros, Agrouhèros et Agrotès (Eus., *P.E.* I 10,12) sont apparentés à celui d'Agreus.

Bibl. G.C. et C. Picard, *La vie quotidienne à Carthage*, Paris 1958, p. 101-117 (1982[2], p. 104-122); F. Decret - M. Fantar, *L'Afrique du Nord dans l'Antiquité*, Paris 1981, p. 137-139; M. Heltzer, ACFP 1, Roma 1983, p. 119-123; M. Sznycer, *Les noms de métier et de fonction*, Chypre. La vie quotidienne de l'Antiquité à nos jours, Paris 1985, p. 79-86; Huß, *Geschichte*, p. 481-488; A. Ben Younès-Krandel, *Quelques métiers artisanaux à Carthage*, REPPAL 2 (1986), p. 5-30. ELip

CORSE →Alalia.

CORTIJO DE LAS SOMBRAS Site d'une nécropole datable du VIe-Ve s. av. J.C., située près de Frigiliana, à *c.* 50 km à l'E. de Málaga et à 5 km de la côte (Espagne). On y a mis au jour 15 tombes à crémation qui présentent des analogies avec les sépultures de l'île de →Rachgoun. Les restes calcinés étaient déposés dans des urnes polychromes, de forme surtout globulaire, des assiettes plates faisant office de couvercles. On peut y observer des influences aussi bien phén.-pun. qu'indigènes, celles-ci étant très marquées.

Bibl. A. Arribas - J. Wilkins, *La necrópolis fenicia del Cortijo de las Sombras (Frigiliana, Málaga)*, Pyrenae 5 (1969), p. 185-244. ELip

COS En gr. *Kōs*, une des îles des Sporades, dans l'Égée, qui atteignit son apogée sous les Lagides. Vers la fin du IVe s. av. J.C., elle devait servir de base à la flotte phén. au service d'→Alexandre ou des Diadoques, comme le suggère la dédicace bilingue gr.-phén. d'un fils du roi →Abdalonymos de Sidon. Elle commémore la construction à C. d'une jetée (?) ou d'un autre ouvrage d'art devant servir aux navigateurs et le dédie à →Astarté-Aphrodite. Les inscriptions gr. locales livrent des noms d'origine phén., p.ex. *Basileídēs* (LGPN I, p. 99b), portés par des négociants installés dans l'île. Un culte de Zeus Sôter y est officiellement inauguré au IIIe s., époque où C. devint la résidence de Bérose, prêtre du dieu babylonien →Bél(os) (2), dont les *Babyloniaca* (FGH 680) éveillèrent l'intérêt des Grecs et des Phéniciens hellénisés pour les cultes mésopotamiens. Au Ier s. av. J.C., un thiase de C. se place sous la protection de Zeus Sôter et celle d'Astarté. Le culte d'Héraklès y est aussi bien implanté, mais sans connexion assurée avec →Melqart.

Bibl. KlP III, col. 312-315; PECS, p. 465-467; PW XI, col. 1467-1480; S. Sherwin-White, *Ancient Cos*, Göttingen 1978; Kh. Kantzia (partie gr. de la bilingue) - M. Sznycer (partie phén.), ArchDelt 35 (1980 [1986]), A, p. 1-30; Bonnet, *Melqart*, p. 378-380. CBon-ELip

COSMOGONIE Les c. phén. ne nous sont connues que par des textes gr. tardifs, imprégnés de conceptions philosophiques diverses. Chez →Philon de Byblos, cité par →Eusèbe de Césarée (*P.E.* I 10, 1-5), la naissance du monde est décrite comme un processus physique dans lequel seuls interviennent des éléments: le vent et le désir (gr. *póthos*), d'où naît *Mṓt*, le limon (cf. akk. *mātu*, "plat pays"), et non la volonté agissante d'une divinité. Les éléments mis en jeu rappellent les c. dites orphiques (Damasc., *Princ.* 123bis) et il est peu probable que le caractère athéiste de cette c. reflète d'une manière adéquate les conceptions phén. Selon Mochos, cité au Ve-VIe s. par Damascius (*Princ.* 125c = FGH 784), l'Univers, en gr. *Oulōmos* < phén. *'lm*, naît de l'éther et de l'air, puis engendre l'œuf cosmique et le dieu-artisan →Chousor. Celui-ci ouvre l'œuf et forme le ciel et la terre de chacune de ses deux moitiés. Pour Eudème de Rhodes, philosophe péripatéticien, les Sidoniens situaient à l'origine de toutes choses le Temps, le Désir et l'Humidité qui engendrent deux éléments, eux-mêmes géniteurs du principe de la rationalité (Damasc., *Princ.* 125; cf. 257. 265-266. 270).

Bibl. RLA VI, p. 218-222; WM I/1, p. 309-310; O. Kern, *Orphicorum fragmenta*, Berlin 1922; A. Caquot, in *La naissance du monde*, Paris 1959, p. 177-184; O. Eissfeldt, *Phönikische und griechische Kosmogonie*, Éléments orientaux dans la religion grecque antique, Paris 1960, p. 1-16; Baumgarten, *Commentary*, p. 94-139; G. Garbini, *La cosmogonia fenicia e il primo capitolo della Genesi*, G. Di Gennaro (éd.), *Il cosmo nella Bibbia*, Napoli 1982, p. 127-148; S. Ribichini, *Poenus Advena*, Roma 1985, p. 19-40; L.G. Westerlinck - J. Combès (éd.), *Damascius. Traité des premiers principes* I, Paris 1986. ELip

COSSURA →Pantelleria.

COTHON Ce terme, dérivant peut-être de la racine sémitique *qṭn*, "petit" (cf. akk. *quṭānu*, "parcelle"), voire apparenté à l'arabe *qaṭṭa*, "tailler", désigne, sous le calame d'auteurs gr. et lat., tout ou partie des →ports pun. Le sens du mot n'était pas obvie, des grammairiens l'explicitèrent: les définitions de Festus (*De sign. verb.*, s.v.) et de Servius (*in Aen.* I 427) insistent sur leur nature artificielle. La littérature archéologique appelle c. des bassins rectangulaires creusés dans la roche et débouchant sur la mer libre par l'intermédiaire d'un chenal (→Mahdia, →Rachgoun, →Motyé: Phén 155); à →Carthage (2) (Phén 153, 323) même, l'on nomme traditionnellement c. les lagunes de →Salammbô, site d'installations portuaires des IIIe-IIe s. av. J.C. Les dimensions de ces exemples apparaissent, en tout état de cause, réduites et conformes à l'étymologie proposée. Le site de Phalasarna en Crète montre un exemple de port assez semblable (→Égée).

Bibl. S. Moscati (éd.), *I Fenici e Cartagine*, Torino 1972, p. 207-218; M. Sznycer, in C. Nicolet (éd.), *Rome et la conquête du monde méditerranéen* II, Paris 1978, p. 557. JDeb-ELip

COTTE →Spartel, Cap.

COUPES MÉTALLIQUES Les c. ou patères dites "phén." furent célèbres dès l'époque d'Hom. (*Il.* XXIII 741; *Od.* IV 615). On les obtenait en martellant une fine lame de métal (bronze, argent, or), décorée ensuite au repoussé avec beaucoup de raffinement ou gravée au burin. La forme la plus commune est la simple calotte sphérique, plus ou moins profonde, la c. à fond plat étant plus rare. Elle est parfois pourvue de bords ou d'une poignée amovible. Parmi les *c.* 120 pièces connues à ce jour, aucune n'a été trouvée en Phénicie. Les c. étaient des objets de luxe, destinés aux échanges; elles ont donc une large diffusion au Proche-Orient et en Méditerranée. Layard en a découvert un grand nombre en 1849, à →Nimrud où elles furent transportées comme tribut ou butin (fig. 106). D'autres sont de provenance inconnue. À part les deux c. en or d'Ugarit, qui sont les prototypes les plus anciens (XIVe-XIIIe s.), les c. phén. remontent toutes à la première moitié du Ier mill. On peut distinguer deux grandes périodes de production: la période I (*c.* 900-700) comprend des c. en bronze trouvées en Orient et en Grèce (fig. 107); la période II (700-550), des c. trouvées surtout à Chypre (fig. 263; pl. VIc) et en Étrurie (fig. 109), généralement d'argent,

Fig. 106. Fac-similé d'une coupe métallique de Nimrud (IXe-VIIIe s. av. J.C.). Londres, British Museum.
Fig. 107. Coupe en bronze d'Olympie (VIIIe s. av. J.C.). Athènes, Musée National.
Fig. 108. Coupe en bronze d'origine syro-phén. (IXe-VIIIe s. av. J.C.). Coll. privée.
Fig. 109. Fac-similé de la coupe en argent doré de Palestrina/Praeneste (VIIe s. av. J.C.). Rome, Musée Archéologique de Villa Giulia.

parfois doré, plus rarement de bronze ou d'or. Au cours de ce long laps de temps, les c. présentent une claire évolution de forme et de technique, de composition et d'iconographie, mais elles manifestent surtout, dans le répertoire figuratif, des influences d'origines diverses, égyptienne, assyrienne, égéenne, qui souvent sont associées dans la même pièce. Si ce caractère éclectique et une forte marque égyptisante caractérisent la production phén., il n'est toutefois pas facile d'établir l'origine et les centres de production des c.; il existait en effet divers groupes stylistiques et écoles artistiques. Ainsi, les c. de la période I ne sont pas toutes phén. et il serait plus juste de les définir comme orientales ou "syro-phén.". Quant à celles de la période II, l'opinion la plus répandue, mais pas encore prouvée, est que Chypre en serait le centre de production, mais on songe aussi à la Phénicie ou à un atelier en Occident. Les inscriptions en phén., araméen ou chypriote qu'elles portent, n'éclairent pas le problème de leur origine, puisqu'elles donnent presque toujours le nom du propriétaire et non celui du bronzier.

1 Période I Les c. de Nimrud, qui ne peuvent être postérieures à Sargon II (721-705), appartiennent à la période I. Leur composition se caractérise par une ou plusieurs frises concentriques s'enroulant autour du médaillon central de type géométrique et/ou végétal. Sur la base de ce motif, →Barnett a distingué 4 groupes principaux: à bouton de rose, à guirlandes concentriques de palmettes miniatures (fig. 106), à étoile et à poignée amovible. Le groupe I est d'origine N.-syrienne comme le démontre le thème de la chasse en char figuré sur une c., mais le lion est de style assyrien et le →sphinx ailé, égyptisant. Pareils motifs se retrouvent sur d'autres c.; ainsi la chasse apparaît sur une c. d'Olympie et une de Delphes, où le char est tiré par un sphinx et où figure aussi le siège d'une forteresse. Dans ce groupe rentre une série de c. qui figurent une procession de taureaux à l'extérieur et des vaches allaitant un veau dans la frise interne (fig. 108). À part deux exemplaires de Nimrud, ces c. aux taureaux sont connues en Grèce (Olympie, Rhénée), en Anatolie, en Égypte (en faïence) et en Sicile (en or). Au groupe 2 appartiennent diverses c. de Nimrud qui ont au moins une frise de sphinx et/ou d'autres animaux, en alternance, parfois contenus dans des panneaux (fig. 106). On trouve fréquemment une composition quadripartite dans laquelle les figures se répètent en un schéma cruciforme suivant les axes principaux. Parfois, des colonnes, des étendards et d'autres motifs verticaux sont utilisés pour répartir les espaces. Deux c. de ce groupe proviennent du Mont →Ida, en Crète. Le groupe 3, avec des frises de motifs géométriques disposés autour d'une grande étoile centrale, est peut-être de production araméenne. Certaines c. de Nimrud ne rentrent pas dans un groupe précis, comme la célèbre "c. du Panthéon" où sont représentées diverses divinités de l'Olympe phén. (fig. 30), celle des quatre montagnes de style assyrien, avec des scènes sylvestres gravées en miniature, ou encore celle avec des entrelacs de palmettes. Dans un seul cas, à Nimrud, le médaillon est orné de figures humaines: la mise à mort de Humbaba. Parmi les c. orientales on signalera encore un exemplaire de Megiddo et un groupe, peut-être d'imitation locale, trouvé en Iran. De provenance inconnue, on mentionnera deux splendides patères récemment publiées et conservées à New York et Newcastle, qui présentent diverse scènes avec des personnages divins.

De la période I, existent une vingtaine de c. en bronze trouvées en Grèce, Crète et Égée; deux seulement, à frises zoomorphes, proviennent de l'Italie (Vetulonia, Francavilla Marittima). Elles sont stylistiquement apparentées à celles de Nimrud et proviennent de tombes ou de sanctuaires, comme Olympie, Delphes et l'Ida. Outre les exemplaires déjà cités, rappelons une coupe de Fortetsa (Crète) avec des bouquetins s'agrippant au tronc d'un arbre sacré et une autre c. d'Olympie, avec une étoile centrale et une frise représentant diverses scènes (banquets, musiciens, mise à mort du griffon), séparées par quatre panneaux reproduisant une déesse nue et un dieu barbu dans une chapelle (fig. 107). Pour leur haute datation (*c.* 900), on signalera enfin trois pièces découvertes il y a peu, une de Lefkandi, en Eubée, ornée de sphinx et de l'arbre sacré, et deux de →Tekké, près de Knossos, dont une avec inscription phén.

2 Période II Toute une série d'éléments distinguent cette production plus tardive: la matière (l'argent), la provenance (Chypre, l'Étrurie et une c. de Rhodes), la technique (poinçons nouveaux). De nouveaux motifs accessoires apparaissent entre les frises (pointillés, bandes de cercles, zigzags, etc.) ou remplissent les vides (palmettes, cyprès, volatiles). Le médaillon est souvent figuratif: pharaon ou roi victorieux (fig. 109; pl. VIc), héros tuant le lion, animaux (sphinx, lion, taureau, vache allaitant). Au grand médaillon s'oppose la décoration plus petite des frises concentriques, toujours plus dense et riche de figures délicatement traitées, en léger relief, quasi en miniature. Le schéma quadripartite, la symétrie rigide et la répétition des motifs tendent à disparaître au profit d'une plus grande variété. Certaines scènes se succèdent parfois dans une même frise pour former une narration continue. Le répertoire figuratif oriental et →égyptisant se renouvelle et de nouveaux thèmes apparaissent, comme les files de chevaux, cavaliers, hoplites (un motif gr.) (fig. 109). Une nouvelle composition, quoique rare, est dépourvue de frises concentriques, remplacées par quatre barques en opposition et des scènes nilotiques. En fait s'affirme alors un style phén. international.

Pour les c. de Chypre, la classification de →Gjerstad en 4 groupes stylistiques conserve encore sa valeur, mais il faut tenir compte du fait que le groupe proto-chypriote, le plus ancien (IXe-VIIIe s.), est d'origine syrienne et que le groupe néo-chypriote comprend des thèmes mixtes de tradition chypriote et phén. Les autres groupes (chypro-phén., chypro-égyptien et chypro-gr.) rentrent au contraire dans l'art phén. On connaît particulièrement la c. d'Amathonte du British Museum, avec scène de siège et divers motifs égyptiens dans les autres frises; les c. de la Collection →Cesnola et deux c. d'→Idalion au Louvre, dont celle du héros, travesti en Héraklès oriental, abattant lions et griffons (fig. 263; pl. VIc). En ce qui concerne l'Étrurie, les c. sont étroitement apparentées au groupe phén.-chypriote et proviennent des tombes princières de Caere, →Palestrina et →Pontecagnano. Les trois pièces les plus connues sont celles de la tombe Bernardini: l'une porte des scènes et des symboles égyptiens, alternant avec Isis allaitant Horus; une autre figure le roi qui part à la chasse, accomplit un sacrifice, tue un monstre et revient en char (fig. 109); la troisième est le grand chaudron d'argent. Les c. des tombes Barberini et Rigolini-Galassi ne sont pas moins raffinées, avec une ornementation de scènes analogues de guerre et de chasse.

Bibl. E. Gjerstad, *Decorated Metal Bowls from Cyprus*, OpArch 4 (1946), p. 1-18; R.D. Barnett, *The Nimrud Bowls in the British Museum*, RSF 2 (1974), p. 11-34; A. Imai, *Some Aspects of Phoenician Bowls with Special Reference to the Proto-Cypriote and the Cypro-Phoenician Class*, New York 1977; A. Rathje, *Silver Relief Bowls from Italy*, ARID 9 (1980), p. 7-47; G. Markoe, *Phoenician Bronze and Silver Bowls from Cyprus and the Mediterranean*, Berkeley 1985; H. Matthäus, *Metalgefässe und Geffässuntersätze der Bronzezeit, der geometrischen und archaischen Periode auf Cypern*, München 1985; G. Falsone, *A Syro-Phoenician Bull-Bowl in Geneva*, AnSt 35 (1985), p. 131-145; id., *Phoenicia as a Bronzeworking Centre in the Iron Age*, J.E. Curtis (éd.), *Bronzeworking Centres of Western Asia*, London 1988, p. 227-250. GFal

COURANTS MARINS La →navigation phén. est encore trop mal connue pour savoir dans quelle mesure les trajets commerciaux dépendaient des c.m. Toutefois, des c. de 5 nœuds ont longtemps pu empêcher toute navigation et une vitesse de 2,5 nœuds les faisait qualifier de "puissants". Ainsi, la force des c. contraires exclut une fréquentation régulière des côtes de l'Afrique tropicale par les Phéniciens. De même ailleurs, en particulier le long de certaines côtes et dans le détroit de Gibraltar, de forts c. étaient un élément déterminant pour la navigation. Hors ces cas particuliers, des c. favorables ont pu avoir une influence sur les trajets commerciaux. Contrairement à ce que l'on a cru, les Phéniciens n'hésitaient pas à se lancer en haute mer. Ils pouvaient, au large, subir l'influence des c. hauturiers, même si ceux-ci, relativement faibles en Méditerranée, étaient moins déterminants que les vents. Et, de fait, la carte des c.m. de surface recoupe dans l'ensemble celle des trajets commerciaux. C'est ainsi que, pour aller de la côte phén. à Gadès, on pouvait rejoindre d'abord Chypre, passer au S. de la Grèce pour gagner Malte et, de là, la côte sicilienne. Après une possible escale à Carthage, on pouvait remonter vers le S. de la Sardaigne, obliquer vers les Baléares et longer la côte espagnole jusqu'au détroit de Gibraltar pour arriver à Gadès ou Lixus. Pour le retour, un c. bien connu suit la côte N. de l'Afrique et ramène au Cap Bon; ce sera le trajet conseillé à Ulysse par Calypso. De là, le c. redescend jusqu'en Cyrénaïque en évitant le golfe des Syrtes redouté des marins pour ses hauts-fonds. Son trajet l'amène ensuite face au delta du Nil pour remonter enfin le long de la côte phén.

Bibl. *Instructions nautiques*, série D; G. Bass, *History of Seafaring Based on Underwater Archaeology*, London 1972; C. Picard, *Carthage face au monde phénicien*, Actes du IIIe congrès international d'études des cultures de la Méditerranée occidentale II, Jerba 1981, p. 135-141. JAlex

CRÈTE →Égée.

CRIMISOS Nom antique d'une rivière de Sicile, non loin de Ségeste, où Timoléon de Syracuse vainquit, en 342, l'armée carth.

Bibl. PW XI, col. 1859; Gsell, HAAN III, p. 14-15; Huß, *Geschichte*, p. 163-164; M. Giangiulio, *Crimis(s)a*, BT V, Pisa-Roma 1987, p. 460-462. ELip

CRUZ DEL NEGRO →Céramique 2B2, →Ivoires 1C.

CUBIQUE, SCEAU Sceau en forme d'un cube ou d'une pyramide tronconique, parfois muni d'un anneau de suspension à degrés ou d'une forme rappelant celle du →scarabée (→glyptique). EGub

CUESTA DE LOS CHINOS Site indigène →orientalisant au S.-O. de Grenade (Espagne).

Bibl. E. Fresneda - M. Oliva, *El yacimiento de la Cuesta de los Chinos (Gabia, Granada)*, Cuadernos de Prehistoria de la Universidad de Granada 5 (1980), p. 197-219. ELip

CUICUL →Djemila.

CUIR Le travail du c. devait se dérouler en Phénicie de la même manière que dans les pays voisins et, parmi les produits finis, les sources mentionnent des sandales, des ceintures, des casques, des boucliers. Strab. XVI 2,13 rapporte que les habitants d'→Arwad employaient des tuyaux de c. pour l'irrigation et Hippocrate, *Art.* 33.37.38; *Mochl.* 2, mentionne l'usage du c. carth. dans la →médecine. Le c. phén. semble pourtant avoir été considéré à l'époque rom. comme un article de qualité inférieure: l'Édit de Dioclétien en fixait le prix à 100 deniers, alors que le "c. babylonien" revenait à 500 deniers. Il nomme le c. phén. *pellis Foenicea* (8,1) et répertorie aussi des *socci* (sandales) *purpurei sibe Foenicei* (9,17), c.-à-d. des produits en c. teint en →pourpre, comme on en confectionnait aussi à Carthage. Plaute fait allusion à une discussion concernant des "valises en c. pun.", *corium Poenicum* (*Rud.* 998.1000; *Ps.* 229).

Bibl. BRL², p. 203-204; RLA VI, p. 527-542; R.J. Forbes, *Studies in Ancient Technology* V, Leiden 1966², p. 1-79; R. Reed, *Ancient Skins, Parchments and Leathers*, London-New York 1972; M. Giacchero, *Commerci e produzioni delle aree fenicia e punica nell'*Edictum de pretiis *dioclezianeo*, ACFP 1, Roma 1983, p. 879-883; P. Herz, *Parthicarius und Babylonarius. Produktion und Handel feiner orientalischer Lederwaren*, MBAH 4 (1985), p. 89-107. WVGu

CULICAN, WILLIAM (21.9.1928-24.3.1984). Archéologue et historien de l'art phén.-pun., professeur d'archéologie biblique à l'Université de Melbourne (1960-84). Il participa aux fouilles de →Motyé, où naquit son ?ntérêt pour la civilisation phén., dont témoigne une centaine de contributions. On y trouve, comme dans sa monographie *The First Merchant Venturers* (London 1966), les preuves d'une vaste érudition qui lui permettait de traiter des problèmes les plus complexes. Le phénomène de l'interaction culturelle, entre Phéniciens et Puniques ou entre ces derniers et leur partenaires ou rivaux, constitue un centre d'intérêt constant dans son œuvre. L'analyse de l'iconographie religieuse représente l'autre axe de ses recherches qui couvrent tout les domaines de l'art. C. fut sans conteste l'un des pionniers des études phén.

Bibl. W. Culican, *Opera Selecta. From Tyre to Tartessos*, Göteborg 1986, p. 19-25 (bibl.). EGub

CURUBIS →Cap Bon.

CUSSABAT En arabe *al-Quṣbāt*, localité à l'intérieur des terres, à l'O. de →Leptis Magna, en Libye. En 1957, on a trouvé près de C. un →ostracon néopun. à contenu économique, datable du Ier s. ap. J.C. (Trip 86). C. a aussi livré une épigraphe lat.-pun. (IRT 879). ELip

CYLINDRE-SCEAU Sceau de forme cylindrique, décoré de motifs gravés et/ou d'inscriptions en négatif, avec trou de suspension longitudinal. Le décor pouvait être reproduit indéfiniment en positif en roulant le c. sur la surface molle de l'argile non cuite de tablettes ou de vases (→glyptique). EGub

CYRÉNAÏQUE Malgré l'importance de Cyrène (gr. *Kurḗnē/Kurána*), dans l'actuelle Libye, on n'a signalé aucun vestige archéologique ou épigraphique de présence, voire de commerce phén. ou pun. en C., autre que les bronzes carth. surfrappés à Evhespérides (Benghazi) et les noms d'assonance phén., tels que Straton ou Hérakleidès, dans la liste des donateurs pour la rénovation de la synagogue de Bérénice en 55/6 ap. J.C. Par ailleurs, des monnaies cyrénéennes sont connues sur le territoire de Carthage: deux trésors du IVe s. av. J.C., trouvés à Tunis, ainsi que quelques dydrachmes d'argent frappés entre 300 et 280, ayant au droit Hermès Parammon, au revers le silphium (rens. A. Laronde). Selon Strab. XVII 3,20, c'est à Charax (*Khárax; Phárax* chez Ptol. IV 3,4; *Kórax* dans le *Stadiasme* 87-88), peut-être l'actuelle Médinet es-Sultân, sur la Grande Syrte, que les Carthaginois échangeaient du vin contre du silphium apporté en contrebande par des marchands à partir de Cyrène. C'était le dernier port sous contrôle pun., à *c.* 200 km à l'O. des Autels des →Philènes où, après une période de lutte indécise (380-340), la frontière fut arrêtée entre la zone d'influence pun. et celle de Cyrène (Sall., *Jug.* 79; Serv., *in Aen.* IV 42). Celle-ci n'avait du reste jamais revendiqué la côte occidentale du Golfe des Syrtes et semble même s'être gardée de soutenir les essais d'installation du Spartiate →Dorieus *c.* 510 av. J.C. (Hdt. V 47). En 323/2, Cyrène demanda l'aide de Carthage contre le Lacédémonien Thibron (Diod., XVIII 21,4). En 308, Ophellas, lieutenant de Ptolémée I Sôter, rejoignit →Agathocle à Tunis (Diod. XX 40,5; 42,3-5; 43,3; Just. XXII 7,4-5; Orose, *Adv. Pag.* IV 6,29; cf. Polyen, *Strat.* V 3,4), où les trésors de monnaies attestent la présence de Cyrénéens. →Hannibal (6) vint en C. à la tête d'une flotille de cinq vaisseaux en 193 ou 189 (Corn. Nép., *Hann.* 8). Puis, *c.* 160-155, Ptolémée VIII Évergète II, alors roi de Cyrène, se rendit à la Cour de →Massinissa I (Ath. VI 229d; XII 518f-519a), peut-être pour se concerter dans la perspective d'un conflit avec Carthage.

Bibl. PECS, p. 253-255; P. Gauckler, BAC 1899, p. CLV; E.S.G. Robinson, *BMC. Cyrenaica*, London 1927, p. XCVI; F. Chamoux, *Cyrène sous la monarchie des Battiades*, Paris 1953; A.M. Bisi Ingrassia, *Note ad alcuni toponimi punici e libici della Cirenaica*, QAL 9 (1977), p. 125-134; S. Applebaum, *Jews and Greeks in Ancient Cyrene*, Leiden 1979, p. 44-49, 57-58; G. Lüderitz, *Corpus jüdischer Zeugnisse aus der Cyrenaika*, Wiesbaden 1983, n° 72; T. Kotula, *Antyczna "konferencja na szczycie"*, Acta Universitatis Wratislaviensis 497 (1983), p. 95-106; F. Vattioni, *I Semiti nell'epigrafia cirenaica*, SCO 37 (1987), p. 527-543; A. Laronde, *Cyrène et la Libye hellénistique*, Paris 1987.

JLec

D

DAGAN/DAGON Une des grandes figures du panthéon des Sémites du N.-O., dieu agraire qui donna son nom au blé (Eus., *P.E.* I 10,16) et fut assimilé à Kumarbi, le →Kronos hourrite. Son domaine s'étendait au IIIe mill. du Moyen Euphrate jusqu'à l'Amanus, la "Forêt de Cèdres" (LAPO 3, p. 99), et au-delà, ce qui, semble-t-il, le fit appeler plus tard "Seigneur de l'Amanus", →Baal Hamon. Son culte est attesté en Phénicie par les toponymes *Bêt Dāgon*, dans l'ancien territoire tyrien (*Jos.* 19,27), et *Wādi Badgān*, au S.-E. de Beyrouth. D. était vénéré aussi en Palestine, où les →Philistins en firent un de leurs dieux majeurs, comme l'attestent la Bible (*Jg.* 16,21-23; *1 S.* 5; *1 M.* 10,83-84; 11,4) et l'inscription d'→Eshmunazor II qui qualifie la région de →Dor et de →Jaffa de "terroirs de D." (CIS I,3 = KAI 14 = TSSI III,28,19). Le texte actuel de →Philon de Byblos identifie D. à →Él, mais il laisse aussi entrevoir son assimilation originaire avec Kronos (Eus., *P.E.* I 10,25.36), ce que certifie l'*E.M.* s.v. *Bētagōn*. En tout cas, l'iconographie nord-africaine de Baal Hamon, assimilé à Kronos et à Saturne, confirme l'identité foncière de ce dieu avec D.

Bibl. DEB, p. 321-322 (bibl.); EJ V, col. 1222-1223; LIMC III/1, p. 313; RLA II, p. 99-101; VI, p. 325-326; ThWAT II, col. 148-151; WM I/1, p. 49-50.276-278; M. Fantar, *Le dieu Dagan. Les sources*, CTun 20 (1972), p. 7-31; E. Lipiński, *The "Phoenician History" of Philo of Byblos*, BiOr 11 (1983), col. 305-310; id., *Les racines syro-palestiniennes de la religion carthaginoise*, CEDAC Carthage 8 (1987), p. 28-44 (voir p. 33-35); T.J. Lewis, *Cults of the Dead in Ancient Israel and Ugarit*, Atlanta 1989, p. 72-75. ELip

DAIMON/GENIUS Le gr. D. et le lat. G. désignent parfois des entités divines pun., qui correspondent à la notion sémitique de →Gad. D'après Pol. VII 9,2-3, le traité entre →Philippe V de Macédoine et →Hannibal (6) était garanti notamment par le D. de Carthage, qui a été identifié à Bès, Baal *mgnm*, Didon, Astarté ou Tanit. Il est probable que le gr. D. rend, ici aussi, le phén. Gad, épithète qu'une inscription d'Ibiza applique à Tanit (CIE 07.15b). Par ailleurs, une inscription lat. de Dacie (CIL III,993) mentionne le *Genius Carthaginis*. À Leptis Magna, l'Hercule local, originellement →Milkashtart, est qualifié à plusieurs reprises de *Genius Coloniae* (IRT 1; 3-9; 275; 280), c.-à-d. de dieu poliade (avec →Shadrapha-Liber Pater). App., *Lib.* 131, appelle les dieux de Carthage *daímones* et la parèdre de →Saturne africain incarnait le *Genius Terrae Africae*, qu'évoque la légende *GTA* des deniers de Q. Caecilius Metellus Scipio, frappés entre 48 et 46, lesquels la représentent en déesse léontocéphale.

Bibl. A. Berthier - M. Leglay, *Le sanctuaire du sommet et les stèles à Ba'al-Saturne de Tiddis*, Libyca 6 (1958), p. 23-58 (voir p. 52-55); Barré, *God-List*, p. 64-68; W. Burkert, *Greek Religion*, Oxford 1987, p. 179-181. CBon-ELip

DAKERMAN Site côtier à 1 km au S. du château Saint-Louis à →Sidon. Une agglomération chalcolithique de la fin du IVe mill. y est recouverte par une nécropole utilisée du XIVe s. av. au Ier s. ap. J.C. Ses tombes phén. à inhumation, en pierre locale, datent de la fin du VIIe ou des premières décennies du VIe s. av. J.C.

Bibl. R. Saidah, Berytus 18 (1969), p. 122, 134-137. EGub

DALAIMME En akk. *Da-la-im-me*, phén. **Dlhym*, "Porte-de-la-Mer", ville du royaume de Sidon, annexée par Asarhaddon en 677/6 (AfO,Beih. 9, p. 48, col. III, 6). ELip

DAMAS Oasis et ville de Syrie, capitale d'un grand royaume araméen aux IXe-VIIIe s., dont quelques documents disparates dévoilent les rapports avec le monde phén.: le bas-relief au sphinx qui devait orner le temple de Hadad à D., certains ivoires trouvés à →Arslan Tash et provenant du butin fait par les Assyriens à D., l'œillère d'Érétrie (→Égée) et le frontal de →Samos avec les dédicaces araméennes au roi Hazaël de D., qui révèlent la qualité des ateliers damascéniens. Au VIe s., *Ez.* 27,18 signale que D. fournissait à Tyr de la laine et du vin.

Bibl. DEB, p. 323-325; W. Pitard, *Ancient Damascus*, Winona Lake 1986; M. Trokay, *Le bas-relief au sphinx de Damas*, StPhoen 4 (1986), p. 99-118; Bonnet, *Melqart*, p. 132-136. ELip

DAMU En ug./phén. *D'm*, akk. *Da-mu*, antique théonyme sémitique, connu depuis le IIIe mill. et désignant probablement un génie tutélaire. Il est encore attesté dans l'onomastique phén. du Ier mill. par la statuette d'→Astarté trouvée à Séville (TSSI III,16), par une inscription tyrienne (RÉS 1204; *D'mlk*, "D. est roi"), par une bilingue gr.-phén. d'Athènes (KAI 54; *D'mḥn*, "D. m'est miséricordieux", *D'mṣlḥ*, "D. a rendu prospère") et vraisemblablement par le nom du roi →Damusi de la Carthage de Chypre.

Bibl. E. Lipiński, *Le dieu Damu dans l'onomastique d'Ébla*, L. Cagni (éd.), *Ebla 1975-1985*, Napoli 1987, p. 91-99. ELip

DAMUSI En akk. *Da-mu-ú/u-si/su*, nom du roi de la →Carthage de Chypre en 673/2, d'après la liste d'Asarhaddon (AfO, Beih. 9, p. 60, l. 69), reprise par Assurbanipal (VAB 7, p. 140, col. I,43). Le nom de ce roi chypro-phénicien se rattache au nom de Tammuz/Dumuzi, l'équivalent mésopotamien d'Adonis, ou doit s'interpréter comme un théophore formé sur Damu: **D'm'š*, "Damu a donné".

Bibl. E. Gjerstad, SCE IV/2, p. 449-450; E. Lipiński, StPhoen 1-2 (1983), p. 211-216; id., *Le dieu Damu dans l'onomastique d'Ébla*, L. Cagni (éd.), *Ebla 1975-1985*, Napoli 1987, p. 91-99. ELip

DANSE RITUELLE D'après l'A.T., la d. était un élément persistant des cultes syro-palestiniens: d. autour du veau d'or (*Ex.* 32,6.19), de l'autel (*Ps.* 26,6; cf. 118,27), devant l'arche d'alliance (*2 S.* 6,5). À Ugarit, la déesse →Anat danse seule (KTU 1,10, II, 29). Pour les Phéniciens, nous disposons de peu d'informations: à l'époque hellénistique, on connaît →Baal Marqod, le "Seigneur de la ronde", et son sanctuaire près de Beyrouth. Des marchands tyriens, lors d'offrandes à Melqart, accomplissent des d. (Héliodore, *Aethiop.* IV 16) et Apulée se fait l'écho de d. pour la Dea Syria (*Met.* VIII 27-28), de nature certainement extatique, comme l'était la d. des prophètes de Baal sur le Mont Carmel (*1 R.* 18). Des musiciens jouaient un rôle dans cette pratique (cf. un *mtpp*, "joueur de timbales": KAI 49,7) et peut-être aussi des porteurs de masques. Un cippe de Tharros montre des danseurs nus et un personnage (prêtre ?) avec un masque de taureau autour d'un pilier. Une représentation avec un masque animal est aussi connue à Ugarit (*Syria* 18 [1937], p. 146-147, pl. 18).

Bibl. A. Caquot, *Les danses sacrées en Israël et à l'entour*, Sources orientales VI, Paris 1963, p. 121-143; Bonnet, *Melqart*, p. 67-68, 255-256. WRöl

DARUK, TELL →Ushnatu.

DCHAR DJEDID Site du littoral atlantique du Maroc, à 13 km au N.-E. d'*Azila*/*Asilah*, qui semble en conserver le nom antique, et à 7 km à l'E. de →Kouass. Il domine de 82 m d'altitude l'oued el-Kébir ou Kharroub et devait se trouver dans l'Antiquité en bordure de la lagune. Les récentes découvertes épigraphiques ont permis d'y localiser la *colonia Iulia Constantia Zilil*, établie à l'emplacement de la ville pun. de *'šlyt* (*'a-Šelît*), mentionnée peut-être dans le *Périple* d'Hannon 5 sous le nom de *Melitta* < *Selitta* (confusion *Σ* / *M*), toponyme qui signifierait "Filet" ou "Pêcherie" d'après l'hb. postbiblique *šālāh*, "pêcher", et l'akk. *salītu*, "filet", et évoquerait les pêcheries fréquentées par les Gaditains selon Strab. II 3,4. À l'époque des rois de →Maurétanie, la ville eut le privilège de frapper monnaie avec son nom en lettres pun. (*'šlyt*); ces monnaies portent des épis de blé et des grappes de raisin. Le nom de la ville apparaît ensuite en gr. et en lat. sous les formes *Zēlis* (Strab. III 1,8; XVII 3,16), *Zulil* (Pline, *N.H.* V 2), *Zilía* (Ptol. IV 1,7), *Zili* (*It.Ant.*, p. 3; *Rav.* 3,1). Les fouilles ont montré que le site a été déplacé entre 50 et 25 av. J.C., ce que l'on mettra en rapport avec le témoignage de Strab. III 1,8, selon lequel ses habitants furent transportés à Tingentera, dans la baie d'Algéciras, pour laisser place aux vétérans d'Auguste. Tingentera s'appelle alors colonia *Iulia Traducta* ou *Ioza* (cf. phén.-pun. *yōṣ'ā*, "sortante").

Bibl. KlP V, col. 1566; PECS, p. 1000; Gsell, HAAN II, p. 170-172; V, p. 22; L. Chatelain, *Le Maroc des Romains*, Paris 1944 (1968²), p. 46ss.; P. Cintas, *Contribution à l'étude de l'expansion carthaginoise au Maroc*, Paris 1955, p. 62; A. Tovar, *Iberische Landeskunde* II/1, Baden-Baden 1974, p. 68-69; Desanges, *Pline*, p. 86-87; A. Akerraz - N. El-Khatib-Boujibar - A. Hesnard - A. Kermorvant - E. et M. Lenoir, *Fouilles de Dchar Jdid 1977-1980*, BAM 14 (1981-82), p. 169-244; M. Lenoir, *Ab eo XXV in ora oceani Colonia Augusti Iulia Constantia Zili*, L'Africa romana IV, Sassari 1987, p. 433-444. MLeG

DEA SYRIA Nom communément donné à la grande déesse syrienne Atargatis d'après le titre de l'opuscule *De Dea Syria*, attribué à Lucien de Samosate (IIᵉ s. ap. J.C.) qui y décrit le sanctuaire et le culte de la déesse à Hiérapolis de Syrie, aujourd'hui Manbiğ, à 20 km à l'O. de la grande boucle de l'Euphrate. Le théonyme, issu d'un amalgame des formes aram. *'Attar(t)* du nom d'→Astarté et *'Attē*, dérivé d'→Anat, est généralement écrit *'tr'th* en aram., le second *'ayin* étant prononcé *ġ*, d'où la transcription gr. *Atargatis*. Le théonyme est parfois abrégé en *'th* sur les monnaies hiérapolitaines et en *tr't'* dans les sources syriaques et talmudiques (Talm. Bab., *'Abōdā Zārā* 11b). C'est cette dernière aphérèse qui est à l'origine du nom de *Derketō* (Pline, *N.H.* V 19,81) sous lequel la déesse est connue à →Ascalon (Diod. II 4,1-3; Strab. XVI 4,27; Paus. I 14,16), où elle avait la colombe pour attribut (Philon d'Alex., *De Provid.* II 107; cf. Tibulle I 7,17; Luc., *Syr.* 14.54) et était représentée par une statue ichthyomorphe, en sirène (Luc., *Syr.* 14; Diod. II 4,2; Ov., *Met.* IV 46; V 331). Cette représentation n'était pas habituelle, puisque Atargatis trône normalement entre deux lions, mais son culte a connu à l'époque rom. une diffusion étonnante et elle a supplanté d'autres déesses de la fertilité, notamment l'Aphrodite Ourania d'Ascalon (Hdt. I 105; ID 1719 et 2305) et l'Astarté d'Ashtarot-Karnion (*2 M.* 12,26), d'où le dieu →Milkashtart tire son origine. Le culte d'Atargatis ne semble toutefois pas s'être imposé en milieu proprement phén.-pun.

Bibl. PW II, col. 1896; IV, col. 2236-2243; WM I/1, p. 244-245; G. Goossens, *Hiérapolis de Syrie*, Louvain 1943; P.-L. Van Berg, *Corpus cultus deae Syriae* I/1-2 (ÉPRO 28), Leiden 1972; R.A. Oden, *Studies in Lucian's De Syria Dea*, Ann Arbor 1977; M. Hörig, *Dea Syria* (AOAT 208), Kevelaer-Neukirchen-Vluyn 1979; E. Will, *Le sanctuaire de la déesse syrienne*, Paris 1986. ELip

DE CLERCQ, A. →Collectionneurs.

DÉDICACES La majorité des inscriptions religieuses phén.-pun. sont des d. faites spontanément ou à la suite d'un vœu (pl. VIIa). Elles sont conformes à deux formulaires de base, dont le plus ancien suit le schéma suivant: objet dédié - pronom relatif - verbe signifiant l'offrande - nom du donateur - nom de la divinité ou du roi défunt, précédé de la préposition *l* (OLP 15 [1984], p. 105). Ce formulaire subit un remaniement important vers le milieu du Iᵉʳ mill., tant en Orient qu'en Occident: le nom de la divinité, introduit par la particule d'attribution *l*, fut placé au début de la formule dédicatoire. Ce changement est déjà attesté à l'époque perse par la d. de la lampe du Musée de Beyrouth 2802 (OLP 14 [1983], p. 143-146), puis par les inscriptions de la période hellénistique provenant de la région de Tyr (p. ex. KAI 17-18; TSSI III,30; 32), ainsi que par la masse des inscriptions votives de Carthage, de Constantine, de Motyé et d'autres sites pun. ou punicisés.

Bibl. G. Coacci Polselli, *Struttura delle iscrizioni dedicatorie fenicie d'Oriente. - I. La formula iniziale*, RSF 4 (1976), p. 137-145; M.G. Amadasi Guzzo, *La documentazione epigrafica dal* tofet *di Mozia e il problema del sacri-*

ficio molk, StPhoen 4 (1986), p. 189-207; ead., *Scavi a Mozia - Le iscrizioni*, Roma 1986, p. 45-58. ELip

DELATTRE, ALFRED LOUIS (26.6.1850-12.1.1932). Illustre archéologue de Carthage, membre de la Société des "Pères Blancs" d'Afrique, D. fut installé par le Cardinal Lavigerie au cœur même de l'ancienne capitale africaine dont il poursuivit l'exploration de 1876 à sa mort. Après Ch.E. →Beulé, D. explora surtout les nécropoles de Carthage et les églises du Bas-Empire rom., dont les vestiges fournirent les éléments de l'actuel Musée de Carthage. Ses publications sont dispersées dans diverses revues, notamment le *Cosmos* (1897-1903), et dans les *Comptes rendus* de l'Académie des Inscriptions et Belles-Lettres (1898-1923), dont il fut membre correspondant depuis 1890.

Bibl. DBF X, p. 769; Cintas, *Manuel* II, p. 394-395 (bibl.); G.P. Kirsch, *P.A.L. Delattre*, RACrist 9 (1932), p. 159-162; E. Michon, *A.L. Delattre*, CRAI 1932, p. 25-31; E. et J. Gran-Aymerich, *A.L. Delattre*, Archéologia 208 (1985), p. 74-80. EGub

DELLYS →Rusuccuru.

DÉLOS L'île de D. est une escale et un sanctuaire au centre de l'Égée. Malgré Thc. I 8,1-4, on n'y a pas retrouvé trace des Phéniciens à l'époque archaïque et les relations entre le sanctuaire et la Phénicie ne sont pas antérieures au IVe s.: des "convoyeurs sacrés", *hieronaûtai* (CIS I,114; ID 50), y portèrent des offrandes de Tyr et de Sidon sous le règne d'un des rois de Sidon nommés →Straton (*c.* 374 - *c.* 358 ou *c.* 340-332). Ces théories avaient peut-être un caractère régulier au IVe s. (IG II-III^2, 8388; CIS I,115) et on en connaît encore en 276 (IG XI/4, 164, B, 4), une de Byblos dont les liens avec D. peuvent remonter aussi au IVe s.; le père d'un Délien connu au IIIe s. reçut un nom phén. hellénisé en Asbélos (ID 399, A, 79; 442, A, 164). Le sanctuaire exerça donc très tôt une attraction sur les Phéniciens hellénisés. Au IIIe s., on en retrouve parmi les dévôts (ID 313, a, 9; 1403, Bb, II, 1; 1442, B, 16) et les participants aux concours locaux (IG XI/2, 203, A, 68-69), mais il s'agit alors de familles installées à D. Dès le début du IIIe s., D. semble être devenue la plaque tournante du trafic phén. en Égée: commerce de l'→ivoire (IG XI/2, 203, A, 71), transport maritime (IG XI/2, 199, A, 78), investissement de capitaux (IG XI/2, 776 et ID 400, 10-11); ces activités semblent souvent réparties au sein d'une même famille. Il y a aussi une émigration plus modeste d'esclaves et d'artisans. Au milieu du IIe s., avec la conquête rom. et dans le cadre du statut privilégié qu'a reçu le port de D., le négoce phén. acquiert une dimension exceptionnelle. Tyr (ID 1519), Beyrouth (ID 1520) et peut-être Arwad (ID 1543) organisent de puissantes →associations religieuses; l'établissement des Bérytiens était vaste et complexe et fut actif de 153 à 90 au moins. À côté des marchands, *émporoi*, et des convoyeurs, *nauklēroi*, apparaissent des expéditeurs, *endocheís* (IG XI/4, 1114; ID 1519), et des banquiers, tel Philostrate d'Ascalon. D'importantes *familiae* phén. concentrent capitaux et main-d'œuvre (ID 2616, III, 72-73; 2619, a, 18 et b, 21; 2621, b, 11), constituant l'élément le plus prospère de la population orientale de D. (ID 1518). Leur hellénisation est complète et leur participation au gymnase très active. Ils font travailler des artistes, dont certains viennent de leur patrie d'origine mais s'intègrent à l'école locale. Ils participent à la vie politique, soutiennent les fonctionnaires athéniens (ID 1816), reçoivent des légats (ID 1533), décernent des honneurs à Athènes (ID 1777), aux Séleucides ou aux Romains (IG XI/4, 1114; ID 1543, 1551, 1782). En 88 ils se divisent, les uns, comme Diès de Tyr, partisans de Mithridate (Ath. V 212 d), les autres solidaires des Romains (ID 2612, II, 2 et 11). Dès lors, D. décline très vite.

Bibl. H. Gallet de Santerre, *Délos primitive et archaïque*, Paris 1958, p. 40-45; J. Marcadé, *Au Musée de Délos*, Paris 1969, p. 55-82, 379-406; P. Bruneau, *Recherches sur les cultes de Délos*, Paris 1970; M.-F. Baslez, *Recherches sur les conditions de pénétration et de diffusion des religions orientales à Délos*, Paris 1977; ead., *Le rôle et la place des Phéniciens dans les ports de l'Égée*, StPhoen 5 (1987), p. 267-285; Bonnet, *Melqart*, p. 371-375. MFBas

DÉMAROUS Fils d'Ouranos et d'une concubine, épousée par →Dagan qui fut son père nourricier, D. tenta en vain d'attaquer →Pontos (Eus., *P.E.*, I 10,19.28). Il est considéré comme le père de →Melqart (I 10,27) et l'équivalent d'Adôdos →Hadad, nom du dieu de l'orage. Qualifié par Philon de "roi des dieux" et utilisé comme dénomination de Zeus, il régna sur la Phénicie aux côtés d'→Astarté et avec l'assentiment de Kronos (I 10,31). De multiples explications ont été proposées de son nom, parmi lesquelles on retiendra celle qui le rattache au Nahr Damour (*Damoûras* chez Pol. V 68,9 et *Tamúras* chez Strab. XVI 2,22), fleuve situé entre Sidon et Beyrouth, et une autre, qui n'exclut pas nécessairement la première, qui fait appel à l'épithète *dmrn* appliquée à Baal-Haddu dans les textes d'Ugarit. Le complexe Kronos-D./Adôdos-Astarté rappelle du reste la structure du panthéon ugaritique (El Baal/Haddu-Anat/Astarté).

Bibl. Attridge-Oden, *Philo*, p. 88, n. 94; Baumgarten, *Commentary*, p. 195-197; Bonnet, *Melqart*, p. 20-23. CBon-PXel

DÉMÉTER ET KORÉ En gr. *Dēmḗtēr* et *Kórē*, pun. *Krw'* < gr. *Kórwa* (?), "jeune fille", lat. *Ceres*. Les déesses thesmophores d'Éleusis ont été introduites à Carthage au début du IVe s. à partir de la Sicile pour réparer l'offense faite aux déesses en 396 lors du pillage de leur temple syracusain par →Himilcon (2). Accueillies dans la Carthage pun. sans confusion avec →Tanit, comme le confirme le titre pun. de *hkhnt š Krw'*, "prêtresse de Koré" (CIS I,5987), elles furent vénérées selon les rites gr.: on pratiquait en particulier la kernophorie et les stèles pun. montrent des cistes mystiques. D'ailleurs, plusieurs textes d'époque rom. honorent à →Béja la *Ceres graeca* (CIL VIII,10564 = 14381) et à Cuicul (→Djemila) les *Cereres graekae*. *Ceres* est là une transcription lat. de K., tandis que les *Cereres* — qu'on ne rencontre sous ce nom qu'en Afrique du N. et dont le culte s'est

Fig. 110-111. Les deux Cereres, *la mère (Déméter) et la fille (Koré), stèle funéraire d'Aelia Leporina, Tébessa (IIᵉ-IIIᵉ s. ap. J.C.).*

beaucoup développé en Afrique proconsulaire et chez les Numides — n'associent pas Cérès italo-gr. et →Caelestis, héritière de Tanit mais bien D. et K. À preuve, les inscriptions qui nomment *Ceres mater et filia Aug(ustae)* à Celtianis (ILAlg II,2084) ou *Pluto Cyria et Ceres mater* à Auzia (CIL VIII,9020). Souvent les *Cereres* sont vénérées avec →Pluton, pour souligner leur double caractère de divinités chthoniennes et frugifères: une stèle funéraire de →Tébessa (*Theveste*), qui les présente comme *frugum matres*, met bien en valeur ce double caractère (fig. 110-111). Quand Carthage, où elles avaient un temple, redevint colonie rom. sur décision de César et capitale de la province d'→Afrique proconsulaire, le culte des *Cereres* servit à resserrer, semble-t-il, les liens religieux de la métropole et de son territoire (*pertica*). Une ère des *Cereres* fut instituée, probablement à partir des années 40-39 av. J.C., et le culte fut desservi par des *sacerdotes Cererum anno x.* Sur les monuments figurés, les *sacerdotes* féminins sont représentées en général, comme les déesses elles-mêmes, flanquées de flambeaux et accompagnées d'instruments rituels, cistes et corbeilles.

Bibl. LIMC IV/1, p. 844-908; IV/2, p. 563-610; A. Audollent, *Cereres*, Mélanges R. Cagnat, Paris 1912, p. 359-381; Gsell, HAAN IV, p. 267-269; J. Carcopino, *Le culte des* Cere-

res *et les Numides*, RHist 158 (1928), p. 1-18 (= *Aspects mystiques de la Rome païenne*, Paris 1941, p. 13-37 = *Les bonnes leçons*, Paris 1968, p. 39-72); M. Le Glay, *Junon et les Cereres d'après la stèle d'Aelia Leporina trouvée à Tébessa*, Libyca 4 (1956), p. 33-53; J. Février, *La Koré punique*, Mélanges... A. Robert, Paris 1957, p. 364-369; P. Xella, *Sull'introduzione del culto di Demetra e Kore a Cartagine*, SMSR 40 (1969), p. 215-228; C. Picard, *Déméter et Koré à Carthage. Problèmes d'iconographie*, Kokalos 28-29 (1982-83), p. 187-194; J. Gascou, *Les* sacerdotes Cererum *de Carthage*, AntAfr 23 (1987), p. 95-128; cf. AntAfr 25 (1989), p. 138-139.
MLeG

DÉMÉTRIAS La ville de D. rappelle le nom de son fondateur, Démétrios Poliorcète, qui l'établit en partie sur le territoire de Pagasai, au S. de la ville moderne de Volos, en Thessalie (Grèce). À partir de 1907, des fouilles exécutées par A.S. Arvanitopoulos dans des tours du mur de la ville ont livré des dizaines de →stèles (1) funéraires, remployées comme matériel de construction. On possède jusqu'ici plusieurs publications partielles, un corpus d'ensemble étant en préparation. Les épitaphes, datées des IIIe et IIe s. av. J.C., font connaître des défunts originaires non seulement de Thessalie et de Grèce en général, mais d'un certain nombre de villes étrangères. La cité était assurément cosmopolite et l'on suppose que les gens originaires du Proche-Orient étaient, comme à →Délos, des commerçants. L'ethnique le plus répandu est celui des Sidoniens (une dizaine), avec des noms en général gr.; une bilingue concerne un prêtre (une ligne de phén. au-dessous). On a aussi des gens de Tyr (deux fois), d'Ascalon (six fois; un cas avec des noms phén. transcrits en gr.), d'Arwad (quatre fois), avec une bilingue (texte phén. en haut), de Kition (une fois), avec une bilingue (texte phén. en bas), de Gaza (une fois). Cette série exceptionnellement riche est unique en Grèce.

Bibl. PECS, p. 267-268; A.S. Arvanitopoulos, *Périgraphè tôn... graptôn stelôn tôn Pagasôn*, Athènes 1909; O. Masson, BCH 93 (1969), p. 679-700 (bibl.); W. Röllig, NESE 1 (1972), p. 1-5; M. Sznycer, Semitica 29 (1979), p. 45-52; F. Vattioni, AION 42 (1982), p. 71-81.
OMas

DÉMOGRAPHIE L'étude statistique des Phénico-Puniques comme collectivité humaine est embryonnaire. Cette situation s'explique autant par le développement récent des méthodes démographiques appliquées à l'histoire de l'Antiquité (D.R. Brothwell) que par un manque patent d'informations exploitables, sources écrites et données archéologiques. Les Phéniciens et les Puniques se sont montrés particulièrement avares en renseignements d'intérêt démographique: ils n'ont laissé ni recensements, ni comptabilités, ni même inscriptions funéraires indiquant l'âge des défunts. Les auteurs anciens, tels Polybe, Strabon et Diodore de Sicile, ont transmis des données très générales sur les villes phén. et leurs colonies, comme sur les mouvements de population en Méditerranée occidentale, notamment à l'époque des guerres pun. Ces sources, reprises et commentées par K.J. Beloch et S. Gsell, nous apprennent que les territoires pun. comptaient parmi les plus peuplés de l'Antiquité, étaient riches et bien mis en valeur, mais elles ne permettent pas d'entrer dans le détail et de cerner la spécificité probable des populations dans chaque localité. Les fouilles archéologiques, notamment dans le →Cap Bon, confirment peu à peu cette forte densité de population. Mais il reste d'énormes difficultés à vaincre. Ainsi, aucun cimetière n'a encore été dégagé dans sa totalité, ce qui rend extrêmement aléatoire toute extrapolation sur la structure et l'organisation sociale du groupe étudié. La mesure de la mortalité infantile est hypothéquée par l'absence presque totale de tombes d'enfants dans la plupart des nécropoles: H. Benichou-Safar rappelle p.ex. qu'elles ne représentent qu'environ 0,05 % des tombes inventoriées à Carthage. Certains auteurs tentent de combler les lacunes des sources en proposant des chiffres fondés sur des parallèles contemporains, telle la comparaison proposée par S.E. Tatli entre la densité de la population de Carthage et celle de la Médina de Tunis. Le recours à la paléonthologie humaine réserve de meilleurs résultats, même si leur portée est encore limitée par le faible nombre d'individus étudiés. L'étude du matériel osseux de 27 individus ayant vécu à Carthage durant le VIIe s. av. J.C. fait ressortir une mortalité féminine supérieure à la mortalité masculine, ainsi qu'une très forte proportion (60 %) d'individus décédés entre 20 et 49 ans (C. Olive). Une autre enquête réalisée sur une population de 31 individus — dont 9 enfants — incinérés dans la nécropole archaïque (VIe s. av. J.C.) de →Puig des Molins à Ibiza, suggère que le taux de mortalité infantile (de 0 à 6 ans) est comparable à celui de jeunes adultes (de 20 à 30 ans) et s'avère élevé (C. Gómez Bellard). Ces deux études mettent en avant l'une des causes de la mortalité féminine, à savoir l'enfantement. Enfin, malgré une espérance de vie généralement assez courte, il semblerait que les adultes qui dépassent l'âge de 30 ans bénéficient d'une longévité appréciable.

Bibl. K.J. Beloch, *Die Bevölkerung der griechisch-römischen Welt*, Leipzig 1886; Gsell, HAAN II, p. 84-85, 103-104, 115; D.R. Brothwell, *Digging up Bones*, London 1972; Cintas, *Manuel* II; S.E. Tatli, *La Carthage punique*, Paris 1978; H. Benichou-Safar, *À propos des ossements humains du tophet de Carthage*, RSF 9 (1981), p. 5-9; C. Olive, in S. Lancel, *Byrsa II*, Rome 1982, p. 391-396; C. Gómez Bellard, *La colonización fenicio-púnica de la isla de Ibiza: los siglos VII y VI a J.C.*, Valencia 1987.
ARey

DÉMONIKOS En gr. *Dēīāmōnikos*, phén. *Dm(w)nks*, nom royal de →Lapéthos, dont l'alternance avec des noms royaux phén. témoigne de l'interpénétration des cultures à →Chypre. Il faut peut-être le mettre en rapport avec le discours *À Démonikos*, attribué à Isocrate.

1 D. I, roi de Lapéthos *c.* 500 av. J.C., connu par la légende de l'exemplaire unique d'une monnaie.

2 D. II, roi de Lapéthos *c.* 390 av. J.C., connu par des légendes monétaires (fig. 252:7). Il eut un règne d'au moins 40 ans s'il est identique au roi D., père de →Praxippos I, mentionné par l'inscription phén. de →Larnaka-tis-Lapithou III,3 (Le Muséon 51 [1938], p. 286), qui date de la seconde moitié du IVe s.

3 D. III, roi de Lapéthos dans le second quart du IVe s., éventuellement distinct du précédent et mentionné par l'inscription de Larnaka-tis-Lapithou III.

Bibl. E.S.G. Robinson, *Kings of Lapethus*, NC, 6e sér., 8 (1948), p. 60-65 (cf. p. 45-47); Masson-Sznycer, *Recherches*, p. 97-100; J.C. Greenfield, *Larnax tēs Lapethou Revisited*, StPhoen 5 (1987), p. 391-401. MYon

DENYS LE PÉRIÉGÈTE Poète grec d'Alexandrie, auteur, sous Hadrien (117-138), d'une description de la Terre habitée (*Periēgēsis tēs oikouménēs*) qui fut le manuel de géographie des écoles byzantines. Son commentaire par Eustathe, évêque de Thessalonique (XIIe s.), utilise, e.a., Hérodote, Ératosthène, Strabon et Étienne de Byzance. Les sources ethnographiques de D. sont incertaines. L'observation sur l'ancien nom de Gadès, Kotinousa (v. 453-456), remonte à →Timée au moins (FGH 566, fr. 67). D. se situe dans la tradition, représentée par Hdt. I 1; VII 89; Timée (ibid.), Ératosthène (Strab. XVI 3,4), qui fait provenir les Phéniciens de la mer Érythrée (v. 905-906). Dans le système de D. revient aux Phéniciens la triple invention de la navigation, du commerce maritime et de principes d'astronomie (v. 907-909). La topographie de Phénicie (v. 910-920) signale une *Elaïs* non identifiée (cf. Ét. Byz., s.v. *Elaía*).

Bibl. GGM II, p. 103-176 (Denys), 201-407 (Eustathe). DMar

DERKÉTO →Ascalon, →Dea Syria.

DERMECH →Carthage.

DEUIL, RITES DE Les r. de d. nous sont peu connus, si l'on fait exception des généralités telles que l'ensevelissement du cadavre, la crémation (Diod. XXIV 12,3; App., *Lib.* 73) et le ramassage des cendres que l'on déposait dans une urne, ou l'embaumement, attesté par la momie du roi →Tabnit I et le témoignage de Plaute (*Poen.* 63). Les explosions bruyantes de douleur entretenues par des pleureuses à gages, qui figurent sur le →sarcophage d'→Ahiram, ont dû faire partie, de tout temps, des r. de d. Il en est de même du banquet funèbre, représenté sur le même sarcophage (fig. 7) et sur des →stèles peintes de →Lilybée (fig. 206; Phén 226). Il avait lieu, primitivement, autour de la tombe même, "maison éternelle" du défunt. Sur les stèles funéraires de Carthage, le défunt apparaît sur le seuil de sa demeure, en attitude de prière, et regarde les vivants. Les r. de d. qui suivaient, à Byblos, la célébration de la mort d'→Adonis (Luc., *Syr.* 6-9) comprenaient des lamentations stridulentes, la lacération des vêtements et la mortification corporelle, l'exécution de danses et la tonsure, le port de sac en guise d'habit, autant de stéréotypes qui figurent également dans l'A.T. pour symboliser le d. Enfin, le vase de →Baal *kr*, qui pourrait représenter un rite d'ensevelissement et de "résurrection", montre, sur sa seconde face, deux personnages, sans doute des prêtres, flanquant le sépulcre et, sur la troisième, une déesse et peut-être le roi en personne accomplissant des rites funèbres, en particulier l'offrande d'→encens.

Bibl. F. Cumont, *Lux perpetua*, Paris 1949; H. Cassimatis, *Les rites funéraires à Chypre*, RDAC 1973, p. 116-166; Bonnet, *Melqart*, p. 78-80. CBon-ELip

DHORME, ÉDOUARD (15.1.1881-19.1.1966). Bibliste, historien des religions, sémitisant et assyriologue français. Après un séjour prolongé à l'École biblique et archéologique de Jérusalem (1904-1931), où il dirigea la RB de 1922 à 1931, D. poursuivit son enseignement à Paris (1933-1951), à l'École des Hautes Études, à la Faculté des Lettres de la Sorbonne et au Collège de France, où il fut appelé en 1945 à la chaire d'Assyriologie. Son œuvre considérable comporte notamment des commentaires bibliques, des publications assyriologiques, la traduction de l'A.T. dans la *Bible de la Pléiade* (Paris 1956-59) et le riche *Recueil Édouard Dhorme* (Paris 1951). Avec H. Bauer et Ch. Virolleaud, il prit une part déterminante dans le déchiffrement de l'écriture cunéiforme alphabétique d'Ugarit et tenta de décrypter les inscriptions →pseudo-hiéroglyphiques de Byblos.

Bibl. A. Parrot, *Édouard Dhorme*, Syria 43 (1966), p. 155-157; RA 60 (1966), p. I-IV; J. Nougayrol, *É. Dhorme*, AfO 22 (1968-69), p. 208-210. ELip

DIDON →Élissa.

DIOSCURES En gr. *Dióskouroi*; héros et dieux jumeaux de la mythologie gr., ces "fils de Zeus", nommés Castor et Pollux, ont une origine et des fonctions complexes. Une tradition rapportée par →Philon de Byblos (Eus. *P.E.* I 10,14) en fait les fils de →Sydyk, mais ni les sources littéraires gr., ni l'iconographie ne permettent d'établir de liens solides entre les D. et la Phénicie; leur assimilation aux "dieux gracieux" *Šḥr* et *Šlm* des poèmes ugaritiques reste tout à fait hypothétique. Les D. sont représentés sur les monnaies des villes phén. à l'époque hellénistique et impériale, le plus souvent seuls, parfois entourant Astarté: comme dans tout le monde gr. de l'époque, ils sont alors considérés comme des divinités astrales salvatrices, protectrices des marins.

Bibl. LIMC III/1, p. 567-635; III/2, p. 456-503; R. du Mesnil du Buisson, *Nouvelles études sur les dieux et les mythes de Canaan*, Leiden 1973, p. 88-166. AHerm

DISQUE AILÉ Symbole égyptien remontant au IIIe mill. et combinant le d. solaire de Ré et les ailes du faucon →Horus. Dans l'→art phén.-pun., il se retrouve aussi bien dans l'art monumental que sur des produits des arts mineurs, notamment sur des stèles, des ivoires et des scarabées (fig. 22, 89, 104, 157, 231-233, 241, 242, 357, 405, 415, 416). EGub

DIVINATION Bien connues dans tout le Proche-Orient ancien, les pratiques divinatoires étaient très développées en Mésopotamie. En Israël, certaines techniques, considérées comme cananéennes (?), étaient officiellement réprouvées (*Dt.* 18,10-11), telle la nécromancie (*1 S.* 28,7-20), alors que d'autres étaient licites, comme l'oniromancie, les Urîm et Tumîm et la prophétie (*1 S.* 28,6); la bélomancie, les Teraphîm et l'hépatoscopie (*Ez.* 21,26) étaient surtout pratiquées par des devins étrangers. La d. devait être répandue dans le monde phén. Cependant, nous n'en avons que très peu d'attestations. Il est possible que les pointes de →flèche inscrites des XIIe-Xe s., trouvées en Phénicie et en Palestine, aient été utilisées dans la bélomancie. Le récit de →Wenamon rapporte que, lors d'un sacrifice du roi de →Byblos, →Sakarbaal, un de ses pages tomba en extase et transmit un ordre de la divinité favorable à Wenamon (ANET, p. 26b; TPOA, p. 75). La compétition entre les prophètes de →Baal et le prophète yahviste Élie sur le mont →Carmel (*1 R.* 18,20-40) cite plusieurs techniques prophétiques: invocations répétées, danses rituelles, incisions jusqu'au sang, délire extatique (*ḥtnb'*). La tradition homérique pourrait faire allusion à des prêtres d'origine phén. interrogeant (*š'l*) la divinité et donnant des oracles (*Il.* XVI 233-235; *Od.* XIV 327-328, cf. XIX 296-297). Les auteurs classiques, gr. et lat., évoquent parfois des visions ou des phénomènes étranges (*sēmeĩon*), interprétés (dé)favorablement par les Phéniciens: ainsi, lors du siège de →Tyr par Alexandre, un monstre marin échoué sur la digue (Diod. XVII 41,5-6; Q.-Curce IV 4,3-5) et une vision de la statue d'Apollon quittant le ville (Diod. XVII 41,7-8; 46,6; Q.-Curce IV 3,21-22) ou des ruisseaux de sang (Q.-Curce IV 2,13-14).

Bibl. S. Iwry, *New Evidence for Belomancy*, JAOS 81 (1961), p. 27-37; J. Nougayrol (éd.), *La divination en Mésopotamie ancienne*, Paris 1966; R. de Vaux, *Bible et Orient*, Paris 1967, p. 485-497; A. Caquot - M. Leibovici, *La divination*, Paris 1968; J. Lust, *On Wizards and Prophets*, SVT 26 (1974), p. 133-142; M. Delcor, *Religion d'Israël et Proche Orient ancien*, Leiden 1976, p. 116-123; H. Huffmon, *Priestly Divination in Israël*, Essays D.N. Freedman, Winona Lake 1983, p. 355-359; M. Dijkstra, VT 35 (1985), p. 105-109; T. Mitchell, *Another Palestinian Inscribed Arrowhead*, Papers O. Tufnell, London 1985, p. 136-153; K. van der Toorn, *L'oracle de victoire comme expression prophétique du Proche-Orient ancien*, RB 94 (1987), p. 63-97; J.M. Durand, *Archives épistolaires de Mari* I/1 (ARM XXVI), Paris 1988. ALem

DIVINITÉS ÉGYPTIENNES Le foisonnement des dieux locaux de l'ancienne →Égypte n'a guère trouvé d'écho chez les Phéniciens. Seules quelques d.é. importantes ont eu une influence sur leur religion. Encore faut-il considérer le problème des rapports entre d.é. et monde phén. selon deux points de vue différents: celui du panthéon proprement phén. et celui du culte rendu à des d.é., donc étrangères.

1 Panthéon phénicien Les d.é. ne sont pas présentes dans le panthéon phén. à titre propre et n'ont pas influencé le processus de formation des figures divines phén. sauf, peut-être, dans le cas de Hathor assimilée très tôt à la →Baalat Gubal. En revanche, le milieu religieux phén. a accueilli et transféré des caractéristiques iconographiques propres à certaines d.é. aux divinités locales qui présentaient des traits communs avec celles-ci. Ainsi, la Baalat Gubal fut représentée sur la stèle de →Yehawmilk selon l'iconographie canonique de Hathor et d'→Isis (fig. 365), et le dieu de la stèle dite d'→Amrit (→Shadrapha) est coiffé d'une espèce de couronne *atef* d'→Osiris, qui évoque les vertus protectrices et sotériologiques de la divinité (→coiffure). En d'autres mots, la Phénicie n'a pas emprunté à l'Égypte la nature et l'essence de ses dieux, mais une forme d'expression esthétique et symbolique.

2 Culte Les grandes d.é. étaient connues en Phénicie, comme on peut le déduire du récit de →Wenamon, mais elles ne recevaient pas de culte au niveau officiel, si ce n'est de la part des Égyptiens résidant au Levant, ce dont est peut-être témoin, p.ex., la table à libations découverte à Arwad, qui mentionne un "Grand des *Ma*, le commandant en chef Penamon". C'est dans le domaine de la piété personnelle que se situe la dévotion envers les d.é. dans le monde phén., ce dont témoigne l'onomastique, où l'on trouve des éléments théophores tels que →Amon (Xe s.), →Bastet (VIIIe s.), →Isis (VIIIe s.), →Ptah (VIIe s.), →Horus (VIIe s.), Osiris (Ve s.). Il s'agit donc du dieu suprême Amon, de la triade osirienne, si vénérée à Basse Époque, et de dieux veillant à la santé (Bastet-Sekhmet) et à la protection de la famille (Ptah →patèque, →Bès). Ce sont les mêmes dieux, également →Thot, que représentent les statuettes, les →amulettes en faïence et les scarabées, si fréquents au Ier mill. av. J.C. dans les villes phén. et pun. Eux aussi témoignent de la présence des d.é. au niveau de la dévotion personnelle et populaire, en tant que protecteurs de différents aspects de la vie quotidienne et garants d'un séjour heureux dans l'au-delà.

Bibl. G. Scandone, *Il problema delle influenze egiziane sulla religione fenicia*, RelFen, Roma 1981, p. 61-80; A. Lemaire, *Divinités égyptiennes dans l'onomastique phénicienne*, StPhoen 4 (1986), p. 87-98. ELip

DIVINITÉS, PANTHÉON **1 Panthéons organiques** Le problème est controversé. La vision canonique voudrait que le p. des villes phén. consistât essentiellement en triades familiales comprenant un dieu-père, une déesse-mère et un dieu-fils souvent conçu comme un →dying-god. De récentes révisions de la documentation conduisent toutefois à modifier ce jugement. Il s'agit plutôt de complexes polythéistes organiques où émergent le dieu/la déesse poliade et le couple dont il/elle fait partie: ainsi la Baalat et peut-être →Baal Shamen à Byblos, →Astarté et →Eshmun (le Baal poliade) à Sidon, →Melqart et Astarté à Tyr, →Milkashtart et Astarté à Umm el Amed, un Baal marin et Astarté à Beyrouth. Le nombre réduit de figures composant le p. peut s'expliquer, outre par la pauvreté des sources, par la tendance à la concentration des pouvoirs divins déjà soulignée.

2 Polythéisme punique La diaspora phén. en Méditerranée se reconnaîtra dans la figure d'un archégète, héros civilisateur comme →Melqart, lui-même symbole de l'expansion commerciale et culturelle vers l'Occident. La situation devient particulièrement complexe à nos yeux, spécialement en ce qui concerne Carthage. Le polythéisme pun. s'ouvre de plus en plus aux influences du substrat et de l'adstrat. Voilà que →Tanit, tellement effacée en Orient, prend une place primordiale dans la cité (→tophet), tandis qu'Astarté qui l'emportait là-bas, demeure ici au second rang, avec d'autres entités de Phénicie dont perdure le souvenir plutôt que le culte. L'onomastique enfin, par le biais des nombreux théophores formés sur les noms de ces divinités quasi oubliées, souligne l'hiatus qui sépare la religion publique de la dévotion privée.

3 Dieux poliades Les mutations qui marquent le passage de l'âge du Bronze Récent à celui du Fer ne modifient pas profondément le visage des petites Cités-États phén. Politiquement isolées, elles réélaborent partiellement leur système religieux, en un particularisme qui accentue les traditions locales au détriment des structures communes sous-jacentes. Les caractéristiques des Baals locaux vont se différenciant. Tandis qu'à Byblos la →Baalat (Hathor-Astarté) conserve la primauté, partout ailleurs émergent des divinités aux aspects royaux très accentués, actifs dans la vie publique comme dans la vie privée. Les pouvoirs essentiels tendent à se concentrer entre les mains d'un nombre restreint de dieux, voire sont tous assumés par le Baal poliade. Revivifiant d'anciennes traditions mythologiques fossilisées, prêtres et scribes des temples ont actualisé, en un rituel, divers récits sacrés, ainsi ceux qui rappellent la disparition et le retour à la vie de divinités, à l'instar du Baal d'Ugarit.

4 Héroïsation La notion d'h. et la catégorie même des héros appartiennent à la religion gr. et nos sources ne nous autorisent pas à les appliquer tout simplement à la religion phén. Certaines figures appartenant à cette dernière sont toutefois protagonistes de vicissitudes, dont le point saillant est une expérience de disparition/mort et de retour à la vie, qui sanctionne leur transformation définitive en dieux immortels. À côté des récits classiques, cette tradition est attestée aussi au niveau du culte, fait qui en montre la véritable origine phén. Une source comme →Philon de Byblos doit être donc réexaminée selon cette perspective, car son interprétation évhémériste (→évhémérisme) de la →mythologie phén. peut correspondre en partie à des caractères historiques de celle-ci. Pour la Syro-Palestine, en effet, les textes d'Ébla, d'→Ugarit et aussi l'A.T. montrent de nombreuses traces d'une "idéologie héroïque" *ante litteram*, qui s'exprime surtout dans le culte des ancêtres royaux divinisés (→Rephaïm): Il s'agit là d'un arrière-plan historique cohérent pour les développements perceptibles dans la religion phén.-pun., tandis que l'attitude des auteurs classiques envers ces "dieux-héros" (→Adonis, →Melqart, →Eshmun, etc.) trahit l'embarras d'une culture, pour laquelle les deux catégories étaient bien distinctes.

Bibl. R. Bartelmus, *Heroentum in Israel und seiner Umwelt*, Zürich 1979; RelFen, p. 7-28; S. Ribichini, *Pœnus Advena*, Roma 1985, p. 41-73; P. Xella, *Le polythéisme phénicien*, StPhoen 4 (1986), p. 29-40; B. Servais-Soyez, *La triade phénicienne aux époques hellénistique et romaine*, ibid., p. 347-360. PXel

DJEBEL DJELLOUD Centre rom. à 15 km au S.-E. de →Tunis, qui semble correspondre à la situation d'*Ad Decimum*, à 10 milles rom. de Carthage. Au début du XXe s., on y a trouvé de nombreuses stèles funéraires d'une nécropole et des stèles votives d'un sanctuaire rural de Saturne qui devait se trouver au sommet de la colline occupée par le marabout de Sidi Fathalla. Les tombes à incinération de la nécropole consistaient en auges cinéraires munies de tubes libatoires qui débouchaient au pied de stèles portant des épitaphes avec la formule lat. *h(ic) s(itus/a) e(st)*. Des *unguentaria* de type pun. tardif et un petit bronze de Carthage pun. au type du cheval et de Tanit permettent de dater les origines de la nécropole du Ier s. av. J.C., au plus tard, date que confirme l'iconographie des stèles votives, où l'on trouve notamment le symbole pun. du croissant aux pointes descendantes.

Bibl. AATun, f^e 20 (Tunis), n° 73; P. Gauckler, *Le temple de Saturne et la nécropole romaine du Djebel Djelloud près de Tunis*, NAM 15 (1907), p. 477-535; M. Leglay, *Saturne africain. Monuments* I, Paris 1961, p. 26-31. SLan

DJEBEL EL-AQRA →Baal Saphon.

DJEBEL MANSOUR Dans le *Ğebel Manṣūr* (Tunisie), au lieudit Henchir el-Kharrouba, autour de la source de même nom, s'étendent les ruines de la *G'l* néopun. et *Gales* lat., située, à *c.* 15 km au S.-E. de Bou Arada. On y a trouvé l'épitaphe bilingue lat.-néopun. (KAI 140 = CIL VIII, 23834) d'une grande prêtresse. L'inscription est gravée sur une stèle dont les deux faces sont décorées d'un bas-relief à signification manifestement symbolique. Gales était une ville de vieille tradition pun., appartenant au *pagus* de Gunzuzi. La dédicace lat. d'un temple de →Mercure (CIL VIII, 23833) y est encore datée des deux →suffètes.

Bibl. AATun, II, f^e 26 (Djebibina), n° 17; PW VII, col. 601. ELip

DJEBEL MASSOUDJ En arabe *Ğebel Massuğ*, hauteur à 20 km au N. de →Maktar, en Tunisie. On y a trouvé une borne ou un miliaire inscrit en néopun. (KAI 141) et daté de l'an 21 de →Micipsa, c.-à-d. de 128/7 av. J.C. La pierre a été dressée par le gouverneur numide du "territoire de *Tšk't*", nom néopun. du "territoire qu'on appelle *Túska*, où il y avait 50 villes" (App., *Lib.* 68). Cette unité administrative, appelée *Tusca* en lat. et devenu un *pagus* à l'époque rom., couvrait la région de →Maktar.

Bibl. AATun II, f^e 30 (Maktar), près du n° 10; J.-G. Février, *La borne de Micipsa*, CdB 7 (1957), p. 119-121; C. Picard - A. Mahjoubi - A. Beschaouch, *Pagus Thuscae et Gunzuzi*, CRAI 1963, p. 124-130. ELip

DJEMILA En lat. *Cuicul*, arabe *Ğamīla*, ville rom. d'Algérie, à 38 km au N.-E. de Sétif, où l'installation d'une colonie de vétérans à la fin du Ier s. ap. J.C. fut à l'origine d'un développement rapide et d'un afflux des populations indigènes des environs. Dans la vie religieuse, particulièrement complexe, de D., où l'on vénérait notamment Asklépios et Hercule, Saturne occupa une place très importante dès le IIe s. ap. J.C., quand on lui érigea un temple monumental. Des stèles dédiées à →Saturne aux IIe-IVe s. offrent un commentaire figuratif des formules rituelles de →N'Gaous, puisqu'elles montrent le fils, en faveur duquel le sacrifice de substitution a été offert, entre ses parents, debout au-dessus d'un autel.

Bibl. AAAlg, f^e 16 (Sétif), n° 233; PECS, p. 249-250; M. Leglay, *Saturne africain. Monuments* II, Paris 1966, p. 201-237; P.-A. Février, *Djemila*, Alger 1968; Lepelley, *Cités* II, p. 402-415. ELip

DJERBA L'île de *Ğerba*, en Tunisie, qui ferme vers l'E. le golfe de Gabès ou Petite Syrte, compte 514 km², avec 125 km de côtes, et est pratiquement dépourvue de relief. Son nom actuel dérive du toponyme antique *Girba*, qui désigna l'île à basse époque; mais l'île des Lotophages d'Ératosthène (Pline, *N.H.* V 41,2) et d'autres auteurs gr. est aussi appelée *Phāris* par Théophr., *H.P.* IV 3,2, et *Mēninx* par Pol. I 39,2. Totalement privée de rivières et de sources, elle était alimentée en eau par des citernes et des puits fournissant une eau très légèrement salée, voire franchement saumâtre, et ne convenant qu'à certaines cultures. Les oliviers, parfois d'un très grand âge, occupent aujourd'hui tout l'intérieur de l'île dont le pourtour est constitué par une couronne de palmiers. Le rendement des oliviers est très faible — 13 kg par arbre — et devait l'être aussi dans l'Antiquité, puisque Skyl. 110 prétend que les habitants de D. tiraient l'huile d'oléastres, dont le produit est très mince. Bien cultivée selon Skyl. 110 dès le milieu du IVᵉ s., elle devait dépendre dès cette époque de Carthage. L'île fut atteinte en 253 par une flotte que commandaient les consuls rom. de cette année (Pol. I 39,2) et, en 217, elle fut ravagée par une autre expédition rom. (Liv. XXII 31,2). Selon Pol. I 39,3-4, les vaisseaux rom. expérimentèrent en 253 la très faible profondeur du sous-sol sous-marin autour de l'île et l'exceptionnelle amplititude de marée (1,20 m) qui caractérise D. en Méditerranée et rend ses eaux particulièrement favorables à la pêche. Sans compter les →céramiques (2) de type pun. jonchant le sol sans lien évident avec des traces de monuments, plusieurs gisements funéraires pré-rom. ont été inventoriés et partiellement explorés: au N. de l'île, à Ghizène, près d'Houmt-Souk, au S., à Souk el-Guebli, ainsi que des tombes dispersées à Agga, Mellita et Bordj el-Kantara. Sur le site d'Henchir Bourgou, dont la première occupation peut être datée des IVᵉ-IIIᵉ s. av. J.C., on a récemment fouillé et étudié un →mausolée monumental. L'inscription néopun. trouvée à D. au début du XIXᵉ s. (NP 6) témoigne de l'existence d'un autre monument sépulcral, édifié par un notable libyque.

Bibl. PECS, p. 572-573; Gsell, HAAN II, p. 124-125; Desanges, *Pline*, p. 430-434; Jongeling, *Names*, p. 10-12.

SLan-ELip

DJERMA →Garamantes.

DJINET, CAP En néopun. *Kš(y)*, lat. *Cissi*; port et bourg antique d'Algérie, à *c.* 20 km à l'O. de Dellys (→Rusuccuru), qui est devenu municipe d'après la Table de Peutinger. Une dédicace néopun. (KAI 170), faite par un habitant du lieu (*hš Kšy*) qui portait le nom de Derku Adonibaal et était membre de l'Assemblée du bourg (*'š [b]'m l-Kš*), témoigne de la profonde influence de la civilisation pun. en cette région de la Maurétanie Césarienne. On a trouvé au C.D. un trésor de monnaies de →Juba II (IGCH 2308).

Bibl. AAAlg, fᵉ 5 (Alger), nº 57; J.-P. Laporte, *Cap Djinet: une dédicace des Cissiani à Sévère Alexandre*, BAC, n.s., 9 B (1973), p. 25-37.

ELip

DOR En phén. *D'r*, hb. *Do'r/Dōr*, ég. *Twy3r/Dyr*, akk. *Dūru*, gr. *Dōros/Dōra*, l'actuel *Tell el-Burğ* en arabe, *Tel Dor* en hb.; ville portuaire à 25 km au S. de la pointe du →Carmel, en Israël, où d'importantes fouilles et recherches subaquatiques sont en cours depuis 1980. Les plus anciens vestiges repérés sur le site remontent au Bronze Moyen IIA, *c.* 1850 av. J.C. Un mur de boutisses cyclopéennes et une quantité considérable de →céramique, notamment des bols monochromes et des tessons de poterie *Red-on-Black* d'origine chypriote, datent du Bronze Moyen IIC, *c.* 1650-1550 av. J.C. Une plate-forme du quai portuaire, datable du Bronze Récent, correspond à l'époque où la ville est mentionnée pour la première fois, sous Ramsès II (*c.* 1279-1212). Selon le récit de →Wenamon, elle était dominée au XIᵉ s. par les *Ṯkr* ("Tjeker"), ethnique qui correspond normalement à *Skr* ou *Skl*, peut-être des Sikèles ou Sicules. Les niveaux de cette période ont livré beaucoup de céramique chypriote, surtout des bols et des cruches bichromes, sans trace de polissage, également un scarabée et une plaquette d'ivoire incisée. En revanche, la poterie philistine se limite à quelques tessons et aucune céramique importée n'est encore venue au jour dans les plus anciennes strates du Fer I. En d'autres mots, si l'existence d'un habitat philistin à D. au Fer I n'est guère probable, la présence des éventuels Sikèles/Sicules n'est toujours pas attestée matériellement. Chef-lieu de la 4ᵉ préfecture du royaume de Salomon au Xᵉ s. (*1 R.* 4,11), D. fut ceinte au IXᵉ-VIIIᵉ s. d'un rempart massif en briques, percé d'une porte à tenailles, bâtie en gros blocs de pierre calcaire. Rien ne permet jusqu'ici de déterminer l'appartenance ethnique de ses habitants à cette époque, d'autant moins que, selon *Jg.* 1,27, l'ancienne population n'a pas été expulsée par les Israélites. La mention d'un "prêtre de D." (*khn D'r*) au nom israélite de *[Z]kryw* sur un sceau du VIIIᵉ s. peut toutefois indiquer la présence d'un temple yahviste dans la ville, à la veille de la conquête assyrienne sous Téglat-Phalasar III, en 734/3. D. devint alors la capitale d'une province assyrienne et fut ceinte d'un nouveau rempart à redans, percé d'une porte à tenailles, avec deux paires

Fig. 112-113. Têtes d'hermès et de guerrier gr., favissa *d'époque perse, Dor.*

de pilastres. Ces fortifications sont restées en usage jusqu'au milieu du IVe s. et furent probablement rasées lors de la répression de la révolte de Tennès (→Tabnit II). En effet, D. était passée sous l'autorité des rois de Sidon dans la première moitié du Ve s. (KAI 14 = TSSI III,28,19), ce qui explique l'attribution de sa fondation aux Sidoniens, chez Skyl. 104 et Claudios Iolaos (Ét.Byz., s.v. *Dōros*). Celui-ci justifie le choix du site par la présence de rochers facilitant l'ancrage et l'abondance du murex. Le caractère phén. de la ville à l'époque achéménide est confirmé par les trouvailles archéologiques. La céramique et les statuettes en terre cuite trouvées dans une →*favissa* (fig. 112, 113), la teinturerie de la →pourpre découverte en 1986, la nouvelle enceinte et la porte fortifiée, édifiées au IVe s. selon une technique phén., témoignent alors de la civilisation phén. de D. L'apogée de la ville se situe sous les →Lagides et les →Séleucides, période dont datent les nouvelles murailles de type gr., un impressionnant chantier naval et la ville construite selon un plan hippodamien. Le rempart, édifié probablement après 250 av. J.C., était déjà en place en 219, quand Antiochus III le Grand assiégea D. (Pol. V 66), qui fut investie de nouveau en 139, au cours de la guerre d'Antiochus VII Sidètès contre →Tryphon (*1 M.* 15,10-14.25-27; Fl. Jos., *A.J.* XIII 223). Après avoir été gouvernée, avec la →Tour de Straton, par un dynaste local, nommé Zoïlos (Fl. Jos., *A.J.* XIII 324-335), D. fit probablement partie du royaume hasmonéen d'Alexandre Jannée (103-76), mais Pompée lui accorda l'autonomie en 63 av. J.C. (Fl.Jos., *A.J.* XIV 76).

Bibl. DEB, p. 363-364 (bibl.); EAEHL, p. 334-337; PECS, p. 281-282; N. Avigad, *The Priest of Dor*, IEJ 25 (1975), p. 101-105; E. Stern, *A Favissa of a Phoenician Sanctuary from Tel Dor*, JJS 33 (1982), p. 35-54; id., *Two Phoenician Glass Seals from Tel Dor*, JANES 16-17 (1984-85), p. 213; id., *The Earliest Greek Settlement at Dor*, ErIs 18 (1985), p. 419-427 (hb.); id., *The Excavations at Tel Dor*, E. Lipiński (éd.), *The Land of Israel: Cross-Roads of Civilizations*, Leuven 1985, p. 169-192; E. Stern - I. Sharon, *Tel Dor, 1985*, IEJ 35 (1985), p. 101-104; E. Stern, *Two* favissae *from Tel Dor, Israel*, StPhoen 4 (1986), p. 277-287; Y. Meshorer, *The Coins of Dora*, IsNumJ 9 (1986-87), p. 59-72; E. Stern - I. Sharon, *Tel Dor, 1986*, IEJ 37 (1987), p. 201-211; I. Sharon, *Phoenician and Greek Ashlar Construction Techniques at Tel Dor, Israel*, BASOR 267 (1987), p. 21-42 (bibl.); E. Stern, *Excavations at Tel Dor*, Qadmoniot 20 (1987), p. 66-81 (hb.); A. Raban, *The Port of the "Sea Peoples" at Dor*, Qadmoniot 20 (1987), p. 81-86 (bibl.); E. Stern, *The Walls of Dor*, IEJ 38 (1988), p. 6-14; I. Singer, *The Origin of the Sea Peoples and Their Settlement on the Coast of Canaan*, M. Heltzer - E. Lipiński (éd.), *Society and Economy in the Eastern Mediterranean (c. 1500-1000 B.C.)*, Leuven 1988, p. 239-250; rapports annuels dans IEJ et *Excavations and Surveys in Israel* 1 (1982) ss.

EGub-ELip

DORIEUS Fils du roi de Sparte Anaxandride (VIe s.), D. dut céder le pouvoir à Cléomène (Hdt. III 148; V 39-48). Il s'exila alors et tenta de s'établir sur le littoral des Syrtes, à 18 km au S.-E. de →Leptis Magna, mais, au bout de trois ans, il fut chassé par les Carthaginois alliés aux Maces (Hdt. V 42; cf. IV 175.198). Les ruines de sa colonie du Kinyps se voyaient encore au IVe s. av. J.C. (Skyl. 109). D. se fixa ensuite en Sicile et fonda →Héraklée (1), à proximité d'→Éryx, mais elle suscita des jalousies et fut anéantie par les Puniques et les Ségestins (Hdt. V 43-46).

Bibl. Gsell, HAAN I, p. 431,449-450; É. Will, *Miltiade et Dorieus*, La Nouvelle Clio 7-9 (1955-57), p. 127-132; A.S. von Stauffenberg, *Dorieus*, Historia 9 (1960), p. 181-215; V.M. Strogetsky, *The African and Sicilian Expeditions of Dorieus*, VDI 117 (1971-3), p. 64-77 (russe); Desanges, *Pline*, p. 257-259; Huß, *Geschichte*, p. 60-61.

CBon-ELip

DOUGGA En pun. libyque *Tbgg*, néopun. *Tbg'g'*, lat. *Thugga*, gr. *Tokai* (Diod. XX 57,4). Ville fortement punicisée, D. était déjà une cité "d'une belle grandeur" (*ibid.*), lorsque un lieutenant d'→Agathocle s'en empara à la fin du IVe s. Après avoir fait partie du royaume numide d'au moins 146 à 46 av. J.C., D. connut une romanisation progressive. D'abord divisée en deux entités politiques faisant partie de la *pertica* de Carthage, le *pagus* des citoyens rom. et la *civitas* indigène gouvernée par des suffètes et dotée d'une assemblée se réunissant près des "portes", institutions mentionnées encore en 48 ap. J.C. (CIL VIII 16517), la cité double de D. fusionna en 205 lorsqu'elle devint municipe; elle reçut finalement, sans doute entre 253 et 260, le statut de colonie. Si les monuments de l'époque rom. sont imposants, de nombreux vestiges leur sont antérieurs. Des nécropoles mégalithiques et une enceinte de gros blocs, flanquée de tours rectangulaires, doivent être pun. ou numides. Le temple de →Saturne recouvre un sanctuaire de →Baal Hamon et les dépôts cultuels associés à des →stèles néopun. relèvent de traditions carth. Une inscription libyco-pun. mentionne un temple dédié, en 139 av. J.C., au divin →Massinissa I (KAI 101) et le célèbre →mausolée hellénistique, érigé par le maître d'œuvre numide Aṭban (KAI 100), appartient à la même époque.

Bibl. AATun, f^e 33 (Téboursouk), n° 183; ANRW II/10,2 p. 274-276; PECS, p. 917-919; PW Suppl. VII, col. 1567-1571; RÉS 563; J.-B. Chabot, CRAI 1916, p. 120-129; C. Poinssot, *Les ruines de Dougga*, Tunis 1958; M. Leglay, *Saturne africain. Monuments* I Paris 1961, p. 207-220; W. Seston, *Des "portes" de Thugga à la "constitution" de Carthage*, RH 237 (1967), p. 277-294; J. Ferron, *L'inscription du mausolée de Dougga*, Africa 3-4 (1969-70), p. 83-98; Gascou, *Politique municipale*, p. 158-161, 172, 178-182; H.G. Horn - C.B. Rüger (éd.), *Die Numider*, Köln 1979, p. 157-158, 576-577.

YThéb

DOUIMÈS →Carthage.

DROGUE Aucun ouvrage de pharmacopée phén.-pun. n'étant parvenu jusqu'à nous, l'arsenal thérapeutique des Phéniciens nous est mal connu. Toutefois, les mots grecs *kasía, kinnámōnon, kittṓ*, désignant des variétés de canelle; *krókos*, le safran; *kúminon*, le cumin; *líbanos* et *libanōtos*, l'→encens; *múrra*, la myrrhe; *nárdos*, le nard; *sḗsamon*, le sésame, ont dû transiter par la langue phén. avant d'être adoptés en gr. Cet itinéraire des mots reflète le rôle joué par les Phéniciens comme intermédiaires entre l'Orient et le monde méditerranéen pour l'importation de certaines d., notamment des substances opiacées, livrées dans des récipients dont la forme imitait les capsules de pavot. Parmi les noms de végétaux donnés comme africains dans les listes de synonymes provenant de plusieurs manuscrits de la *Matière médicale* de Dioscoride (cf. Ps.-Apulée, *De medic. herbarum* et Ps.-Diosc., *De herbis femininis*), la plupart ont toutes les chances d'avoir servi dans la pharmacopée carth. Enfin, le *Corpus hippiatricorum Graecorum* (éd. E. Oder - C. Hoppe, Stuttgart 1971, I, p. 141-142, 168, 172; II, p. 90) a conservé quelques recettes vétérinaires de l'agronome Magon (→agriculture 2), destinées à soigner des affections comme la dyspnée du cheval, la strangurie, la dysurie et divers maux des bêtes de somme. Composées à base de safran, myrrhe, *trōglitis* (sorte de myrrhe), nard, poivre blanc, hydromel, vieille huile, huile rosat, lentilles et vin, elles contiennent aussi des produits d'origine animale comme l'œuf, le miel, des raclures de corne de sabot et même un petit chien.

Bibl. Gsell, HAAN IV, p. 37; A. Schmidt, *Drogen und Drogenhandel im Altertum*, Leipzig 1924; R.S. Merrillees, *Opium Trade in Bronze Age Levant*, Antiquity 36 (1962), 287-292; E. Masson, *Recherches sur les plus anciens emprunts sémitiques en grec*, Paris 1967; F. Vattioni, *Glosse puniche*, Augustinianum 16 (1976), p. 505-555 (voir p. 516-532); Huß, *Geschichte*, p. 484. MHMarg

DROIT Les seuls textes législatifs d'origine phén.-pun. que nous ait légués l'Antiquité sont les →tarifs sacrificiels et les →traités internationaux préservés en akkadien ou en grec. Les documents de la pratique, si nombreux en Mésopotamie, font totalement défaut, mais un tiers du *Digeste* de Justinien, avec les décisions des plus fameux jurisconsultes romains, est tiré des écrits d'Ulpien de Tyr (*c.* 170-228). Or, celui-ci provenait d'une famille établie à Tyr de longue date et était proche des empereurs Septime-Sévère, originaire de →Leptis Magna, et Alexandre Sévère, né en Phénicie; il donnait aussi son avis sur des questions de d. phén.-pun. en admettant p.ex. la validité d'une *verborum obligatio* ou convention orale contractée dans la langue pun. (D. XLV 1,1,6; cf. XXXII 11). Il est donc possible que la jurisprudence orientale, à laquelle devait se rattacher le d. phén.-pun., ait marqué de son empreinte les avis d'Ulpien, comme ceux de Papinien, qui était d'origine probablement syrienne ou nord-africaine, ainsi que ceux de la fameuse école de d. rom. fondée à Beyrouth au IIIe s. ap. J.C. Il est significatif, par ailleurs, que des juristes natifs de villes pun. ou punicisées aient contribué plus que d'autres au développement du d. rom. On mentionnera, en particulier, l'activité de P. Pactumeius Clemens de Constantine (IIe s. ap. J.C.), de L. Octavius Cornelius Salvius Julianus d'Hadrumète (*c.* 100 - *c.* 169) et de son disciple S. Caecilius Africanus de Thuburbo Minus, puis celle d'Aemilius Macer (IIe-IIIe s. ap. J.C.), d'origine numide tout comme ses contemporains, les jurisconsultes Q. Vetidius Juvenalis de Thubursicu Numidorum (Khamissa) et Q. Numidicus Amator. La survivance du droit public pun. en Afrique rom., du moins dans les →cités suffétales, ne fait du reste pas de doute. On peut supposer à fortiori qu'il en allait de même pour le droit privé, qui réglait les relations au sein de la →société. Aussi est-il d'autant plus regrettable que les sources phén.-pun. soient si pauvres en données juridiques. Des inscriptions (néo)pun. pourraient faire allusion au testament (KAI 166,4) et à la pratique tant du gage personnel que de la déportation des débiteurs insolvables par décision de l'→assemblée du peuple. C'est du moins ce que suggère la formule X^1 *'š ṣdn bd ('dny)* X^2 *lm y'ms 'm qrtḥdšt*, souvent abrégée (CIS I,269-275; 280-281; 291-292; 4908-4909; cf. ICO, Sard. 36,11), si on la traduit "un(e) tel(le), qui est un gage dans la main (de son maître) un tel, afin que le peuple de Carthage ne (le/la) déporte pas". Il n'est pas facile de préciser le sens de ces mentions du "peuple de Carthage" et de les concilier avec les témoignages de Tite-Live: l'administration de la justice à Carthage aurait été une prérogative des →suffètes (XXXIV 61,15), bien qu'il y ait eu un puissant *ordo iudicum* (XXXIII 46,1), auquel Aristote pourrait aussi se référer (*Pol.* III 1,7). Comme Tite-Live semble affirmer par ailleurs que les suffètes rendaient tous les jours la justice en public (XXXIV 61,14-15), il est possible qu'il les ait confondus avec les juges (*špṭ*). Quant au d. maritime, le récit de →Wenamon et certains →traités y font allusion. Il est vraisemblable que le d. maritime phén. ait exercé une influence sur celui des écrits talmudiques, dont la terminologie devrait être proche de celle du phén.

Bibl. ANRW II/15, Berlin-New York 1976; PW III, col. 1192-1195; V, col. 1435-1509; XVIII, col. 2154-2155; IA, col. 2023-2026; W. Kunkel, *Herkunft und soziale Stellung der römischen Juristen*, Weimar 1952, en part. p. 154-166, 172-173, 224-229, 245-254, 256-257, 265-266; J. Pirenne, *À propos du droit commercial phénicien antique*, AB.BCL 41 (1955), p. 604-609; J. Dauvillier, *Le droit maritime phénicien*, RIDA, 3e sér., 6 (1959), p. 33-63; J.G. Février, *Textes puniques et néopuniques relatifs aux testaments*, Semitica 11 (1961), p. 3-8; J. Rougé, *Le droit de naufrage et ses limitations en Méditerranée*, Mélanges A. Piganiol, Paris 1966, p. 1467-1479; P. Csillag, *Der Beitrag der afrikanischen Juristen zum römischen Recht*, Afrika und Rom, Halle-Wittenberg 1968, p. 173-187; id., *I giuristi d'origine africana nell'impero romano*, Alba Regia 10 (1969), p. 184-187; S. Segert, *Phénicie-Carthage* (J. Gillissen [éd.], Introduction bibliographique à l'histoire du droit et à l'ethnologie juridique A/4), Bruxelles 1973; T. Honoré, *Ulpian*, Oxford 1982; D. Sperber, *Nautica Talmudica*, Ramat Gan 1987; E. Lipiński, BiOr 45 (1988), col. 80-81. ELip

DUILIUS, C. Consul et commandant de l'armée et de la flotte rom. en 260. En raison des expériences du début de la 1re →guerre pun., les Romains mirent en chantier une flotte (Pol. I 20,1-21,1; Pline, *N.H.* XVI 192; Flor., *Epit.* I 18,7; Eutr. II 20,1; Orose, *Adv. Pag.* IV 7,7-8), dont la responsabilité fut probablement confiée à Cn. Cornelius Scipio Asina (→Scipions 1), l'autre consul de 260. D. se vit attribuer le commandement de l'armée de terre (Pol. I 21,4; 22,1; 23,1; autrement Zon. VIII 10,8). Mais comme Cornelius tomba dans un piège à Lipari, D., qui faisait route vers la Sicile, prit le commandement de la flotte (Pol. I 23,1; Zon. VIII, 11,1-2; cf. Front., *Strat.* III 2,2). Apprenant que les Carthaginois allaient dévaster la région de Myles, D. proposa au navarque carth. →Hannibal (3) une bataille navale. Celui-ci accepta et — fait surprenant — les Romains battirent les maîtres des mers dans leur première grande bataille navale (Pol. I 23,2-10; Cic., *Rep.* I 1; *Orat.* 153; *Cato* 44; Diod. XXIII 10,1; Liv., *Per.* XVII; Val. Max. VII 3, *ext.* 7; Sén., *Dial.* X 13,3; Flor., *Epit.* I 18, 8-9; Dion C. XI, fr. 43,16; Eutr. II 20,2; Ampel. 46,3; [Aur. Vict.], *Vir. ill.* 38, 1-2; Orose, *Adv. Pag.* IV 7, 10; Zon. VIII 11, 2-4). Cette victoire, dont l'importance est exagérée par Polybe, est due beaucoup au fait que les Romains surent faire d'une bataille navale une sorte de combat terrestre, en abordant les navires carth. sur les ponts desquels ils livrèrent bataille (Pol. I 22,3-11; 23,5-10; Front., *Strat.* II 3,24; Flor., *Epit.* I 18,8-9; [Aur. Vict.], *Vir. ill.* 38,1; Zon. VIII 11,2-3). Le stratège carth. avait dans l'entre-temps malmené durement la base rom. de Ségeste. Mais D. reprit en personne le commandement de l'armée de terre, qu'il avait quittée à Reggio, et réussit "en 9 jours" (CIL I/2^2, 25,3-4) à lever le siège de la ville (Pol. I 24,2; Zon. VIII 11, 5). Même si la victoire rom. au large de Myles ne changeait pas fondamentalement la situation en Sicile, elle affermit le moral des chefs et des troupes rom.

Bibl. PW V, col. 1777-1781; O. Meltzer, *Geschichte der Karthager* II, Berlin 1896, p. 278-281, 564-565; M. Sordi, *I "corvi" di Duilio e la giustificazione cartaginese della battaglia di Milazzo*, RFIC 95 (1967), p. 260-268; M. Martina, *I censori del 258 a.C.*, QS 6 (1980), p. 143-170; Huß, *Geschichte*, p. 229, 230 (n. 87). WHuß

DUNAND, MAURICE (4.3.1898-29.3.1987). Archéologue français, directeur de la mission archéologique française au Liban. De 1926 à 1976, il a consacré l'essentiel de son activité à la Phénicie, fouillant notamment Byblos, Umm el-Amed, Amrit et le temple d'Eshmun à Bostan esh-Sheikh, près de Sidon. Il a su accompagner son activité inlassable sur le terrain d'une vaste entreprise de publications, dont on citera les cinq volumes des *Fouilles de Byblos* (Paris 1937-73), *Oumm el-'Amed* (Paris 1962) et *Le temple d'Amrith* (Paris 1985).

Bibl. Bibliographie de Maurice Dunand, MUSJ 46 (1970-71), p. 3-8; M. Chéhab - J. Gaulmier - H. de Contenson, *Maurice Dunand*, Syria 64 (1987), p. 337-340. ELip

DUSSAUD, RENÉ (24.12.1868-17.3.1958). Ingénieur de formation, choisit une carrière de savant et de sémitisant. En 1895-97, il fait trois voyages sur la côte libanaise et syrienne, et deux autres, en 1899 et 1901, dans l'arrière-pays syrien, voyages qui donnent lieu à des compte-rendus et aux *Notes de mythologie syrienne* (Paris 1903), ouvrage de base dans lequel il formule sa thèse de l'unité de la religion phén. Dès cette date, ses intérêts s'étendent à l'ensemble du Proche-Orient, avec des jublications majeures sur le monde arabe pré-islamique, sur les civilisations préhelléniques et sur la sacrifice israélite. Après la 1re guerre mondiale, conservateur des antiquités orientales au Musée du Louvre (1910-35) et membre de l'Académie des Inscriptions (1923), il joue un rôle déterminant dans l'organisation du service des antiquités de Syrie et du Liban et dans celle des missions françaises. Il décide, en particulier, de l'ouverture des fouilles de Ras Shamra, d'où *Les découvertes de Ras Shamra et l'Ancien Testament* (Paris 1937, 1941^2) et *L'art phénicien du IIe millénaire* (Paris 1949). Sa connaissance du terrain et des textes lui avait permis, par ailleurs, de rédiger sa fameuse *Topographie historique de la Syrie* (Paris 1927).

Bibl. *Mélanges syriens R. Dussaud* I, Paris 1939, p. V-XVI (bibl.); H. Seyrig, *René Dussaud*, Syria 36 (1959), p. 1-7; O. Eissfeldt, *Kleine Schriften* III, Tübingen 1966, p. 486-493; E. et J. Gran-Aymerich, *René Dussaud*, Archéologia 188 (1984), p. 71-75. EWill

DYING-GOD Terme forgé par J.G. Frazer pour indiquer un type divin qu'il retrouve dans →Adonis, Tammuz, Attis, →Osiris: un dieu qui, par sa mort et sa renaissance répétées annuellement dans le culte, reproduirait à un niveau surhumain les vicissitudes du blé. Ce mythe serait actualisé avec un dessein "magique" par la mortification du roi lors de la fête du jour de l'an. À la base du d.g. on a reconnu le *dema*, un type de personnage mythique, propre des peuples cultivateurs primitifs: on raconte qu'il fut tué, coupé en morceaux, enterré et que de son corps naquit une plante alimentaire (A.E. Jensen). La validité de cette reconstruction a été récemment contestée. Les divinités poliades phén. pourraient, en tout cas, avoir une certaine parenté avec ce type divin (→Melqart, →Eshmun).

Bibl. A. Brelich, *Il politeismo*, Roma 1958; id., *Quirinus*, SMSR 31 (1960), p. 63-119; D. Sabbatucci, *Il mito, il rito e la storia*, Roma 1978; id., *Da Osiride a Quirino*, Roma 1984; S. Ribichini, *Poenus Advena*, Roma 1985. BZanQ

DYNASTIES L'existence de d. royales est bien attestée dans les royaumes phén. Si la →royauté repose ainsi sur un principe dynastique, la procédure mise en place pour parer aux aléas de la succession ne nous est pas connue et il est certain que des événements internes ou des interventions étrangères pouvaient bouleverser l'ordre de succession ou provoquer l'avènement d'une nouvelle d. Son fondateur est parfois reconnaissable au fait que les inscriptions n'attribuent pas de titre royal à ses ancêtres. On trouvera ci-dessous un tableau synoptique des rois des cités phén. le mieux connues; un tiret vertical y indique une succession de père à fils ou au sein de la même famille (fig. 114). ELip

	Arwad	*Byblos*	*Kition*	*Samsimuruna*	*Sidon*	*Tyr*
1050						
1025						
1000						
975		Ahiram				Abibaal Hiram I
950		Ittobaal				
925		Yahimilk				Baalmanzer I Abdastratos
900		Abibaal				Methonastartos Astarymos
875	Mattanbaal I	Elibaal				Phellès Ittobaal I
850		Shapatbaal I				Baalmanzer II
825						Mattan I Pumayyaton
800						
775						Milkiram?
750	Mattanbaal II	Shapatbaal II			Lulî	Ittobaal II Hiram II
725						Mattan II
700	Abdile'ti Mattanbaal III	Urumilk I				Lulî
675	Yakinlu Azzibaal I			Menahem Abibaal	Ittobaal Abdimilkutti	Baal I
650						
625						
600						Ittobaal III
575						Baal II Yakinbaal Khelbès Abbar Mattan-Gérastratos Baalazor Maharbaal Hiram III
550				*Lapéthos*		
525		Shapatbaal III				
500	Azzibaal II	Urimilk II		Démonikos I Sidqimilk	Eshmunazor I Tabnit I Eshmunazor II	Hiram IV Mattan III
475	Maharbaal	(Yiharbaal) Yehawmilk	Baalmilk I		Bodashtart Yatanmilk	
450			Azzibaal		Baalshillem I	
425			Baalmilk II Baalrôm	Andr[...]	Abdémon Baana	
400		Elpaᶜol	Milkyaton	Démonikos II Praxippos I	Baalshillem II?	
375		Azzibaal	Pumayyaton	(Démonikos III?)	Straton I Tabnit II (Tennès)	
350	Gérastratos	Adarmilk Aïnel		Barik-Shamash	Évagoras II? Straton II?	Azzimilk I
325				Praxippos II	Straton III Abdalonymos	Azzimilk II?
300					Philoklès	

Fig. 114. Tableau chronologique des principaux souverains phén.

E

EAU En phén. *mym*, substance de première nécessité dans la vie quotidienne et, par conséquent, symbole fondamental des rites religieux.

1 Approvisionnement en eau Suivant les conditions géographiques et climatiques de l'endroit, l'approvisionnement et l'évacuation de l'e. (fig. 116) posaient des problèmes de types divers aux centres urbains de l'Antiquité. Si la ville ne renfermait pas de sources d'un débit suffisant, il fallait creuser des puits jusqu'à la nappe phréatique et aménager des réservoirs ou des citernes recueillant l'e. de pluie (fig. 117). Certes, à Carthage, une nappe d'e. douce se trouve partout, parallèlement au rivage et à peu de profondeur, et Gadès était alimentée en e. par au moins trois sources et de nombreuses citernes (Strab. III 5,7; Pol. XXXIV 9,5-7), auxquelles s'ajouta un aqueduc à l'époque impériale rom. Mais l'île de Tyr dépendait de la source de *Rās el-'Aïn*, située sur la terre ferme, et →Kition était confrontée aux infiltrations d'e. saumâtre qui pénétrait dans les puits circulaires de type banal et dans les puits carrés en gros blocs réguliers (Bamboula, Kathari), sans doute plus résistants dans un sol instable. D'où la nécessité de conserver l'e. de pluie dans de grandes citernes, creusées aux Ve-IVe s. jusqu'à 4 m de profondeur et enduites d'une épaisse couche de chaux hydraulique qui les mettait à l'abri des infiltrations saumâtres (fig. 115). On acheminait aussi l'e. de bonne qualité de la région au S. du Lac Salé, certainement à l'époque rom., mais des vestiges de conduits remontent peut-être à une période antérieure. Quant à l'évacuation des e., elle s'opérait généralement par des rigoles ouvertes jusqu'à la mer. À →Dor, p.ex., on a découvert une section d'un grand drain qui remonterait au XIIe s. et une section d'un autre drain, d'époque hellénistique, ouvert en plein milieu de la rue. La faible pente de Kition a cependant obligé les ingénieurs locaux à chercher d'autres solutions. Ils ont d'abord creusé des puits perdus, comme au sanctuaire de Bamboula, à la fin du Ve s., puis créé un réseau complexe d'égouts collecteurs et de drains souterrains, mis en œuvre *c.* 375 av. J.C. et traversant le sanctuaire lui-même. La disparition des services d'entretien phén. après la prise de la ville par

Fig. 116. Baignoire "sabot" et système d'évacuation des eaux, maison de Kerkouane (IVe-IIIe s. av. J.C.).

Fig. 115. Installations hydrauliques du sanctuaire de Kition-Bamboula (Ve s. ap. J.C.).

Fig. 117. Citerne de la maison 4 de l'îlot C, Byrsa, Carthage (début du IIe s. av. J.C.).

Ptolémée I, en 312, mit fin au fonctionnement de ces canalisations. Un système analogue d'évacuation des e. se retrouve plus tard à Dor, où il fut remplacé, à l'époque rom., par un grand drain souterrain, bâti en pierres de taille, qui récoltait les e. de petits canaux de drainage et les déversait vers la campagne en passant sous le pavement d'une des portes de la ville.

2 Usage cultuel La mention d'un "maître de l'e." (*b'l mym*) au service de la divinité dans le temple d'Astarté, à Kition (Kition III, C 1,B,4), dévoile l'emploi de l'e. dans le culte phén. et a vraisemblablement quelque rapport avec les "installations hydrauliques" kitiennes du bâtiment sacré de Bamboula, qui ne s'expliquent pas par un usage domestique. Nous n'avons, par ailleurs, que peu d'indications sur ce sujet. On peut rappeler les rites d'hydrophorie, attestés notamment à Hiérapolis et à Jérusalem, les bains rituels, les purifications cultuelles des statues divines, les libations, les rites thérapeutiques liés à des divinités comme →Eshmun, qui était vénéré à la source Yidal (KAI 14 = TSSI III,28,17) et dont le temple était pourvu de bassins (fig. 50), sans oublier le *Ma'ābid* d'→Amrit avec son profond (3,5 m) bassin monumental de *c.* 40 m de côté (fig. 280; pl. Ic). Le sanctuaire d'Aphrodite à →Afqa (Luc., *Syr.* 9) et ceux de Melqart à →Tyr et →Gadès sont associés à des sources, tandis que des récits mythiques se rattachent au →Nahr el-Awwāli, au →Nahr Ibrahim ou au →Bélos (1). Rites de magie sympathique pour amener les pluies, culte des sources sacrées, bains de jouvence, e. lustrales, purifications rituelles, voilà autant de domaines où l'e. jouait le rôle de garante de fertilité, de santé, de purification.

Bibl. BRL^2, p. 358-360; DEB, p. 368-369; ThWAT IV, col. 843-866; M. Fantar, *Le problème de l'eau potable dans le monde phénicien et punique. Les citernes*, CTun 89-90 (1975), p. 9-18; H. Pavis d'Escurac, *Irrigation et vie paysanne dans l'Afrique du Nord antique*, Ktèma 5 (1980), p. 177-191; F. et J. Métral - P. Sanlaville - P. Louis (éd.), *L'homme et l'eau en Méditerranée et au Proche-Orient* I-IV, Lyon 1981-87; M. Yon, *Le "Maître de l'eau" à Kition*, Archéologie au Levant. Recueil R. Saidah, Lyon 1982, p. 251-263; J.-F. Salles, *Kition-Bamboula* II. *Les égouts de la ville classique*, Paris 1983; B.D. Shaw, *Water and Society in the Ancient Maghrib*, AntAfr 20 (1984), p. 121-173; M. Fantar, *Kerkouane* II, Tunis 1985, p. 303-539. MYon

ÉBLA En écriture cunéiforme *Ib-la, I-ib-la-a, E-eb-la*, en écriture hiératique *Y-b-3-y*, l'actuel *Tell Mardiḫ*, à 70 km au S. d'Alep et à 85 km au N.-E. d'Ugarit. Les archives du palais présargonique d'É. (*c.* 2350-2250), notamment les textes économiques et administratifs, pourraient contenir les plus anciennes références à la future Phénicie. On y rencontre souvent le toponyme DU-*lu*^{ki}, dont le signe DU, lu *Gub*, servira à l'époque d'el→Amarna à noter le nom de →Byblos (*Gub-la/li/lì*), tant à Byblos même qu'à Beyrouth, à Tyr et dans l'Amurru. Certains auteurs pensent toutefois qu'il s'agit d'une ville inconnue de DU-*lu/lum*^{ki}. →Sidon serait mentionnée sous la forme *Sí-du$_6$-na-a*^{ki} et Beyrouth sous celle de *Ba-u$_9$-ra-at/tù*^{ki}. Les références éventuelles à d'autres cités de la Phénicie sont sujettes à plus de caution dans l'état actuel de nos connaissances. La prudence s'impose aussi dans le domaine de l'étude comparative des institutions et de la religion, ne fût-ce qu'à cause du long laps de temps qui sépare les documents d'É. de la civilisation phén.-pun. proprement dite.

Bibl. DEB, p. 370-371; RLA V, p. 9-20; G. Pettinato, *Le città fenicie e Byblos in particolare nella documentazione epigrafica di Ebla*, ACFP 1, Roma 1983, p. 107-118; *En Syrie, Ébla retrouvée*, DossArch 83 (1984); L. Viganò - D. Pardee, *The Ebla Tablets*, BA 47 (1984), p. 6-16; P. Matthiae, *I tesori di Ebla*, Roma-Bari 1985; G. Pettinato, *Ebla, nuovi orizzonti della storia*, Milano 1986; L. Cagni (éd.), *Ebla 1975-1985*, Napoli 1987 (bibl.). ELip

ÉBORA En gr. *Ébora* ou *Aíboura*, lat. *Aipora* sur les monnaies, localité antique du S.-O. de l'Espagne, où l'on a trouvé des bijoux de type →orientalisant; aujourd'hui Sanlúcar de Barrameda, à l'embouchure du Guadalquivir.

Bibl. C. Blanco Torrecillas, *El tesoro del cortijo de Evora*, AEArq 32 (1959), p. 50-57; J. de M. Carriazo, *El tesoro y las primeras excavaciones de Ebora*, Madrid 1970; A. Tovar, *Iberische Landeskunde* II/1, Baden-Baden 1974, p. 52. ELip

ÉCHELLES D'ORANIE Le nom d'é., qui vient du turc *iskele*, corruption de l'italien *scali*, "escales", était donné aux ports marchands de la Méditerranée à l'époque ottomane et sert parfois à désigner les ports antiques de la région d'Oran, en Algérie, tels que Les →Andalouses ou →Portus Magnus. ELip

ÉCONOMIE Les divers aspects de l'é. phén.-pun. sont traités sous les entrées: →agriculture, →bois, →céramique, →chasse et pêche, →commerce, →corporations, →cuir, →esclaves, →expansion phénicienne, →fiscalité, →garum, →huile, →ivoires, →métallurgie, →mines, →navigation, →navires, →numismatique, →orfèvrerie, →poids et mesures, →ports, →pourpre, →sceaux, →verrerie, →viticulture.

Bibl. Gsell, HAAN IV, p. 1-169; S. Moscati (éd.), *I Fenici e Cartagine*, Torino 1972, p. 63-605; S.F. Bondì, *Note di economia fenicia - I. Impresa privata e ruolo dello Stato*, EVO 1 (1978), p. 139-149; Yu.B. Tsirkin, *Economy of the Phoenician Settlements in Spain*, E. Lipiński (éd.), *State and Temple Economy in the Ancient Near East* II, Leuven 1979, p. 547-564; Huß, *Geschichte* p. 481-488; Yu.B. Tsirkin, *The Economy of Carthage*, StPhoen 6 (1988), p. 125-135. ELip

ÉCRITURE Le document écrit place l'étude des civilisations du Proche-Orient ancien à un niveau différent de celui de la recherche portant sur les cultures "muettes" de l'Antiquité. On constate les tout premières apparitions de l'é. en Mésopotamie du S. et en Égypte peu après l'an 3000. Au XVIIIe ou XVIIe s., les →pseudo-hiéroglyphes giblites font leur apparition, mais cette é., attestée uniquement à →Byblos, n'eut pas de lendemain. Vers le milieu du IIe mill. surgit en Canaan un nouveau système d'é., l'→alphabet consonantique, qui constituera un trait typique de la civilisation phén. et l'élément le plus significatif de sa diffusion.

1 Aperçu diachronique L'é. proprement phén. a subi une évolution notable au cours des quinze siècles de son histoire (fig. 118, 119).

A *Écriture paléo-phénicienne*. L'é. phén. dérive

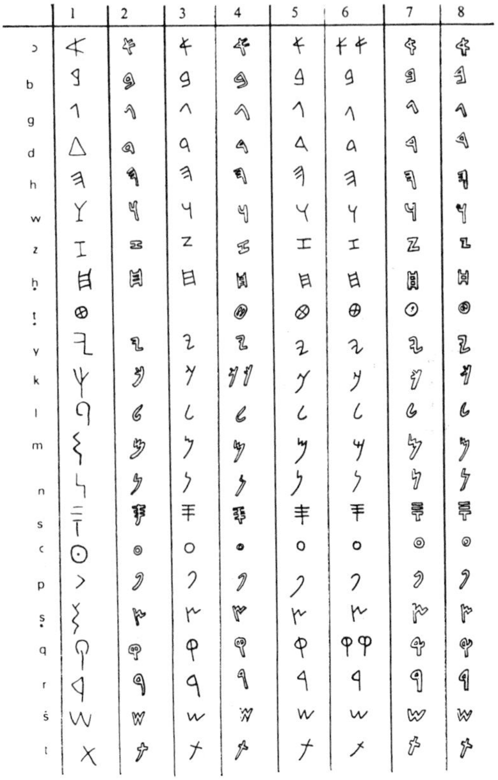

Fig. 118. Écriture monumentale phénicienne de la Syrie du N. et de la Cilicie aux IXe-VIIIe s. av. J.C.: 1) Tell Fekheryé, milieu du IXe s.; 2) Kilamuwa (Zincirli), dernier tiers du IXe s.; 3) Zakkur (Tell Afis), début du VIIIe s.; 4) Hadad (Zincirli), première moitié du VIIIe s.; 5) Sfiré, milieu du VIIIe s.; 6) Karatepe, milieu du VIIIe s.; 7) Panamuwa (Zincirli), seconde moitié du VIIIe s.; 8) Bar-Rakab (Zincirli), seconde moitié du VIIIe s.

en droite ligne de l'é. linéaire "proto-cananéenne" qui fait son apparition vers le milieu du IIe mill. et dont les inscriptions "proto-sinaïtiques" constituent le groupe le plus important. Après une évolution qui dura près d'un demi-millénaire, en tout cas avant la fin du XIIe s., l'alphabet phén. "classique" de 22 lettres acquit sa forme définitive, avec une direction sinistroverse de l'é., un axe et une orientation fixes des signes graphiques. À partir du XIe s., la plupart des lettres des inscriptions sur les pointes de →flèches ou de javelines (fig. 138, 139) ont déjà les mêmes formes que celles des textes lapidaires de →Byblos (fig. 7, 124; pl. VIIa). Les inscriptions trouvées à Byblos, à partir de 1923, la dédicace à Ammon, gravée sur le bol de →Tekké (Crète), et le Calendrier de Gézer se situent entre 975 et 850. L'é. des inscriptions "coloniales" phén. du IXe s., celles de →Sardaigne (fig. 247), de →Chypre et de →Zincirli (fig. 382), se rattache encore étroitement à l'é. des textes giblites archaïques.

B *Phénicien moyen*. On peut dater l'époque phén. moyenne du VIIIe à la fin du VIe s. Son début correspond à la période où l'é. phén. commence à se diffé-

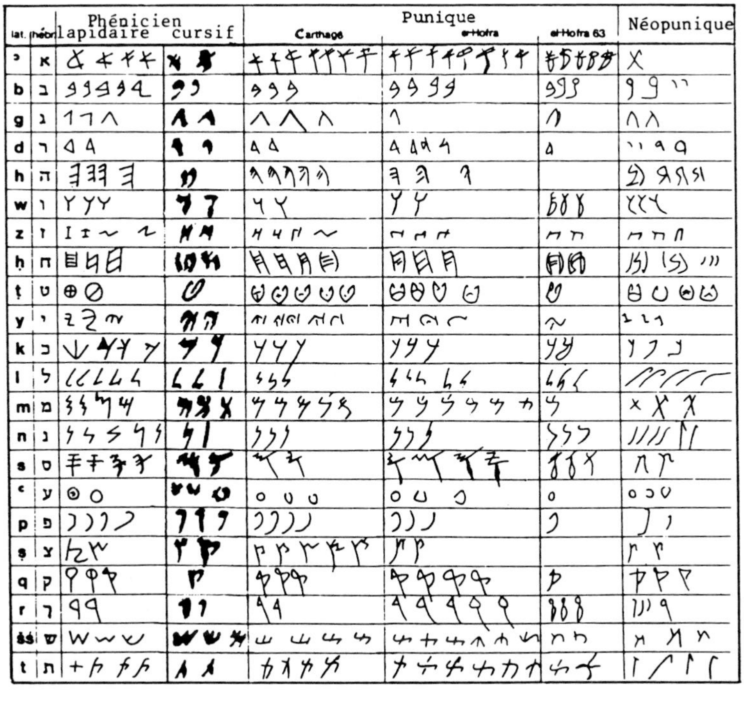

Fig. 119. Évolution de l'écriture phén. et pun.

Fig. 120. La grande inscription du sarcophage d'Eshmunazor II (Ve s. av. J.C.). Paris, Musée du Louvre.

rencier de celle des langues nord-sémitiques qui ont emprunté au phén. son système scripturaire, et sa fin coïncide avec l'apparition des premières inscriptions proprement pun. La Phénicie même n'a livré jusqu'ici que des textes très brefs datant de la fin de cette période et provenant, entre autres, d'→Akzib, de →Sarepta et d'→Amrit, mais il faut tenir compte aussi des épigraphes gravées sur des objets trouvés en Mésopotamie, surtout en Assyrie, mais également à →Ur (pl. VIIc), et provenant généralement du butin fait dans les cités phén. par les souverains assyriens. C'est cependant en dehors de la Phénicie que l'on a découvert les témoignages les plus importants de l'é. phén., à →Karatepe, à →İvriz, à →Cebelireis Dağı et à →Hassan Beyli, dans le S.-E. de la Turquie, à Saqqâra (→Memphis), en Égypte, à →Kuntillet Ajrud, à →Chypre (fig. 196, 274), à →Malte, à Ischia (→Pithécusses) et sur les sites italiques de →Pontecagnano, de →Palestrina et de →Pyrgi. Il faut mentionner aussi les plus anciennes inscriptions de →Carthage et d'→Andalousie, spécialement de la région de Málaga (fig. 210) et de Séville (fig. 35), ainsi que certaines épigraphes de →Mogador, sur la côte marocaine de l'Atlantique.

C *Phénicien récent.* La période phén. récente s'étend du Ve s. au début de notre ère. Elle a livré un nombre relativement élevé d'inscriptions (fig. 136, 137) et d'→ostraca de la Phénicie proprement dite, de Byblos, →Sidon (fig. 120, 129, 294, 328), →Tyr (fig. 335, 336, 366), →Umm el-Amed (fig. 375), →Akko, mais aussi de Chypre (fig. 161), particulièrement de →Kition (Larnaka) (fig. 99, 198), →Tamassos (Politiko), →Salamine, →Lapéthos, →Idalion (Dhali), pour ne citer que les sites les plus importants. →Rhodes, →Cos, la Grèce continentale (fig. 318) et Malte (fig. 125) ont pareillement produit des inscriptions phén. de cette période, de même que l'Égypte, où l'on a trouvé des ostraca, des →graffiti, des →inscriptions sur pierre et sur vases, ainsi qu'un fragment de →papyrus avec un texte de nature économique. Le graffito phén. en caractères gr. de la grotte de →Wasṭa, située près de la route de Sidon à Tyr, présage, quant à lui, la disparition prochaine de l'é. phén. en Orient.

D *Écriture punique.* L'é. pun. de l'Afrique du N. et des établissements carth. dans le bassin occidental de la Méditerranée n'est, en gros, qu'une forme évoluée de l'é. phén., mais elle possède ses caractères propres qui proviennent de la cursive et vont en se développant dans le temps et l'espace. Carthage seule a livré plus de 6.000 inscriptions en é. pun. (fig. 166, 278, 322-325; pl. XVc,e), auxquelles il faut ajouter celles d'autres villes, telles que →Hadrumète, les colonies carthaginoises de Malte, →Sicile (fig. 205), Sardaigne (fig. 260), des îles →Baléares et du Midi de l'Espagne, sans oublier celles des cités numides punicisées, comme →Dougga, →Guelma, →Maktar, →Constantine (fig. 26, 307-309) et bien d'autres (fig. 203). Seules quelques inscriptions des princes numides peuvent être datées avec quelque précision, la datation de toutes les autres ne s'appuyant, en général, que sur la typologie des →stèles sur lesquelles elles sont gravées. L'évolution de chaque lettre dans l'é. pun. peut fournir un autre critère, de nature paléographique, mais son degré de fiabilité est variable. Le nombre élevé de stèles pun. inscrites témoigne de la diffusion de l'é., dont le caractère alphabétique facilitait l'apprentissage.

E *Écriture néopunique.* L'é. néopun., qui a éliminé progressivement l'é. pun. et qui est beaucoup plus difficile à lire que celle-ci, est essentiellement une é. cursive. Les formes des lettres, en néopun., varient suivant l'époque et la région, témoignant indirectement de l'évolution différente de la cursive. On peut distinguer, en gros, trois variétés:

1° L'é. néopun. carth., qui apparaît dès la fin du IIIe s. et coexiste avec l'é. pun. jusqu'à la chute de Carthage en 146. Elle est représentée notamment par les inscriptions du CIS I, 580; 931; 2092; 3244-3251. Il existe aussi des inscriptions en é. mixte pun.-néopun., p.ex. CIS I,942.

2° L'é. néopun. de →Tripolitaine, attestée par une centaine d'inscriptions datables entre le Ier s. av. et le IIIe s. ap. J.C., dont certaines, toutefois, telles Trip 4 et 31, sont encore rédigées en é. pun.

3° L'é. néopun. d'Afrique du N., postérieure à la chute de Carthage, est de loin la mieux représentée, mais aussi la plus difficile à déchiffrer et à interpréter. Les inscriptions tracées dans cette variété d'é. proviennent surtout de Tunisie et d'Algérie, mais on en a trouvé aussi au Maroc, en Sardaigne (fig. 128), où l'inscription néopun. de →Bitia (CIS I,149) date du IIe/IIIe s. ap. J.C., puis en Sicile, à Malte, en Espagne (fig. 126, 171), en Italie, une à →Délos et une même au Pays de Galles (→Holt). Quelques inscriptions, p.ex. celle de →Cherchel, dédiée à Micipsa (KAI 161), sont mixtes, c.-à-d. pun.-néopun. Sans compter les légendes monétaires, pun. et surtout néopun., qui sont attestées en Espagne jusqu'au règne de Caligula (37-41), on connaît actuellement environ 700

inscriptions néopun., dont un grand nombre sont encore inédites. Compte tenu des différences locales, l'é. néopun. de ces textes est caractérisée par l'évolution du tracé de nombreuses lettres, qui confine souvent à une schématisation extrême. Certains caractères sont même polyvalents: un trait simple peut signifier *b, d* ou *r* et un groupe de trois traits peut marquer un *ḥ*; un trait plus long, muni d'un tiret au sommet, peut représenter *l, n* ou *t*, et une petite croix de St-André, pourvue d'un tiret au sommet supérieur droit, peut marquer un ' ou un *m*. Une hampe recourbée et surmontée d'un crochet tourné vers la gauche peut indiquer un *k* ou un *p*, tandis que la hampe munie d'un crochet sur la droite peut signifier *s* ou *ṣ*. Le déchiffrement et l'interprétation dépendent dès lors, dans une large mesure, du contexte et du genre littéraire, d'autant plus que certains graveurs ont pu être illettrés.
Une des caractéristiques du néopun. est l'emploi des *matres lectionis* qui va de pair avec la décomposition du système phonétique phén. dans le langage parlé que reflète l'orthographe néopun. Signalons notamment la confusion de *s* et *š*, et l'affaiblissement, puis la disparition quasi totale des gutturales, ce qui a permis de créer un système de notation des voyelles à l'aide, précisément, des caractères rendus de la sorte disponibles. Il en est résulté un emploi vocalique des signes suivants, dits *matres lectionis*: ' = *e* (parfois *o/u*), *h* = *o/u* (parfois *e*), *w* = *u*, *ḥ* = *a*, *y* = *i*, ' = *a* (et *o/u* à l'intérieur d'un mot).
2 Aperçu synchronique Toutes les civilisations écrites connaissent trois types fondamentaux d'é.: l'é. monumentale ou lapidaire, la calligraphie et la cursive, mais il existe aussi des cas intermédiaires, p.ex. d'é. semi-monumentale ou semi-cursive.
A *Écriture monumentale* (fig. 118). L'é. lapidaire phén. est la mieux représentée de ces trois types d'é., surtout si l'on note que l'é. des inscriptions araméennes et ammonites ne se distingue pas de l'é. phén. avant la fin du VIIIe s. Elle est attestée par des inscriptions sur stèles, statues et sceaux, gravées par des artisans spécialisés d'après un modèle établi par un scribe. Cette é. évolua au cours des âges sous l'influence de la calligraphie et de la cursive, mais elle n'est toutefois pas uniforme à une époque donnée. Ainsi, l'inscription araméenne de Tell Fekheryé atteste la persistance, jusqu'au IXe s., des signes graphiques "protocananéens", tout au moins en Syrie du N. Quant aux inscriptions phén. d'Anatolie, datant du VIIIe s., elles témoignent d'une influence précoce de la calligraphie ou de l'é. cursive. Par ailleurs, certaines inscriptions contemporaines de Byblos (KAI 7-8 = TSSI III,9-10) contiennent un *bêth* très particulier, au trait de base tourné vers la droite, tandis que le *ḥeth* comporte, à Byblos, deux ou trois traits transversaux.
B *Calligraphie*. La calligraphie est l'é. employée normalement par les scribes professionnels pour rédiger les documents officiels et les actes notariaux ou juridiques. L'emploi phén. du →papyrus ou du cuir comme supports de l'é., tracée à l'encre à l'aide d'un calame, nous prive cependant de ce genre de textes, écrits à l'encre, forcément délébile, sur des matériaux périssables dont le climat humide des régions habitées par les Phéniciens n'a pas permis la conservation. Cette é. a cependant dû influencer l'é. lapidaire du milieu du Ier mill. et les inscriptions pun. des Ve-IIe s., caractérisées par des signes élégants aux lignes courbes et arrondies, reflètent certainement l'ancienne calligraphie (phén.-)pun.
C *Cursive*. La cursive est née des besoins du commerce, de la comptabilité, des échanges épistolaires, et est caractérisée par sa rapidité d'exécution, sans souci de recherche plastique. La nature souvent provisoire ou éphémère des écrits en cursive invitait à l'emploi d'un matériel moins coûteux que le papyrus ou le parchemin; on fit donc usage de tessons de poterie, d'ostraca et de tablettes de calcaire. Grâce à ces supports de l'é., la cursive phén. nous est connue, notamment par des ostraca de Sidon et d'Égypte, par des inscriptions sur jarre de provenance très diverse, par les comptes de Kition (CIS I,86 = TSSI III, 33 = Kition C 1), par deux papyrus d'Égypte (KAI 50-51). Tracée à l'encre, comme la calligraphie, sur un support offrant peu de résistance, elle a la souplesse d'une é. courante et est donc caractérisée par un tracé simplifié, des lignes courbes, des différences de main et de style, qui rendent souvent malaisée la datation de ces textes. Par ailleurs, la diffusion de l'é. alphabétique, beaucoup plus facile à apprendre que l'é. cunéiforme ou hiéroglyphique, eut pour conséquence son emploi sporadique par des mains inexpertes.

Bibl. CAH² III/1, p. 794-818, 989-996 (bibl.); J.-G. Février, *Remarques sur l'épigraphie néopunique*, OA 2 (1963), p. 257-267; Peckham, *Development;* P.K. McCarter, *The Antiquity of the Greek Alphabet and the Early Phoenician Scripts*, Missoula 1975; J. Naveh, *Early History of the Alphabet*, Jerusalem 1982; →Alphabet. ELip

ÉDOM En hb. *'Edōm*, akk. *Ú-du-me*, gr. *Edōm*, puis *Idoumaia*; pays situé au S. et S.-E. de la Mer Morte, s'étendant du Wadi el-Hasâ (Zéred biblique), au N., au golfe d'Aqaba, au S. É. ne s'est probablement organisé en royaume que vers le milieu du IXe s. (*2 R.* 8,20). Auparavant, depuis l'époque de David, il semble avoir été contrôlé par le royaume de Jérusalem. Lors de la guerre syro-éphraïmite, *c.* 734, les Édomites s'emparèrent d'Élat et s'installèrent à l'O. de l'Aravah. Leurs rois furent les vassaux des Assyriens, puis des Néo-Babyloniens, ce qui leur permit d'occuper, en 597, tout le Négev et, en 587, le S. de la Shephélah et de la montagne de Juda. Le royaume d'É. semble avoir disparu en 552 à la suite de la campagne de Nabonide vers Teima, mais la population édomite resta importante dans le S. judéen, appelé Idumée à l'époque hellénistique et rom.
Bien que non limitrophe des Phéniciens, É. eut des liens commerciaux avec eux, plus spécialement avec Tyr. Avec la prise d'Élat, É. contrôlait le commerce phén. vers la Mer Rouge, aussi bien par Gaza que par la Transjordanie. Au début du VIe s., le rôle d'É. dans le commerce international phén. pourrait être mentionné en *Ez.* 27,16 (d'après certains manuscrits). À l'époque perse, les Phéniciens sont attestés à Tell el →Kheleifeh, où ils devaient cohabiter avec Édomites et Nord-Arabes sous la domination politique des rois de Qédar.

Bibl. DBS IV, col. 195-199; DEB, p. 379-380; PW IX, col. 913-918; TRE IX, p. 291-299; J. Bartlett, *The Rise and Fall of the Kingdom of Edom*, PEQ 104 (1972), p. 26-37; A. Lemaire, *Ammon, Moab, Edom: l'époque du Fer en Jordanie*, La Jordanie de l'âge de la Pierre à l'époque byzantine, Paris 1987, p. 47-74; id., *Les Phéniciens et le commerce entre la Mer Rouge et la Mer Méditerranée*, StPhoen 5 (1987), p. 49-60; id., *Hadad l'Édomite ou Hadad l'Araméen*, BibNot 43 (1988), p. 14-18. ALem

ÉGÉE La Crète, appelée selon toute vraisemblance *Kaptāru* dans les textes akk. et ug., *Kaptōr* en hb., *Keftiu* en ég., était en relations suivies avec le Proche-Orient dès le XVIIIe s., c.-à-d. à l'époque minoenne, comme l'attestent les archives de →Mari, et avec l'Égypte au moins à partir de Thoutmès III (*c.* 1500 av. J.C.). Une inscription cunéiforme de Narâm-Sîn (LAPO 3, p. 240), découverte en 1849 sur l'île de Cythère, a fait même penser a des contacts plus anciens, qui auraient atteint la Grèce continentale. Quoi qu'il en soit, les relations entre l'É. et l'Orient continuèrent à l'époque mycénienne, comme en témoignent notamment les textes d'→Ugarit et les sceaux de la Kadmée (→Kadmos). La mention du →commerce phén. avec Argos, dans Hdt. I 1, est peut-être un écho des rapports entretenus par la future Phénicie avec Mycènes même, mais les données littéraires gr. se réfèrent en principe aux trafics égéens postérieurs aux invasions des →"Peuples de la Mer". Les navigateurs phén. faisant voile vers les sources d'approvisionnement en matières premières dans le bassin occidental de la Méditerranée pouvaient longer les côtes de l'Égypte et de l'Afrique du N., mais les bons ports y étaient rares et les conditions de →navigation médiocres. La route longeant les côtes de la Crète et menant à Cythère comprenait un long parcours en haute mer, mais était néanmoins empruntée par les Phéniciens; cela résulte de la découverte d'une chapelle à trois →bétyles de type phén., établie aux VIIIe-VIIe s. à l'intérieur d'un petit temple crétois de Kommos, le port de Phaïstos, sur la côte S. de la Crète, ainsi que des trouvailles du cimetière N. de Knossos, à →Tekké et à Fortetsa, près de la côte N., sans parler des cas particuliers de la grotte du Mont →Ida et des images cultuelles en bronze du temple d'Apollon à Dréros. Le port d'→Itanos, à la pointe E. de l'île, dut aussi jouer un rôle dans ces trafics égéens, tout comme celui de Phalasarna, à l'extrémité N.-O., où le haussement du sol de *c.* 8,5 m a laissé, à 130 m du rivage, une rade rectangulaire du Ve s. av. J.C., taillée dans le rocher et accessible par un chenal, à l'instar d'un →cothon. Quant aux bons havres de Cythère (Strab. VIII 5,1), où Xén., *Hell.* IV 8,7, signale une baie de *Phoinikūs*, ils ont pu servir d'escales aux →navires phén., mais on mettra au compte de la légende la fondation par les Phéniciens du sanctuaire d'Aphrodite Ourania à Cythère (Hdt. I 105; Paus. I 14,7; cf. III 23,1), tout comme le rôle joué par un certain Kythéros phén., l'éponyme de l'île (Ét. Byz., s.v. *Kúthēra*; Eust., *in D. Per.* 498).

La voie la plus sûre et la plus profitable pour le commerce traversait les Cyclades, qui faisaient office de jalons entre →Rhodes à l'E., d'où l'on atteignait aussi →Samos, et l'Eubée ou l'Attique à l'O., mais cette route constituait aussi l'itinéraire suivi par les →Eubéens, les trafiquants les plus actifs parmi les Grecs aux Xe-VIIIe s. Aussi n'est-il point étonnant que les plus belles importations phén., généralement de style →égyptisant, se trouvent dans les sépultures de Lefkandi, site littoral de l'Eubée, entre Chalcis et Érétrie. Ces sépultures de *c.* 925-825 av. J.C. ont livré des parures et des →coupes métalliques d'une facture typiquement phén., dont d'autres exemplaires du IXe s. sont venus au jour en Attique, p.ex. une coupe dans le cimetière du *Kerameikos* à Athènes, et l'on signalera une paire de boucles d'oreilles granulées à Éleusis. Certains de ces objets sont de provenance araméenne, comme l'indique l'inscription d'une œillère de cheval de *c.* 800 av. J.C., trouvée a Érétrie, celle d'un frontal découvert à Samos ou celle d'une coupe de bronze d'Olympie, dans l'O. du Péloponnèse, où l'on a mis au jour diverses coupes levantines. Des objets de provenance orientale sont apparus aussi au sanctuaire de Phylakopi, sur l'île de Mélos, à l'extrémité S.-O. des Cyclades. On ne peut savoir si les importateurs de ces objets étaient des Phéniciens ou des Eubéens, qui écoulaient leur →céramique jusqu'à Chypre et à Tyr même.

Il se peut que le même circuit commercial atteignait aussi le N. de l'É., où des textes gr. et lat. font état du passage de Kadmos et de ses proches. Des Phéniciens auraient offert au roi Thoas de Lemnos un splendide cratère sidonien en argent ciselé (Hom., *Il.* XXIII 741-745), ils auraient fait escale à Samothrace (Diod. V 48) et se seraient intéressés aux →mines du Mont Pangée et de Thasos (Hdt. VI 46-47; Strab. XIV 5,28; Pline, *N.H.* VII 197), où ils auraient même fondé un sanctuaire d'Héraklès (Hdt. II 44; Paus. V 25,12). Toutefois, aucun vestige archéologique ne confirme, à ce jour, leur présence en É. du N.: les éléments du rituel gr. d'Héraklès, conservés dans IG XII, Suppl. 353 et 414, ne contiennent aucun indice susceptible d'évoquer le culte de →Melqart et les fouilles de l'Hérakléion de Thasos ne révèlent pas de structure antérieure à *c.* 650 av. J.C., époque de la colonisation parienne de l'île. C'est seulement aux IIIe-IIe s. que la présence phén. se manifeste à →Démétrias, en Thessalie, alors que les colonies phén. d'→Athènes et du →Pirée remontent au moins au IVe s., époque où les Phéniciens établissaient aussi des rapports suivis avec →Délos et →Cos, tandis que Carthage entretenait au Ve s. des relations commerciales avec →Corinthe. Si l'→hellénisation de Carthage tirait probablement ses origines de la Grande-Grèce, celle de l'Orient phén. avait sans nul doute des racines égéennes, en tout cas pas exclusivement athéniennes. Les *Krsym* attestés à →Kition à l'époque perse sont probablement des mercenaires crétois (gr. *Krḗs, Krḗsios*) plutôt que Cariens (*Karsaya* dans l'akk. de l'époque perse).

Bref, les Phéniciens introduisirent dans l'Égée, au Ier mill., des produits manufacturés, des techniques, des idées, des croyances et surtout l'→alphabet; ils y fondèrent aussi des communautés (*koinón*) de métèques, mais ne colonisèrent jamais les îles ou les côtes grecques et anatoliennes, comme ce fut le cas de quelques régions de →Chypre, du site de →Carthage et de certains endroits privilégiés de l'→Andalousie ou de la côte du →Maroc. Cela tient au haut niveau de civilisation atteint par l'É., spécialement la Crète, dès la fin du IIIe mill.

Bibl. CAH^{2} III/1, p. 754-793; III/3, p. 222-248; RLA IV, p. 303-311; VI, p. 225-240; V. Bérard, *Les Phéniciens et l'Odyssée* I-II, Paris 1902-03; K. Kübler, *Kerameikos* V/1, Berlin 1954, p. 201-205; J. Boardman, *The Khaniale Tekke Tombs II*, BSA 62 (1967), p. 57-75; J.D. Muhly, *Homer and the Phoenicians*, Berytus 19 (1970), p. 19-64; J.N. Coldstream - G.L. Huxley, *The History and Topography of Ancient Kythera*, London 1972; Bunnens, *Expansion*, p. 358-366; M.R. Popham - L.H. Sackett, *Lefkandi I, The Iron Age*, Athens-London 1979-80; J.W. Shaw, *Excavations at Kommos (Crete) during 1979*, Hesperia 49 (1980), p. 207-250 (voir p. 246-247); J.N. Coldstream, *Greeks and Phoenicians in the Aegean*, H.G. Niemeyer (éd.), *Phönizien im Westen*, Mainz a/R 1982, p. 261-275; M.-F. Baslez, *L'étranger dans la Grèce antique*, Paris 1984; H.G. Niemeyer, *Die Phönizier und die Mittelmeerwelt im Zeit Homers*, JRGZ 31 (1984), p. 3-94; H. Limet, *Les relations entre Mari et la côte méditerranéenne sous le règne de Zimri-Lim*, StPhoen 3 (1985), p. 13-20; C. Renfrew, *The Archaeology of Cult. The Sanctuary of Phylakopi*, London 1985, p. 303-310; A. Charbonnet, *Le dieu aux lions d'Érétrie*, AION Archeologia e storia antica 8 (1986), p. 123-154; M.-F. Baslez, *Cultes et dévotions des Phéniciens en Grèce: les divinités marines*, StPhoen 4 (1986), p. 289-305; ead., *Le rôle et la place des Phéniciens dans la vie économique de l'Égée*, StPhoen 5 (1987), p. 267-285; A.M. Bisi, *Ateliers phéniciens dans le monde égéen*, StPhoen 5 (1987), p. 225-237; M.G. Amadasi Guzzo, *Iscrizioni semitiche di nord-ovest in contesti greci e italici (X-VII sec. a. C.)*, DdA 5/2 (1987), p. 13-27; Bonnet, *Melqart*, p. 343-395; J. Pouilloux, *Étrangers à Kition et Kitiens à l'étranger*, RDAC 1988-II, p. 95-99. ELip

ÉGYPTE 1 Relations entre l'Égypte et la Phénicie Les rapports de l'É., en phén. *Mṣrm*, et de la Phénicie ont été nombreux et complexes, mais la documentation à ce sujet demeure très disparate et incomplète. Le dossier s'ouvre cependant par un texte exceptionnel, le "roman historique" de →Wenamon d'où il résulte que →Dor, →Sidon, →Byblos, gouvernées par des princes, avaient des relations commerciales avec le Delta égyptien, impliquant jusqu'à 50 navires. La découverte, à Byblos, de statues de Shéshonq I (945-925, →Abibaal), d'Osorkon I (924-889, →Elibaal; fig. 124) et d'Osorkon II (874-850) atteste les contacts entre Byblos et l'É. sous la XXIIe dynastie, dite "libyenne". Par ailleurs, un fragment découvert à →Arwad mentionne un "grand des *Ma*", le commandant en chef Penamon. Les noms des pharaons de la XXIIe dynastie se retrouvent sur plusieurs jarres d'→albâtre mises au jour en 1960 à →Almuñécar (fig. 16); ces jarres ont dû servir à l'exportation de produits du commerce phén., mais il est encore difficile de préciser à quel moment et dans quelles conditions elles ont quitté l'É. pour la Phénicie. C'est au commerce phén. aussi qu'on doit la présence de vases de faïence au nom de Bocchoris, roi de la courte et faible XXIVe dynastie (*c.* 720-715), jusqu'à →Motyé et à →Tarquinia (Étrurie), ainsi que celle d'un scarabée à Ischia (→Pithécusses).

L'activité des Phéniciens en tant qu'intermédiaires se poursuit durant les premiers temps de la domination "éthiopienne" ou kushite en É.: empreintes de sceaux en argile au nom de Shabaka jusqu'à Ninive et

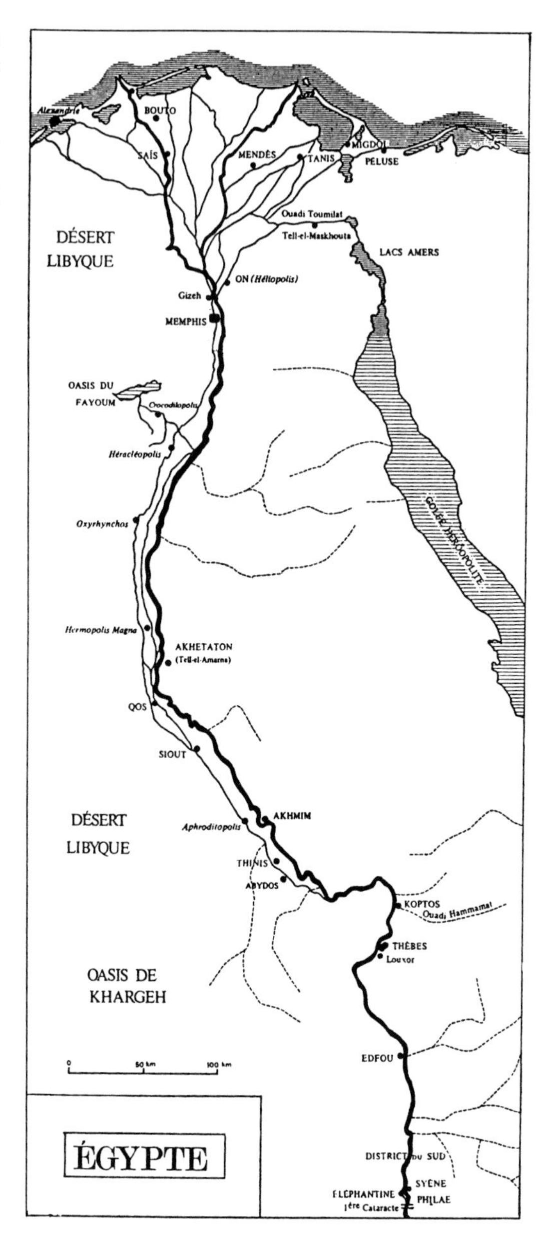

Fig. 121. Égypte.

dans la nécropole de →Carthage, empreintes de Taharqa à Palmyre. Mais dans la première moitié du VIIe s. s'engage un duel de 50 ans entre la vallée du Nil et l'Assyrie — antagonisme dont témoignent la Bible et les Annales des rois assyriens. En 701, dans la révolte de Tyr, Sidon, Ascalon et Éqron, cités auxquelles s'allie Ézéchias de Juda, on reconnaît aisément l'œuvre diplomatique de l'É. kushite; Sennachérib est vainqueur à Elteqé. Sous Asarhaddon, →Baal I de Tyr se lia avec l'É., ainsi qu'→Abdimilkutti de Sidon. Devant la riposte assyrienne, Tyr se soumit; Abdimil-

kutti fut repris "comme un poisson" et décapité; les Assyriens poussèrent jusqu'à Memphis. Psammétique I (664-610) reprend la politique d'expansion en Asie, mais les relations de l'É. et de la Phénicie ne sont attestées que par un fragment de statuette naophore au nom de Psammétique-nefer, découvert à Arwad; pourtant on sait combien l'É. saïte s'est ouverte aux étrangers, mercenaires et marchands. Néchao II (610-595) emploie des navigateurs phén. pour son fameux →périple (1) de l'Afrique et, pour sa grande campagne contre l'Empire de →Kush, Psammétique II (595-589) utilise, parmi ses mercenaires, des Phéniciens: plusieurs de leurs →graffiti subsistent sur les colosses d'Abu Simbel. Puis Apriès le Philhellène (588-568) intervient sur la côte phén. C'est de l'an 16 d'Amasis (568-526) que date la plus ancienne mention de →Naucratis, dont le rôle fut probablement décisif dans les rapports commerciaux avec la Phénicie. Des Phéniciens font partie de l'expédition qu'il envoie en 529 contre la Nubie et le nom du pharaon, qui s'empare de l'île de →Chypre, se lit sur deux petits monuments de Sidon: un manche de sistre et un vase de cuivre martelé.
Soumises à la même domination des Perses, l'É. et la Phénicie eurent alors des rapports réguliers; elles furent toutes deux affectées par l'achèvement du Canal des Deux-Mers et l'accès ouvert vers la Mer Rouge, une des grandes œuvres de Darius I. Les influences égyptienne et perse se conjuguèrent en un syncrétisme assez heureux dont témoigne la stèle de →Yehawmilk, roi de Byblos (fig. 365); les grands personnages de Phénicie furent alors inhumés dans des →sarcophages anthropoïdes (fig. 129, 281, 282, 306, 328). Redevenue indépendante vers 404, l'É. continue à regarder du côté de la Phénicie. D'Achoris (392-380), qui s'allie avec →Évagoras I de Salamine, deux autels ont été retrouvés au temple d'Eshmun à Sidon. La XXXe dynastie est la dernière phase brillante de l'histoire égyptienne: Téos conquiert rapidement la Palestine; les villes de Phénicie en profitent pour secouer le joug perse; mais un coup d'État le trahit, œuvre de son neveu Nectanébo II qui sera lui-même vaincu par les Perses. Après Alexandre, la vallée du Nil aussi bien que la côte d'Asie occidentale deviennent des théâtres d'opérations et des enjeux dans des luttes qui les dépassent. Sous les →Lagides, puis sous les Romains, les rapports persistent entre Alexandrie et les ports de Phénicie.

2 Phéniciens en Égypte La présence phén. est attestée à →Memphis, ainsi que dans sa nécropole de Saqqâra. Ailleurs, les témoignages sont peu nombreux — et de très inégale valeur. On a déjà signalé les graffiti d'Abu Simbel; des épigraphes se lisent sur des amphores à vin d'→Éléphantine et sur des vases de la région thébaine. Dans l'Osiréion d'→Abydos, un certain nombre de visiteurs phén. ont gravé leur nom. L'oasis de Bahariya, au cœur du désert libyque, a livré la tombe d'un certain Padiastarté. À Tehna, en Moyenne Égypte, et dans le Fayoum est attesté le culte d'Astarté. La présence phén. est signalée aussi dans le Wādi Toumilat, voie de passage obligé entre la vallée du Nil et l'Asie. Plusieurs des dieux qu'adorèrent les Phéniciens étaient connus en Égypte dès les premiers règnes du Nouvel Empire, en particulier à Memphis; ces cultes connurent leur épanouissement avec l'infiltration des marchands et l'enrôlement des mercenaires phén. durant le Ier mill. Des reliefs, des statuettes et des amulettes montrent comment les dieux sémitiques avaient trouvé en É. leur expression plastique. En revanche, les →"signes de Tanit" qu'on a cru reconnaître sur des objets du site du Buchéum, à 15 km au S. de Thèbes, sont plutôt des signes de vie égyptiens, pareils p.ex. à ceux du Gebel Silsileh.

3 Influence égyptienne En Phénicie même, et dans toute l'aire de diffusion de la culture phén. — principalement à Carthage, en Sardaigne et en Espagne du S. —, l'architecture et l'imagerie s'inspirent très étroitement de l'É.; les naos égyptiens, avec leurs corniches à gorge, souvent ornées d'un →disque ailé à *uraei* et dominées par une frise d'*uraei*, sont évidemment les modèles des édicules d'Aïn el-Hayat, d'Amrit (pl. Ic) et de nombreuses figurations de stèles (fig. 231-233); les fleurs de lotus, plus ou moins stylisées, sont les éléments favoris de la grammaire de l'ornementation. De même vient d'É. le →sphinx, paré de la double couronne et de l'*uraeus*, mais il s'y ajoute souvent une grande aile stylisée et une queue recourbée à l'arrière, qui n'a rien d'égyptien (fig. 316). Les →ivoires dits →orientalisants empruntent plus d'un thème à l'É. de même que les →coupes en métal longtemps dénommées "chypro-phén.", les bagues et les cachets, les scarabées (→glyptique). Croix de vie, piliers-*djed, uraei*, yeux magiques (*oudjat*) connaissent une faveur marquée dans le domaine phén.-pun. (fig. 17, 24). Mais dans quelle mesure s'agit-il d'une mode, très évidente dans les →vêtements et les →coiffures, ou, plus profondément, d'une adhésion aux croyances du Nil? Souvent le libre jeu ornemental semble avoir été un facteur dominant; on ne peut nier pourtant que la valeur prophylactique de ce matériel si répandu était essentielle: la →magie funéraire des Phéniciens et des Puniques a emprunté à la vallée du Nil un cadre et un répertoire tout à la fois impressionnant et sécurisant. Plus révélatrice serait sans doute l'étude des noms →théophores. Si les →divinités égyptiennes n'ont pas en tant que telles tenu une place dans le culte officiel des Phéniciens, hormis le temple égyptien probable de Byblos et peut-être une influence égyptienne dans le temple I de →Sarepta (VIIe-Ve s.), des études récentes très attentives attestent cependant leur présence. Le récit de Wenamon montre la considération portée à →Amon à la Cour de Byblos; le nom d'Amon a été lu sur une coupe trouvée à →Tekké, en Crète, mais provenant sans doute de Chypre ou de Phénicie; maints petits monuments de terre cuite ou de pierre figurant une divinité criocéphale ou un dieu barbu à cornes de bélier doivent être mis au compte de (→Zeus) Ammon (fig. 296; pl. Vd). Dans le domaine de la dévotion personnelle, les nombreuses →amulettes de divinités léontocéphales (Sekhmet ou →Bastet: fig. 17, 24) prennent davantage de sens si on considère avec attention le nom d'Ahoubasti, "le frère de Bastet", attesté dès la première moitié du VIIe s. Pour →Isis et →Osiris, il faut s'arrêter à des sceaux du VIIIe s.: l'un recueilli à Samarie mentionne Isis, l'autre porte le nom de

Syrb'dy, "Osiris est derrière (ou avec) moi". Mais doit-on admettre l'existence de mystères "osiriaques"? Selon Plutarque, la légende d'Osiris connut un épisode giblite: c'est à Byblos que serait venu s'échouer son cercueil. Si le matériel à l'égyptienne — scarabées et amulettes — régnait sur l'au-delà des Phéniciens et des Puniques, il y manque toutefois des pièces majeures: scarabées de cœur et *ouchebtis*. Seuls le développement de la recherche archéologique sur le terrain et un examen encore plus serré de la documentation peuvent fournir une meilleure connaissance des rapports entre les deux cultures voisines d'É. et de Phénicie, dont les formes d'expression apparaissent souvent comparables, mais dont, en profondeur, trop d'éléments d'appréciation nous échappent encore.

Bibl. A. Fakhry, *Bahria Oasis* I, Cairo 1942, p. 98ss., 123ss.; J. Leclant, *Les relations entre l'Égypte et la Phénicie*, W.A. Ward (éd.), *The Role of the Phoenicians in the Interaction of Mediterranean Civilizations*, Beirut 1968, p. 9-31; Gamer-Wallert, *Funde*; Padró i Parcerisa, *Documents* I-III (cf. ASAÉ 71 [1987], p. 214-217); P. Wagner, *Der ägyptische Einfluss auf die phönizische Architektur*, Bonn 1980; G. Scandone, *Testimonianze egiziane in Fenicia dal XII al IV sec. a.C.*, RSF 12 (1984), p. 133-163; PhMM, *passim*; J. Leclant, *Le rayonnement de l'Égypte au temps des rois tanites et libyens*, Tanis, l'or des pharaons, Paris 1987, p. 77-84; E. Bresciani, *Fenici in Egitto*, EVO 10 (1987), p. 69-78; S. Pernigotti, *Fenici e Egiziani*, I Fenici, Milano 1988, p. 522-531. JLec

ÉGYPTISANT, STYLE Si l'art égyptien a engendré bien des imitations depuis l'Antiquité, la civilisation phén. est sans doute la seule à lui avoir emprunté un tel nombre d'éléments. Il n'y a, en effet, guère un domaine de l'→art ou de l'artisanat phén. qui ne reflète ce phénomène, le plus souvent de manière assez constante et allant parfois jusqu'à une véritable égyptomanie. Dès la fin du IVe mill., les relations économiques, puis politiques, entre la vallée du Nil et le berceau de la civilisation phén. avaient frayé la voie à l'échange d'acquis techniques accélérant le processus d'acculturation. À l'époque →paléophén., c'est la bijouterie qui révèle le mieux l'influence égyptienne sur le plan technique, typologique et décoratif (fig. 261). Toujours au IIe mill., l'iconographie de plusieurs →cylindres marque une forte tendance é., préfigurant celle de la →glyptique phén. (fig. 122). Les éléments de la décoration é. des →ivoires et des →bronzes du Ier mill. remontent également à l'âge du Bronze. C'est pourquoi on aurait tort d'interpréter les tendances é. de l'art phén. du Ier mill. comme des manifestations spontanées d'un goût éclectique plutôt que de les considérer comme l'extension d'une tradition ancestrale dans cette partie de l'Orient. D'une façon générale, le style é. se manifeste le plus souvent dans l'art "officiel" (sculpture, objets liturgiques, sceaux d'office) ou caractérise les produits de luxe destinés à la classe supérieure. On ne le rencontre que sporadiquement dans le domaine de l'art populaire, sauf dans le cas des amulettes dont il renforçait la valeur magique ou apotropaïque, et qui devaient reproduire fidèlement les prototypes (fig. 17, 24, 267). Dans l'état actuel de nos connaissances, le style é. semble avoir rayonné principalement à partir des foyers d'internationalisme de la Phénicie centrale et méridionale. Une périodisation du phénomène semble futile et la thèse de Culican, selon laquelle l'arrivée des Perses aurait provoqué une revitalisation du style — comme une sorte de résistance culturelle aux dictats culturels du nouveau régime — ne reflète probablement que l'absence d'éléments témoignant d'une évolution ultérieure de l'art phén. aux VIIe-VIe s. Le style é. persiste dans le monde pun., où il se greffe aussi sur des productions apparemment locales, comme les →rasoirs en bronze ou les monnaies, p.ex. le →Bès d'Ibiza (fig. 257:6). EGub

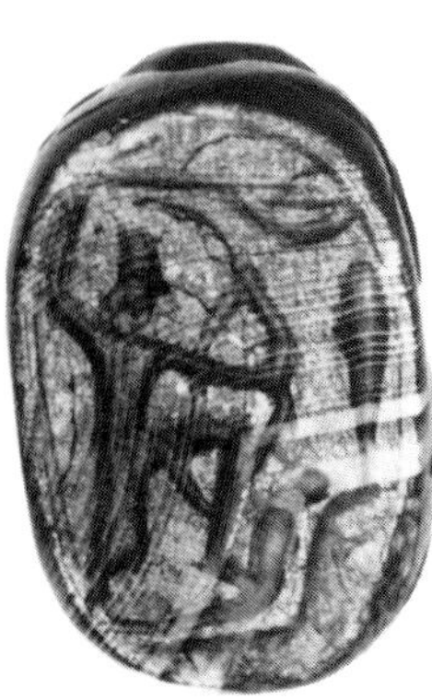

Fig. 122-123. Scarabées à motif égyptisant (fin du VIIIe-VIIe s. av. J.C.) et oriental (VIIe-VIe s. av. J.C.) du roi tuant un ennemi. Paris, Bibliothèque Nationale.

EISSFELDT, OTTO (1.9.1887-23.4.1973). Historien des religions et exégète allemand, qui enseigna l'A.T. à Halle s/S à partir de 1921. Il fut un de grands maîtres de l'exégèse vétérotestamentaire. Ses recherches portèrent surtout sur le Pentateuque et sur l'histoire des religions israélite, cananéenne et phén. E. marqua son intérêt pour cette dernière dès ses fameuses monographies *Baal Zaphon, Zeus Kasios und der Durchzug der Israeliten durchs Meer* (Halle 1932) et surtout *Molk als Opferbegriff im Punischen und Hebräischen* (Halle 1935). Ce domaine de la recherche reçut des textes d'→Ugarit une nouvelle impulsion qui se répercute dans les publications d'E.: *Ras Schamra und Sanchunjaton* (Halle 1939), *El im ugaritischen Pantheon* (Berlin 1951), *Sanchunjaton von Berut und Ilumilku von Ugarit* (Halle 1952). Le but d'E. était d'arriver à une meilleure compréhension de la religion de l'ancien Israël à partir de la religion cananéenne et phén., comme on le voit encore dans son *Adonis und Adonaj* (Berlin 1970) et dans divers articles, dont un grand nombre a été réuni dans ses *Kleine Schriften* I-VI (Tübingen 1962-79).

Bibl. TRE IX, p. 482-486. ELip

ÉL En phén. *'l*, gr. *Ēl, Ēlos*, dans des noms composés également *-ul(os)*, p.ex. *Bétulos*.

1 Théonyme Él était le dieu suprême de l'ancien panthéon des Sémites et son nom servit aussi d'appellatif "dieu" dans toutes les langues sémitiques, l'éthiopien excepté. Père des dieux, il était également le maître de la terre que fécondaient les sources d'eau cosmique au milieu desquelles il séjournait. C'est ce mythe qui explique son titre de *'l qn 'rṣ*, "É. créateur" ou "possesseur de la terre/du pays". Au IIe mill., un mythe nord-syrien traduit en hittite nous le livre sous la forme *Elkuniršа* (ANET, p. 519). La première attestation phén. du titre se trouve, au VIIIe s., dans les inscriptions de →Karatepe (KAI 26 = TSSI III,15, III,18), où Éa correspond en hiéroglyphes louvites à *'l qn 'rṣ*. On a voulu compléter ce titre sur un ostracon hébreu de Jérusalem, datable du VIIe s., vu que le texte tardif de *Gn.* 14,19.22 nomme *'El 'Elyôn qōnēh šāmayim wā'āreṣ*, résultat de la fusion de deux théonymes à l'origine indépendants (→Elioun). Au Ier s. ap. J.C., *'l qn 'rṣ* apparaît dans une dédicace néopun. de Leptis Magna (Trip 18 = KAI 129), puis, sous l'orthographe aramaïsée *'l q(w)n r'* sur quelques tessères de Palmyre et dans une bilingue gr.-palmyrénienne qui l'assimile à Poséidon (Syria 19 [1938], p. 78). Il doit encore s'agir de lui, sous la forme abrégée Konnaros, dans une inscription lat. et une inscription gr. de Baalbek (IGLS VI, 2743; 2841). Philon de Byblos assimile É. à →Kronos. Le rôle d'É. était très réduit dans les cultes phén.-pun.

2 Appellatif C'est souvent le pluriel *'lm*, en gr. *ēleim*, du nom d'É., qui sert d'appellatif "dieu" ou "divinité", voire "divin", comme dans *'lm 'wgsṭs*, "le divin Auguste" (Trip 22). Il peut désigner une divinité déterminée ou une pluralité de dieux. L'état construit du pluriel, c.-à-d. suivi d'un complément déterminatif, se présente sous la forme *'l*, qui apparaît notamment dans *'l Ḥmn*, "dieux de Hammon (→Umm el-Amed)" (KAI 19 = TSSI III,31, 4), ou *mpḥrt 'l Gbl*, "assemblée des dieux de Byblos" (KAI 4 = TSSI III,6, 4). Le pluriel *'lm*, avec parfois une valeur de singulier, était employé dans l'anthroponymie, p.ex. *'bd'lm*, "Serviteur de(s) dieu(x)", et aussi dans le titre de →*miqim elim*. Le singulier était souvent prononcé avec la désinence *-î* du suffixe pronominal, "mon dieu", désignant alors le dieu personnel ou tutélaire.

3 Dérivés Le phén.-pun. a formé un autre nom signifiant "dieu" en ajoutant l'afformante *-ān* > *-ōn* au radical *'l*, ce qui donne *'ln* au singulier (p.ex. SPC 29) et *'lnm* au pluriel (p.ex. KAI 137,4), vocalisé *alonim* chez →Plaute (*Poen.* 930.933.940.942), où l'on trouve aussi la forme *alon(i)uth* du féminin pluriel (930.940), "déesses". "Déesse" se dit habituellement *'lt*, forme féminine de É., dont on ne connaît aucune attestation certaine dans les anthroponymes phén.-pun. (Benz, *Names*, p. 268-269) ou comme nom propre de déesse: trois dédicaces carth. à →Tanit et à →Baal Hamon, faites par un "prêtre de la déesse" (*khn 'lt*), doivent viser Tanit elle-même (CIS I, 243; 244; 4861), un texte magique carth. (CIS I,6068 →Hawwat) et une inscription néopun.-lat. de →Sulcis (KAI 172 = ICO, Sard. Npu. 5) se servent de *'lt* sans spécifier le nom de la déesse et une monnaie tyrienne de Gordien III (238-244) qualifie de *'lt ṣr*, "déesse de Tyr", la Tychè/Fortune de la cité, comme l'indique la corne d'abondance que tient la figure féminine représentée sur la pièce (IEJ 4 [1954], p. 224, n° 137).

Bibl. ThWAT I, col. 259-279; VII, col. 111-119; WM I/1, p. 279-283; G. Levi Della Vida, *Tracce di credenze e culti fenici nelle iscrizioni neopuniche della Tripolitania*, Festschrift J. Friedrich, Heidelberg 1959, p. 302-304; E. Lipiński, *El's Abode*, OLP 2 (1971), p. 13-69; Benz, *Names*, p. 266-267; TOu I, p. 55-68; Bron, *Recherches*, p. 186-187; J. Teixidor, *The Pantheon of Palmyra*, Leiden 1979, p. 25-28; E. Lipiński, *History of Philo of Byblos*, BiOr 40 (1983), col. 305-310; M.H. Pope, *The Status of El at Ugarit*, UF 19 (1987), p. 219-230; E. Lipiński, *Éa, Kothar et El*, UF 20 (1988), p. 137-143. ELip

EL-AMROUNI Le →mausolée du IIe s. ap. J.C. découvert en 1894 à E.-A., dans l'extrême S. de la Tunisie, à mi-chemin entre →Tatahouine et Remada, portait une inscription bilingue en lat. et néopun. qui assimile les →Rephaïm aux dieux Mânes.

Bibl. C. Clermont-Ganneau, *Études d'archéologie orientale* I, Paris 1895, p. 156-164; KAI 117; P. Trousset, *Recherches sur le* limes Tripolitanus *du chott Djerid à la frontière tuniso-libyenne*, Paris 1974, p. 110-113, n° 127; F. Vattioni, *La bilingue latina e neopunica di El-Amrouni*, Helikon 20-21 (1980-81), p. 293-299. ELip

ELCHE, LA ALCUDIA DE Site ibéro-rom. de la province d'→Alicante (Espagne) et emplacement de l'antique cité d'Illici ou *Colonia Iulia Illici(s) Augusta*, identifiée avec les importants vestiges archéologiques découverts à 2 km de la ville actuelle d'E. et à 8 km de la côte. C'est de là que provient la fameuse sculpture de la "Dame d'E.", découverte en 1897 dans un contexte des IVe-IIIe s. av. J.C. et conservée au Musée archéologique de Madrid. Ce buste féminin de calcaire est considéré comme le chef-d'œuvre de l'art ibérique. Les joyaux ornant la tête et la poitrine de la "Dame" ainsi que la somptueuse décoration de la sculpture, peuvent refléter des influences carth. et gr. d'époque hellénistique. La céramique ibérique peinte, mise au jour à La A. de E., trahit une influence de l'iconographie pun., comme l'indiquent les représentations frontales de figures féminines ailées, à corps campaniforme, qui évoquent les statuettes en terre cuite de Tanit, trouvées dans le sanctuaire pun. d'→Es Cuieram. Le site a livré également de brèves épigraphes (néo)pun. sur amphores (CIE 01.03-05). On a proposé de l'identifier à Héliké, assiégée par →Hamilcar (8) en 229/8 (Diod. XXV 10,3-4).

Bibl. PECS, p. 407-408; PW Suppl. III, col. 1217-1220; A. García y Bellido, *La Dama de Elche*, Madrid 1943; id., *Arte ibérico*, Historia de España I/3, Madrid 1954; A. Ramos - R. Ramos, *Excavaciones en La Alcudia de Elche*, Madrid 1976. MEAub

EL-DJADIDA En arabe *el-Ǧadīda*, ville située sur l'Atlantique, à 96 km au S.-O. de Casablanca, et englobant l'ancienne cité portugaise de Mazagan, bâtie probablement à l'emplacement du comptoir phén.-pun. de *Rousibis* (Ptol. IV 1,2), apparemment identique au port *Rutubis* de Polybe (Pline, *N.H.* V 9), pour lequel cette escale était la plus importante depuis Lixus. Effectivement, E.-D. est le meilleur abri naturel de toute la côte atlantique du Maroc et le nom *Rousibis* est certainement d'origine phén.-pun. On n'est malheureusement pas renseigné sur le passé lointain du site, d'où l'hypothèse différente, localisant *Rutubis/Rousibis* à Tit, à 11 km au S.-O. d'E.-D.

Par ailleurs, on a trouvé des tessons de céramique pun. à Azemmour, à 16 km au N.-E. d'E.-D.

Bibl. PW IA, col. 1237; Desanges, *Recherches*, p. 115, 127-138; id., *Pline*, p. 112. ELip

EL-DJEM En lat. *Thysdrus / Thisdra*, ville de →Byzacène (Tunisie), qui est renommée pour son amphithéâtre et ses mosaïques de l'époque rom., mais n'a livré jusqu'ici qu'une inscription néopun. (RÉS 941).

Bibl. AATun, f^e 81 (El-Djem), n° 33; Gascou, *Politique municipale*, p. 192-194; PECS, p. 919-920; Desanges, *Pline*, p. 312-313; Lepelley, *Cités* II, p. 318-322; Jongeling, *Names*, p. 169. ELip

ÉLÉPHANTINE La colonie sémitique attestée vers le milieu du Ier mill. en →Égypte à *Yb* ou É., près d'Assouan, était de langue araméenne, mais le trafic a introduit jusqu'en Haute-Égypte des récipients inscrits en phén., qui ont enrichi notre connaissance de l'onomastique phén. d'Égypte. On rencontre des théophores en Baal (n° 10: *'bdb'l*), Eshmun (n° 3: *'šmnytn*), Melqart (n° 4: *'bdmlqrt*), Sakon (n° 41: *'bdskn*), mais en nombre plus réduit que les théophores en Osiris (n° 1: *'bd'sr*, "serviteur d'Osiris"), Amon (n° 8: *'bd'mn*), Ptah (n° 30: *'bdptḥ*), Apis (n° 16: *Ytnḥp*, "Apis a donné"), Isis et Bastet (n° 39: *Bn's bn 'bd'bst*), cette dernière étant la plus fréquente. On trouve des séquences onomastiques où l'élément théophore du patronyme seul est sémitique (n° 2: *Ytnḥp bn Grb'l*; n° 5: *Ytnḥp bn B'l'zr*; n° 27: *'bdptḥ bn 'bdršp*) et d'autres, où les deux théophores se réfèrent à l'Égypte (n° 34b: *'bd'sr bn Bnḥp*), ce qui semble indiquer un immigrant de seconde génération.

Bibl. DEB, p. 398-399; M. Lidzbarski, *Phönizische und aramäische Krugaufschriften aus Elephantine*, Berlin 1912. PBor

EL-HAOUARIA Village situé presque à la pointe du →Cap Bon, en Tunisie, à 2 km au S.-E. du *Ġār al-Kabīr*, "la grande carrière", le site principal des "Latomies" aux abords desquelles →Agathocle débarqua en 310 (Diod. XX 6,3). La falaise de grès coquillier a été exploitée dans l'Antiquité jusqu'à →Missua. Formant aujourd'hui une succession de vastes cavernes, ces carrières furent mises en valeur dès les premiers temps de l'occupation carth. Les blocs extraits de la falaise étaient acheminés par voie de mer jusqu'à Carthage, où des dalles de grès d'E.-H. ont été notées dans la construction de tombes du milieu du VIIe s., ce qui atteste l'exploitation des carrières d'E.-H. au moins dès cette époque. Si l'on excepte les briques de terre crue ou la terre banchée, le grès coquillier d'E.-H. est demeuré le matériau le plus souvent employé pour l'élévation des murs à Carthage jusqu'à la chute de la cité pun. Par ailleurs, non loin d'E.-H., à El-Bania et à Sidi Abdessalem, on a découvert fortuitement une vaste nécropole pun., datable provisoirement du IIIe s. av. J.C., qui est en rapport avec une agglomération non encore localisée. Les deux tombes explorées présentent la structure tripartite courante au C.B. avec un escalier, un couloir d'accès et une chambre funéraire pourvue de deux, respectivement de trois auges, ainsi que de banquettes.

Bibl. AATun, f^e 9 (Cap Bon), n°s 1 et 2; F. Rakob, *Die antiken Steinbrüche bei El Haouaria auf dem Cap Bon*, MDAIR 91 (1984), p. 15-22; H. Ben Younès - M. Ghaki, *El Bania - Sidi Abdessalem*, REPPAL 3 (1987), p. 265-266, 273. SLan-ELip

Fig. 124. Buste d'Osorkon I portant une dédicace phén. secondaire du roi Élibaal de Byblos (première moitié du IXe s. av. J.C.). Paris, Louvre.

ELIBAAL En phén. *'lb'l* ("Mon dieu est Baal"); roi de →Byblos dans la première moitié du IXe s., fils de →Yahimilk (1) et père de →Shapatbaal (1), rois de Byblos. Son inscription est gravée sur un buste du pharaon Osorkon I (924-889), qu'il dédia à la →Baalat de Byblos (fig. 124). Le règne d'Osorkon I offre ainsi un *terminus post quem* pour la date de cette dédicace, gravée autour du cartouche pharaonique.

Bibl. KAI 6-7; TSSI III,8-9; P. Montet, *Byblos et l'Égypte*, Paris 1928, p. 54, pl. XXXVI-XXXVII; R. Wallenfels, *Redating the Byblian Inscriptions*, JANES 15 (1983), p. 79-118 (en part. p. 84-89); B. Mazar, *The Early Biblical Period. Historical Studies*, Jerusalem 1986, p. 231-247; *Tanis. L'or des pharaons*, Paris 1987, p. 166-167, n° 43 (bibl.). ELip

ELIMILK En akk. DINGIR-*mil-ku/ki*, phén. **'lmlk* ("Él/Mon dieu est roi"); haut dignitaire assyrien au temps de Tukulti-Ninurta II (890-884), éponyme en l'an 886/5. L'élément *milk* de son nom trahit l'origine phén. du personnage, qui ne fut peut-être pas étranger à l'expédition d'Assurnasirpal II (883-859) jusqu'en Phénicie (entre 877 et 867: ANET, p. 276b), la première qu'un monarque néo-assyrien ait entreprise dans cette région.

Bibl. RLA V, p. 62 (*Ilu-milki* 2). ELip

ELIOUN-HYPSISTOS En hb. *'Elyôn*, aram. *'lyn*, gr. *Elioūn*, "Très-Haut", épithète divine chez les Sémites du N.-O., dont le gr. *húpsistos* est l'équivalent exact. Selon la théogonie philonienne (Eus., *P.E.* I 10,14), E.-H. est l'ancêtre de tous les êtres surhumains. Il épouse Bérouth (→Beyrouth) et s'établit près de Byblos. De ce couple naissent le Ciel et la Terre. E.-H. succombe dans un combat contre des bêtes sauvages et est l'objet d'un culte après sa mort (I 10,15).

Bibl. ThWAT VI, col. 131-151 (bibl.); Attridge-Oden, *Philo*, p. 86, n. 60; Baumgarten, *Commentary*, p. 186-187; Ebach, *Weltentstehung*, p. 253-254. CBon-PXel

ELIPA'OL En phén. *'lp'l* ("Él/Mon dieu a fait"); roi de Byblos au début du IVe s., connu par la légende des monnaies frappées sous son règne: *'lp'l mlk Gbl*, "E., roi de Byblos".

Bibl. *BMC. Phoenicia*, p. 94; Peckham, *Development*, p. 47-54. ELip

ÉLISHA Prononciation traditionnelle du nom hb. *'lyšh*, que l'A.T. attribue à un "fils de →Yavân" et que l'on a voulu interpréter dans le sens de →Élissa ou d'→Alashiya, c.-à-d. Chypre. Ces interprétations ne tiennent pas compte de l'orthographe, puisque le nom d'Élissa s'écrit à Carthage *'lšt* et que Alashiya devrait s'écrire *'lšyh* au lieu de *'lyšh*. En outre, *Ez.* 27,6-7; *Gn.* 10,4; *1 Ch.* 1,7 distinguent É. des →Kittim, c.-à-d. des Chypriotes. D'après *Gn.* 10,4; *1 Ch.* 1,7, É. est un descendant de Yavân, de l'Ionie, et, selon *Ez.* 27,7, "les îles d'É." sont l'endroit d'où proviennent la →pourpre (3) et l'écarlate du vaisseau tyrien décrit en *Ez.* 27. Puisque Tyr était renommée pour sa propre pourpre, ce passage doit se comprendre à la lumière de l'*Od.* XIII 107-108 qui célèbre la pourpre d'Ithaque, la perle des îles Ioniennes où Ulysse avait régné d'après les poèmes homériques. En effet, le nom *'lyšh* semble devoir se lire *'Ulîšeh*, ce qui correspond exactement au texte consonantique de l'hb., d'une part, et au nom d'Ulysse, *Oulíxēs*, dans les dialectes crétois et italiques, d'autre part. On savait qu'il était "fils de l'Ionie", que les "îles d'Ulysse" produisaient de la pourpre et qu'Ulysse était un grand navigateur, comme le suggère l'association de son nom à →Tarshish (*Gn.* 10,4; *1 Ch.* 1,7), ce qui pourrait même constituer une allusion au voyage océanique d'Ulysse, tradition évoquée tardivement par Strab. III 4,3-4 (cf. Tacite, *Germ.* 3; Solin XXII 1; Gell., *Noct.* XIV 6). Ces connaissances ne sont point étonnantes quand on sait, p.ex., que la céramique de luxe gr. arrivait à la résidence royale de Ramat Rahel, près de →Jérusalem, vers la fin du VIIe s., et que des Kittim, c.-à-d. des Grecs de Chypre et, sans doute, d'autres îles de l'Égée, sont mentionnés dans nombre d'ostraca d'Arad qui datent des environs de 600 av. J.C. On peut supposer à fortiori que les aventures d'Ulysse étaient connues dans le monde phén., d'autant plus qu'Ulysse se serait embarqué sur des navires phén., selon l'*Od.* XIII 271-273, imitée par Diktys de Crète (FGH 49, fr. 9).

Bibl. G.E. Dimock, *The Name of Odysseus*, Hudson Review 9 (1956), p. 53-70; W.B. Stanford, *The Ulysses Theme*, Oxford 1968[2]; A. Lemaire, *Inscriptions hébraïques* I. *Les ostraca*, Paris 1977, p. 155-179; M.I. Finley, *The World of Odysseus*, London 1979[2]; S. Geva, *The Painted Sherd of Ramat Rahel*, IEJ 31 (1981), p. 186-189. ELip

ÉLISSA-DIDON Figure légendaire de princesse tyrienne, sœur du roi →Pygmalion de Tyr et épouse de →Sic(h)arbas, prêtre de →Melqart, que des monnaies de Phénicie représentent à l'époque rom. quittant sa terre natale ou fondant Carthage. Selon la légende, c'est l'assassinat de Sicarbas par Pygmalion qui amène É.-D. à quitter Tyr avec quelques compagnons, les richesses de son mari et les reliques de Melqart. Après une escale à Chypre, où elle est gratifiée d'un oracle et emmène des jeunes filles, elle parvient en Libye où, d'après Timée, elle reçoit le nom de D. (FGH 556, fr. 82). Elle obtient un territoire que peut délimiter une "peau de bœuf" (→Byrsa) et fonde →Carthage. Au centre de la ville, à l'emplacement de la découverte d'une tête de cheval, elle consacre un bois sacré à Junon (Virg., *Én.* I 441-447), mais Sil. It. I 81-92.97-98 affirme que ce sanctuaire était dédié à É.-D. elle-même, vénérée par les Carthaginois (Just. XVIII 6,8). Demandée en mariage par le roi des Libyens, →Hiarbas (1), elle refuse, mais, pressée par ses concitoyens, elle feint d'accepter et, après avoir dressé un bûcher pour célébrer son mari défunt, elle se précipite dans le feu. Pour Virg., *Én.* IV, le suicide de D. suit le départ d'→Énée. En dépit des variantes, il semble que la "vulgate" de ce mythe remonte à Timée, d'autres auteurs, comme Philistos ou Eudoxe de Cnide, connaissant un mythe alternatif où interviennent →Zôros et Karchédôn. On peut penser que certains éléments de ce mythe complexe remontent à une tradition phén., comme l'implication de Melqart dans la colonisation. On doit cependant souligner que le double nom d'É.-D. et certains épisodes semblent témoigner d'une confusion de deux récits de fondation, relatifs éventuellement, l'un à la Carthage d'Afrique, l'autre à la →Carthage de Chypre. Bien que l'anthroponyme féminin É. soit attesté à Carthage (*'lšt*: Benz, *Names*, p. 172, 379), sans doute en raison du culte rendu à la fondatrice (Just. XVIII 6,8), Anciens et Modernes ont en vain cherché à tirer au clair l'étymologie des noms É. en D. Le récit, tel qu'il nous est parvenu, reflète de toute manière un point de vue rom., si l'on fait exception du bref résumé de Timée. L'épisode de la "peau de bœuf" est présenté comme un exemple de *fides punica*, D.-É. agissant en Punique rusée, voire traitresse. Chez Virgile, Rome apparaît en filigrane, à travers une constante et subtile opposition entre D. et Romulus, et la disparition tragique de D., symbole de Carthage, doit évoquer la destruction de la ville, dont Appien clôt le récit en rappelant le geste de la femme d'→Hasdrubal (15) qui se jette dans le feu au moment de la prise de Carthage par Scipion (App., *Lib.* 131; cf. Florus I 31,17). Le motif de la mort de D., quelle qu'en soit l'origine, montre déjà chez Virg., *Én.* IV 667-671, que l'héroïne est l'incarnation du destin de Carthage.

Bibl. G.C. Picard, *Les religions de l'Afrique antique*, Paris 1954, p. 26-55; E. Paratore, *Nuove interpretazioni del mito di Didone*, SMSR 26 (1955), p. 71-82; C. Grottanelli, *I connotati "fenici" della morte di Elissa*, Religioni e civiltà 1 (1972), p. 319-327; R.C. Monti, *The Dido Episode and the Aeneid*, Leiden 1981; C. Grottanelli, *Encore un regard sur les bûchers d'Amilcar et d'Élissa*, ACFP 1, Roma 1983, p. 437-441; G. Piccaluga, *Fondare Roma, domare Cartagine: un mito delle origini, ibid.*, p. 409-424; B. Servais-Soyez, StPhoen 1-2 (1983), p. 105; J. Scheid - J. Svenbro, *La fondation de Carthage*, Annales ESC 40 (1985), p. 329-342; C. Baurain, *Le rôle de Chypre dans la fondation de Carthage*, StPhoen 6 (1988), p. 15-27 (voir p. 21-26). CBon

EL-KÉNISSIA Site du sanctuaire pun. et néopun. d'une localité dont le nom antique est inconnu, à 6 km au S. d'→Hadrumète. Une large cour entourée d'un portique, sans doute utilisée pour les sacrifices, contenait des socles en maçonnerie, probablement des autels, alignés devant l'escalier menant au sanctuaire proprement dit qui s'élevait au fond de la cour, sur une terrasse, et se composait de petites pièces décrochées les unes par rapport aux autres. À droite du sanctuaire, sur le côté N., se trouvait une autre cour qui a livré de nombreuses stèles et dans laquelle étaient enterrés les dépôts sacrificiels, en particulier les ossements de victimes animales, à l'exclusion de tout ossement humain. Parmi les figurines de terre cuite trouvées dans le sanctuaire (→coroplastie), on notera la statuette d'une prêtresse ou d'une dévote tenant une cassette contre sa poitrine. La céramique permet de faire remonter au IIIe s. av. J.C. la première utilisation du sanctuaire. Les caractéristiques de certaines stèles, l'écriture d'une inscription votive "au Seigneur (*sic*) →Tanit-*pn*-Baal" et des monnaies de →Micipsa confirment son usage à la période préromaine.

Bibl. AATun, f^e 57 (Sousse), n° 70; L. Carton, *Sanctuaire de Tanit à El-Kénissia*, MAIBL 12 (1908), p. 27-155; M. Fantar, *Kerkouane* III, Tunis 1986, p. 142 (plan). SLan-ELip

ELOULAIOS →Lulî.

ÉLYMES Habitants indigènes de la Sicile de l'O. qui fondèrent →Ségeste, →Éryx et Entella. Ils furent tôt en contact avec les Phéniciens fixés dans cette région et furent leurs alliés. Ils établirent d'étroits rapports commerciaux et participèrent ensemble, à dater du VIe s. av. J.C., au conflit contre les Grecs. Les cités des É., surtout Éryx, furent par conséquent fortement influencées par la culture phén.-pun. Sur leur origine, les sources et les Modernes ne s'accordent pas: réfugiés troyens mêlés à des →Phocéens et des Sicanes pour Thc. VI 2,3, suivi par la majorité des Anciens, population d'origine italique arrivée en Sicile trois générations avant la guerre de Troie pour Hellanikos (FGH 4, fr. 79b). L'archéologie n'apporte pas de preuve en faveur de l'une ou l'autre thèse, laissant donc la question ouverte. Leur langue, connue par de nombreux graffiti de Ségeste, ferait partie de la branche anatolienne.

Bibl. V. Tusa, *La questione degli Elimi alla luce degli ultimi rinvenimenti archeologici*, Atti del I Congresso di Micenologia III, Roma 1968, p. 1197-1210; G.K. Galinsky, *Aeneas, Sicily and Rome*, Princeton 1969, p. 80-81; E. Gabba - F. Vallet (éd.), *La Sicilia antica* I/1, Napoli 1980, p. 67-80. FSpat

ÉMAR **1 Aperçu historique** L'antique cité portuaire d'É. était située sur la grande boucle de l'Euphrate, là ou le fleuve est le plus proche d'Alep, la métropole de Syrie du N., et de la côte méditerranéenne. Apparemment indépendante au temps des rois d'→Ébla, elle aurait été conquise dans la seconde moitié du IIIe mill. par un roi de →Mari. Elle est sans doute tombée aux mains de Narâm-Sin, le petit-fils de Sargon d'Akkad. Redevenue indépendante ou tombée dans la mouvance d'Alep ou de Qatna, elle est conquise au XVIIIe s. par Yahdun-Lim, roi de Mari, avant son expédition vers la Méditerranée. Shamshi-Adad la contrôle à son tour, puis elle est aux mains du roi d'Alep. Les archives de Mari la mentionnent fréquemment comme ville-clé des échanges entre le N. et l'O. d'une part, le S.-E. d'autre part. On y embarque des céréales, du vin ou de l'huile provenant des régions côtières. C'est une cité cosmopolite par où transitent non seulement les vivres, mais aussi l'or et les pierres précieuses venus d'Égypte par les marchés de Canaan, comme Hazôr. L'Euphrate était alors la voie commerciale la moins onéreuse et la plus sûre, car le trafic caravanier était l'objet des convoitises bédouines au point que même les courriers préféraient la voie fluviale, quand ils avaient le choix. Les vestiges de ce grand port du XVIIIe s. av. J.C. n'ont pas été retrouvés. Peut-être ont-ils été emportés par les crues du fleuve; ils seraient de toute façon engloutis à l'heure présente dans le lac Assad. Les fouilles françaises conduites par J. Margueron à Meskéné de 1972 à 1976 y ont révélé l'existence d'une capitale provinciale hittite aux XIIIe et XIIe s., appelée alors Ashtata. Cette ville a été créée artificiellement au flanc de la colline. Dépendant de Karkémish, elle représente le poste avancé méridional de l'empire hittite. Par sa position sur l'Euphrate et son importance commerciale, le site n'a pas cessé d'être occupé, sous diverses appellations, aux époques rom., byzantine et arabe. AFin

2 Textes des XIIIe-XIIe siècles av. J.C. Les fouilles françaises ont permis de recupérer un millier de tablettes cunéiformes, rédigées en akkadien, sumérien, hittite et hourrite, auxquelles s'ajoute un nombre considérable de textes trouvés lors de fouilles clandestines. Ces tablettes proviennent des archives du palais, de divers dignitaires et de quatre temples. L'ensemble consiste en documents juridiques, lettres, textes administratifs, inventaires, rituels divers, parfois très détaillés, incantations, textes divinatoires, compositions littéraires, syllabaires et listes lexicographiques. Des aspects multiples de la vie d'É. y sont illustrés et l'on y découvre une société ouest-sémitique installée dans un environnement urbain, mais attachée encore à ses mœurs ancestrales. L'extrême richesse de cette documentation, en général très bien conservée et contemporaire de celle d'→Ugarit, ouvre des perspectives intéressantes pour l'étude des institutions juridiques et des pratiques religieuses des Sémites du N.-O. à la fin du Bronze Récent, dans un milieu où les divinités suprêmes sont →Dagan, →Baal, →Astarté, dont le culte se poursuit en Phénicie au Ier mill. ELip

Bibl. Ad 1: RLA V, p. 65-66; J. Margueron, *Émar, une ville sur l'Euphrate*, Archéologia 176 (1983), p. 20-36; A. Finet, *Le port d'Émar sur l'Euphrate, entre le royaume de Mari et le pays de Canaan*, É. Lipiński (éd.), *The Land of Israel: Cross-Roads of Civilizations*, Leuven 1985, p. 27-38.

Ad 2: D. Beyer (éd.), *Meskéné-Émar. Dix ans de travaux 1972-1982*, Paris 1982; M. Sigrist, JCS 34 (1982), p. 242-252; J. Huehnergard, RA 77 (1983), p. 11-43; J.-W. Meyer - G. Wilhelm, Damaszener Mitteilungen 1 (1983), p. 249-261; K. Khazai (éd.), *Naissance et évolution de l'écriture*, Bruxelles 1984, n°s 9-10; A. Tsukimoto, Acta Sumerologica 6 (1984), p. 65-74; D. Arnaud, *Recherches au pays d'Aštata. Émar* VI/1-4, Paris 1985-87.

ENCENS Toute l'Antiquité orientale a connu l'utilisation cultuelle de l'e. en signe d'adoration et les brûle-encens ou →thymiatères sont représentés sur de nombreuses intailles et →stèles phén.-pun.; on en a retrouvé aussi au cours de fouilles. Si les textes phén. de l'Orient n'en font pas mention jusqu'ici, cela est dû à la nature de notre documentation. On peut du moins se référer à un poème de Sappho (c. 612-?), dans lequel la poétesse lesbienne invoque l'Aphrodite de Chypre (→Paphos) et mentionne un sanctuaire où il y avait "des autels encensés d'oliban", *bōmoi dè tethiámenoi libanṓtōi* (fr. 2, Lobel-Page). Vu que Sappho est la première à rapporter cette pratique en Grèce et que, pour ce faire, elle se sert du terme phén. *libanōt* (phén. *lbnt*), "oliban", elle fait certainement allusion à un rite d'origine phén. En tout cas, un rituel fragmentaire de Carthage atteste l'emploi de l'e. dans le culte officiel (KAI 76,B,3.6); il prescrit, le quatrième jour d'une solennité, une offrande "de pain (et) d'e." (*lḥm qṭ*[*rt*]), ce qui évoque les pains d'oblation saupoudrés d'e. selon un rituel sabbatique du temple de Jérusalem (*Lv.* 24,5-6). Le rituel de Carthage prévoit, par ailleurs, une offrande "d'e. (,) d'oliban pulvérisé, de sept (graines) de cumin" (*qṭrt lbnt dqt šb' km*[*n*]), à faire lors d'une autre cérémonie du même jour. La myrrhe, déjà attestée dans les textes d'Ugarit (*mr*) et d'el-Amarna (*murra*), était également connue en Phénicie d'où elle parvenait dans le monde grec, comme l'indique, au VIe s., la mention de *múrra* chez Sappho (fr. 44,30, Lobel-Page), qui l'associe à la casse, exactement comme le *Ps.* 45,9, un épithalame royal pour le mariage d'une princesse tyrienne (*Ps.* 45,13). Le baume (phén. *bšm*), que les Grecs ont connu par l'intermédiaire des Phéniciens (*balsamos* < *bśm*), était importé par les Tyriens de l'→Arabie méridionale (*Ez.* 27,22; cf. *1 R.* 10,2), tout comme l'oliban (cf. Pline, *N.H.* XII 30, 54). Le baume servait aussi d'e. dans le culte, comme le montre la dédicace néopun. de →Bir Tlelsa (KAI 138,3-4), près d'El-Djem, qui mentionne un "autel... pour le baume" (*ḥmzbḥ... š bšm*), consacré à →Baal Addir.

Bibl. BRL[2], p. 138; PW Suppl. XV, col. 700-777; ThWAT IV, col. 454-460; M. Leglay, *Saturne Africain. Histoire*, Paris 1966, p. 357-358; W.W. Müller, *Zur Herkunft von* líbanos *und* libanōtós, Glotta 52 (1974), p. 53-59; N. Groom, *Frankincense and Myrrh*, London-New York 1981; M.O'D. Shea, *The Small Cuboid Incense-Burners of the Ancient Near East*, Levant 15 (1983), p. 76-109 (cf. A.R. Millard, Levant 16 [1984], p. 172-173); M.D. Fowler, *Excavated Incense Burners: A Case for identifying a Site as Sacred?*, PEQ 117 (1985), p. 25-29; K. Nielsen, *Incense in Ancient Israel*, Leiden 1986; W.W. Müller, *Het belang van de wierrookhandel voor het antieke Zuid-Arabië*, Phoenix 33 (1987), p. 30-54. ELip

ÉNÉE Héros de la légende troyenne, vénéré comme fondateur en Italie et spécialement à Rome. Il apparaît dans la littérature lat. comme ayant été aimé de la reine-fondatrice de Carthage, →Élissa-Didon, dont il apprend l'existence dès son arrivée en Afrique (Virg., *Æn.* I 297-300.325-368). La colère de Junon, qui veut pour Carthage l'empire du monde et s'oppose aux destins "rom." d'É., vient de faire périr ses vaisseaux qui arrivent de Sicile. La mère d'É. (ici Vénus), venue le réconforter, lui conte l'histoire de la princesse tyrienne. Celle-ci s'éprend d'É. lorsqu'elle l'aperçoit et l'invite à faire, à sa table, le récit de ses errances (*Æn.* II-III). Alors se noue le drame de Didon (*Æn.* IV), qui parvient mal à retenir son serment de fidélité à son époux défunt et qui, à la faveur d'un orage déclenché par Junon, s'unit à É.; mais le Troyen, déjà chamarré à l'orientale (allusion possible à Antoine amant de Cléopâtre), est rappelé à sa mission par Mercure et quitte sa royale amante. Folle de désespoir, celle-ci se fait préparer un bûcher et se répand en imprécations magiques et en malédictions prophétiques (*Æn.* IV 590-629) où, au travers des flammes, "l'on distingue la figure du formidable Annibal" (A. Bellessort). Son suicide est en soi le premier acte de cette vengeance: l'art de Virgile qui utilise ce thème lié dans d'autres versions à la mort de →Sicharbas, insère ainsi la 2e →guerre pun. dans une sorte d'apocalypse. Revoyant plus tard l'ombre de Didon au séjour des morts, É. tentera vainement de se justifier: c'est elle qui s'éloignera (*Æn.* VI 450-474). Le roman carth., étranger aux formes anciennes de la légende, est sans doute une création du poète Naevius (*Bell. Punicum*, fin IIIe s. av. J.C.), qui l'aurait inséré comme *aítion*, "motif", de la 1re guerre pun., inconscient de la difficulté chronologique résultant du décalage de près de quatre siècles entre la guerre de Troie (d'après Ératosthène) et la fondation de Carthage (d'après Timée): aussi Varron (Serv. Dan., *in Æn.* IV 682; Serv., *in Æn.* V 4), tenu par le rôle fondateur de Didon, attribuait-il à →Anna (sœur de Didon chez Virgile) l'épisode amoureux avec É.

Bibl. EV II, p. 228-229, 250; LIMC I/1, p. 381-396; I/2, p. 296-309; A. Deman, *Virgile et la colonisation romaine en Afrique du Nord*, Hommages A. Grenier I, Bruxelles 1962, p. 514-526; A.-M. Tupet, *Didon magicienne*, RÉL 48 (1970), p. 229-258; G. D'Anna, *Didone e Anna in Varrone e in Virgilio*, ANLR, 8e sér., 30 (1975), p. 1-34; G. Dury-Moyaers, *Énée et Lavinium*, Bruxelles 1981 (cf. J. Poucet, RBPh 61 [1983], p. 144-159); *Enea nel Lazio. Archeologia e mito*, Roma 1981; M. Bandini, *Didone, Enea, gli dèi e il motivo dell'inganno in Virgilio, Eneide IV*, Euphrosyne 15 (1987), p. 89-108. JLoicq

ENFÉ →Ampa.

ENHYDRA →Ghamqé, Tell.

ÉPAVE Vestiges — le plus souvent les œuvres vives — d'un vaisseau coulé en mer ou abandonné sur le fond d'un port ensablé. Une coque vite couverte d'une couche anaérobique — sable ou vase — se conserve sous eau, tandis que, sur les fonds rocheux, la matière organique est brisée par la mer ou mangée par les micro-organismes, et seuls subsistent épars les éléments inorganiques, p. ex. la céramique. Pour le Bronze Récent, deux épaves, celles de →Gelidonya et d'→Ulu Burun (Kaş), dans le S.-O. de la Turquie, sont liées à la zone phén. par leur fret: lingots en "peau de bœuf", céramique, etc. À Ulu Burun, des vestiges de la coque subsistent. On qualifie parfois d'"é. pun." des gisements d'amphores pun., mais la céramique ne suffit pas à prouver qu'une coque, retrouvée ou non, était issue d'un chantier pun., car les chargements n'indiquent que les ports d'escale. Les seules vraies coques pun. connues au vu des lettres phén.-pun. peintes sur le bois par les constructeurs sont celles de deux →navires fouillés au N. de →Lilybée, en Sicile, face aux îles Égates, où ils coulèrent sans doute lors de la bataille qui clôtura en 241 la 1e guerre pun. Les vestiges du premier navire, conservés et réunis à Marsala en 1975-80, illustrent la poupe avec 12 m de quille et la partie babord jusqu'à la ligne de flottaison d'un vaisseau long de *c.* 30 m et large de 4,80 m, probablement de type "liburne". La proue de la deuxième é. portait un éperon de bois de type pointu, marqué d'un *waw* calligraphique, et était revêtue d'une épaisse couche de mastic sur laquelle des clous et une lame de cuivre suggèrent un placage. Ces é. sont les seuls témoignages archéologiques de bateaux "longs" à rames de l'Antiquité.

Bibl. H. Frost et al., *Lilybaeum (Marsala). The Punic Ship: Final Report*, NotSc 30 (1976), Suppl., Roma 1981; W. Johnstone, *The Epigraphy of the Marsala Punic Ship*, ACFP 1, Roma 1983, p. 909-917; →Gelidonya; →Ulu Burun. HFrost

ÉPERVIERS, ÎLE DES En pun. *'y nṣm*, gr. *Hierákōn nēsos* (Ptol. III 3), lat. *Enosim* (Pline, *N.H.* III 7,84), l'actuelle île de San Pietro, au large de la côte S. de la →Sardaigne, près de l'île de Sant'Antioco (→Sulcis). Une dédicace pun. du IIIe s. av. J.C., dédiée à →Baal Shamêm (KAI 64 = ICO Sard. 23: *B'šmm*) et trouvée à →Cagliari, implique l'existence d'un temple de ce dieu sur l'île. La nature de minces vestiges reconnus près de la Torre di San Vittorio est incertaine. Au XVIIIe s., on a découvert dans l'île une chambre hypogée avec un escalier d'accès et des amphores pun., indice manifeste de l'existence d'une nécropole. Au XIXe s., on a trouvé sur le site dit "Gioia" un petit trésor de monnaies carth. en bronze.

Bibl. G. Vallebona, *Carloforte. Storia di una colonizzazione (1738-1810)*, Carloforte 1862, p. 12-14; G. Pesce, OA 2 (1963), p. 142; S.M. Cecchini, *I ritrovamenti fenici e punici in Sardegna*, Roma 1969, p. 86; S. Moscati, *Italia punica*, Milano 1986, p. 163-164, 199; F. Barreca, *La civiltà fenicio-punica in Sardegna*, Sassari 1986, p. 293. GTore

ÉPICES Beaucoup d'aromates étaient utilisés à la fois comme →parfums et comme é. Certaines é. consommées par les Phéniciens ont laissé leur nom en gr.: *qannāh* (hb.) > *kánna*, "jonc odorant"; *karkōm* (hb.) > *krókos*, "safran"; *kmn* et *ššmn* (phén.) > *kúminon, sésamon; qinnāmôn* (hb.) > *kinnámōnon* (cf. Hdt. III 111) et *qaṣi'āh* (hb.) > *kasía*, "cannelle". Transitaient donc par la Phénicie la cannelle venue des Indes (Théophr., *H.P.* IX 7,2), le safran de Cilicie (Pline, *N.H.* XXI 31), le cumin d'Éthiopie (Dioscoride III 59); c'était l'aboutissement de la route venant du golfe Persique par l'Euphrate et d'une des routes d'Arabie. Carthage redistribuait le *silphium* de Libye (Ath. I 28 d). Incorporées à la nourriture panifiée, à la viande cuite, au bouillon et au vin, les é. étaient en général produites sur place; elles ne firent l'objet d'un trafic à longue distance réellement important que sous l'Empire rom.

Bibl. RLA III, p. 340-344; E. Masson, *Recherches sur les plus anciens emprunts sémitiques en grec*, Paris 1967; J.I. Miller, *The Spice Trade in the Roman Empire*, Oxford 1969; J.-B. Bocquet, *Le silphium, nourriture des dieux*, DossHistArch 123 (1988), p. 88-91. MFBas

ÉPIGRAPHIE 1 Objet et méthodes L'é. phén. a pour objet l'étude des inscriptions sur pierre, roche, métal, terre cuite, mais aussi sur papyrus et, éventuellement, parchemin. Elle a donc trait à tous les textes, gravés aussi bien que tracés à l'encre, contrairement à l'usage des études gr.-lat. qui distinguent l'é. et la papyrologie, voire la paléographie. Comme les inscriptions phén.-pun. sont les seuls témoins directs de la →langue, l'é. phén. est aussi la science qui s'applique à étudier leur grammaire, leur vocabulaire, leurs genres littéraires, ainsi que le milieu historique et culturel qu'elles reflètent et dont elles sont issues. Bref, elle constitue un domaine scientifique autonome, qui englobe le déchiffrement, la lecture, l'explication philologique et littéraire, ainsi que l'exploitation historique de toutes les inscriptions phén., pun., néopun. et même latino-pun., c.-à-d. rédigées en Tripolitaine au moyen de caractères lat. mais en langue pun. Les méthodes et la technique de l'é. phén. sont essentiellement les mêmes que celles de l'é. classique, mais doivent être adaptées aux conditions particulières de la documentation. Il importe, entre autres, de prendre en considération les inscriptions d'une même région et d'une même période, mais il faut aussi tenir compte du genre littéraire, qui n'est pas étranger au support de l'écriture, p.ex. →stèle en pierre, →papyrus ou →ostracon, et à la nature du monument qui porte l'inscription, p.ex. temple, statue ou sarcophage. On ressent toutefois le manque quasi complet des genres qui relèvent de la littérature proprement dite, de l'historiographie, de la pratique juridique, de l'épistolographie, de l'hymnographie, de la magie et des sciences. On dispose, en revanche, d'inscriptions commémoratives, votives, sépulcrales, honorifiques et de tarifs sacrificiels, gravés sur pierre ou sur des objets de bronze et, exceptionnellement, de terre cuite. Le reste de nos sources épigraphiques se réduit à des comptes ou des répertoires de valeur éphémère, inscrits sur des ostraca ou une tablette de calcaire, à de brèves indications de propriétaire ou de contenu, peintes ou incisées sur des vases, à des légendes sigillaires ou monétaires, à des graffiti ne comportant souvent qu'un nom propre, et à quelques autres épigraphes de nature diverse. Si la documentation n'est donc pas limitée à un genre particulier, elle est relati-

Fig. 125. Un des deux cippes votifs de Malte (CIS I,122), dont l'inscription bilingue phén.-pun. fut à la base du déchiffrement du phén. par J.-J. Barthélemy (1758), marbre (IIe s. av. J.C.). Paris, Louvre.

vement pauvre, surtout si on la compare à l'abondance et à la variété des sources en écriture cunéiforme ou si l'on considère que la diffusion géographique du phén. est comparable à celle du gr. ou du lat.

2 Déchiffrement La disparition du phén.-pun., probablement au Ve s. ap. J.C., signifiait que l'écriture et la langue phén. devaient être déchiffrées. C'est en 1738 que le chanoine anglais Richard Pococke découvrit 33 inscriptions phén. à →Kition. Il en publia les copies dans son ouvrage *Description of the East and Some Other Countries*, vol. II, part I, pl. XXXIII (London 1745). Bien des erreurs s'étaient glissées dans ses copies, mais John Swinton, archiviste de l'Université d'Oxford, s'appliqua à l'étude de ces textes dont il fit paraître une traduction, dès 1750, dans ses *Inscriptiones Citiae*, en s'inspirant de l'hébreu. C'est la bilingue phén.-gr. de Malte (CIS I, 122) qui fut à la base du déchiffrement du phénicien par J.-J. →Barthélemy, qui présenta le 12.4.1758, à l'Académie des Inscriptions et Belles-Lettres, à Paris, ses *Réflexions sur quelques monuments phéniciens et sur les alphabets qui en résultent* (fig. 125). Ayant déchiffré l'inscription, dont il s'était fait procurer des moulages, il était passé à l'étude des monnaies de Tyr et de Sidon portant des légendes phéniciennes, ainsi qu'à deux des 33 inscriptions trouvées à Kition par Pococke. Le déchiffrement entrepris par Swinton et Barthélemy fut mené à bonne fin par W. →Gesenius dans ses *Scripturae Phoeniciae Monumenta* (Leipzig 1837). Les résultats en étaient tellement fermes qu'E. →Renan, le fondateur du CIS, pouvait écrire dans son *Histoire générale des langues sémitiques* (2e éd., Paris 1858, p. 179) qu' "on en sait assez pour parler avec assurance d'une langue phénicienne". Depuis lors, des progrès remarquables furent réalisés, également dans le déchiffrement, beaucoup plus difficile, des inscriptions néopun., étudiées par P. →Schröder (*Die phönizische Sprache*, Halle 1869) et J.-B. →Chabot (*Punica*, JA, 11e sér., 7-11 [1916-18]), puis dans celui des inscriptions lat.-pun. dont le premier essai de traduction a été fait par G. →Levi Della Vida, *Sulle iscrizioni "latino-libiche" della Tripolitania*, OA 2 (1963), p. 65-94. On peut cependant pousser plus loin l'explication de ces textes et faire progresser notre intelligence des inscriptions phén.-pun., dont le nombre ne cesse de croître, en emboîtant le pas aux maîtres de l'é. phén. à la fin du XIXe et au début du XXe s. Cette période était dominée par deux grands noms, celui de M. →Lidzbarski et de C. →Clermont-Ganneau, dont les travaux conservent encore leur valeur.

3 Inscriptions L'intention d'E. Renan était de publier toutes les inscriptions phéniciennes dans le *Corpus Inscriptionum Semiticarum. Pars prima inscriptiones Phoenicias continens*, Paris 1881ss (= CIS I). Le *Corpus* contient effectivement plus de 6.000 inscriptions, en grande majorité pun. (en gros CIS I, 122-6068), et le *Répertoire d'épigraphie sémitique* I-IV, Paris 1900ss. (= RÉS), y apporte des compléments, mais divers textes importants n'y sont pas inclus. Ils sont repris dans des recueils régionaux ou dans des anthologies d'inscriptions représentatives, munies de traductions et de commentaires. Signalons, parmi les recueils plus récents: H. Donner - W. Röllig, *Kanaanäische und aramäische Inschriften*, Wiesbaden 1971-76[3] (= KAI), où l'on trouve, par ailleurs, une liste d'inscriptions phén.-pun. classées par pays, villes et sites (vol. III, p. 64-76; cf. Benz, *Names*, p. 14-45), ainsi que J.C.L. Gibson, *Textbook of Syrian Semitic Inscriptions* III. *Phoenician Inscriptions*, Oxford 1981 (= TSSI III), sans inscriptions pun. D'autres recueils portent sur une région géographique plus limitée, ainsi M.G. Guzzo Amadasi, *Le iscrizioni fenicie e puniche delle colonie in Occidente*, Roma 1967 (= ICO); P. Magnanini, *Le iscrizioni fenicie dell'Oriente*, Roma 1973; B. Delavault - A. Lemaire, *Les inscriptions phéniciennes* *de Palestine*, RSF 7 (1979), p. 1-39; M.J. Fuentes Estañol, *Corpus de las inscripciones fenicias, púnicas y neopúnicas de España*, Barcelona 1986, et G. Levi Della Vida - M.G. Amadasi Guzzo, *Iscrizioni puniche di Tripolitania*, Roma 1987. Certains recueils ne concernent qu'un site important: A. Berthier - R. Charlier, *Le sanctuaire punique d'El Hofra à Constantine*, Paris 1952-55; M.G. Guzzo Amadasi - V. Karageorghis, *Fouilles de Kition* III. *Les inscriptions phéniciennes*, Nicosie 1977; M.G. Amadasi Guzzo, *Scavi a Mozia - Le iscrizioni*, Roma 1986; F. Bertrandy - M. Sznycer, *Les stèles puniques de Constantine*, Paris 1987. En attendant la publication d'un *Corpus* des inscriptions de →Maktar, on se reportera à J.-B. Chabot, *Punica*, Paris 1918 (JA 1916-18), qui en édite un grand nombre, outre des inscriptions néopun. d'un autre site important, celui de →Guelma. Des études d'ensemble ont été consacrées aussi à des sites qui n'ont livré qu'un petit nombre d'inscriptions: M. Dunand - R. Duru, *Oumm el-'Amed, une ville de l'époque hellénistique aux Échelles de Tyr*, Paris 1962; G. Coacci Polselli - M.G. Guzzo Amadasi - V. Tusa, *Grotta Regina - II. Le iscrizioni puniche*, Roma 1979; M. Fantar, *Téboursouk. Stèles anépigraphes et inscriptions néopuniques*, MAIBL 16 (1975), p. 378-431; M. Sznycer, *Les inscriptions néopuniques de Mididi*, et M. Fantar, *Nouvelles stèles à épigraphes néopuniques de Mididi*, Semitica 36 (1986), p. 5-42. Il convient de signaler aussi le recueil d'inscriptions sigillaires de P. Bordreuil, *Catalogue des sceaux ouest-sémitiques inscrits de la Bibliothèque Nationale, du Musée du Louvre et du Musée biblique de Bible et Terre sainte*, Paris 1987, où le domaine phén. est bien représenté, tout comme dans le *Bulletin d'épigraphie sémitique (1964-1980)* de J. Teixidor, paru d'abord dans *Syria* 44 (1967) -56 (1979), puis comme volume séparé avec des compléments et des index (Paris 1986). ELip

EPIPALOS Dynaste chypriote de la première moitié du IVe s. av. J.C., connu par la légende sinistroverse *E-pi-pa-lo*, en gr. syllabique, qui apparaît sur des monnaies attribuées à →Amathonte. Cette graphie reproduit un anthroponyme gr., par ailleurs non attesté, ou le nom bien phén. d'Abibaal (phén. *'bb'l*), dont l'orthographe correspondrait parfaitement au gr. syllabique *A-pu-tu-pa-lo*, qui transcrit l'anthroponyme phén. Abdubaal (*'bdb'l*).

Bibl. ICS 202; StPhoen 1-2 (1983), p. 221. ELip

ÉRATOSTHÈNE DE CYRÈNE Philologue gr. du IIIe s. av. J.C., appelé à Alexandrie comme bibliothécaire par Ptolémée III (après 246). Par ses *Chronographies*, qui partaient de la prise de Troie, fixée en 1184/3, et ses *Olympioniques*, qui portaient peut-être jusqu'à la fin du IVe s. av. J.C., il a élaboré un système chronologique artificiel qui servira de modèle aux *Chroniques* d'Apollodore. Ses *Géographiques*, connues essentiellement par Strabon, proposaient une rectification de la carte des prédécesseurs, sur la base des découvertes de l'époque d'Alexandre et des diadoques, et exposaient les principes de la carte nouvelle (livres I-II), dont le détail chorographique était donné au livre III. Pour É., les Phéniciens, issus des bords de la mer Érythrée (fr. III B 39), étaient réputés avoir fondé en Maurousie, sur les côtes N.-O. de l'Afrique, des villes en grand nombre, détruites avant le IIIe s. (fr. III B 60), une opinion contestée par Artémidore (fr. 77 Stichle, Philologus 11 [1856], p. 217); le périple d'Ophélas a pu être ici une des sources d'É. (cf. Strab. XVII 3,3).

Bibl. FGH 241; E. Berger, *Die geographischen Fragmente des Eratosthenes*, Leipzig 1880; Desanges, *Recherches*, p. 3-5, 49-50. DMar

ERESH Théonyme sémitique qui apparaît notamment dans le nom propre Abdi-Ershu ("Serviteur d'E."), attesté à →Alalakh (AlT 199,4), à →Ugarit (PRU III, p. 203, col. IV,8; KTU 4.31,1), plus de trente fois à Carthage (Benz, *Names*, p. 149: *'bd'rš*) et dans la bilingue pun.-numide de →Dougga (KAI 100,2: *'b'rš*). Par ailleurs, une inscription fragmentaire de Carthage mentionne un "serviteur du temple d'E." (CIS I,251: *'bd bt 'rš*) et la plaquette d'Ibiza (V^e-IVe s.) est dédiée à "E., bâtisseur de la ville" (CIE 07.15a,1: *'rš bny qrt*), probablement celle dont Diod. V 16,2 fait mention sur l'île: "la ville appelée Érésos, une colonie des Carthaginois". Le qualificatif que E. se voit attribuer à Ibiza et le fait qu'un maître maçon porte à Dougga le nom de "Serviteur d'E." suggèrent de rapprocher E. de l'épithète akkadienne *eršu*, "sage", du dieu Éa-Enki, que les mythes d'Ugarit identifient à →Chousor, le divin artisan et architecte. E. pourrait être ainsi un avatar de ce dernier. On notera aussi que le dieu →Él est qualifié à Ugarit de *ḥrš* (KTU 1.12, II,60-61), l'équivalent étymologique d'*eršu*.

Bibl. E. Lipiński, OLP 14 (1983), p. 154-158; id., *Éa, Kothar et El*, UF 20 (1988), p. 137-143; id., *L'élément* 'rš *dans l'anthroponymie carthaginoise*, Studia Semitica necnon Iranica R. Macuch... dedicata, Wiesbaden 1989, p. 137-143. ELip

ÉRYX En pun. *'rk*, gr. *Erux*; lat. *Eryx*, aujourd'hui Erice. Une des plus importantes cités des →Élymes, avec →Ségeste, É. s'élevait sur le mont homonyme dominant la pointe N.-O. de la Sicile, à peu de distance de →Motyé. Son nom est lié à la légende d'Héraklès (→Melqart) et au voyage d'→Énée en Sicile, ainsi qu'au culte d'→Astarté-Aphrodite. La cité aurait été fondée par le héros indigène É. qui édifia un temple pour sa mère Aphrodite, puis fut vaincu par Héraklès (Hdt. V 42-48; Diod. IV 23,1-3; 83,1). Inspiré par cette tradition, le Spartiate →Dorieus tenta, vers la fin du VIe s. av. J.C., d'y fonder la colonie d'→Héraklée, mais il fut battu par une coalition élymo-pun. À l'époque archaïque, É. devait être l'alliée des Phéniciens et, au IVe-IIIe s., elle devint une citadelle pun. qui tomba deux fois aux mains de Denys l'Ancien de Syracuse (397 et 368) et fut conquise par →Pyrrhus (276). Durant la 1re →guerre pun., les habitants d'É. furent transférés dans la zone du port de →Trapani (260); É. fut ensuite occupée par le consul Lucius Junius, puis reprise par →Hamilcar (8), mais resta, après 241, aux mains des Romains.

Ses monuments les plus connus sont le temple et l'enceinte urbaine. Le temple, très célèbre, est surtout connu par les sources littéraires et épigraphiques. Il était originellement dédié à une déesse locale, assimilée dans un second temps à Astarté, Aphrodite et Vénus Érycine, dont le culte se diffusa à Rome et ailleurs. Outre les inscriptions en gr. et en lat., on mentionnera une dédicace phén. dont l'original est perdu (ICO Sic. 1). Une autre dédicace à l'Astarté d'É. provient de Sardaigne (ICO Sard. 19), tandis que deux inscriptions de Carthage (CIS I,3776; 4910) attestent l'existence de prostituées consacrées à Astarté d'É. (→prostitution sacrée). Le temple situé sur la cime fut presque détruit par le château normand qui le recouvre aujourd'hui. Les fouilles ont livré quelques restes, pour la plupart d'époque rom.: mur, fosse circulaire, puits, colonnes, peut-être des thermes. Les murs entouraient le flanc O. du mont, défendu sur les autres côtés par des précipices. On a préservé une courtine de 2-3 m d'épaisseur, avec des tours quadrangulaires et des poternes. À proximité de la Porta Spada, de nombreux blocs portent des lettres pun. incisées. On a distingué trois phases de construction: la plus ancienne, avec des blocs mégalithiques, la phase pun. en pierres de taille, puis les réfections de la phase plus tardive. La chronologie des phases, proposée par certains sur la base de matériaux erratiques et sans liens stratigraphiques, n'est toutefois pas défendable. Mise à part l'enceinte, la ville antique n'a pas été fouillée. Une →nécropole hors-les-murs, découverte en 1969 au-delà de la Porta Trapani et remontant à la phase pun. du IIIe s. av. J.C., renfermait des →tombes (2A) à crémation assez pauvres, avec des amphores pun. utilisées comme urnes cinéraires. Parmi les diverses découvertes occasionnelles, on mentionnera quelques statuettes de terre cuite de type pun. et chypriote, de petits bronzes indigènes et égyptiens, dont le type d'→Isis allaitant Horus, diverses amphores avec des lettres et des symboles pun. et une stèle avec dédicace à Tanit.

Bibl. PECS, p. 317-318; A. Salinas, *Le mura fenicie di Erice*, NotSc 1883, p. 142-148; G. Cultrera, *Il temenos di Afrodite Ericina*, NotSc 1935, p. 294-328; S. Moscati, *Sulla diffusione del culto di Astarte Ericina*, OA 7 (1968), p. 91-94; A.M. Bisi, *Saggi alle fortificazioni puniche di Erice*, NotSc 1968, p. 272-292; ead., *Catalogo del materiale archeologico del Museo Cordici di Erice*, SicArch 8 (1969); S. De Vido, *Erice*, BT VII, Pisa-Roma 1989, sous presse. GFal

ESCHATOLOGIE Si Appien (*Lib.* 84.89) et Cicéron (*Pro Scauro* VI 11) attestent l'existence d'un culte rendu aux morts par les Puniques, c'est uniquement par l'archéologie, l'iconographie et l'épigraphie funéraires que l'on peut se faire une idée des croyances phén.-pun. sur le sort des défunts et l'au-delà. L'aménagement de certaines →tombes, pourvues de tables d'offrandes ou de canalisations destinées aux →libations, les →pratiques funéraires et le →mobilier funéraire, dont font aussi partie des →rasoirs avec des scènes de *refrigerium* et des →œufs d'autruche, décorés souvent d'une fleur de lotus, les →stèles funéraires qui figurent, à Carthage, le défunt apparaissant sur le seuil de sa "demeure d'éternité" dans la même attitude que sur certains →ossuaires ou →sarcophages, la déposition près d'une tombe de Carthage de la seule *tabella defixionis* pun. qui ait livré son contenu jusqu'à ce jour (CIS I, 6068 →Hawwat), l'épitaphe du →mausolée d'→El-Amrouni (S. tunisien), qui identifie les →Rephaïm avec les Mânes (KAI 117), tout cela indique que l'on attribuait aux défunts une survie dans l'au-delà et que les vivants pouvaient communiquer avec le monde inférieur par les offrandes, les libations ou les objets qu'ils déposaient dans les tombes. L'inviolabilité sacrée de celles-ci était garantie par les →malédictions proférées par les inscriptions tombales contre les violateurs éventuels, ainsi que par les génies gardiens représentés par les statuettes, les →amulettes, les →masques déposés près des cadavres, que l'on entourait aussi de vases contenant de la nourriture et de la boisson, qui préfiguraient peut-être l'espoir de la participation future du défunt au banquet céleste. Certaines entités divines semblent en outre plus étroitement associées à l'au-delà, comme →Môt. L'analyse des →peintures sépulcrales permet même de formuler certaines hypothèses sur les étapes essentielles de la vie d'outre-tombe. Ainsi, la première étape paraît bien éclairée par la peinture historiée ornant trois parois sur quatre d'un hypogée pun. du Djebel Mlezza fouillé en 1937, près de →Kerkouane, par P. Cintas et E.-G. Gobert. Un tableau d'introduction y évoque, par un mausolée et un autel à encens, le défunt en attente de sa libération dans son tombeau et les sacrifices offerts pour lui par les vivants pour hâter la venue du Soleil psychopompe. La même image est répétée sur la paroi latérale opposée, avec en plus la vision d'un coq, symbole du Psychopompe, descendant vers le sépulcre. Enfin, dans la scène du fond, l'oiseau solaire est encore figuré, mais volant vers le Royaume des Morts, suggéré par une cité fortifiée. À gauche de celle-ci, au fond d'une niche, le croissant renversé sur le →"signe de Tanit" indique qu'approche l'heure de l'aurore et de la renaissance. La seconde étape posthume, à savoir la libération du défunt, est décrite dans le hanout (→Haouanet) de →Kef el-Blida, près d'Aïn-Dhram (Tunisie), en un tableau inspiré de l'iconographie égyptienne: on voit l'âme du défunt sous une forme mi-oiseau s'élancer, à l'heure de l'aurore, du vaisseau de la nuit dans le grand serpent tenant lieu de la barque du jour, qui la conduira chez les dieux célestes. Bien sûr, à l'occasion de la réouverture d'une tombe, les Phéniciens et les Puniques étaient bien forcés de constater qu'il ne restait du mort que des os plus ou moins conservés. La pratique concomitante de l'incinération indique pourtant que cette constatation ne devait point ébranler leurs croyances et montre que, malgré les soins déployés éventuellement pour ralentir la décomposition du cadavre, p.ex. par la momification, le culte des morts ne s'adressait vraiment qu'au principe vital du disparu, à l'esprit du défunt, désigné par le terme *rḥ* (CIS I,3785 = KAI 79,11; CIS I, 4937,5; BAC 1941-42, p. 388, 1. 2). Il n'empêche qu'on se représentait et figurait les morts en chair et os, vêtus de leurs habits de fête, semblables aux immortels.

Bibl. Gsell, HAAN IV, p. 456-469; A. Parrot, *Le "Refrigerium" dans l'au-delà*, Paris 1937; P. Cintas - E.-R. Gobert, *Les tombes du Jbel Mlezza*, RTun 38-40 (1939), p. 135-198 (voir p. 190-197); F. Cumont, *Lux Perpetua*, Paris 1949;

G.C. Picard, *Les religions de l'Afrique antique*, Paris 1954, p. 179-233; J. Ferron, *L'épitaphe de Milkpillès à Carthage*, StMagr 1 (1966), p. 76-79; id., *Textes gravés sur rasoirs puniques*, Le Muséon 79 (1966), p. 443-451; id., *La* tabella defixionis *punique de Carthage*, ZDMG 117 (1967), p. 215-222; id., *La peinture funéraire de Kef el-Blida*, Archéologia 20 (1968), p. 52-55; M. Fantar, *Eschatologie phénicienne punique*, Tunis 1970; J. Ferron, *Mort-dieu de Carthage*, Paris 1975; H. Benichou-Safar, *Les tombes puniques de Carthage*, Paris 1982; S. Ribichini, *Morte e oltretomba a Cartagine*, SMSR 51 (1985), p. 353-364; H. Ben Younès, *Contribution à l'eschatologie phénico-punique: la fleur de lotus*, REPPAL 1 (1985), p. 63-75; S. Ribichini, *Concezioni dell'oltretomba nel mondo fenicio e punico*, P. Xella (éd.), *Archeologia dell' inferno*, Verona 1987, p. 147-161. JFer

ESCLAVES Les données concernant l'esclavage en Phénicie sont relativement rares. Il n'existe même pas de certitude quant à la terminologie. Les inscriptions n'emploient le terme *'bd* que dans le sens d' "adorateur" (p.ex. KAI 26 A,I,1) ou de "vassal" (p.ex. KAI 31,1). Il doit pourtant avoir également signifié "esclave", puisque c'est le cas dans les langues nord-ouest sémitiques apparentées et, plus tard, en pun. (p. ex. KAI 79,3). Le terme *drkt* (RÉS 56) a récemment été interprété comme "esclave féminin" (Syria 56 [1979], p. 148-150). Nous sommes tout aussi mal informés sur la situation concrète des e. dans les villes phén. Il semble raisonnable de supposer que les usages attestés dans les autres États du Proche-Orient aient eu cours également en Phénicie. Le fait que le roi →Hiram I de Tyr prêta des ouvriers spécialisés au roi Salomon pour la construction du temple de Jérusalem (*1 R.* 5,20) semble indiquer que la Cour disposait constamment d'un grand nombre d'ouvriers de condition servile. Au témoignage de Just. XVIII 3, les e. auraient constitué une partie considérable de la population locale de Tyr; la concentration de "plusieurs milliers d'e." comportait donc le risque d'une révolte. Toutefois, les Phéniciens étaient surtout réputés comme marchands d'e. (*Am.*, 1,9; *Jl* 4,6). Selon *Ez.* 27,13, ils se fournissaient en premier lieu chez leurs principaux partenaires commerciaux. Il apparaît de *1 M.* 3,41 et *2 M.* 8,11 que les marchands d'e. se trouvaient toujours à proximité des endroits où l'on pouvait acheter des prisonniers de guerre. En outre, la réduction à la condition servile pour dettes constituait une importante source d'e. Ainsi, en désespoir de cause, Rib-Addi de Byblos rapporte à plusieurs reprises que "fils et filles" de Byblos furent vendus, afin de pouvoir acheter des victuailles pour la ville assiégée (EA 74,15; 75,11; 81,39; 85,13; 90,36). Un édit de Ptolémée IV en 260 av. J.C. suggère de façon indirecte que les possibilités d'asservissement étaient plutôt nombreuses en Phénicie (M.-T. Lenger, *Corpus des ordonnances des Ptolémées*, Bruxelles 1980^2, n° 22).
Enfin, les Phéniciens avaient la réputation d'être des pirates redoutables (*Od.* XIV 287; XV 440; Hdt. I 1; II 54). Dès le XIIIe s. (p.ex. KTU 3.4), on trouve des traces du trafic d'esclaves opéré par des Phéniciens. Il est attesté au Ier mill. un peu partout au Proche-Orient: en Palestine (*Am.* 1,9; *Jl* 4,6), dans le N. de la Mésopotamie (OLP 16 [1985], p. 84-89), en Égypte (*Pap. Bologna* 1086, 11: ZÄS 65 [1930], p. 89-97), en Grèce, etc. Malgré l'importance croissante de →Délos en tant que marché international d'e., la Phénicie garde son rôle central à cet égard durant la période hellénistique (p.ex. PCZ I, 59093).
En ce qui concerne les Carthaginois, App., *Lib.* 59, signale qu'ils "possédaient beaucoup d'e.", une information confirmée par celle que →Hannon (9) préparait un coup d'état vers 340 av. J.C. avec l'aide de 20.000 e. (Just. XXI 4,6; Orose, *Adv. Pag.* IV 6,18). La majorité des e. était constituée par des prisonniers de guerre (cf. Diod. XX 13,2), mais il semble que les Carthaginois s'adonnaient également au trafic des e. (Timée, FGH 566, fr. 164,18-20). Les e. acquis ainsi étaient principalement employés dans l'agriculture (Diod. XX 69,2; 69,5) et l'industrie (Diod. XX 13,2).

Bibl. DEB, p. 427-428; ThWAT V, col. 982-1012; I. Mendelsohn, *Slavery in the Ancient Near East*, New York 1949; R. Yaron, *A Document of Redemption from Ugarit*, VT 10 (1960), p. 83-90; E. Matilla Vicente, *Surgiemento y desarollo de la esclavitud cartaginesa y su continuación en época romana*, HAnt 7 (1977), p. 99-123; L.B. Kutler, *Social Terminology, Biblical Hebrew, Phoenician and Ugaritic*, diss. New York 1980; J. Elayi, *La révolte des esclaves de Tyr relatée par Justin*, BaM 12 (1981), p. 139-150; A. Hamdeh, *Die sozialen Strukturen im Phönizien des ersten Jahrtausends v. Chr.*, diss. Univ. Würzburg 1985, p. 171-180. WVGu

ES CUIERAM Grotte située au sommet d'une montagne au N.-E. de l'île d'→Ibiza (Espagne), à 200 m au-dessus du niveau de la mer. Découverte en 1907, elle livra un grand nombre de figurines en terre cuite, deux inscriptions votives sur une plaquette de bronze et d'autres pièces archéologiques. L'abondance et la disposition des objets à l'intérieur de la grotte montrent qu'elle fut un lieu de culte (→sanctuaires 3B) fréquenté du Ve au IIe s. av. J.C. et consacré à la déesse →Tanit. La plupart des objets découverts étaient des ex-voto ou des offrandes; on en a compté *c.* 400. Les plus caractéristiques sont les figurines en terre cuite, produites en série et au moule, qui représentent un buste féminin, couvert de deux grandes ailes entre lesquelles figurent des motifs symboliques, tels que fleurs de lotus, disques solaires, croissants lunaires, etc. (fig. 127).Ces figurines représentent une Tanit ailée et sont des symboles de protection et de vie. D'autres ex-voto du sanctuaire pun. sont des imitations locales de modèles gr. d'époque hellénistique qui rappellent les représentations de

Fig. 126. Dédicace néopun. à Tanit de la grotte d'Es Cuieram, bronze (IIe s. av. J.C.). Alicante, Musée Archéologique.

Fig. 127. Figurine campaniforme de la déesse vêtue d'une chape ailée, Es Cuieram (IVe s. av. J.C.). Ibiza, Musée Archéologique.

→Déméter et Koré en Sicile. L'art pun. d'Ibiza adopte, de la sorte, l'iconographie gr. pour donner une forme d'expression à la religion locale. Du sanctuaire provient également une plaquette en bronze découverte en 1923 près de l'entrée de la grotte. Elle porte deux inscriptions pun. gravées à des époques différentes (CIE 07.15). L'inscription la plus ancienne date des Ve-IVe s. av. J.C. (→Eresh); la plus récente, en caractères néo-pun. (II s. av. J.C.), est dédiée à la déesse Tanit par le prêtre Abdeshmun (fig. 126). La présence dans le sanctuaire de →bétyles, d'autels de sacrifices et de restes calcinés d'animaux évoque des pratiques de culte et des sacrifices en rapport avec la fécondité et la mort, cérémonies dans lesquelles officiait un collège sacerdotal. La grotte d'E.C. fut probablement le sanctuaire le plus important de l'Ibiza pun.

Bibl. C. Román, *Antigüedades ebusitanas*, Barcelona 1913; M.E. Aubet Semmler, *El santuario de Es Cuieram*, Eivissa 1982; E. Lipiński, *La plaquette de la grotte d'Es Cuyram (Ibiza)*, OLP 14 (1983), p. 154-159. MEAub

ESHMUN En phén. *'šmn*, gr. *'Esmounos*, akk. *^{d}Ia-su-mu-nu/na, Sa-mu-nu/na*, dieu dont le culte est probablement attesté en Syrie dès le IIIe mill., mais dont la physionomie ne se précise qu'au Ier mill. av. J.C. Les archives d'→Ébla comportent des anthroponymes dont l'un des éléments se présente sous la forme ì -g i š, "huile", en sumérien et *Sí-mi-na* en éblaïte. Des textes rituels d'→Ugarit (KTU 1.41, [45]; 1.87, 50) et de →Ras Ibn Hani (RIH 77/2B,9) mentionnent ensuite un dieu *Šmn*, tandis qu'une liste de Thoutmès III signale, dans la plaine d'→Akko, le toponyme *k-b-'ś-m-n* (n° 41), c.-à-d. *Gb' Šmn* (ANET, p. 242), "Colline de *Šmn*", nom dont l'orthographe correspond à celle du théonyme E. dans l'anthroponymie des textes néo-assyriens du VIIe s.: *Sa-mu-nu/na*. Le nom d'E. paraît en effet se rattacher à la même racine que *šmn*, "huile", et désignait peut-être "celui qui oint", procurant la guérison. En tout cas, l'*interpretatio* gr. d'E. était le dieu de la médecine, Asklépios/Esculape, que l'→hellénisation des centres urbains introduisit aussi dans le monde pun., où E. était assimilé à Apollon, que les Romains vénéraient sous la République comme le dieu guérisseur par excellence et que les Vestales invoquaient *Apollo medice, Apollo Paean* (Macr., *Sat.* I 17,15). Il était encore qualifié de *salutifer* dans l'Afrique rom. (BAC 1920, p. XC).

1 Orient A *Syrie du Nord et Mésopotamie*. La première attestation de l'E. phén. se rencontre dans le traité passé en 754 av. J.C. entre Mati'el, roi d'Arpad, et le roi Assurnirari V d'Assyrie; E. y apparaît parmi les dieux garants du pacte et est associé à →Melqart (SAA II,2,VI,22). Au VIIe s., les archives de Ninive livrent deux attestations du théonyme dans le nom de *Sa-mu-na-apla-iddina*, habitant la région du Balih, et dans le patronyme *Sa-mu-nu-ia-tu-ni*, "E. a donné" (APN, p. 192a).

B Phénicie. E. est de nouveau associé à Melqart dans le traité imposé *c.* 675-670 par Asarhaddon d'Assyrie au roi →Baal I de Tyr. Melqart et E. y sont appelés à déporter le peuple de Tyr et à le priver de nourriture, de vêtements et d'huile au cas où le roi de Tyr ne respecterait pas ses engagements (SAA II,5,IV,14'-17'). La mention insolite de "l'huile d'onction" ne s'explique que par le rôle guérisseur d'E. et ses liens avec l'huile. Son association à M. se retrouve plus tard à Tyr dans le récit de Diod. XVII,41,7-8; 46,6, et de Q.-Curce IV 3,21-22, évoquant la statue d'Apollon offerte au temple tyrien d'Héraklès par les Carthaginois qui l'avaient amenée de Sicile. En revanche, les statues de l'Héraklès chypriote, trouvées dans une *favissa*, et la seule attestation d'un nom théophore en Melqart ne prouvent pas encore une association des deux divinités dans le temple d'→Amrit, où l'on trouve au Ve s. une dédicace à E. (StPhoen 3 [1985], p. 225-228), vénéré sans doute en relation avec les vertus salutaires attribuées à l'eau des sources. Un sceau de Tell Kazel mentionne un personnage qualifie de *n'r 'šmn*, "acolyte? d'E." (AION 41 [1981], p. 191, n° 92), et une dédicace digraphe en gr. alphabétique et syllabique, trouvée dans la ville sidonienne de →Sarepta et adressée à Asklépios, y atteste, au IVe s., l'existence d'un sanctuaire renommée d'E., sans doute identique au "dieu saint de Sarepta" des inscriptions plus tardives. C'est →Sidon qui apparaît comme le principal centre religieux d'E., que l'on identifie parfois au "Baal de Sidon" (KAI 14 = TSSI III,28,18), bien que l'association de ce dernier à →Astarté-*šm*-Baal, déjà connue à Ugarit (KTU 1.2,I,8; 1,16,VI,56), et les noms des rois sidoniens des XIVe-XIIIe s., Zimredda, Addum, suggèrent de voir plutôt en Baal →Haddu, le dieu traditionnel de Sidon. Le grand sanctuaire d'E. se trouvait à →Bostan esh-Sheikh, à la source de Yidal, où les rois sidoniens de l'époque perse ont laissé de nombreux témoignages de leur dévotion. Le culte d'E. est attesté aussi dans la région de Beyrouth, où Damasc., *V.Is.* 302, localise le mythe du jeune chasseur Asklépios qui se serait castré pour échapper aux sollicitations d'→Astronoé. Le toponyme *Qabr Šmūn*, près de Beyrouth, conserve apparemment le souvenir d'un lieu de culte d'E., nommé "tombe d'E.".

C *Palestine et Égypte*. Vers la fin du VIIIe s., un théophore en E. pourrait figurer sur un fragment de jarre trouvé à →Shiqmona (RSF 7 [1979], p. 17). La connaissance d'E. en Judée est ensuite attestée par *Is.* 59,10, où l'antithèse "parmi les E. (*'šmwnym*: 1QIs^a) nous sommes comme des morts" reflète la fonction guérisseuse du dieu, dont le nom se retrouve au pluriel dans *astirsmounim*, "herbe des E.", appellation probable du *Solanum nigrum* chez les Puniques (Dioscoride II, p. 228). Un nom théophore en E. apparaît sur un ostracon du Ve-IVe s., trouvé à Tell el→Kheleifeh (RSF 7 [1979],p. 28), et l'inscription controversée de →Nebi Yunis, datée du IIIe-IIe s., témoignerait du don collectif d'une table d'offrande à E. en vue du sacrifice →*molk* (RB 83 [1976], p. 369-383). On conteste aussi l'authenticité du texte araméen de la région de →Memphis qui mentionne un prêtre d'E. (ASAÉ 55 [1958], p. 276-281; cf. JNES 27 [1968], p. 321). Des théophores en E. apparaissent toutefois sur l'ostracon phén. XVIII de Saqqâra et sur une statuette d'Imhotep divinisé (PhMM 134).

D *Chypre*. Le culte officiel et privé d'E. est bien attesté à Chypre, surtout au IVe s., époque où un Chypriote gr. fait une dédicace à l'Asklépios de Sarepta. Sur l'île même, E. est mentionné seul (Kition III, A 30) ou jumelé avec Melqart dans le théonyme double *'šmn-Mlqrt* (→théologie 2), qui apparaît dans plusieurs inscriptions du sanctuaire de Batsalos, à →Kition. De nombreux théophores en E. sont alors attestés à Chypre, suivis à l'époque hellénistique de noms tels qu'Asklépiadès, Asklépias ou Asklépiodore (LGPN I, p. 91).

2 Occident **A** *Région d'Utique*. Le toponyme →Rusucmona, **R(')š 'šmn*, le "Cap d'Apollon" des Romains et des Grecs, annonçait l'importance du culte d'E. à quiconque s'approchait des côtes pun. →Utique, la plus grande cité de la →Libye après →Carthage (App, *Lib.* 75; *Sic.* II 3), comptait parmi ses temples (Diod. XX 55,2) le sanctuaire d'Apollon, édifice qui passait pour contemporain de la fondation de la colonie et qui subsistait encore au temps de Pline (*N.H.* XVI 216).

B *Carthage*. C'est peut-être aux origines de Carthage que remontait aussi le temple d'Apollon près de la grande place, à peu de distance des ports. Au IIe s., on y vénérait la statue dorée du dieu, qui se dressait dans un sanctuaire revêtu de feuilles d'or (App., *Lib.* 127; Val. Max. I 1,18) et qui est peut-être celle-là même que les Romains apportèrent de Carthage et dressèrent à Rome, en face du Cirque Maxime (Plut., *Flam.* 1). Ce pourrait être aussi l'Apollon du "serment" d'→Hannibal (6), mentionné en 215 dans la première triade des dieux garants du pacte, après Zeus et Héra (Pol. VII 9,2). Un temple d'Asklépios, "le plus célèbre et le plus riche de tous", s'élevait sur l'acropole de →Byrsa, l'actuelle colline du Musée de Carthage (App. *Lib.* 130; Strab. XVII 3, 14). Le →Sénat y tenait des réunions au IIe s. (Liv. XLI 22,2; XLII 24,3) et les derniers défenseurs de la ville s'y réfugièrent en 146 (Zon. IX 30; Orose, *Adv. Pag.* IV 23,4). Les inscriptions pun. de Carthage semblent distinguer un temple et un sacerdoce d'E. (CIS I, 2362; 4834-4837; 5594) et d'E.-Astarté (CIS I,245), ce dernier étant peut-être l'E. de Byrsa, puisque c'est Asklépios/Esculape qui est associé plus tard à →Caelestis (Tert., *Apol.* 23), même à Apulum, en Dacie, où un Africain fait une dédicace à Caelestis, Esculape et le *Genius Cartaginis* (CIL III,993). C'est aussi la statue d'Esculape qui s'élève dans le sanctuaire de Caelestis à →Dougga (NAM 13 [1906], p. 338) et c'est sa prêtrise qui est associée à celle de Caelestis à Henchir el-Oust, dans la plaine de La Ghorfa (CIL VIII, 16417), et à Thizica. Il conserve une place prééminente dans la Carthage rom., où une inscription *iussu Domini Aescu(lapii)* a été trouvée dans la partie S. de la colline du Théâtre (BAC 1946-49, p. 588), et Apulée invoque Esculape "qui étend sur la citadelle de notre Carthage sa puissance manifeste et sa protection secourable" (*Flor.* 18). La dualité d'E./Apollon et d'E./Asklépios a été expliquée par les mythographes en faisant passer Apollon pour le père d'E./Asklépios (Paus. VII 23,7-8), dont →Philon de Byblos attribue pourtant la paternité à →Sydyk (Eus., *P.E.* I 10,38). Damasc., *V.Is.* 302, combine deux traditions en considérant E. comme le fils de Sydyk, mais en liant sa déification à l'infusion, dans son corps, de la chaleur vitale de Péan (gr. *Paián*), c.-à-d. d'Apollon guérisseur.

C *Arrière-pays de Carthage*. E./Apollon tenait aussi une place particulière dans la vie religieuse de →Bulla Regia, dont il était le *deus patrius* vénéré dans un temple sur le côté N. du Forum. Son culte remonterait aussi à l'époque pun. à →Maktar, dont provient une liste des participants à la reconstruction de son temple *c.* 120 ap. J.C. Il possédait aussi un temple à Muzuc (CIL VIII, 12058), à 20 km à l'E. de →Ksar Lemsa. Apollon et surtout Esculape étaient vénérés à Lambèse, mais ce peuvent être les divinités du panthéon rom. officiel, bien qu'E./Esculape occupât une place non négligeable dans la religion de l'Afrique rom., à tel point qu'un prêtre de Cybèle et d'Attis,

Fig. 128. Main votive en terre cuite avec dédicace néopun. à Eshmun, Cagliari (IIe-Ier s. av. J.C.). Sassari, Musée National G.A. Sanna.

voulant honorer l'Esculape "authentique", éprouva le besoin de préciser qu'il s'adressait à l'Esculape d'Épidaure (AÉp 1968, n° 553). L'E./Esculape était associé au culte de →Saturne africain à Haïdra et on le retrouve non seulement à Dougga, Henchir el-Oust et Thizica, mais aussi à →Althiburos, à →Thuburbo Maius (ILAfr 225), à →Guelma, à →Tripoli (Apulée, *Apol.* 55), etc., où les traditions d'origine pun. étaient solidement implantées.

D *Europe.* En Sardaigne, une inscription trilingue pun.-gr.-lat. du IIe s. av. J.C. (ICO, Sard. 9) certifie l'identification d'E. avec Asklépios/Esculape. Un surintendant des salines offre un autel en bronze à E. *M'rḥ* (gr. *Merre*, lat. *Merre*), probablement un toponyme pun., "Station?", puisque le mot n'est pas traduit en gr. et lat. Dans la région de →Cagliari, un fragment de main en terre cuite porte l'inscription néopun. "E. a écouté" (fig. 128: ACFP 1, p. 801-802). Cet ex-voto révèle l'existence probable d'un sanctuaire local d'un E. guérisseur. En Espagne, à →Carthagène, Pol. X 10,8 signale une colline qui portait un temple d'Asklépios et le graffito lat. de la Cueva Negra de Fortuna (Murcia), mentionnant un "prêtre de l'Esculape ébusitain" (TMAI 20, n° 38), pourrait témoigner d'un ancien culte d'E. à →Ibiza.

3 Onomastique L'onomastique d'E. est riche et la fréquence de cet élément théophore, dont le *'aleph* initial n'appartient pas à la racine du mot, provoque son abréviation dans la prononciation courante, que reflètent les textes gr. et lat. On remarque ainsi que le nom d'E. peut se réduire à *Sun-* (→Suniatus, →Synalos), *Sum-* (CIS I,119) ou *San/m-* (→Tétramnestos). Ailleurs, l'élément théophore est vocalisé *Samun-* (CIL VIII, 2564), *Asmun-* (CIL VIII, 5306), *-Ismun* (CIL VIII, 1562), *-Usmyn* (KAI 180e) ou *-Uzmoun* (LBW 1866c). La plupart des noms indiquent qu'E. est un dieu qui sauve, protège, garde, fait grâce, donne, attributs communs aux divinités sémitiques, qui acquièrent néanmoins une signification spéciale dans le cas d'un dieu essentiellement guérisseur.

Bibl. LIMC IV/1, p. 23-24; IV/2, p. 14; W.W. Baudissin, *Adonis und Esmun*, Leipzig 1911; E. Lipiński, *Eshmun, "Healer"*, AION 23 (1973), p. 161-183; L.W. Daly, *A Greek-Syllabic Cypriot Inscription from Sarafand*, ZPE 40 (1980), p. 223-225; O. Masson, *Pèlerins chypriotes en Phénicie (Sarepta et Sidon)*, Semitica 32 (1982), p. 45-49; P. Xella, *Sulla più antica storia di alcune divinità fenicie*, ACFP1, Roma 1983, p. 401-407; P. Bordreuil, *Le dieu Echmoun dans la région d'Amrit*, StPhoen 3 (1985), p. 221-230; P. Xella, *Una menzione del tempio di Eshmun a Cartagine* RSF 16 (1988), p. 21-23. ELip

ESHMUNADON En phén. *'šmn'dn* ("Eshmun est mon seigneur"), nom théophore bien connu à Chypre et à Carthage, et porté par un "préfet de Tyr" (*skn Ṣr*), dont le sarcophage de gypse, datable du IVe s., était jadis conservé au Musée de Nicosie. La présence de ce personnage à Chypre indique que l'on doit accorder ici à *skn Ṣr* le sens de "ministre plénipotentiaire de Tyr".

Bibl. Benz, *Names*, p. 70; Masson-Sznycer, *Recherches*, p. 69-75. ELip

ESHMUNAZOR En phén. *'šmn'zr* ("Eshmun a aidé"), nom théophore porté par deux rois sidoniens du Ve s. av. J.C., respectivement le père (E. I) et le fils (E. II) de →Tabnit I. Sur la chronologie précise de ces rois, on enregistre des positions divergentes. On a proposé (Peckham) les dates 479-470 pour E. I, 470-465 pour Tabnit I, 465-451 pour E. II, mais, suite à la proposition d'identifier Tabnit avec le →Tétramnestos d'Hdt. VII 98 (Garbini), on les a remontés d'une quinzaine d'années (Coacci Polselli), avec des arguments pas tous convaincants.

1 E. I était prêtre d'Astarté (KAI 13 = TSSI III,27) et père d'→Immi-Ashtart. Son petit-fils →Bodashtart (1), cousin d'E. II, se rattache directement à lui (KAI 15), car son père n'avait jamais régné.

2 E. II est connu par l'inscription funéraire gravée sur son sarcophage (KAI 14 = TSSI III,28), dont on peut déduire qu'il a régné et vécu 14 ans, en tout. Il avait succédé à son père Tabnit I, mort avant la naissance de son fils, qualifié d'"orphelin, fils d'une veuve" (l. 3.13) et mort "avant son temps" (*ngzlt bl 'ty*) même si la suite de l'expression n'est pas tout à fait claire (l. 3.12-13). Il n'a probablement jamais obtenu le titre de "prêtre d'Astarté" qui revient, par contre, à sa mère →Immi-Ashtart, qui régna à ses côtés comme "régente". E. II et sa mère bâtirent des temples aux dieux de Sidon: trois dans le contexte urbain (deux à Astarté et un au Baal de Sidon = → Eshmun) et un autre dans la zone extra-urbaine, dédié à "Eshmun *šr qdš* à la source de Yidal, près de la citerne" (l. 16-17); c'est le temple fouillé à →Bostan esh-Sheikh par M. →Dunand. Durant le règne d'E. II, le roi perse donna à Sidon Dor et Jaffa, ajoutés aux territoires de la ville en échange d'"actions remarquables" (*lmdt 'ṣmt* l. 19), accomplies par le roi. Étant donné l'âge très jeune d'E. II, il ne faut pas interpréter l'expression en question comme se référant à ses actions spécifiques, mais plutôt à l'attitude de fidélité et de soutien envers l'empire perse, traditionnellement manifestée par la dynastie sidonienne.

Bibl. K. Galling, *Eshmunazor und der Herr der Könige*, ZDPV 79 (1963), 140-151; Peckham, *Development*, p. 84-85; S.F. Bondì, *Istituzioni e politica a Sidone dal 351 al 332 av. Cr.*, RSF 2 (1974), p. 154; G. Garbini, *Tetràmnestos, re di Sidone*, RSF 12 (1984), p. 3-7; G. Coacci Polselli, *Nuova luce sulla datazione dei re sidonii?, ibid.*, p. 169-173; Th. Kelly, *Herodotus and the Chronology of the Kings of Sidon*, BASOR 268 (1987), p. 39-56; P. Xella, *Eshmun*, à paraître. PXel

ÉSIÔN-GABÉR En hb. *'Esyôn-Geber*, gr. *(G)asiōn Gaber* (LXX) ou *Gabelos* (Fl.Jos.); toponyme attesté

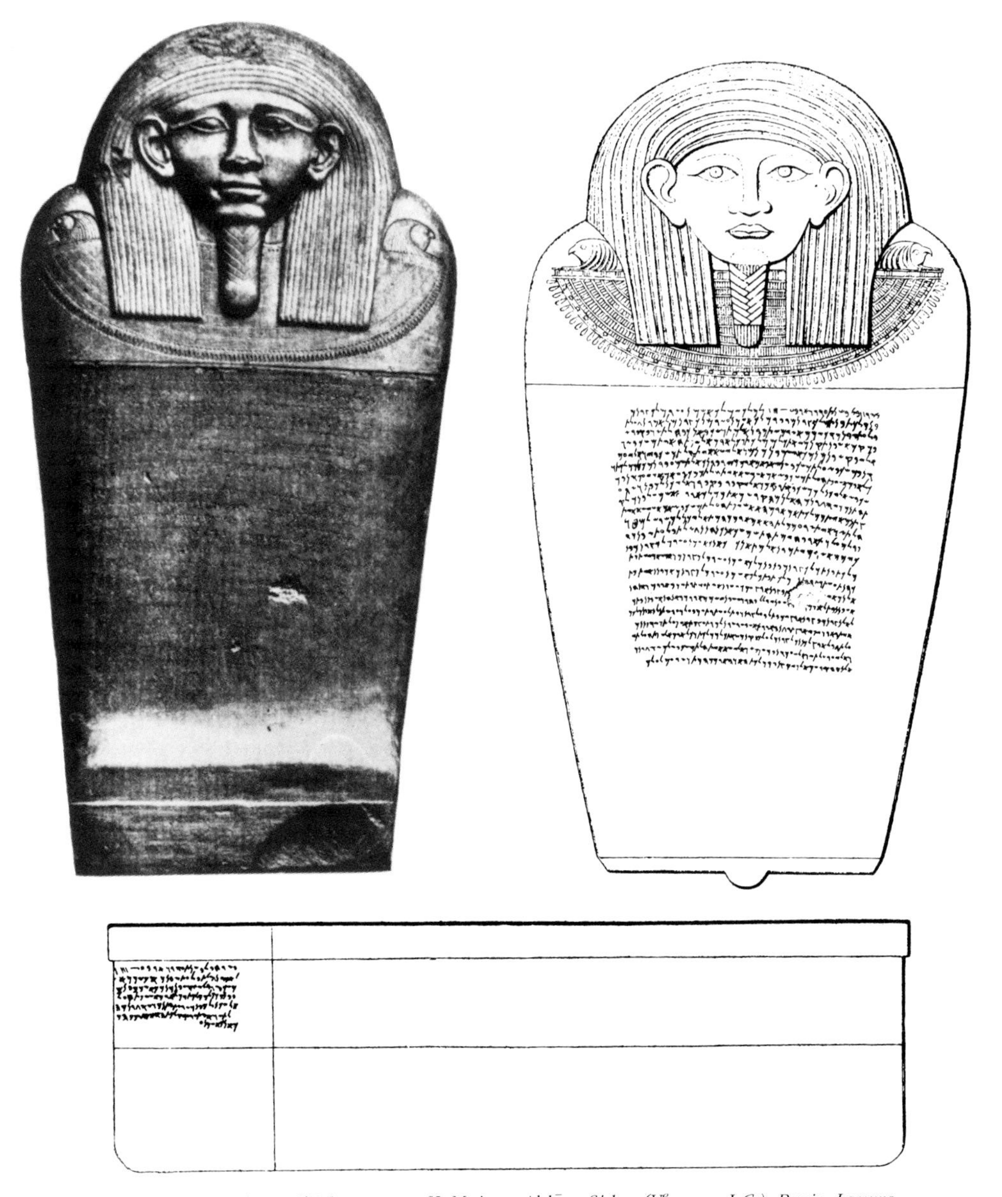

Fig. 129. Sarcophage d'Eshmunazor II, Maġarat Ablūn, *Sidon (Ve s. av. J.C.). Paris, Louvre.*

sept fois dans la Bible comme une étape de l'Exode (*Nb.* 33,35.36; *Dt.* 2,8) et un port sur la Mer Rouge, utilisé pour le commerce phén.-israélite, où on pouvait bâtir et rassembler une flotte sous Salomon et Josaphat (*1 R.* 22,49; *2 Ch.* 20,36). É. était situé "près d'Élat, au bord de la Mer de *Sûph*, au pays d'Édom" (*1 R.* 9,26). L'identification d'É. reste discutée: à la suite de F. Frank et des fouilles de N. Glueck, beaucoup d'archéologues avaient proposé de situer É. à Tell el →Kheleifeh, mais ce site n'a jamais été un port. À la suite de B. Rothenberg, on proposera plutôt Ğezīret Fara'ūn, petite île (320 × 150 m) près de la côte O. du golfe d'Aqaba (cote 1363-8749), avec enceinte et bassin de mouillage pour bateaux.

Bibl. B. Rothenberg et A. Hashimshony, *God's Wilderness*, London 1961, p. 86-92, 183-189; M. Weippert, ZDPV 82 (1966), p. 279-281; B. Rothenberg, *PEQ* 102 (1970), p. 22; A. Lemaire, *Les Phéniciens et le commerce entre la Mer Rouge et la Mer Méditerranée* StPhoen 5 (1987), p. 49-60; A. Flinder, *The Search for Ezion-Geber*, BAIAS 6 (1986-87), p. 43-45.

ALem

ESPAGNE Les auteurs anciens, tels qu'Hdt. I 163, distinguaient en E. le pays de Tartessos, qui corres-

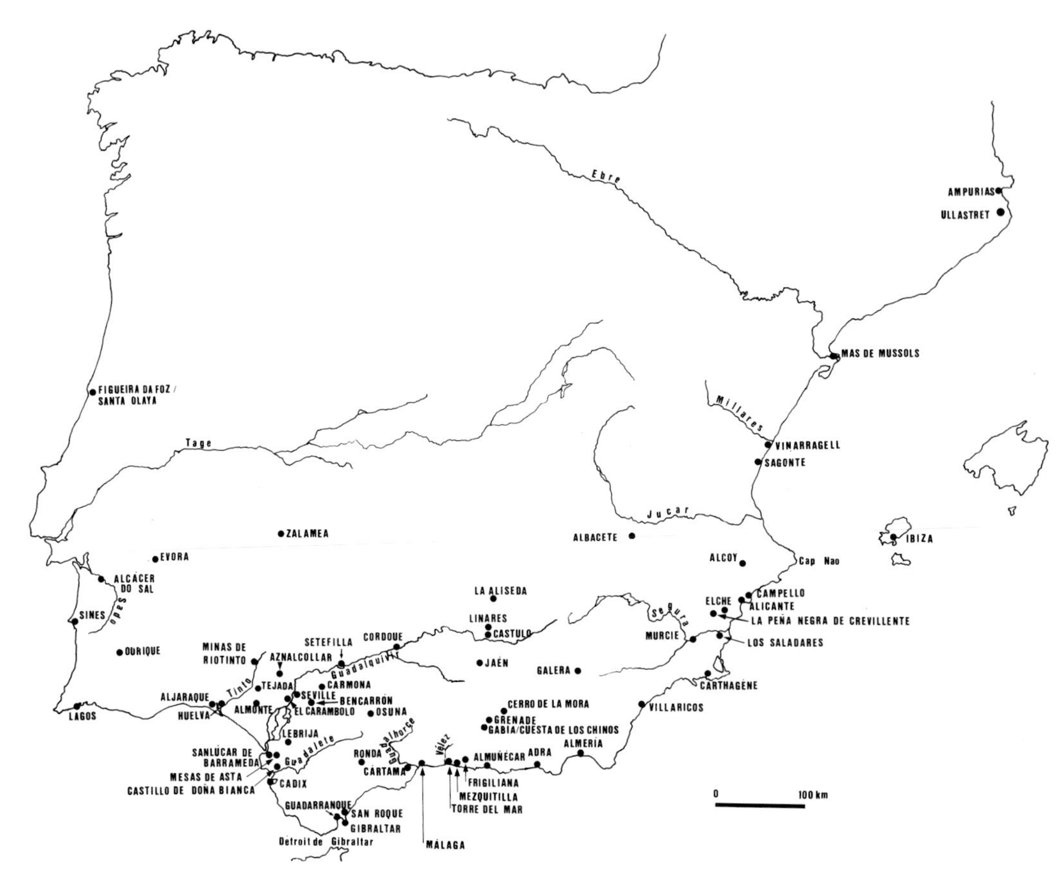

Fig. 130. Carte de l'Espagne et du Portugal phén.-pun.

pondait à la Basse →Andalousie (cf. Hdt. IV 152), et l'Ibérie, qui était située dans le N.-E. de l'E., de part et d'autre de l'Èbre (cf. Strab. III 4,19), et dont le nom fut étendu plus tard à toute la Péninsule Ibérique (fig. 130). Ce fut aussi le cas du nom lat. de *Hispania*, attesté pour la première fois à la fin de la 2ᵉ →guerre pun., chez →Plaute, qui mentionne les *Hispanos* avec les Massaliotes (*Men.* 235) et semble ainsi les situer au N.-E. de la péninsule, puis chez Ennius (*c.* 200 av. J.C.), qui utilise l'adverbe *hispane* (*Ann.*, fr. 358). Ce toponyme, dont l'étymologie est controversée, servit plus tard à désigner toute l'E., où les Romains distinguèrent l'*Hispania Citerior*, surnommée ensuite *Tarraconensis* (Tarragone) et la *Hispania Ulterior* (Andalousie), appelée plus tard Bétique, auxquelles l'Empire ajouta la *Lusitania*, qui comprenait l'O. de la péninsule.

L'E. est la région la plus occidentale du bassin méditerranéen que la colonisation phén. ait atteinte. Malgré son éloignement, elle constituait un des territoires préférés de la diaspora phén. en Occident, comme l'indiquent les sources écrites et les données archéologiques, et cela en raison de son importance stratégique et économique. Grâce à la fondation de →Gadès sur l'Atlantique, de →Málaga, d'→Almuñécar et d'→Abdère sur la côte méditerranéenne, et d'→Ibiza dans les îles →Baléares, →Tyr et, plus tard, →Carthage s'assurèrent le contrôle direct du Détroit de Gibraltar et des accès aux zones productrices d'étain, de cuivre, d'argent et d'or, auxquelles les →Phocéens de Marseille et d'→Ampurias étaient pareillement intéressés. L'historiographie classique rapporte volontiers des récits relatifs à ces régions lointaines et mythiques (p.ex. Hdt. I 163; IV 152), évoquant ses fabuleuses richesses en métaux, produits agricoles et bétail. Dès les VIIIᵉ-VIIᵉ s., Hés., *Th.* 215-216.274-275, fait allusion aux Hespérides, considérées comme l'extrême Occident où vivaient les filles de Nuit dans un jardin merveilleux, au-delà de l'Océan. L'archéologie fut lente à découvrir le bien-fondé des récits rapportés par les auteurs gr.-lat., notamment en ce qui concerne les origines de la colonisation phén. en E. Il faut attendre les années 70 du XXᵉ s. pour voir des résultats satisfaisants obtenus grâce à la découverte de colonies phén. archaïques sur la côte méridionale de l'Andalousie, à →Toscanos, Almuñécar, →Chorreras, →Guadalhorce. Précédemment, la documentation archéologique se limitait aux nécropoles pun. de Gadès, d'Ibiza et de →Villaricos, dont aucune n'était antérieure à 500 av.

J.C. Cette situation avait favorisé, pendant de nombreuses années, une attitude de scepticisme à l'égard des témoignages littéraires et historiographiques relatifs aux fondations phén. en E., dont les plus anciennes dateraient de la fin du IIe mill. Ces dernières années virent aussi un renouveau d'intérêt pour les vieilles colonies de Gadès et d'Ibiza, dont les débuts remontent décidément au VIIIe s. Par ailleurs, la découverte archéologique de la civilisation indigène de Tartessos ouvre des perspectives nouvelles à l'étude d'une période cruciale de l'histoire de l'E., durant laquelle cette région, profondément attachée à ses traditions culturelles du Bronze Final péninsulaire, s'ouvre définitivement aux courants culturels et économiques de la Méditerranée orientale. Une meilleure connaissance de cette civilisation tartessienne permet de saisir l'importance du substrat →ibérique dans la formation de la culture propre de l'E. entre 550 av. J.C. et l'époque rom.

Bibl. A. García y Bellido, *Los más remotos nombres de España*, Arbor 19 (1947), p. 5-27; M. Koch, *Tarschisch und Hispanien*, Berlin 1984, p. 127-143; G. del Olmo Lete - M.E. Aubet Semmler (éd.), *Los Fenicios en la Península Ibérica* I-II (= AulaOr 3-4 [1985-86]), Barcelona 1986. MEAub

ESSAOUIRA →Mogador.

ESTAMPILLES →Timbres amphoriques.

ÉTÉOCHYPRIOTES "Vrais Chypriotes", appellation conventionnelle des populations "indigènes" de →Chypre, dont les premières traces remontent à 10.000 ans av. J.C.; elle vise à les distinguer des colonisateurs gr. (*c.* 1230-1050) et phén. (X^e/IXe-VIIIe s.). Les É. se sont maintenus à plusieurs endroits de l'île jusqu'au début de l'époque hellénistique, notamment à →Amathonte: la céramique semble y avoir gardé longtemps des caractéristiques particulières et la (ou une) langue é. y était encore reconnue comme officielle au IVe s. av. J.C. Les É. ont eu une influence considérable sur les cultes des immigrants, qui ont gardé, après un long processus de →syncrétisme, des survivances indigènes, p.ex. dans le cas de la déesse-mère Aphrodite →Astarté. Les documents en langue(s) é., dont on ne connaît même pas la/les famille(s) linguistique(s), sont toujours inintelligibles. On distingue les écritures "chypro-minoennes" (1550-1050/1000), apparentées, semble-t-il, au Linéaire A et non encore déchiffrées, et deux variantes principales du syllabaire chypriote, dérivant des stades précédents. Ce syllabaire, dont les documents sont rassemblés dans ICS, est attesté désormais dès le XIe s. (→Paphos) et fut employé également pour le gr. jusqu'au IIIe s. av. J.C.; il est lisible, mais incompréhensible dans le cas des documents é. On a trouvé deux documents é. hors de l'île: à Rhodes et en Égypte (ICS 369c; 388).

Bibl. J. Seibert, *Zur Bevölkerungsstruktur Zyperns*, AncSoc 7 (1976), p. 1-28; C. Bennett, *The Cults of the Ancient Greek Cypriotes*, diss. Univ. of Pennsylvania 1980; V. Karageorghis, *Cyprus from the Stone Age tot the Romans*, London 1982. HHaub

ÉTRUSQUES Les Phéniciens ont probablement commencé à fréquenter les É. en raison de la richesse des mines de l'Étrurie du N., dans l'arrière-pays immédiat de Populonia et de Vétulonia. Mais les villes côtières de l'Étrurie du S., Caere (→Pyrgi), →Tarquinia, Vulci, ont également profité de cette situation en recevant des artisans, des techniques et des modèles culturels venus de l'Orient. Les objets orientaux, signes du prestige de leur propriétaire, finissent dans les grandes tombes princières de Vétulonia et de Caere dans une accumulation qui exalte les aristocraties locales. Il est certes difficile de faire aujourd'hui la part de l'apport proprement phén. dans ce développement du phénomène →orientalisant; de nombreux indices archéologiques montrent en effet un rôle de la Syrie du N. et la recherche future devra tenter de distinguer les divers courants culturels. Cependant, toutes les traditions sur la navigation et le commerce des Phéniciens empêchent de penser que la Phénicie est restée étrangère à cette circulation entre Orient et Occident.

Au milieu du VIIe s., l'émergence de Carthage donne un nouveau visage au partenaire sémite des E. Les fouilles récentes dans la nécropole de →Byrsa ont confirmé que, peu après 650, des productions céréitaines, tels les vases de "bucchero", arrivent à Carthage. À cette époque, il s'agit d'une action étrusque vers Carthage comme vers la Sicile orientale, mais ceci implique des courants de retour qui amènent en Étrurie des productions carth. On retrouve ainsi la situation évoquée par Arstt., *Pol.* III 9,6, avec l'existence de "conventions" commerciales entre les cités étrusques et Carthage. Dans ces conditions, on n'est pas étonné de trouver, sur une épave remplie de matériel étrusque et découverte à Antibes, une lampe pun. qui servait à l'équipage, et de lire, dans une tombe de Carthage, une inscription en langue étrusque dans laquelle un Carthaginois déclinait son identité. Le récit d'Hdt. I 166-167 montre que les Carthaginois — qui commencent leur progression vers le N. en intervenant en Sicile dans le second quart du VIe s. et peu après en Sardaigne — n'hésitent pas à s'allier aux É. pour lutter contre une présence gr. phocéenne en Corse (→Alalia) qui, après la prise de Phocée par les Perses en 545, est devenue démographiquement et commercialement préoccupante. Tout ceci semble concerner surtout Caere; on en trouve une confirmation dans les tablettes inscrites de →Pyrgi. Mais on ne doit pas oublier la présence d'amphores pun. à Gravisca, l'*emporion* (→commerce) qui se trouve devant Tarquinia.

Face à ces divers indices sur l'étroitesse des relations étrusco-pun., nous sommes moins bien renseignés sur les relations entre les É. et les sites phén. de Sardaigne. Certes, il y a aussi de la céramique étrusque dans les milieux phén. de l'île. Mais nous ne savons pas vraiment quel fut le rôle précis des communautés phén. de Sardaigne, moins citées que Carthage dans les sources littéraires.

Bibl. CAH² IV, p. 634-675; J.P. Morel, *Le commerce étrusque en France, en Espagne et en Afrique*, L'Etruria mineraria, Firenze 1981, p. 463-508; M. Torelli, *Storia degli Etruschi*, Roma-Bari 1981; M. Pallottino, *Etruscologia*, Milano 1984⁷; M. Gras, *Trafics tyrrhéniens archaïques*, Rome 1985; J.P. Thuillier, *Nouvelles découvertes de bucchero à Carthage*, Il commercio etrusco archaico, Roma 1985, p.

155-166; M. Cristofani et al., *Les Étrusques*, Paris 1986. MGras

ÉTUDES PHÉNICO-PUNIQUES L'on peut créditer ce vaste champ d'investigation d'une existence de quelque 350 ans, longue maturation dont la *Geographia sacra seu Phaleg et Chanaan* de S. →Bochart (1646) constitue le premier symptôme. Dépassant la paraphrase des sources gr. et lat., les érudits s'essayèrent à appréhender les réalités propres à ce monde par le biais des inscriptions, des découvertes archéologiques, des textes bibliques. L'évolution des recherches paraît intimement liée aux vicissitudes qui ont marqué de leur sceau le Proche-Orient, l'Afrique du N., l'Europe méridionale. Certaines ont assurément favorisé la récolte des informations, d'aucunes ont contribué à en infléchir la mise en œuvre, d'autres, par contre, ont imposé un frein à des travaux en cours, quand elles n'ont pas causé d'irrémédiables destructions. Bien des noms balisent le chemin parcouru, trop peu pourront être mentionnés ici.

1 Langue et histoire Si J.-B. →Barthélemy, numismate, linguiste et épigraphiste, empreint la seconde moitié du XVIIIe s., le début du XIXe s. se distingue déjà par le nombre d'érudits intéressés à divers aspects du domaine concerné. W. →Gesenius mène à bonne fin le déchiffrement du phénicien et ouvre la lignée des philologues, où émergent les noms de P. →Schröder, A. Bloch (*Phoenicisches Glossar*, Berlin 1890), Z.S. →Harris, G. →Levi Della Vida, J. →Friedrich, M. Sznycer. Si l'on fait abstraction des histoires générales des Phéniciens, p.ex. de F.K. →Movers, J. Kenrick (*History and Antiquities of Phoenicia*, London 1855), G. Rawlinson (*History of Phoenicia*, London 1889) ou R. Pietschmann (*Geschichte der Phönizier*, Berlin 1890), c'est l'histoire de Carthage qui fait au XIXe s. l'objet de synthèses de valeur, dues à J.F.W. →Bötticher et à O. →Meltzer, qui préludent à l'œuvre monumentale de S. →Gsell et dont on reconnaît la veine dans la *Geschichte der Karthager* de W. Huß (München 1985). En Orient, c'est surtout →Tyr qui attire l'attention, dès la dissertation *De Rebus Tyriorum* de E.G. Hengstenberg (Berlin 1832). La fin du XIXe s. et les premières décennies du XXe voient s'affronter ceux qui rejettent toute influence phén. aux origines des civilisations de l'Égée et les tenants de cette thèse, au nombre desquels brille d'un particulier éclat le nom de V. Bérard, des *Phéniciens et l'Odyssée*, Paris 1902-03, à *La résurrection d'Homère*, Paris 1930. La religion carth. trouve un interprète brillant en F. →Münter, auquel H.A. Hamaker dédie ses *Miscellanea Phoenicia* (Leiden 1828). L'histoire religieuse des Phéniciens de l'Orient, qui prend chez F.K. Movers un biais "pan-phénicien", sera exposée avec rigueur par W.W. →Baudissin et O. →Eissfeldt, qui mettent déjà à profit les explorations du Levant et l'œuvre accomplie dans le CIS, fondé par E. →Renan et s'enrichissant progressivement du travail épigraphique de C. →Clermont-Ganneau, J.B. →Chabot, J.G. →Février, auquel ne cède en rien l'œuvre prestigieuse de M. →Lidzbarski.

2 Archéologie et art A *Orient. La Mission de Phénicie* d'E. Renan, qui double l'intervention française dans la montagne druze (1860), ouvre la voie aux →fouilles menées au XXe s. sur la côte syro-libanaise par P. →Montet, M. →Dunand, C.F.A. Schaeffer. Avec l'accession à l'indépendance du Liban et de la Syrie, le flambeau est repris par les archéologues du pays, tels R. →Saidah, M. Chébab ou N. Saliby. L'*Histoire de l'art dans l'Antiquité* III de G. Perrot et C. Chipiez (Paris 1885) associe déjà la Phénicie à →Chypre, dont l'exploration est ponctuée, au XIXe s., des noms de L. de →Mas Latrie, G. →Colonna-Ceccaldi, M. →Ohnefalsch-Richter, L. →Palma di Cesnola, J.L. →Myres, tandis que le XXe s. est marqué par E. →Gjerstad et l'épigraphiste T.B. Mitford, puis par V. Karageorghis, M. Yon ou O. Masson, le spécialiste du grec syllabique. Quant à l'art phén. de Chypre et du Liban, R.D. →Barnett et W. →Culican l'insèrent dans tout le contexte des cultures proche-orientales, auxquelles est aussi dévolue l'œuvre d'un R. →Dussaud, d'un É. →Dhorme ou d'un W.F. →Albright.

B *Occident*. En →Tunisie, où Ch.-E. →Beulé avait ausculté →Carthage en 1859 déjà, en →Algérie, au →Maroc ensuite, l'attention se focalise sur les témoignages de la colonisation rom. et du christianisme primitif. Mais d'importantes découvertes d'époque pun., à Carthage et ailleurs, sont dues à A.L. →Delattre, P. Gauckler, A. Merlin, L. Carton, R. Lantier, L. Poinssot, P. →Cintas, J. Ferron, et excitent la réflexion (C. Picard, L. Foucher). Les explorations se multiplient, particulièrement au moment où G.C. Picard assume la Direction des Antiquités et, après l'Indépendance (1956), lorsque le flambeau est repris par les chercheurs tunisiens, M.H. Fantar, A. Ennabli, F. Chelbi, et que le *Centre d'études phéniciennes-puniques et des antiquités libyques*, avec sa revue REPPAL, se voit créé en 1982 dans le cadre de l'*Institut national d'archéologie et d'art*. Dans l'entretemps, la campagne de sauvetage de Carthage, sous l'égide de l'UNESCO, fut lancée en 1973, confirmant l'internationalisation des recherches auxquelles prennent part, entre autres, H. Hurst, S. Lancel, F. Rakob, L.E. Stager. Les perspectives s'élargissent au Maghreb d'une manière singulière grâce aux fouilles de →Tripolitaine, à →Leptis Magna, →Sabratha, →Bu Njem, grâce aussi aux recherches entreprises en →Algérie, dont le *Bulletin d'archéologie algérienne* renseignait sur le progrès des travaux, et surtout au →Maroc avec les fouilles de →Banasa, →Kouass, →Lixus, →Sala, →Tétouan, →Thamusida, →Volubilis, et les informations du *Bulletin d'archéologie marocaine*. C'est sur l'ensemble de l'Afrique du Nord que porte la *Bibliographie analytique de l'Afrique antique* de J. Desanges et S. Lancel, tandis que les publications archéologiques sont répertoriées dans l'*Archéologie de l'Afrique du Nord*. La →Sardaigne et la →Sicile n'avaient d'abord qu'exceptionnellement retenu l'attention d'un E. Pais, F. Vivanet, F. Nissardi, G. Patroni à →Nora, J.I.S. →Whitaker à →Motyé. Au début des années 60 se développe toutefois une action spécifique qui unit les Surintendances archéologiques, avec G. Pesce, F. Barreca ou V. Tusa, et l'*Istituto per la Civiltà fenicia e punica* fondé à l'initiative de S. Moscati et publiant la *Rivista di Studi Fenici* et la *Collezione di Studi*

Fenici. En Espagne, l'→Andalousie et l'île d'→Ibiza sont l'objet d'enquêtes approfondies, où émergent les noms de A. García y Bellido, J.M.ª Blázquez, M. Pellicer Catalán, H. Schubart, H.G. Niemeyer, M. Tarradell, M.E. Aubet Semmler.

3 Évolution et perspectives L'archéologie, sur laquelle on a quelque peu insisté, pourvoit aux besoins de l'ensemble des é. phén.-pun. Au cours des dernières décennies, la prise de conscience de leur caractère spécifique a conduit à revoir de fond en comble problématique et méthodologie. À l'approche purement philologique ou exclusivement archéologique se substituent des réflexions qui font appel à une multiplicité de points d'appui. C'est cette nouvelle approche pluridisciplinaire qui a suscité l'idée de réunir à Rome, en 1979 et 1987, le 1er et le 2e Congrès international d'é. phén.-pun. et qui inspire, depuis 1981, les colloques organisés annuellement en Belgique par le *Groupe de contact inter-universitaire d'é. phén. et pun.*, dont les *Studia Phoenicia* constituent l'organe scientifique. C'est elle qui est aussi à la base de la première exposition de niveau international, *Les Phéniciens et le monde méditerranéen*, mise sur pied en 1986 à Bruxelles, puis à Luxembourg, et suivie en 1988 de l'exposition *I Fenici*, tenue à Venise. JDeb-ELip

EUBÉENS Les villes d'Eubée furent les premières cités gr. — après la période mycénienne — à commercer avec le monde méditerranéen. Les importations orientales parviennent à Lefkandi dès la seconde moitié du XIe s., tandis que du matériel eubéen a été repéré dans l'île de Naxos, puis à →Chypre (Xe s.), à →Tyr (IXe s.) et à →Al-Mina (VIIIe s.). On constate donc l'ouverture progressive des relations d'échange entre l'Eubée et la Méditerranée orientale. Dans la redécouverte de la Méditerranée occidentale, il est difficile de distinguer, au départ, l'action eubéenne de l'action orientale et phén. du fait de leur cohabitation à →Pithécusses, première installation fixe des E. en Occident durant le second quart du VIIIe. Toutefois, des céramiques eubéennes antérieures ont été retrouvées en Sicile orientale et en Étrurie. À noter que les plus anciennes céramiques gr. découvertes dans les sites phén. (→Sulcis, →Carthage) semblent liées à Pithécusses et au monde eubéen.

Bibl. CAH² III/1, p. 754-765, 985-987; *Contribution à l'étude de la société et de la colonisation eubéennes*, Naples 1975; M.R. Popham - L.H. Sackett, *Lefkandi* I, *The Iron Age*, Athens-London 1979-80; *Nouvelle contribution à l'étude de la société et de la colonisation eubéennes*, Naples 1981; *Gli Eubei in Occidente*, Napoli 1984. MGras

EURIPIDE (*c.* 485/0-*c.* 406). E., l'un des trois grands tragiques athéniens, est l'auteur de 78 à 92 pièces, dont 18 seulement sont connues en entier. On retiendra ici l'existence d'un cycle centré sur des légendes thébaines, avec *Kadmos*, dont il ne subsiste quasi rien, et *Phrixos*, où →Kadmos apparaît comme fils d'Agénor et, abandonnant Sidon, sa patrie, renonce à sa qualité de Phénicien en s'installant en Béotie. Des allusions à la situation contemporaine ne peuvent être méconnues dans d'autres œuvres d'E. Dans *Les Troyennes*, représentées en 415, l'année où Athènes s'engage dans l'expédition de Sicile pour soutenir →Ségeste et s'apprête à envoyer une mission d'amitié à →Carthage (Thc. VI 88,6), E. fait mention de "la Phénicie" d'Afrique du N. (v. 220-221). Puis, dans *Les Phéniciennes*, jouées en 410/408, quand Carthage intervient en Sicile aux côtés des Ségestains, il met en scène le chœur des Phéniciennes d'Afrique du N. (v. 202-214.280-288) comme "un symbole transparent d'amitié et d'alliance". Peut-être s'inspire-t-il aussi, en *Phén.* 964, de la pratique carth. du sacrifice →*molk*. Par ailleurs, l'*Hélène* d'E., représentée en 412, évoque →Évagoras I qui, sous les traits de →Teukros, débarque à →Salamine de Chypre pour la délivrer d'→Abdémon le Phénicien (v. 87-90.147-150).

Bibl. CHCL I, p. 316-339, 768-769; KlP II, col. 440-446; H. Grégoire - R. Goossens, *Les allusions politiques dans l'Hélène d'Euripide*, CRAI 1940, p. 206-227; H. Grégoire - L. Méridier - F. Chapouthier, *Euripide* V (Coll. Budé), Paris 1950, p. 127-132; R. Rebuffat, *Le sacrifice du fils de Créon dans les "Phéniciennes" d'Euripide*, RÉA 74 (1972), p. 14-31; Bunnens, *Expansion*, p. 121-123; J. de Romilly, *Précis de littérature grecque*, Paris 1980, p. 96-106; C. Müller-Goldingen, *Untersuchungen zu den Phönissen des Euripides*, Wiesbaden 1985; E.M. Craik, *Euripides, Phoenician Women*, Warminster 1987; E.A.M.E. O'Connor-Visser, *Aspects of Human Sacrifice in the Tragedies of Euripides*, Amsterdam 1987. ELip

EUROPE →Ambrosiai Petrai, →Kadmos.

EUSÈBE DE CÉSARÉE (*c.* 260-340). Évêque de Césarée de Palestine (*c.* 314-340), dont la *Préparation évangélique*, une sorte d'introduction générale à son œuvre apologétique, utilise l'œuvre de →Philon de Byblos sur la mythologie phén., elle-même prétendument inspirée de l'antique →Sanchuniathon. Citant des passages textuellement ou les résumant (*P.E.* I 9,20-10,55), E. vise à dénigrer le polythéisme et à montrer que les dieux païens n'étaient que des mortels divinisés, accentuant de la sorte l'→évhémérisme de Philon. Il faut noter qu'il qualifie le chapitre consacré à la →théologie des Phéniciens d'"épitomé" et que ses citations sont parfois empruntées au *Contre les Chrétiens* de Porphyre (*P.E.* I 9,21), un Phénicien contemporain d'E. (232/3-305), qui était peut-être originaire de →Bêt-Bétên et qui se portait garant de l'autorité de Sanchuniathon. E. se réfère aussi à →Phérécyde (1) (*P.E.* I 10,50), Zoroastre et Ostanès. La *Chronique* d'E., dont on a conservé seulement une version lat. de St Jérôme et une version arménienne, rassemble diverses traditions gr. de comput chronologique, notamment à propos du monde phén.-pun. (→Kadmos, →Carthage). Son *Histoire ecclésiastique*, son *Panégyrique* et sa *Vie de Constantin* contiennent des informations précieuses sur la survivance de cultes antiques, notamment à →Afqa, tandis que son *Onomasticon* constitue une source importante pour la topographie biblique, également celle de la Phénicie du S.

Bibl. TRE X, p. 537-543; *Eusebius, Werke* I-IX (GCS), Berlin 1902-84; H. Doergens, *Eusebius von Cäsarea als Darsteller der phönizichen Religion*, Paderborn 1915; J. Sirinelli, *Les vues historiques d'Eusèbe de Césarée*, Paris 1961;

SC 31, 41, 55, 73, 206, Paris 1965² ss.; L. Troiani, *L'opera storiografica di Filone da Byblos*, Pisa 1974, p. 52-54. CBon

EUSTATHE →Denys le Périégète.

ÉVAGORAS En gr. *Euagórās*, gr. syllab. (gén.) *E-u-wa-ko-ro*, lat. *Evagoras*.

1 É. I, roi de →Salamine de 411 à 374, de la dynastie se réclamant de →Teukros. Célèbre par son activité politico-militaire et son "philhellénisme", qui lui valut le titre d' "Évergète des Athéniens" (IG I², 113) et une statue sur l'Agora, il détrôna en 411 le phén. →Abdémon et mena une politique anti-perse. Malgré l'aide d'Athènes et de l'Égypte, il échoua dans la "Guerre de Chypre", qu'il mena de 390 à 380 contre Artaxerxès II; Salamine resta vassale des Achéménides, qui favorisèrent la dynastie rivale de →Kition. É. trouva la mort en 374 dans une intrigue de palais et son fils →Nikoklès (1) lui succéda.

2 É. II, petit-fils d'É. I et fils de →Nikoklès (1), auquel il succéda *c.* 361 (fig. 252:9), mais fut chassé de Salamine par le parti anti-perse au profit de son cousin Pnytagoras. En 351, il mena campagne contre Salamine lors de la révolte des cités phén. et chypriotes, conduite par Tennès (→Tabnit II), mais dut finalement se contenter d'un gouvernement en Phénicie, probablement à Sidon (344-342); de là il rentra à Chypre pour se voir condamner à mort par Pnytagoras, que les Perses avaient reconnu.

Bibl. KlP II, col. 392-393; PW VI, col. 820-828; K. Spyridakis, *Evagoras I. von Salamis*, diss. Berlin 1935; G. Hill, *A History of Cyprus* I, Cambridge 1940; E.A. Costa, *Evagoras I and the Persians, ca 411 to 391 B.C.*, Historia 23 (1974), p. 40-56; M.-J. Chavane - M. Yon, *Salamine de Chypre* X. *Testimonia Salaminia* 1, Paris 1978; P. Salmon, *Les relations entre la Perse et l'Égypte du VIᵉ au IVᵉ siècle av. J.-C.*, E. Lipiński (éd.), *The Land of Israël: Cross-Roads of Civilizations*, Leuven 1985, p. 147-168 (voir p. 159-161); M. Amandry - O. Masson, *Monnaies d'argent d'Évagoras Ier*, RNum, 6ᵉ sér., 30 (1988), p. 34-41. MYon

ÉVHÉMÉRISME Méthode d'interprétation des mythes, connue surtout par des passages de Diod. (V 41-46; VI 1) qui l'attribue à Évhémère de Méssène (IVᵉ-IIIᵉ s. av. J.C.). Selon sa doctrine, les dieux sont des forces naturelles ou des bienfaiteurs divinisés. →Philon de Byblos trahit une forte influence de l'é., que l'on retrouve p.ex. chez Jean Malalas (→auteurs classiques 3). En fait, l'é. faisait écho à l'apothéose du roi défunt, un usage attesté en Syrie dès les religions de l'âge du Bronze.

Bibl. F. Vallauri, *Origine e diffusione dell'evemerismo nel pensiero classico*, Torino 1960; L. Troiani, *L'opera storiografica di Filone da Byblos*, Pisa 1974; Bonnet, *Melqart*, p. 417-430; A. Archi, *The Cult of the Ancestors and the Tutelary God at Ebla*, Y.L. Arbeitman (éd.), *Fucus*, Amsterdam-Philadelphia 1988, p. 103-112. CBon-PXel

EXPANSION PHÉNICIENNE L'e. phén. est un phénomène que l'on peut comparer, en Orient, au réseau de stations marchandes établies par les Assyriens en Anatolie, aux XIXᵉ-XVIIIᵉ s., et, en Occident, au commerce maritime pratiqué en Méditerranée orientale à l'âge du Bronze, ce dont témoignent les textes et les trouvailles, p.ex., d'→Ulu Burun ou de →Gelidonya. L'e. phén. en Méditerranée amena toutefois les représentants de la civilisation phén. de l'âge du Fer II à s'établir sur les îles et rivages occidentaux du bassin méditerranéen, entamant ainsi un processus de colonisation. L'e. phén. en Occident diffère donc de l'e. essentiellement commerciale en Orient, même si *Eddana* sur l'Euphrate, probablement l'Éden d'*Ez.* 27,23, est considérée par Ét. Byz. comme une colonie phén. (Or 45 [1976], p. 60-61).

1 Occident A *Origines*. Les débuts de l'e. phén. en Occident se rattachent au →commerce maritime du Bronze Récent. Pour les cités côtières, voire insulaires de la Phénicie, dont le trafic maritime a toujours été une des principales sources de revenus, la Méditerranée ne constituait pas une barrière: elle ménageait, au contraire, une ouverture sur les marchés et les sources d'approvisionnement que le commerce phén. a conquis progressivement à partir de la fin du IIᵉ mill. Dès le XIᵉ s., en effet, →Wenamon fait état d'une flotte marchande sidonienne de 50 vaisseaux. C'est à cette activité du port de →Sidon qu'il faut attribuer le fait qu'Homère nomme les marchands phén. "Sidoniens", ce qui doit constituer une donnée traditionnelle, que l'on retrouve dans la →Bible (*Gn.* 10,15). La prééminence de →Tyr, mise en vedette par les sources gr.-lat., ne commence qu'au Xᵉ s., au temps de →Hiram I, bien que ses expéditions vers le lointain pays d'→Ophir ne relèvent probablement que d'un anachronisme des rédacteurs bibliques. C'est avec la même circonspection que l'on considérera les traditions classiques relatives à la fondation tyrienne de →Gadès, d'→Utique ou de →Lixus à la fin du XIIᵉ s. L'apparente précision de ces traditions résulte sans doute de ce que leurs auteurs ont arbitrairement associé l'e. phén. à des événements passés dans le domaine mytho-poétique, en l'occurrence la guerre de Troie et le retour des Héraklides. Si l'émigration phén. vers →Chypre et la Crète est attestée dès le IXᵉ s. et si deux inscriptions de →Nora et une de →Bosa, en →Sardaigne, paraissent dater également du IXᵉ s., les plus anciens vestiges de →Motyé et de →Carthage, attribuables aux Phéniciens, ne remontent qu'au VIIIᵉ s. De même, aucun vestige matériel d'origine phén., certainement antérieur au VIIIᵉ s., n'a été retrouvé jusqu'ici dans le S. de l'→Espagne. Cette région, riche en minerais d'argent, de cuivre et d'étain, apparaît toutefois comme l'un des premiers objectifs de l'e. phén. et les inscriptions du IXᵉ s. découvertes en Sardaigne témoignent sans doute de l'existence de jalons sur la route menant aux rivages de l'→Andalousie. Du reste, l'établissement de comptoirs, puis de colonies, a dû être précédé d'une période de simples escales saisonnières qui n'ont pas laissé de traces matérielles reconnaissables. Par ailleurs, l'emprise ultérieure de Carthage sur le bassin occidental de la Méditerranée, du temps des →Magonides à celui des →Barcides, a dû oblitérer certains traits propres aux plus anciennes fondations phén. en Occident. L'e. phén. en Méditerranée peut donc se subdiviser en trois grandes phases qui se chevauchent partiellement: 1) voyages d'exploration et navigations marchandes aux Xᵉ-VIIIᵉ s.; 2) navigations marchandes et établissement de comptoirs, puis de colonies, aux VIIIᵉ-VIᵉ s.;

3) colonisation et politique impérialiste pratiquées par Carthage aux VIe-IIIe s.

B *Causes de la colonisation.* Les premières navigations des Phéniciens en Occident avaient un but essentiellement commercial et visaient à se procurer à meilleur compte les métaux précieux et les matières premières que les artisans phén. transformaient en outils, armes ou objets de luxe, vendus avec profit aux grands du monde proche-oriental. La deuxième phase de l'e. phén., la phase de colonisation, s'explique par un concours de circonstances politiques et économiques qui ont précipité le développement des établissements phén. de l'Occident. On relèvera le besoin de renforcer les relations commerciales avec les indigènes face à la concurrence gr., spécialement celle des →Phocéens, l'apparition d'un nouveau débouché et d'une nouvelle clientèle en Occident, chez les Tartessiens, ce dont témoigne l'art →orientalisant de l'Andalousie, puis la pression démographique que les populations fuyant les incursions assyriennes faisaient peser sur les cités phén. de la côte, enfin la demande accrue du marché oriental, dominé par la haute société assyrienne, dont les exigences nécessitaient un afflux plus rapide et plus important de matières premières. Il ne faudrait toutefois pas considérer le processus de colonisation comme un phénomène propre à l'époque de l'hégémonie assyrienne en Syro-Phénicie. Le "Camp des Tyriens" à →Memphis lui est peut-être antérieur et l'émigration phén. s'est poursuivie en Égée jusqu'à la période hellénistique, comme en témoignent les colonies sidoniennes, arwadiennes ou bérytaines à →Athènes, au →Pirée, à →Délos, à →Rhodes, à →Démétrias. ELip

2 Orient Le commerce des Phéniciens ne s'est pas seulement exercé en Méditerranée. *Ez.* 27,10-24 dresse un tableau des relations commerciales de Tyr qui, bien que de date incertaine et d'interprétation problématique, montre au moins la réputation dont jouissait le grand port. Tyr y est associée à la plupart des puissances du Proche-Orient: Lydie (Lud), Phrygie (Méshek), Arménie (Bet-Togarma), Mésopotamie septentrionale (Harran), Transtigrine (Kanné), Assur, Damas, Israël et Juda, Arabie (Dedân, Qédar, Saba). Seules Babylone et l'Égypte sont étrangement absentes. C'est sans doute au commerce phén., mais aussi au pillage opéré par les armées assyriennes, qu'il faut attribuer la diffusion d'objets, tels les →ivoires ou les →coupes métalliques, retrouvés sur divers sites du Proche-Orient. Une diplomatie active, illustrée par les relations de →Hiram I avec David et Salomon, et d'→Ittobaal I avec Achab, devait favoriser ces échanges. Nous sommes très mal renseignés sur les mécanismes de l'e. phén. en Orient. Peut-être la ville de Laïs, aux sources du Jourdain, qui aurait été peuplée de Sidoniens au moment de la conquête israélite (*Jg.* 18,7.28), constituait-elle une sorte de comptoir sur la route reliant la Phénicie méridionale à Damas et à la "Voie royale" de Transjordanie (*Nb.* 20,17; 21,22). Une présence, ou du moins une forte influence phén. est sentie également en →Syrie du N. et en →Anatolie, spécialement en →Cilicie. Si l'on ne sait quelle valeur accorder à la notice de Xén., *An.* I 6 (cf. Skyl. 102), qui présente →Myriandos comme une ville phén., il est tout à fait remarquable que, à →Zincirli, le roi →Kilamuwa ait choisi, au IXe s., le phén. pour faire rédiger une de ses inscriptions (fig. 382) et que, à →Karatepe, au VIIe s., →Azatiwada ait fait de même. Plus à l'E., à Brēğ près d'Alep, Barhadad a consacré une stèle au dieu tyrien →Melqart (fig. 223). D'autres inscriptions, dénuées de caractère monumental, ainsi que l'→onomastique, témoignent d'une présence phén. de la Cilicie à la Palestine et jusqu'en Assyrie et en Babylonie. Dans ces deux régions, toutefois, la distinction n'est pas aisée entre déportés et Phéniciens résidant volontairement. Des localités telles que *Bît-Ṣurāya*, "Maison des Tyriens", dans la région de Nippur, doivent sans doute leur origine à l'installation d'un contingent de déportés. Par ailleurs, certains Phéniciens ont pu accéder à des fonctions élevées, tels, peut-être, →Elimilk, éponyme d'Assyrie en 885, Metunu (→Mattan 5), éponyme en 700, →Gér-Saphon, éponyme en 660, ou ce →Hanûn (4), qui fut chef des marchands sous Nabuchodonosor II. GBun

Bibl. Ad 1: Bunnens, *Expansion*; S. Frankenstein, *The Phoenicians in the Far West: A Function of Neo-Assyrian Imperialism*, M.T. Larsen (éd.), *Power and Propaganda*, Copenhagen 1979, p. 263-294; M. Elat, *Tarshish and the Problem of the Phoenician Colonisation in the Western Mediterranean*, OLP 13 (1982), p. 55-69; H.G. Niemeyer, *Die Phönizier und die Mittelmeerwelt im Zeitalter Homers*, JRGZ 31 (1984), p. 1-94; PhMM, p. 29-58; M.F. Baslez, *Le rôle et la place des Phéniciens dans la vie économique des ports de l'Égée*, StPhoen 5 (1987), p. 267-285; M. Fantar, *L'impact de la présence phénicienne et de la fondation de Carthage en Méditerranée occidentale*, StPhoen 6 (1988), p. 3-14.

Ad 2: A.L. Oppenheim, *Essay on Overland Trade in the First Millennium B.C.*, JCS 21 (1967), p. 236-254; R. Zadok, *Phoenicians, Philistines, and Moabites in Mesopotamia*, BASOR 230 (1978), p. 57-65; G. Garbini, *I Fenici*, Napoli 1980, p. 65-69; E. Lipiński, *Phoenicians in Anatolia and Assyria, 9th-6th Centuries B.C.*, OLP 16 (1985), p. 81-90.

F

FABII L'une des plus puissantes *gentes* du patriciat rom., attestée depuis le Ve s., et dont l'antiquité ressort de ce que certains de ses membres ont exercé les fonctions de luperque. Plusieurs ont joué un rôle notable dans les 1re et 2e →guerres pun.

1 *N(umerius) F. Buteo* ("Buse, Busard"), consul en 247, renforça le siège naval de →Trapani en occupant une île qui en garde le port.

2 *M.F. Buteo*, son frère, consul en 245, aurait remporté une victoire au large du →Cap Bon, après quoi une partie de sa flotte aurait fait naufrage (Flor., *Epit.* I 18,30-31). Mais les faits paraissent se rapporter à un autre épisode (Liv. XVIII *Per.*). En revanche, F. semble bien (plutôt que [3]) avoir fait partie de la délégation envoyée à →Carthage après la prise de →Sagonte (218). Il fut aussi censeur (241) et, au lendemain de Cannes (216), fut chargé, avec le titre de dictateur, de reconstituer le Sénat.

3 *Q.F. Maximus Verrucosus* ("Verruqueux"), appelé — non officiellement — *Cunctator* ("Temporisateur"), a été cinq fois consul (233, 228, 215, 214, 209), censeur (230) et deux fois dictateur (221 ?, 217). D'abord augure, puis magistrat inférieur, il triomphe sur les Ligures dès 233. L'apogée de sa carrière se situe lorsque, nommé dictateur par plébiscite après Trasimène (217), il rétablit la confiance par des cérémonies propitiatoires et par la levée de deux légions, puis impose à l'égard d'→Hannibal (6) une stratégie de harcèlement, dominée par le souci d'éviter toute bataille rangée en suivant les déplacements de l'ennemi depuis les montagnes. C'est alors que, de son côté, Hannibal commet la faute de ne pas marcher sur Rome. F. doit le laisser razzier l'Apulie et la Campanie en attendant d'être en mesure de reprendre l'offensive: cette politique irrite à la fois les alliés et le parti populaire, lequel, disent nos sources, lui impose l'égalité de pouvoirs avec son maître de cavalerie, Minucius Rufus, et bientôt élira consul un harangueur de foules, →Terentius Varro. Mais leur défaite à Cannes (216) donne raison à F., qui se voit réélire à trois reprises au consulat. Reprenant progressivement l'initiative, il reconquiert le S. de la péninsule avec →Claudius (4) Marcellus, reprenant en particulier le littoral campanien et Casilinum (→Capoue), puis (209) Tarente. *Princeps senatus*, il met l'assemblée en garde contre le projet africain de →Scipion (5), qu'il juge téméraire. Type de dirigeant conservateur, plus tenace qu'imaginatif, il meurt en 203.

4 Son fils, *Q.F. Maximus*, l'a secondé, notamment en Apulie (prise d'Arpi), et lui a succédé au consulat en 213 (†*c.* 205).

Bibl. Ad 3: Pol. III 86-87; Cic., *De senectute* 10-11; Liv. XXII 8-18.23-24.29-30.39-40; XXIII 31-32.48; XXIV 7.19-20; XXVII 7-8; CIL XI, 1828 = ILS 56 (elogium d'Arezzo, Ier s. ap. J.C.); Plut., *Fabius Maximus*; F. Cassola, *Fabio Massimo*, I Gruppi politici romani nel secolo III, Trieste 1962.

JLoicq

Fig. 131. Flacons nilotiques en faïence, Étrurie (?) (VIIe s. av. J.C.). Bruxelles, Musées Royaux d'Art et d'Histoire.

Fig. 132. Dieu combattant, plaquette en faïence, Égypte (c. 825-775 av. J.C.). Bruxelles, Musées Royaux d'Art et d'Histoire.

FAÏENCE Le style et plusieurs détails iconographiques de certains petits vases et amulettes égyptiennes en f., datant de la Troisième Période Intermédiaire, suggèrent une collaboration égypto-phén. aux Xe-VIIIe s. Si l'emploi de la technique des f. en milieu phén. est bien attesté par des →sceaux et des →amulettes (fig. 132), on lui a attribué à tort la fabrication d'aryballoi et de vases anthropomorphes et zoomorphes (fig. 131). Par contre, la distribution de ces produits, issus d'ateliers de →Rhodes et de →Naucratis, est vraisemblablement due aux activités commerciales des Phéniciens à →Chypre et en Occident.

Bibl. G.A.D.Tait, *The Egyptian Relief Chalice*, JEA 49 (1963), p. 125-132; E. Gubel, *The Iconography of the Ibiza Gem MAI 3650 Reconsidered*, AulaOr 3 (1986), p. 111-118 (voir p. 113, 115); V. Webb, in R.D. Barnett - C. Mendleson, *Tharros*, London 1987, p. 72-73 (bibl.). EGub

FARINA, CAP →Rusucmona.

FAUX, FAUSSAIRES Plaque tournante du commerce d'antiquités, le Levant a vu naître de véritables écoles/ateliers de f. qui, depuis des générations, alimentent un marché où la crédulité des uns et le flair ou l'expertise des autres s'affrontent (fig. 135). En raison de l'emploi de moules, qui assurent une production de série et, de là, une rentabilité optimale, ce sont les bronzes "anciens" et les terres cuites "antiques" qui comptent parmi les f. les plus courants, l' "ancien" étant fabriqué par le vendeur, l' "antique" par son père, pour ainsi dire. Bon nombre de ces monnaies et de ces statuettes, dans les deux matières, ne résistent toutefois pas à l'objectivité des analyses de laboratoire. À vrai dire, la majorité des f. ne nécessite pas un recours à ce paramètre, la maladresse de certains f. et la fantaisie d'autres contribuant à fixer l'opinion de l'œil expert.

L'inscription de →Parahyba (Brésil), relatant la venue des Phéniciens en Amérique, est sans doute le f. le plus discuté dans le domaine des documents inscrits. Pour les autres catégories, l'authenticité de plusieurs sceaux et bijoux fut récemment mise en doute. Le cas le plus mystérieux est celui d'une série de plaquettes en métal trouvées en France, en Espagne et au Portugal, qui auraient servi à un f. habile (et grand voyageur) pour authentifier quelques cylindres en or. Pour notre part, nous soupçonnons qu'il s'agit de brimborions "Napoléon III", connus également dans les foyers de culture européenne en Orient, où ils inspirèrent la série des f. cylindres (fig. 133-134). Notons que plusieurs antiquités phén. ont été considérés des f. égyptiens à cause de leur aspect égyptisant. L'intérêt des f., finalement, réside parfois dans le fait qu'ils sont modelés sur des objets authentiques, aujourd'hui "disparus". Il arrive même qu'on trouve une copie d'une inscription authentique sur un f., sans que l'original soit connu.

Bibl. C. Clermont-Ganneau, *Les fraudes archéologiques en Palestine*, Paris 1885, p. 267-351; E. Acquaro, *Due falsi punici* RSF 8 (1980), p. 43-46; Padró i Parcerisa, *Documents* I, p. 39-41. EGub

FAVIGNANA En gr. *Aígousa*, pun. * *'y gš*? ("Île de..."), la plus grande des îles Égates, à l'extrémité O. de la Sicile, où le consul rom. C. →Lutatius Catulus remporta en 241 une victoire navale sur les Carthaginois (Pol. I 61-62), mettant fin à la 1re →guerre pun. On a trouvé sur l'île des amphores pun. et des sépultures à couloir d'accès, dont une contenait des inscriptions néopun. du IIe-Ier s. av. J.C.

Bibl. PW I, col. 476; B. Rocco, *La Grotta del Pozzo a Favignana*, SicArch 17 (1972), p. 9-20; Huß, *Geschichte*, p. 15-16 (bibl.), 248-249. ELip

FAVISSA Terme emprunté au lat. *favissae*, qui désignait les magazins souterrains des temples. Dans le domaine de l'archéologie phén., ce mot est employé dans le sens large et désigne généralement les fosses creusées dans le sol (cf. le *bóthros* gr.), où le surplus des offrandes ou du matériel liturgique d'un sanctuaire était déposé après l'exécration rituelle (→Amrit, →Sidon, →Kharayeb, →Dor, etc.). Les nombreuses figurines en terre cuite trouvées le long de la côte près de Tyr font penser, sinon à la cargaison d'épaves phén., du moins à l'existence de f. maritimes.

Fig. 133-134. Représentations modernes d'objets égyptisants.
Fig. 135. Sceau falsifié au nom d'Abibaal, roi de Tyr.

Bibl. E. Stern, *Two* favissae *from Tel Dor, Israël*, StPhoen 4 (1986), p. 277-287 (voir p. 277-278, n. 2: bibl.). EGub

FENKHU En ég. *Fnḫ.w*, désignation des peuples de la Syro-Palestine depuis la Ve dynastie (*c.* 2400 av. J.C.). À l'époque classique, le terme se rencontre surtout en contexte hostile, dans l'expression *t3.w Fnḫ.w*, "les pays des F.". Par contre, les textes ptolémaïques mentionnent aussi bien *Fnḫ.w* que *t3.wj Fnḫ.w*, "les deux (!) pays des F.", et le contexte y est généralement paisible et d'ordre commercial. À cette époque, le mot n'appartient plus à la langue courante. Les pays des F. commencent à la frontière orientale du Delta et incluent la côte phén. ainsi que la région entre l'Euphrate et l'Oronte. *T3.w Fnḫ.w* s'opposent clairement à *ḫ3s.t*, "région montagneuse", et désignent donc surtout les plaines de la Syro-Palestine. L'emploi du duel dans les textes ptolémaïques semble se rapporter aux deux régions de la Syro-Palestine que les →Lagides contrôlaient, c.-à-d. la Phénicie côtière et la Cœlé-Syrie. Dans un décret de Ptolémée IV, *Fnḫ.w* correspond en démotique à *Ḫ(3)r.w*, ce qui est à son tour traduit en grec par *Phoiníkē* dans le décret de Canope. Des pays des F. proviennent surtout le vin, la myrrhe et l'encens, marchandises vendues par les Phéniciens d'après Hdt. III 6 et 107. Sethe a émis l'hypothèse que F. signifie "menuisiers/bûcherons", ce qui peut être mis en rapport avec l'importation en Égypte "du bois du Liban". À cause de la ressemblance phonétique entre F. et *Phoiníkē*, on a opiné que ce dernier terme dérive du premier ou que les deux mots se rattachent à un terme sémitique non encore attesté. Ces opinions sont controversées.

Bibl. LÄg IV, col. 1039; K. Sethe, MVÄG 21 (1916), p. 305-332; W. Helck, *Die Beziehungen Ägyptens zu Vorderasien*, Wiesbaden 1971[2], p. 22-24, 273-274; C. Vandersleyen, *Les guerres d'Amosis*, Bruxelles 1971, p. 102-119; M. Green, CdÉ 58 (1983), p. 40-43; J. Leclant, SAK 11 (1984), p. 455-460; A. Nibbi, Discussions in Egyptology 6 (1986), p. 11-20; C. Vandersleyen, StPhoen 5 (1987), p. 19-22. PDils

FÊTES Aucun calendrier de f. phén.-pun. ne nous est parvenu, à l'exception de l'énumération de trois grandes f. dans les inscriptions phén. de →Karatepe (KAI 26 = TSSI III,15,A,iii,1-2): le nouvel an (*zbḥ ymm*), la f. de l'émondage (*'t ḥrš*), qui a lieu à la sortie de l'hiver, et la f. de la vendange (*'t qṣr*). L'ordre dans lequel les f. sont citées et l'origine indo-européenne des Louvites suggèrent de placer le nouvel an au solstice d'hiver. Ce calendrier ne peut toutefois être considéré comme phén. À Chypre, la néoménie (*ḥdš*) et la f. de la pleine lune (*ks'*) étaient autant de jours fastes (KAI 43 = TSSI III, 36,12). La néoménie y revêtait une importance particulière (CIS I,86 = TSSI III,33 = Kition III, C 1), surtout celle, semble-t-il, du mois du "sacrifice à →Shamash" (KAI 43 = TSSI III,36,4), et on n'hésitait pas à appeler un garçon *Bn-Ḥdš*, "Fils de la néoménie" (Benz, *Names*, p. 89). La grande f. phén. était cependant celle des →Adonies, à Byblos ou ailleurs, et des célébrations semblables de la mort et de la résurrection du dieu dans d'autres cités, comme l'*égersis* de →Melqart à Tyr. F. Cumont a pu établir que, sous l'Empire rom. les Adonies étaient célébrées le 19 juillet, mais d'après Ménandre d'Éphèse, cité par Fl. Jos. (*A.J.* VIII 146), l'*égersis* de l'Héraklès tyrien se fêtait au mois de Péritios, c.-à-d. en janvier/février, tandis que l'inscription de →Pyrgi (TSSI III,42,7-9) situe "le jour de l'ensevelissement de la divinité" au "mois de Kirar" (*krr*), dont la place, dans le calendrier, reste incertaine. Un →rituel carth. fragmentaire (CIS I,166 = KAI 76) se rapporte à une f. qui durait au moins cinq jours, mais rien ne permet de l'identifier. Si l'on se fie à certains témoignages d'auteurs classiques (Pline, *N.H.* XXXVI 39; Sil. It. IV 768; Eus., *Laud. Const.* 13; Dracontius, *Laud.* III 120; *Romulea* V 149), le sacrifice →*molk* s'offrait non seulement en des circonstances spéciales, mais aussi lors d'une f. déterminée, que les détails parallèles d'*Ex.* 12,29-30 et la loi biblique sur les premiers-nés (*Ex.* 13,2.11-13; 22,28-29; 34,19-20) inviteraient à situer au printemps, à l'époque de la Pâque, mais rien ne confirme jusqu'ici cette conjecture. La célébration des f. était marquée par des sacrifices, dont les →tarifs sacrificiels soulignent l'importance, et par d'autres rites, comme processions et →danses sacrées. On ne connaît malheureusement pas d'hymne ou de →prière cultuelle phén.-pun. ELip

FÉVRIER, JAMES-GERMAIN (25.1.1895-15.7.1976). Sémitisant distingué, directeur d'études d' "Antiquités sémitiques" à l'École pratique des Hautes Études, à Paris, de 1929 à 1965. Son œuvre abondante et variée a porté principalement sur les inscriptions palmyréniennes et puniques, ainsi que sur l'histoire de l'écriture.

Bibl. M. Sznycer, *James-Germain Février*, AÉPHÉ, IVe Sect., 1976-77, p. 49-66 (bibl.); JA 1977, p. 9-13. ELip

FIBULE Sorte d'épingle de sécurité munie d'un fermoir, le plus souvent en forme d'une "main" schématisée (pl. VIIIa). L'arc de la f., plus épais que l'épingle, est parfois cannelé et/ou décoré d'un ou de plusieurs éléments globulaires. Objets utilitaires assez fréquents dans les couches de l'âge du Fer au Levant, les f. trouvées dans le sol phén. se rattachent sans exception au groupe dit "syro-palestinien". Même si plusieurs sous-types de cette catégorie générale sont déjà attestés, il ne semble pas qu'il y ait eu une initiative proprement phén. dans cette production. Les exemplaires provenant des →tombes indiquent que ces parures faisaient partie du costume (→vêtements) des deux sexes. La situation est pareille dans le monde pun., où la typologie des f. est de nouveau conforme, pour l'essentiel, aux modèles étrangers.

Bibl. D. Stronach, *The Development of the Fibula in the Near East*, Iraq 21 (1959), p. 181-206. EGub

FISCALITÉ L'indigence des sources n'a pas encore permis d'établir sur quelles bases et dans quelles proportions les autorités municipales des villes phén. percevaient les impôts. En 1972, la découverte, pendant les fouilles de →Sarepta, d'un cachet portant sur trois lignes *'šr Ṣrpt '12* (fig. 136) et l'apparition presque simultanée, sur le marché, d'un autre cachet inscrit *'šr 'kšp 'z 16* (fig. 137) permettaient d'identifier les premiers cachets fiscaux phén. Deux autres

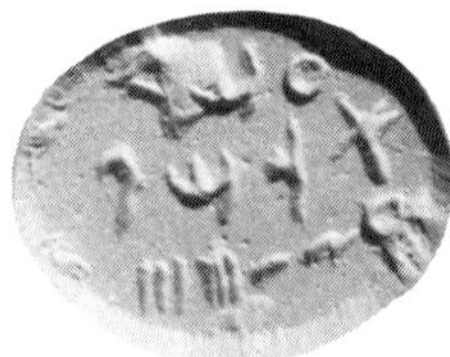

Fig. 136-137. Sceaux fiscaux de Sarepta (à gauche) et d'Akshaph (à droite) (IVe s. av. J.C.). Beyrouth, Musée National.

ont été publiés récemment, dont l'un porte *'šr Bt Zt 'z 14* et l'autre mentionne *'šr lbt b 1*. Sarepta et →Akshaph sont mentionnées en *1 R.* 17,9; *Jos.* 11,1, etc., et *Bt Zt*, vocalisé →*Bit-Zitti* dans un itinéraire de Sennachérib, a pu être identifiée avec Zayta, au S. de Sidon. On ne sait si *lbt* du quatrième sceau désigne une ville encore inconnue ou s'il faut couper *l* + *bt* signifiant "pour la maison", qui pourrait alors désigner le palais ou le temple. Un cinquième sceau porte le toponyme *Bt Btn* (→Bêt-Bétèn) suivi de *'19*. Le mot *'šr*, qui ouvre l'inscription sur chacun des quatre cachets, est à rapprocher de l'hb. *ma'aśer*, "dîme", et surtout du néo-babylonien *ešrû*, mais, comme l'*hapax* biblique *'aśer* (*Ne.* 10,39), *'šr* paraît désigner moins la dîme elle-même que l'opération de prise de la dîme. Cette interprétation conviendrait bien au cachet *lbt*, puisque le texte de *Ne.* 10,39 s'énonce ainsi: "Quand les lévites prendront la dîme *pour la maison* de notre Dieu". La troisième ligne de ces cachets est occupée par une lettre qui est *'ayin* sur le cachet de Sarepta, suivie du chiffre *14*. Les cachets d'Akshaph et de Bit-Zitti portent *'z*, suivi respectivement des chiffres *16* et *14*, mais le cachet *lbt* porte *b* suivi du chiffre *1*. On suppose que ces initiales désignent, comme sur les monnaies phén., des monarques. L'écriture datant ces documents en gros du IVe s., on est tenté de voir dans le *'ayin* l'initiale d'→Abdémon, roi de Sidon, ou celle d'→Azzimilk, roi de Tyr, prolongée peut-être plus tard en *'z*. On ne sait à quel roi attribuer l'initiale *b* qui pourrait être l'abréviation de l'expression *bšnt*..., "dans l'année X". Tous ces éléments indiquent que ces cachets devaient servir à imprimer des bulles, sortes de reçus de validité annuelle, dont la présentation au contrôle attestait le versement de l'impôt au cours de l'année de règne mentionnée à la troisième ligne.

Bibl. P. Bordreuil, *De Arqa à Akshaph: notes de toponymie phénicienne*, La toponymie antique, Leiden 1977, p. 177-184; J.C. Greenfield, *A Group of Phoenician City Seals*, IEJ 35 (1985), p. 129-134; P. Bordreuil, *Du Carmel à l'Amanus*, Géographie historique au Proche-Orient, Paris 1988, p. 301-314 (voir p. 301-303). PBor

FLAMINIUS, C. Consul rom. en 217, lors de la bataille de Trasimène où il a trouvé la mort. D'origine plébéienne, leader du parti démocrate, il a mené une politique très personnelle dans le but de faire bénéficier le prolétariat italien de l'expansion en Cisalpine. Tribun de la plèbe (232), il fait lotir le pays sénon (*ager Picenus et Gallicus*: région Rimini-Senigallia-Osimo). Préteur (227), il est le premier gouverneur de la partie de Sicile récemment érigée en province. Consul (223), il brave l'interdiction signifiée par le Sénat de franchir le Pô en direction du pays insubre: il remporte sur l'Adda une victoire dont la tradition annalistique s'efforcera de lui enlever le mérite (triomphe voté par le peuple, 223). Sa censure (220), marquée par des réformes sociales et par d'importants travaux publics (*via Flaminia*, reliant Rome à l'*ager Gallicus*), atteste la continuité d'un programme que l'invasion d'→Hannibal (6) menace bientôt de compromettre, mais qu'elle peut aussi hâter en cas de victoire rom.: le 2e consulat de F. (avec Cn. Servilius Geminus) intervient alors que les succès d'Hannibal lui ont ouvert la voie de l'Italie centrale. Stratège clairvoyant, F. consolide la ligne Rimini-Arezzo et prend position dans cette dernière (son collègue occupant Rimini) dans l'espoir de prendre l'ennemi en tenaille ou à revers selon qu'il choisira de traverser l'Apennin à l'E. ou à l'O. d'Arezzo. L'habileté d'Hannibal devait renverser ce plan à son profit et anéantir l'armée de F. avant que Servilius ait pu la rejoindre. Cet événement a sans doute retardé l'intégration de la Cisalpine à l'Italie.

Bibl. G. Radke, *Die territoriale Politik des C. Flaminius*, Festschrift F. Altheim I, Berlin 1969, p. 366-386. JLoicq

FLÈCHES La première pointe de flèche phén. inscrite a été découverte vers 1925 lors de la fouille d'une tombe de la région de Nabatiyeh, au S. du Liban. Elle porte en caractères archaïques *ḥṣ 'd' bn 'ky* et les autres flèches découvertes depuis, sauf trois, portent aussi une épigraphe du type "flèche de X, fils de Y": *ḥṣ 'bdlb't, ḥṣ Zkr bn Bn'n, ḥṣ Grb'l ṣdny, ḥṣ 'zrb'l bn 'dnb'l, ḥṣ Rp' bn Yḥš, ḥṣ Yt' bn Zm'* (fig. 138), *ḥṣ 'bdlb't, 'bdlb't bn 'nt, ḥṣ Zkrb'l mlk 'mr* (fig. 139), *ḥṣ 'bdny 'š 'zb'l, ḥṣ 'd' bn B'l'*. On compte à ce jour vingt et une flèches publiées, auxquelles s'ajoutent une dizaine d'inédits. Les lieux présumés des découvertes, le plus souvent fortuites, vont de la région de Bethléem à la Béqaa libanaise.

On voit que les noms des propriétaires sont en général déterminés par leur patronyme ou par leur gentilice. Deux documents font exception; l'un est gravé au nom de →S/Zakarbaal (*Zkrb'l*), roi d'Amurru inconnu par ailleurs, et l'autre, libellé au nom d'un "homme d'Azzibaal", appartenait probablement à

Fig. 138. Flèche inscrite de Yatan (XIIe-XIe s. av. J.C.). Coll. privée.

Fig. 139. Flèche inscrite de Zakarbaal (XIIe-XIe s. av. J.C.). Beyrouth, Musée National.

un membre du personnel d'un notable. On s'interroge sur la destination réelle de ces flèches inscrites, que la paléographie situe entre le XIIe et la première partie du XIe s. et dont l'usage en Phénicie semble disparaître complètement par la suite. Leur finalité n'était sûrement pas limitée à un rôle purement cynégétique visant à attribuer à chaque chasseur son lot de bêtes tirées à l'arc. Comme à Ugarit, *Bn ʿnt* et *ʿbdlbʾt* pourraient être des noms d'archers et ces projectiles de parade (?) auraient alors appartenu à des militaires, tels que l' "homme d'Azzibaal", mais ne pourraient-elles pas aussi avoir joué un rôle divinatoire (cf. *2 R.* 13,15-19)?

Bibl. J. Starcky, *La flèche de Zakarbaʿal, roi d'Amurru*, Archéologie au Levant. Recueil R. Saidah, Lyon 1982, p. 179-186; P. Bordreuil, *Épigraphes phéniciennes sur bronze, sur pierre et sur céramique*, ibid., p. 187-192; T.C. Mitchell, *Another Palestinian Inscribed Arrow-Head*, J.N. Tubb (éd.), *Palestine in Bronze and Iron Ages,* Essays O. Tufnell, London 1985, p. 136-153; É. Puech, RB 93 (1986), p. 164-167. PBor

FLUMENELONGU "Nuraghe" de la région de la Nurra, dans le N.-O. de la Sardaigne, où l'on a trouvé un bronze haut de 9,2 cm, datable du VIIIe s. av. J.C., apparenté au type du →"Smiting God" et reflétant manifestement une influence orientale (Phén 243), tout en étant un produit de l'artisanat local.

Bibl. A.M. Bisi, *Le "Smiting God" dans les milieux phéniciens d'Occident: un réexamen de la question*, StPhoen 4 (1986), p. 169-187 (voir p. 173-174). ELip

FONDATION, RÉCITS DE Les rares r. de f. relatifs à des cités phén. nous sont connus à travers des sources classiques qui ont inévitablement réinterprété des traditions indigènes selon une autre échelle de valeurs. Ainsi, relatant la f. de Tyr, Philon de Byblos (Eus., *P.E.* I 10,10-11) et Nonnos (*Dion.* XL 311-580) font intervenir le motif des "frères ennemis", Ousoos et Hypsouranios, le premier symbolisant la Tyr insulaire, le second, la Tyr continentale, tous deux ayant été immortalisés par le culte. Outre ce trait évhémériste, on perçoit une coloration gr. dans l'intervention d'un oracle, analogue au rôle de Delphes dans la colonisation gr. Mais le lien entre la f. de la ville et celle du sanctuaire de Melqart (cf. Hdt. II 44) et le rapport étroit et primitif entre Tyr et la mer proviennent sans doute d'un r. de f. original. Le r. de la f. de Carthage, dont la "vulgate" se trouve chez Timée (FGH 566, fr. 82), fait aussi intervenir Melqart, car, en quittant Tyr, Élissa emporte ses *sacra*. Diod. XX 14,2 ne qualifie-t-il pas le dieu d'Héraklès "auprès des colons"? Ces traditions reflètent donc la part prise par Tyr dans l' →expansion phén. en Méditerranée et le soutien systématique de son dieu poliade dans ces entreprises, même si la ruse de la →Byrsa y symbolise pour les Romains la perfidie pun. D'une manière générale, ces r. de f. visent à rendre compte de la réalité issue de nouvelles conditions de vie, p.ex. des rapports avec les indigènes. L'existence à Chypre d'une autre Carthage permet en outre de supposer que le r. de la f. de la Carthage d'Afrique aurait été contaminé par le mythe relatif à la Carthage de Chypre: de manière significative, Élissa et ses compagnons d'exil font escale à Chypre. Enfin, Strab. III 5,5 rapporte comment fut fondée Gadès: poussés par un oracle (de Melqart?), les colons tyriens s'y reprirent à trois fois avant de trouver l'emplacement propice et un lieu pour abriter à nouveau les "reliques" de leur Héraklès-Melqart (Just. XLIV 5,2; cf. XVIII 4,15, pour Carthage). Le cadre qui ressort de ces textes montre que la religion, et principalement le culte de Melqart, a fourni un garant à la création de villes et de comptoirs, aux relations persistantes avec la métropole, s'exprimant p. ex. dans l'offrande annuelle des Carthaginois à Melqart de Tyr et aux rapports avec les populations indigènes, le sanctuaire étant un terrain de rencontre neutre et sacré.

Bibl. Bunnens, *Expansion*; D. Van Berchem, *Sanctuaires d'Hercule-Melqart*, Syria 44 (1967), p. 73-129; J. Scheid - J. Svenbro, *La fondation de Carthage*, Annales ESC 40 (1985), p. 329-342; G. Bunnens, *Aspects religieux de l'expansion phénicienne*, StPhoen 4 (1986), p. 119-125; Bonnet, *Melqart*; C. Baurain, *Le rôle de Chypre dans la fondation de Carthage*, StPhoen 6 (1988), p. 15-27; M. Weinfeld, *The Promise to the Patriarchs and Its Realization: An Analysis of Foundation Stories*, M. Heltzer - E. Lipiński (éd.), *Society and Economy in the Eastern Mediterranean (c. 1500-1000 B.C.)*, Leuven 1988, p. 353-369. CBon

FORÊTS →Bois.

FORTETSA →Tekké.

FORTIFICATIONS **1 Orient** Les f. phén. ont été décrites pour la première fois par E. →Renan dans *Mission de Phénicie* en 1864. L'image qui prévalait alors est celle d'une architecture monumentale, "monolithique", mettant en œuvre des blocs de très grande taille posés sur un soubassement excisé dans la roche en place. Par la suite, il s'est avéré que la majorité des monuments sur lesquels se fondait cette vision étaient d'époque rom., voire médiévale, et que la description de Renan ne pouvait donc s'appliquer — pour peu qu'elle fût exacte — à l'architecture militaire phén. sur toute sa durée. Depuis cette époque, les recherches archéologiques se multipliant, notre perception de l'architecture militaire phén. s'est considérablement modifiée grâce à une datation plus affinée des rares vestiges conservés sur des sites phén. et, surtout, grâce à une meilleure connaissance de l'évolution des techniques offensives et défensives de l'ensemble du Proche-Orient et du monde phén.-pun. On peut dès lors distinguer une évolution notable des origines à la fin de la période rom.

A *Des origines à la fin de l'époque babylonienne.*

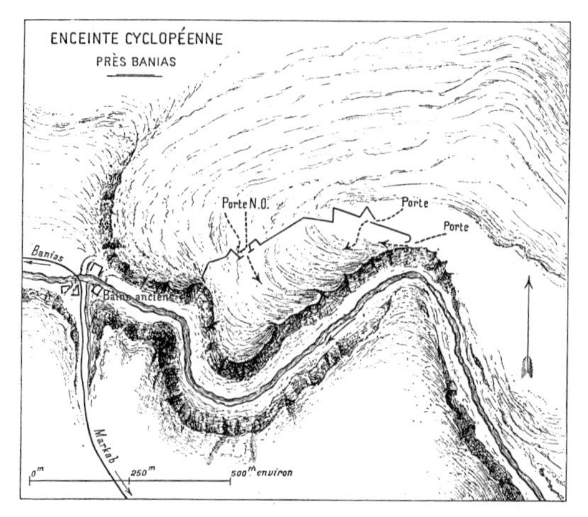

Fig. 140. Plan de la forteresse de Baniyās.

Nous ignorons encore si les premières cités phén. étaient toutes fortifiées. Certes, on sait que les constructeurs phén. étaient réputés dès le Xᵉ s.: des Tyriens et des Giblites ont même participé à la construction du temple de →Jérusalem (*1 R.* 5,32). Il est donc probable que les cités phén. se sont fortifiées, mais les traces de ces remparts restent à découvrir, si l'on fait exception des restes d'un glacis de pierres brutes à →Byblos (fig. 142) et des f. de →Dor, aux IXᵉ-VIIIᵉ s., semblables à celles de →Megiddo, Hazôr et Gézer. En effet, l'art militaire est un domaine où les innovations connaissent une diffusion rapide et les remparts de cette époque sont tous de même conception: murailles linéaires, peu épaisses (2 m maximum), comportant des casemates, mais dépourvues de tours, sauf aux portes qui sont conçues selon un plan à tenailles. Les murs sont élevés à l'aide de blocs non taillés de faibles dimensions, grossièrement dressés en façade, liés au mortier de terre et maintenus en place par des pierres de calage. Aux angles et aux changements de direction, l'ouvrage est renforcé par des massifs de pierres appareillées. Avec la *prépondérance assyrienne* et le perfectionnement des techniques d'assaut — avec, en particulier, l'apparition du bélier — l'apparence des f. se modifie notablement. Les bas-reliefs de →Nimrud et Khorsabad, les portes de bronze de →Bālāwat nous montrent des cités syriennes, palestiniennes et phén., dont Tyr nommément désignée, qui apparaît comme une île. Ces cités sont entourées d'une ou

Fig. 141. Vue du N.-O. sur la forteresse de Baniyās.

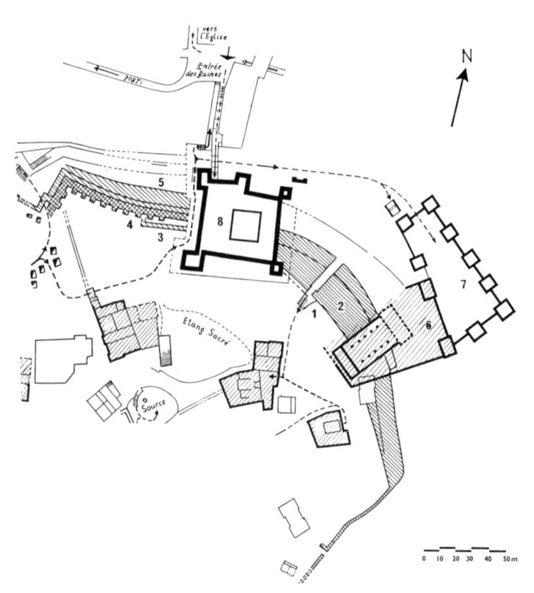

Fig. 142. Plan des fortifications de Byblos: 1) porte de la ville au IIIᵉ mill.; 2) rempart primitif, avant 1500; 3) rempart primitif du début du IIᵉ mill.; 4) rempart à redents du IIIᵉ mill., après 2500; 5) glacis hyksos en gros blocs et les trois derniers glacis postérieurs; 6) podium monumental du temps des Achéménides et construction sus-jacente; 7) forteresse adossée au podium achéménide; 8) château des Croisés.

plusieurs enceintes et souvent dominées par une citadelle. Les murailles sont maintenant pourvues d'ouvrages de flanquement (tours ou bastions) et la défense se fait par le haut, à l'abri de merlons triangulaires ou d'un parapet parfois orné de boucliers. Bien que stéréotypées, ces représentations laissent à penser que les f. phén. ne devaient guère se différencier des autres. L'archéologie nous révèle qu'à cette époque les murailles s'épaississent, les casemates sont comblées. L'enceinte, renforcée par des bastions, est protégée à son pied par un glacis, celui de Byblos ayant été épaissi à deux reprises à l'aide de petits blocs maçonnés à la terre, selon une technique semblable à celle de l'époque précédente. *L'époque babylonienne* ne paraît pas marquer de changement notable dans les techniques défensives phén., dont l'efficacité permet à Tyr de soutenir un siège de treize ans. C'est peut-être à →Baniyās, à la limite N. de la Phénicie, que l'on peut trouver le seul témoin bien conservé de la puissance des ouvrages militaires phén. de l'époque assyrienne ou babylonienne. La forteresse qui contrôle la route côtière à 40 km d'Arwad a sans doute été construite par cette dernière pour garder la frontière de son royaume. Implantée dans un coude du Nahr Baniyās, cette forteresse forme un trapèze irrégulier de 500 × 250 m (fig. 140). La muraille, dépourvue de tours, a un tracé en ligne brisée et met à profit l'abrupt du ravin de la rivière. Elle est percée de trois portes en chicane auxquelles on accède par une rampe et dont l'une est protégée par une tour massive (fig. 141). Le site n'a jamais été

Fig. 143. Le rempart de mer d'Arwad.

fouillé, mais ses murs, encore conservés sur une hauteur de 5 à 10 m, peuvent être aisément étudiés. La maçonnerie est faite de blocs à peine dégrossis dont la taille ne dépasse pas 1 m de long et 0,8 m de haut. Ces blocs ont été disposés en assises régulières, maintenus par des pierres de calage et maçonnés au mortier de terre. L'épaisseur des murs varie de 5 à 8 m au sommet. De tels ouvrages se rencontrent dans la région au N.-E. de Hama, où ils sont considérés comme "syro-hittites". Mais l'hypothèse phén. demeure la plus probable, car c'est ce même schéma que l'on observe dans les colonies phén. de la Méditerranée occidentale, à →Tharros et →Monte Sirai en Sardaigne, ou à →Motyé en Sicile.

B *L'époque perse.* Nous n'avons guère d'indications sur les techniques défensives du début de l'époque perse, quand la Phénicie est l'alliée fidèle du Grand Roi. En revanche, avec les troubles du Ve s., apparaissent un certain nombre de f. dont les techniques varient considérablement. En Juda, les f. se situent dans le prolongement des techniques antérieures (Jérusalem, Lakish), cependant que les cités phén. de la côte S. font appel à la technique des "murs à piliers", attestée à →Dor, Tell →Abu Hawam, →Jaffa; d'autres, enfin, présentent des murs à double parement, appareillés (Givat Gilam). C'est probablement cette dernière technique qui prévalait dans les remparts de →Sidon, qui osa s'opposer à Artaxerxès derrière ses hauts murs protégés par un triple fossé (Diod. XVI 44), et à Tyr, qui tint tête durant sept mois à Alexandre. Décrivant le siège de Tyr, Arr., *An.* II 21, mentionne l'existence de hautes tours et précise que les murs étaient hauts de 16 m, "épais à proportion et formés de larges assises de pierre liées entre elles par du gypse". Cette nouvelle technique de construction est illustrée par la forteresse de Byblos qui a été datée de la fin du Ve s. (fig. 142). Cette petite place forte, mesurant 90 × 50 m au maximum, a la forme d'un trapèze aux côtés réguliers. Elle a été placée à l'entrée N.-E. de la ville, qui ne paraît pas avoir été elle-même fortifiée. L'enceinte épaisse de 2,5 m est rhytmée par une série de tours carrées de 10 m de côté et espacées de 12 m, et se trouve conservée sur une hauteur de plus de 10 m. L'appareil est fait de blocs soigneusement taillés disposés en assises régulières à bossages. Les blocs ne dépassent pas 0,5 m^{3} et forment un double parement enfermant un remplissage d'éclats de taille et de terre. Cette évolution de l'architecture militaire trouve un écho en Occident, dans l'aire de domination carth., à →Motyé, puis →Lilybée, en Sicile, à →Kélibia, dans le territoire même de →Carthage, et jusqu'à →Huelva en Espagne.

C *L'époque hellénistique et romaine.* À partir de la conquête d'Alexandre, les techniques défensives gr. s'imposent dans la région, ainsi qu'on peut le constater à travers l'exemple d'Ibn Hani. Une muraille épaisse de 3 m, renforcée par de puissantes tours en fer à cheval ou à plan carré de 20 m de côté, est protégée par un avant-mur de petits blocs maçonnés à la terre, précédé d'un fossé. L'enceinte elle-même est édifiée à l'aide de blocs taillés selon un module uniforme, disposés en alternance de carreaux et boutisses. Des vestiges de ce type de construction ont été retrouvés en Phénicie même, à →Ṭabbat el-Ḥammām, Sidon, Tyr, Umm el-Amed, Akko et Dor, aussi bien qu'à →Samarie ou Jérusalem. Au cours de l'époque rom., on perçoit une nette tendance à la monumentalité. La construction de type modulaire est peu à peu abandonnée au profit de techniques faisant appel à l'utilisation de blocs de taille inégale, liés au mortier de chaux (ports de Sidon et de Tyr), ou à l'emploi de blocs de très grande taille, disposés selon des procédés antérieurs à l'époque gr. ou soigneusement appareillés. On trouve des témoins de cette architecture, que Renan qualifiait de "monolithique", à Tyr, Sidon, Jérusalem, →Baalbek ou →Baetocécé. Mais le plus imposant de ces ouvrages se trouve à →Arwad, dont le "rempart de mer" avait impressionné Renan (fig. 143).

D *Conclusion.* En dépit de l'indigence de la documentation archéologique, il apparaît maintenant que, loin de former un tout uniforme et immuable, les fortifications phén. participent à l'évolution générale de l'architecture militaire du Proche-Orient. Leur importance ne réside donc pas dans leur originalité, mais dans le rôle de premier plan qu'elles ont joué dans la diffusion des techniques offensives et défensives de l'Orient vers l'Occident, où elles s'imposent dans tout le domaine phén.-pun. Et l'on peut dès lors se demander si, à l'occasion des →guerres qui opposèrent Grecs, Carthaginois et Phéniciens en Sicile, ces techniques orientales n'ont pas eu leur part dans l'élaboration de l'architecture militaire gr. qui connaît, à partir du IVe s., un développement considérable et, par un étrange retour, s'impose ensuite dans tout le Proche-Orient. PLer

2 Occident Le dossier des f. phén.-pun. en Occident est relativement riche, mais n'a pas encore fait l'objet d'une étude d'ensemble approfondie. Il se compose de témoignages d'auteurs gr.-lat. et de données archéologiques.

A *Afrique du Nord.* Pour les f. de →Carthage, sujet très discuté, S. Gsell a exploité d'une manière judicieuse et systématique les textes anciens qui se réfèrent aux derniers temps de la ville pun. Quant à la documentation archéologique, elle consiste essentiellement en deux données assurées. Le fossé qui courait le long de l'enceinte extérieure de la ville a été repéré par le Général Duval en 1949, grâce à des photographies aériennes, et les fouilles effectuées sur ses indications furent concluantes. Le second fait important est la mise au jour des blocs de fondation du rempart maritime du Ve s. par la mission allemande dirigée par F. Rakob (fig. 59). D'autres villes pun. étaient pareillement ceintes de murailles, comme →Leptis Parva et →Hadrumète, selon les témoignages littéraires relatifs au Ier s. av. J.C., également →Acholla, →Béja, →Gafsa. →Tunis et Mégalépolis (Diod. XX 8,2) étaient entourées d'un rempart au temps de l'expédition d'→Agathocle et les f. d'→Utique sont évoquées à plusieurs reprises en rapport avec des événements s'échelonnant de la fin du IVe au Ier s. av. J.C. (Diod. XX 56,1-2; Liv. XXXIX 35,6; Cés., *Bell. Civ.* II 25). C'est à l'époque pun. que remontent, en tout cas, diverses f. du →Cap Bon, notamment les forteresses de →Ras el-Fortass, →Ras ed-Drek et →Kélibia (fig. 192), ainsi que la double enceinte de la ville de →Kerkouane, longue de *c.* 1 km, munie de tours (fig. 144) et percée de deux portes. Dans la région de →Bizerte, la prospection menée en 1986 a mis en lumière l'ampleur des f. pun. du →Ras Zebib, où la forteresse du Djebel Touchela, un édifice elliptique de *c.* 200 × 60 m, constituait le centre d'un système de f. qui se prolongeait jusqu'à un bastion élevé sur la pente du Djebel. Un autre fortin a été identifié sur le Djebel Fratas, hauteur qui surplombe le Ras el-Mestir, entre le Ras Zebib et le cap Sidi Ali el-Mekki (→Rusucmona). En Algérie, le long de la rive orientale de l'oued Seybouse, près d'→Hippone, on a identifié une ligne de f. semblables, composées de fortins quadrangulaires ou elliptiques, munis de bastions avancés, notamment à Ksar el-Achour, Henchir Torba et Ksar el-Kebch. Ces f. avaient probablement pour but de protéger le territoire carth. du côté des possessions numides, où plusieurs cités étaient ceintes de murailles selon les auteurs anciens. Parlant des Libyens, Sall., *Jug.* 18,9, mentionne ainsi leurs "villes fortes" (*oppida*). Du reste, on a retrouvé les remparts pré-rom. de →Tiddis, des traces d'une enceinte à Kef Smaar, près de Tiaret, et les cités libyco-pun. de →Dougga, →Maktar et Sua, à 12 km au N. de Medjez-el-Bab, conservent une partie de leurs vieilles enceintes, qui n'ont pas encore fait l'objet d'une étude systématique. Au Maroc, au moins →Lixus et →Volubilis étaient entourées d'un rempart, celui de Volubilis étant du type hellénistique.

Fig. 144. Kerkouane, enceinte interne, tour N. (V^{e}-IVe s. av. J.C.).

B *Sicile, Sardaigne, Espagne.* De l'autre côté de la Méditerranée, un rempart remontant au VIe s., épais de 2 m par endroits, entourait toute l'île de →Motyé, avec ses merlons, ses tours et ses deux portes monumentales, tandis que l'enceinte de →Lilybée, ville fondée au IVe s. par les gens de Motyé, atteint 6 m d'épaisseur. La muraille d'→Éryx relève aussi de l'architecture militaire des Puniques, qui ont restructuré un rempart antérieur à l'époque carth. C'est aux Puniques qu'il faut attribuer aussi la double enceinte de

Fig. 145. Tharros, Torre di San Giovanni, acropole, murailles (V^{e}-IVe s. av. J.C.).

→Monte Adranone, avec ses bastions, ses contreforts et ses redoutes. Parmi les témoignages les plus éloquents de l'art militaire phén.-pun. figurent les f. de →Monte Sirai et de →Tharros, en Sardaigne. Les premières, d'une épaisseur atteignant par endroits 4 m, reflètent encore la technique orientale des murs à casemates et doivent remonter aux origines de cette forteresse, fondée au VIIe s. par les colons phén. de →Sulcis, distante de 16 km (fig. 227). Les f. exceptionnelles de Tharros comprennent jusqu'à trois enceintes et un fossé profond, tandis que la porte de la ville était encore conçue selon le plan oriental à tenailles (fig. 145). On a également découvert les f. de →Monte Luna, remontant au Ve s., qui comportent un rempart et des fortins avancés, qui reflètent la stratégie pun. de la défense en profondeur. En Espagne, Pol. III 15,3 mentionne l'enceinte de →Carthagène, qui aurait mesuré 3,5 km, et des f. plus anciennes ont effectivement été identifiées à →Toscanos, où l'on note un système défensif avec fossé profond dès le VIIIe s., puis un fortin sur le Cerro del Alarcón, avec une muraille de 3,5 m d'épaisseur, datable *c.* 600 av. J.C. En revanche, le mur en pierres de taille, à Toscanos, n'est pas un rempart. Le "mur à piliers" du VIIIe s., découvert en 1978 au Cabezo de San Pedro à →Huelva, avec ses pierres bien taillées et les interstices comblés d'ardoise et de terre, ressemble à un type d'enceinte connu en Orient, mais sa fonction n'est pas évidente et il n'est pas impossible que ce soit un mur de soutènement. ELip

Bibl. Ad 1: A. Poidebard-J. Lauffray, *Sidon. Aménagements antiques du port de Saïda*, Beyrouth 1951; Y. Yadin, *The Art of Warfare in Biblical Lands* II, Jerusalem 1963; J.-P. Rey-Coquais, *Arados et sa Pérée*, Paris 1974; P. Leriche-H. Tréziny (éd.), *La fortification dans l'histoire du monde grec*, Paris 1986; E. Stern, *The Walls of Dor*, IEJ 38 (1988), p. 6-14.

Ad 2: Gsell, HAAN II, p. 19-38; A. Jodin, *L'enceinte hellénistique de Volubilis (Maroc)*, BAC, n.s., 1-2 (1965-66 [1968]), p. 199-221; A.M. Bisi, *Ricerche sulle fortificazioni puniche di Lilibeo (Marsala)*, OA 6 (1967), p. 315-318; ArchClass 20 (1968), p. 259-265; ead., *Erice (Trapani). Saggi alle fortificazioni puniche*, NotSc, 8e sér., 22 (1968), p. 272-292; Cintas, *Manuel* II, p. 127-131; A. Ciasca, *Scavi alle mura di Mozia*, RSF 4 (1976), p. 69-79; 5 (1977), p. 205-218; 6 (1978), p. 227-245; 7 (1979), p. 207-227; 8 (1980), p. 237-252; F. Barreca, *Le fortificazioni settentrionali di Tharros*, RSF 4 (1976), p. 215-223; D. Ruiz Mata, etc., *Cabezo de San Pedro (Huelva), Campaña de 1978,* Huelva arqueológica 5 (1980), p. 149-316 (voir p. 180-183, 310-315); P. Bartoloni, *Contributo alla cronologia della fortezza fenicia e punica de Monte Sirai*, Archéologie au Levant. Recueil R. Saïdah, Lyon 1982, p. 265-270; M. Fantar, *Kerkouane* I, Tunis 1984, p. 125-179; S. Lancel, *Les fouilles de la mission archéologique française à Carthage et le problème de Byrsa*, StPhoen 6 (1988), p. 61-89.

FOSSA REGIA Ligne de démarcation tracée par →Scipion (8) Émilien après la 3e →guerre pun. entre la province rom. et le royaume numide gouverné par les fils de →Massinissa I. Dès 46 av. J.C., elle constituait la frontière entre la province d'*Africa Vetus* et celle d'*Africa Nova*. Le tracé de la F.R. suivait une ligne à partir de la ville de *Thabraca* (→Tabarka), au débouché de la Tusca, jusqu'à la cité de *Thaenae* (→Thyna) située à 10 km au S. de Sfax. Au temps de Vespasien, dans les années 73-74, cette ancienne délimitation fut restaurée à des fins fiscales. Elle fut jalonnée de bornes portant l'inscription: *fines provinciae Novae et Veter(is) derecti qua fossa regia fuit*. Pline fait également mention de la F.R. (*N.H.* V 3, 25). La reconstitution du tracé de la F.R., qui fut possible grâce à la découverte de 9 bornes (CIL VIII, 23084; 25967; ILAfr 496; 497 [4 textes]; ILTun 623; 624; 1293), ainsi qu'à des vestiges matériels de la démarcation, suscita de vives discussions.

Bibl. C. Saumagne, *La Fossa Regia*, CTun 10 (1962), p. 407-416; Desanges, *Pline*, p. 241-242; G. Di Vita-Evrard, *La Fossa Regia et les diocèses d'Afrique proconsulaire*, L'Africa romana III, Sassari 1986, p. 31-58. JKol

FOUILLES La période des →voyageurs, qui "découvraient" le monde phén.-pun., débouche au XIXe s. sur des f. archéologiques. Au cours des dernières décennies, la démarche archéologique connaît, à son tour, une évolution sensible. La chasse au trésor des XVIIIe et XIXe s. cède peu à peu la place à la quête attentive d'un ensemble de données destinées à fonder tout essai d'interprétation du passé en ses divers aspects. Photographies aériennes, images prises depuis des satellites, recours à des méthodes physiques pour situer les vestiges, f. stratigraphiques, recherches subaquatiques, détermination de la faune et de la flore, des climats... tendent à replacer l'homme dans son environnement naturel et matériel. Iconographie, histoire de l'art, sources écrites informent sur la vie culturelle et spirituelle, ainsi que sur l'histoire dite événementielle qui l'a entraîné dans son tourbillon. L'archéologie phén.-pun. n'est pas restée en marge de ces mutations qui regardent tant les moyens d'atteindre à la connaissance que les questions à se poser. Au début, certes, les découvertes étaient le plus souvent le fruit du hasard ou venaient de ce que les monuments d'époque gr.-rom. et paléochrétienne, qui retenaient alors toute l'attention, avaient été érigés sur des établissements antérieurs dont on ne pouvait négliger la présence. Depuis le milieu du XXe s. toutefois, les études phén.-pun. ont acquis leur autonomie et leur problématique propre s'est développée, qui inspire les campagnes de f., même si le hasard a encore son mot à dire et si des opérations de sauvetage doivent répondre sans retard à une urbanisation galopante. Parmi les interrogations auxquelles l'archéologie phén.-pun. s'efforce actuellement d'apporter des éléments de réponse, on mentionnera l'→expansion phén. en Méditerranée, sa place à côté d'autres →navigations, mycéniennes, celles des →"Peuples de la Mer", gr., sur les mêmes flots, ainsi que les modes de colonisation et les relations, conflictuelles ou non, avec les populations indigènes, les liens, directs ou médiats, avec les cités-mères et, plus généralement, les rapports entre les Phéniciens d'Orient et d'Occident. La suzeraineté assyrienne à l'E. et l'émergence de la puissance carth. à l'O. soulèvent d'autres questions, de même que les formes d'occupation du sol, l'→urbanisme, l'architecture, notamment celle des →forteresses et des →sanctuaires. De tels programmes de longue haleine font actuellement l'objet de travaux dans la plupart des régions que Phéniciens et Carthaginois occupèrent ou marquèrent de leur influence. JDeb

1 Côte syro-libanaise Les f. archéologiques sur la côte phén. furent mises en branle par la trouvaille fortuite du sarcophage d'→Eshmunazor II, en 1855 (fig. 129), et par l'intervention française au Levant, en 1860, doublée d'une mission scientifique conduite par E. →Renan. À son initiative, quatre chantiers de f. s'ouvrirent simultanément à →Amrit, →Byblos, →Sidon et →Tyr. Les découvertes se succédèrent, notamment à Sidon où la f. d'O. →Hamdi Bey aboutit en 1887 au dégagement de deux hypogées de la nécropole royale d'Ayya'a, avec ses 17 →sarcophages (fig. 305). Les travaux s'y poursuivirent en 1900-1909 sous la direction de Th. Macridi Bey, puis sous celle de G. Contenau, alors que M. Meurdrac et L. Albanese fouillaient la nécropole de l'époque hellénistique et rom. L'établissement du mandat français en 1921 ouvrit la région à la libre investigation. En 1923, P. →Montet trouva le célèbre sarcophage d'→Ahiram à Byblos (fig. 7), où M. →Dunand continua les recherches en 1926-36 et 1948-59 (fig. 54-57), s'intéressant également à →Umm el-Amed (fig. 374-376) et à Sidon. Par ailleurs, les f. d'→Ugarit débutèrent brillamment en 1929 sous la direction de C.F.A. Schaeffer (fig. 372). Si l'on excepte Byblos et Ugarit, les chantiers ouverts au cours des années 1930-50 ne livrèrent, pour l'essentiel, que des niveaux d'époque hellénistique, rom. ou byzantine, notamment à Tyr (fig. 371), tandis que des monuments achéménides (fig. 49, 50, 266) et médiévaux furent mis au jour à Sidon. Ce n'est qu'à partir de 1960 que les grandes lignes de la civilisation phén. commencèrent à se dessiner grâce aux f. de la nécropole de →Khaldé par R. →Saidah, en 1960 (fig. 194), puis celles de →Sarepta, menées de 1969 à 1974 sous la direction de J.B. Pritchard (fig. 146). En 1971, R. Saïdah fouilla une tombe à →Tambourit et, en 1972, l'Institut français d'archéologie de Beyrouth entreprit l'exploration de Tell →Arqa, y reconnaissant des niveaux du Fer sur une superficie de *c.* 35 m². En 1973-74, P. Bikai effectua un sondage de 150 m² à Tyr, atteignant également des niveaux du Fer, et la découverte fortuite d'une tombe à Tell Rachidiyé (→Usu), en 1974, amena I. Kawkabani et H. Chéhab à y fouiller une partie de la nécropole (fig. 377). Alors que la guerre civile a interrompu tous les travaux au Liban, les recherches se sont poursuivies en Phénicie du N., à Ugarit, →Ras Ibn Hani, →Ras el-Bassit, Tell →Sukas, Tell →Kazel et sur nombre d'autres sites. CDoum

2 Côte d'Israël Les établissements phén. au S. de Ras en-Naqura font l'objet de recherches intenses, dont les débuts remontent au temps du mandat britannique sur la Palestine. Le site d'→Atlit fut exploré dès 1930-35 par C.N. Johns et Tell →Abu Hawam fut fouillé en 1932-36 par R.W. Hamilton, tandis que les premières f. d'→Akzib, dirigées par I. Ben-Dor, datent de 1941-44. Le jeune État d'Israël favorise les recherches archéologiques, plus particulièrement celles du Fer, période qui correspond à l'époque de la civilisation phén. proprement dite. Les f. d'Akzib reprirent en 1963 sous la direction de M. Prausnitz, celles d'→Akko débutèrent en 1970 sous la responsabilité de M. Dothan, tandis que l'École biblique et archéologique française de Jérusalem explora Tell →Keisan en 1971-80. Tell Abu Hawam fit l'objet de nouvelles recherches en 1963, puis à partir de 1984, notamment sous la direction de J. Balensi, alors que →Shiqmona fut fouillée en 1963-78 par J. Elgavish. Plus au S., Tel Megadim, la →Qarta phén., fut exploré en 1967-68 par M. Broshi, alors que E. Stern fouilla Tel Mevorakh (Tell Mubarak) en 1973-76, puis, à partir de 1980, l'imposant Khirbet el-Burdj qui recouvre la ville de →Dor. D'autres sites côtiers attirèrent également l'attention des archéologues, notamment Césarée, l'antique →Tour de Straton, →Apollonia, Tell →Makmish, →Jaffa, ainsi que les cités philistines d'→Ashdod et d'→Ascalon, dont les relations avec le monde phén. sont bien connues. Dans la bande de Gaza, Tell er →Reqeish récèle, semble-t-il, les vestiges d'un comptoir phén. L'exploration subaquatique des →ports antiques d'Akko, d'Atlit, de Dor et de Césarée mérite également d'être signalée, tout comme la découverte du chargement de l'épave de →Shavê Zion.

3 Arrière-pays Les ruines de →Baalbek, connues depuis le début du XVIe s., furent fouillées dès 1898-1905 par une mission allemande dirigée par O. Puchstein (fig. 37, 38). D'autres recherches y furent entreprises sous le mandat français et depuis l'indépendance du Liban, quand divers chantiers s'ouvrirent dans la →Béqaa, notamment à Tell →Hizzin, à 10 km à l'O. de Baalbek, à Tell el-Ghassil, plus au S., et surtout à →Kamid el-Loz, où une mission allemande travailla en 1963-81 sous la direction de R. Hachmann, mettant au jour l'ancienne cité de Kumidi, importante pour la connaissance de l'art →paléophénicien (fig. 188-191). Au S. de l'→Hermon, les recherches entreprises en →Galilée témoignent de l'expansion tyrienne dans cette région aux temps hellénistiques et rom., notamment à →Qédesh, fouillée depuis 1981 par l'Université de Tel Aviv. Des sites de Samarie, p.ex. →Megiddo et →Samarie elle-même, revêtent une importance indéniable pour l'étude du monde phén. à l'âge du Fer, tandis que →Marésha, explorée dès 1898-1900, puis en 1902, 1924-28 et 1961-63, a livré une documentation exceptionnelle pour la connaissance de la peinture phén. à l'époque hellénistique.

4 Chypre Les explorations d'amateurs archéologues, dont L. →Palma di Cesnola est le plus connu, furent suivies en 1878 des f. de M. →Ohnefalsch-Richter, les premières à être entreprises sous l'administration britannique. La fondation du *Cyprus Museum* en 1883 et du *Cyprus Exploration Fund* en 1887 ouvrit la voie à une nouvelle époque dans l'histoire de l'archéologie chypriote. Elle est marquée à ses débuts par l'arrivée de J.L. →Myres, en 1894, et par les explorations de la *Swedish Cyprus Expedition* dirigée par E. →Gjerstad (1927-31). Le *Department of Antiquities of Cyprus*, créé en 1934, entreprit en 1955 un relevé systématique des antiquités de l'île et organisa depuis 1960 un nombre croissant de f. sous l'impulsion de P. Dikaios, puis de V. Karageorghis, tandis que des missions étrangères travaillaient sur divers sites, notamment du Bronze Récent et du Fer. Du point de vue phén., on relèvera les fouilles de la ville de →Salamine (1952-74) et surtout de sa nécropole (1962-73), celles de →Soloi (1965-74), de la nécropole d'Alaas (1973-74), de →Kition, de →Hala Sultan Tekké, d'→Amathonte, de →Paphos, de →Kourion, de →Tamassos et de nombreux autres sites, sans compter les opérations de sauvetage. L'occupation turque du N. de Chypre y interrompit les f. archéologiques en 1974, mais l'exploration se poursuivit et s'intensifia même dans les autres régions de l'île.

5 Afrique du Nord C'est à Ch.-E. →Beulé qu'échut l'honneur d'inaugurer, en 1859, l'exploration scientifique des ruines de →Carthage. Elle fut reprise en 1874 par un diplomate, E. de Sainte-Marie, mais n'entra dans la phase de grandes découvertes qu'avec A.L. →Delattre, dont les f. se répartissent sur plus d'un demi-siècle (1876-1932) et qui fut secondé durant ses dernières années par G.-G. Lapeyre. P. Gauckler, directeur du Service Archéologique de Tunisie, commença en 1899 ses premières f. pun., suivi par A. Merlin, L. Poinssot, R. Lantier, L. Carton. Les nécropoles pun. de la →Byzacène attirèrent dès 1884 l'attention des archéologues qui fouillèrent, en outre, les sanctuaires pun. d'→Hadrumète et d'→El-Kénissia. Des f. fructueuses eurent aussi lieu avant la 2e guerre mondiale au →Cap Bon, notamment par les soins du Dr Gobert et de P. →Cintas, et l'on dégagea quelques tombes néopun. à →Bulla Regia, à →Téboursouk et à →Dougga. Parmi les nécropoles pun. connues alors le long du littoral algérien, seules celles de →Chullu (1890-95), d'→Igilgili (1928, 1937) et de →Gunugu (1891-92, 1900, 1932) avaient été explorées méthodiquement. L'indépendance acquise par les pays du Maghreb fut à l'origine d'un intérêt croissant pour les antiquités pré-rom. de la région, c.-à-d. le domaine de l'archéologie libyco-pun. représenté en →Tripolitaine, →Tunisie, →Algérie et au →Maroc. Une impulsion supplémentaire vint de la campagne internationale pour la sauvegarde du site de Carthage, patronnée par l'UNESCO (fig. 59, 60, 62, 63, 117, 270, 271). À partir de 1973, douze pays, avec parfois deux équipes, prirent part aux f. de Carthage, dirigées notamment par F. Rakob, H. Hurst, L.E. Stager, S. Lancel. D'autres sites tunisiens profitèrent de ce regain d'activité, en particulier la cité pun. de →Kerkouane fouillée par M. Fantar, diverses nécropoles et forteresses du Cap Bon et du Sahel, des villes d'origine pun. ou numide comme →Maktar ou Dougga. L'intérêt porté à la civilisation néopun. des Numides d'Algérie s'accrut également grâce aux nouvelles recherches dont firent objet les grands →mausolées, grâce aussi aux f. de →Tipasa, de →Siga, ou aux riches trouvailles, p.ex., dans la région de →Constantine. Les recherches archéologiques au Maroc entrèrent pareillement dans une phase nouvelle avec la découverte de vestiges phén. remontant au VIIe s., notamment dans les nécropoles au S. de →Tanger, à →Sala et à →Mogador. En Tripolitaine, les monuments de la civilisation pun. de l'époque rom. apparaissent surtout à →Leptis Magna et à →Sabratha, fouillées par des missions italiennes.

6 Espagne et Portugal Si les f. de certains sites pun. d'→Espagne remontent au XIXe s. et si la nécropole phén. de →Gadès devint célèbre par la découverte, en 1887, d'un grand sarcophage anthropoïde en marbre, il faut attendre les années 60 du XXe s. pour voir les recherches archéologiques d'→Andalousie aboutir à l'identification d'établissements phén. dont les origines datent au moins du VIIIe s. av. J.C. Les f. du *Deutsches Archäologisches Institut* de Madrid, dirigées par H.G. Niemeyer et H. Schubart, revêtent ici une importance particulière (fig. 362, 364), cependant que diverses équipes espagnoles parvinrent à mettre au jour des établissements aussi bien phén. que tartessiens, marqués par la tendence →orientalisante. Ces dernières années, une nouvelle impulsion fut donnée aussi aux f. sur l'île d'→Ibiza, notamment dans la nécropole de →Puig des Molins (fig. 167, 169, 171-176, 237-239), et au →Portugal, où la butte d'Alcácer do Sal paraît bien recouvrir un comptoir phén. du VIIe s. On ne peut négliger, non plus, les explorations des centres miniers et métallurgiques de la Péninsule Ibérique, tels ceux du Cerro Salomón, dans la zone de Riotinto, de San Bartolomé de Almonte, de Tejada la Vieja (→Huelva), près d'Escacena, ou d'Aljustrel, au Portugal. Les trouvailles subaquatiques, p.ex., celles d'→Aljaraque, de la Isla Grosa, près de →Carthagène, ou du Pecio del Sec, au large de Majorque, méritent pareillement d'être relevées, car elles illustrent la diversité des méthodes mises en œuvre.

7 Îles de la Méditerranée centrale Les établissements phén.-pun. à →Malte, à →Gozzo, sur l'île de →Pantelleria, en →Sicile et en →Sardaigne attirèrent de bonne heure l'attention des archéologues. On relèvera les f. de J.I.S. →Whitaker à →Motyé (1905-25) (fig. 228-237), celles d'A. Taramelli à →Sulcis, de F. Vivanet et de G. Patroni à →Nora. Mais c'est seulement dans la seconde moitié du XXe s. que commencèrent les grandes campagnes de f. modernes sur les sites phén.-pun. La Surintendance des Antiquités à Cagliari, dirigée par G. Pesce, puis par F. Barreca, entreprit en 1956 l'exploration du site de Sulcis et engagea, en 1963-66 et à partir de 1979, les f. de →Monte Sirai (fig. 227), à côté de celles de Sulcis, d'→Antas (1967-68) et, à partir de 1974, de →Tharros (fig. 145, 337). On notera aussi les f. d'→Olbia (1977-78) et de la nécropole pun. de →Monte Luna (1977-82). En Sicile occidentale, les f. anglaises de Motyé (1961-65) furent suivies, depuis 1964, de diverses f. italiennes organisées en coopération avec la Surintendance des Antiquités à Palerme, dirigée par V. Tusa. Il faut signaler également les f. des sites siciliens du →Monte Adranone, de →Sélinonte (fig. 299, 300), de la →Grotta Regina et de →Solonte, bien que le site de la ville pun. n'ait pas encore été localisé. À Malte, l'important sanctuaire phén.-pun. de →Tas Silġ fut l'objet d'une série de campagnes de f. italiennes en 1963-70.

Il ne fait aucun doute que les f. constituent un élément essentiel des →études phén.-pun., dont les progrès dépendent en bonne partie des résultats des recherches archéologiques. ELip

Bibl. G.-G. Lapeyre - A. Pellegrin, *Carthage punique*, Paris 1942, p. 24-52; V. Karageorghis, *Chronique des fouilles et découvertes archéologiques à Chypre*, BCH 83 (1959) ss.; *Ricerche puniche nel Mediterraneo centrale*, Roma 1970; *L'espansione fenicia nel Mediterraneo*, Roma 1971;

H.G. Niemeyer (éd.), *Phönizier im Westen*, Mainz a/R 1982; ACFP 1, p. 165-198, 291-373, 815-863; *Fenici e Cartaginesi in Italia*, Bollettino d'Arte, 6e sér., 31-32 (1985), p. 1-96; C.J. Pérez, *Bibliografía sobre los Fenicios en la Península Ibérica*, AulaOr 4 (1986), p. 315-338; E. et J. Gran-Aymerich, *Les Phéniciens et la recherche archéologique française*, Archéologia 240 (1988), p. 74-79.

FOUR Les fouilles archéologiques ont mis au jour de nombreux f., aussi bien des f. domestiques (en arabe *tannūr* ou *ṭābūna*) pour cuire le pain que des f. de potier ou de fondeur (→métallurgie), ou encore des f. à chaux.

1 Four à pain On a reconnu plusieurs f. à pain à →Kerkouane et à →Carthage, et une maquette d'un tel f. a été retirée en 1960 d'un caveau pun. du Ve s. à Bordj Djedid, à Carthage. Ces f. rappellent la *ṭābūna* de la Tunisie actuelle: ce sont des réchauds de terre cuite, cylindriques ou tronconiques, de *c.* 75 cm de diamètre, ouverts au sommet pour laisser échapper la fumée et dotés d'une prise d'air qui assure le tirage. Quand le f. est convenablement chauffé et la flamme tombée, la ménagère plaque les galettes de pâte contre les parois intérieures du f., en étendant le bras par l'ouverture supérieure, comme on le voit sur le f. en miniature de Bordj Djedid. Des restes de f. semblables ont été trouvés en Orient, dans tous les sites syro-palestiniens, notamment à Ugarit, Sarepta, Tell el-Far'ah N. ELip

2 Four de potier Les f. de potier phén. sont connus grâce aux fouilles de →Sarepta et de →Motyé. Une vingtaine de f., tous du même type et datés entre le Bronze Récent II et la fin de l'âge du Fer, furent mis au jour à la périphérie de Sarepta, près de la mer. Ils sont construits en pierre ou en brique crue, avec une couche d'argile à l'intérieur, et parfois bâtis les uns sur les autres. La structure ovale ou circulaire à deux étages comporte une chambre de combustion (ou de chauffe) et, au-dessus, un laboratoire sur lequel on disposait les pièces à cuire. La chambre de combustion, en général souterraine, est à plan bilobé, en forme d'oméga: un mur de refend dans l'axe d'entrée la divise en deux lobes symétriques et supporte la sole. Celle-ci, presque toujours détruite, est percée de carneaux. Le laboratoire, également perdu, devait avoir une voûte temporaire. Autour des f. de Sarepta (fig. 146), on a trouvé d'autres installations de l'industrie céramique, tels que bancs d'argile et décharges, ainsi que des ratés de la production. On retrouve des f. à plan similaire à Megiddo, Tell en-Nasbeh, Ashdod, Akko et Azor. Le plus ancien (Bronze Récent I) est le f. d'Azor, à plan bilobé mais carré, attaché au "Temple aux orthostates". Ceci démontre que ces f. sont d'origine cananéenne. La même tradition orientale survit dans le monde pun. à Motyé, où cinq f. à oméga ont été retrouvés le long de l'enceinte. La sole est ici construite en briques plano-convexes et le mur de refend se poursuit par un arc rampant vers l'entrée. Le plus grand f., haut de 4 m, a conservé sa cheminée cylindrique de briques crues et sa porte de charge. Les grands f. antérieurs à 146 av. J.C., découverts en Afrique du N., à Carthage, Utique et Kerkouane, ont parfois une cheminée cylindrique et possèdent un pilier central à la place du mur de refend. GFal

Fig. 146. Four de potier à plan bilobé, Sarepta.

Bibl. Ad 1: P. Cintas, *Tābūn*, OA 1 (1962), p. 233-244; M. Fantar, *Kerkouane* II, Tunis 1985, p. 156-159; *30 ans au service du Patrimoine*, Tunis 1986, p. 64.

Ad 2: J.B. Pritchard, *Recovering Sarepta, a Phoenician City*, Princeton 1978, p. 111-130; G. Falsone, *Struttura e origine orientale dei forni da vasaio di Mozia*, Palermo 1981.

FRANCAVILLA MARITTIMA Colline limitant au N. la plaine côtière de Sybaris (Calabre), où céramiques et outils de bronze attestent une installation d'Énotriens dès l'époque du Bronze Récent (XIIIe-Xe s.). La période la mieux documentée est toutefois le VIIIe s., dont date une nécropole à fosses recouvertes de tumulus en pierres. Le mobilier funéraire permet d'y constater des différenciations sociales, quelques sépultures féminines étant particulièrement riches: l'une d'elles contenait une →coupe en bronze à décor en repoussé de facture proche-orientale, peut-être phén. On note, vers 750-725, l'importation de →céramiques gr. et d'un scarabée en serpentine rouge, du groupe dit du "joueur de lyre", avec la représentation d'un lion passant et cinq lettres de l'→alphabet phén. Un lieu de culte y est attesté dès le début du VIIe s.; il est dédié au VIe s. à Athéna, comme l'indique une inscription sur tablette de bronze. Au pied de la colline, on a trouvé les restes d'une construction quadrangulaire contenant des *pithoi* pour le stockage de denrées alimentaires. L'abandon du site coïncide avec la destruction de Sybaris à la fin du VIe s.

Bibl. P.G. Guzzo, *Le città scomparse della Magna Grecia*, Roma 1982, p. 314-318; M.G. Amadasi Guzzo, StPhoen 5 (1987), p. 36 (bibl.). MGAmG

FRIEDRICH, JOHANNES (27.8.1893-12.8.1972). Orientaliste et linguiste allemand qui enseigna à Leipzig (1929-50) et à Berlin (1950-63). Les langues d'Anatolie, hittite, hourrite, urartéen, constituaient le domaine principal de ses recherches, mais il manifesta aussi un intérêt particulier pour le phén., dont il publia une grammaire détaillée, *Phönizisch-punische Grammatik* (Rome 1951), qui connut une seconde édition à laquelle collabora W. Röllig (Rome 1970). F. s'intéressait aussi à l'histoire de l'écriture, à laquelle il consacra deux ouvrages: *Entzifferung verschollender Schriften und Sprachen* (Berlin 1954, 1966[2]) et *Geschichte der Schrift* (Heidelberg 1966).

Bibl. W. Zaumseil, *Verzeichnis der wissenschaftlichen Veröffentlichungen von J. Friedrich,* Festschrift J. Friedrich, Heidelberg 1959, p. 487-505, complété dans *Tabula gratulatoria,* Berlin 1968; W. Röllig, *J. Friedrich,* ZDMG 123 (1973), p. 1-5; E. von Schuler, *J. Friedrich,* AfO 23 (1973), p. 241-243. ELip

FRIGILIANA →Cortijo de las Sombras.

FULVIUS CENTUMALUS MAXIMUS, CN. Consul en 211, issu d'une famille plébéienne. Préteur de 213 (Liv. XXIV 43,6-7), F. déplace les légions urbaines dans les environs de Suessula (Liv. XXIV 44,3; 47,12-13; XXV 3,1-3), base établie dès 216 par M. Claudius Marcellus (→Claudii 4), d'où on pouvait sinon contrôler, du moins observer les événements en Campanie. Consul de 211, F. séjourne d'abord avec son collègue P. Sulpicius Galba Maximus à Rome, où les deux consuls sont apparemment occupés à lever leurs troupes (Pol. IX 6,6). Lorsque →Hannibal (6) se manifeste aux portes de Rome, F., Sulpicius et le *praetor urbanus* C. Calpurnius Piso organisent la défense de la ville (Pol. IX 6,3.5-7; 6,7-7,3 [?]; Liv. XXVI 9,9; 10,2.5-6 [?]; 11,1 [?]; Eutr. III 14,1 [?]; Orose, *Adv. Pag.* IV 17,5 [?]). Après le départ d'Hannibal, F. se rend en Apulie, d'où il revient à Rome pour l'organisation des élections (Liv. XXVI 22,1-2). Il semble qu'il ait rempli sa mission en Apulie à la satisfaction des sénateurs, car son *imperium* fut prorogé pour 210 (Liv. XXVI 28,9). Durant cette année, il essaie d'exploiter les tendances à la défection qui se manifestent parmi les alliés d'Hannibal, notamment à Herdonia, divisée en deux factions, une pro-rom. et une pro-carth. Averti de sa présence près de cette ville, Hannibal l'attaque par surprise et lui inflige une défaite complète. F. trouve la mort au cours de la bataille (Liv. XXVII 1,3-15; 7,12; XXVIII 28, 12; Sil. It. XVII 303-304; Front., *Strat.* II 5,21; Plut., *Marc.* 24,4-5; App., *Hann.* 48; Eutr. III 14,6; Orose, *Adv. Pag.* IV 18,3).

Bibl. PW VII, col. 235-236 (43); Huß, *Geschichte,* p. 358, 359 (n. 184), 362 (n. 208), 370, 377-378. WHuß

G

GABALA En arabe *Ǧeblē*, cité phén. de la confédération d'→Arwad, à 20 km au S. de Lattaquié, en Syrie.

Bibl. PECS, p. 340; J.-P. Rey-Coquais, *Arados et sa Pérée*, Paris 1974; H. Seyrig, *Scripta numismatica*, Paris 1986, p. 79-98. ELip

GABÈS En lat. *Tacapes*, arabe *Qābis*, vaste oasis de Tunisie et port au fond de la Petite Syrte, qualifiée de "très grand marché" par Strab. XVII 3,17. On y a trouvé une inscription néopun. et des vases funéraires avec des lettres néopun., tracées au pinceau.

Bibl. AATun, f[e] Gabès, n° 61; Gsell, HAAN II, p. 125-126. ELip

GAD Nom que les Sémites du N.-O. donnaient à la "Fortune" et qui apparaît souvent dans l'anthroponymie, notamment dans les noms phén.-pun., bien qu'une origine libyque doive être retenue pour *Gauda* et peut-être aussi pour les noms en *Guddu-/Giddi-*. En dehors de l'onomastique, G. apparaît au IIe s. av. J.C. dans une dédicace néopun. d'→Es Cuyram adressée à →Tanit (CIE 07.15b), qui serait ainsi qualifiée de "puissante et bonne fortune". Une dédicace du →*tophet* de →Nora, datant du IVe-IIIe s., fait suivre le nom de Tanit *pn B'l* des lettres *gd/r d/r*[...] (ICO, Sard. 25), où l'on pourrait reconnaître G. Par ailleurs, →Pane Baal (*Benefal*) est associée à Manawat, la déesse arabe du destin, dans une inscription lat. de Sarmizegetusa (CIL III,7954; ILS 4341). Ces données sont trop équivoques pour en conclure que Tanit était une déesse du destin. On notera encore une probable "Fortune du Ciel" dans une inscription néopun. de →Maktar (KAI 147), à rapprocher peut-être de la *Fortuna Caelestis* d'une inscription lat. de Numidie (CIL VIII,6943). Dans le monde syro-palestinien des époques hellénistique et rom., G. devint le dieu personnel, tutélaire, le protecteur d'une ville, une tribu, un lieu, sous l'influence des entités comme la Tychè ou le Genius (→Daimôn). C'est ainsi que *Is.* 65,11 contient une allusion à une "table de G.", rendu en gr. par *daímōn*, mais on ignore si un G. phén. se cache p.ex. derrière la *Fortuna col(oniae)* (Syria 20 [1939], p. 315) ou le *Genius coloniae* (CIL III,6671; 6672) de →Beyrouth.

Bibl. DEB, p. 511; ThWAT I, p. 920-921; TRE XII, p. 3-5; WM I, p. 438-439; I. Zolli, *Il banchetto a Gad*, SMSR 12 (1935), p. 214-217; G. Garbini, *L'iscrizione di Es Cuyram (II) e il dio HGD*, RSO 40 (1965), p. 205-213; Benz, *Names*, p. 294-295; C. Grottanelli, *Astarte-Matuta e Tinnit Fortuna*, VO 5 (1982), p. 103-116; Barré, *God-List*, p. 64-68; Jongeling, *Names*, p. 45-46, 51. CBon

GADÈS En phén.-pun. *(h/')Gdr*, "(le) Mur", plus probablement "(l')Enclos" servant d'entrepôt (cf. *agadir* en berbère), comme le notent Pline, *N.H.* IV 120 (*saepes*); Solin XXIII 12; Avienus, *Ora* 268 (*conseptus locus*); Isid., *Orig.* XLV 6, 7; en gr. *Gadeira*, lat. *Gadir/Gadis/Gades*, aujourd'hui Cádiz, Cadix.

1 Topographie (fig. 147, 148). L'arrivée par mer à G. est saisissante. C'est ainsi que l'on voit le mieux son site de plate-forme rocheuse aux abords de la côte atlantique de l'→Espagne, face à l'estuaire du Guadalete. La presqu'île actuelle de Cádiz, où la ville moderne occupe l'emplacement de l'antique G., n'est rattachée au continent que par un étroit banc de sable. C'était encore une île au Ier s. ap. J.C., quand Pomp. Méla III 46 décrit le site, où "un petit bras de mer" séparait G. de la terre ferme, à laquelle des alluvionnements du Guadalete ont relié l'île par la suite. Cette île s'est constituée, à son tour, par le colmatage qui a raccordé la petite île d'Érytheia à la grande île de Kotinousa, îles encore distinctes chez Timée à la fin du IVe s. av. J.C. (Pline, *N.H.* IV 120). Une troisième île, l'Antipolis, correspond à l'actuelle localité de San Fernándo, au S.-E. de G. Les récentes recherches topographiques ont réussi à délimiter Érytheia et Kotinousa en décelant l'emplacement approximatif du bras de mer, aujourd'hui colmaté, qui divisait le site de la ville moderne en allant de La Caleta à La Bahía, d'O. en E., et aurait pu servir de port intérieur. La petite île d'Érytheia, appelée aussi Aphrodisias ou île de Junon (Strab. III 5,5), était située au N.; la cité s'y est développée dans la partie E., sur le promontoire du quartier de la Torre de Tavira, où la statuette du →Ptah momiforme est venue au jour à 5 m de profondeur (fig. 149), tandis que le temple d'Astarté, la *Venus marina* d'Avienus, *Ora* 315, se trouvait du côté O., à la Punta del Nao, lavée par les marées, où divers objets de facture orientale ont été retrouvés: un →thymiatère, des figurines fé-

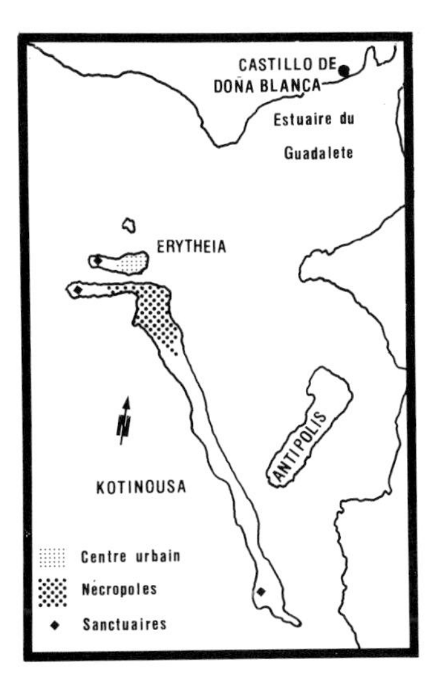

Fig. 147. Gadès: reconstitution de l'ancien archipel gaditain.

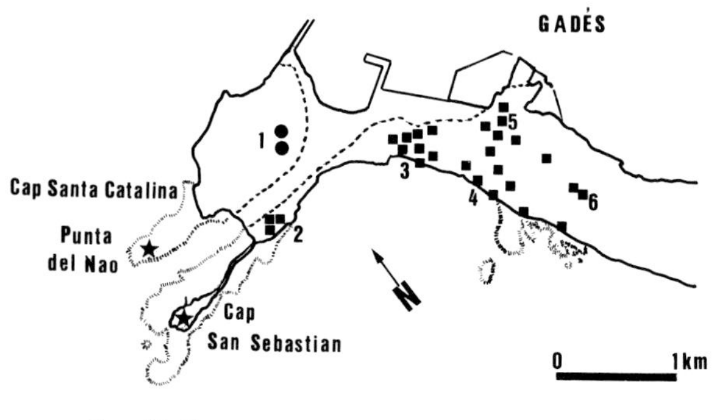

Fig. 148. Gadès: 1) Torre de Tavira; 2) Capuchinos; 3) Santa Maria del Mar; 4) Puertas de Tierra; 5) sarcophage anthropoïde masculin; 6) sarcophage anthropoïde féminin.

minines (→coroplastie), peut-être du VIe s., de minuscules amphores votives. De l'autre côté du bras de mer s'allongeait l'extrémité N.-O. de la grande île de Kotinousa, où le Castillo de San Sebastián s'élève dans le voisinage de l'endroit où fut découvert le chapiteau proto-éolique du VIIIe-VIIe s. (fig. 150), qui appartenait vraisemblablement à un →sanctuaire (3A), sans doute celui de →Kronos (Strab. III 5,5), c.-à-d. de →Baal Hamon. Plus à l'E. s'étendaient les →nécropoles de G. (→tombes 2Bb) chez les Capuchinos, aux Puertas de Tierra et au-delà, où on a trouvé le sceau paléo-hébraïque de *Na'am-'El* (Syria 62 [1985], p. 38-41), remontant au VIIIe s., une statuette en bronze de style orientalisant, des pièces d'orfèvrerie, peut-être une œnochoé proto-attique du VIIe s., dont la provenance gaditaine n'est toutefois que vraisemblable, puis à Santa María del Mar, où on a découvert un médaillon égyptisant en or du VIIe-VIe s., enfin dans la zone des hypogées qui contenaient les deux →sarcophages (4) anthropoïdes, l'un masculin, mis au jour à la Punta de la Vaca et datable de *c.* 400 av. J.C., l'autre féminin, trouvé dans la rue Ruiz de Alda et remontant peut-être à *c.* 470 av. J.C. Le fameux sanctuaire de l'Héraklès gaditain, qui pouvait y être vénéré sous le nom de →Milkashtart (cf. CIE 04.03) aussi bien que sous celui de →Melqart, se trouvait à *c.* 19 km de la ville, à l'extrémité S.-E. de Kotinousa, que les navigateurs venant de l'Orient apercevaient en premier lieu. C'est le site de l'actuel îlot de Sancti Petri près duquel on a découvert, en 1984, trois figures de bronze représentant des divinités mâles, dont une du type de →"Smiting God". Des recherches subaquatiques s'imposent ici de toute évidence. Faute de pouvoir fouiller G. elle-même, les anciens sites continentaux, voisins de G., revêtent une importance particulière. Les plus proches sont ceux de →Castillo de Doña Blanca, établissement créé pour les besoins du commerce gaditain dans la première moitié du VIIIe s., et de Berrueco de Medina Sidonia, à 25 km de G., agglomération "tartessienne" dont les origines remontent à l'époque chalcolithique, mais où l'influence phén. ne se fait sentir qu'au milieu du VIIIe s. On en conclut que la fondation de G. ne peut guère être antérieure aux débuts du VIIIe s. av. J.C. ELip

2 Sources littéraires Située sur les rivages atlantiques de l'→Andalousie, au-delà du Détroit de →Gibraltar, G. se trouve à l'E. de l'embouchure du Guadalquivir qui draine les richesses de la Sierra Morena. C'est le principal établissement phén. de la côte ibérique, le plus proche des fournisseurs de métaux du pays de Tartessos (→Tarshish) et jouant un rôle prééminent dans les productions artisanales phén. C'est le seul aussi dont la tradition affirme l'antiquité. Celle-ci, la réputation de son temple d'Héraklès, visité par Hannibal (Sil. It. III 1), Fabius Maximus (App., *Iber.* 65), Polybe ou César (Dion C. XXXVII 52), sa situation aux frontières du monde où l'on peut observer les marées, sa richesse et sa large population à l'époque

Fig. 149. Statuette en bronze (13 cm) du Ptah momiforme, le visage recouvert d'une feuille d'or (VIIIe-VIIe s. av. J.C.). Madrid, Musée Archéologique National.

Fig. 150. Chapiteau proto-éolique de Gadès (VIIIe-VIIe s. av. J.C.). Cadix, Musée Archéologique.

rom. donnent à G. une place exceptionnelle dans les descriptions des →auteurs classiques. Si les sources littéraires ont tendance à réunir en un même ensemble trois colonies phén. censément fondées à la fin du XIIe s., →Lixus, G. et →Utique, les témoignages sont les plus nombreux pour G., dont Velleius Paterculus I 2,3 place la fondation 120 ans après la mort d'Héraklès et 80 ans après la guerre de Troie, soit dans les années 1104/3. Certes, la plupart des auteurs sont aujourd'hui critiques vis-à-vis de ces données appartenant à tout un courant de l'historiographie hellénistique qui situe dans un même temps la "première" →expansion phén. et le "retour des Héraklides", mais l'ancienneté indubitable de cette expansion invite l'historien à être vigilant. Le récit de Strab. III 5,5-9 est précieux pour les renseignements qu'il fournit sur les tâtonnements qui ont précédé le choix de G. Après avoir conduit deux expéditions infructueuses, qui aboutissent à Sexi (→Almuñécar) et près de l'antique Onoba (→Huelva), les Tyriens se blotissent dans une baie, en face d'habitats indigènes déjà développés grâce à la →métallurgie. On saisit ici l'opiniâtreté des Phéniciens à vouloir s'installer au plus près des débouchés des →mines du pays de Tartessos. Ceci explique aussi la confusion, que l'on trouve chez les auteurs rom. (Sall., *Hist.* II, fr. 5; Pline, *N.H.* IV 22), entre G. et Tartessos, partageant la même réputation de richesse fondée sur l'argent, un métal exporté par G.

Le récit de la →fondation de G. se rattache à celui de la fondation du sanctuaire d'Héraklès (Diod. V 20,2; Strab. III 5,5; Pomp. Méla III 46; Pline, *N.H.* XIX 4), premier souci de ceux qui installent un nouveau comptoir. Les fonctions du temple durent être multiples: rendre un culte au dieu de la mère patrie, servir de lieu d'asile, collecter les redevances dues par les marchands, garantir l'honnêteté des transactions. Le prestige du dieu grandit au point qu'il figure sur les monnaies pun. de G. (fig. 257:5,8) et que l'*Hercules Gaditanus* reparaît sur celles des empereurs Trajan et Hadrien, tous deux originaires d'Espagne. Son culte n'en continua pas moins à être célébré à l'époque rom. selon le rituel phén. (Diod. V 20; Arr., *An.* II 16; App., *Iber.* 2) et il n'y avait pas de statue de culte avant le Ier s. ap. J.C. (Arr., *An.* II 16,4; Philostr., *V. Apoll.* V 5; Sil. It. III 30-31). L'archéologie n'a rien révélé du temple, mais les auteurs anciens, notamment Strab. III 5,5-9, le décrivent avec ses autels, les deux stèles de bronze, les portes décorées des Douze travaux d'Hercule (Sil.It. III 32-44), sa source d'eau douce. Il contenait des richesses fabuleuses, enlevées par →Magon (6) en 206 (Liv. XXVIII 36,2), mais bientôt reconstituées, puisque Varron ordonna en 49 av. J.C. de les transporter en ville (Cés., *Bell.Civ.* II 18,2).

Bibl. PECS, p. 341-342; A. García y Bellido, *Iocosae Gades*, BRAH 129 (1951), p. 73-121; id., *Hercules Gaditanus*, AEArq 36 (1963), p. 70-153; D. van Berchem, *Sanctuaires d'Hercule-Melqart*, Syria 44 (1967), p. 73-109, 307-388 (voir p. 80-87); A. Tovar, *Iberische Landeskunde* II/1, Baden-Baden 1974, p. 37-48; Gamer-Wallert, *Funde*, p. 70-86; Bunnens, *Expansion*; R. Corzo, *Paleotopografía de la bahía gaditana*, Gades 5 (1980), p. 5-14; A. Blanco Freijeiro - R. Corzo Sánchez, *Der neue anthropoide Sarkophag von Cádiz*, MM 22 (1981), p. 236-243; J.B. Tsirkin, *The Labours, Death and Resurrection of Melqart as depicted on the Gates of the Gades Herakleion*, RSF 9 (1981), p. 21-27; J.R. Ramírez Delgado, *Los primitivos nucleos de asentamiento en la ciudad de Cádiz*, Cádiz 1982; E. Lipiński, *Vestiges phéniciens d'Andalousie I. Cadix*, OLP 15 (1984), p. 82-100; M.C. Marín Ceballos, *La religión fenicia en Cádiz*, Cádiz en su historia, Cádiz [1984], p. 5-41; J.L. Escacena, *Gadir*, AulaOr 3 (1985), p. 39-58; A. Perea Caveda, *La orfebrería púnica de Cádiz*, AulaOr 3 (1985), p. 295-322; A. Blanco Freijeiro, *Los nuevos bronces de Sancti Petri*, BRAH 182 (1985), p. 207-216; G. Bunnens, *Le rôle de Gadès dans l'implantation phénicienne en Espagne*, AulaOr 4 (1986), p. 187-192; C.J. Pérez, AulaOr 4 (1986), p. 318-319 (bibl.); M.E. Aubet Semmler, *Tiro y las colonias fenicias de Occidente*, Barcelona 1987; Bonnet, *Melqart*, p. 203-230.

PRou

GAFSA En lat. *Capsa*, aujourd'hui *Qafṣa*, ville de Tunisie, dans l'oasis homonyme, à *c.* 130 km à l'O. de →Gabès. Une légende attribuait la fondation de G. à l'Hercule phén. (Orose, *Adv. Pag.* V 15,8, probablement d'après Liv.). À la fin du IIe s. av. J.C., G. était selon Sall., *Jug.* 89, 4, une grande ville; →Jugurtha l'assujétit et y déposa des trésors royaux (Strab. XVII 831). En 106, G. fut prise et incendiée par Marius (Sall., *Jug.* 91). Réédifiée à l'époque impériale, elle devint d'abord municipe et ensuite colonie. Il ne reste que peu de vestiges architectoniques rom. et il n'y a pas de preuves convaincantes que le site fut occupé auparavant par des Phéniciens ou des Carthaginois, bien que des magistrats y aient porté le titre de suffètes encore sous le règne de Trajan (CIL VIII, 22796).

Bibl. AATun, f^e Gafsa, n° 23; PECS, p. 195; PW III, col. 1553; Gsell, HAAN II, p. 98-99; V, p. 278-279; VII, p. 231-234; Gascou, *Politique municipale*, p. 89-91; Desanges, *Pline*, p. 330; Lepelley, *Cités* II, p. 281-282.

SCec

GALERA →Tútugi.

GALES →Djebel Mansour.

GALILÉE Cette région, limitée au N. par la rivière →Litani et au S. par la plaine de Yizréel, fait partie de la chaîne sub-côtière qui traverse le Levant selon l'axe N.-S., entre le Grand Fossé à l'E. et la plaine côtière à l'O. C'est le territoire traditionnel de Nephtali, Asher, Issachar et Zabulon, où les Israélites étaient mêlés aux Cananéens. Malgré les textes bibliques, notamment ceux qui se réfèrent au territoire d'Asher (*Jos.* 19,24-31; *Jg.* 1,31-32; 5,17b), il semblerait qu'ils n'ont jamais dominé la plaine côtière: ils ont plutôt loué leurs services aux Phéniciens de la côte. Du temps de David, la plaine au N. du Mont →Carmel apparaît comme faisant partie du royaume d'→Israël (*2 S.* 24, 5-7), mais la culture matérielle de la région ne montre aucun des traits typiques de la civilisation israélite. La prééminence de →Tyr dans cette zone prit son essor au temps de Salomon, qui céda 20 villes de G. à →Hiram I pour payer des marchandises et des matériaux de construction; →Kabul, située sur le versant O. des collines de la Basse G., devint la frontière entre Israël et la Phénicie. Sous la domination assyrienne, le destin de la plaine côtière de G. fut lié à celui de Tyr. En 733/2, Téglat-Phalasar III ravagea les villes de la G.: certaines d'entre elles furent abandonnées, tandis que Dan, Hazôr et →Megiddo reprirent leur vie normale jusqu'au début du VIe s., moment où les armées babyloniennes arrivèrent pour mettre fin à la révolte de Joachim. La politique perse favorisa le développement des villes côtières des deux côtés du Carmel, placées sous le contrôle phén. Jusqu'à Alexandre, la culture matérielle y resta phén., l'influence perse se manifestant dans l'administration du territoire. Aux époques hellénistique et rom., l'influence économique et culturelle de Tyr fut prédominante même en Haute G., comme l'indique l'abondance du monnayage tyrien trouvé dans la région. Celle-ci se trouvait du reste sur la voie commerciale reliant la côte phén. à →Damas, en passant notamment par la petite ville hellénistique du Tel Anafa, à 7 km au S. de Dan. Il faut noter que la Phénicie exerça en Haute G. une influence également religieuse, dont le temple de →Qédesh de G. constitue un exemple.

Bibl. R.S. Hanson, *Tyrian Influence in the Upper Galilee*, Cambridge Mass. 1980; S. Freyne, *Galilee from Alexander the Great to Hadrian, 323 B.C.E. to 135 C.E.*, Notre Dame 1980; E. Stern, *Material Culture of the Land of the Bible in the Persian Period 538-332 B.C.*, Jerusalem 1982; D. Barag, *Tyrian Currency in Galilee*, IsNumJ 6-7 (1982-83), p. 7-13.
DHer

GAMBULU En akk. *Ga-am-bu-lu*, phén. **Gbl*, localité du royaume de Sidon, annexée par Asarhaddon en 677/6 (AfO, Beih. 9, p. 48, col. III,6). Sa localisation est inconnue. ELip

GAM(M)ART(H) Station balnéaire à *c.* 10 km au N. de →Carthage, qui devait faire partie de la Mégara, zone suburbaine de la Carthage pun., où l'habitat était de type semi-urbain. La découverte, à G., d'une villa donne une idée assez précise de l'habitat rural pun., soigné et bien aménagé. L'ensemble de l'édifice semble avoir couvert une superficie de *c.* 200 m² et son dernier état remonte probablement à la première moitié du IIe s. av. J.C. Quant à la nécropole découverte à G. par C.-E. →Beulé, elle date de l'époque de la Carthage rom. et était destinée surtout à la communauté juive, comme l'a montré A.L. →Delattre.

Bibl. AATun, f^e^ 14 (La Marsa); M.H. Fantar, *À Gammarth avant la conquête romaine*, BAC, n.s., 17B (1981 [1984]), p. 3-19; id., *Kerkouane* II, Tunis 1985, p. 14-23.
ELip

GARAMANTES Population antique du Fezzan, dont Garama (Djerma) était le centre, mais dont l'influence s'étendait au moins juqu'à Ghadamès. Le seul vestige matériel des contacts entre la Carthage pun. et les G. est constitué par les perles de verre qui devaient servir de monnaie d'échange avec les indigènes. Les relations avec le monde néopun. sont attestées notamment par un graffito et peut-être une inscription sur amphore, trouvés dans la nécropole de Saniat ben-Hawedi, à 8 km à l'E. de Garama, ainsi que par une inscription bilingue libyco-néopun. gravée sur une stèle funéraire de Taglit, à *c.* 25 km à l'O. de Garama. À l'E., les relations des Garamantes atteignaient la →Cyrénaïque et l'Oasis de Siwa, dont l'Ammon cornu était considéré au Ier s. ap. J.C. comme le dieu des G. (Lucain, *Phars.* IX 514, cf. III 292; IX 545; Sil. It. III 10; XIV 572). Se référant à la Tripolitaine, d'où nous viennent les inscriptions →lat.-pun. des IIIe-Ve s. ap. J.C., Arnobe le Jeune mentionne encore les G. vers 460 ap. J.C. Dans son commentaire des Psaumes, il signale à propos du "pays de Cham" (*Ps.* 105 [104], 23.27) que l'on y fait usage "de la langue pun. du côté des G." (PL LIII, col. 481).

Bibl. KlP II, col. 696-697; PW VII, col. 751-752; R.C.C. Low, *The Garamantes and Trans-Saharan Enterprise in Classical Times*, Journal of African History 8 (1967), p. 181-200; C. Daniels, *The Garamantes of Southern Libya*, Stoughton 1970; id., *An Ancient People of the Libyan Sahara*, J. et T. Bynon (éd.), *Hamito-Semitica*, The Hague-Paris 1975, p. 249-265 (cf. G. Garbini, StMagr 8 [1976], p. 13); Desanges, *Recherches*, p. 189-195; G. Caputo, *I Garamanti e l'Africa interna*, Miscellanea E. Manni II, Roma 1980, p. 377-394; Desanges, *Pline*, p. 249-250, 376-378, 391-392, 411-412, 455; E.M. Ruprechtsberger, *Die Garamanten*, Antike Welt 20 (1989), Sondernummer.
ELip

GARUM En gr. *gáron/s*, lat. *garum*, que l'on aurait désigné aussi sous le nom d'origine pun. *codlia* ("poisson haché"). Sauce très forte et épaisse, dont on connaît plusieurs recettes (*Géop.* XX 46; Garg., 62 [p. 209-211 Rose]), le g. était un condiment utilisé en cuisine (cf. Apic.); on s'en servait en médecine (Pline, *N.H.* XXX 97) et pour préparer le *garélon*, un pâté fait de g. et d'huile, qui apparaissait même au menu du Mithréum de Dura-Europos, sur l'Euphrate (*Rep.* VII-VIII, p. 125). Sa fabrication nécessitait des poissons gras, appelés également g. par Pline, *N.H.* XXXI 93, et du sel en grande quantité. Les sources littéraires et l'archéologie indiquent que la côte de l'→Andalousie, le rivage atlantique du →Maroc, la côte E. de la →Tunisie et la région des Syrtes étaient des centres de fabrication et de commerce de salaisons dont le g. était un sous-produit. La Grèce en importait déjà de l'O. au Ve s. av. J.C. (Ath. II 67c),

Fig. 151. Usines de salaisons à Lixus.

comme le révèlent les sources littéraires (Eupolis: FAC I, p. 186; Antiphanès: FAC II, p. 77) et le matériel archéologique (cf. les "amphores pun." de →Corinthe). Toutefois, Ét. Byz. mentionne en Orient les saloirs de Péluse (s.v. *Tarikhêai*; cf. *Ne.* 13,16) et la Tour des Poissons, la Tarichées des Grecs, sur le lac de Tibériade, était un centre renommé où l'on préparait les salaisons, les *n[ûnayy]ā' melîḥayyā'*, "poissons salés", comme les nomme le grand Tarif de Palmyre (CIS II, 3913, II, 34). Le procédé était aussi connu de l'auteur du Livre de Tobie (*Tb.* 6,5/6), composé *c.* 200 av. J.C. en Babylonie, où la préparation des salaisons était pratiquée dès le IIIe mill., comme l'attestent l'expression sumérienne k u a - m u n - n a, "poisson salé", ou l'accusé de réception du sel destiné au saloir des poissons, daté de *c.* 1573 av. J.C. (VAB V,256). Dans l'Occident pun., Skyl. 110 signale, au IVe s. av. J.C., les saloirs de Bahiret el-Bibane, près de →Zarzis, mais leur nombre devait être élevé et les fouilles ont fait connaître de nombreuses installations industrielles (fig. 151), mais aucune n'est antérieure au Ier s. av. J.C. →Carthage aurait consommé des poissons salés de →Gadès (Ps.-Arstt., *Mir. ausc.* 136), pêchés jusqu'à Lixus (Strab. II 3,4). La région de →Carthagène fournissait un g. très fameux, le *g. sociorum*, qu'on a traduit "g. des Alliés" ou "g. de la Compagnie", en insistant sur le mode d'organisation de cette industrie, dont l'essor en Méditerranée est probablement dû aux Phéniciens et aux Puniques.

Bibl. PW VII, col. 841-849; M. Ponsich - M. Tarradell, *Garum et industries antiques de salaison dans la Méditerranée occidentale*, Paris 1965; R. Etienne, *À propos du garum sociorum*, Latomus 29 (1970), p. 297-313; V. Quittner, *The Semantic Background of "socii" in Lat. "garum sociorum"*, JNSL 6 (1978), p. 45-47; S.F. Bondì, *L'alimentazione nel mondo fenicio-punico. L'aspetto economico-industriale*, L'alimentazione nell'antichità, Parma 1985, p. 167-184; J. Blänsdorf - H. Horst, *Codlia - eine semitische Bezeichnung für garum ?*, ZDMG 138 (1988), p. 24-38; J.A. Ruiz Gil, *The Economy of Gadir in the Antiquity: The Salt Fish Factories of Puerto de Santa Maria ?*, StPhoen 9 (sous presse). VKri-ELip

GASR WADI EL-BIR Site d'un fortin du *limes* de Tripolitaine (Libye), proche de Shemek, sur le *Wādi Sofeǧǧin*, à c. 150 km à vol d'oiseau au S. de Leptis Magna. On y a trouvé une inscription lat.-pun. gravée sous un relief qui représente deux Victoires ailées tenant une guirlande et qui commémore la construction du fortin.

Bibl. IRT 889 = KAI 179; M. Sznycer, GLECS 10 (1963-66), p. 100-101; G. Coacci Polselli, OAColl 13 (1978), p. 237-238; A.F. Elmayer, LS 14 (1983), p. 90-91; 15 (1984), p. 149-151. ELip

GAUDA En gr. *Gaós*, lat. *Gauda*, fils de →Mastanabal I, débile et faible d'esprit. Aussi ne fut-il pas directement mêlé aux remous de la succession de son oncle →Micipsa, →Jugurtha négligeant même de l'éliminer, comme il le fit pour →Adherbal, →Hiempsal I et Massiva. C'est ainsi que, paradoxalement, G. se retrouva, à la fin de la guerre menée par Rome contre Jugurtha, seul survivant de la famille royale de Numidie. Comme il bénéficiait du support de Marius, auquel il avait apporté sa caution en vue du consulat en 107 (Sall., *Jug.* 65), c'est lui que les Romains mirent sur le trône de la Numidie orientale (105-88 av. J.C.). Ses fils →Hiempsal II et →Mastanabal II (?) lui succédèrent. MDub

GAZA En hb. *'azzāh*, ég. *Gḏt* ou *Qḏt*, akk, *(Ḫ)azzatu*, gr. *Kádutis* ou *Gáza*, originairement *Ġazzatu* et aujourd'hui *Ġazze*, une des cités de la Pentapole philistine, située à l'emplacement de la ville moderne de G. Comme toute ville ayant connu une occupation continue, G. a livré peu de vestiges archéologiques des temps reculés, mais la céramique témoigne de l'occupation du site au moins depuis l'époque du Bronze Récent (1556-1200). C'est au début de cette période que remonte aussi la plus ancienne mention écrite de la ville. En effet, Thoutmès III (*c.* 1504-1450) en fit une base opérationnelle, *c.* 1481, pour ses campagnes de Palestine et de Syrie (ANET, p. 235). La position de la ville sur la *Via Maris* menant d'Égypte en Asie et la fertilité de la région avoisinante font cependant supposer que, de longue date déjà, G. servait d'étape sur la route des caravanes et de base pour les opérations pharaoniques en Syro-Palestine. Mentionnée dans la lettre de Tanak 6, au XVe s., dans les lettres d'el→Amarna (EA 289,17.33.40; 296,32), au XIVe s., dans des documents égyptiens du XIIIe s. (ANET, p. 258; TPOA, p.

66), G. resta sous la mouvance des pharaons au temps de la XVIIIe et de la XIXe dynasties. C'est aussi à l'initiative ou avec l'accord de Ramsès III (1182-1151) que les →Philistins durent s'y installer *c.* 1175 av. J.C. Vers 1100 av. J.C., l'*Onomasticon* d'Amenemopé cite déjà G. parmi les villes philistines, avec →Ascalon et →Ashdod. Attribuée théoriquement à Juda (*Jos.* 15,47), elle n'en fit jamais partie (*Jg.* 1,18 selon les Septante) et devint une des cinq cités royales philistines (*Jos.* 13,3; cf. *Jg.* 16, 1-2.21, *1 S.* 6,17). Elle se soumit en 734 à Téglat-Phalasar III (ANET, p. 283; TPOA, p. 103-104) et une révolte de →Hanûn (1) de G. fut ensuite réprimée par Sargon II, qui déporta le roi rebelle en Assyrie (ANET, p. 285; TPOA, p. 108-109). À la mort de Sargon, Ézéchias de Juda s'avança jusqu'à G. (*2 R.* 18,8), où régnait alors Ṣillibēl, mais en 701 Sennachérib récompensa le vassal fidèle en agrandissant ses États aux dépens de Juda (ANET, p. 288; TPOA, p. 121). Ṣillibēl eut un long règne et paya encore le tribut à Asarhaddon et à Assurbanipal (ANET, p. 291, 294; TPOA, p. 128, 132). En 609, Néchao II occupa G. (*Jr.* 47,1; Hdt. II 159), mais la Philistie fut conquise bientôt par Nabuchodonosor II. Il s'en rendit maître en 605-602, déportant en Babylonie le dernier roi de G. (ANET, p. 308), et c'est probablement de G. qu'il lança en 568 sa campagne contre l'Égypte, tout comme Cambyse le fit en 525. Connue à l'époque perse pour son monnayage "philisto-arabe", G. fut en 332 la seule ville palestinienne à s'opposer aux troupes d'→Alexandre le Grand (Arr., *An.* II 25,4; Q.-Curce IV 6,7-30), qui la pillèrent et réduisirent ses habitants en esclavage. La ville, partiellement repeuplée (Arr., *An.* II 27,7), fit ensuite partie des États des →Lagides, mais Antiochus III le Grand l'occupa définitivement en 198. Devenue le débouché du commerce nabatéen sur la Méditerranée, elle s'enrichit considérablement et développa son port de Maïoumas, situé à 3 km de la cité, à *Ḫirbet Bēt el-Iblaḥiye*. Elle fut attaquée par les Hasmonéens, d'abord par Jonathan en 145 (*1 M.* 11, 61-62; Fl. Jos., *A.J.* XIII 150-153), puis par Alexandre Jannée en 96 (*A.J.* XIII 357-364; *B.J.* I 87). Ce dernier parvint à s'emparer de la cité qui resta au pouvoir des Hasmonéens jusqu'en 61, quand Pompée lui accorda le statut de ville libre (*A.J.* XIV 75-76). Donnée à Hérode le Grand par Auguste, en 30 av. J.C., elle constitua une entité séparée au sein de ses États et Kosgabar, gouverneur de l'Idumée, eut la charge de son administration (*A.J.* XV 217. 254; *B.J.* I 396). Lors du partage du royaume d'Hérode, G. fut placée sous le contrôle du proconsul de Syrie (*A.J.* XVII 320). Elle connut alors une grande prospérité et abrita une école renommée de rhéteurs. Le culte principal que l'on y célébrait était celui de Marna, "Notre Seigneur", appellation d'origine araméenne du grand dieu de G., qui était →Dagon à l'époque biblique (*Jg.* 16, 23). Il est possible qu'on doive l'identifier au dieu Mari du →Papyrus Amherst 63.

Bibl. Abel, *Géographie* II, p. 327-328; BRL², p. 86-88; EJ VII, col. 339-343; PW VII, col. 880-886; RLA III, p. 153; IV, p. 110-111; K.B. Stark, *Gaza und die philistäische Küste*, Jena 1852; M.A. Meyer, *History of the City of Gaza from the Earliest Times to the Present Day*, New York 1907; D. MacKenzie, *The Port of Gaza and Excavations in Philistia*, PEFQSt 50 (1918), p. 73-87; J. Garstang, *The Walls of Gaza*, PEFQSt 52 (1920), p. 156-157; W.J. Phythian-Adams, *Reports on Soundings at Gaza, etc.*, PEFQSt 55 (1923), p. 11-36; H. Tadmor, *Philistia under Assyrian Rule*, BA 29 (1966), p. 86-102; A. Ovadiah, *Excavations in the Area of the Ancient Synagogue at Gaza*, IEJ 19 (1969), p. 193-198; U. Rappaport, *Gaza and Ascalon in the Persian and Hellenistic Periods in relation to their Coins*, IEJ 20 (1970), p. 75-80; A.H.M. Jones, *The Cities of Eastern Roman Provinces*, Oxford 1971²; T.L. Thompson, *The Settlement of Sinai in the Bronze Age*, Wiesbaden 1975, p. 10-13; H.J. Katzenstein, *Gaza in the Egyptian Texts of the New Kingdom*, JAOS 102 (1982), p. 111-113; A. Kasher, *Gaza during the Greco-Roman Period*, The Jerusalem Cathedra 2 (1982), p. 86-78; M. Gichon, *The History of the Gaza Strip: A Geopolitical and Geostrategic Perspective*, The Jerusalem Cathedra 2 (1982), p. 282-317; J. Naveh, *Published and Unpublished Aramaic Ostraca*, 'Atiqot. English Series 17 (1985), p. 114-121 (voir p. 118-119); H.J. Katzenstein, *Gaza in the Persian Period*, Transeuphratène 1 (1989), p. 67-86; L. Mildenberg, *Gaza Mint Authorities in the Persian Time*, Transeuphratène 2 (1990). ELip

GÉLA Colonie gr. de la Sicile du S., fondée par des Rhodiens et des Crétois en 689 av. J.C. Après de longues luttes contre les indigènes, les Sicanes, G. s'empara d'un vaste territoire, fondant →Agrigente (582). Elle atteignit son extension maximale sous le tyran Hippocrate, dont les successeurs, Gélon et Hiéron, firent la guerre à Syracuse. Elle déclina politiquement sous les Deinoménides, après la bataille d'→Himère (480). En 405, G. fut détruite par les Carthaginois menés par →Himilcon (2), puis abandonnée. Elle fut repeuplée sous Timoléon (338), conquise par →Agathocle qui en fit une base militaire contre Carthage (310), enfin définitivement anéantie par Phintias, tyran d'Agrigente. Parmi les ruines de G., rares sont celles qui ont un rapport avec la culture pun. On rappellera quelques vases chypriotes de style Chypro-Géométrique III, des flacons en pâte de verre et des amphores pun. "à torpille" découvertes dans la nécropole. Enfin, selon une tradition tardive (Zén. I 54), un pirate phén. aurait tué les deux fondateurs de G., punis pour n'avoir pas écouté l'oracle.

Bibl. PW VII, col. 946-962; G. Canzanella, *Gela*, BT VIII, Pisa-Roma 1989, sous presse (bibl.). GFal

GELIDONYA Une épave de la fin du Bronze Récent fut fouillée en 1960, par 29 m de fond, au large du cap G., à *c.* 70 km à l'E. de Kaş (→Ulu Burun), non loin de la ville qui porte le nom caractéristique de Finike (antique Phoinikous), dans le S.-O. de la Turquie. Bien que peu subsiste de la coque, la disposition de la cargaison suggère un navire de *c.* 8 m. Les objets datent le naufrage de *c.* 1200. Le bateau transportait 34 saumons de cuivre d'un poids moyen de 25 kg, coulés en lingots plats à quatre anses, dits "en peau de bœuf" ("ox-hide"), et connus en Crète minoenne et en Sardaigne. Ils étaient empilés sur du fourré de fardage semblable à celui du bateau d'Ulysse (*Od.* V 256-257). Il y avait aussi à bord des lingots discoïdes de cuivre, de l'étain sous une forme mal définie, ainsi que des outils de bronze cassés et sans doute voués à la refonte. Des outils de pierre et de bronze destinés au travail des métaux suggèrent la présence à bord d'un rétameur. Les objets personnels, regroupés à une extrémité de l'embarcation où pouvait se trouver le quartier de l'équipage, suggèrent un navire de provenance cananéenne ou chypriote.

Bibl. G. Bass, *Cape Gelidonya: A Bronze Age Shipwreck*, Philadelphia 1967; J.D. Muhly, *The Nature of Trade in the LBA Eastern Mediterranean*, J.D. Muhly - R. Maddin - V. Karageorghis (éd.), *Early Metallurgy in Cyprus, 4000-500 B.C.*, Nicosia 1982, p. 251-269. GBass

GENONI Localité de la →Sardaigne centrale, située dans la plaine de la Marmilla, au pied du Mont S. Antini. Cette région connut diverses installations pun. Le sommet du mont était fortifié par une muraille flanquée de tours dont les vestiges, datables du Ve s. av. J.C., sont encore visibles et en cours de fouilles. À mi-pente subsiste une construction en pierre appelée "haut-lieu", datée de la même période. Dans une localité voisine a été découverte une tombe dont le matériel est daté du IIIe s. De G., ou peut-être de Gesturi, proviendrait une statuette en bronze, généralement datée du IVe-IIIe s. (Phén 247). Elle représente un personnage masculin, barbu, vêtu d'une longue tunique et coiffé d'une couronne de plumes ou de palmes, habituellement identifié à →Sardos/Sardus Pater, mais dans lequel on pourrait peut-être voir, avec plus de vraisemblance, une représentation de →Baal Hamon.

Bibl. S. Cecchini, *I ritrovamenti fenici e punici in Sardegna*, Roma 1969, p. 46-47; A. Roobaert, *Sid, Sardus Pater ou Baal Hammon? A propos d'un bronze de Genoni (Sardaigne)*, StPhoen 4 (1986), p. 333-345. ARoob

GÉRASTRATOS En gr. *Gerastratos/Gērostratos*, phén. *Grʿštrt* ("Client/Fidèle d'Astarté").

1 G., fils d'Abdélim, selon Fl.Jos., *C.Ap.* I 157, un des deux →suffètes de Tyr *c.* 562-557, l'autre étant →Mattan (6).

2 G., roi d'Arwad au IVe s. En 333/2, il se trouvait en mer Égée avec la flotte phén.-perse, quand son fils →Straton (4) se soumit à →Alexandre le Grand (Arr., *An.* II 13,7; Q.-Curce IV 1,5-6). G. se sépara des Perses après la bataille d'Issos et se rendit à Sidon où il paya hommage à Alexandre, qui le maintint vraisemblablement au pouvoir. G. prit sans doute part lui-même, avec ses vaisseaux, au siège de Tyr (Arr., *An.* II 20,1).

3 G., fils de Shallum, ancêtre d'une lignée de hauts dignitaires chypro-phén. de →Lapéthos. Il vivait au IVe s. av. J.C. et est mentionné dans deux inscriptions phén. (KAI 43 = TSSI III,36; Le Muséon 51 [1938], p. 285-298).

4 G., arrière-petit-fils du précédent, "chef du pays" (*rb ʾrṣ*) au temps de Ptolémée I, après la reconquête lagide de Chypre en 295/4. Son titre, probablement équivalent à celui de *stratēgós toū nḗsou*, "stratège de l'île", devait désigner le plus haut fonctionnaire lagide de Chypre et fut porté aussi par Yatanbaal, fils de G., comme nous l'apprend une inscription phén. de Lapéthos (KAI 43 = TSSI III,36).

5 G., fils d'Histiaios, un des stratèges de la confédération des Magnètes de Thessalie, au IIe s. av. J.C. Il était natif de →Démétrias, ville qui possédait une importante communauté phén.

Bibl. Ad 2: PW Suppl. IV, col. 689; H. Berve, *Das Alexanderreich* II, München 1926, p. 111, n° 225.

Ad 4: A. Parmentier, *Phoenicians in the Administration of Ptolemaic Cyprus*, StPhoen 5 (1987), p. 403-412.

Ad 5: IG IX, 1103,8; 1108,8; A.S. Arvanitopulos, Polemon 1 (1929), p. 27-38, n° 419,8; F. Vattioni, AION 42 (1982), p. 80, n° 32. ELip

GÉRDĀDI En akk. *Gi-ri-Da-di*/U.U/^dIM, phén. **Grhd*/ **Grdd* ("Client/Fidèle de Haddu"), nom dont l'élément *gēr* trahit une influence phén., voire l'origine phén. du personnage.

1 G., prince d'Aššа, au nord de la Mésopotamie. Il paya le tribut à Assurnasirpal II en 866 et est peut-être identique au G. qui rendit hommage à Salmanasar III en 858 (ANET, p. 277b).

2 G., prince de la ville de Til-Turi (Thiltauri), près de Harran, à l'époque de Sargon II (721-705).

Bibl. Ad 1: RLA III, p. 382b.

Ad 2: SAA I, 190. ELip

GERGIS →Zarzis.

GÉRSAPHON En akk. *Gír-ṣa-pu-nu/ni*, phén. *Grṣpn* ("Client/Fidèle du →Ṣaphon"); haut dignitaire assyrien au temps d'Assurbanipal (668-627). Il fut éponyme en l'an 660/59.

Bibl. APN, p. 81a; RLA II, p. 448a. ELip

GESENIUS, WILHELM (3.2.1786-23.10.1842). Exégète, philologue et épigraphiste allemand, G. fut professeur à l'Université de Halle s/S de 1810 à sa mort prématurée. Initiateur des travaux modernes sur la grammaire et le lexique de l'hébreu biblique, il manifesta son intérêt pour le phén. dès les débuts de sa carrière, puisqu'il fit paraître en 1810 son *Versuch über die maltesische Sprache*, prouvant que le maltais ne dérivait pas du phén.-pun., comme on le croyait alors, mais constituait un dialecte arabe. L'article *Carthago* de G. parut en 1830 dans l'*Allgemeine Encyclopädie der Wissenschaften und Künsten* de J.S. Ersch et J.G. Gruber (t. 21, Leipzig 1830, p. 56-101), suivi quelques années plus tard de ses *Paläographische Studien über die phönizische und punische Schrift* (Leipzig 1835). G. fut en effet l'épigraphiste qui paracheva le déchiffrement du phén. dans ce livre et dans ses *Scripturae Linguaeque Phoeniciae Monumenta*, en trois parties (Leipzig 1837), ouvrage qui regroupait, pour la première fois, l'ensemble du matériel épigraphique phén.-pun. connu à l'époque et provenant des régions les plus diverses du bassin méditerranéen.

Bibl. DEB, p. 528; EJ VIII, col. 524-525; RE[3] VI, p. 624-627; RGG[3] II, p. 1511; TRE XIII, p. 39-40; R. Haym, *Gesenius. Eine Erinnerung fuer seine Freunde*, Berlin 1842; O. Eissfeldt, *Kleine Schriften* II, Tübingen 1963, p. 430-442. ELip

GHAMQÉ, TELL En arabe *Tall Ġamqē*, site continental de Syrie, en face d'→Arwad, exploré déjà par E. →Renan. Il est peut-être identique à *Qmq* de Ramsès III et, en tout cas, à l'Enhydra des Grecs (Strab. XVI 753). Près du tell, on a trouvé en 1896 l'inscription phén. RÉS 56 = 1594, datable autour du IIIe s.

av. J.C. La nécropole d'époque rom. à *'Azar* pourrait dépendre de cette ville.

Bibl. N. Saliby, *Hypogée de la nécropole de 'Azar*, MUSJ 46 (1970-71), p. 271-283; J.-P. Rey-Coquais, *Arados et sa Pérée*, Paris 1974; J. Teixidor, *Inscription phénicienne de Tartous (RÉS 56)*, Syria 56 (1979), p. 145-151. EGub-ELip

GHASSIL, TELL EL- Site de la →Béqaa libanaise, à 13 km au S.-O. de →Baalbek. Les fouilles y ont distingué treize niveaux d'occupation et ont mis au jour une espèce de rotonde et une abondante céramique de l'âge du Fer, notamment 59 brûle-parfum, dont la majorité provient du secteur des temples.

Fig. 152-153. Deux stèles de la Ghorfa (fin du Ier-début du IIe s. ap. J.C.). Londres, British Museum.

Bibl. AfO 18 (1957-58), p. 470-471; M. Joukowski, *The Pottery of Tell el Ghassil in the Beqa'a*, diss. A.U. Beirut 1972; PhMM 163-165. ELip

GHIR, CAP Ce contrefort du Haut Atlas (Maroc), au N.-O. d'Agadir, semble être le site décrit par le →*Périple* d'Hannon 12, compte tenu des distances parcourues. Dans une grotte, riche en vestiges d'outillage préhistorique, la prospection a permis d'identifier de la céramique pun. du IIIe s. av. J.C., preuve que le cabotage pun. se poursuivait au S. de →Mogador. Le revers S.-E. du c.G. est probablement le site du "port de *Rhysaddir*" (Pline, *N.H.* V 9) qui a pris son nom du mont et du "cap (du) Puissant", le *Rusádiron* de Ptol. IV 6,3, appellation phén.-pun. (* *R'š/Rš 'dr*) du cap que l'on localisera au c.G. plutôt qu'au cap Sim, à 15 km au S. de Mogador.

Bibl. R. Rebuffat, *Vestiges antiques sur la côte occidentale de l'Afrique au sud de Rabat*, AntAfr 8 (1974), p. 25-49 (voir p. 39-40); Desanges, *Recherches*, p. 135: id., *Pline*, p. 113. ELip

GHIRZA Site d'un bourg libyque romanisé à c. 250 km au S.-E. de Tripoli (Libye). Il a livré notamment trois inscriptions libyques découvertes dans un temple et une inscription funéraire lat.-pun. (IRT 893).

Bibl. PECS, p. 352; G. Coacci Polselli, StMagr 11 (1979), p. 39-40; A.F. Elmayer, LS 15 (1984), p. 101-102. ELip

GHORFA, LA La G. est un village du Haut Tell (Tunisie), connu pour ses ex-voto à →Baal Hamon. Ce sont des stèles à fronton triangulaire de 1,75 m de haut environ, sculptées en très bas relief (fig. 152-153). Le dédicant en occupe le centre, debout, de face. Les hommes portent le pallium ou la toge, les femmes une robe à ceinture basse. Le registre supérieur est réservé au monde surnaturel. Au sommet brille un soleil à face humaine, parfois barbu, ceint d'une couronne d'éternité ou de serpents. Une stèle figure Zeus avec son foudre; deux fois les →Dioscures l'encadrent. La lune figure au-dessous, puis un →"signe de Tanit" anthropomorphisé qui verse le contenu d'une corne d'abondance, ou Hermès, tandis que Liber Pater couronné de feuillage et tenant parfois le thyrse, Éros et Vénus reconnaissable à sa nudité, se dressent de part et d'autre du fronton de la chapelle. À l'étage inférieur, on voit des Atlantes soutenir cette chapelle, un génie serrant des serpents, Hercule et le lion de Némée, ou un bovidé conduit à l'autel, sans doute pour y être sacrifié. Les dédicaces sont rares et brèves, écrites en lat. Ces stèles s'échelonnent entre la fin du Ier s. ap. J.C. et le début du IIe s.

Bibl. AATun, fe 24 (Fernana), no 51; C. Picard, *Catalogue du Musée Alaoui. Nouv. sér. Collections puniques*, Tunis [1954-55]. CPic

GI' En akk. *Gi-'*, phén. **Gy'* ("vallée"); localité probablement identique à l'actuelle *el-Ǧiyē* (Liban) et à la →Porphyréôn gr., entre Sidon et Beyrouth. G. faisait partie du royaume de Sidon et fut annexée en 677/6 par Asarhaddon (AfO, Beih. 9, p. 48, col. III, 1).

Bibl. Abel, *Géographie* II, p. 117.410. ELip

GIBALOS Forme gr. de l'anthroponyme phén. *Grb'l* ("Client/Dévot de Baal"), attesté dpuis le XIe s. et porté au IIIe s. av. J.C. par un employé de la chancellerie de Zénon, qui fut le gérant des biens d'Apollonios, le ministre des finances de Ptolémée II Philadelphe.

Fig. 154. Vue aérienne du Détroit de Gibraltar.

Bibl. Benz, *Names*, p. 103, 298; P.W. Pestman (éd.), *A Guide to the Zenon Archive*, Leiden 1981, p. 309. ELip

GIBRALTAR Selon Strab. III 5,5, les Tyriens ont mené vers l'O. deux expéditions infructueuses avant de s'installer à →Gadès. La première d'entre elles aurait atteint G., l'une des Colonnes d'Hercule, le Mont →Calpè des Anciens (fig. 154). Le dossier archéologique de G. est mince. À ce jour, seule la "Gorham's Cave" a été l'objet d'une fouille. Située à l'E. du Rocher de G., avec son entrée à quelques mètres au-dessus du niveau de la mer, cette grotte — large de 8 m, longue de 30 m, prolongée par une galerie de 30 m — a été surtout occupée au Paléolithique. Après une longue période d'abandon, des objets égyptiens, phén., pun., gr. et ibériques y ont été déposés entre le VIIIe et le IIIe s. av. J.C. Il s'agit principalement de quelques dizaines d'amulettes et de scarabées égyptiens et égyptisants, pour la plupart des VIIe-VIe s., quelques pièces datant du IVe s. Les plats de type phén. à engobe rouge sont datables des VIe-Ve s. (→céramique). On relève aussi des fragments de deux statuettes pun. en terre cuite, d'*amphoriskoi* en pâte de verre, des fibules à double ressort et on a fait aussi mention de la découverte de quelques fragments attiques à vernis noir. Cette grotte, qui a dû être un lieu de culte, pourrait être en relation avec l'habitat phén. du →Cerro del Prado.

Bibl. J. Waechter, *The Excavation of Gorham's Cave and its Relation tot the Prehistory of Southern Spain*, APL 4 (1953), p. 21-24; L. Pericot, *Nuevas excavaciónes en Gibraltar*, Ampurias 15-16 (1953-54), p. 298-299; W. Culican, *Phoenician Remains from Gibraltar*, AJBA 2/1 (1972), p. 110-145 (= *Opera Selecta*, Göteborg 1986, p. 685-720); A. Tovar, *Iberische Landeskunde* II/1, Baden-Baden 1974, p. 72-73; Gamer-Wallert, *Funde*, p. 66-69; H. Schubart, *Phönizische Niederlassungen an der Iberischen Südküste*, H.G. Niemeyer (éd.), *Phönizier im Westen*, Mainz a/R 1982, p, 207-234, en part. p. 214; Padró i Parcerisa, *Documents* III, p. 128-149. PRou

GIGTHIS Nom lat. de l'actuel site archéologique de Sidi Salem bou Grara (Tunisie), au fond du pertuis qui sépare l'île de →Djerba du continent. Sous les importants vestiges de l'époque rom., quand G. avait le statut de municipe lat., rien n'a encore été découvert qu'on puisse rapporter à la cité prérom. Cependant, des inscriptions bilingues, néopun.-lat., anciennement connues, y témoignaient de la permanence des influences phén.-pun., de même que des tombes à chambre hypogée et à puits d'accès, où coexistaient les deux rites d'incinération et d'inhumation. On a constaté qu'elles offraient de nombreuses ressemblances avec les caveaux, p.ex., de →Leptis Minus. Les plus anciennes de ces sépultures ne semblent pas remonter plus haut que le IIIe s. av. J.C. Le caveau n° 4 a fourni, à côté d'une amphore à pointe peinte en rouge sur le col des trois lettres *tnm*, un coffre funéraire en bois, où le mort avait été déposé dans un linceul, accompagné d' une petite coupe en bois tourné contenant du cinabre. Ce coffre, particulièrement bien conservé grâce à la siccité du sous-sol, se présente comme un bahut long et étroit, fermé par un couvercle à charnière et monté sur quatre pieds larges et massifs, servant à la fois de montants. — G. fut très probablement le centre de la tribu des *Cinithii*, qui ont été les alliés de Tacfarinas lors de la révolte des Musulames contre les Romains de 17 à 24 ap. J.C. (Tacite, *Ann.* II 52; cf. CIL VIII,22729).

Bibl. ANRW II/10,2, p. 192-193; PECS, p. 353-354; Gsell, HAAN II, p. 125 et n. 5; L.-A. Constans, *Gigthis*, NAM 14 (1916), p. 1-116; G.-L. Feuille, *Sépultures punico-romaines de Gigthi*, RTun 37 (1939), p. 1-62; Gascou, *Politique municipale*, p. 137-142; Lepelley, *Cités* II, p. 368-371. SLan-ELip

GIRGISH En ug./phén. *Grgš/s*, akk. *Girgišu*, hb. *Girgāšî*; nom propre attesté à Ugarit au XIIIe s., puis à Carthage, et employé dans l'A.T. comme nom d'une ancienne peuplade de Canaan (*Gn.* 10,16; 15,21; *Dt.* 7,1; *Jos.* 3,10; 24,11; *Ne.* 9,8). Il est peut-être identique au *Qrqš* des textes égyptiens qui y reconnaissent une ethnie anatolienne, alliée aux Hittites lors de la bataille de Qadesh, en 1275, et identifiée parfois aux Cariens, bien que l'ég. *Qrqš* suggérerait plutôt les Gergithes (*Gérgis*) de Troade (Xén., *Hell.* III 1,15.19.22), censés descendre de →Teukros (Hdt. V 122; VII 43). L'ethnique aurait été utilisé comme nom de personne, muni éventuellement d'une désinence *-y* ou *-m*. D'après les écrits talmudiques, G. avait émigré en Afrique du N. au temps de Josué (Talm. Jér., *Shebiit* 6,1; cf. Tosephta, *Shabbat* 7,25; Mekhilta 68) et Procope (*Bell. Vand.* II 10) affirme au VIe s. qu'on pouvait lire à →*Tigisi* (Aïn el-Bordj), près de Constantine, une double inscription phén.: "Nous sommes ceux qui ont fui devant la face du brigand Josué, fils de Navé" (→Zarzis).

Bibl. PW VII, col. 1248-1249; RLA V, p. 446-447; Gsell, HAAN I, p. 338-343; Abel, *Géographie* I, p. 322-325; Benz. *Names*, p. 103.299; J.P. Brown, ZAW 93 (1981), p. 397-399; O. Margalith, *The Girgaši*, Shnaton 7-8 (1983-84), p. 259-263 (hb.); M. Görg, *Dor, die Teukrer und die Girgasiter*, BibNot 28 (1985), p. 7-14. ELip

GISCON En pun. *Grskn*, gr. généralement *Giskōn/Geskōn*, lat. *Gisgo* ("Client/Dévot de →Sakon").

1 G., fils d'→Hamilcar (1), fut banni à cause de la défaite de son père à →Himère (480). Il passa son exil à Sélinonte (Diod. XIII 43,5). KGeus

2 G., Carthaginois nommé dans l'inscription athénienne de l'an 406, qui se réfère à un →traité (8) conclu avec les stratèges carth. (St V II,208,10). C'est probablement la même personne que →G. 1. ELip

3 G., adversaire carth. de Timoléon. Si on combine les textes d'Arstt., *Pol.* V 7; Just. XXI 4; XXII 7,9-10; Orose, *Adv. Pag.* IV 6, 16-20 d'une part et Diod. XVI 81,3 de l'autre, G. était un des fils d'→Hannon (9) qui, *temporibus Philippi* (Orose, *Adv. Pag.* IV 6,20), avait été accusé de haute trahison et exécuté. Si ce fut le cas, alors G. réussit de quelque manière à échapper à l'exécution (Just. XXI 4,8; Orose, *Adv. Pag.* IV 6,20). Il partit en exil ou, plus exactement, il dut mener la vie d'un proscrit (Diod. XVI 81,3; Just. XXII 7,10; Polyen, *Strat.* V 11). Si les personnes citées dans Polyen, *Strat.* V 11, sont effectivement des fils d'Hannon, le frère de G., →Hamilcar (3) eut moins de chance: il fut exécuté pour visées tyranniques. Dans la situation critique après la défaite du →Crimi-

sos (342), les Carthaginois rappelèrent G. d'exil, lui restituèrent ses biens, le nommèrent "commandant en chef avec les pleins pouvoirs" et remirent le destin des adversaires oligarchiques de sa famille entre ses mains (Polyen, *Strat.* V 11). G. se montra généreux envers ses adversaires et réussit ainsi à rassembler toutes les forces "nationales" dans la lutte contre Timoléon. Avec 70 navires, il entreprit probablement au printemps suivant (341) la traversée vers la Sicile. Ses bateaux, à ce qu'on prétend pour la première fois dans l'histoire de Carthage (Plut., *Tim.* 30,5; cf. Diod. XVI 81,4), transportaient de nombreux mercenaires gr. que l'importance de la solde carth. avait décidé à se mettre au service des Carthaginois. G. serait certainement apparu sur le théâtre sicilien des opérations militaires même si Hikétas, l'(ex-)tyran de Léontinoi ou de Syracuse, et Mamerkos, le tyran de Catane, n'avaient pas sollicité son intervention (Plut., *Tim.* 30,4).
Nous sommes mal informés sur les conflits suivants et sur les objectifs stratégiques, voire politiques de G. Toutefois, on peut conclure de nos maigres sources que les actions militaires de G. étaient plus que des combats d'arrière-garde après Crimisos (Polyen, *Strat.* V 11). Près de Messine, G. remporta avec Hikétas et Mamerkos une victoire sur un corps de mercenaires de Timoléon (Plut., *Tim.* 30,6), un succès qui mena à la nouvelle annexion de Messine ou fut à peu près contemporain de la reconquête de la ville (Plut., *Tim.* 34,3-4). Un succès semblable fut remporté près de la ville de Iaitos, qui se trouvait dans l'*epikráteia* carth. (Plut., *Tim.* 30,6). Les soldats d'un corps auxiliaire carth., que G. avait mis à la disposition de Mamerkos, ne purent cependant pas empêcher que celui-ci perdît la bataille du fleuve Alabos (Plut., *Tim.* 34,1). Peu après la défaite de Mamerkos (Plut., *Tim.* 34,2; autrement Diod. XVI 81,4), les Carthaginois demandèrent la paix (339 ?). On peut conclure des dispositions du traité de paix (Corn. Nép., *Tim.* 2,4; Diod. XVI 82,3; Plut., *Tim.* 34,2) que G. a manœuvré en Sicile avec succès, car le territoire carth. ne fut pas réduit par rapport aux accords de 362 (?). WHuß

4 G., père d'→Hamilcar (6), l'adversaire d'Agathocle (Just. XXII 3,6.8).

5 G., stratège carth., prit part à la conclusion du →traité de paix de 241 (Diod. XXIV 13). Il dirigea ensuite l'évacuation de →Lilybée (Pol. I 66,1-4). Au début de la →guerre des mercenaires, il se présenta comme médiateur, mais fut arrêté par les insurgés à Tunis, puis sauvagement assassiné (Pol. I 68,13-70,6; 79,8,13-81, 13). Son cadavre ne fut pas rendu (Diod. XXV 3,1). Son fils était →Hasdrubal (8), un stratège de la 2e →guerre pun. (cf. Pol. IX 11,3; X 7,5; 38,10; App., *Lib.* 9-10).

6 G., envoyé d'→Hannibal (6) auprès de →Philippe V de Macédoine, tomba en 215 aux mains des Romains (Liv. XXIII 34,2-9).

7 G., sénateur carth., fut écarté de la tribune par →Hannibal (6), lorsqu'il conseilla la poursuite de la guerre avec Rome après la bataille de →Naraggara (Pol. XV 19,2; Liv. XXX 37,7-8).

8 G., fonctionnaire (suffète ?) carth., fils d'Hamilcar, mobilisa en 151 la foule contre la délégation rom. (Liv., *Per.* XLVIII).

9 G., surnommé Strytanos, se rendit comme envoyé plénipotentiaire à Rome en 149, avant le début de la 3e →guerre pun. (Pol. XXXVI 3,8-9). KGeus

Bibl. Ad 3: O. Meltzer, *Geschichte der Karthager* I, Berlin 1879, p. 332-338, 516, 518-519; Huß, *Geschichte*, p. 165-166, 183-184 (n. 51), 463 (n. 54).

GJERSTAD, EINAR (30.10.1897-8.1.1988). Archéologue suédois, professeur à l'Université de Lund (1939-57), souvent appelé "le Père de l'archéologie chypriote". En 1927-31, il dirigea à →Chypre une mission suédoise; la publication de ces fouilles, *The Swedish Cyprus Expedition* I-IV. *Finds and Results of the Excavations in Cyprus* (Stockholm-Lund 1934-72), reste encore la base de toute recherche archéologique dans l'île de Chypre, de la préhistoire à l'époque rom. Pour la connaissance des Phéniciens à Chypre, les fouilles des villes de →Kition et d'→Idalion sont particulièrement importantes. Après des recherches archéologiques à Rome, aux résultats controversés, publiés dans *Early Rome* I-VI (Lund 1953-73), où G. abaissa la date traditionnelle de la fondation de Rome de 753 à 575 av. J.C., il retourna à la recherche chypriote, surtout celle des Antiquités phén.-chypriotes. Dans une série d'articles, il révisa sa propre chronologie, concernant en particulier →Al-Mina sur la côte syro-phén. (*The Stratification at Al Mina (Syria) and its Chronological Evidence*, ActaA 45 [1974], p. 107-123) et mit en évidence le rôle et la diffusion de la culture phén. à Chypre dans une synthèse historique (*The Phoenician Colonization and Expansion in Cyprus,* RDAC 1979, p. 230-254).

Bibl. M. et C. Callmer, *The Published Writings of Einar Gjerstad 1962-1977. A Bibliography*, Scripta Minora 1977-78/1, Lund 1977, p. 3-8; P. Åström, *Einar Gjerstad's Cypriote Publications. A Bibliography*, Archaeologia Cypria 1 (1985), p. 9-14; C.G. Styrenius, *Einar Gjerstad*, 30/10 1897-8/1 1988, Medelhavsmuseet Bulletin 23 (1988), p. 3-8. CBeer

GLYPTIQUE Si le style ou, plus rarement, les →inscriptions de certains →cylindres du IIe mill. suggèrent l'existence d'une g. →paléophénicienne locale, ce n'est qu'au cours du Ier mill. que les caractéristiques de cette production deviennent tangibles.

1 Typologie Sur le plan typologique, la g. phén. proprement dite se caractérise par une prépondéran-

Fig. 155. Scarabéoïde en hématite (VIIIe s. av. J.C.). Coll. privée.

1

2

3

4

5

Fig. 156. Sceau cubique en serpentine (VIIIe s. av. J.C.). Paris, Bibliothèque Nationale.

Fig. 157. Scarabée en jaspe vert au nom de Gérashtart, Tartous (début du VIe s. av. J.C.). Paris, Bibliothèque Nationale.

Fig. 159. Bulle d'argile (Ve s. av. J.C.). Coll. privée.

ce de cachets en forme de →scarabée, produits durant toute la période de *c.* 750-500 av. J.C. L'emploi de stéatite à côté des matières dures, (semi-)précieuses ou non, la technique de la gravure, la composition ainsi que le choix de certains motifs ou de types de bordures en torsade, invitent à lier l'origine de cette production aux scarabées dits →Hyksos, dont une bonne partie était en effet l'œuvre d'ateliers syro-palestiniens. Quant à leur forme, les scarabées phén. suivent généralement le schéma dorsal des prototypes égyptiens, en y rajoutant parfois quelques détails décoratifs. Ces derniers se retrouvent dans la catégorie des cachets *scaraboïdes*, d'une forme semblable, mais dont le dos et les flancs n'imitent pas les détails anatomiques du coléoptère. Cette simplification délibérée était peut-être en rapport avec la matière choisie pour le sceau, la veinure de certaines pierres offrant en effet une valeur décorative en soi. Malgré quelques exemples plus récents, la popularité de ce type g. est nettement plus marquée en Orient aux Xe-VIIe s. qu'à d'autres époques ou, par la suite, en Occident. Le *scaraboïde biface* forme un premier sous-type de cette catégorie, représenté par plusieurs exemples datant des IXe-VIIe s. La partie supérieure de tels sceaux est aplatie de façon à ce qu'on puisse y graver une scène ayant un rapport ou non avec celle ornant la base. Dans le cas du *pseudo-scaraboïde biface*, l'espace réservé au décor a les mêmes dimensions que la base, ressemblant ainsi à des →amulettes ovales bifaces. C'est surtout à →Chypre qu'on relève un grand nombre de *sceaux cubiques* (fig. 156) dont l'anneau de suspension assume parfois la forme d'un scarabée. Le style et les motifs des cinq champs narratifs permettent de distinguer une phase phén. ou chypro-phén. dans cette production, qui se situe aux alentours des VIIIe-VIIe s. L'apogée de deux autres catégories de cachets se situe, respectivement, avant et après cette période. Le premier groupe comprend des *sceaux à section semi-hémisphérique*, qui apparaissent dès le Bronze Récent. Taillés en serpentine ou stéatite noire, leurs bases portent un décor linéaire extrêmement stylisé. La décoration et la forme des *cachets conoïdes*, finalement, se réfèrent le plus souvent à l'art achéménide. Comme les exemples des catégories précédentes, ils pouvaient être encastrés dans des montures en bronze, en argent ou en or.

Laissant les cachets de côté, il faut souligner le rapide déclin de l'emploi des *sceaux-cylindres* dès le début du Fer I. À quelques rares exceptions près, il semble en effet que les Phéniciens, comme les Carthaginois, se soient contentés de l'emploi sporadique de cylindres importés.

Un dernier volet de ce survol de la typologie g. concerne les *empreintes*. Celles-ci se présentent parfois sous la forme d'empreintes de sceaux carrés en bois (?), apposées sur les parois de larges jarres ou *pithoi* (VIIIe-VIIe s.). Par contre, les →timbres amphoriques, empreintes de cachets sur l'anse (ou les anses) de récipients commerciaux, se retrouvent jusqu'à l'époque néopun. Enfin, c'est à l'époque perse que l'emploi de bulles (fig. 159) se généralise en Orient comme en Occident. Destinées à sceller les cordellettes autour des rouleaux de papyrus, ces empreintes illustrent les trois courants artistiques de la g. contemporaine, où des éléments égyptiens, orientaux et hellénistiques alternent.

2 Périodisation et iconographie Le problème de la périodisation des productions sigillaires, toujours aussi aigu à cause de l'absence quasi totale de découvertes stratigraphiques en Orient même, peut être abordé avec celui, non moins complexe, de l'iconographie. On connaît peu de chose de la phase initiale ou "archaïque" (XIIe-IXe s.), où il est encore malaisé de faire la distinction entre les sceaux d'origine syrienne, phén., ou palestinienne. Outre la préférence commune pour les scènes de chasse et des motifs animaliers traités dans un style linéaire, on note, dès le début du Ier mill., une surcharge de certaines com-

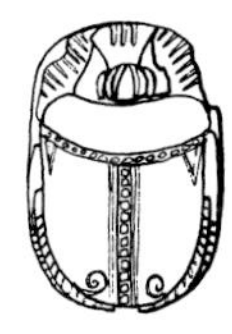

Fig. 158. Scarabée en stéatite, Byblos (VIe-Ve s. av. J.C.). Londres, British Museum.

Fig. 160. Scarabée en améthyste, Hélaliéh près Sidon (fin du Ve s. av. J.C.). Beyrouth, Musée National.

positions, ailleurs de plus en plus résorbée grâce à la subdivision du champ en plusieurs registres horizontaux (et verticaux) (fig. 155). Ce sont précisement les sceaux des derniers types qui préfigurent le style phén. "mûr" (*mature*). Bon nombre de figures secondaires, →sphinx, →griffons, faucons →Horus et acolytes vêtus à l'égyptienne occupent dorénavant une place de choix dans des compositions simples ou symétriques, encore exceptionnellement accompagnées d'une inscription (pl. VIIIb). Lors de la période pré-classique (VIIIe-début VIe s.), de telles compositions se multiplient et les sujets relèvent quasi exclusivement de l'iconographie religieuse. Celle-ci traduit toute référence aux concepts autochtones en termes d'un style →égyptisant omniprésent (fig. 43, 122; pl. VIIIb-e) et étroitement lié à celui des →ivoires et des →coupes métalliques. Ce phénomène nous empêche de voir si l'adoption de nombreuses divinités égyptiennes est le résultat d'un authentique syncrétisme religieux ou un exercice stylistique d'ordre purement décoratif. Illustrant l'impact de l'alphabétisation, environ un tiers des exemples connus portent des inscriptions généralement restreintes au nom du propriétaire et à son patronyme. Ces inscriptions se trouvent d'habitude dans les segments supérieur ou inférieur des sceaux. Là où les caractères sont disposés autrement, il faut tenir compte d'un remploi du sceau en question (fig. 157; pl. VIIIc). Durant la période classique (*c.* 550-350), la g. phén. atteint son apogée, qui est principalement illustré par les nombreuses trouvailles dans les nécropoles pun. de Carthage, Tharros et Ibiza, ainsi qu'à Chypre, où des artistes lapicides phén. travaillaient depuis plusieurs générations. La distribution des sceaux dans le monde pun. semble avoir été due au rayonnement commercial de Tharros et on ne saurait exclure la possibilité d'une production locale dont l'importance reste à définir. Sur le plan typologique, le scarabée devient le type standard quoique, dans l'Orient achéménide, on préfère parfois le conoïde. Une pierre verte ressemblant au jaspe est prépondérante dans les sites pun., où on rencontre également de la chalcédoine, de la cornaline, de la stéatite, de la serpentine, des quartz et du "bleu égyptien", bref, des matériaux employés traditionnellement en Orient lors des phases précédentes. Dans les compositions pré-classiques, souvent entourées d'une bordure torsadée et comportant l'hiéroglyphe *nb*, en forme de corbeille, dans le segment inférieur s'ajoute maintenant un →disque ailé dans le segment supérieur (fig. 157, 159). Quoique préfiguré déjà à une date antérieure, c'est en effet à la période classique que se généralise ce type de compositions balancées. Quant aux sujets, on note une revalorisation de l'iconographie orientale, dont témoignent les scènes figurant un Baal barbu (fig. 123, 159). Cette tendance va de pair avec une montée marquée de thèmes hellénistiques et la persistance de la tradition égyptisante (fig. 176, 342; pl. VIIIf). Celle-ci se manifeste de façon assez singulière dans la production d'une série de scarabées en stéatite, dont surtout les exemplaires épigraphiques imitent de près leurs prototypes égyptiens (fig. 158). À titre hypothétique, finalement, il faudrait peut-être introduire une phase post-classique réunissant les trouvailles les plus récentes (*c.* 350-200?). En effet, si de nombreux sceaux provenant d'un contexte archéologique de cette époque peuvent être considérés comme des pièces d'héritage produites lors des phases précédentes, il semble qu'une production g., parfois assez dégénérée, s'est maintenue localement. En Orient comme en Occident, les caractéristiques culturelles seront cependant effacées par les impératifs de l'art hellénistique. C'est à ce moment que se termine l'évolution de la g. phén. qui, à travers un millénaire, avait été le miroir fidèle des croyances et des expressions artistiques d'une civilisation.

Bibl. S. Moscati-A.M. Costa, *L'origine degli scarabei in diaspro*, RSF 10 (1982), p. 203-210; J.H. Fernández - J. Padró, *Escarabeos del Museo Arqueológico de Ibiza*, Madrid 1982; P. Zazoff, *Die antiken Gemmen*, München 1983, p. 85 (bibl.); J. Boardman, *Escarabeos de piedra procedentes de Ibiza*, Madrid 1984; E. Gubel, *Notes on a Phoenician Seal*, OLP 16 (1985), p. 91-110; Bordreuil, *Catalogue*, p. 1-44; Hölbl, *Kulturgut*, p. 164-260; E. Gubel, *"Syro-Cypriote" Cubical Stamps: the Phoenician Connection*, StPhoen 5 (1987), p. 195-224; E. Acquaro, *Gli scarabei punici in pietra dura del Museo Nazionale 'G.A. Sanna' di Sassari*, ANLR, 8e sér., 41 (1987), p. 227-252; B. Buchanan-P.R.S. Moorey, *Catalogue of Ancient Near Eastern Seals in the Ashmolean Museum* III. *The Iron Age Stamp Seals c. 1200-350 BC*, Oxford 1988; E. Gubel, *Phoenician Seals in the Allard Pierson Museum, Amsterdam*, RSF 16 (1988), p. 145-163. EGub

GOLGOI Capitale d'un des plus petits royaumes de →Chypre, à l'intérieur des terres, au N.-E. d'→Idalion et au N.-O. de →Kition. Le site antique de la ville est bien localisé au N. du village moderne d'Athienou, avec des nécropoles à l'E. et un ou deux sanctuaires près de la chapelle Ayios Phôtios. L'histoire de G. est obscure: pas de mention dans la liste d'Asarhaddon, ni chez les écrivains gr. avant Théocrite XV 100, qui évoque la ville avec Idalion, à cause de l'Aphrodite Golgienne. Cette figure, dont le sanctuaire n'a pas été retrouvé, a dû être importante et apparaît dans des dédicaces ailleurs dans l'île. Aucun roi n'est attesté, bien qu'il semble avoir existé un monnayage (V^e^-IVe s. ?). Le site est surtout connu par une abondante série d'inscriptions gr. syllabiques (ICS 260-303, 303a), provenant du site de la ville, des nécropoles et surtout d'un ou deux sanctuaires à Ayios Phôtios, découverts par →Palma di Cesnola (1) au printemps 1870, avec des offrandes nommant Apollon, plus rarement Zeus; quelques documents non intelligibles pourraient être →étéochypriotes. Une présence phén. possible à G. serait indiquée par deux documents attribués à la région: un fragment de statue en calcaire inscrite (CIS I, 96) et une amphore phén. à inscription peinte.

Bibl. PECS, p. 359; PW VII, col. 1579-1581; G.F. Hill, *A History of Cyprus* I, Cambridge 1940, p. 67; O. Masson, ICS, p. 275-301; BCH 90 (1966), p. 22-31; 92 (1968), p. 380-386; 95 (1971), p. 305-334; Masson-Sznycer, *Recherches*, p. 113-114; G. Bakalakis, BCH 96 (1972), p. 1073-1074; T. Dothan - A. Ben-Tor, *Excavations at Athienou, Cyprus: 1971-1972*, Jerusalem 1983. OMas

GORZA →Gurza.

GOURAYA →Gunugu.

GOZZO →En pun. *Gwl*, gr. *Gaũlos/Gaũdos*, maltais *Ghawdex*, île proche de →Malte (fig. 211), à laquelle elle est étroitement liée par son histoire culturelle, politique et économique depuis la préhistoire, caractérisée à G. aussi par d'imposantes constructions mégalithiques de la période chalcolithique, jusqu'à l'époque rom. et byzantine. La première occupation phén. de G. doit être contemporaine de celle de Malte, même si la documentation archéologique disponible est légèrement plus récente (VIIe s.). L'emplacement des habitats, dont il subsiste très peu, est indiqué par les nécropoles. Le centre le plus important se trouve, tout comme à Malte, sur un haut plateau interne, sur le site moderne de Victoria. Suivant la conformation physique de l'île, le port principal devrait se localiser dans la baie de Mġarr, sur la côte méridionale. Les nécropoles ont des tombes creusées dans la roche, à une ou plusieurs chambres et puits d'accès. Un seul tombeau collectif à Victoria se présente comme un *tumulus* de type nord-africain. À l'époque hellénistique, l'inhumation est remplacée par l'incinération. De nombreux →sanctuaires (3B) sont attestés à G. par l'archéologie (→Ras il-Wardija) et par les textes: trois d'entre eux sont nommés dans une inscription commémorative en pun. (KAI 62) posée par "le peuple de *Gwl*" (IIe s.). Le faciès phén. et pun. de G., ses importations et sa production céramique, ne se différencient pas de ceux de Malte, sauf peut-être par une intensité mineure des phénomènes. Le monnayage de G. en bronze à tête féminine avec croissant lunaire et guerrier armé d'une cuirasse avec lance et bouclier, et à légende gr. *Gaulitōn*, n'est pas antérieur au IIe s. av. J.C.

Bibl. Desanges, *Pline*, p. 440-442; L. Díez Merino, *Gwl-Gozo: un topónimo fenicio-castellano*, AulaOr 1 (1983), p. 276-280; →Malte. ACias

GRACQUES **1** *Ti. Sempronius Gracchus*, consul en 238, aurait annexé la →Sardaigne (2) (Zon. VIII 18).
2 *Ti. Sempronius Gracchus*, fils de (1), consul en 215, repoussa une attaque d'→Hannibal (6) (Liv. XXII 36,1-37,9) et arrêta des parlementaires macédoniens et carth. (XXII 38,1-5). En 214, avec un pouvoir prorogé, G. empêcha, à Bénévent, la jonction des troupes d'→Hannon (21) et d'Hannibal (XXIV 12,6; 14,1-10; 15,1-8; 16,1-19). Consul pour la seconde fois en 213, G. fut confirmé dans son commandement militaire en 212. Rappelé à Bénévent (XXV 15,20), il y trouva la mort (XXV 16-17).
3 *Ti. Sempronius Gracchus* (162-133), tribun en 133. Au cours de la 3e →guerre pun., il "partagea la tente" de →Scipion (8) Émilien et serait monté le premier à l'assaut de Carthage (Plut., *T.Gr.* 4,5-6; *C.Gr.* 22,2) (→Laelius 2).
4 *C. Sempronius Gracchus* (153-121), frère cadet de (3); tribun en 123 et 122, il décida, en vertu de la *Lex Rubria*, de fonder la *Colonia Iunonia Carthago* (Solin XXVII 11) sur le site jadis "maudit" par →Scipion (8) Émilien, dans une région touchée par des épidémies dévastatrices (Orose, *Adv. Pag.* V 11).

Fig. 161. Graffito phén. d'Amathonte (500-450 av. J.C.).

Quelques textes, dont les plus significatifs sont Plut., *C.Gr.* 11; App., *B.C.* I 24; *Lib.* 136, et la Loi agraire de 111, constituent l'essentiel du dossier, les sources archéologiques étant imprécises. Le projet fut bloqué dès 121, mais fut ensuite repris par César et réalisé par Octave Auguste.

Bibl. PW IIA, col. 1375-1403 (47, 50, 51), 1409-1426 (54).
Ad 1: F.W. Walbank, *A Historical Commentary on Polybius* I, Cambridge 1957, p. 149-150.
Ad 2: Huß, *Geschichte*, p. 340, 344, 348, 353, 358, 365.
Ad 4: ANRW II/10,2, p. 401-403; J. Carcopino, *Autour des Gracques*, Paris 1967²; C. Nicolet, *Les Gracques, crise agraire et révolution à Rome*, Paris 1971²; J.-M. Lassère, *Ubique populus*, Paris 1977, p. 103-114; C. Nicolet (éd.), *Rome et la conquête du monde méditerranéen* II, Paris 1978, p. 630. VKri-ELip

GRAFFITI Les gr. sont des inscriptions ou des dessins griffonnés sur une surface dure, dans un but occasionnel, sans intention de durer et sans l'aide des techniques professionnelles du scribe. Cette définition implique qu'il s'agit de textes très fréquents dans toutes les cultures et qui incluent des catégories fort variées, ce qui fait qu'ils peuvent avoir une grande importance documentaire, p.ex. pour l'histoire de l'alphabet ou l'onomastique. Fréquents sur la céramique, en particulier comme marques de propriété, ils sont attestés dès le IIe mill. parmi les inscriptions qui servent d'antécédent à l'→alphabet phén. En écriture phén., les g. sur céramique qui indiquent un nom propre, complet ou abrégé, sont innombrables (fig. 161) et se rencontrent en Phénicie même, en Palestine et dans les colonies occidentales, notamment à →Mogador et à →Toscanos. Les g. pun. sont également nombreux. D'autres catégories intéressantes sont les g. d'artisans ou de tailleurs de pierre, pratiqués pour faciliter l'assemblage de pièces, p.ex. sur les ivoires d'→Arslan Tash, →Nimrud et →Samarie, ou les g. apposés comme contremarques sur les monnaies. Les g. sur des édifices, comme le temple d'Osiris à →Abydos, ou sur des monuments naturels ont un caractère religieux ou sont tout simplement l'expression ludique du visiteur. À partir du IVe s., sous l'influence gr., les marchands phén. semblent avoir développé la pratique des g. mercantiles sous le fond des céramiques qu'ils commercialisaient, p. ex. sur les tessons de l'épave du Sec, à Majorque.

Bibl. IAM I, p. 109-123 (Mogador); M.G. Guzzo Amadasi, in *Missione archeologica italiana a Malta. Rapporto preliminare della Campagna 1970*, Roma 1973, p. 87-94; W. Röllig, *Alte und neue Elfenbeininschriften*, NESE 2 (1974), p. 37-64; Kition III, D 9-11; 18-19; 22; 27-28; 39-42; J. Naveh, *Graffiti and Dedications*, BASOR 235 (1979), p. 27-30; F. Bron - A. Lemaire, *Inscriptions d'Al-Mina*, ACFP 1, Roma 1983, p. 677-686; A. Caubet, Syria 63 (1986), p. 419-420; M. Sznycer, StPhoen 5 (1987), p. 389-390; Trip 87-90; 93-96; A. Arribas - M^{a}.G. Trías - D. Cerdá - J. de Hoz, *El barco de El Sec*, Palma di Mallorca 1987; J. de Hoz, StPhoen 9 (sous presse). JdHoz

GRANULATION La g. consiste en de minuscules sphères d'or ou d'argent qui, assez fréquemment soudées à des objets précieux, servirent à composer des décors souvent géométriques, mais parfois aussi figuratifs. Après s'être développée en Mésopotamie, la g. fait son apparition au Levant au IIe mill., surtout dans les motifs triangulaires ou figuratifs des viroles de haches en or de →Byblos (Phén 65-67) et dans des bijoux de →Kamid el-Loz. Les orfèvres phén. du Ier mill. perfectionnèrent cette technique, si l'on en juge par la qualité du matériel disponible, d'étendue toutefois limitée et d'origine souvent mal assurée. La g. décore surtout des boucles d'oreille d'or ou d'argent en forme de "sangsue" ou de "bateau", types sans doute hérités d'ancêtres méso-assyriens et qui, aux VIIe-VIe s., devinrent probablement le bijou phén. le plus caractéristique. Sur ces pièces, dont plusieurs viennent des ports levantins d'Amrit et d'Al-Mina, de Chypre et de Karmir Blur (Arménie), la g. reproduit en général des frises de triangles (pl. XII). Elle orne aussi de thèmes linéaires raffinés des pièces de bijoux en or, exhumés dans une tombe sidonienne du Ve-IVe s. Outre des perles d'un type connu en Mésopotamie au IIe mill., on y trouve deux motifs →égyptisants d'*oudjat* et un masque de Gorgone hellénisant. La g. se répandit aussi dans le monde pun., où elle est connue par des œuvres de haut niveau artistique, contemporaines des boucles d'oreille orientales (pl. XII, XIII). À côté de traits probablement locaux, elle offre des thèmes phén. Ainsi, à Carthage, à Tharros et à Aliseda, on trouve la g. sur des ornements fixés à des boucles d'oreille (pl. XII) qui, dans les deux premiers sites, représentent souvent une goutte ou un panier et, dans le dernier où le modèle s'est aminci, un décor rayonnant ajouré, rappelant celui de certains bijoux méso-assyriens. La g. y atteint sans doute l'un de ses apogées artistiques, comme pourrait l'attester une boucle d'oreille de Carthage, un bracelet de Tharros (pl. XIIIc) ou encore la ceinture d'Aliseda (Phén 275). Sur ces

Fig. 162. Ornement de pyxide (?) en ivoire représentant un griffon, Nimrud (fin du VIIIe s. av. J.C.). Bruxelles, Musées Royaux d'Art et d'Histoire.

œuvres, la g. sert à former des motifs de différents types, humains, animaliers, fantastiques ou végétaux. De plus, elle s'étale parfois sur le fond de la composition suivant un mode d'ornementation propre à l'art étrusque qui l'avait vraisemblablement reçue de la Phénicie.

Bibl. J. Wolters, *Die Granulation. Geschichte und Technik einer alten Goldschmiedekunst*, München 1983. MTro

GRÈCE →Égée.

GRENADE →Andalousie.

GRENVILLE CHESTER →Collectionneurs.

GRIFFON Être fabuleux, connu au Proche-Orient (Élam) et en Égypte depuis la fin du IVe mill. et répandu surtout au IIe et au Ier mill. en Méditerranée orientale, monde égéen inclu, avec de nombreuses variantes iconographiques: corps de lion ailé et tête de rapace, ou corps et tête de lion, avec ou sans corne(s). Pour la Phénicie et son rôle dans la transmission du g. à l'Occident phén.-pun., il faut se tourner vers un autre type de g. attesté à l'âge du Bronze Récent sur les →ivoires de Megiddo, Byblos, Chypre; il emprunte au g. créto-mycénien les boucles qui sortent des épaules, les ailes en éventail et la volute latérale qui descend sur le cou. Toujours avec une tête de rapace, souvent surmontée d'une aigrette, au bec fermé ou entr'ouvert, il se répand depuis le Bronze Récent jusqu'au Fer II dans les ateliers de Syrie du N. et de Phénicie. Sur les →coupes phén.-chypriotes exportées jusqu'en Grèce et en Étrurie (IXe-VIIe s.) apparaît aussi un autre type de g., plus proche du sphinx hiérakocéphale égyptien, attesté à partir du IXe s. av. J.C. sur des scaraboïdes et des sceaux cubiques syriens et phén.; il passe à Chypre, d'où il est transmis à la →glyptique de Carthage et de Tharros. L'art mésopotamien atteste son rôle apotropaïque et sa fonction d'attribut de divinités comme Ishtar et Nergal; en Égypte, outre ce même rôle, le g. semble personnifier, comme le sphinx, le pouvoir du Pharaon. En Syrie, malgré l'influence très marquée du type de g. "extatique" crétois, gardien du trône à Knossos, le g. va acquérir un rôle de plus en plus décoratif, qu'il garde dans l'artisanat phén., où il flanque le plus souvent une plante stylisée, "l'arbre de vie" (fig. 162; pl. Xa), ou est représenté en marche (pl. VIIId), dans une frise d'animaux. Une scène assez fréquente sur les ivoires phén. de Nimrud et sur les coupes phén.-chypriotes est celle du héros vêtu à l'égyptienne, tuant un g. à la tête d'aigle avec une lance ou une courte épée (fig. 107, 263); elle demeure énigmatique, faute d'une mythologie phén. et de correspondants iconographiques assurés.

Bibl. A.M.Bisi, *Il grifone*, Roma 1965; J. Flagge, *Untersuchungen zur Bedeutung des Greifen*, Sankt Augustin 1975; Chr. Delplace, *Le griffon de l'archaïsme à l'époque impériale*, Bruxelles-Rome 1980; A. Dierichs, *Das Bild des Greifen in der frühgriechischen Flächenkunst*, Münster 1981; E. Gubel, OLP 16 (1985), p. 91-110; id., StPhoen 5 (1987), p. 195-224. AMBi

GROTTA REGINA Grotte qui s'ouvre à une hauteur de 180 m au-dessus du niveau de la mer sur les pentes N.-E. du Monte Gallo, au N. de →Palerme. Elle fait partie d'un ensemble de grottes qui ont livré un important matériel préhistorique. En 1951 on y découvrit de la céramique et, par la suite, on identifia sur les parois, à une hauteur variant de 1,40 à 3,60 m, des groupes d'inscriptions et des restes de dessins exécutés en noir, dont on fit le relevé. Les fouilles ont montré que la grotte a été complètement vidée à une époque récente, de sorte que le niveau actuel se trouve bien au-dessous des sols anciens. Plusieurs fragments de céarmique attestent une fréquentation préhistorique du Néolithique au Bronze Ancien; par contre, les tessons des périodes successives, en particulier de l'époque pun., sont peu nombreux. C'est à cette dernière phase que se rattachent les inscriptions qui, d'après la forme des lettres, peuvent être datées entre le Ve-IVe et le Ier s. av. ou ap. J.C., comme l'indique la présence de caractères néopun. Les dessins — chevaux et autres →animaux, →navires, personnages humains, →"signe de Tanit" — sont difficiles à dater et leur rapport avec les inscriptions échappe à toute précision. L'état de conservation des textes et des représentations est assez mauvais; en outre, l'irrégularité du rocher rend la lecture des parties conservées particulièrement difficile. Les graffiti déchiffrés consistent en invocations à des divinités, avec un seul texte qui semble avoir la structure d'une dédicace. On trouve plusieurs fois le dieu →Shadrapha et la présence d'→Isis est possible à l'époque néopun. La grotte servait ainsi de lieu de culte (→sanctuaires 3B) de divinités de salut liées au monde souterrain, suivant une coutume attestée ailleurs dans le bassin de la Méditerranée, p.ex. dans la grotte de →Wasta.

Bibl. B. Rocco, *La grotta di Monte Gallo (iscrizioni e disegni)*, SicArch 5 (1969), p. 18-23; A.M. Bisi - M.G. Guzzo Amadasi - V. Tusa, *Grotta Regina-I*, Roma 1969; G. Coacci Polselli - M.G. Guzzo Amadasi - V. Tusa, *Grotta Regina-II. Le iscrizioni puniche*, Roma 1979. MGAmG

GSELL, STÉPHANE (7.2.1864-1.1.1932). G. reste le plus grand historien de l'Afrique ancienne. Son œuvre immense couvre toutes les époques, de Carthage pun. à la période byzantine. Agrégé d'histoire, ancien membre de l'École Française de Rome après avoir été élève de l'École Normale Supérieure, il enseigna à la Faculté des Lettres d'Alger, puis au Collège de France à partir de 1912. Dès 1901 paraissent les *Monuments antiques de l'Algérie* (2 vol.), puis, entre 1902 et 1911, l'*Atlas archéologique de l'Algérie* et, en 1922, le premier volume des *Inscriptions Latines de l'Algérie*. De 1913 à sa mort, il s'attacha surtout à son œuvre principale, l'*Histoire ancienne de l'Afrique du Nord*, dont 8 volumes ont paru. Ils vont de la préhistoire à l'annexion de la Maurétanie à l'empire romain en 40 ap. J.C. Les premiers volumes, consacrés à la pré- et protohistoire, puis à Carthage pun. et à la civilisation carth., sont vieillis du fait des découvertes archéologiques qui ont ouvert de nouvelles perspectives, mais ils méritent encore d'être lus pour leur intelligence et leur science. Enfin, G. a beaucoup contribué au sauvetage du site de Carthage.

Bibl. E. Albertini, *Stéphane Gsell*, RAfr 73 (1932), p. 20-53; C. Lepelley, *Stéphane Gsell et l'histoire de l'Afrique antique*, in S. Gsell, *Études sur l'Afrique antique*, Lille 1981, p. 9-18, avec la bibl.; E. et J. Gran-Aymerich, *Stéphane Gsell*, Archéologia 203 (1985), p. 57-63. MLeG

GUADALHORCE Le plus important fleuve de l'→Andalousie orientale dont l'embouchure se trouve à 4 km à l'O. de →Málaga. Sur sa rive droite, à 500 m de la côte, le petit promontoire du Cerro del Villar abrite les restes d'une colonie phén. des VIIe-VIe s., découverte en 1966. Elle a livré notamment une brève inscription phén. sur fragment de vase (CIE 09.07). Du temps des Phéniciens, ce site constituait une île qui contrôlait l'accès de la voie de communication du G., qui facilitait les contacts commerciaux avec l'arrière-pays, jusqu'à la vallée du Guadalquivir. La situation privilégiée du Cerro del Villar permettait, en outre, le développement d'une agriculture intensive d'irrigation. Les données archéologiques démontrent la continuité de l'occupation phén. de 700 à 550 av. J.C. Les fouilles entreprises à partir de 1986 mettent en évidence le haut niveau du développement architectonique atteint par l'établissement phén. et l'échelle industrielle de la production locale de céramiques peintes de luxe, destinées au commerce. Au VIe s., peu de temps avant l'abandon du site, apparaît la céramique d'importation étrusque et gr. orientale.

Bibl. A. Arribas - O. Arteaga, *El yacimiento fenicio de la desembocadura del río Guadalhorce (Málaga)*, Granada 1975; AulaOr 4 (1986), p. 319 (bibl.); M.E. Aubet Semmler, *Notas sobre la economía de los asentamientos fenicios del Sur de España*, DdA 5/2 (1987), p. 51-62. MEAub

GUELAAT BOU SBA →Guelma.

GUELMA En lat. *Calama*, arabe *Gwalma*, importante ville numide d'Algérie à *c*. 75 km à l'E. de Constantine. On n'a pas de trace de l'existence d'une cité phén., mais on constate dans la région une influence pun. très forte et durable dans l'onomastique, les usages funéraires, l'organisation municipale et le culte. Les environs immédiats de G. ont produit des dizaines d'inscriptions néopun., les unes votives, les autres funéraires, dont seulement une quarantaine ont été recueillies par J.-B. →Chabot. Il existait certainement un temple de Baal Hamon à G. même, qui devint sans doute plus tard celui de Saturne. Il s'élevait probablement au N.-O. de la ville, sur la rive gauche du *Wādi Seḫūn*, où l'on a trouvé des stèles néopun., inscrites et figurées. Par ailleurs, à 4,5 km au S. de Guelma, à l'emplacement de *'Ain Nešma*, se trouvait le bourg appelé *Tbrbšy* en pun. et *Thabarbusis* en lat. Le grand nombre des stèles libyques et néopun. découvertes dans cette localité et la mention d'un homme de *Tbrbšy* à Carthage, vers le IIIe s. (CIS I,309), confirment l'antiquité de l'habitat. Un sanctuaire de Baal Hamon, auquel succéda Saturne, avait existé à *'Ain Nešma*. Les stèles néopun. du site, datant de l'époque des royaumes numides ou du début de l'époque rom., présentent presque toutes des hommes ou des femmes nus, debout, le visage plus ou moins informe, les yeux indiqués par des trous, le nez énorme. Ils tiennent une palme et un gâteau en forme de couronne ou bien une grappe de raisin, symboles de fertilité. Un autre site voisin de G., *Gwala'at bu Sba*, à 10 km au N. de G., a livré notamment une inscription funéraire bilingue, en lat. et néopun. (CIL VIII,17467 = KAI 165). La religion de la population de G. a gardé en pleine période rom. la marque des traditions pun. et ses habitants étaient encore en majorité païens au début du Ve s. (Aug., *Ep.* 91,10).

Bibl. AAAlg, f^e^ 9 (Bône), n°s 150 et 196; PECS, p. 185; J.-B. Chabot, *Punica XI*, JA 1916/2, p. 483-520; *XVI*, JA 1917/2, p. 23-31; KAI 165-169; S. Lancel, *Populus Thabarbusitanus et les Gymnasia de Quintus Flavius Luppianus*, Libyca 6 (1958), p. 143-151; M. Leglay, *Saturne africain. Monuments* I, Paris 1961, p. 386-415. ELip

GUERRE On est mal renseigné sur la conduite de la g. et la stratégie phén. Elles ne devaient guère différer de celles d'autres nations de l'ancien Proche-Orient, si l'on excepte les opérations navales, dont les flottes hellénistiques ont dû emprunter la stratégie aux Phéniciens (Pol. I 23,9; 27,11; 51,4-7.9). Les g. menées par les Carthaginois sont connues par les →auteurs classiques, dont il paraît résulter que les batailles ressemblaient à celles que se livraient les armées hellénistiques. L'emploi d'éléphants et la poliorcétique carth. apparaissaient cependant comme des nouveautés en Occident, puisqu'on attribuait même aux Carthaginois l'invention du bélier (Tert., *De pallio* 1; Vitruve X 13,1-2) et on soulignait l'usage qu'ils faisaient de tours d'assaut (Diod. XIII 80,1), engins dont les Assyriens se servaient déjà d'une manière courante. L'histoire militaire de la Phénicie et de Carthage nous apprend que les Phéniciens d'Orient subissaient la g. plus qu'ils ne la faisaient, et veillaient surtout à se protéger, tandis que les Carthaginois menaient des g. de conquête. Nos sources ne décèlent aucune allusion à une notion phén.-pun. de g. sainte.

1 Orient Les g. menées par les cités phén. de l'Orient avaient surtout un caractère défensif, si l'on excepte la campagne de →Hiram I de Tyr contre les *Iukeois* (et variantes: Fl. Jos., *C.Ap.* I 119; *A.J.* VIII 146), probablement les gens d'→Akko (*'ky/w*; le gr. préfixait parfois un *i* pour marquer une gutturale sémitique), puis l'expédition maritime de →Lulî contre Kition (Fl.Jos., *A.J.* IX 284). Les deux g. avaient pour but de ramener à l'obédience des cités rebelles. En revanche, c'est pour se défendre contre les Assyriens que les rois d'→Arqa, d'→Arwad, d'→Ushnatu et de →Siyān prirent part à la bataille de Qarqar en 853 (ANET, p. 279; TPOA, p. 86), et c'est sur l'ordre de Salmanasar V (726-722) que des vaisseaux phén. attaquèrent Tyr, du moins selon Fl.Jos., *A.J.* IX 285-286. Dans des circonstances analogues et sous le haut commandement perse, la flotte phén. prit part aux →guerres médiques (Hdt. VII 89.96.98) et aux expéditions contre l'Égypte révoltée, en 460 (Ktésias, *Persika* 32) et en 456-454 (Diod. XI 75,2; 77,1), subissant parfois des désastres, à Salamine (Eschyle, *Pers.* 452ss.; Hdt. VIII 79-81.95), en Égypte (Ktésias, *Persika* 32), lors d'engagements contre la flotte samienne (Klio 32 [1939], p. 306) et la flotte athénienne (Thc. I 112,4; cf. Diod. XII 3-4; Plut., *Cimon* 18), *c.* 450 av. J.C. En 411, au cours de la g. du Péloponnèse, une escadre phén. de 147 vaisseaux fut promise par les Perses aux Spartiates, mais elle n'appareilla finalement pas, probablement en raison de l'état d'agitation qui régnait alors en Égypte (Thc. VIII 87,3; cf. Diod. XIII 46,6). La marine phén. continua à jouer un rôle actif au IVe s. et fut déployée en Égée au temps de l'invasion de l'Empire perse par →Alexandre le Grand (Arr., *An.* II 13,7), mais elle abandonna le camp perse après la bataille d'Issos (Arr., *An.* XX 1,1.6) et participa même au siège de Tyr (Arr., *An.* XX 20,1). L'histoire des cités phén., ceintes d'imposantes →fortifications, fut ponctuée de sièges: →Sidon, prise et mise à sac par Asarhaddon en 677 (ANET, p. 291a.302b; TPOA, p. 126-127); →Tyr, assiégée par Asarhaddon et par Assurbanipal (TPOA, p. 129-131.133; ANET, p. 295b), puis soumise par Nabuchodonosor II à une blocade qui dura près de quatorze ans (585-572: Fl.Jos., *C.Ap.* I 156; cf. *Ez.* 29,17-18); →Kition, assiégée en 450/449 par Cimon l'Athénien (Thc. I 112,3; Diod. XII 3-4; Plut., *Cimon* 18-19; Corn. Népos, *Cimon* III 4), et Sidon, livrée par Tennès (→Tabnit II) à Artaxerxès III qui la fit incendier (Diod. XVI 45). Tyr résista à Alexandre le Grand en 332, confiante en ses fortifications et sa flotte (Arr., *An.* II 18,2; 19,5; 21,9; 22,5; etc.), en ses engins balistiques (Diod. XVII 41,3-4; Arr., *An.* II 21,3) et ses experts militaires (Diod. XVII 41,3; 43,1), mais les Macédoniens eurent raison de sa défense obstinée en construisant une jetée jusqu'aux murs de la Tyr insulaire (Arr., *An.* II 24,3; Diod. XVII 44; Q.-Curce IV 2,15), qu'Alexandre fit détruire (Arr., *An.* II 24).

2 Occident Au moins à partir du VIe s., Carthage fut mêlée à des g. dont l'enjeu initial était l'expansion commerciale. Maleus (cf. hb. *Maḥlî*?, →Malchus), puis →Magon (2), durent intervenir militairement en →Sardaigne vers le milieu du VIe s. (Just. XVIII 7,1-2.19; Orose, *Adv. Pag.* IV 6,7-9; cf. Huß, *Geschichte*, p. 62-63) et, dès la même époque, Phocéens et Carthaginois se trouvèrent aux prises pour la maîtrise des mers. *C.* 540, la flotte pun.-étrusque remporta à →Alalia une victoire sur les →Phocéens, mettant fin à leur expansion en mer Tyrrhénienne (*ibid.*, p. 63-64), tout comme l'expulsion du prince spartiate →Dorieus de Tripolitaine, *c.* 510, barra aux Grecs l'accès des Syrtes (*ibid.*, p. 73-74). En →Sicile (3) également, Carthage mena une politique de force, à laquelle la défaite d'→Himère, en 480, ne mit pas fin. Aussi l'histoire carth. est-elle marquée jusqu'au IIIe s. par des g. contre les Grecs de Sicile, spécialement les Syracusains (*ibid.*, p. 58-62, 93-148, 156-166, 176-203, 207-215), dont l'indomptable résistance maintint l'hellénisme dans la grande île. À la fin du IVe s., →Agathocle mena même la contre-offensive en Afrique et menaça Carthage. La conquête rom. de l'Italie méridionale entraîna Rome à intervenir en Sicile au moment où Carthage allait s'assurer le contrôle de toute l'île. Ce fut la 1re →g. pun. (263-241: *ibid.*, p. 216-251), désastreuse pour Carthage. La perte de la Sicile fut suivie de la révolte des mercenaires libyens, dite →g. des Mercenaires, et de l'abandon de la Sardaigne (241-238: *ibid.*, p. 252-268), désastres que →Hamilcar (8) Barca voulut compenser par l'occupation de la Péninsule Ibérique (*ibid.*, p. 269-283). Ce fut l'occasion de la 2e →g. pun. (218-201: *ibid.*, p. 284-424), dans laquelle →Hannibal (6) passa maître en stratégie, mais fut vaincu par →Scipion (5) à →Zama ou →Naraggara (202). La défaite réduisit Carthage à la merci de Rome, qui profita de la *deditio* d'→Utique pour engager la 3e g. pun. et détruire Carthage (149-146: *ibid.*, p. 436-457). La nature de nos sources nous prive de renseignements circonstanciés sur les luttes que Carthage dut mener contre les tribus libyques et numides du Maghreb dès les débuts de son existence. Just. XIX 2,1-4 fait allusion à de telles g., qui furent suivies d'annexions, jusqu'en plein IIIe s. (Pol. I 73,1; IV 18,1; XXIV 10,2; Corn. Nép., *Ham.* II 5), ou de l'assujettissement de certaines tribus numides, astreintes à payer le tribut (Diod. XXV 10,3).

Bibl. Gsell, HAAN II, p. 331-460, et III; W. Peek, *Ein Seegefecht aus den Perserkriegen*, Klio 32 (1939), p. 289-306; D.M. Lewis, *The Phoenician Fleet in 411*, Historia 7 (1958), p. 392-397; InstAT II p. 9-86, 431-436 (bibl.); Y. Yadin, *The Art of Warfare in the Biblical Lands*, London 1963; A. García y Bellido, *Les mercenaires dans les armées carthaginoises au moment de la bataille de Zama*, Africa 3-4 (1969-70 [1972]), p. 111-120; S. Moscati (éd.), *I Fenici e Cartagine*, Torino 1972, p. 676-701; M. Gras, *À propos de la "bataille d'Alalia"*, Latomus 31 (1972), p. 698-716; Y. Garlan, *Recherches de poliorcétique grecque*, Athènes 1974; R. Rebuffat, *Une bataille navale au VIIIe siècle*, Semitica 26 (1976), p. 71-79; S.T. Parker, *The Objectives and Strategy of Cimon's Expedition to Cyprus*, AJPh 97 (1976), p. 30-38; D. Lateiner, *Tissaphernes and the Phoenician Fleet*, TAPhA 106 (1976), p. 267-290; P. Salmon, *La politique égyptienne d'Athènes*, Bruxelles 1981[2], en part. p. 149-150; Huß, *Geschichte*; M. Launay, *Recherches sur les armées hellénistiques*, Paris 1987[2].

ELip

GUERRE DES MERCENAIRES Nom donné à la longue révolte des mercenaires de l'armée carth., commandés par le Gaulois Autaritos, le Libyen Matho (→Mattan 7) et le Campanien Spendios. Devenue une véritable "guerre d'Afrique" aux dimensions sociales, elle dura plus de trois ans (241-238). Elle s'inscrit à la suite du →traité (9) de paix, assorti de sévères conditions financières, qui clôtura la coûteuse 1re →guerre pun. (264-241). Plus de 20.000 mercenaires, dont la solde n'avait pas été payée, furent progressivement transférés de Sicile dans la région de →Sicca Veneria, mais finirent par marcher vers →Carthage, campèrent près de →Tunis et, appuyés par les Libyens de Zarzas, assiégèrent →Utique et →Bizerte. Afin d'éviter toute conciliation, Spendios incita les révoltés à mutiler et tuer 700 prisonniers carth., dont →Giscon (5), venu les raisonner face aux difficultés de trésorerie de Carthage. Mis en difficulté, Autaritos se rendit avec Zarzas et Spendios auprès d'→Hamilcar (8) Barca. Pendant qu'ils étaient retenus, les révoltés furent écrasés. Spendios et d'autres prisonniers furent crucifiés en 239 devant Tunis que tenait encore Matho. Celui-ci poursuivit la lutte, mais fut finalement vaincu non loin de →Leptis Minus. Pris vivant, il expira à Carthage dans d'atroces tourments.

Bibl. Pol. I 65-88; Gsell, HAAN III, p. 100-123; Huß, *Geschichte*, p. 252-266; id., *Die Libyer Mathos und Zarzas und der Kelte Autaritos als Prägherrn*, GNS 38 (1988), p. 30-33.

ELip

GUERRES MÉDIQUES Nom donné aux conflits qui opposèrent Grecs et →Perses au Ve s. av. J.C. et dont le récit le plus circonstancié se lit dans Hdt. V 28-IX. Lorsque Darius I eut conquis l'Asie occidentale et l'Égypte, il résolut de poursuivre ses succès en Europe et attaqua la Grèce. La 1re g.m. eut lieu en 490; elle fut marquée par la défaite des Perses à Marathon. La seconde, entreprise par Xerxès I, fut signalée par le dévouement des Spartiates aux Thermopyles, les batailles navales de l'Artémision, l'incendie d'Athènes, les victoires gr. de Salamine (480), de Platée et de Mycale (479). En 468, les Grecs remportèrent une double victoire, sur terre et sur mer, sur les bords de l'Eurymédon. Une nouvelle guerre éclata en 450, mais la Paix de Callias lui mit fin dès 449/8, consacrant probablement le *statu quo*. Les flottes phén. jouèrent un rôle important dans ces guerres et dès la révolte d'Ionie, qui précéda la 1re g.m. (Hdt. V 108.109.112; VI 6.14.25.28.33.41.104). De grands travaux préparant l'invasion de 480, comme l'établissement de ponts sur l'Hellespont (Hdt. VII 25.34-36) ou le creusement d'un canal à travers l'isthme du Mont Athos (Hdt. VII 23), furent confiés notamment à des Phéniciens. La flotte phén. se distingua dans la 2e g.m., sous Xerxès, qui put compter sur 300 trières (Hdt. VII 89; cf. Diod. XI 3,7) et des équipages parmi lesquels émergeaient les Sidoniens (Hdt. VII 96). Leur présence à Salamine (Hdt. VIII 85.90; IX 96; cf. Diod. XI 17,1-18; 19,1) n'empêcha toutefois pas la débâcle et, pour protéger sa retraite (Hdt. VIII 97), le Grand Roi aurait projeté la construction d'un pont de bateaux phén., reliant le continent à Salamine. Hdt. VII 166 avait établi un parallèle entre les batail-

les de Salamine et d'→Himère, mais il est contredit par Diod. XI 24, qui place la bataille d'Himère le même jour que le combat des Thermopyles.
La fin des g.m. en 449/8 ne mit pas un terme aux interventions des flottes phén. au service des Perses dans les eaux gr. En 411, au cours de la Guerre du Péloponnèse qui opposa Athéniens et Spartiates (431-404), les Perses promirent à ces derniers une escadre phén. de 147 vaisseaux, mais celle-ci ne parut pas (Thc. VIII 87,3). Puis, *c.* 396, ils se mirent de nouveau à armer une flotte phén. de 300 vaisseaux (Xén., *Hell.* III 4,1; cf. IV 3,11), sans doute contre les Grecs qui avaient soutenu Cyrus le Jeune.

Bibl. CAH² IV, p. 461-622; 849-855; CHI II, p. 292-391; C. Hignett, *Xerxes' Invasion of Greece*, Oxford 1963; Ph. Gauthier, *Le parallèle Himère-Salamine au Vᵉ et au IVᵉ s. av. J.-C.*, RÉA 68 (1966), p. 5-32; J.M. Cook, *The Persian Empire*, London 1983; R. Bichler, *Der Synchronismus von Himera und Salamis. Eine Quellenkritische Studie zu Herodot*, E. Weber - G. Dobesch (éd.), *Festschrift A. Betz*, Wien 1985, p. 59-74; E. Will, *Le monde grec et l'Orient* I, Paris 1989³; J.M. Balcer, *The Persian Wars against Greece: A Reassessment*, Historia 28 (1989), p. 127-143.

VKri-ELip

GUERRES PUNIQUES Les auteurs traitant de l'Antiquité rom. donnent le nom de g.p. à la longue rivalité qui naquit entre →Rome et →Carthage au IIIᵉ s. av. J.C. et qui aboutit en 146 av. J.C. à la ruine de cette dernière après trois guerres longues et acharnées, qu'un historien de Carthage devrait appeler "guerres rom." Les g.p., dont les conséquences eurent un impact durable sur toute l'histoire ultérieure du monde méditerranéen, furent déclenchées par les Romains, d'abord en raison de leurs vues sur la →Sicile, déjà occupée en partie par les Carthaginois, ensuite sous l'impulsion des tendances impérialistes de la Rome républicaine, contrecarrées par la puissance maritime et économique de Carthage.

1 Sources Les g.p. sont à la fois très bien et très mal connues. Très mal, parce que les sources carth. font complètement défaut, que les sources rom. contemporaines sont en grande partie perdues et que les historiographes rom., voire gr., ne sont pas toujours fiables et ne reflètent souvent que le point de vue d'une des parties. Bien, parce qu'on a conservé, du moins partiellement, le récit continu d'un presque contemporain, Polybe (208?-132?), qu'un autre récit de la 2ᵉ g.p., celui de Liv. XXI-XXX, a l'avantage de transmettre une tradition annalistique proprement rom., dont les partis pris mêmes peuvent être significatifs, et que App., *Lib.* 10-136, offre un récit détaillé de la 3ᵉ g.p. et de la prise de Carthage. En outre, on dispose d'un récit circonstancié chez Diod. XXIII-XXVI, XXXII, XXXIV-XXXV, et de données éparses chez un grand nombre d'→auteurs classiques (1). La valeur "objective" de ces écrits d'historiographes est variable. La première place revient incontestablement à Polybe. Seule source consistante pour la 1ʳᵉ g.p. (Pol. I), il a utilisé pour la 2ᵉ g.p. non seulement des historiens rom. contemporains des événements, comme Fabius Pictor, mais aussi des auteurs gr. favorables à Carthage, tels Sôsylos et Silenos, et même des documents d'origine pun., ainsi l'inscription de Lacinium (Pol. III 33,17-18) ou le →traité (10) entre →Hannibal (6) et →Philippe V de Macédoine (Pol. VII 9). Par ailleurs, Polybe avait une connaissance directe des lieux, ayant fait le →périple (5) des côtes africaines (Pline, *N.H.* V 9-10), et il s'est entretenu avec des Carthaginois et des Numides (Pol. IX 25,2-4; XXXIV 16,1). Il n'en reste pas moins vrai qu'on retrouve chez lui des préjugés "antisémitiques" d'origine rom. (Pol. VI 52,10), des allusions à la fourberie (Pol. III 78,1) et à la cupidité des Carthaginois (Pol. IX 11,2), et un portrait d'Hannibal (Pol. IX 22,7-25), digne d'un auteur rom. tel que Liv. XXI 4,3-10. Son appréciation de la 2ᵉ et surtout de la 3ᵉ g.p. ne témoigne d'ailleurs plus de ce souci d'objectivité et de détachement qui caractérise son récit de la 1ʳᵉ g.p. Quant à Tite-Live, qui est notre principale source pour la 2ᵉ g.p., puisque la partie conservée de l'*Histoire* de Polybe s'arrête en 216, il n'interprète pas toujours ses devanciers d'une manière correcte, vise à l'effet littéraire et son but essentiel est de montrer la supériorité des qualités ancestrales des Romains face à la barbarie des Africains et à la perfidie des Orientaux, dont Carthage était pour ainsi dire l'incarnation. Appien, enfin, se fait l'écho des deux tendances de politique étrangère qui, depuis les années 167, se partageaient le Sénat rom., l'une "pro-carthaginoise", l'autre systématiquement opposée à Carthage.

2 Première guerre punique (264-241) Les →traités (9) conclus entre Carthage et Rome leur interdisaient d'opérer sur les territoires soumis à l'autre partie, sauf dans l'éventualité d'une action commune contre →Pyrrhus (Pol. III 25,3). La Sicile étant dans la mouvance de Carthage, Rome viola ouvertement un de ces traités en y intervenant à la requête des Mamertins, comme l'a bien observé Philinos d'Agrigente (Pol. III 26,3). Les Mamertins, mercenaires de l'Italie méridionale établis à Messine depuis 286, se sentirent menacés par →Hiéron II de →Syracuse et demandèrent l'aide tant des Carthaginois que des Romains (Pol. I 10). L'empressement mis par les Puniques à occuper la citadelle de Messine (Pol. I 11,4) parut préjudiciable aux intérêts de Rome qui y vit l'amorce d'une expansion carth. vers l'Italie du S. et un danger pour le développement de son propre commerce avec la Sicile. En déclenchant un conflit majeur en 264, les Romains ne pouvaient évidemment pas en mesurer toutes les conséquences et prévoir qu'ils s'engageaient dans une guerre qui paraîtra interminable: en fait, elle dura vingt-trois ans, se déroula sur terre et sur mer, en Sicile, en Afrique où débarqua →Régulus, dans les eaux tyrrhéniennes. Dépêché à Messine, le consul Ap. Claudius Caudex (→Claudii 1) prit sur lui d'ouvrir les hostilités avec les Carthaginois. Renouvelant l'erreur commise lors de la guerre contre Pyrrhus, →Hannon (14) laissa les légions rom. traverser le détroit de Messine et perdit très tôt l'appui d'Hiéron II, qui rallia la cause rom. Les Carthaginois réunirent cependant deux armées importantes, une à →Agrigente sous le commandement d'→Hannibal (3), l'autre à →Lilybée sous les ordres d'Hannon. Les succès rom. sur terre furent bientôt doublés de victoires navales, certainement imprévisibles, qui constituèrent un des faits majeurs de la guerre. Les Romains, qui devaient encore utiliser en 264 des bateaux tarentins, locriens et napolitains pour débarquer en Sicile, décidèrent de se lancer sur mer en 261 (Pol. I 20-21). L'échec de →Scipion (1) à Lipari, en 260, fut largement compensé par la victoire de →Duillius au large de Myles et Rome, libre désormais de ses mouvements en Méditerranée, porta la guerre en Corse et en Sardaigne (→Scipions 2), puis, après la victoire d'Ecnome en 256, s'efforça de frapper Carthage en Afrique, où l'expédition de Régulus se termina toutefois par un désastre, malgré ses succès initiaux. La guerre n'en continua pas moins en Sicile, qui restait le vrai enjeu de la guerre. Scipion Asina s'empara de →Palerme en 254, mais échoua devant Lilybée, défendue par →Himilcon (5), tandis que Claudius Pulcher (→Claudii 3) se faisait battre sur mer, en 249, par Adherbal (→Adarbaal 2) qui l'avait pris à revers au large de →Trapani. L'effort naval des Romains fut entièrement interrompu entre 249 et 243 (Pol. I 55,2; 59,1), situation dont →Hamilcar (8) Barca sut habilement tirer parti sur terre, en Sicile, malgré ses faibles moyens en hommes et matériel. Rome se ressaisit cependant, équipa une nouvelle flotte de guerre qui, sous le commandement de →Lutatius, remporta la victoire décisive aux îles Égates (241), près de →Favignana. Cette victoire navale inattendue fut suivie d'un traité qui mit fin à la guerre en 241 (Pol. I 62,7-9; 63,1; III 27) et est connu sous le nom de traité de Lutatius (StV III,493). Les Carthaginois durent évacuer la Sicile, libérer les prisonniers rom. sans rançon et payer une lourde indemnité de guerre.

3 L'entre-deux-guerres (241-218) Pendant vingt-trois ans s'ensuivit une paix armée durant laquelle Carthage, incapable de payer, à la fois, les indemnités de guerre et la solde de ses troupes, se vit confrontée à la →guerre des Mercenaires et dut laisser Rome s'emparer de la →Sardaigne (2), en 238 ou 237 (cf. Pol. I 88, 8-12; III 27,7). Toutefois, sous l'impulsion de la "dynastie" des →Barcides, elle s'engagea à son tour dans la conquête de l'→Espagne et reconstitua ainsi un empire. Lorsque Rome, occupée à combattre les Illyriens, songea à lui donner un coup d'arrêt en 226, puis en 219, il était trop tard, car déjà →Hannibal (6), succédant à son beau-frère →Hasdrubal (4) et confirmé comme stratège par le →Sénat et l'→assemblée du peuple de Carthage (Pol. III 12; Corn. Nép., *Hann.* 3,1), avait mis sur pied une puissante "force de frappe" et était en mesure d'entreprendre sa grande expédition par voie de terre vers l'Italie.

4 Deuxième guerre punique (218-201) Tout commença devant →Sagonte, assiégée et prise par Hannibal en 218, avec l'accord des autorités carth. (Pol. III 15,8). Bien que située dans la mouvance carth. (StV III, 503), malgré certaines hypothèses modernes, Sagonte était devenue l'alliée des Romains et Rome signifia officiellement la guerre à Carthage par une ambassade (Pol. III 20,9; 33,1-4; Liv. XXI 18,1; 19-20). Elle se vit cependant attaquée sur le sol même de l'Italie par le Carthaginois qui fit traverser les Pyrénées, le Rhône et les Alpes à ses troupes. Prenant les Romains à revers et soulevant les Gaulois de la plaine du Pô contre Rome (Pol. III 77,3-7; 85; etc.), il amorça une "politique italienne" qui visait à se créer des amis et des alliés dans la péninsule Italique elle-même. La maîtrise totale d'Hannibal dans la stratégie et la tactique apparut par ailleurs, d'une manière éclatante, dans les trois victoires successives sur les bords de la Trébie (218), au lac Trasimène (217), où C. →Flaminius trouva la mort, et à Cannes (216), sur l'Aufidus (BT IV, p. 359-363), où →Paul-Émile et →Terentius Varro furent écrasés. Hannibal commit toutefois l'erreur de ne pas marcher directement sur Rome et laissa le temps à Fabius Cunctator (→Fabii 3) et à Claudius Marcellus (→Claudii 4) de réorganiser l'armée rom. d'Italie, cependant que les →Scipions (3-4) portaient la guerre en Espagne pour couper Hannibal de ses sources d'approvisionnement. Malgré l'appui fourni par les Campaniens de →Capoue ou les Grecs de Tarente, Hannibal s'affaiblit progressivement, ne disposant pas d'un port et ne recevant pas des renforts sérieux. Le traité conclu avec Philippe V de Macédoine n'eut pas d'effet pratique sur le terrain et les Romains remportèrent des succès à Syracuse (212), Capoue (211), Tarente (209) et surtout à →Carthagène, prise en 209 par le jeune P. →Scipion (5). La fortune de la guerre changea et la défaite infligée par Claudius Nero (→Claudii 6) à →Hasdrubal (5) le Barcide sur le Métaure (207), entre Rimini et Ancône, obligea Hannibal à se retirer dans l'extrémité de la péninsule, dans le Bruttium, où il demeura jusqu'en 203, avec une armée de plus en plus réduite, sur un espace de plus en plus restreint, autour de Crotone. Quant à P. Scipion, il termina la campagne d'Espagne en 206 et passa en Afrique en 204, où il conclut un accord avec →Massinissa I, contre-balançant l'alliance de →Syphax avec les Carthaginois (StV III,546). En 202, P. Scipion affronta à →Zama ou →Naraggara Hannibal rappelé d'urgence en Afrique et sa victoire décisive obligea Carthage à une capitulation où elle sauva du moins son existence et son autonomie, bien qu'elle devînt tributaire de Rome pour cinquante ans et risquât d'être étouffée par les visées expansionnistes de Massinissa I, l'allié de Rome. Les clauses du traité de paix, essentiellement militaires et diplomatiques (StV III,548), visaient à confiner définitivement Carthage à l'Afrique et à éviter à tout prix la surprise de 218. En revanche, Rome ne songeait pas encore à un Empire africain, puisqu'elle promettait de se retirer d'Afrique dans les cinq mois (App., *Lib.* 54).

5 Troisième guerre punique (149-146) L'énergique politique d'Hannibal (196-195) et les traditions commerciales de Carthage lui rendirent dès *c.* 190 sa prospérité et son rôle économique dans la Méditerranée, que les conflits avec Massinissa I ne gênèrent pas outre mesure. D'ailleurs, jusque vers 167, les arbitrages que Rome fut appelée à rendre à la suite des attaques de Massinissa, en 193, 182 et 174, furent conciliants envers Carthage. Après 167, en revanche, Rome autorisa le roi de →Numidie à occuper les Emporia de la Grande Syrte, et le tournant décisif fut pris en 153, lorsque Caton l'Ancien fut chargé d'une ambassade à Carthage. Impressionné par sa prospérité et son réarmement, il donna une nouvelle impulsion au "parti" systématiquement anti-carthaginois de Rome, qui l'emporta en 150, — l'année même où Carthage cessait d'être tributaire de Rome, — avec la volonté affirmée d'anéantir l'État carth. lui-même.

Sous prétexte que la république africaine avait violé les traités en lançant une contre-attaque contre les Numides, l'armée rom. débarqua en 149 à Utique. Les Romains révélèrent peu à peu leurs intentions pour exiger finalement des Carthaginois l'abandon de leur ville et un transfert vers l'intérieur des terres (App., *Lib.* 74-92). Dans un sursaut, le Sénat de Carthage se résolut à la guerre, enrôlant des esclaves et faisant fabriquer fièvreusement des armes. Le siège de la ville dura presque trois ans et c'est seulement au printemps de 146 que les Romains, commandés par →Scipion (8) Émilien, s'emparèrent de la cité, rue par rue, menant à terme cette guerre d'extermination. Carthage fut détruite, les survivants furent réduits en esclavage ou se réfugièrent en Numidie "punicisée" et le site fut abandonné jusqu'à ce que C. Sempronius Gracchus (→Gracques 4) y envoya une colonie de citoyens en 123 av. J.C.

Bibl. Gsell, HAAN III; G. De Sanctis, *Storia dei Romani* III/1-2, IV/3, Firenze 1967-68^2, 1964; C. Nicolet (éd.), *Rome et la conquête du monde méditerranéen* II, Paris 1978, p. 594-626; Huß, *Geschichte*, p. 216-457; H. Devijver-E. Lipiński (éd.), *Punic Wars* (StPhoen 11), Leuven 1989. ELip

GULUSSA En pun. *G(ls)n*, gr. *Golóssēs*; deuxième fils du roi numide →Massinissa I. Ambassadeur à Rome en 172-171 (Liv. XLII 23-24), puis à Carthage en 150 (App., *Lib.* 70), il prit part à la guerre qui s'ensuivit entre Massinissa I et les Carthaginois (App., *Lib.* 106). À la mort de son père (148), il partagea le pouvoir avec ses deux frères, →Mastanabal (1) et →Micipsa, et se vit confier le "ministère" de la guerre (App., *Lib.* 106). Il prêta main forte aux Romains lors de la 3e →guerre pun. (App., *Lib.* 107-109.126) et servit de médiateur lors des négociations avortées entre →Hasdrubal (15) et les Romains, en 147 (Pol. XXXVIII 7-8). G. laissa un fils, Massiva, que →Jugurtha fit assassiner en pleine Rome en 112. MDub

GUNUGU En néopun. *Gngn*, italique *Gunigun*, lat. *Gunugu*; site localisé à la *Qubba* de Sidi Brahim près de Gouraya, à 33 km à l'O. de →Cherchel, en Algérie. G. n'est pas mentionnée dans les sources historiques avant Pline, qui la désigne comme colonie d'Auguste (*N.H.* V 5,20; cf. CIL VIII, 9071; 9423), puis Ptol. IV 2, 5 et l'*It.Ant.* (p. 15), grâce auquel G. a pu être identifiée. Depuis la fin du XIXe s. les fouilles de la nécropole y ont mis au jour un établissement pré-rom., bien attesté en particulier pour les IIIe-IIe s., mais que des trouvailles de céramique attique permettent de faire remonter au moins au Ve s. Dès cette date, G. entretint un trafic maritime de quelque importance, d'une part, avec la Sicile gr., d'autre part, avec l'Espagne, comme le montrent les similitudes de décor entre les →œufs d'autruche peints découverts à G. et à →Villaricos. Le port de G. passa sans doute dans la sphère d'influence de Carthage au IVe s. Le site a livré au moins 22 inscriptions néopun. (RÉS 1979-2000), ainsi qu'une monnaie locale à légende néopun. lue *Gngn* et une monnaie de →Bocchus II de Maurétanie, trouvée dans une tombe d'enfant.

Bibl. AAAlg, f^e 4 (Cherchel), n° 3; S. Gsell, *Fouilles de Gouraya*, Paris 1903; id., HAAN II, p. 161-162; F. Missonnier, *Fouilles dans la nécropole de Gouraya*, MÉFR 50 (1933), p. 87-119; M. Astruc, *Supplément aux fouilles de Gouraya*, Libyca 2 (1954), p. 9-48; Mazard, *Corpus*, p. 172-173; F. Villard, *Vases attiques du Ve s. av. J.-C. à Gouraya*, Libyca, 7 (1959), p. 7-13; Desanges, *Pline*, p. 161-162; Lepelley, *Cités* II, p. 538-539. SLan-Elip

GURZA / GORZA **1** En gr. *Górza*, ville située apparemment dans la région d'Utique (Tunisie) et mentionnée par Pol. I 74,13 en rapport avec la →guerre des Mercenaires libyens, *c.* 240 av. J.C.

2 En lat. *Gurza*, aujourd'hui *Qal'a Kabīra*, à *c.* 12 km au N.-O. de Sousse (Tunisie), localisation conforme à la *Tab. Peut.* et confirmée par la table d'hospitalité de l'an 12 av. J.C. que l'on a découverte sur le site et qui mentionne les *Gurzenses* (CIL VIII,69), dont les noms sont au demeurant pun. Le dossier archéologique pun. se limite pratiquement aux tombes du lieudit Bal el-Médina, datables entre le IIIe et le Ier s. av. J.C. Ce sont des hypogées accessibles par des puits peu profonds, dans lesquels sont attestées des inhumations multiples, ainsi que l'incinération. Il est probable que certains de ces caveaux étaient surmontés de petits édicules, mais leur effondrement ne permet pas d'en préciser la structure ou l'agencement.

Bibl. Ad 2: AATun = CNSA, f^e 57 (Sousse), n° 2; L. Carton, *Note sur l'emplacement probable de l'ancienne ville de Gurza*, CRAI 1904, p. 56-59; id., *Les nécropoles de Gurza*, BSAS 1909-13, p. 20-35. ELip

H

HADDU Dieu de l'orage ouest-sémitique, dont le nom s'écrit *ᵈÀ-da* dans l'onomastique éblaïte du XXIVᵉ s. av. J.C. et apparaît sous la forme *(H)addi* à Byblos, au XXᵉ s., dans l'anthroponyme *Eb-da-dì*, "Serviteur de H." (AfO 19 [1959-60], p. 120, l. 19). Il est bien connu comme *(H)addu* dans l'anthroponymie amorite et est parfois réduit à un simple *-d* dans les noms propres écrits en cunéiforme alphabétique d'Ugarit. Le nom *Hd* intervient encore dans les récits mythologiques d'Ugarit et, plus tard, dans l'onomastique où il alterne avec *Hdd*, *Dd* et *'d*. La forme *Hdd*, avec le *d* dédoublé, est attestée exceptionnellement à Ugarit (KTU 1.9,12; 2.31,41?), elle est courante en araméen et correspond à l'akkadien *Adad*. Dès la seconde moitié du IIᵉ mill., le nom de H. est progressivement supplanté par l'épithète *Ba'al*, "Seigneur", comme on le voit à Ugarit et à Émar, et c'est →Baal qui devient pratiquement le nom propre du dieu de l'orage ouest-sémitique. Le théonyme H. n'apparaît plus dans les épigraphes phén.-pun. et il est rare dans l'anthroponymie du Iᵉʳ mill.

Bibl. WM I/1, p. 253-264; I.J. Gelb, *Computer-Aided Analysis of Amorite* (AS 21), Chicago 1980, p. 75-79; F. Pomponio, *I nomi divini nei testi di Ebla*, UF 15 (1983), p. 141-156 (voir p. 143, 147). ELip

Fig. 163. Stèle d'Hadrumète (fin du Vᵉ s. av. J.C.), représentant Baal Hamon. Autrefois Sousse, Musée.

HADRUMÈTE En gr. *Adrúmēs*/*Adrumḗtos*, lat. *Hadrumetum*, arabe *Sūsa* (Sousse), ville de Tunisie, à 150 km au S.-E. de →Carthage, et le grand centre urbain du →Sahel. Malgré diverses propositions, on ignore la forme phén. ou libyque du toponyme.

1 Histoire Selon Sall., *Jug.* XIX 1, la ville aurait été une fondation phén. et Solin XXVII 9 précise qu'elle aurait été une colonie tyrienne. L'histoire la plus ancienne de la cité est inconnue et H. ne conserve pas, dans l'état actuel de nos connaissances, de vestige archéologique antérieur au VIIᵉ s. av. J.C. Elle entra dans l'orbite de Carthage, ce qui eut pour effet de l'entraîner dans les conflits méditerranéens de cette dernière. Au IVᵉ s., elle est mentionnée dans Skyl. 110 et, en 310, on la voit assiégée par l'armée d'→Agathocle, auquel elle se rendit (Diod. XX 17,1.5). De retour d'Italie en 203/2, →Hannibal (6) y fit les préparatifs de sa campagne contre →Scipion (5) et il y revint après la défaite de →Zama/→Naraggara (Pol. XV 5,3; 15,3; cf. Liv. XXX 29,1; 35,4; Corn. Nép., *Hann.*, VI,3 et 4; App., *Lib.* 33.47). Au début de la 3ᵉ →guerre pun., en 149, la ville se rallia aux Romains et dut à cette décision de garder ses immunités et son territoire (App. *Lib.* 94; cf. 135), comme l'indique très probablement la →*Lex agraria Thoria*. Durant la guerre civile entre César et les Pompéiens, elle opta malheureusement pour ces derniers et fut taxée lourdement par César, vainqueur à →Thapsus en 46 av. J.C. Elle n'en devint pas moins, sous l'Empire, une importante place de commerce et les monnaies d'H. de l'époque augustéenne, notamment à l'effigie de →Baal Hamon, montrent que ses privilèges de cité libre étaient alors conservés ou restaurés. Elle fut promue sous Trajan (98-117) au rang de colonie et se couvrit de luxueux monuments, riches en mosaïques. Elle devint la capitale de la nouvelle province →Byzacène sous le règne de Dioclétien (284-305).

2 Archéologie H. occupait les pentes que Sousse couvre actuellement, la citadelle devant être, comme la Kasba aujourd'hui, au point culminant, au S.-O. Mais l'enceinte pun. n'a pu être retrouvée et le périmètre du site urbain ne peut donc être précisé. En revanche, le →*tophet* a été retrouvé sous l'église construite à la fin du XIXᵉ s. et sa fouille a permis de déterminer cinq niveaux de dépôts d'urnes, du VIIᵉ

Fig. 164. Denier d'Hadrumète d'époque augustéenne à l'effigie de Baal Hamon. Coll. privée.

au Ier s. av. J.C. Parmi les →stèles à décor figuré issues de cette aire, on notera une représentation de Baal Hamon sur un trône flanqué de deux sphinx ailés, qui est la figuration la plus sûre que nous ayons du dieu (fig. 163). On retrouve cette représentation, qui doit tirer son origine d'une image cultuelle, dans une statue en bois, très fruste, conservée au Musée de La Valette (Malte), dans le monnayage d'H. (fig. 164) et encore sur l'*aureus* de Clodius Albinus, en 196/7 ap. J.C. Trois stèles datant du IVe s. figurent une divinité féminine assise sur un tabouret devant une sorte de pyrée oblong, surmonté du disque et du croissant renversé. Elle est drapée dans une longue robe collante et tient un objet sphérique. On a proposé de reconnaître dans cette figure la déesse →Tanit, mentionnée sur des stèles d'H. Sur plusieurs stèles figure le →"signe de Tanit", l'→idole-bouteille (fig. 178) ou un ensemble de trois →bétyles (fig. 45), et nombre d'entre elles portent des dédicaces à Baal Hamon, également à Tanit. Il semble que ce sanctuaire ait été abandonné au IIe s. ap. J.C. Le site d'H. a livré jusqu'ici plus de 60 inscriptions, pun. ou néopun., dont certaines proviennent de la →nécropole (→tombes 2A). Plusieurs secteurs de la nécropole d'époque pun. ont été délimités et fouillés, le plus ancien n'étant pas antérieur au IVe s. av. J.C. Les tombes ont livré bijoux, →amulettes, ustensiles de toilette et divers types de →céramique (2), notamment des →lampes, plusieurs à trois becs pincés, d'autres hellénistiques, importées ou imitées sur place.

Bibl. AATun = CNSA, f^e 57 (Sousse), n° 16; PECS, p. 372; J. Euting, *Sammlung der carthagischen Inschriften* I, Straßburg 1883, *Anhang*, pl. 1-6 (cf. KAI 97-98); P. Berger, RArch 1884/2, p. 168; Gsell, HAAN II, p. 136-139; RÉS 593-596 = 892-895; 906-908; 937; 944-953; 1936; R. Dussaud, BAC 1914, p. 343-347; 1917, p. 163-165; J.-B. Chabot, BAC 1941-42, p. 398-400; P. Cintas, *Le sanctuaire punique de Sousse*, RAfr 91 (1947), p. 1-80; M. Leglay, *Saturne africain. Monuments* I, Paris 1961, p. 255-257; L. Foucher, *Hadrumetum*, Tunis 1964; Lepelley, *Cités*, p. 261-264; H. Ben Younès, *La présence punique au Sahel*, diss. Univ. Tunis 1981, p. 77-98; Desanges, *Pline*, p. 232-233; M.H. Fantar, *À propos du toponyme "Hadrumetum"*, REPPAL 2 (1986), p. 267-275. SLan-ELip

HALA SULTAN TEKKÉ Site d'une importante ville portuaire du Bronze Récent qui se trouve à l'O. de la mosquée de H.S.T., en bordure du lac Salé de Larnaka →Kition, à Chypre. On y a retrouvé, dans une tombe, des restes d'→œufs d'autruche; les bâtiments du premier quart du XIIe s. ont livré un atelier de →métallurgie, de nombreuses jarres à vin dites cananéennes, des épigraphes chypro-minoennes et une →coupe en argent portant une brève inscription sinistroverse en →alphabet cunéiforme du type court. La langue en est cananéenne ou phén.

Bibl. P. Åström, et al., *Hala Sultan Tekke* I-VIII, Göteborg 1975-83; P. Åström - E. Masson, *A Silver Bowl with Canaanite Inscription from Hala Sultan Tekke*, RDAC 1982, p. 72-76; P. Bordreuil, Semitica 33 (1983), p. 7-15; É. Puech, RB 90 (1983), p. 365-374; 93 (1986), p. 208-211. ELip

HALIEUS →Corporations.

HAMDİ BEY, OSMAN (30.12.1842-24.2.1910). Homme d'État et archéologue turc, directeur du Musée Impérial Ottoman d'Istanbul de 1881 à 1910. Il en fut le réel fondateur et l'inspirateur du firman qui instaura en 1884 la protection officielle des antiquités dans l'Empire et réglementa les →fouilles archéologiques (1). La plus prestigieuse de ses initiatives mena à la découverte, en 1887, de deux hypogées de la nécropole royale de →Sidon, dont les →sarcophages (2, 4) constituent aujourd'hui les joyaux du Musée archéologique d'Istanbul. H.B. publia les résultats de ces recherches avec Th. Reinach, *Une nécropole royale de Sidon* (Paris 1892). En 1888, il fonda l'École des Beaux-Arts d'Istanbul, devenue ensuite Académie.

Bibl. S. Reinach, RArch 15 (1910), p. 407ss.; A.M. Mansel, *Osman Hamdi Bey*, Anatolia 4 (1959), p. 189-193, et Belleten 24 (1960), p. 291-301 (turc). ELip

HAMILCAR En phén.-pun. *'bdmlqrt*, gr. *Amilkhar, Ammilkar* ou *Amilkas*, lat. *(H)amilcar, Am(m)icar* ou *Admicar* ("Serviteur de Melqart"), l'anthroponyme le plus usité de Carthage et du monde pun. ELip

1 H. le →Magonide, *basileús* de Carthage de 484 à 480 selon Hdt. VII 165-166, était, selon la même source, fils de →Magon (2) et d'une Syracusaine, et avait été choisi comme *basileús* en raison de son *andragathíe*. Théron, tyran d'Agrigente, s'étant emparé d'Himère en 483, en chassant Térillos, H. rassemble une armée, que les Grecs estiment à 300.000 hommes, parmi les Puniques, les Libyens, les Ibères, les Corses et les Sardes. Il l'amène à Palerme sur une flotte de 3.000 navires et marche sur →Himère. Théron appelle au secours Gélon, tyran de →Syracuse. Moins nombreux que leurs ennemis, les Grecs avaient une cavalerie plus forte. Pendant la bataille, selon les Carthaginois dont Hérodote considère la version comme la plus vraisemblable, H. reste dans le camp, sacrifiant d'innombrables victimes et cherchant des présages dans leurs entrailles; constatant la défaite de ses troupes, il se jette lui-même dans le bûcher. Toujours selon Hérodote, les Carthaginois lui offrent des sacrifices et lui élèvent des monuments, à Carthage même et dans toutes les villes de leur empire.
Pour la majorité des auteurs modernes, Hamilcar était un suffète ou un général. Nous pensons qu'il faut comprendre le titre de *basileús* dans le sens de "roi", comme l'avait proposé J. Beloch. Le roi de Carthage aurait eu des pouvoirs limités au domaine militaire et religieux, comme ceux de Sparte et d'Argos. Nous croyons aussi qu'on ne peut contester l'héroïsation d'H. et qu'il est peut-être représenté par la statue trouvée en 1979 à →Motyé par G. Falsone. Le culte durait encore en 409, puisque →Hannibal (1) le Magonide sacrifia alors 3.000 prisonniers grecs aux mânes de son ancêtre à Himère (Diod. XIII 62,4). GCPic

2 H., stratège carth. lors de la campagne de 342 contre Timoléon de →Syracuse (Plut., *Tim.* XXV 3; XXX 4).

3 H. frère de →Giscon (3) et probablement fils d'→Hannon (9), avec lequel il fut exécuté vers le

milieu du IVe s. (Polyen, *Strat.* V 11).
4 H. *Rhodinus/R(h)odanus*, probablement de →Rhodes, espion carth. dans l'entourage d'Alexandre le Grand, exécuté à son retour à Carthage.
5 H., stratège carth. dans la première phase des hostilités contre →Agathocle de Syracuse.
6 H. fils de →Giscon (4), stratège carth., en 310, dans la guerre contre Agathocle. Il fut vaincu et tué au combat devant →Syracuse, en 309.
7 H., stratège en Sicile et en Afrique, de 261 à 255, au cours de la 1re →guerre pun. Il est distinct de l'officier homonyme mentionné par Diod. XXIV 12. ELip
8 H., surnommé *Barca*, ce qui veut sans doute dire "l'éclair" (*brq*), apparaît dans l'histoire en 247, comme commandant de la flotte et de l'armée carth. en Sicile. Après une légère défaite et l'apaisement d'une mutinerie, il s'installe d'abord à Heirkte (→Monte Pellegrino) et mène des raids contre les côtes italiennes, puis prend pour base la position inexpugnable d'→Éryx (Pol. I 41,6ss.). Après la destruction de la flotte pun. par →Lutatius Catulus aux îles Égates (→Favignana), il est chargé de mener les négociations avec les Romains; il obtient la liberté et les honneurs militaires pour ses hommes et ceux de →Giscon (5) qui commandait →Lilybée. La seconde phase de la carrière d'H. Barca correspond à la →guerre des Mercenaires, où les troupes étrangères, qui réclament en vain leur solde, servent d'aile marchante à une véritable révolte sociale, entraînant notamment les paysans libyens. H., d'abord tenu à l'écart, est chargé du commandement sous la pression du peuple, à la suite de l'échec d'→Hannon (17) le Rab devant →Utique (Pol. I 75,3). Il mène à la fois une action diplomatique, qui n'a pas de succès chez les Mercenaires mais fait changer de camp des chefs numides, et une action militaire qui aboutit à bloquer les rebelles dans le défilé de la Scie, puis à l'écrasement de l'armée commandée par Matho (→Mattan 7), qui occupait →Tunis. À cette époque, H. devait avoir entre 35 et 50 ans: il avait deux filles nubiles et un fils né en 246. À ce moment on doit situer la "révolution barcide". Dès que la pression des rebelles s'était faite moins forte, le parti oligarchique avait tenté de retirer à H. une partie de ses pouvoirs au profit d'→Hannon (17), mais une décision de l'assemblée populaire, soutenue par les plus pauvres (Diod. XXV 8), donna à H. le commandement en chef sans limite de temps. Pol. VI 51,3 affirme qu'au temps d'→Hannibal (6) l'assemblée de Carthage avait plus de pouvoir que les comices romains. Ce "passage à la démocratie" n'a pû se produire qu'à la fin de la crise des Mercenaires. H. a pour allié →Hasdrubal (4), qui deviendra commandant de la flotte, son gendre et son successeur. Sitôt assuré de l'appui du peuple, H. passe avec son armée en Espagne, afin de créer une base solide pour la revanche contre Rome, qui avait profité de la crise des Mercenaires pour occuper la →Sardaigne. Les villes phén. qui jalonnaient les côtes ibériques étaient les alliées de Carthage, mais non ses sujettes. H. impose son autorité d'abord à →Gadès, puis entreprend la conquête de la vallée du Guadalquivir, des sierras riches en mines qui la dominent, et du S. de la Meseta (Diod. XXV 9; App., *Iber.* 4). Les horizons politiques rom. étaient trop limités pour que le Sénat comprît le danger.
H. fait de ses conquêtes un véritable royaume, dépendant théoriquement de Carthage, mais en fait soumis à son pouvoir absolu et organisé sur le modèle des monarchies hellénistiques. Réorganisant l'exploitation minière, il en envoie le produit à Carthage, pour aider au paiement de l'indemnité de guerre et favoriser le parti populaire (App., *Iber.* 5,18). En 231, il établit sa capitale à Akra Leukè (→Alicante). Il occupe la péninsule du cap de la Náo, puis remonte le cours du Júcar, mais se heurte aux Orétans de la Manche et périt, peut-être accidentellement, en 239 (Diod. XXV 19). GCPic
9 H. (*'bdmlqrt*), suffète de Carthage sous lequel fut entreprise la (re)construction du double sanctuaire d'→Astarté et de →Tanit du Liban, à Carthage, vers le IIIe s. (KAI 81).
10 H. (*'bdmlqrt*), suffète, grand prêtre et →*miqim 'elim* à Carthage, vers le IIIe s. (KAI 93).
11 H. fils de Giscon, commandant carth. de →Malte. Il fut livré par les Maltais aux mains des Romains en 218 (Liv. XXI 50,10).
12 H. (Pol. III 95,2) ou Himilcon (Liv. XXII 19,3), commandant de la flotte pun. de Carthagène en 217. Il fit défection en 216, après la défaite qu'il avait subie à l'embouchure de l'Èbre.
13 H., officier d'→Hannibal (6) au cours de la 2e →guerre pun. Il réussit en 216/5 à faire conclure un →traité (10) avec les habitants de Locres, en Calabre (StV III,527). Il est probablement identique au commandant pun. de Locres au moment de l'attaque rom. et de la chute de la ville en 205.
14 H., amiral carth. actif sur les côtes de la Sardaigne en 210 et vainqueur d'une flotte rom. au large d'Utique, en 203.
15 H., officier carth. resté en Italie du N. après la 2e →guerre pun. Il y prit la tête d'une révolte de tribus celtiques et ligures en *c.* 200 (Liv. XXXI 10,2; 11,5-6; 19,1; XXXII 30,11-12; XXXIII 23,5; Dion C. XVIII, fr. 58,5; Zon. IX 15).
16 H. le Samnite, chef de la tendance démocratique à Carthage dans le deuxième quart du IIe s. (App., *Lib.* 63).
17 H., un des ambassadeurs carth. envoyés en mission à Rome en 149 pour prévenir une intervention militaire de Rome (Pol. XXXVI 3,8).
18 H. *Phameas*, commandant de la cavalerie carth. au cours de la 3e →guerre pun.
19 H. l'agronome, cité par Columelle XII 4,2.
20 H. (*'bdmlqrt*) fils d'→Hannibal (10), flamine du culte impérial à Leptis Magna, en l'an 8 av. J.C. (Trip 21 = KAI 120).
21 H. (*'bdmlqrt*), membre de l'influente famille de →Ṭabḥapî à Leptis Magna, suffète au Ier-IIe s. ap. J.C. (Trip 17 = KAI 130). ELip

Bibl. KlP II, col. 929-930; PW VII, col. 2297-2309; Benz, *Names*, p. 155-162; Jongeling, *Names*, p. 194-233.
Ad 1: J. Beloch, *Die Könige von Karthago*, Klio 7 (1906), p. 19-26; Gsell, HAAN II, p. 187; III, p. 2-6; M. Sznycer, in C. Nicolet (éd.), *Rome et la conquête du monde méditerranéen* II, Paris 1978, p. 565-566; Huß, *Geschichte*, p. 93-99; G.C. Picard, *Le pouvoir suprême à Carthage*, StPhoen 6

(1988), p. 119-124.
Ad 2: Huß, *Geschichte*, p. 163.
Ad 4: H. Berve, *Das Alexanderreich* II, München 1926, p. 25.
Ad 5: Huß, *Geschichte*, p. 178-182.
Ad 6: Huß, *Geschichte*, p. 183-192.
Ad 7: Huß, *Geschichte*, p. 228-238.
Ad 8: Gsell, HAAN III, p. 128-138; J.M. Blázquez, Saitabi 11 (1961), p. 21-43; G.C. et C. Picard, *Vie et mort de Carthage*, Paris 1970, p. 199-216; Huß, *Geschichte*, p. 246-275, 286-287, 465-466.
Ad 11: Huß, *Geschichte*, p. 313-314.
Ad 12: Huß, *Geschichte*, p. 324, 339.
Ad 13: F. Grosso, GIF 4 (1951), p. 124-134; B. Krysiniel-Józefowiczowa, Eos 45 (1951), p. 137-147; F. Castabile, Historica 30 (1977), p. 179-187; P. Marchetti, *Histoire économique et monétaire de la deuxième guerre punique*, Bruxelles 1978, p. 446-451; *Locri Epizefirii*, Napoli 1980; Huß, *Geschichte*, p. 346, 403-404.
Ad 14: Huß, *Geschichte*, p. 379, 411.
Ad 16: Huß, *Geschichte*, p. 430, 432, 434.
Ad 17: Huß, *Geschichte*, p. 440.
Ad 18: Huß, *Geschichte*, p. 445, 446, 449.

HAMMAM DERRADJI →Bulla Regia.

HAMMAM ZOUAKRA Site des thermes rom. à côté de l'ancienne *Thigibba*, à 19 km de route au N.-O. de Maktar, en Tunisie. La découverte d'une inscription néopun. (RÉS 780) témoigne de l'existence, en ce lieu, d'un bourg punicisé pré-rom., comme l'indiquent, du reste, les monuments mégalithiques de la zone.
Bibl. AATun II, f^e 30 (Maktar), n° 127. ELip

HAMMAN En ug. et hourrite *ḫmn*, hb. et aram. *ḥmn*, lieu de culte vers lequel on "montait" pour y déposer les offrandes, comme l'indiquent les textes rituels d'Ugarit. Ce terme n'est peut-être pas étranger au nom de la montagne sacrée de l'→Amanus, mais il n'est guère probable qu'il ait jamais désigné un brasier ou un autel à encens, dont on avait rapproché, dans le passé, le nom de →Baal Hamon. Le h. n'est pas attesté jusqu'à présent en phén.-pun., mais il est fréquent à →Palmyre, où il correspond à →*naos* ou *naiskos*. On peut traduire *ḥ*. par "sanctuaire".

Bibl. ThWAT II, col. 1045-1050; G. Del Olmo Lete, *La "capilla" o "templete"* (hmn) *del culto ugaritico*, AulaOr 2 (1984), p. 277-280; H.J.W. Drijvers, *Aramaic* hmn *and Hebrew* ḥmn*: Their Meaning and Root*, JSS 33 (1988), p. 165-180. ELip

HAMMON →Umm el-Amed.

HANNIBAL En pun. *Ḥnb'l*, exceptionnellement *Hnb'l*, gr. *Anníbas*, lat. *(H)annibal* ou *An(n)obal*, puis (gén.) *Anniboni* ("Baal m'est favorable"), nom très répandu à Carthage et dans le monde pun., employé également comme anthroponyme féminin. ELip

1 H. le Magonide, fils de →Giscon (1) et petit-fils d'→Hamilcar (1), le vaincu d'→Himère, *basileús* de Carthage entre 415 (?) et 409. En 410, c'était déjà un homme âgé et nous ignorons depuis combien de temps il "régnait". Selon Diodore (XIII 43,6), il détestait les Grecs. Mais une bonne partie de ses compatriotes ne partageaient pas ses sentiments. Déjà en 416, ils avaient refusé de s'allier à Athènes contre →Syracuse. C'est la querelle entre →Ségeste et →Sélinonte, déjà cause de la mésaventure athénienne, qui fit naître la guerre: pressée par les Sélinontains, Ségeste réclama l'aide de Carthage; l'assemblée vota la guerre et en chargea H. Des renforts envoyés à Ségeste dégagèrent la ville. Puis H. lui-même débarqua à →Motyé avec 100.000 fantassins (?) et 4.000 cavaliers (Diod. XIII 54,5). →Agrigente et Syracuse n'étant pas intervenues, Sélinonte succomba après un siège de neuf jours; la ville fut dévastée et devint tributaire de Carthage, les Puniques transformant certains temples (fig. 299), comme l'indique une →mosaïque avec le →"signe de Tanit" trouvée dans l'un d'eux (fig. 300). H. marcha alors sur Himère, s'en rendit maître malgré une démonstration navale syracusaine, la rasa et sacrifia 3.000 de ses habitants au héros Hamilcar (Diod. XIII 62,2).
L'année suivante, H. étant rentré à Carthage, le général syracusain Hermocrate tenta de reprendre Sélinonte, mais ne put s'y maintenir et trouva la mort. Cependant, les Carthaginois jugèrent nécessaire une nouvelle intervention dont ils chargèrent H. qui, en raison de son âge et de sa santé, fut assisté de son cousin →Himilcon (2) (Diod. XIII 80,2). Les Athéniens, qui luttaient désespérément contre Sparte, firent voter par la Boulè un décret accordant aux deux chefs pun. leur amitié et leur alliance (StV II,208) (→traités 8). H. marcha sur Agrigente, la somma d'accepter la suzeraineté de Carthage et, sur son refus, la prit et la détruisit. Mais une épidémie frappa l'armée; H. fut une de ses premières victimes. GCPic

2 H., fille d'H., grande prêtresse vers le IIIe s. (CIS I,5949), et H., épouse d'Hamilcar (*'bdmlqrt*), prêtresse de Korè (*Krw'*) (→Déméter), probablement au IVe s. (CIS I,5987), toutes les deux à Carthage.

3 H., fils de Giscon, commandant de la place forte d'→Agrigente en 264 et amiral de la flotte pun. au début de la 1re →guerre pun. Vaincu à plusieurs reprises par les Romains, il fut tué par ses hommes à →Sulcis, en 258.

4 H., fils d'Hamilcar, adjoint du stratège →Adarbaal (2) en 250-249, lors de la 1re guerre pun.

5 H., stratège de Libye en 239/8, tombé aux mains des rebelles à →Tunis et crucifié par eux. ELip

6 H. le Barcide, fils d'→Hamilcar (8) Barca, est né en 246; il avait déjà trois sœurs et fut suivi de deux autres garçons, →Hasdrubal (5) et →Magon (6). À neuf ans, il accompagne son père en Espagne et aurait prêté, à cette occasion, le serment de haine contre Rome auquel Polybe (III 10,5) attache, peut-être avec raison, une importance fondamentale. Il reçoit une éducation gr.-pun., dirigée par le Spartiate Sôsylos, qui sera son historien. Son aspect physique, au moment de sa prise de pouvoir, nous est connu par ses monnaies à l'éléphant dont l'identification ne peut plus être sérieusement contestée depuis que l'une a été trouvée en Espagne (L. Villaronga, RSF 11 [1983], Suppl., p. 64, pl. XXXIX, 40). Ses croyances religieuses sont connues par le serment prêté aux ambassadeurs de →Philippe V de Macédoine (Pol. VII 9) (→traités 10). Il semble que le principal dieu

des Barcides ait été non →Baal Hamon, mais →Baal Shamêm, identifié à Zeus. Dès qu'il en est capable, H. sert dans les armées de son père, puis de son beau-frère →Hasdrubal (4). Après l'assassinat de ce dernier, il est élu général par l'armée, qui se composait en grande partie de mercenaires, la décision étant ratifiée par le peuple de Carthage (Pol. III 13,4; Liv. XXI 3,1).
Le gros problème qui se pose alors est celui du plan d'H. Qu'il ait eu l'intention de faire la guerre à Rome n'est pas douteux; qu'il ait choisi de l'attaquer par terre s'explique. Le voyage fut sûrement préparé; des envoyés contactèrent les Celtes qui venaient de conquérir la Gaule du S. et de l'O.; d'autres contacts furent pris avec les Grecs d'Italie et les Puniques de Sardaigne. Ce qui est discutable est qu'il y ait eu des tractations avec des Italiens, en particulier à Capoue, avec Pacuvius et Vibius Virrius. Nous le croyons, car H. était très au courant des tensions à l'intérieur de la Ligue Italienne, que Rome dirigeait autoritairement. La guerre commença par la prise de →Sagonte, ville située au sud de l'Èbre, mais qu'Hasdrubal avait sans doute promis de respecter. Les négociations qui suivirent furent viciées par un malentendu, expliqué par E.J. Bickerman: la notion sémitique de *berît* permettait à un chef de s'engager sans lier son peuple. Les campagnes d'H. sont bien connues par Polybe et Tite-Live notamment. La traversée du midi de la Gaule et des Alpes posa surtout des problèmes matériels. Les surprises commencèrent avec l'écrasement des légions au Tessin et à la Trébie, puis, en 217, à Trasimène, enfin à Cannes (216). Ces victoires sont-elles dues à une révolution des bases de la stratégie? À Cannes, en particulier, l'enveloppement par les ailes des légions procède-t-il d'une doctrine consciente? Nous croyons plutôt qu'il fut affaire de circonstances. Cette dernière victoire a pour effet une dissolution partielle de la Ligue Italienne, que nous croyons avoir été voulue et prévue par H.: défection de →Capoue, de Tarente, de →Syracuse. Le potentiel humain et économique de l'Italie est gravement atteint, mais Rome, inexpugnable, tient bon, et aussi la plupart des colonies rom. Cette ténacité est la première cause de l'échec du Barcide, la seconde étant le manque de résolution des Grecs, y compris Philippe V de Macédoine, qui s'engagent en ordre dispersé, et la troisième, l'étonnante fragilité de l'empire espagnol, que →Scipion (5) abat comme un château de cartes. Dès lors la partie est jouée, et →Zama seulement l'estocade finale.
H. veut alors la paix, pour une reconstruction rendue possible par l'énorme richesse que conserve Carthage: les grands ports intérieurs viennent d'être achevés et tout un quartier nouveau sera construit sur les pentes de →Byrsa, sans doute pour accueillir des réfugiés. Mais H., qui a pris la magistrature civile de suffète, est éliminé par l'opposition aristocratique soutenue par Rome. Il ne sera plus désormais qu'un banni, conseiller mal entendu des rois d'Orient, gibier pourchassé par les Romains et contraint enfin au suicide, en 183 ou 182. GCPic

7 H., fils de Bomilcar, un des commandants carth. au siège d'Iliturgi, en Espagne, en 215.

8 H., triérarque carth. au cours de la 2e guerre pun.

9 H. l'Étourneau (*ho psár*), chef de la faction politique de Carthage, *c.* 160, qui préconisait la conclusion d'un accord avec →Massinissa I.

10 H., fils d'Himilcon, suffète, flamine et préfet du culte, membre de l'illustre famille de →Ṭabḥapî à →Leptis Magna, à la fin du Ier s. av. et au début du Ier s. ap. J.C. (Trip 21; 24 = KAI 120; 121). ELip

Bibl. KlP II, col. 934-937; PW VII, col. 2318-2351; Benz, *Names*, p. 108, 122-124, 313-315; Jongeling, *Names*, p. 168, 233-234.
Ad 1: Gsell, HAAN III, p. 2-6; Huß, *Geschichte*, p. 107-119.
Ad 2: H. Benichou-Safar, *Les tombes puniques de Carthage*, Paris 1982, p. 209 (n° 11), 216-217 (n° 49).
Ad 3-5: Huß, *Geschichte*, p. 227-232, 243, 262-265.
Ad 6: E.J. Bickerman, *Hannibal's Covenant*, AJPh 73 (1952), p. 1-23; W. Hoffmann, *Hannibal*, Göttingen 1962; A.J. Toynbee, *Hannibal's Legacy* I-II, London 1965; G.C. Picard, *Hannibal*, Paris 1967; K. Christ (éd.), *Hannibal*, Darmstadt 1974; G. Brizzi, *Studi di storia annibalica*, Faenza 1984; Huß, *Geschichte*, p. 269-428; id. *Hannibal und die Religion*, StPhoen 4 (1986), p. 223-238.
Ad 7-9: Huß, *Geschichte*, p. 349, 350, 432.

HANNON En pun. *Ḥn'*, gr. *(H)ánnōn*, lat. *(H)anno*, hypocoristique signifiant que la divinité "est favorable".

1 H., vraisemblablement fils de →Magon (2), père d'→Hamilcar (1), le perdant d'→Himère (Hdt. VII 165; autrement Just. XIX 1,1-2,1).

2 H., avec le surnom de Sabellus, accomplit pendant la période qui suivit →Magon (1) de grands exploits en Afrique du N. et en Sicile (Pomp. Trog., *Prol.* XIX).

3 H. le Navigateur →Périples (2).

4 H., fils d'→Hamilcar (1), membre de la dynastie des →Magonides, qui au Ve s. avait une grande influence à Carthage (Just. XIX 2,1).

5 H., prétendu usurpateur carth. du Ve s. (Arstt., *Pol.* V 7; Just. XXI 4 [?]; XXII 7,9-10 [?]).

6 H., peut-être fils d'→Hannon (4) (Diod. XIII 80,2).

7 H., peut-être fils d'→Himilcon (2) (Diod. XIII 80,2). KGeus

8 H. le *Rab* (IVe s.). Les renseignements sur la vie d'H. sont très fragmentaires. Il reprend le commandement dans la guerre que Denys I de →Syracuse avait commencée en 368 (Diod. XV 73,1-2; autrement Just. XX 5,10) et qui ne fut terminée qu'après la mort du tyran. Bien que →Suniatus (*'šmnytn'*) ait accusé H. de paresse (Just. XX 5,12), le succès qu'il remporta en 368 dans le port d'→Éryx, s'emparant de la plupart des 130 trières de Denys I (Diod. XV 73,3-4), infirme cette accusation. H. était réfléchi et tactiquement ferme (Polyen, *Strat.* V 9). Ce n'était pas un commandant qui voulait forcer la victoire totale, comme l'indique déjà l'armistice conclu avant l'hiver 368/7 avec Denys I (Diod. XV 73,4), encore en vigueur, semble-t-il, au moment de l'avènement de Denys II (367) (Plut., *Dio* 6,5), mais ceci est perceptible surtout dans les négociations de paix entreprises en 366 entre les représentants du gouvernement carth. et Denys II (Plut., *Dio* 14,4), qui ne pouvaient aller à l'encontre de la volonté du commandant en chef des forces armées. Mais les négociations échouèrent et la guerre continua. H. semble avoir assumé le commandement suprême jusqu'à la fin de la guerre (362 ?). Ensuite, il reprit apparemment un commandement militaire en Afrique du N. (Pomp. Trog., *Prol.* XX). Peut-être le chargea-t-on aussi des missions qui avaient rapport avec la colonisation de la plaine fertile d'El-Fahs. Les dessous de la confrontation avec Suniatus (Just. XX 5,11-13) restent obscurs. Si la condamnation de Suniatus constituait un revers pour la tendance philhellène de l'oligarchie carth., on ne peut en conclure à une attitude antihellène d'H., d'autant moins que certains contacts avec Dion de Syracuse ne sont pas entièrement à rejeter.

9 H., "coupable de haute trahison". Le récit du prétendu double essai de coup d'État attribué par Just. XXI 4 au *princeps Karthaginiensium Hanno* ne donne pas satisfaction du point de vue historique: il est chargé de traits invraisemblables et n'informe pas suffisamment sur le temps et les motifs d'H. L'essai de coup d'État dut avoir lieu avant la rédaction de *Pol.* V 7 par Aristote, *temporibus Philippi* (Orose, *Adv. Pag.* IV 6,20), donc vers le milieu du IVe s., peut-être au moment des guerres avec Timoléon. Le Sénat apparaît comme l'adversaire d'H. (Just. XXI 4,1.3.6; Orose, *Adv. Pag.* IV 6,16.17), alors que le commun peuple constitue plutôt le soutien de la *monarkhía* (Arstt., *Pol.* V 7), du *regnum* (Just. XXI 4,1; XXII 7,10) ou de la *dominatio* (Orose, *Adv. Pag.* IV 6,16) d'H. (Just. XXI 4,3;7; Orose, *Adv. Pag.* IV 6,19). Il est remarquable que H. a non seulement mobilisé (ses ?) 20.000 esclaves pour atteindre son but (Just. XXI 4,6; Orose, *Adv. Pag.* IV 6,18), mais qu'il a aussi cherché l'appui des →*Afri* (Libyens et Numides ?) et du *rex Maurorum* (Just. XXI 4,7; Orose, *Adv. Pag.* IV 16,19). Soutenait-il une autre politique en Afrique que →Hannon (8) le *Rab*? En tout cas, le coup d'État échoua, H. fut traité d'une façon cruelle et déshonorante et fut cloué sur une croix. Les membres (mâles ?) de sa famille trouvèrent la mort avec lui, à l'exception de →Giscon (3), si du moins un porteur de ce nom (Diod. XVI 81,3; Polyen, *Strat.* V 11; Just. XXII 7,10) est bien un fils d'H. En outre, →Bomilcar (2), voire sa famille, se sentait lié à la famille d'H., si Just. XXII 7,10 rapporte des faits historiques. Les identifications de H. avec d'autres porteurs de ce nom ne paraissent pas admissibles: p.ex. avec le prétendu "fondateur de l'Empire" (Dion Chrys., *Or.* 25, 6-7), avec le Navigateur (3), le *Rab* (8) (IVe s.), le Dompteur de Lions (32) (Pline, *N.H.* VIII 55; Plut., *Praec. ger. reip.* 3; Max. Tyr. XXXI 3), voire avec l'Ornithologue (33) (Ael., *V.H.* XIV 30). WHuß

10 H., navarque carth. du temps de Timoléon, n'empêcha pas les troupes corinthiennes de débarquer en Sicile (Plut., *Tim.* 19). Dans Diod. XVI 67,2-4, il est confondu avec son chef →Magon (3).

11 H., stratège carth., ennemi héréditaire de →Bomilcar (2), commandait en 310, lors de la bataille de Carthage, l'aile droite de l'armée: il y fut tué au milieu du "bataillon sacré", un corps d'élite (Diod. XX 10,1-6; 12,3-7; Just. XXII 6,5-6; Orose, *Adv. Pag.* IV 6,25).

12 H., stratège carth., adversaire d'Archagathos, le fils d'→Agathocle, dont il attira le commandant en second Aischrion dans un piège et anéantit un détachement gr. en 307 (Diod. XX 59,1; 60,3).

13 H. commandait la garnison carth. de Messine en 264; il en fut chassé par ruse et à l'aide de menaces; accusé de lâcheté, il fut crucifié à Carthage (Pol. I 11,4-5; Zon. VIII 8-9). KGeus

14 H., fils d'Hannibal, commandait en 264-262 et 258-256 les forces carth. en Sicile et en Sardaigne — en 264-262 apparemment avec →Hannibal (3), fils de Giscon, et en 258-256 avec →Hamilcar (7). Une série d'échecs ou de défaites carth. est liée à son nom: le débarquement des troupes rom. en Sicile (264) (Pol. I 11,9; Diod. XXIII 3; Orose, *Adv. Pag.* IV 7,1-2; Zon. VIII 9,5), la défaite d'Agrigente (262) (Pol. I 17,7-19,15; Diod. XXIII 7-9,1; Front., *Strat.* II 1,4; Orose, *Adv. Pag.* IV 7,4-6; Zon. VIII 10,2-5), la défaite d'Ecnome (256) (Pol. I 25,5-28, 14; Diod. XXIII 10,2; Orose, *Adv. Pag.* IV 8,6; Zon. VIII 12,8-9) et celle au large des côtes E. ou S. de la Sicile (256) (Zon. VIII 12,10). Aussi H. dut-il payer en 262 une amende de 6.000 pièces d'or et céder le commandement suprême (Diod. XXIII 9,2); après 256, on ne lui confia plus de commandement militaire. H. n'était toutefois pas le seul responsable des échecs de ces années et il pouvait aussi faire état de résultats positifs: en 264, il rallia les habitants d'Agrigente à la cause carth. et commença ensuite l'aménagement d'Agrigente en place forte (Diod. XXIII 1,2). La même année, il participa à la réalisation d'un traité d'alliance entre →Hiéron II de Syracuse et les Carthaginois (Diod. XXIII 1,2); il contribua sans doute de manière décisive à ce qu'en 263 les villes de l'*epikráteia* carth., à l'exception de Ségeste, restent fidèles à Carthage (Diod. XXIII 5; Zon. VIII 9,12; autrement Pol. I 16,3); en 262, il transforma →Héraklée (2) en une forteresse importante (Pol. I 18,9; Diod. XXIII 8,1; Zon. VIII 10,2). Peu de temps après, il s'empara de la base rom. d'Herbésos (Pol. I 18,9; Diod. XXIII 8,1) et, en 258, infligea une défaite aux Romains dans les eaux de la Sardaigne (Zon. VIII 12,6). H. ne manquait pas d'engagement, d'ambition, de bravoure, de patriotisme et d'habileté diplomatique. Il n'était toutefois pas de taille à se mesurer à l'art militaire des Romains. WHuß

15 H., navarque carth. dans la 1re →guerre pun., commandant d'une flotte qui défendait la Sicile et la Sardaigne; il tomba en 259 devant →Olbia dans un combat contre C. Cornelius →Scipion (2), qui le fit inhumer avec tous les honneurs (Liv., *Per.* XVII; Val. Max. V 1,2; Sil. It. VI 670-672; Orose, *Adv. Pag.* IV 7,11).

16 H., fils d'Hamilcar (7), fut en 255 chef d'une mission envoyée auprès de →Régulus (Diod. XXIII 12; cf. Pol. I 31,5; Orose, *Adv. Pag.* IV 9,1; Zon. VIII 13,4). KGeus

17 H. le *Rab* (IIIe s.) fut un des hommes politiques carth. les plus marquants de la seconde moitié du IIIe s. Stratège de Libye, il dirigea des actions militaires dont les débuts remontent peut-être à 256. Il acquit la réputation d'un commandant dur et impitoyable (Pol. I 72,1-3; cf. I 67,1). Ses adversaires politiques le prenaient — du temps de la →guerre des Mercenaires — pour un incapable, même s'ils ne pouvaient

contester ses succès dans les conflits avec les Libyens et les Numides au temps de la 1re →guerre pun. (Pol. I 74,1-75,1). Parmi ses succès incontestables, on compte la prise d'Hécatompylos (Théveste, aujourd'hui →Tébessa), vers 247 (Pol. I 73,1; Diod. IV 18,1; XXIV 10,2). Il passait pour un des responsables de la guerre des Mercenaires (241): non seulement il mit une sourdine aux espoirs exorbitants des mercenaires, mais parla même d'une réduction de la solde (Pol. I 67,1). Aussi les mercenaires refusèrent-ils de traiter avec H. (Pol. I 67,12-13), qui ne semble pas avoir compris la gravité de la situation. Les Carthaginois lui confièrent néanmoins le commandement dans cette guerre (Pol. I 73,1), qui allait devenir une vraie guerre d'Afrique. Toutefois, il perdit ce commandement (240 ?) au profit d'→Hamilcar (8) Barca (Pol. I 75,1-2; App., *Iber.* 4; *Hann.* 2) et il est possible que la rivalité, qui par la suite détermina les rapports entre les familles d'H. et d'Hamilcar, ne datait que de ce temps.
Cependant, H. semble avoir continué à exercer la charge de stratège de Libye (Pol. I 81,1; App., *Iber.* 4), mais son étoile pâlissait: il fut remplacé en 239 par un certain →Hannibal (5), après que l'assemblée compétente eut ordonné aux soldats de se prononcer pour H. ou Hamilcar (Pol. I 82,5.12). En 238 (?), le Sénat parvint cependant à un accord — du moins en fit-il étalage — entre H., qui avait été rappelé à son ancien poste, et Hamilcar, que l'insouciance d'Hannibal avait mis dans une situation difficile, en sorte qu'ils se préparaient à porter le coup décisif aux rebelles (Pol. I 88; Diod. XXV 10,1). Si un limogeage d'H. dans la dernière phase de la guerre des Mercenaires paraît douteux (App., *Iber.* 5), il est certain, par contre, qu'Hamilcar lui ravit la stratégie de Libye, au plus tard après la fin du conflit en Sardaigne (Diod. XXV 8). Par la suite, H. apparaît comme le représentant de la politique antibarcide, préconisant une attitude conciliante envers Rome. Il se prononça, semble-t-il, contre l'envoi d'→Hannibal (6), fils d'Hamilcar, en Espagne (Liv. XXI 3,2-4,1) et pour l'acceptation des exigences rom. dans la question de →Sagonte (220/19) (Liv. XXI 10,2-11,1). Après la chute de Sagonte, il préconisa encore un arrangement avec Rome (218) (Zon. VIII 22,6) et la victoire de Cannes (216) ne changea rien à son attitude fondamentale (Liv. XXIII 12,6-13,6; Zon. IX 2,6). Si plus tard, lors de la 2e →guerre pun., Hannibal ne reçut pas de sa patrie le soutien qu'il attendait, cela pourrait être dû à l'influence d'H. En tout cas, cela correspondait à l'attitude antérieure d'H., si c'est lui qui — aux côtés d'→Hasdrubal (12) le Chevreau — protégea en 203 les envoyés rom. contre les excès de la populace carth. (App., *Lib.* 34). Les sénateurs carth. savaient, après la défaite de →Naraggara (202), pourquoi ils plaçaient le vieux H. et Hasdrubal le Chevreau à la tête de la délégation de paix (App., *Lib.* 49). On peut affirmer rétrospectivement que la politique préconisée par H. envers Rome était inopportune, mais judicieuse. Du reste, l'antagonisme entre H. et les Barcides semble avoir eu une influence considérable sur les récits que les auteurs anciens nous ont laissés des événements de la seconde moitié du IIIe s.
WHuß

18 H., navarque carth. dans la 1re →guerre pun.; tentant au printemps 241 de forcer le blocus rom. d'→Éryx, il fut battu par C. →Lutatius Catulus près des îles Égates (→Favignana), puis fut crucifié à Carthage (Pol. I 60,2-3; 61,1-7; Diod. XXIV 11,1-7; Eutr. II 27,1-2; Orose, *Adv. Pag.* IV 10, 6-7; Zon. VIII 17).
19 H., stratège carth. envoyé au début de la →guerre des Mercenaires contre les insurgés de Sardaigne, mais il y fut trahi par ses troupes et crucifié (Pol. I 79,3-4).
20 H., envoyé carth. qui prononça en 235, à Rome, un discours sincère et couronné de succès (Dion C. XII, fr. 46,1). KGeus
21 H., fils de →Bomilcar (3) le suffète (Pol. III 42,6) et neveu d'→Hannibal (6) (App., *Hann.* 20), peut-être en tant que fils de la belle-mère d'Oezalcès et de Mazaetullus. Il fut un des meilleurs généraux carth. de la 2e →guerre pun., après s'être déjà distingué, semble-t-il, en Espagne. Hannibal lui confia en 218 la manœuvre d'encerclement aux bords du Rhône (Pol. III 42,5-43,10; Liv. XXI 27,2-28,3; Zon. VIII 23,3). Lors de la bataille de Cannes (216), il commandait l'aile droite de l'armée carth. (Pol. III 114,7; autrement Liv. XXII 46,7 [Maharbal]; XXII 48,5 [Hasdrubal]; App., *Hann.* 20 [Magon]). On ne peut accorder foi au récit d'après lequel il aurait été battu en 215 près de Grumentum par Ti. Sempronius Longus et se serait ensuite retiré du territoire lucanien dans le Bruttium (Liv. XXIII 37,10-11). De même, la tradition selon laquelle il aurait conquis, la même année, la ville gr. de Petelia (App., *Hann.* 29) est incorrecte ou du moins imprécise. En réalité, il accueillit en 215, dans le Bruttium, les troupes, les éléphants et le ravitaillement avec lesquels →Bomilcar (3) avait débarqué à Locres (Liv. XXIII 41,10-12). Il les amena à Hannibal qui était parti pour la région de Nola (Liv. XXIII 43,5-6). Après l'échec subi près de Nola, H. retourna dans le Bruttium (Liv. XXIII 43,9-46,8), où il s'efforça de rallier à la cause carth. les villes gr. de la côte (Liv. XXIV 1,1-2). Ses talents d'homme politique se font jour notamment en 215, lors du ralliement de Crotone (Liv. XXIV 2,1-3,15). En 214, H. fut envoyé chez les Samnites et les Campaniens, car Hannibal voulait assurer ses arrières en vue de la conquête de Tarente (Liv. XXIV 13,1-5; 17,8). Battu par Ti. Sempronius →Gracchus (2) près de Bénévent, H. se retira en Lucanie (Liv. XXIV 14-16; Zon. IX 4,5), où il put réparer cet échec (Liv. XXIX 20,1-2), puis retourna dans le Bruttium (Liv. XXIV 20,2). En 213, il remporta une victoire sur le *praefectus socium* T. Pomponius de Véies (Liv. XXV 1,2-4). Chargé en 212 de l'organisation d'un transport de céréales pour Capoue, H. tomba dans un piège près de Bénévent et fut forcé de regagner le Bruttium (Liv. XXV 13-14; autrement App., *Hann.* 36-37). Il semble qu'il dirigea ensuite le siège de Tarente (App., *Hann.* 33). En 212, il battit avec →Magon (9) le Samnite les troupes de M. Atinius, le commandant de la garnison rom. de Thurioi, qui se rallia alors à la cause carth. (Liv. XXV 15,7-17; App., *Hann.* 34). Il est difficile de faire la part des compétences respectives d'H. et de Magon le Samnite dans le Bruttium (Pol. IX 25; Diod. XXVI 16; Liv. XXV 15,7-17; 16,5-24; 18,1; XXVII 28,14; Val. Max. I 6,8). H. commandait plus tard la

garnison de Métaponte qu'Hannibal fit venir à Venusia en 207 (autrement Liv. XXVII 42,15-16). Depuis cette année, H. n'apparaît plus sur le théâtre des opérations militaires en Italie. Aussi est-il tentant de l'identifier avec le général →H. (25) qui commandait les troupes en Espagne dès 207 (Liv. XXVIII 1,4-2,12; 4,4). Avec une moindre probabilité, H. se laisse identifier avec le →H. (27) de l'an 203 (App., *Lib.* 24; 29-30). WHuß

22 H., sénateur carth., instigateur de la révolte antirom. en →Sardaigne; il fut fait prisonnier par les Romains en 215 (Liv. XXIII 41,1-2). KGeus

23 H., une de rares figures déplaisantes parmi les généraux carth. de la 2e →guerre pun. Il succéda en 212 à →Himilcon (9) au commandement en Sicile. En l'absence du Libyphénicien Muttines (→Mattan 8), homme de confiance d'Hannibal et commandant du corps de cavalerie, H. et le Syracusain Épikydès, proxène de Carthage, proposèrent à M. →Claudius (4) Marcellus un combat près des rives du Salso (*Himera meridionalis*), qui devait décider du sort de la Sicile. Le Carthaginois, dans son orgueil nobiliaire, n'aurait pas voulu partager la gloire de la victoire avec le Libyphénicien (Liv. XXV 40,5-41,7), mais, en fait, il subit une grave défaite. Malgré les renforts considérables arrivés sur l'île en 211 et quelques succès remportés (Liv. XXVI 21,14-15), H. ne réussit pas une percée décisive. En 210, il décida de reprendre le commandement suprême de la cavalerie numide à Muttines, qui était craint des ennemis, et le confia à son propre fils. Muttines ne supporta pas ce nouvel affront et engagea des pourparlers avec M. Valerius Laevinus pour la reddition d'Agrigente, le plus important point d'appui carth. sur l'île. La ville tomba aux mains des Romains: H. et Épikydès purent s'échapper vers Carthage (Liv. XXVI 40,1-12). WHuß

24 H., commandant de la garnison carth. de →Capoue depuis 212; en 211, il essaya en vain de faire revenir →Hannibal (6) à Capoue (Liv. XXVI 5,6; 12,10-11; App., *Hann.* 36).

25 H., stratège carth. lors de la 2e →guerre pun., successeur d'→Hasdrubal (6) en Espagne. Battu avec →Magon (6) par M. Iunius Silanus (Liv. XXVIII 1,4-2,11), en 207, il fut envoyé comme prisonnier à Rome (Liv. XXVIII 4,4).

26 H., lieutenant de →Magon (6), participa à la remise sur pied de l'armée carth. (Liv. XXVIII 23,7), mais fut vaincu en 206 près de Gadès par L. Marcius Septimus. Il put s'échapper (Liv. XXVIII 30,1-2), mais d'après App., *Iber.* 31, fut livré par ses propres troupes.

27 H., chef de la cavalerie carth., fils d'→Hamilcar (8). Attiré en 204 par →Massinissa I et P. Cornelius →Scipion (5) l'Africain dans une embuscade, il fut tué près de Salaeca/Locha (Liv. XXIX 28,10; 29,1; 34,1-17). Cependant, d'après Antipater (*Hist.* 42 HRR) et Antias (*Hist.* 27 HRR), il fut fait prisonnier, et d'après App., *Lib.* 14, Dion C. XVIII, fr. 57,66-67 et Zon. IX 12, 11, il fut échangé contre la mère de Massinissa.

28 H., stratège carth. en Libye, successeur d'→Hasdrubal (8); en 203, il commandait l'armée carth. devant Utique (App., *Lib.* 30).

29 H., fils d'→Hamilcar (8), a dû être livré comme otage (Liv. XLV 14,5). KGeus

30 H. le *Rab*, chef du parti "pro-rom." au IIe s. Suite au dictat rom. (162/1?) obligeant les Carthaginois à céder la région de la Petite Syrte et les Emporia avec leur arrière-pays à →Massinissa I, les affrontements politiques s'intensifièrent à Carthage. Le parti "national-démocrate", à la tête duquel se trouvaient →Hamilcar (16) le Samnite et →Carthalon (7), a probablement vu son influence augmenter aux dépens du parti "pro-rom.", dirigé par H. (App., *Lib.* 68), tandis que l'influence du parti "pro-numide" d'→Hannibal (9) l'Étourneau semble avoir été minime. On peut se demander si H. avait des liens de parenté avec →H. (17) le *Rab* qui avait joué un rôle militaire et politique dominant dans la seconde moitié du IIIe s. WHuß

31 H. le Poisson empêcha en 149 la défection d'une partie de l'armée carth. (App., *Lib.* 108).

32 H., le Dompteur de Lions, fut banni à cause d'une prétendue tentative de coup d'État (Pline, *N.H.* VIII 55; Plut., *Praec. ger. reip.* 3; Max. Tyr. XXXI 3).

33 H. l'Ornithologue aurait appris à son oiseau la phrase *theòs estìn Annōn* (Ael., *V.H.* XIV 30).

34 H., personnage de la comédie *Poenulus* de →Plaute. KGeus

Bibl. KlP II, col. 937-939; PW VII, col. 2353-2363.

Ad 6-7: Huß, *Geschichte*, p. 115 (n. 48).

Ad 8: O. Meltzer, *Geschichte der Karthager* I, Berlin 1879, p. 309-315, 515-516; Huß, *Geschichte*, p. 71 (n. 136), 139 (n. 30), 143.

Ad 9: O. Meltzer, *Geschichte der Karthager* I, Berlin 1879, p. 314-315, 394-395, 516, 527; Huß, *Geschichte*, p. 50, 161-165, 178 (n. 10), 496 (n. 4), 499.

Ad 14: O. Meltzer, *Geschichte der Karthager* II, Berlin 1896, p. 260-264, 273-275, 286-287, 290-294, 563, 569; Huß, *Geschichte*, p. 223-224, 227-234, 248 (n. 256).

Ad 17: O. Meltzer, *Geschichte der Karthager* II, Berlin 1896, p. 335-337, 371-372, 375-377, 382-383, 386, 392-397, 579, 589-592; Huß, *Geschichte*, p. 71, 205, 246 (n. 232), 254-258, 262, 265-266, 270, 278 (n. 79), 282, 294 (n. 4), 336 (n. 15), 414 (n. 90), 420.

Ad 21: U. Kahrstedt, *Geschichte der Karthager* III, Berlin 1913, p. 379, 431, 448 (n. 1), 453-454, 459, 465, 475; Huß, *Geschichte*, p. 300, 330-331, 344-348, 353, 359 (n. 184), 362-364, 392.

Ad 23: U. Kahrstedt, *Geschichte der Karthager* III, Berlin 1913, p. 486-487, 493-494, 500; Huß, *Geschichte*, p. 369-370, 373, 378.

Ad 30: Huß, *Geschichte*, p. 432.

HANÛN En akk. *Ḫa-(a-)nu-(ú-)nu*, en phén. *Ḥnn* ("Favorisé"); le nom de H. n'est pas nécessairement phén.

1 H., roi de →Gaza au temps de Téglat-Phalasar III (744-727) et de Sargon II (721-705). Son nom, gravé en caractères typiquement phén., apparaît sur un scaraboïde figurant un personnage royal. C'est à son époque que pourraient remonter les origines du comptoir phén. de →Tell er-Reqeish, à 15 km au S.-O. de Gaza.

2 H., scribe qui a rédigé en 670 un document juridique de Ninive (ARU 295,13-14).

3 H., commandant des troupes (*rab kiṣir*) du grand échanson assyrien, au VIIe s. (APN, p. 86a).

4 H., chef des agents commerciaux (*rab tamkārē*) du roi Nabuchodonosor II (604-562), *c.* 570 (ANET, p. 308a).

Bibl. Ad 1: RLA IV, p. 110-111; P. Bordreuil, Syria 62 (1985), p. 25. ELip

HAOUANET Pluriel arabe de *hanout*, nom donné à des tombes antiques d'Algérie orientale et de Tunisie qui se présentent sous la forme de chambres cubiques de 1,50 à 2 m, creusées dans le roc au-dessus du niveau du sol et fermées par des dalles ou par une porte en bois, ce qui les faisait ressembler à des habitations. Certains h. ont des chambres multiples, creusées en profondeur, d'autres sont munis de niches, ménagées dans les parois, d'autres encore possèdent un plafond à deux pans. On remarque aussi, dans certains h., la présence d'une fosse creusée dans le sol ou d'une banquette attenant au côté le plus long. Si la majorité des h. se dérobe actuellement à toute tentative de datation, quelques h. furent creusés à l'époque pun., comme le démontrent des éléments architecturaux que l'on retrouve figurés sur des →stèles de Carthage. D'autres furent réaménagés durant la période rom., surtout en Algérie. Leur absence aux alentours d'Utique et de Carthage semble pourtant exclure une origine pun. et plaide en faveur d'une pratique numide au sein d'une population en contact avec le monde pun.

Bibl. M. Longerstay, *Haouanet: quelle définition?*, REPPAL 1 (1985), p. 157-167; ead., *El Guetma: rencontre de deux civilisations*, REPPAL 2 (1986), p. 337-356 (bibl.). ELip

HARPOCRATE En ég. *Ḥr-p3-ẖrd*, phén. *Ḥrpkrt*, gr. *Harpokrátēs*. Horus l'enfant, principale forme juvénile d'→Horus au Ier mill. av. J.C., est un dieu de la régénération. Il se présente nu, avec une mèche d'enfance, la main à la bouche et souvent coiffé d'une couronne solaire ou de la double couronne, ainsi sur de nombreuses →amulettes de Carthage. H. assis sur un lotus ou debout, seul ou entre deux déesses protectrices ou cobras ailés (Isis et Nephthys), se retrouve souvent sur des plaquettes de →faïence et d'→ivoire, sur des →coupes de métal et dans la →glyptique (fig. 157, 342). Assis sur le lotus, il personnifie le jeune dieu solaire. H. emprunte à Shéd le rôle de maître des animaux sauvages et, comme tel, il figure sur les stèles d'Horus (p.ex. CGC 9402). À cause de cette assimilation à Shéd, les Phéniciens ont peut-être reconnu en lui →Shadrapha. Deux statuettes d'H. portent une inscription phén. ou bilingue, phén.-ég., qui le mentionne (TSSI III, 37-38). Il figure encore à l'époque rom. sur les monnaies de →Byblos, de →Tyr, de Ptolémaïs →Akko et de →Malte.

Bibl. LÄg II, col. 1003-1011; *BMC. Phoenicia*, p. 97-98, 136, 270; Vercoutter, *Objets*; G. Sfameni Gasparro, *I culti orientali in Sicilia*, Leiden 1973; Gamer-Wallert, *Funde*; Padró Parcerisa, *Documents* I-III; id., in *La religión romana en Hispania*, Madrid 1981, p. 335-351; Hölbl, *Kulturgut*. PDils

HARRIS, ZELLIG SABBETAI (19.10.1909-). Originaire de Russie, H. enseigna à partir de 1931 à l'Université de Pennsylvanie, où il devint en 1947 professeur de linguistique. Il est l'auteur d'une excellente grammaire phén., *A Grammar of the Phoenician Language* (New Haven 1936), et d'une remarquable étude sur le *Development of the Canaanite Dialects* (New Haven 1939). Son ouvrage *The Ras Shamra Mythological Texts* (Philadelphia 1935), écrit avec J.A. Montgomery, en fait aussi un des pioniers des études ugaritiques. Son centre d'intérêt se déplaça ensuite des études sémitiquees à la linguistique générale, domaine dont relèvent ses œuvres les plus connues.

Fig. 165. L'avers des émissions barcides de Carthagène à l'effigie d'Hasdrubal (c. 228-221 av. J.C.).

Bibl. EJ VII, col. 1348; G. Mounin, *La linguistique du XXe siècle*, Paris 1972, p. 170-188; O. Szemerényi, *Richtungen der modernen Sprachwissenschaft* II, Heidelberg 1982, p. 25-53. ELip

HASDRUBAL En phén.-pun. *'zrb'l*, gr. *As(d)roubas*, lat. *(H)asdrubal, Az(z)rubal* ou *Azdrubal* ("Baal est une aide"), nom très répandu dans le monde pun.

1 H., probablement fils ou petit-fils de →Magon (2), stratège carth. en →Sardaigne, vers la fin du VIe ou le début du Ve s. Ses campagnes répétées eurent pour résultat d'asseoir l'hégémonie de Carthage sur la grande île jusqu'en 238 (Just. XIX 1,7.19).

2 H., stratège carth. lors de la campagne de 342 contre Timoléon de →Syracuse (Plut., *Tim.* XXV 3; XXX 4).

3 H. fils d'Hannon, stratège carth. en Sicile de 256 à 250, au cours de la 1re →guerre pun. (Pol. I 30,1; 38,2-4). ELip

4 H., ami et allié, puis gendre d'→Hamilcar (8) Barca en 238. Il accompagne son beau-père en Espagne, puis revient en Afrique. D'après Pol. II 11,19, il commandait la flotte lors de la mort de son beau-père. Choisi pour lui succéder d'abord par l'armée, puis par le peuple de Carthage, il gouverne l'Espagne de 229 à 221, accentuant l'autonomie du *dominion* barcide et son caractère monarchique. Un congrès de chefs ibères le proclame *stratēgós autócrator* de la nation (Diod. XXV 12), en réalité probablement roi. Il épouse la fille d'un chef. Vers 228, il fait construire une nouvelle capitale, qu'il ose appeler Carthage (→Carthagène) et s'y bâtit un palais. Ses monnaies, inspirées de celles des rois hellénistiques, le montrent diadémé (fig. 165) avec, au revers, une proue de galère. Cependant, il adopte une attitude conciliante vis-à-vis de Rome, alertée par Emporion (→Ampurias), et accepte une *berît* limitant l'expansion barcide à l'Èbre (→traités 9). Peu après, il est assassiné (Pol. II 36,1).

5 H. le Barcide, second fils d'→Hamilcar (8). Commandant de l'Espagne pendant l'expédition d'→Hannibal (6), il bat et tue P. et Cn. →Scipion (4 et 3) en 211. Après cette victoire, il cherche à porter secours à Hannibal en Italie, mais est tué à la bataille du Métaure (207). GCPic

6 H. fils de Shapot, grand prêtre du double sanctuaire d'→Astarté et de →Tanit du Liban à Carthage, vers le IIIe s. (KAI 81).

7 H. fils de Magon, père de la prêtresse →Sophonibaal et beau-père d'Hannon, suffète et grand prêtre à Carthage, au IIIe-IIe s. (KAI 93 = CIS I, 5950).

8 H. fils de →Giscon (5), stratège carth. de 214 à 203, au cours de la 2e →guerre pun. Il fut surtout actif en Espagne et en Afrique.

9 H., adjudant d'→Hannibal (6) au cours de la 2e →guerre pun. (Pol. III 93,4). Il commandait l'aile gauche de l'armée carth. à la bataille de Cannes, en 216 (Pol. III 114,7).

10 H. le Chauve, commandant des troupes carth. en Sardaigne, en 215; il fut fait prisonnier par les Romains à la bataille de Cagliari.

11 H., navarque au cours de la 2e →guerre pun. (Liv. XXX 24,1; cf. App., *Hann.* 58).

12 H. le Chevreau, politicien carth., adversaire des Barcides. Il dirigea la mission carth. envoyée à Rome en 201 pour mettre fin à la 2e →guerre pun. (Liv. XXX 44,4-11; App., *Lib.* 34).

13 H. le Philosophe (187/6-110/09), Carthaginois émigré à Athènes où il prit le nom de Clitomaque et devint chef de la Nouvelle Académie en 127/6 (→philosophie).

14 H., petit-fils de →Massinissa I, commandant militaire de Carthage au début de la 3e →guerre pun. Accusé de trahison, il fut assassiné en 148. ELip

15 H. le Boétharque ("commandant de troupes auxiliaires"), chef du parti démocratique et dernier défenseur de Carthage. En 152, élu boétharque, il reprend l'offensive contre →Massinissa I, essayant de soulever les paysans libyens contre le roi. Battu à Oroscopa, le parti oligarchique le fait condamner à mort. Il prend le maquis (App., *Lib.* 74) et forme une armée. Lorsque est connue la décision rom. de détruire la ville, il est élu commandant de l'armée de l'extérieur, un homonyme (→H. 14), petit-fils de Massinissa, commandant la ville. Il remporte un succès à →Néphéris (App., *Lib.* 101), l'actuel Henchir Bou Baker, entre Tunis et Grombalia. En 148, H., petit-fils de Massinissa I, est assassiné et le Boétharque, rentré dans Carthage, devient commandant en chef. Pol. XXXVIII 7,11 le décrit sous les traits classiques du tyran démagogue. Il supplicie des prisonniers sur le rempart. Lors de l'assaut final, il se réfugie dans le temple d'→Eshmun, mais se rend ensuite pendant que sa femme et ses enfants se suicident. Il achève sa vie, libre, en Italie. GCPic

16 H., géographe pun. du Ier s. ap. J.C. (Pline, *N.H.* XXXVII 37). ELip

Bibl. KlP II, col. 947-949; PW VII, col. 2468-2477; Benz, *Names*, p. 167-170, 375-376; Jongeling, *Names*, p. 196, 227-228.

Ad 1-3: Huß, *Geschichte*, p. 64, 163, 235, 241.

Ad 4: E.S.G. Robinson, *Punic Coins of Spain*, Essays H. Mattingly, Oxford 1956, p. 34-53; J.M. Blázquez, Saitabi 11 (1961), p. 27-45; G.C. Picard, *Hannibal*, Paris 1967, p. 85-100; G.C. et C. Picard, *Vie et mort de Carthage*, Paris 1970, p. 216-220; Huß, *Geschichte*, p. 274-279.

Ad 5: Huß, *Geschichte*, p. 297-298, 302, 314-315, 324-327, 339-340, 349, 357, 373-376, 379, 386-396, 479.

Ad 8: Huß, *Geschichte*, p. 357, 373, 376, 389-390, 406-411, 499-500.

Ad 9: Huß, *Geschichte*, p. 309, 321-322, 330-331.

Ad 10: Huß, *Geschichte*, p. 348-349.

Ad 12: Huß, *Geschichte*, p. 423.

Ad 13: PW XI, col. 656-659.

Ad 14: Huß, *Geschichte*, p. 443, 449.

Ad 15: Huß, *Geschichte*, p. 434-435, 439, 441, 443-456, 500.

HASSAN-BEYLI Site de →Cilicie (Turquie) à *c.* 13 km à l'O. de →Zincirli, sur la pente occidentale de l'→Amanus. F. von Luschan y découvrit *c.* 1894 une inscription phén. fragmentaire, gravée sur une pierre remployée à l'époque byzantine comme pierre de bornage (KAI 23). Conservée à Berlin (VA 3011), cette inscription semble paléographiquement quelque peu antérieure à celles de →Karatepe, mais mentionne aussi le roi →Urikki (l. 5). Il pourrait y être fait mention d'un →traité de paix (*wyp ʿl bḥlb* [*šl*]*m*) entre Urikki et Ashur, probablement sous Sargon II (*c.* 715 av. J.C.), à moins qu'il ne s'agisse d'un Urikki antérieur sous Ashurdan III (772-755), cette interprétation paraissant moins vraisemblable paléographiquement et historiquement. Cette inscription confirme l'importance du rôle joué par l'écriture et la langue phén. en Cilicie au VIIIe-VIIe s.

Bibl. A. Lemaire, *L'inscription phénicienne de Hassan-Beyli reconsidérée*, RSF 11 (1983), p. 9-19; E. Lipiński, *Phoenicians in Anatolia and Assyria*, OLP 16 (1985), p. 81-90 (spéc. p. 82-83). ALem

HAWWAT En phén. *ḥwt*, mot apparemment identique au nom d'Ève (hb. *Ḥawwāh*), qui désignerait l'être surnaturel invoqué dans un texte magique carth. du IIIe s. (CIS I,6068 = KAI 89) et se retrouverait sur deux vases trouvés dans une tombe du IVe s., à Cagliari (ICO, Sard. 35). À l'exemple des rabbins qui ont rapproché le nom d'Ève de l'araméen *ḥewyā*, "serpent", certains auteurs ont voulu voir en H. une divinité ophidienne et chthonienne, mais *ḥwt* est probablement une forme verbale et le début de l'incantation, *rbt ḥwt ʾlt*, constitue alors une sorte d'adjuration: "Tu es grande, tu es vivante, ô déesse!" Quant à l'inscription des deux vases, qui devaient contenir des offrandes funéraires, elle doit signifier: "*ʿrm* avec l'épouse, pour faire vivre leur maître" (*ʿrm ʾt ʾšt lḥwt bʿlnm*).

Bibl. EJ VI, col. 979-983; ThWAT II, col. 794-798; S. Ribichini, *Un episodio di magia a Cartagine nel III secolo av. Cr.*, Magia. Studi...R. Garosi, Roma 1976, p. 147-156; G. Garbini, *Iscrizioni funerarie puniche in Sardegna*, AION 42 (1982), p. 461-466. ELip

HÉLIOPOLIS "Cité du Soleil", nom gr. de plusieurs villes, notamment de →Baalbek, mais aussi de la cité égyptienne de *ʾIwnw*, en hb., aram. et phén. *ʾŌn*, akk. *U-nu*, à la pointe S.-E. du Delta, sur un bras de la branche pélusiaque du Nil. C'est l'actuelle *El-Maṭarīyē*, à 10 km au N. du Caire. L'existence d'une communauté phén. à H. est attestée à l'époque perse par un graffito d'→Abydos (ESE III, pl. X,47), qui mentionne un Tyrien résidant à *'ky b'n Msrm* ("Akkay à On d'Égypte"): le toponyme *'ky* signifie "pieu d'amarrage" et désigne ici le quartier phén. d'H.; il se retrouve sur un tesson inscrit phén. d'Égypte (ESE III, p. 27).

Bibl. DEB, p. 571; E. Lipiński, OLP 12 (1981), p. 111.ELip

HELLÉNISATION 1 Phénicie Les relations entre le monde égéen et la côte syro-phén. sont anciennes, régulières après 1500 av. J.C. et, avec l'Âge du Fer, des établissements gr. sont probables ou sûrs dans quelques sites (→Al Mina, →Ras el-Bassit, Tell →Sukas), mais on ne peut parler d'h. qu'à partir du moment où la civilisation gr. modifie une civilisation différente ou même la supplante.

A *Période achéménide.* Cette situation se présente en Phénicie, comme dans l'Anatolie voisine, en pleine période achéménide, bien avant la conquête macédonienne. Les données ne concernent en fait qu'un seul site, →Sidon. La présence d'artistes gr. est révélée dès le milieu du Ve s. par certains →sarcophages anthropoïdes et les belles pièces de la nécropole royale (fig. 1, 3-4, 41, 366), œuvres de maîtres ioniens, se plaçant entre 400 et 330; il faut y ajouter, entre 350 et 340, l'autel monumental, la pseudo-"tribune", du sanctuaire d'Eshmun à →Bostan esh-Sheikh (fig. 49). Les relations économiques et politiques étroites entre Athènes et Sidon, au temps de →Straton I (372-359), éclairent le contexte historique. Le problème de l'→*interpretatio graeca*, c.-à-d. de l'adaptation de motifs et de formules proprement helléniques à des réalités orientales, se pose pour ces monuments. On reconnaît sans peine le thème traditionnel de la chasse royale, mais on peut discuter sur le sens précis des "Pleureuses" (fig. 366) et les avis peuvent diverger sur l'interprétation de l'assemblée divine, en apparence si totalement gr., de l'autel monumental.

B *Époque hellénistique.* Pour l'époque hellénistique, les données sont clairsemées. L'établissement des Poséidoniastes de Bérytos à →Délos atteste la permanence des liens économiques entre la Phénicie et la Grèce. De son côté, la figure pathétique d'→Adonis, connue anciennement en Grèce, inspire les plus grands poètes alexandrins, alors que l'image du jeune dieu n'a pas été retrouvée dans son pays d'origine. De même, dans le domaine de la pensée et des lettres, on ne peut citer pour la Phénicie de noms comparables à ceux de Posidonios d'Apamée ou de Menédème de Gadara. Dans le domaine de l'art, les stèles funéraires de Sidon révèlent des ateliers où travaillent des artistes d'origine ou de formation gr., alors qu'un Artémidoros, fils de Ménodotos, originaire de Tyr, a signé, avec ses fils, des œuvres à Lindos, Rhodes, Athènes et Halicarnasse. Sur le territoire de Sidon encore, le petit sanctuaire campagnard de →Kharayeb a livré un lot de statuettes de terre cuite (→coroplastie) des IIIe-IIe s., dont les liens avec les grands ateliers de Tanagra et de Myrina sont indéniables.

La situation devait varier d'un endroit à l'autre et selon le niveau social. À la fin du IIe s., l'éphébie athénienne est ouverte aux jeunes gens d'Arwad,

Fig. 166. Stèle du tophet *à acrotères avec la figuration d'une sphinge sur une colonne ionique, calcaire, Carthage (IIIe-IIe s. av. J.C.). Carthage, Musée National.*

Amrit, Tyr et Sidon, mais les villes phén. n'organisent pas de jeux gymniques. Les monnaies d'Arwad, Sidon, Tyr, Byblos, continuent à être marquées en phén. jusqu'en pleine période impériale, de même que celles de Beyrouth, un temps "Laodicée de Phénicie" ou de "Canaan" (→numismatique). Les inscriptions découvertes à →Umm el-Amed sont toutes en phén. La ville, dans son tracé et dans son

architecture, reste tout orientale en dépit des chapiteaux doriques ou ioniques; les stèles figurées retrouvées trahissent une influence gr. certaine, mais des persistances orientales, en l'occurrence égyptiennes, sont non moins évidentes (fig. 375-376). À la veille de l'Empire, l'hellénisation de la Phénicie apparaît comme partielle, sinon même superficielle.
EWill

2 Monde punique L'influence hellénique, gr. ou plutôt sicilienne, s'est exercée à Carthage, avec une certaine ampleur, à partir des Ve-IVe s., comme l'indiquent les types du monnayage (fig. 253-256), l'iconographie des →stèles du *tophet* (fig. 166; pl. VIId, XVb) ou les statuettes de style gr., nombreuses aussi à →Ibiza. Elle avait déjà commencé à se faire sentir auparavant, dès le VIIe s., ainsi que le montrent les importations de la vaisselle gr. de luxe, venant surtout de Campanie et d'Apulie, la plus ancienne appartenant à l'horizon eubéen de →Pithécusses. Si l'on en croit Justin XX 5, un sénatus-consulte aurait toutefois interdit aux Carthaginois, *c.* 400 av. J.C., "l'étude de la langue et des lettres gr.". Le fait est que les usages, la mode qui, p.ex., fit imprimer en gr. les →timbres amphoriques (2B) d'un Magon ou d'un Aris, toutes retrouvées à Carthage même, voire certaines croyances religieuses des Grecs, tel le culte de →Déméter et Koré, se répandirent à Carthage du temps même des guerres de Sicile. L'extraordinaire statue de l'offrant (?) de →Motyé est l'œuvre d'un artiste gr. du Ve s., comparable à l'Aphrodite du "Trône Ludovisi", mais elle n'en est pas moins d'intention certainement pun. (→Hamilcar 1). Les personnages figurés sur les →sarcophages anthropoïdes de Gadès ou ceux de la nécropole des Rabs, à Carthage (fig. 323; Phén 178-179; cf. fig. 304-305), sont traités suivant les canons gr., mais ils s'inscrivent dans une lignée dont les plus illustres représentants ont été découverts en Phénicie et dont l'apogée date de l'époque achéménide. Ces sarcophages pun. semblent donc avoir pour prototypes des modèles orientaux. Il en va de même des tours funéraires ou →mausolées qui furent empruntés au IIIe s. par le monde pun. ou punicisé à la Phénicie, où ce type de monuments a été créé vers la fin de l'époque classique par l'Orient hellénisé. Si l'on note donc une influence gr. marquée et si l'on compte de nombreuses importations en provenance de la Grande-Grèce, on ne peut parler d'une vraie h. du monde pun. Même l'h. partielle de Cirta (→Constantine), dès le règne de →Massinissa I, est toute relative. Elle reflète les contacts directs du royaume numide avec les Grecs orientaux, notamment avec →Rhodes, et se manifeste, entre autres, par des inscriptions gr., dont les dédicants étaient des mercenaires ou des colons. L'existence d'une colonie gr. à Cirta est de toute façon assurée par Strab. XVII 3,13, qui la rapporte à la volonté de →Micipsa. Mais ces dédicaces gr., une vingtaine, ainsi que les quatre ou cinq épitaphes en gr., sont bien peu nombreuses au regard des monuments graphiques en langue pun. ELip

Bibl. Ad 1: D. Schlumberger, *L'Orient hellénisé*, Paris 1970; J. Elayi, *Pénétration grecque en Phénicie sous l'Empire perse*, Nancy 1988 (bibl.).

Ad 2: W. Thieling, *Der Hellenismus in Kleinafrika*, Leipzig-Berlin 1911; A.M. Bisi, *Les influences de l'art classique et du premier hellénisme dans le monde phénicien de l'Occident*, Praktikà toũ XII Diethnoũs Synedríou Klasikès Arkhaiológias I, Athènes 1985, p. 41-47; C.G. Wagner, *Critical Remarks concerning a Supposed Hellenization of Carthage*, REPPAL 2 (1986), p. 129-160; T. Kotula, *Orientalia Africana. Réflexions sur les contacts Afrique du Nord romaine - Orient hellénistique*, FolOr 24 (1987), p. 117-133.

HENCHIR BENI NAFA →Bizerte.

HENCHIR BOU BAKER →Néphéris.

HENCHIR BRERRITA / BRIGHITA →Sucubi.

HENCHIR DJEBBARA Site antique de Tunisie, au N.-E. de →Maktar, où l'on a trouvé deux inscriptions néopun.

Bibl. AATun, f^{e} 30 (Maktar), n° 43; R. Dussaud, BAC 1923, p. LXXIX-LXXX. ELip

HENCHIR EL-AOUINE Site à 4 km au N. d'→Oudna, l'antique *Uthina*, et à 16 km au S. de Tunis. On y a trouvé un autel du Ier s. av. J.C. portant une inscription trilingue, lat.-gr.-néopun. Le texte néopun. date la dédicace de "l'année des suffètes Abdmelqart et Adonibaal", peut-être ceux de la ville d'*Uthina*, qui devint colonie rom. dès l'époque de César ou d'Auguste, mais maintint le culte traditionnel de Baal →Saturne et de Tanit →Caelestis au moins jusqu'au IIe s. ap. J.C.

Bibl. AATun, f^{e} 28 (Oudna), n°s 43-44 (cf. n° 48); P. Berger - R. Cagnat, *L'inscription trilingue d'Henchir Alaouin*, CRAI 136 (1899), p. 48-54; ESE I, p. 43-44; RÉS 79; CIL VIII, 24030; M. Leglay, *Saturne africain. Monuments* I, Paris 1961, p. 103. ELip

HENCHIR EL-BLIDA →Abitinae.

HENCHIR EL-FAOUAR →Belalis Maior.

HENCHIR EL-MERGUEB →Macomades (3).

HENCHIR GUERGOUR En lat. *Masculula*, bourg numide de Tunisie, situé à *c.* 30 km au S.-O. de →Chemtou et à *c.* 20 km au N.-O. du Kef. Ses ruines ont livré, en 1881-82, une quarantaine d'inscriptions lat., neuf inscriptions néopun. et une bilingue en lat. et néopun.

Bibl. AATun, f^{e} 38 (Ouargha), n° 1; PW XIV, col. 2064-2065; J.-B. Chabot, *Punica IX*, JA 1916/1, p. 451-464 = *Punica*, Paris 1918, p. 40-54; KAI 143-144; M. Sznycer, *Deux inscriptions funéraires néopuniques de Henchir Guergour (Masculula)*, Semitica 33 (1983), p. 51-57. ELip

HENCHIR KASBAT →Thuburbo Maius.

HENCHIR KRANFIR Site du S. tunisien, dans la région de Sidi Mohammed ben Aïssa, à 60 km au S.-E. de Kébili. On y a trouvé cinq inscriptions libyques (RIL 63-67) et une inscription néopun. (RÉS 363).

Bibl. AATun, II, f^{e} 90 (Tamezred), n° 11. ELip

HENCHIR MEDED →Mididi.

HENCHIR MERAH →Suo.

HENCHIR OUM-GUERGUER Site de la haute vallée de l'oued el-Hatab, au S. d'Althiburos, en Tunisie. La découverte d'une épitaphe néopun. y témoigne de l'existence d'un bourg indigène punicisé.

Bibl. M. Ghaki, REPPAL 1 (1985), p. 172-173. ELip

HÉRA Grande déesse gr., épouse de Zeus, qui avait un temple important à →Samos et fut assimilée à →Astarté. En font foi les noms gr. des Phéniciens de l'Orient, tels que Héraios, Héragoras, Hérostratos, et l'identification d'Astarté à H. et à Junon dans le sanctuaire de →Tas Silġ, à Malte.

Bibl. T.B. Mitford, AfP 13 (1939), p. 16; M.-F. Baslez, StPhoen 4 (1986), p. 301. ELip

HÉRAKLÉE/HÉRAKLEIA Nombreuses sont les villes qui portèrent ce nom dans l'Antiquité. Étienne de Byzance (s.v. *Hērákleia*) en énumère vingt-trois, dont une en Phénicie. De toutes les H., seules deux d'entre elles sont retenues ici en raison de leur rôle au sein de la civilisation phén.-pun.

1 Ville fondée au pied du Mont →Éryx, en Sicile, par →Dorieus et des colons lacédémoniens, en 510 av. J.C. En tant qu'Héraklides, les Spartiates considéraient que ce pays leur appartenait de droit, car Héraklès l'avait acquis en triomphant d'Éryx au retour de son expédition d'Occident. Toutefois, leur tentative de colonisation de l'O. de la Sicile fut vouée à l'échec. Craignant pour leur hégémonie, les Carthaginois attaquèrent H. et la détruisirent avec l'aide des gens de →Ségeste. Seuls survivants, Euryléon et quelques compagnons occupèrent Hérakleia Minoa, colonie de →Sélinonte (Hdt. V 43.46; Diod. IV 23,3; Paus. III 16,4-5).

2 Hérakleia Minoa, ville de la côte S. de la Sicile, située à l'embouchure du Platani, l'ancien Halykos, entre →Sélinonte et →Agrigente. Elle fut d'abord appelée Minoa, parce qu'elle passait pour avoir été fondée par des colons crétois accompagnant Minos à la recherche de Dédale, et on a proposé de l'identifier à →Rosh Melqart, *R'š Mlqrt*, le toponyme qui apparaît sur des tétradrachmes siculo-pun. (fig. 255:1) et dans des inscriptions carth. (CIS I, 264; 3707). En fait, d'après les vestiges archéologiques, elle serait une fondation de Sélinonte remontant vraisemblablement au VIe s. Dans les dernières années du VIe s., elle fut occupée par le Spartiate Euryléon et prit alors le nom d'H. Elle resta probablement liée à la puissance gr. pendant la plus grande partie du Ve s., mais dut tomber aux mains de Carthage avant la prise d'Agrigente, en 406 av. J.C. La situation d'H. à la limite des possessions gr. et carth. explique ses fréquents changements de gouvernement, notamment au cours du IVe s. Probablement redevenue gr. à l'époque de l'alliance entre Denys I de Syracuse et Sélinonte, en 368, elle dut retomber rapidement dans le domaine carth. dont elle fait à nouveau partie en 357, lorsque Dion y aborde (Diod. XIX 71,1; Plut., *Dio* 25). Gr. à l'époque de Timoléon, elle passe à Carthage lors du →traité entre →Hamilcar (5) et →Agathocle (Diod. XIX 71,7), mais est reconquise par Agathocle. Après sa mort, elle devient la base de la flotte carth. et le premier objectif de →Pyrrhus (Diod. XXII 10,2). Important point d'appui militaire et naval de Carthage au cours de la 1re →guerre pun., elle devient rom. après la chute d'Agrigente en 262 (Diod. XXIII 8). Elle se retrouve du côté carth. lors de la 2e guerre pun. et repasse à Rome en 210. Occupée par des colons rom. au IIe s. av. J.C., elle sera pillée par Verrès (Cic., *Verr.* II 125; III 103). Le site a livré quelques graffiti pun. (NotSc 1958, p. 284-285).

Bibl. B. Loewe, *Griechische Theophore Ortsnamen*, Tübingen 1936, p. 33-43.

Ad. 1: J. Bérard, *La colonisation grecque de l'Italie méridionale et de la Sicile dans l'Antiquité*, Paris 1957.

Ad 2: PECS, p. 385-386; E. De Miro, *Heraclea Minoa*, NotSc, 8e sér., 12 (1958), p. 232-287; G.K. Jenkins, *Coins of Punic Sicily I*, RSN 50 (1971), p. 25-78; R.J. Wilson, *Eraclea Minoa*, Kokalos 26-27 (1980-81), p. 256-267. ARoob

HERCULE/HÉRAKLÈS →Melqart.

HÉRISHEF En ég. *Ḥr-šf*, gr. *Esēph*, le dieu-bélier d'Hérakléopolis, aujourd'hui Ahnas el-Médina, en Égypte. Il a été identifié à Héraklès, mais la ressemblance de son nom avec celui de →Resheph a occasionné une ancienne confusion qui expliquerait la présence d'une "Vallée de Resheph" au N. du nome hérakléopolitain (XXe nome), selon le *Pap. Wilbour* V°, B,8,22, du XIIe s., puis la mention d'H., à la place de Resheph, entre →Horôn et →Anat, dans le *Pap. magique Harris 501* 10,8, de la même époque, enfin la légende "Resheph, fils du Seigneur d'Hérakléopolis", accompagnant au Ve s. une image de Resheph au temple de Hibis, dans l'oasis d'el-Khargeh (Or 29 [1960], pl. XVII). Ces données ne permettent guère d'évaluer l'extension réelle du culte de Resheph en Égypte. Selon l'opinion communément reçue, H. serait l'*Arsaphēs* de Plut., *Is. Os.* 37, dont il faut rapprocher l'*Arsippus* de Cic., *N.D.* III 22,57, associé à la divine Arsinoé II Philadelphe (*c.* 316-270). Ce point de vue se heurte toutefois à la forme gr. assurée *Esēph* du nom d'H. et il est donc possible que l'*Arsaphēs/Arsippus* soit quelque forme d'Horus (*Ḥr-*).

Bibl. J. Quaegebeur, *Une statue égyptienne représentant Héraclès-Melqart?*, StPhoen 5 (1987), p. 157-166; id., *L'Héraclès d'Héracléopolis*, à paraître. ELip

HERMEL En ég. *3-r-n-m* ou *H-r-n-m*, ug. *Hrnm*; localité située sur l'Oronte, au N. de →Baalbek.

1 Bronze Récent Le roi Daniel, le héros d'un des poèmes épiques d'→Ugarit, est appelé "l'homme de Harnam" (*mt hrnmy*), toponyme apparemment identique à celui des documents égyptiens du Nouvel Empire, qu'on s'accorde à identifier à l'actuel H. Puisque →Baal et →Él interviennent dans l'histoire de Daniel, les auteurs du poème avaient conscience que le domaine d'activité de ces dieux s'étendait à la région de H., où Daniel était censé régner. ELip

2 Époque hellénistique À 2 km du village actuel de H. se dresse un monument de pierres de taille, massif, d'une dizaine de mètres de côté et de deux étages de hauteur, couronné d'une pyramide. Les frises de chasse et d'armes qui ornent l'étage inférieur suggèrent son caractère funéraire. L'apparence extérieure avec son décor d'architecture appliquée s'inspire de l'image du mausolée d'Halicarnasse. Deux autres →mausolées de même structure, aujourd'hui disparus, s'élevaient l'un à Émèse-Homs, celui de C. Julius Samsigeramus (Ier s. ap. J.C.), et l'autre à Hass (VIe s. ap. J.C.); ils comportaient des pièces aménagées à l'intérieur. Des mausolées massifs à décor architectural à la gr. sont connus à Jérusalem, ceux dits d'Absalom et de Zacharie, ou à Soueida, tel le tombeau de Chamratè, tous des environs de notre ère. Des précurseurs plus anciens, toujours massifs et se dressant sur un hypogée, sont fournis par les *maǧāzil* d'→Amrit (IVe s. av. J.C.; pl. Id). EWill

Bibl. Ad 1: W.F. Albright, *The Traditional Home of the Syrian Daniel*, BASOR 130 (1953), p. 26-27; Wild, *Ortsnamen*, p. 343; Ahituv, *Toponyms*, p. 107.
Ad 2: P. Perdrizet, *Le monument d'Hermel*, Syria 19 (1938), p. 47-71; E. Will, *La tour funéraire de la Syrie et les monuments apparentés*, Syria 26 (1949), p. 258-312; M. Gawlikowski, *Monuments funéraires de Palmyre*, Varsovie 1970, p. 22-30; P. Collart, *La tour de Qualaat Fakra*, Syria 50 (1973), p. 137-161; P. Wagner, *Der ägyptische Einfluss auf die phönikische Architektur*, Bonn 1980, p. 90-99, 169-179.

HERMÈS →Thot.

HERMON, MONT En hb. *Ḥrmwn*, gr. *Aermōn, Hermonieim*, massif méridional de l'→Anti-Liban (2.814 m), appelé Siryôn par les Sidoniens selon *Dt.* 3,9. Effectivement, *Śaryā(n)* est un des noms de l'Anti-Liban employé en babylonien ancien (*Sa-ri-a*), en ugaritique (*Šryn*), en akkadien, hittite et hourrite de Boghazköy (*Sa-ri-ia-na*). Mais on se servait aussi des noms de *Sirā(ra)* et de *Śenîr/Saniru*. Le nom même de l'H. désigne un "lieu interdit" et souligne son caractère de →montagne sacrée, attesté dès l'époque babylonienne ancienne. On y vénéra plus tard le Baal de l'H. (*Jg.* 3,3; *1 Ch.* 5,23) et, à l'époque rom., le *Zeùs megístos* ou *Theòs megístos*, adaptations gr. du Baal cananéen, ainsi que Leukothéa. L'H. et le →Liban constituaient la demeure des dieux selon la version paléo-babylonienne de l'Épopée de Gilgamesh et passaient pour le lieu où sont descendus sur terre les fils de dieux ou anges rebelles (*1 Hénok* 6,1-6).

Bibl. DEB, p. 580; RLA IV, p. 331; C. Clermont-Ganneau, *Le Mont Hermon et son dieu d'après une inscription inédite*, RAO V, Paris 1903, p. 346-366; Dussaud, *Topographie*, p. 389-395; R. Mouterde, *Cultes antiques de la Coelésyrie et de l'Hermon*, MUSJ 36 (1959), p. 51-87 (voir p. 78-84); M.B. Rowton, *The Woodlands of Ancient Western Asia*, JNES 24 (1967), p. 261-277 (voir p. 266-267); E. Lipiński, *El's Abode*, OLP 2 (1971), p. 13-69 (en part. p. 15-41); A. De Nicola, *L'Hermon, monte sacro*, BeO 15 (1973), p. 239-251; J.T. Milik, *The Books of Enoch*, Oxford 1976, p. 152,215,319,336-338; Y. Ideka, *Hermon, Sirion and Senir*, AJBI 4 (1978), p. 32-44. ELip

HIARBAS En lat. *(H)iarbas*, gr. *Iárphas*.
1 H., prince libyen, roi des Muxitains selon Just. XVIII 6,1, qui aurait voulu épouser Élissa, la fondatrice de Carthage, mais celle-ci, voulant rester fidèle au souvenir de son mari assassiné en Phénicie, se serait jetée dans les flammes. Bien que la légende d'Élissa, y compris la proposition de mariage par un prince libyen, soit attestée dès l'époque de l'historien grec Timée (IVe s.), le nom de H., écrit Iarbas, n'apparaît pas avant Virgile (*Aen.* IV 36) et le rôle du personnage, proposition de mariage exceptée, sera toujours très incertain. Notons que Caton l'Ancien, qui aurait raconté les origines de Carthage dans un discours sénatorial, aurait donné le nom de Iapon au prince libyen prétendant d'Élissa (Solin XXVII 10).
2 H., usurpateur numide *c.* 80 av. J.C., adversaire de →Hiempsal II; il fut mis à mort par Pompée ([Aur. Victor], *Vir. ill.* 77,2; Eutr. V 9,1; Liv., *Per.* LXXXIX; Plut., *Pomp.* 12).

Bibl. PW VIII, col. 1388. GBun

HIEMPSAL En lat. *Hiempsal*, gr. *Iempsalas, Iémpsas, Iámpsas, Iumpsúa*, nom de deux rois de →Numidie.
1 H. I, fils cadet du roi de Numidie →Micipsa. À la mort de ce dernier en 118, il partagea le pouvoir avec son frère aîné Adherbal (→Adarbaal 4) et son cousin →Jugurtha. Ce dernier, peu satisfait de sa part et, d'après Sall., *Jug.* 11, piqué au vif par l'arrogance d'H., le fit assassiner dès 117 à Thirmida (Sall., *Jug.* 12), ville qu'il faut identifier peut-être avec *Thimida Bure* (AATun, fe 33 [Téboursouk], no 2), et engagea la lutte armée contre Adherbal.
2 H. II, fils de →Gauda, qui était devenu roi de Numidie après la guerre contre →Jugurtha; il succéda à son père, probablement en 88. Renversé vers 81 av. J.C. par l'usurpateur →Hiarbas (2), il fut rétabli sur son trône par Pompée en 80 (Plut., *Mar.* 40; App., *B.C.* I 62.80; Gell., *Noct.* IX 12,14) et son royaume fut agrandi vers le S. aux dépens des Gétules (Cic., *De lege agraria* II 58; *Bell. Afr.* 56). Son fils →Juba I lui succéda vers 50 et, continuant sans doute la tradition pompéienne de la famille, prit parti contre César lors de la guerre civile. H. II avait, d'après Sall., *Jug.* 17,7, écrit en pun. une histoire de son pays. Une inscription lat. de *Thubursicu Numidarum* (AAAlg, fe 28 [Souk Ahras], no 297) atteste le culte funéraire rendu à H. par les habitants du lieu (ILAlg I, 1242; →royauté 3).

Bibl. V.J. Matthews, *The* Libri Punici *of King Hiempsal*, AJPh 93 (1972), p. 330-335; V.N. Kontorini, *Le roi Hiempsal II de Numidie et Rhodes*, L'Antiquité Classique 44 (1975), p. 89-99. MDub-ELip

HIÉRON **1** H. I, tyran de →Géla, puis de →Syracuse, où il succéda en 478 à son frère Gélon. Il mena avec succès diverses campagnes en Italie du S., à Sybaris et Locres (477), à Cumes contre les Étrusques (474), à →Pithécusses (Ischia), puis en Sicile, à Catane (475) et →Agrigente (472). Il mourut en 467/6, mais resta célèbre pour ses victoires à Olympie et son mécénat culturel dont bénéficièrent Bacchylide et Pindare.
2 H. II (*c.* 306-215), général et roi de Syracuse, battu par les Mamertins, ces mercenaires de Campanie qui s'étaient emparés de Messine à la mort d'→Agathocle (289). Il les défit ensuite (265 ?) et, s'étant allié aux Carthaginois, il se retira avec eux lorsque les Romains prirent Messine. Il fit la paix avec Rome (263), en devint un fidèle allié et lui fournit aide et

navires durant la 1re →guerre pun. Après la conquête de la Sicile, il connut une grande prospérité grâce à sa flotte et à une sage politique mercantile. On lui doit la *Lex Hieronica* et quelques livres d'agriculture.

Bibl. Ad 1: Huß, *Geschichte*, p. 100-101.
Ad 2: G. Sensi Sestito, *Gerone II. Un monarca ellenistico in Sicilia*, Palermo 1977; Huß, *Geschichte* (cf. index). GFal

HILDUA →Khaldé.

HIMÈRE Ville de la Sicile ancienne, sur la côte N. de l'île, près de l'actuelle ville de Termini Imerese. Les Grecs de Sicile y infligèrent en 480 une cuisante défaite aux Carthaginois et →Hamilcar (1), le chef de l'armée carth., y trouva la mort (Hdt. VII 165-167; Diod. XI 20-26; XIII 62,1-4); selon une des versions de sa disparition, il s'était jeté dans les flammes d'un sacrifice. H. fut assiégée, prise et détruite en 409 par →Hannibal (1), le petit-fils d'Hamilcar, qui y fit massacrer 3.000 prisonniers en mémoire de son grand-père (Diod. XI 49,4; XIII 62,4-5; 79,7-8; 114,1).

Bibl. CAH² IV, p. 770-775; PECS, p. 393; H. Meier-Welcker, *Himera*, Boppard a/R 1980; Huß, *Geschichte*, p. 93-99, 112-114; R. Bichler, *Der Synchronismus von Himera und Salamis*, E. Weber-G. Dobesch (éd.), *Festschrift A. Betz*, Wien 1985, p. 59-74. ELip

HIMILCON En pun. *Ḥmlkt*, gr. *(H)imílkōn*, lat. *(H)imilco*, avec variantes ("Frère de la Reine").
1 H., navigateur carth. →Périples (3).
2 H., fils d'Hannon, commandant en chef des forces carth. dans les guerres sicilo-pun. des années 410-405 et 397-392. Il était probablement petit-fils ou bien d'Himilcon ou bien d'→Hannon (4), les fils d'→Hamilcar (1), le perdant de la bataille d'→Himère. →Hannibal (1), qui tout d'abord était commandant en chef durant la guerre des années 410-405, semble donc avoir été le cousin d'Hannon, le père d'H. Pour des raisons d'âge, Hannibal sollicita en 407 un adjoint qui lui fut donné en la personne d'H. (Diod. XIII 80,2). En 406, H. commandait probablement un détachement avancé de 40 navires qui éprouvèrent un revers près d'→Éryx (Diod. XIII 80,6). Hannibal répara l'échec (Diod. XIII 80,7). Lorsque l'armée carth. assiégea →Agrigente, des envoyés athéniens sollicitèrent des deux généraux carth. "amitié et coopération" (StV II, 208,11) (→traités 8). Les Athéniens étaient visiblement intéressés à ce que les Syracusains ne reviennent en aucun cas sur le théâtre oriental des opérations et souhaitaient que les Carthaginois les aident sur ce point. Après la mort d'Hannibal, H. reprit en 406 le commandement unique (Diod. XIII 86,3; Just. XIX 2,7). Il réussit, malgré la défaite d'une partie de ses troupes, à prendre Agrigente (Xén., *Hell.* I 5,21; Platon, *Ep.* VIII 353a; Cic., *Verr.* II 4,73.93; Diod. XIII 86,3-91,1; 96,5; Front., *Strat.* III 10,5; Polyen, *Strat.* V 7; 10,4). Durant l'hiver 406/5, il semble avoir pris contact avec le futur tyran Denys I de →Syracuse (Diod. XIII 94,1-95,1). Après la prise de Géla (Xén., *Hell.* II 3,5; Cic., *Verr.* II 4,73; Diod. XIII 108, 2-111,2; Q.-Curce IV 3,22), il assiégea Syracuse, mais semble avoir été obligé, suite à une épidémie sévissant dans l'armée, de proposer à Denys la fin des hostilités (Diod. XIII 114,1). Denys accepta la proposition avec grand soulagement. Depuis le →traité de paix de 405, toute la →Sicile, à l'exception de Syracuse, était directement ou indirectement sous domination carth. (Diod. XIII 114,1). Denys s'efforça durant les années suivantes de renverser les rapports de forces en Sicile. Les Carthaginois, contraints de répondre aux provocations du tyran (397), choisirent de nouveau H. comme commandant en chef (Diod. XIV 49,1). Bien que le navarque sous les ordres d'H. eût détruit tous les navires au mouillage dans le port de Syracuse et que H. lui-même eût remporté un succès partiel devant la ville assiégée de →Motyé, la vieille colonie phén. tomba aux mains de l'ennemi, qui y sévit cruellement (Diod. XIV 49,1-53,5; Polyen, *Strat.* V 2,6). L'année suivante, en 396, H. voulut en finir. Il débarqua à Palerme, prit Éryx par trahison, reprit Motyé et commença la construction de la ville de →Lilybée qui devait prendre la place de Motyé (Diod. XIII 54,4; XIV 54,5-55, 4;XXII 10,4; Front., *Strat.* I 1,2; Polyen, *Strat.* V 10,2; VI 16,3 [?]). Pour isoler le centre de la puissance ennemie, le Carthaginois, tactiquement doué, se rendit par Himère, Képhaloidion, l'île de Lipari, Messine et les hauteurs de Tauros jusqu'à Syracuse (Diod. XIV 56,1-62,5). Mais Syracuse tint bon. Denys obtint même un net succès contre les troupes d'H. décimées par une épidémie (Diod. XIV 63,1-74,5; Front., *Strat.* I 4,12; II 5,11; Polyen, *Strat.* II 11; V 8,1). Dans son désespoir, H. fit un geste qui coûta certainement aux Carthaginois beaucoup de sympathie parmi les peuples de la Méditerranée occidentale: il quitta Syracuse avec les citoyens carth. seuls et fit voile vers Carthage (Diod. XIV 75,1-76,3; Orose, *Adv. Pag.* IV 6,10-15). H. ne fut probablement pas condamné à mort, parce que la Haute Cour des Cent n'était pas encore installée. Il mit lui-même fin à ses jours en refusant toute nourriture (Diod. XIV 76,3-4; Just. XIX 3,12; Orose, *Adv. Pag.* IV 6,15). La trahison d'H. envers les "alliés" africains aurait provoqué une révolte à laquelle auraient participé 200.000 insurgés (Diod. XIV 77). WHuß
3 H., fils de →Magon (3), stratège carth. qui, en 382, remporta à →Kronion la victoire sur Denys I de Syracuse (Diod. XV 16,2-17,4; Polyen, *Strat.* V 10,5).
4 H., stratège carth. dans la guerre contre →Agathocle. En 307, il remporta une victoire sur des troupes d'Archagathos, le fils d'Agathocle (Diod. XX 60,4-8) et, près de Tunis, barra aux Grecs l'accès vers l'intérieur du pays (Diod. XX 61,3-4).
5 H., commandant en chef de →Lilybée. Depuis 250, il dirigeait la défense de la ville avec habileté et circonspection (Pol. I 42,12-43,8). Il entreprit plusieurs sorties, causant aux Romains de lourdes pertes (Pol. I 44,1-45,13; 48; 53,5; Diod. XXIV 1,2-6). Dans Zon. VIII 15, il est appelé par erreur Hamilcar.
6 H., sénateur carth., membre du groupe des Barcides. Après la bataille de Cannes, il reprocha à →Hannon (17) sa pusillanimité (Liv. XXIII 12,6-7).
7 H., officier carth. au cours de la 2e →guerre pun. En 215, après un siège de 11 mois, il s'empara de

Petelia, en Italie du S. (Pol. VII 1,3; Liv. XXIII 30,1-5; Val. Max VI 6, ext. 2; Front., *Strat.* IV 5,18; Sil. It. XII 431-433). D'après App., *Hann.* 29, il se nommait Hannon.

8 H., stratège carth. au cours de la 2e →guerre pun. En 216, il fut envoyé en Espagne avec une armée et une flotte de renfort pour prendre la succession d'→Hasdrubal (6) (Liv. XXIII 28,2-4). KGeus

9 H., stratège carth. au cours de la 2e guerre pun. En 213, les Carthaginois lancèrent une importante offensive en Sicile. H., qui était resté avec la flotte près du Cap Pachynos (Liv. XXIV 35,3), débarqua avec de fortes unités près d'→Hérakleia Minoa, rallia →Agrigente et installa avec Hippocrate, le stratège syracusain, un camp sur l'Anapos, à huit milles de →Syracuse assiégée par les Romains (Liv. XXIV 35,3-10; 36,2). N'ayant pu empêcher la légion I, débarquée à Palerme, de rejoindre l'armée d'Ap. →Claudius (5) Pulcher et ne parvenant pas à engager le combat avec M. →Claudius (4) Marcellus, il leva le camp et essaya de remporter des succès ailleurs. Il réussit à rallier à la cause carth. les habitants de Morgantine et de toutes les villes sicules (Liv. XXIV 36,4-39,9), puis passa l'hiver à Agrigente (Liv. XXIV 39,10). En été 212, H. et Hippocrate partirent à nouveau pour Syracuse, mais arrivèrent trop tard pour prévenir la capitulation de Philodémos d'Argos, le commandant de la place forte d'Euryale. Hippocrate, et sans doute aussi H., se retranchèrent alors près du grand port (Liv. XXV 25,3-26,6). Prononcer un jugement sur les capacités militaires d'H. n'est possible que sous certaines conditions, car il fut bientôt emporté par une épidémie, tout comme Hippocrate et la plus grande partie des soldats (Liv. XXV 26,7-14). WHuß

10 Officier carth., en 206 chef des troupes carth. à Kastax, en Espagne, où elles furent livrées par trahison aux Romains (Liv. XXVIII 20,11-12). KGeus

Bibl. PW VIII, col. 1640-1644.

Ad 2: O. Meltzer, *Geschichte der Karthager* I, Berlin 1879, p. 267-280, 285-304, 510-514; Huß, *Geschichte*, p. 115-133, 464.

Ad 9: U. Kahrstedt, *Geschichte der Karthager* III, Berlin 1913, p. 467-471, 479-481; Huß, *Geschichte*, p. 359-360, 367-369.

HIPPO DIARRHYTUS →Bizerte.

HIPPONE En lat. *Hippo Regius*, néopun. *'pwn*(?), arabe *(al-)'Annāba*, site d'Algérie, comptoir pun., sinon phén., sur la côte de l'ancienne Numidie, à l'embouchure de la Seybouse et au bord d'un des meilleurs mouillages de la région. Il n'en subsiste rien de plus ancien qu'un tesson attique du Ve s. av. J.C., mais la forme latinisée *Hippo* cache vraisemblablement un toponyme phén. que l'on a voulu retrouver, peut-être à tort, sur certaines monnaies (→Bizerte). H. entre dans l'histoire lors de la 2e →guerre pun. quand, en 205, le légat de Scipion, →Laelius (1), s'en empara (Liv. XXIX 3,7). Plus tard, la cité devint une ville "royale" de l'État numide créé par →Massinissa I; c'est le sens de l'épithète *Regius* accolée à *Hippo* (cf. Sil. It. III 259). C'est dans le port d'H. que →Sittius, en 46 av. J.C., captura la flotte des Pompéiens (*Bell. Afr.* 96; Liv., *Per.* CXIV). Auguste donna à H. le statut de municipe (ILAlg I,109) et Ptol. IV 3,2 la qualifie de colonie. L'établissement le plus ancien reste inconnu. Des murs en grand appareil à bossages, sur lesquels vinrent prendre appui des constructions d'époque rom., ont été longtemps attribués à l'époque phén. On sait maintenant que ce sont les murs de soutènement d'un front de mer avancé à plusieurs reprises, qu'on a pu dater entre la première moitié du IIe et le milieu du Ier s. av. J.C., c.-à-d. de l'époque des rois numides. Sous l'Empire rom., le territoire d'H. était vaste, puisqu'une borne municipale a été trouvée à 40 km au S.-O. de la ville (ILAlg I, 134) et une autre à l'E., entre H. et →Tabarka (ILAlg I,109). Les paysans de ce territoire rural, au contraire des citadins, parlaient encore le punique à l'époque de St →Augustin (*Ep.* 209).

Bibl. AAAlg, f^e^ 9 (Bône), n° 59; PECS, p. 394-396; E. Marec, *Hippone la Royale*, Alger 1954²; M. Leglay, *Saturne africain. Monuments* I, Paris 1961, p. 431-451; J.-P. Morel, *Recherches stratigraphiques à Hippone*, BAA 3 (1968), p. 35-84; S. Dahmani, *Hippo Regius*, Alger 1973; Desanges, *Pline*, p. 201-203. SLan-ELip

HIRAM / HIRÔM En phén. *Ḥrm*, hb. *Ḥyrm*/*Ḥyrwm*, akk. *Ḫi-ru-um-mu*, gr. *Heirōmos*/*Kheirōmos*/*Sirōmos*, forme abrégée, avec l'aphérèse du *'a* initial, du nom d'→Ahiram, "Mon frère est exalté".

1 H. I, roi de Tyr *c.* 962-929, contemporain de David (*2 S.* 5,11; *1 Ch.* 14,1) et de Salomon (*1 R.* 5,15-32; 9,11-14; *2 Ch.* 2,2-15; 8,2), avec lesquels il entretint de bonnes relations et conclut divers accords, voire des →traités (1). Il fournit des matériaux et de la main d'œuvre spécialisée pour la construction du temple et du palais royal de →Jérusalem, acheta le territoire de →Kabul et s'assura un approvisionnement régulier en blé et huile en provenance d'→Israël (*1 R.* 5,25). Il n'est guère vraisemblable qu'il ait participé à des expéditions en Mer Rouge à destination de l'→Ophir (*1 R.* 9,26-28; 10,11.22; *2 Ch.* 8,17-18; 9,10.21), mais son rôle dans les récits bibliques fit de lui un personnage auquel s'intéressa l'historiographie judéo-hellénistique, notamment Fl. Jos. (*A.J.* VII 66; VIII 50-164; *C.Ap.* I 109-121.126; II 18-19), qui lui attribue, d'après Ménandre d'Éphèse, une réforme urbanistique, la construction d'un nouveau temple de →Melqart et d'→Astarté, avec l'institution des rites de l'*égersis* de Melqart, ainsi qu'une campagne victorieuse, probablement contre →Akko.

2 H. II, roi de Tyr *c.* 736-729, contemporain de Téglat-Phalasar III, auquel il dut payer le tribut après avoir participé avec les →Araméens de Damas à une coalition anti-assyrienne (TPOA, p. 102). Il portait notamment le titre de "roi des Sidoniens" et son pouvoir s'étendait aussi sur certaines régions de Chypre, certainement sur →Carthage, où il était représenté par un gouverneur (→Baal du Liban). Il est possible que les références bibliques aux expéditions d'→Ophir se soient rapportées primitivement à H. II. Son règne se situe entre celui d'→Ittobaal II et celui de Metenna (→Mattan 2).

3 H. III, roi de Tyr *c.* 551-532, successeur de son frère →Maharbaal (1). Comme ce dernier, il avait été éduqué en Babylonie, d'où il fut rappelé pour accé-

der au trône (Fl. Jos., *C.Ap.* I, 158.159).
4 H. IV, roi de Tyr *c.* 500, père de →Mattan III (3), selon Hdt. VII 98.
5 H. de Tyr, bronzier employé aux travaux du temple de Salomon d'après *1 R.* 7,13-45 (cf. *2 Ch.* 2,12-13; 4,11-16).
6 H., fils du roi Évelthon de →Salamine (VIe s.), d'après Hdt. V 104 (*Sirōmos*).
7 H., dynaste chypro-phén., peut-être de →Paphos, d'après la lecture *Si-ro-mo-se* d'une légende monétaire en gr. syllabique.

Bibl. RLA IV, p. 418; H.J. Katzenstein, *The History of Tyre*, Jerusalem 1973, p. 77-115,204-219,342-347.
Ad 1: P. Cintas, *Laurentianus LXIX 22 ou la torture d'un texte*, Mélanges A. Piganiol III, Paris 1966, p. 1681-1692; G. Bunnens, *Commerce et diplomatie phéniciens au temps de Hiram Ier de Tyr*, JESHO 19 (1976), p. 1-31; A.R. Green, *David's Relations with Hiram*, The Word of the Lord shall go forth: Essays in Honor of D.N. Freedman, Winona Lake 1983, p. 373-397; D. Mendels, *Hellenistic Writers of the Second Century B.C. on the Hiram-Solomon Relationship*, StPhoen 5 (1987), p. 429-441.
Ad 7: A.J. Seltman, NC, 7e sér., 4 (1964), p. 78; H.A. Troxell - W.F. Spengler, ANSMN 15 (1969), p. 12-14; E. Lipiński, StPhoen 1-2 (1983), p. 222; O. Masson, RNum, 6e sér., 30 (1988), p. 29-31. ELip

HITTITES Dès le IIe mill. des contacts existaient entre les H., dont l'Empire couvrait un territoire équivalant à peu près à la Turquie et à la Syrie du N., et le couloir syro-phén. Sidon et Tyr, Qadesh et le pays de →Canaan sont mentionnés dans les archives cunéiformes de Boghazköy-Hattusha, la capitale de l'Empire. Avec Hattushili I (*c.* 1590-1560), les H. prennent pied en Syrie, s'emparent et détruisent →Alalakh, entament la puissance d'Alep. Murshili I (*c.* 1555-1530) occupe le royaume d'Alep dont il se sert comme base pour mener des expéditions militaires. Sous Hantili (*c.* 1530-1520), Alalakh, appuyée par le Mitanni, redresse la tête et pille des villes h. Il est clair qu'à la même époque des messagers h. sillonnent le couloir syro-phén.; ainsi, Tarhundara, roi louvite d'Arzawa (Anatolie du S.), correspondait directement avec la Cour égyptienne et sa fille épousa Aménophis III. Avec l'avènement de l'Empire, les H. s'installent davantage en Syro-Phénicie. Shuppiluliuma I, fondateur de l'Empire (*c.* 1360-1324), crée deux royaumes vassaux, Alep et Karkémish, à la tête desquels il place ses fils. L'Égypte doit reculer, tandis que les H. s'assurent la maîtrise du N. de la Syrie. La →Béqaa elle-même est occupée par les armées de Shuppiluliuma I. À la même époque, un traité d'alliance met →Ugarit en état de vassalité vis-à-vis des H. et cette situation perdure jusqu'à la dévastation d'Ugarit. Sous Murshili II (*c.* 1322-1290), l'Empire s'étend jusqu'au Liban et le roi organise en Syrie des royaumes contrôlés par le "vice-roi" h. de Karkémish: →Amurru, Ashtata (→Émar), Kinza (= Qadesh), →Siyān(u), Ugarit. Les relations commerciales entre les H., surtout la →Cilicie, et Ugarit sont importantes et les échanges par voie maritime englobent alors tout le bassin oriental de la Méditerranée, comme le montre l'épave d'→Ulu Burun. Lors de la guerre qui oppose les H. aux Égyptiens *c.* 1275, les gens d'Alep, de Karkémish, de Nuhasse, de Qadesh et d'Ugarit sont aux côtés de Muwatalli. Au XIIIe s., avec Hattushili III, la reine Puduhépa et Tudhaliya IV, l'intervention h. dans les affaires d'Ugarit est particulièrement attestée et le royaume d'Amurru, entré en sécession, réintègre définitivement le bercail h. au lendemain de la bataille de Qadesh (1275). À la même époque, l'Ahhiyawa — en l'occurrence les établissements mycéniens d'Anatolie occidentale — commercent avec la Syrie par la voie que jalonnent les épaves d'Ulu Burun et de →Gelidonya. L'art h. influence alors la première œuvre "phén." connue, le sarcophage d'→Ahiram dégagé à Byblos, qui porte la facture h., notamment avec ses protomés de lions (fig. 7). Après la chute de l'Empire h. au début du XIIe s., plusieurs principautés louvites se maintiennent en →Anatolie du S. et en →Syrie du N., qui continuent, voire intensifient les contacts avec la Phénicie.

Bibl. DEB, p. 591; P. Lévêque (éd.), *Les premières civilisations* I, Paris 1987, p. 349-467. RLeb

HIZZIN, TELL *Tell Ḥizzīn* est situé à 11 km au S.-O. de →Baalbek, dans la →Béqaa libanaise. On l'a identifié à l'ég. *Ḥty*, l'akk. *Ḫa-sí*, peut-être l'hb. *Ḥzywn/yn* et le lat. *Hazin*. C'était la capitale d'une principauté vassale de l'Égypte, dont les trouvailles récentes attestent la présence à T.H. dès le Moyen Empire, au XXe s. av. J.C., tandis que la correspondance d'el →Amarna témoigne de la fidélité de son prince à l'Égypte au XIVe s. Les fouilles entamées par M. Chéhab à la surface du tell y ont mis au jour un ensemble de grands *pithoi*, et une nécropole de l'âge du Bronze a été identifiée en bordure du tell.

Bibl. DEB, p. 592; RLA IV, p. 241 (bibl.); M. Chéhab, ACFP 1, Roma 1983, p. 167. ELip

HOLT Site de la station rom. de *Bovium*, puis de *Castrum Leonis*, dans le comté de Denbigshire, au Pays de Galles. Au cours des fouilles de 1907-15, on y a trouvé un graffito néopun. de la fin du Ier ou du IIe s. ap. J.C., incisé après cuisson sur une tuile. On doit l'attribuer à un soldat de la XXe légion rom. qui y tenait garnison. Le graffito est conservé au Musée de Cardiff.

Bibl. A. Guillaume, *The Phoenician Graffito in the Holt Collection of the National Museum of Wales*, Iraq 7 (1940), p. 67-68; G. Levi Della Vida, *A Neopunic Inscription in England*, JAOS 60 (1940), p. 578-579; T.W. Thacker - R.P. Wright, *A New Interpretation of the Phoenician Graffito from Holt, Denbigshire*, Iraq 17 (1955), p. 90-92. ELip

HORON Dieu d'origine syro-palestinienne, dont le nom se rattache vraisemblablement au terme *ḥr*, "trou, cavité", avec allusion à sa nature essentiellement chthonienne. H. est bien attesté dans le monde phén.-pun. du VIIe au IIe s. av. J.C. et il figure déjà au XIXe s. dans les noms de princes palestiniens ("H. est mon père") mentionnés dans les textes égyptiens d'exécration (G. Posener, *Princes et pays d'Asie et de la Nubie*, Bruxelles 1950, n^os E 17, E 54?, E 59). Tandis que sa présence dans l'anthroponymie de →Mari (APNM, p. 32, 192) nous assure de ses connexions avec les Amorrhéens, son culte fut vite introduit par des immigrés syro-palestiniens en

Égypte, où il apparaît dès la XVIIIe dynastie, sous Aménophis II (*c.* 1436-1423). Le grand Sphinx de Gizeh est adoré sous son nom et Ramsès II se proclame "aimé de H.", dont le symbole est un faucon. Le Papyrus magique Harris (XIXe dynastie) montre sa capacité d'anéantir les bêtes nuisibles (loup et reptiles) et de protéger les bergers. On remarque, en Égypte, un processus d'assimilation/confusion entre H. et Horus, facilité par l'homophonie et l'affinité fonctionnelle des deux divinités. En Syro-Palestine, le nom d'H. apparaît dans quelques toponymes, comme *Bt Ḥrn* (*Jos.* 16,3.5; 18,13; 21,22; TSSI I, 4) et *Ḥrnym* (*Is.* 15,5; *Jr.* 48,3.5,34; TSSI I, 16,31). Mais sa personnalité est éclairée surtout par les textes d'→Ugarit et de →Ras Ibn Hani. H. y figure comme maître des reptiles, entité chthonienne avec des aspects solaires (rapports avec Shapash), guérisseur puissant et en même temps punisseur redoutable. Un texte magique de Ras Ibn Hani, où H. intervient pour guérir un homme, l'appelle *ġlm*, "jouvenceau", fait qui souligne son aspect de dieu jeune et actif. Ce rôle de protecteur contre les forces du mal, de porteur de guérison et de salut, est confirmé par les données phén. Outre une mention dans un nom propre (*'bdḥwrn*) sur un sceau du VIIIe-VIIe s. (Benz, *Names,* p. 154), H. est attesté à →Arslan Tash (TSSI III,23,26), où il joue le rôle de protecteur d'une femme enceinte, qui se réclame du harem du dieu et acquiert, par conséquent, le droit d'être protégée contre un démon, "l'Étrangleuse". Les inscriptions du VIe-Ve s. mises au jour dans le temple d'→Antas (Sardaigne) attestent la pratique d'offrir au dieu →Sid, titulaire du sanctuaire, des statuettes représentant H. et →Shadrapa, d'où ressort une affinité des deux divinités guérisseuses et la continuité historique qui marque la personnalité de H. Ses dernières traces se retrouvent peut-être à →Délos dans une inscription gr. du IIe s. av. J.C. (ID 2308), rédigée par des Palestiniens, qui mentionne ensemble Héraklès et Auronas de Iamneia, c.-à-d. Jamnia, ville non éloignée de l'ancienne Beth-Horon.

Bibl. M. Sznycer, *Note sur le dieu Ṣid et le dieu Ḥoron d'après les nouvelles inscriptions puniques d'Antas (Sardaigne)*, Karthago 15 (1968-70), p. 68-74; P. Xella, *Per una riconsiderazione della morfologia del dio Horon*, AION 32 (1972), p. 271-286; M.L. Uberti, *Horon ad Antas e Astarte a Mozia*, AION 38 (1978), p. 315-319; A. Caquot, *Horon: revue critique et données nouvelles*, AAAS 29-30 (1979-80), p. 173-180; P. Xella, *D'Ugarit à la Phénicie: sur les traces de Rashap, Horon et Eshmun*, WO 19 (1988), p. 45-64. PXel

HORUS En ég. *Ḥr*, phén. *Ḥr*, gr. *Hṓros*; dieu faucon du ciel et dieu-roi par excellence, H. est représenté avec une tête de faucon, portant la double couronne ou le disque solaire. Il est le fils d'→Isis et le vengeur de son père →Osiris. Le faucon et H. hiérakocéphale portant le *pschent*, assimilé peut-être à →Horôn par les Phéniciens, sont bien connus sous forme d'→amulettes (fig. 17, 24) et figurent sur des scarabées (fig. 157), des →rasoirs, des plaques d'→ivoire, des →coupes de métal, des bandes et étuis magiques, et même sur une stèle de Carthage. D'autres thèmes souvent rencontrés sont l'enfant H. allaité par Isis (fig. 276a, 342; pl. Ia), →Harpocrate, et H. dans les marais de papyrus, rappelant Chemmis dans le Delta où sa mère l'a caché pour le mettre à l'abri de son oncle Seth. Le nom d'H. se retrouve comme élément théophore dans l'anthroponymie phén. en Égypte, à Umm el-Amed, Kition et Carthage. Dans la région de Péluse, H. est assimilé à Zeus Kasios (→Baal Saphon). Remarquons enfin que l'amulette de l'œil *oudjat* est l'œil d'H. que Seth lui a arraché et que →Thot a guéri (fig. 17, 24).

Bibl. LÄg III, col. 14-25; Vercoutter, *Objets*; Benz, *Names*, p. 317; G. Sfameni Gasparro, *I culti orientali in Sicilia*, Leiden 1973; S. Ribichini, in *Saggi Fenici* I, Roma 1975, p. 10-11; Gamer-Wallert, *Funde*; Padró Parcerisa, *Documents* I-III; id., in *La religión romana en Hispania*, Madrid 1981, p. 335-351; Hölbl, *Kulturgut*; A. Lemaire, StPhoen 4 (1986), p. 97; C. Bonnet, StPhoen 5 (1987), p. 119, 124, 128-129. PDils

HOTER MISKAR En (néo)pun. *Ḥṭr Mskr* (CIS I,253; 254; 4838), *Ḥṭr Myskr* (KAI 145,5) ou *'ṭr Mskr* (KAI 146,1), théonyme signifiant probablement "Sceptre du Héraut", s'il est phén.-pun. et pas entièrement numide. Le théonyme simple *Mskr* est attesté en Orient dès le VIIe s. et il est alors vocalisé *Maskīr* (*'mskr* = *Am-maš-ki-ri*: APN, p. 22a), comme *mazkīr* en hb. et probablement en moabite (ZDPV 101 [1985], p. 21-29). Ce titre de haut dignitaire royal, traduit souvent par "héraut" en raison du sens de la racine *zkr/skr*, est devenu un théonyme chez les Phéniciens, mais on ignore quelle divinité se cache sous cet appellatif. L'orthographe *Myskr* et l'anthroponyme *Mescar* (CIL VIII, 5194 = 17307) témoigneraient d'une métathèse des voyelles ou de l'existence d'une variante *Mīskar* à côté de *Maskīr* en Afrique du N., où H.M. est attesté à Carthage et à →Maktar, où il avait un temple. *Mskr* seul apparaît dans l'anthroponymie, notamment à Sidon (RÉS 930).

Bibl. ThWAT II, col. 584-585; R. de Vaux, *Titres et fonctionnaires égyptiens à la cour de David et de Salomon*, RB 48 (1939), p. 394-405 (voir p. 395-397); Benz, *Names*, p. 305-306,351; Jongeling, *Names*, p. 51,68. ELip

HUELVA La ville de H., sur la côte atlantique de l'Espagne, occupe la presqu'île qui sépare les embouchures du Tinto et de l'Odiel, principales voies de pénétration vers les régions minières de l'intérieur, où abondent le cuivre et le plomb argentifère. C'est l'exploitation de ces →mines et le développement de la →métallurgie qui sont les raisons d'être de la ville, des localités voisines d'→Aljaraque, de Niebla et, bien sûr, des centres miniers et métallurgiques de l'arrière-pays, à Cerro Salomón, près de Riotinto, à Tejada la Vieja, près d'Escacena, à San Bartolomé de Almonte. Les premiers habitants de H. étaient les Tartessiens, dotés d'une culture du Bronze Final, qui se sont installés au Xe s. à proximité de l'Atlantique, sur la colline de San Pedro qui domine le port naturel. Les contacts avec la Méditerranée, faibles au IXe s., s'intensifièrent aux VIIIe-VIIe s. grâce aux échanges avec les établissements phén. de la côte de Grenade, →Málaga et →Gadès. H. devint une grande agglomération, débordant sur d'autres collines (La Esperanza, Molino del Viento) et sur le rivage, à leurs pieds (Puerto 6). Il n'y eut pas de colonie phén. à H. et la seule inscription phén.-pun. de la province, connue à ce jour, est un nom incisé sur une amphore trouvée à La Esperanza (CIE 15.01). Mais les rapports étroits avec les Phéniciens, fruit d'un commerce intense, débouchèrent sur un processus d'acculturation par lequel le monde des Tartessiens entra dans sa phase →orientalisante. Avec les richesses tirées de l'exploitation des mines d'argent, les Tartessiens importèrent des objets exotiques de luxe, qu'ils seront bientôt à même de produire eux-mêmes pour les offrir à leurs morts, comme en témoignent les trouvailles de la nécropole de La Joya au VIIe s. Au cours du VIe s., la population de H. semble s'être réduite et, en tout cas, elle abandonna les collines pour les terres basses. Les années *c.* 600-550 sont marquées par la présence d'une abondante céramique gr. de l'E. et une diminution progressive des produits orientaux non gr. Cette expansion commerciale gr., due peut-être aux →Phocéens, concurrençait l'éventuel monopole phén. Dans la seconde moitié du VIe s., H. entre dans une étape obscure de son histoire qui dure jusqu'à la fin du Ve s., moment où l'on voit réapparaître des importations gr., sans doute acheminées alors par l'intermédiaire de Carthage.

Bibl. J.P. Garrido - E.M. Orta, *Excavaciones en la necrópolis "La Joya" (Huelva)* II, Madrid 1978; J.M. Blázquez et al., *Excavaciones en el Cabezo de San Pedro (Huelva). Campaña de 1977,* Madrid 1979; J. Fernández Jurado, *Die Phönizier in Huelva*, MM 26 (1985), p. 49-60; id., *La influencia fenicia en Huelva*, AulaOr 4 (1986), p. 211-225; M. Fernández Miranda, *Huelva, ciudad de los Tartessios*, AulaOr 4 (1986), p. 227-261; C.J. Pérez, AulaOr 4 (1986), p. 324-327 (bibl.). DHer

HUILE Presque toute l'h. produite en Phénicie était extraite d'olives. Contrairement à l'Égypte, p.ex., le climat en Phénicie est propice à la culture des oliviers (→agriculture). Les étés y sont très chauds et secs, les hivers humides et chauds. On y trouve aussi le sol calcaire qui convient particulièrement à l'olivier, notamment sur les plateaux de la chaîne du Liban. C'est ici que, selon certains savants, l'espèce améliorée de l'olivier (*Olea europea*), greffée sur l'arbre sauvage (*Olea chrysophylla*), aurait été cultivée pour la première fois. Cette supposition n'est toutefois pas fondée sur des preuves matérielles irréfutables. Il est cependant certain que les Phéniciens ont cultivé l'olivier relativement tôt et avec un succès assez marqué. Aussi *Os.* 14,7 exalte-t-il "la splendeur de l'olivier et le parfum du Liban". Certaines pratiques religieuses démontrent qu'on y était conscient de l'importance de la culture des oliviers: les Tyriens, p.ex., vouaient un culte spécial à un olivier sacré gardé dans un enclos (A. Tat. II 14,5). L'h. d'olive pouvait être utilisée comme aliment, combustible ou onguent. Tout comme le vin, elle constituait pour les Phéniciens un article d'exportation considérable (Ps.-Arstt., *Mir. ausc.* 135). Elle se vendait surtout en Égypte, où les oliveraies étaient rares, du moins à l'époque pharaonique. Grâce aux Phéniciens et aux Grecs, la culture de l'olivier s'est rapidement répandue tout autour du bassin méditerranéen. Ayant traversé la mer depuis Syracuse, →Agathocle trouva la région de Carthage parsemée de vastes olivettes (Diod. XX 8,5). Selon un récit non confirmé, →Hannibal (6) aurait veillé à ce que la fainéantise ne s'installât au sein de son armée, en ordonnant aux soldats de planter des oliviers "dans la plus grande partie de l'Afrique du N." (Aur. Victor, *Caes.* 37). Quelques fragments de l'œuvre de Magon contiennent des instructions concernant l'aménagement des oliveraies. Il recommande de laisser un espace de 22 m entre les arbres au lieu de l'espacement habituel d'environ 10 m (Pline, *N.H.* XVII 93). De nombreux restes d'ustensiles nécessaires à la production de l'h. d'olive ont été retrouvés en Phénicie et en Afrique du N. Les exemplaires les mieux conservés datent toutefois de l'époque rom.

Bibl. R.J. Forbes, *Studies in Ancient Technology* III, Leiden 1965², p. 104-107; J. Boardman, *The Olive in the Mediterranean: Its Culture and Use*, J. Hutchinson et al. (éd.), *The Early History of Agriculture*, Oxford 1977, p. 187-196; J.M. Blázquez Martínez - J.R. Rodriguez, *Producción y comercio del aceite en la Antigüedad* I-II, Madrid 1980-83; O. Callot, *Remarques sur les huileries de Khan Khaldé (Liban)*, Archéologie au Levant. Recueil R. Saidah, Lyon 1983, p. 419-428; id., *Huileries antiques de Syrie du Nord*, Paris 1984; R. Frankel, *The Ancient Olive Oil Installations* (hb.), Tel Aviv 1986; M. Heltzer - D. Eitam (éd.), *Olive Oil in Antiquity*, Haifa 1987. WVGu

HYKSOS Forme grécisée de l'expression ég. *ḥḳ3 ḫ3sw.t*, "princes des pays étrangers", employée par Manéthon (FGH 609, fr. 8, 82) pour désigner les peuples asiatiques, Amorites et Cananéens, qui s'installèrent dans le Delta oriental à partir de la fin du Moyen Empire et y fondèrent des principautés. En égyptologie, on appelle "période H." l'époque des XVe-XVIe dynasties (*c.* 1650-1550), dont l'une des capitales était Avaris, aujourd'hui Tell ed-Dab'a. Les H. adoptèrent la civilisation égyptienne et empruntèrent même la titulature pharaonique. Ils paraissent avoir adoré Seth qui recouvrait sans doute un →Baal cananéen. La découverte, en des sites phén. et pun., même en Tunisie et en Espagne, de scarabées h. ou de vases portant le cartouche d'un roi h., notamment à →Almuñécar, s'explique par le pillage des tombes h. dans l'Antiquité.

Bibl. CAH II/1³, p. 54-64; LÄg III, col. 93-103. ELip

I

IALYSOS →Rhodes.

IBÉRIE →Espagne.

IBÉRIQUE, SUBSTRAT Ensemble de manifestations culturelles, relativement homogènes, qui résultent de la formation de la civilisation i. en tant que création originale des peuples indigènes d'→Espagne entre 550 av. J.C. et l'époque de la romanisation du pays. Ce s.i. est le fruit des influences coloniales phén. et gr. sur les populations indigènes du Bronze Final et du début de l'âge du Fer dans les régions méditerranéennes et andalouses, où habitaient les descendants des anciens Ibères et des Tartessiens (Hdt I 163). Seuls Strabon et Pline, qui ont puisé dans le Polybe disparu et dans Poséidonios d'Apamée, également perdu, livrent des renseignements sur les tribus, villes et royaumes qui occupaient, depuis les VIe-Ve s., les régions s'étendant du Rhône à l'→Andalousie occidentale: Indikètes et Layétans en Catalogne, Édetans et Contestans au Levant espagnol, Mastiens et Turdetans en Andalousie. L'originalité i. se marque tout d'abord par l'existence de langues mal connues mais apparentées, fixées par des alphabets originaux dérivés du phén. dont le déchiffrement a fait de grands progrès. Toutefois, la compréhension des centaines d'inscriptions ne va souvent guère au-delà de l'identification des ethniques, notamment par les légendes monétaires. Reste l'apport capital de l'archéologie qui révèle un vaste ensemble culturel résultant d'éléments locaux et d'influences méditerranéennes. Les traits artistiques, linguistiques, religieux et géographiques de la culture i. apparaissent parfaitement consolidés aux Ve-IIIe s., époque qui marque l'aboutissement du long processus évolutif des sociétés indigènes, commencé *c.* 1000 av. J.C. Le cas le mieux connu est celui de l'Andalousie occidentale dont la population indigène — les Tartessiens — fut la première à bénéficier de l'influence phén. et à développer une écriture propre au VIIe s., au plus tard. Au VIe s., l'impact phén. cède progressivement le pas à l'influence gr., donnant naissance à la culture i. locale ou turdetane. Les traits hérités du Bronze Final et de l'âge du Fer i. témoignent d'une continuité ininterrompue depuis le IXe s. Elle se manifeste dans les habitats, les nécropoles, les caractéristiques socio-économiques et idéologiques, telles que la structure monarchique, les traits guerriers et l'économie à fondements agricoles, qui remontent au Bronze Final.

Bibl. A. García y Bellido, *Arte ibérico*, Historia de España I/3, Madrid 1954; A. Arribas, *Los Íberos*, Barcelona 1965; E. Ripoli - E. Sanmartín (éd.), *Los origenes del mundo ibérico*, Ampurias 38-40 (1976-78); A. Ruiz (éd.), *Íberos* (I Jornadas sobre el mundo ibérico), Jaén 1987. MEAub

IBIZA **1 Nom** En phén.-pun. *'ybšm*, "Île du Balsamier" (cf. hb. *bośem*, aram. *bûsmā'*), arbre résinifère que Diod. V 16 considère comme un "pin", conformément au nom de *Pituoũssai*, donné aussi par Strab. III 5,1 à I. et à l'île voisine de Formentera; en gr. *Eb(o)usos*, lat. *Ebusus*. ELip

2 Histoire Au début de la seconde moitié du VIIe s. des colons phén. en provenance du S. de la Péninsule Ibérique s'établissent pour la première fois à I. et choisissent le meilleur port naturel de l'île sur la côte S., où se trouve encore de nos jours la ville d'I. Sans aucun doute, les Phéniciens explorèrent au préalable les côtes, comme l'indiquent les trouvailles en surface d'amphores archaïques à la pointe de J. Tur Esquerrer, sur l'Illa Grossa ou le Cap Llibrell, qui sont des sites stratégiques de surveillance, ou sur le site de Sa Caleta, au S., dont les fouilles en cours démontrent que c'était un petit entrepôt abandonné vers 600 av. J.C. Cette petite escale d'I. était au début très modeste, avec les installations nécessaires pour appuyer la navigation commerciale vers le N. et l'E.: quelques maisons, des entrepôts de marchandises. Seul le cimetière de cette première période est bien connu (fig. 167, 169, 171-176, 237-239, 267). Il se trouve au pied de la colline de →Puig des Molins, où de modestes incinérations sont déposées avec un mobilier réduit dans des urnes, de petites concavités ou des fosses (→tombes 2A). Au début du VIe s., I. augmente ses contacts avec la Méditerranée centrale, à cause surtout de la crise des établissements phéniciens du S. de l'Espagne, due principalement au long siège de Tyr qui prit fin en 573. Après cet événement, l'influence de →Carthage augmente graduellement et se manifeste dans l'évolution rapide de la →céramique et l'apparition d'hypogées. On peut donc dire que la première colonisation se divise en deux périodes bien différentes, l'une phén. qui dure une centaine d'années, l'autre carth., dont une autre preuve évidente serait la fondation du sanctuaire d'Illa Plana vers 525. Les figurines de terre cuite (→coroplastie) qui y furent trouvées sont typiques de l'aire pun. et l'on en connaît à Carthage, en Sardaigne, en Sicile: elles correspondent à un culte de fertilité. L'augmentation démographique de la ville peut être connue grâce à l'évolution de la nécropole, où dès la fin du VIe, mais surtout au Ve s., de nombreux hypogées et fosses sont creusés qui ont permis d'évaluer à 4 ou 5.000 le nombre d'habitants de la ville à cette période classique. À la même époque commence l'occupation de l'espace rural, où nous connaissons de nombreuses exploitations agricoles indépendantes, avec leur petite nécropole adjacente, composée d'hypogées et de fosses avec des sarcophages en pierre. Nombre de ces installations sont occupées presque sans interruption jusqu'à la fin de l'Empire rom. Dès le Ve s., la ville d'I. est complètement structurée: les maisons occupent les pentes du Puig de Vila, couronné par les murailles de l'acropole; les quartiers commerciaux et portuaires s'étendent à ses pieds, vers le N., et plus à l'O. se trouve la grande nécropole, limitée au N. par le quartier artisanal où l'on connaît de nombreux établissements de

Fig. 167. Buste féminin, Puig des Molins (Ve s. av. J.C.). Ibiza, Musée Archéologique.

Fig. 168. Statuette masculine, Illa Plana (VIe-Ve s. av. J.C.). Ibiza, Musée Archéologique. ▷
Fig. 169. Joueuse de tambourin, Puig des Molins (VIe-Ve s. av. J.C.). Ibiza, Musée Archéologique.
Fig. 170. Jarre, Can Ursul (V^e-IVe s. av. J.C.). Ibiza, Musée Archéologique.
Fig. 171. Petite jarre avec inscription néopun. au nom de Magon (CIE 07.04), Puig des Molins (IIIe-IIe s. av. J.C.). Ibiza, Musée Archéologique.

Fig. 172-173. Askoi zoomorphes, Puig des Molins (Ve-IVe s. av. J.C.). Ibiza, Musée Archéologique.
Fig. 174-175. Amulettes en os représentant un phallus et le "signe de Tanit", Puig des Molins (Ve s. av. J.C.). Ibiza, Musée Archéologique.
Fig. 176. Scarabée en jaspe, Puig des Molins (Ve s. av. J.C.). Ibiza, Musée Archéologique.

potiers. Bien qu'on n'ait encore découvert aucun vestige des temples de la ville, il est certain qu'on pratiquait dans l'île un culte d'→Eresh ou de →Resheph-Melqart et de →Tanit, vénérée dans le célèbre sanctuaire de la grotte d'→Es Cuieram, établi au IVe s. au N. de l'île. Diod. V 16 nous a laissé un des seuls témoignages écrits sur I. Il rapporte qu'I. fut fondée 160 ans après Carthage, ce qui a conduit nombre d'auteurs à croire que la fondation fut l'œuvre de la métropole africaine. Il fait référence aux murailles qui entourent l'acropole, à l'importance de ses ports et aux maisons bien construites.

3 Économie Diodore mentionne la vigne, l'olivier et la laine de haute qualité comme principales sources de revenus d'I., auxquelles on peut sans doute ajouter la pêche et le sel, dont on connaît le rôle économique. I. connaît pendant plusieurs siècles une croissance économique constante, comme le montrent les sites archéologiques de l'île et les matériaux ébusitains retrouvés en Méditerranée occidentale. Sa situation géographique privilégiée lui permit non seulement de redistribuer les marchandises de toute provenance, mais encore d'exporter ses propres excédents, surtout agricoles. Ce développement lui permettra de frapper sa propre monnaie dès le IIIe s. av. J.C. et de créer des factoreries commerciales dans les →Baléares. Bien qu'I. ait participé activement à la 2e →guerre pun. du côté de Carthage (Liv. XXII 20,3; XXXVIII 37), son économie n'en souffrit pas et l'archéologie nous montre que, jusqu'au milieu au IIe s. av. J.C., le commerce ébusitain connaît une de ses meilleures périodes, avec une grande diffusion de sa monnaie et de ses produits (fig. 257:6,9). Ce phénomène pourrait s'expliquer par le traité signé avec Rome, à une date inconnue, qui faisait d'I. une *civitas foederata* (Pline, *N.H.* III 76). Toutefois, l'intervention rom. de plus en plus marquée affaiblira peu à peu l'économie ébusitaine: entre 150 et 120 av. J.C. les factoreries de Majorque sont abandonnées. L'île se voit aussi impliquée dans les guerres civiles entre Sylla et Sertorius (Plut., *Sert.* 7; Flor., *Epit.* II 10), puis entre César et Pompée (Dion C. XLIII 29,2). Les textes indiquent que, malgré sa condition de *civitas foederata* et son indépendance relative, puisqu'I. frappera sa monnaie jusqu'à Claude, ce qui est exceptionnel, elle est soumise à l'influence et au contrôle direct de Rome. Après le décret de Vespasien (79 ap. J.C.), I. s'intégrera finalement dans l'Empire sous le nom de *Municipium Flavium Ebusitanum*.

Bibl. CIE 07.01-20; PW V, col. 1903-1906; A. García y Bellido, *La colonización púnica*, Historia de España I, Madrid 1960, p. 309-492; M. Tarradell - M. Font, *Eivissa cartaginesa*, Barcelona 1975; J.H. Fernández, *Bibliografía arqueológica de las islas Pitiusas* I-II (TMAI 3, 15), Ibiza 1980-86. JHFern

IBN HANI →Ras Ibn Hani.

ICOSIUM Alger, en pun. *'yksm*, peut-être "Île des hiboux" (cf. hb. *kôs*) ou "Île des Pleines lunes" (cf. *Insula Noctilucae*: Avienus, *Ora* 428-429), gr. *Ikosion*, lat. *Icosium*, arabe *al-Ǧazā'ir*/*Ǧazīra*, c.-à-d. "îlot", par référence aux îlots très proches du rivage, maintenant rattachés au port, site idéal des escales phén.-pun. Les origines pun. d'I. étaient à peine entrevues à travers la légende gr. des vingt (gr. *eíkosi*) compagnons d'Héraklès-Melqart, fondateurs de la cité (Solin XXV 17), et une stèle (néo)pun., anciennement connue. À cela se sont cependant ajoutées les 158 monnaies pun. en plomb et en bronze, frappées *c.* 150-50 av. J.C. (IGCH 2303): l'avers figure Melqart et fournit le nom de la ville *'yksm*. Par ailleurs, on a recueilli dans un puits-dépotoir de la céramique à vernis noir des IIIe-IIe s. av. J.C. Selon Pline, *N.H.* III 19; V 2,20, une colonie de vétérans rom. fut fondée à I. au temps du royaume maurétanien de →Juba II et Vespasien (69-79) accorda à la ville le droit lat.

Bibl. AAAlg, f^e^ 5 (Alger), n° 12; PECS, p. 403-404; Gsell, HAAN II, p. 159-160; J. Cantineau-L. Leschi, *Monnaies puniques d'Alger*, CRAI 1941, p. 263-272; M. Le Glay, *À la recherche d'Icosium*, AntAfr 2 (1968), p. 7-52; Desanges, *Pline*, p. 166-169. SLan-ELip

Fig. 177. Bouclier au dieu de l'orage flanqué de deux génies ailés assyriens, grotte du Mont Ida (VIIIe s. av. J.C.). Héraklion, Musée Archéologique.

IDA, MONT Le massif de l'I. ou *Psiloritis*, au centre de la Crète, est renommé pour la grotte de Kamarès, où la belle céramique polychrome du Minoen Moyen IB-II est venue au jour pour la première fois, et surtout pour le sanctuaire de la grotte de Zeus, sur le versant N.-E. de l'I. Aux VIIIe-VIIe s., on y a accumulé de riches offrandes comprenant des objets décorés d'→ivoires phén. sculptés et des boucliers de bronze à reliefs de style nord-syrien. Sur ces boucliers, conservés au Musée d'Héraklion, figure la Grande déesse, "Maîtresse des fauves", avec des scènes de chasse ou des lions et des griffons, ou encore le dieu de l'orage, flanqué de deux génies ailés assyriens, posant le pied sur la nuque d'un taureau et brandissant un lion qu'il s'apprête à déchiqueter (fig. 177). Ces bronzes d'inspiration et de style si manifestement orientaux ont dû être importés de Syro-Phénicie, tout comme les ivoires de l'I., à moins qu'ils n'aient été fabriqués en Crète par des artisans syriens, auxquels on doit attribuer aussi les cuirasses d'Aphrati, près d'Arkades (Crète), et dont les tombes du VIIe s. y sont venues au jour. Enfin, selon certains mythographes, les Dactyles Idéens habitaient les sommets de l'I., consacrés à Rhéa.

Bibl. RLA VI, p. 236-240; E. Kunze, *Kretische Bronzereliefs*, Stuttgart 1931; id., *Orientalische Schnitzereien aus Kreta*, AM 60-61 (1935-36), p. 218-233; P. Demargne, *La Crète dédalique*, Paris 1947; R.D. Barnett, *Early Greek and Oriental Ivories*, JHS 68 (1948), p. 1-25; K. Galling, *Ein phönizisches Kultgerät (?) aus Epi-Kreta*, WO 5 (1969-70), p. 100-107; J. Boardman, *Orientalen auf Kreta*, in *Dädalische Kunst auf Kreta im 7. Jahrhundert v. Chr.*, Hamburg 1970; F. Canciani, *Bronzi orientali e orientalizzanti a Creta nell' VIII e VII sec. a.C.*, Roma 1970; H. Hoffmann - I.K. Raubitschek, *Early Cretan Armorers*, Mainz a/R 1972; C. Bonnet, StPhoen 3 (1985), p. 233-234; I.A. Sakellarakis, *L'antro ideo. Cento anni di attività archeologica (1884-1984)*, Atti dei Convegni Lincei 74 (1985), p. 19-48.. ELip

IDALION En phén. *'dyl*, akk. *E-di-(')il/al/li*, gr. *Idálion*, capitale d'un petit royaume de →Chypre, situé à l'intérieur de l'île, au N.-O. de Kition. L'identification d'I. est évidente: au S. du village moderne de *Dali* (même nom), avec deux collines dominant la plaine et la ville basse. Signalée pour la première fois au VIIe s. dans la liste des tributaires d'Asarhaddon (fig. 98), I. n'est mentionnée par les auteurs classiques qu'à propos d'un sanctuaire d'Aphrodite, avec →Golgoi. En compensation, une épigraphie locale assez riche, en gr. syllabique ou alphabétique, ainsi qu'en phén., apporte des données importantes. Tout d'abord, *c.* 1850, une fouille clandestine a livré un document insigne en chypriote syllabique, le bronze dénommé "tablette d'Idalion" et donné en 1862 par le Duc de Luynes au Cabinet des Médailles, Paris. Avec deux faces inscrites et 31 lignes intactes, c'est le plus long texte syllabique conservé (ICS 217). Il s'agit d'un accord passé entre le roi Stasikypros et la cité, d'une part, et un groupe de médecins, d'autre part, pour soigner les blessés après un siège de la ville par les Mèdes (Perses) et leurs alliés chypriotes de →Kition. L'événement se situe dans la première partie du Ve s., probablement pas en 499/8, lorsque les Perses écrasent la révolte ionienne à Chypre (→Paphos), mais un peu plus tard, *c.* 478-470. Stasikypros étant apparemment le dernier roi gr., le royaume d'I. disparaît vers cette date, absorbé par celui de Kition, son puissant voisin. On possède quelques légendes monétaires syllabiques, les dernières attribuées à Stasikypros. Un document important de la période kitienne est la bilingue en phén. et gr. syllabique (ICS 220 = CIS I, 89), découverte par R.H. Lang sur le site d'un sanctuaire d'Apollon. Grâce au texte phén., on a pu comprendre peu à peu la partie syllabique et déchiffrer l'écriture correspondante, à partir de 1871. La dédicace est faite par un prince phén., →Baalrôm (3), dans la 4e année du règne de →Milkyaton, roi de Kition et d'I.; sa date exacte, au IVe s., dépend de la chronologie des rois de Kition. Sur le plan religieux, il s'agit d'une dédicace au dieu phén. *Ršpmkl* (→Resheph), assimilé dans la partie gr. à un Apollon "Amyklos". Le caractère de ce dernier est très discuté. Il faut le rapprocher d'un Apollon →"Amyklaios" qui figure sur une inscription gr. alphabétique de même origine, dédiée par des personnages à noms phén., en l'an 47 de l'ère de Kition (264 av. J.C.). Certains voient dans cette épithète l'adoption par des Phéniciens d'un culte gr. d'Apollon Amyklaios bien connu en Laconie (Amyclées), d'autres préfèrent trouver ici un nom ou titre phén. →Mikal, refait à la grecque en Amyklos ou Amyklaios: la question est toujours débattue. Outre ces deux inscriptions, le même site a livré une série de dédicaces purement phén. à *Ršpmkl* (CIS I, 90-94), plus un bronze adressé à "*Ršp hmkl*, celui qui est à I." (Syria 45 [1968], p. 302-313). La présence phén. à I. a donc été importante et anticipa l'incorporation d'I. au royaume de Kition, car on possède d'autres témoignages, parfois plus anciens. Une dédicace à →Anat faite par le roi →Baalmilk II (RÉS 453; cf. 1210) appartient déjà au Ve s., mais le culte de cette déesse assimilée à l'Athéna gr. doit remonter haut, vu la place occupée par Athéna à I. Il existe aussi de petites inscriptions phén. sur des vases, dont l'un remonterait au VIIe s. (RÉS 1522). Il est donc probable que la présence phén. à I. remonte assez haut dans l'histoire du royaume; des témoignages archéologiques vont aussi dans ce sens (fig. 263; pl. VIc).

Bibl. ICS, p. 233-235; PECS, p. 404; PW IX, col. 867-872; SCE IV/2, p. 479-481; Masson-Sznycer, *Recherches*, p. 108-113; L.E. Stager - A. Walker - G.E. Wright (éd.), *American Expedition to Idalion, Cyprus. First Preliminary Report: Seasons of 1971 and 1972*, Cambridge Mass. 1974; F.G. Maier, *Factoids in Ancient History: The Case of Fifth-Century Cyprus*, JHS 105 (1985), p. 32-39; E. Lipiński, *Le Ba'ana' d'Idalion*, Syria 63 (1986), p. 379-382, 421-422; L.E. Stager - A.M. Walker, *American Expedition to Idalion, Cyprus, 1973-1980*, Chicago 1989. OMas

Fig. 178. Stèle votive d'Hadrumète représentant l'idole-bouteille (IVe-IIIe s. av. J.C.). Paris, Louvre.

IDOLE-BOUTEILLE Avec le →"signe de Tanit", l'i.-b. est l'un des motifs iconographiques les plus célèbres des →stèles pun.: flacon à col bas, à panse cylindrique ou arrondie, parfois ovoïde, reposant en général sur un support, socle ou autel. À Carthage, l'i.-b. apparaît sur des cippes du →*tophet* dès la fin du VIe s.: le symbole est alors sculpté en relief sur un trône-autel (fig. 320, 321). À partir du IVe s., l'i.-b. est plutôt gravée sur des stèles à fronton triangulaire. On observe souvent un *V* ou un *U* séparant le col de la panse. Au IIIe s., le motif s'anthropomorphise. L'i.-b. se combine enfin avec d'autres symboles: croissant et disque, caducée, palmette. Elle se retrouve sur les stèles d'→Hadrumète (fig. 178). À la simplicité du symbole s'oppose le problème de son origine et de sa valeur religieuse. L'idée d'une assimilation à un bétyle ou celle d'une origine égéenne ont été abandonnées. Depuis la découverte d'une i.-b. sur un cippe funéraire en forme de *naos* à →Akzib, identique à ceux de Carthage, il faudrait rechercher son origine, sinon constater sa présence au Proche-

Orient au VIe s. Mais ce symbole, dressé sur un autel entre deux *uraei*, apparaît aussi sur les pendentifs retrouvés dans des tombes de Carthage du VIIe s. En dépit de l'analogie symbolique, on ignore quels rapports existent entre ces deux représentations. De ce fait, la signification de l'i.-b. ne semble pas pouvoir être établie avec sûreté. Elle dériverait d'une silhouette humaine momiforme, les bras adhérant au corps, incarnant tour à tour un mort — à Akzib — ou l'enfant divinisé passé par le feu — à Carthage. À défaut de certitude à haute époque, l'anthropomorphisation du symbole à partir du IVe-IIIe s. illustrerait cette proposition. Enfin, certaines i.b., à une époque tardive, peuvent figurer des vases sacrés.

Bibl. C. Picard, *Catalogue du Musée Alaoui. Nouvelle série, Collection punique* I, Tunis (1954-55); A.M. Bisi, *Le stele puniche*, Roma 1967; S. Moscati, *Studi Fenici 1. L'origine dell' "idolo a bottiglia"*, RSF 3 (1975), p. 7-9; C. Picard, *Les représentations du sacrifice* molk *sur les ex-voto/stèles de Carthage*, Karthago 17 (1973-74 [1976]), p. 67-138 (voir p. 87-90); 18 (1975-76 [1978]), p. 5-116 (voir p. 13-14). FBer

IGILGILI En lat. *Igilgili* (CIL VIII,8369; Pline, *N.H.* V 21), phén.-pun. probablement * *'y-glgl(t)*, "(Presqu')île du Crâne", arabe *Ǧiǧil*; ville antique d'Algérie qui occupait une presqu'île basse et que Pol. III 33,12 cite parmi les "villes Métagonites", où →Hannibal (6) leva en 219/8 un contingent de 4.000 fantassins pour renforcer les défenses de Carthage. On ignore ensuite son histoire jusqu'à la fondation, selon Pline, *N.H.* V 21, d'une colonie rom. par Auguste. Les vestiges antiques se limitent aux →tombes (2A). Un groupe de sépultures à inhumation dans des fosses simples, creusées dans le roc, a livré de la céramique de tradition pun. datable entre le VIe et le début du IVe s. Un autre groupe de tombes, en caveaux à puits d'accès, à chambres rectangulaires et au mobilier des IIIe-IIe s., atteste la coexistence de l'incinération et des inhumations multiples.

Bibl. AAAlg, f^e 7 (Bougie), n° 77; PECS, p. 405-406; J. et P. Alquier, *Tombes phéniciennes à Djidjelli (Algérie)*, RArch 31 (1930), p. 1-17; M. Astruc, *Nouvelles fouilles de Djidjelli*, RAfr 80 (1937), p. 199-253 (cf. 92 [1948], p. 273-274); Desanges, *Pline*, p. 174. SLan

IMMI-ASHTART En phén. *'m'štrt* ("Ma mère est Astarté").

1 I., fille d'→Eshmunazor I, (demi?-)sœur et épouse de →Tabnit I, et mère d'→Eshmunazor II, rois de →Sidon dans la première moitié du Ve s. A. fut aussi la grande prêtresse d'→Astarté et probablement la régente du royaume sous le règne de son jeune fils, dont l'inscription funéraire (l. 13-20) attribue à lui-même et à sa mère toutes les constructions de temples et l'incorporation des villes de →Dor et de →Jaffa au royaume de Sidon.

2 I., fille d'Eshmunamos, prêtresse à Carthage vers le IIIe s.

Bibl. Ad 1: CIS I,1 = KAI 14 = TSSI III,28.
Ad 2: CIS I,5947; H. Benichou-Safar, *Les tombes puniques de Carthage*, Paris 1982, p. 209, n° 9. ELip

INIMME En akk. *In-im-me*, phén. * *'nym*, "Source-sur-Mer", localité du royaume de Sidon, annexée en 677/6 par Asarhaddon (AfO, Beih. 9, p. 48, col. III,2). On l'identifie avec *en-Nā'ima* (Liban), à 15 km au S. de Beyrouth, où se trouve l'actuel village d'*el-Na'ameh*.

Bibl. Dussaud, *Topographie*, p. 47-48. ELip

INSCRIPTIONS SUR VASES Les i.s.v. se distinguent des →ostraca du fait qu'elles ont une relation fonctionnelle avec le vase, généralement une jarre ou une amphore, dont elles indiquent le propriétaire, l'expéditeur ou le destinataire, éventuellement le lieu d'origine, parfois le contenu ou la contenance, ou encore la date de la livraison ou l'utilisation qui en est faite. Ces i.s.v. intéressent surtout l'onomastique et, de par leur nature, s'apparentent aux estampilles sur jarre, aux →timbres amphoriques et, dans une certaine mesure, aux →graffiti incisés sous le fond des récipients. Les i.s.v., phén. ou pun., proviennent de diverses régions; certaines sont incisées dans l'argile fraiche, d'autres exécutées après cuisson et éventuellement plus récentes que le récipient lui-même.

1 Phénicie La plus ancienne i.s.v. actuellement connue semble être l'*Épigraphe d'amphore phénicienne du 9e siècle* publiée par P. Bordreuil (Berytus 25 [1977], p. 159-161). Trouvée dans une tombe de →Tambourit, au S.-Liban, elle porte le nom de *'qm*, localité peut-être identique à l'actuelle *'Aqmata*, distante de *c.* 15 km. Plus récentes sont les i.s.v. de →Ras el-Bassit (P. Courbin, Archéologia 116 [1978], p. 58; P. Bordreuil, Archéologie au Levant. Recueil R. Saidah, Lyon 1982, p. 191-192), de Tell →Arqa (id., Syria 54 [1977], p. 25-30; ACFP 1, p. 752-753), de Tell Rachidiyé (id., AHA 1 [1982], p. 137-140; Syria 62 [1985], p. 171-173; fig. 377), d'une tombe de →Khaldé (RÉS 1916), de même que les estampilles trouvées à Byblos (Ch. Virolleaud, Syria 5 [1924], p. 119), Tell →Kazel (P. Bordreuil, Syria 54 [1977], p. 29), →Ras Ibn Hani (id., Syria 58 [1981], p. 297-299) ou Tyr (D. Le Lasseur, Syria 2 [1922], p. 9-10). Les i.s.v. de la Phénicie du S. et de son arrière-pays sont commodément rassemblées chez B. Delavault-A. Lemaire (RSF 7 [1979], p. 1-39), dont on complétera le recueil par les articles d'A. Lemaire (RSF 10 [1982], p. 11-12) et J. Naveh (IEJ 37 [1987], p. 25-30).

2 Chypre Si l'on met à part l'inscription *ḥḥḥ* d'un vase en stéatite du XIe s. (Kition III, F 3) et l'inscription énigmatique de Palaepaphos (V. Karageorghis [éd.], *Palaepaphos-Skales*, Konstanz 1984, p. 416-417), les i.s.v. sont attestées à Chypre à partir du IXe-VIIIe s., aussi bien à →Salamine (M. Sznycer, in *Salamine de Chypre*, Paris 1980, p. 126; V. Karageorghis [éd.], *Excavations in the Necropolis of Salamis* III, Nicosia 1973, p. 229) qu'à →Kition (Kition III, D 2-8; 12-14; 16-17; 23; 25; 29; 31-37; F 5; J.-F. Salles [éd.], *Kition-Bamboula* II, Paris 1983, p. 104-105; M. Sznycer, RDAC 1984, p. 117-121), puis dans la région d'→Idalion, de →Golgoi (Masson-Sznycer, *Recherches*, p. 111-114), de Néa →Paphos (M. Sznycer, RDAC 1985, p. 253-255). Certaines sont d'origine incertaine (p.ex. id., BCH 106 [1982], p. 687-688). On a trouvé aussi à Kition des timbres amphoriques phén. (Y. Calvet, *Kition-Bamboula* I, Paris 1982, p. 47).

3 Égypte Les i.s.v. phén. proviennent d'Éléphantine, où M. Lidzbarski en a répertorié 60 (*Phönizische und aramäische Krugaufschriften aus Elephantine*, Berlin 1912, n°s 1-5; 7-17; 19-30; 33-35; 37-52; 54; 56-57), et de Saqqâra, c.-à-d. de →Memphis, où 18 épigraphes phén. publiées comme ostraca par J.B. Segal (*Aramaic Texts from North Saqqâra*, London 1983, n°s II-VI, VIII, XI-XV, XIX-XXI, XXIII-XXV) pourraient appartenir à la catégorie des i.s.v. On y ajoutera 2 i.s.v. éditées par N. Aimé-Giron (*Textes araméens d'Égypte*, Le Caire 1931, p. 1-4; BIFAO 38 [1939], p. 18-19), 2 i.s.v. de Strasbourg (ESE III, p. 26-28), ainsi que des inscriptions peintes sur des urnes funéraires et une estampille néopun. (ESE III, p. 123-127).

4 Délos On ne connaît jusqu'à présent qu'une i.s.v. néopun. (E. Lipiński, OLP 14 [1983], p. 160-161) et une estampille phén. (P. Bordreuil, BCH 106 [1982], p. 446).

5 Afrique du Nord Une seule épigraphe de Tripolitaine (Trip 92) semble pouvoir être considérée comme une i.s.v., les autres étant des graffiti. Au Maghreb, si l'on excepte les inscriptions pun. peintes sur des urnes funéraires (p.ex. H. Benichou-Safar, *Les tombes puniques de Carthage*, Paris 1982, p. 231-235), qui ne relèvent pas à proprement parler de la catégorie des i.s.v., on ne signalera ici que les →timbres amphoriques (2B) pun. des IVe-IIe s. (F.O. Hvidberg-Hansen, StPhoen 6 [1988], p. 113-118) et les tessons de →Mogador, qui remontent au VIIe s. (J. Février, IAM I, p. 109-123).

6 Malte, Italie Les nombreuses i.s.v. de →Tas Silġ, à Malte, les timbres amphoriques pun. de →Sélinonte, d'→Éryx, de →Lilybée et d'→Hérakleia Minoa, en Sicile, et les i.s.v. de →Sardaigne sont commodément réunis dans ICO.

7 Espagne Les rares i.s.v., estampilles, timbres amphoriques et les nombreux graffiti d'Espagne et des Baléares sont réunis dans le CIE. La plus ancienne i.s.v. de la Péninsule Ibérique est probablement celle de →Huelva, *Kry*, qui pourrait dater de *c.* 700 av. J.C. et livrer le nom *Kuriy*, "Nain?". ELip

INSTITUTIONS Les i. d'un peuple sont les formes de vie sociale que ce peuple accepte par coutume, se donne par libre choix ou reçoit d'une autorité. Elles varient avec les temps et les lieux et sont donc intimement liées à son habitat et à son histoire. Les i. de la →Cité-État orientale ne sauraient, par conséquent, être identiques à celles de →Carthage, dont Aristote décrit la →Constitution, à celles des établissements phén. de l'Occident ou des royaumes punicisés de →Numidie et de →Maurétanie. En dehors des →tarifs sacrificiels, les inscriptions phén.-pun. ne traitent pas directement des questions institutionnelles, mais elles contiennent beaucoup d'informations lesquelles, jointes aux sources gr.-lat., nous font connaître la →société phén.-pun., consituée de citoyens libres et d'→esclaves, tandis que les →traités nous renseignent sur les relations avec les puissances étrangères. Par ailleurs, l'archéologie restitue le cadre réel dans lequel les i. fonctionnaient: les maisons où vivaient les familles, les villes dont l'→urbanisme, l'→architecture, les →palais révèlent un mode de vie, les capitales qui étaient le siège des pouvoirs publics, →royauté, →suffétat, →Sénat, →assemblée du peuple, les portes des villes, où l'on faisait le →droit, où s'exerçait la →fiscalité et où le →commerce se concentrait, les →fortifications que défendait l'→armée, les →ports où mouillaient les →navires, les installations où se fabriquaient les →armes aussi bien que la →pourpre, les ateliers où s'affairaient les membres des →corporations, où l'on travaillait l'→ivoire et les métaux importés des →mines lointaines, où s'exerçaient toutes les formes de l'artisanat, non seulement l'→orfèvrerie et la →métallurgie, mais aussi la →verrerie, la →céramique, →la glyptique, les →nécropoles où s'accomplissaient les rites de →deuil et où se manifestaient les diverses →pratiques funéraires, les →sanctuaires où le →clergé présidait au culte selon un rituel préétabli, où se célébraient les →fêtes, où l'on offrait les →sacrifices et apportait les →offrandes, où se pratiquait la →prostitution sacrée et où s'assemblaient les →associations religieuses. En outre, pour être bien comprises, les i. phén.-pun. doivent être comparées avec celles d'autres peuples du Proche-Orient antique, mais aussi avec les i. de la *polis* gr., avec laquelle les Cités-États phén. et Carthage offrent quelque ressemblance.

Bibl. Gsell, HAAN II, p. 183-286; M. Sznycer, in C. Nicolet (éd.), *Rome et la conquête du monde méditerranéen* II, Paris 1978, p. 478-479,561-585; Huß, *Geschichte*, p. 458-466; J.B. Tsirkin, *Carthage and the Problem of Polis*, RSF 14 (1986), p. 129-141. ELip

INTERDITS CULTUELS Les i.c., qui découlent du caractère sacré de lieux, de personnes vouées à Dieu ou d'activités rituelles, se retrouvent dans toutes les religions. Aucun texte phén.-pun. actuellement connu n'y fait allusion, mais les sources gr. et lat. fournissent à cet égard des renseignements fiables. On a cru trouver un reflet des i. sémitiques dans une loi sacrée de l'Hérakléion de Thasos (→Égée), datée du Ve s. av. J.C. (IG XII, Suppl. 414), mais ses i. s'expliquent dans le cadre des usages gr. En revanche, les inscriptions de →Délos contiennent des détails précieux sur les i. sacrificiels et rituels dans les cultes sémitiques pratiqués dans l'île à l'époque hellénistique. Ainsi un règlement relatif à la pureté rituelle dans le sanctuaire des dieux syriens prévoit trois jour d'impureté après la consommation du poisson et prescrit des ablutions après avoir mangé du porc (ID 2530). La dédicace d'un Ascalonite à Zeus Ourios, →Astarté et Aphrodite Ourania mentionne l'i. de la chèvre, du porc et même de la vache (ID 2305). L'i. frappe aussi le porc et la chèvre dans ID 1720 qui en exclut l'usage pour des sacrifices offerts à →Poséidon d'Ascalon. Le sacrifice et la consommation de la chèvre sont également interdits aux membres d'un thiase d'Héraklès et d'→Horôn, dieux de Yamnia (ID 2308). L'i. du porc valait encore dans le culte du Jupiter Héliopolitain de →Baalbek (CIL III, 3955) et est mentionné aussi par Hérodien V 6,9, Porphyre, *Abst.* I 14, et Sil. It. III 21-22. Ce dernier traite du temple d'Héraklès à →Gadès, dont l'accès était interdit aux femmes et où les prêtres devaient pratiquer la continence sexuelle, se raser la tête, ne fouler que pieds nus le sol sacré et porter un vêtement blanc. Une inscription lat. de →Thuburbo Maius, dédiée à Esculape/→Eshmun et datée du IIe s. ap. J.C. (ILAfr 225), mentionne pareillement l'i. des relations sexuelles, du port de chaussures, de la viande de porc et des fèves, du bain public, mais aussi de la coupe des cheveux, comme dans le naziréat biblique.

Bibl. F. Vattioni, *Appunti africani*, StMagr 10 (1978), p. 13-31 (voir p. 13-21); Bonnet, *Melqart*, p. 358-361. ELip

INTERPRETATIO Procédé relevant du →syncrétisme, mis en œuvre par les cultures anciennes pour parvenir à une identification réciproque des êtres surhumains vénérés dans les religions respectives. La Grèce et Rome assimilèrent leurs propres dieux entre eux et aussi avec les êtres surhumains des populations avec lesquelles ils eurent des contacts. Cette *i. graeca* et *romana* est souvent ambiguë et fuyante, dictée chaque fois par la volonté de "traduire" dans sa propre culture les différents aspects de l'entité divine en cause ou certaines facettes significatives. Ainsi →Baal fut-il assimilé à Zeus, mais peut-être, dans certains cas, à →Poséidon, →Astarté, tantôt à →Héra/Junon, tantôt à Aphrodite/Vénus.

Bibl. S. Ribichini, *Poenus Advena*, Roma 1985. BZanQ

IOL →Cherchel.

IOLAOS Héros béotien vénéré à Thèbes et à Athènes. Neveu d'Héraklès, il le seconda dans ses aventures et, après sa mort, il aida les Héraklides à se fixer. Il emmena les Thespiades et des gens d'Attique en →Sardaigne, où il fonda plusieurs villes, dont →Olbia. Pour remercier I., les Thespiades et leurs compagnons prirent le nom d'Ioléens et lui vouèrent un culte. I. mourut en Sardaigne ou en Grèce, après un voyage en Sicile où il fonda de nombreux sanctuaires en l'honneur d'Héraklès divinisé (Diod. IV 29-30; V 15; Strab. V 2,7; Paus. VII 2,2; X 17,5; Solin XIV 10). Il est invoqué en même temps qu'Héraklès dans le →traité (10) conclu en 215 av. J.C. entre →Hannibal (6) et →Philippe V (Pol. VII 9,2), où il est vraisemblablement l'*interpretatio graeca* d'un dieu phén.-pun. Certains auteurs l'ont identifié à →Eshmun, à cause des liens qui unissaient Eshmun et →Melqart. D'autres ont songé à →Sid, en raison de son lien avec la Sardaigne et de son association à Melqart dans le double nom divin Sid-Melqart (CIS I, 256; 4275). Une légende rapporte par ailleurs que I. ressuscita l'Héraklès tyrien (Melqart), tué par →Typhon en Libye, en lui faisant humer le fumet d'une caille rôtie (Ath. IX 392 d; Zénob. V 56; Eust., *in Od.* XI 600). Pareille tradition fait allusion au rite de mort et de retour à la vie de Melqart, mais on ignore qui I. représente. Peut-être est-il figuré sur un →rasoir carth. qui montre Héraklès sur une face et sur l'autre un jeune homme tenant une plante et des oiseaux.

Bibl. PW IX, col. 1846; Bonnet, *Melqart*, p. 20, 179, 180, 183, 250-252. ARoob

IOMILKOS En gr. *Iōmilkos/Eimilikos*, phén. *Yhwmlk*, "roi (*basiléus*) carthaginois (*karkhedonios*)" qui a offert "une couronne de myrte en or" aux temples d'Artémis et d'Apollon à →Délos, d'après les inventaires déliens des années, notamment, 279, 262 et 140/139. On a proposé de voir en ce I. un →suffète de la Carthage d'Afrique au IVe ou au début du IIIe s. Toutefois, le nom de I. = *Yeḥawmilk* n'apparaît jamais dans l'anthroponymie pun. et I. est mentionné à Délos en compagnie de souverains orientaux tels que Pnytagoras et →Nikokréon de Salamine (Chypre). Aussi a-t-on suggéré par ailleurs de reconnaître en I. un roi de la →Carthage de Chypre qui aurait régné vers le milieu du IVe s.

Bibl. O. Masson, *Le "roi" carthaginois Iômilkos dans les inscriptions de Délos*, Semitica 29 (1979), p. 53-57; E. Lipiński, *La Carthage de Chypre*, StPhoen 1-2 (1983), p. 209-234 (voir p. 219-221). ELip

IOMNIUM Toponyme d'origine vraisemblablement pun., dont l'élément *I-* doit transcrire le mot phén. *'y*, "île". Ce comptoir pun., puis cité portuaire rom., se situe à Tigzirt, en Algérie, où l'on a trouvé une inscription mentionnant I. (CIL VIII, 20716), de nombreuses stèles à →Saturne, des IIe-IIIe s. ap. J.C., et une pierre inscrite lat. faisant mention du "temple du dieu invaincu Frugifer" et du "portique destiné à l'accomplissement des cérémonies sacrées" (CIL VIII, 20711). En cette ville, le culte de Saturne a dû prendre la place de celui de →Baal Hamon.

Bibl. AAAlg, f[e] 6 (Fort National), n° 34; PECS, p. 414; M. Leglay, *Saturne africain. Monuments* II, Paris 1966, p. 301-303. ELip

ISCHIA →Pithécusses.

ISIDORE DE SÉVILLE (*c.* 560-636). Né d'une famille hispano-rom. de →Carthagène, vivant à Hispalis (Séville), I. accéda vers 600 au siège épiscopal. Son inestimable importance historique est double. Il fut le véritable organisateur de l'Espagne wisigothique récemment convertie au catholicisme (589). En tant que savant, le plus grand de son temps, il fit le lien entre l'Antiquité et le Moyen Âge. Son œuvre, couvrant tous les domaines du savoir humain, a profondément influencé la science médiévale. Ses *Etymologiae* ou *Origines*, une encyclopédie en 20 livres, renferment plusieurs allusions au monde phén.-pun. Outre une bonne connaissance de l'histoire du principal établissement phén. d'Espagne, →Gadès (*Orig.* XIV 6,7; XV 1,72), il dresse un tableau de l'expansion phén. en Méditerranée, mentionnant Tyr, Utique, Hippone, Leptis Magna ou Minus, Thèbes en Béotie (→Kadmos), Carthage (*Orig.* XV 1,28-30). On trouvera aussi dans son œuvre, comme chez les lexicographes, des informations sur l'étymologie de certains noms propres d'après le phén.-pun.

Bibl. TRE XVI, p. 310-315; E. Dekkers - A. Gaar, *Clavis Patrum Latinorum*, Steenbrugge 1961², p. 267-277; J. Fontaine, *Isidore de Séville et la culture classique dans l'Espagne wisigothique* I-III, Paris 1959-83; Bunnens, *Expansion*, p. 261-262. HHaub

ISIHIMME En akk. *I-si-ḫi-im-me*, phén. **Yš'ym*, "Salut-sur-Mer", localité du royaume de Sidon, annexée par Asarhaddon en 677/6 (AfO, Beih. 9, p. 48, col. III, 6). ELip

ISIS En ég. *'Is.t*, gr. *Ísis*, akk. *Esi'*, aram. *'sy*, phén. *'s*; personnification du trône royal, qui lui sert de couronne, et déesse-mère égyptienne. Mère d' →Horus et épouse-sœur d' →Osiris, elle remplit aussi un rôle funéraire. Elle devient la déesse des femmes, du mariage et de l'amour, notamment à cause de son assimilation avec →Hathor, dont elle emprunte parfois la couronne formée d'un disque solaire encadré de deux cornes de vache, ainsi sur la stèle de →Yehawmilk, où la →Baalat Gubal est représentée en I.-Hathor (fig. 365). I. est liée à la fécondité agraire et elle est la patronne de la magie. Protectrice des marins, I. (Pharia) est vénérée à Péluse et au Kasion (RArch 1986, p. 51-52); elle figure à l'époque rom. sur des monnaies de →Byblos et de Ptolémaïs→Akko. Dans la →Grotta Regina, près de Palerme, elle est mentionnée dans une inscription néopun. qui surmonte un bateau, et une inscription de →Délos est dédiée à I. Sôteira Astarté Aphrodite Euploia (ID 2132). En effet, des textes gr. (ID 2101; hymne d'Isidoros; *Pap. Oxy.* 1380) et phén. (statuette d'I. Lactans CGC 39291 et stèle d'Horus CGC 9402) prouvent qu'I. peut être identifiée dans un milieu phén. à →Astarté. Selon Plut., *Is. Os.* 13-16, I. s'est rendue à Byblos pour chercher le cercueil contenant le corps de son mari. Elle est devenue la nourrice du prince de Byblos et elle a obtenu du roi le tronc d'arbre qui avait grandi autour du cercueil et qui était devenu le pilier central du palais. À l'époque de Plutarque, ce tronc d'arbre était vénéré à Byblos dans le temple d'I. Aristide, *Apologie* 12, dit qu'après la mort d'Osiris, I. s'est enfuie à Byblos avec son fils et qu'elle est restée là jusqu'à ce qu'il fût devenu adulte. Dans le temple d'I. à Philae, c'est →Anat qui est appelée mère d'Horus (H. Junker-E. Winter, *Das Geburtshaus des Tempels der Isis in Philä*, Wien 1965, II, p. 391), ce qui montre l'assimilation d'Anat à I. Depuis le VIIIe s., des noms théophores témoignent en milieu phén. et pun. du caractère bienfaisant et protecteur d'I. Son culte florissait à Chypre; à Carthage, elle avait un temple aux IIIe-IIe s. (CIS I, 6000bis) et, à l'époque rom., plusieurs *Isea* sont connus en Afrique du N. On la rencontre régulièrement dans le monde phén.-pun. sous forme d' →amulettes et sur des scarabées, des →rasoirs, des bandes magiques et des →ivoires. Elle est parfois représentée les ailes étendues, protégeant le jeune dieu solaire (fig. 158, 276a; →Harpocrate), d'où provient vraisemblablement l'image de →Tanit ailée.

Bibl. LÄg III, col. 186-203; VI, col. 920-969; *BMC. Phoenicia*, p. 97, 99-100, 103-104, 136; Vercoutter, *Objets*; R. du Mesnil du Buisson, *Études sur les dieux phéniciens*, Leiden 1970; Benz, *Names*, p. 271-272; M. Dunand, *Le culte d'Isis*, Leiden 1973; G. Sfameni Gasparro, *I culti orientali in Sicilia*, Leiden 1973, p. 98-100, 251-252; S. Ribichini, in *Saggi Fenici* I, Roma 1975, p. 9-10; Gamer-Wallert, *Funde*; J. Padró Parcerisa, in *La religión romana en Hispania*, Madrid 1981, p. 335-351; E. Lipiński, OLP 15 (1984), p. 108-111; Hölbl, *Kulturgut*; A. Lemaire, StPhoen 4 (1986), p. 87-88, 93-94. PDils

ISLA PLANA →Ibiza.

ISRAËL ET JUDA **1 Époque prémonarchique** Les relations entre la Phénicie et I. remontent à la période initiale de l'histoire israélite. En effet, la description du territoire d'Asher en *Jos.* 19,24-31 attribue à cette tribu une vaste région englobant la plaine d' →Akko et le Mont →Carmel, terres traditionnellement phén. Selon *Jg.* 1,31-32, toutefois, les possessions réelles d'Asher se bornaient aux collines occidentales de la Basse Galilée, à l'E. d'Akko et des villes de la plaine côtière. Les Ashérites entretenaient cependant des rapports avec les ports phén., ce qui fait dire à *Jg.* 5,17 qu'ils sont "assis au bord de la mer". Ils en tiraient divers avantages, auxquels *Gn.* 49,20; *Dt.* 33,24 font allusion en évoquant la vie aisée que les Ashérites menaient au temps de Salomon.

2 Royaumes d'Israël et de Juda →Hiram I, roi de Tyr, entretenait de bonnes relations avec David et Salomon, auquel il a acheté le district de →Kabul (*1 R.* 9,11b-14), à l'E. de la plaine d'Akko. Les Tyriens ont toujours été intéressés par cette région dont ils tiraient une partie notable de leur approvisionnement en denrées alimentaires. D'après *1 R.* 5,25, Salomon exportait annuellement du blé et de l' →huile vers Tyr, et ce commerce continua plus tard, comme l'indiquent les pithoi israélites des IXe-VIIe s., trouvés à Tyr. I. recevait en échange des matériaux de construction (*1 R.* 5,24) et des produits d'artisanat, tels que les →ivoires de Samarie ou le bol en métal de Megiddo (OIP 42, p. 115:12). Ces relations ont été cimentées au IXe s. par un mariage dynastique, celui de la fille du roi →Ittobal I de Tyr (*c.* 878-847), →Jézabel, avec Achab d'I. (*1 R.* 16,31-33), et l'épithalame royal du *Ps.* 45 célèbre les noces d'un roi israélite avec une princesse tyrienne (*Ps.* 45,13). Ces contacts israélo-tyriens n'ont pas manqué d'avoir aussi des répercussions religieuses, tant en I. (*1 R.* 18,20-40) qu'en J. (*2 R.* 11,18). C'était, par ailleurs, l'époque où Assurnasirpal II, Salmanasar III et Adad-nirari III menaient leurs campagnes en Syrie, Phénicie et I. (→Assyrie), amenant les princes de ces régions à se coaliser pour faire face au danger. Le tribut imposé par l'Assyrie, puis l'occupation babylonienne, ont stimulé, semble-t-il, l'activité commerciale phén., comme l'indique *Ez.* 27,12-14, basé vraisemblablement sur une documentation tyrienne des VIIe-VIe s. I. et J. y figurent parmi les partenaires commerciaux de Tyr (*Ez.* 27,17), tandis que l'élégie d'*Is.* 23 montre à quel point le sort des cités phén. intéressait alors I. et J.

3 Époque exilique et postexilique Les oracles prophétiques contre Tyr, en *Ez.* 26-28; *Jl* 4,4-8; *Am.* 1,9-10; *Za.* 9,2b-4, témoignent toutefois d'une détérioration des rapports à partir du VIe s., probablement à la suite des avantages que les Phéniciens ont su tirer de la ruine du royaume de J. en 587. Ils ont notamment vendu des prisonniers judéens comme esclaves (*Am.* 1,9-10; *Jl* 4,6-8) et étendu leur influence vers l'intérieur des terres, en →Galilée, en →Samarie et jusqu'à →Jérusalem, où l'on trouve des marchands tyriens au temps de l'Empire perse (*Ne.* 13,16). À l'époque hellénistique et gr.-rom., les Phéniciens ont maintenu d'étroits rapports commerciaux avec les anciens territoires d'I. et de J. En font preuve, p.ex., les monnaies et estampilles phén. de

Sichem, où Fl. Jos. semble attester l'existence, dès l'époque d'Alexandre le Grand, d'une colonie de "Sidoniens de Sichem" (*A.J.* XI 344; XII 257-264), puis la création de la colonie sidonienne de →Marésha, au IIIe s., qui devint un important marché d'esclaves (Pap. Zénon 59015; 59537), le récit de *2 M.* 4,18-20 et le grand nombre de monnaies tyriennes trouvées en Palestine. Au temps des guerres des Maccabées, Tyr, Sidon et Akko ont attaqué les Juifs de Galilée (*1 M.* 5,14-23; Fl. Jos., *A.J.* XII 331ss.) et la victoire de Simon Maccabée n'a pas mis un terme à l'expansion tyrienne qui a atteint le Haut Jourdain et s'est affirmée si bien en Haute Galilée que *Mc.* 7,24 semble appeler cette région "territoire de Tyr". En revanche, Hérode le Grand (40-4 av. J.C.) étendit son activité de bâtisseur aux cités de la →Phénicie proprement dite (Fl. Jos., *B.J.* I 422-425).

Bibl. CAH II/2[3], p. 537-605, 992-1004; III/1[2], p. 442-510, 955-966; CHJ I, p. 70-114, 412-420; DEB, p. 631-635, 693-694; TRE XVI, p. 368-379; F.C. Fensham, *The Treaty between the Israelites and Tyrians*, VTS 17, Leiden 1969, p. 71-87; A. Ben-David, *Jerusalem and Tyrus. Ein Beitrag zur palästinischen Münz- und Wirtschaftsgeschichte (123 a.C.-57 p.C.)*, Tübingen 1969; H.-P. Müller, *Phönizien und Juda in exilisch-nachexilischer Zeit*, WO 6 (1971), p. 189-204; H.J. Katzenstein, *The History of Tyre*, Jerusalem 1973; E. Schürer, rev. et éd. par G. Vermès - F. Millar - M. Black, *The History of the Jewish People in the Age of Jesus Christ (175 B.C.-a.D. 135)* I-III, Edinburgh 1973-87; B. Peckham, *Israel and Phoenicia*, Magnalia Dei. The Might Acts of God. In Memoriam G.E. Wright, Garden City 1976, p. 224-248; H.S. Hanson, *Tyrian Influence in the Upper Galilee*, Cambridge Mass. 1980; H. Donner, *The Interdependence of International Affairs and Foreign Policy during the Davidic-Solomonic Period*, T. Ishida (éd.), *Studies in the Period of David and Solomon*, Tokyo 1982, p. 205-214; id., *Israel und Tyrus im Zeitalter Davids und Salomos*, JNSL 10 (1982), p. 43-82; S. Geva, *Archaeological Evidence for the Trade between Israel and Tyre ?*, BASOR 248 (1982), p. 69-72; F.C. Fensham, *The Relationship between Phoenicia and Israel during the Reign of Ahab*, ACFP 1, Roma 1983, p. 589-594; J.H. Hayes, *A History of Ancient Israel*, Philadelphia 1986; B. Mazar, *The Early Biblical Period. Historical Studies*, Jerusalem 1986. ELip

ITALIE L'I. est, avec la Tunisie et l'Espagne, l'un des trois pays de la Méditerranée occidentale qui possèdent le plus de témoignages archéologiques sur les civilisations phén. et pun. Depuis un quart de siècle la recherche archéologique y est intense, avec l'exploration des principaux sites phén. de Sicile (→Motyé), de Sardaigne (→Tharros, →Sulcis, →Monte Sirai, →Bitia, →Nora, entre autres) et l'étude de la présence phén. et orientale dans la communauté gr. de →Pithécusses. L'implantation phén. en Italie remonte au moins à la fin du IXe s., date cependant incertaine dans la mesure où les documents les plus anciens — deux inscriptions de Nora — ne peuvent être datés avec précision. Les témoignages archéologiques proprement dits, essentiellement des céramiques, ne sont pas antérieurs à la fin du VIIIe s., dans l'état actuel de nos connaissances. Quoi qu'il en soit, on peut raisonnablement penser à des installations phén. en Sardaigne contemporaines de la fondation de Carthage, *c.* 814 selon des traditions littéraires de plus en plus crédibles.

Les fouilles dans les sites phén. n'ont pas encore donné de résultats décisifs pour la phase d'occupation la plus ancienne, encore que de nombreux travaux sur les →pratiques funéraires dans les nécropoles et le →*tophet* soient en cours. L'essentiel a jusqu'à présent consisté dans la mise en évidence d'une pénétration à l'intérieur des terres sardes dès le milieu du VIIe s. (Monte Sirai) et du développement — surtout à partir de la phase pun., après la fin du VIe s. — de l'activité de nombreux ateliers portant témoignage d'un artisanat développé, permettant la production locale de bijoux (Tharros), de petits objets de luxe, tels qu'intailles ou scarabées, de céramiques peintes, p.ex. avec décor de bandes, et surtout de →stèles sculptées; ces dernières, très abondantes, se retrouvent pratiquement partout, sauf à Bitia, en liaison avec les pratiques du *tophet*. Mais de nombreux éléments d'→urbanisme restent à mettre en valeur, après l'étude amorcée des →fortifications, celles de Motyé ayant fait l'objet des études les plus précises. Dans la péninsule elle-même, les recherches ont permis de montrer la présence de Phéniciens (et/ou de "Syriens") vivant aux côtés des →Eubéens à Pithécusses: on a pu proposer de reconnaître des familles issues de mariages mixtes à partir de l'étude des nécropoles. En Étrurie (→Étrusques), des travaux récents ont apporté de nombreuses précisions sur l'arrivée — à la fin du VIIIe et au VIIe s. — d'objets et de techniques orientales. Derrière le phénomène →orientalisant, on entrevoit l'émergence d'un artisanat local, stimulé par la venue d'artisans et l'apport de matières nouvelles aptes à recevoir un décor, p.ex. →ivoires, →œufs d'autruche, coquilles. Mais jusqu'à présent on ne connaît pas d'implantation phén. indépendante ni même de "quartier" d'Orientaux dans les villes étrusques. Par contre, on sait que le sanctuaire de →Pyrgi était fréquenté par des Carthaginois au début du Ve s.: si on a senti le besoin de rédiger en phén. une inscription comme celle de Pyrgi, c'est probablement parce qu'une partie du clergé comprenait cette langue.

Bibl. D. et F.R. Ridgway (éd.), *Italy before the Romans*, London-New-York-San Francisco 1979; S. Moscati, *Italia punica*, Milano 1986. MGras

ITANOS Ville antique à la pointe N.-E. de Crète, dont l'éponyme aurait été fils de →Phoenix ou bâtard de l'un des Kourètes (Ét. Byz., s.v.). On s'est basé sur cette légende et sur le nom de la ville, rapproché du phén. *ytn*, "donner", pour conjecturer la fondation phén. d'I., que rien ne confirme jusqu'à présent. I. était un port de pêche du murex (→pourpre) selon Hdt. IV 151.

Bibl. PECS, p. 420-421. ELip

ITHAQUE En gr. *Ithákē*, patrie d'Ulysse et une des îles Ioniennes, situées sur la route septentrionale de la Méditerranée, la seule qui soit attestée littérairement pour la navigation phén. (cf. *Od.* XV 455-458) et qui explique leur mention probable dans *Ez.* 27,6, sous le nom d' "îles d'Ulysse" (*'yy 'lyšh* →Élisha). On a cherché une étymologie sémitique pour le nom d'I., que l'on a rapproché de celui d'Utique, mais rien ne justifie l'hypothèse d'une installation de Sémites à I.

Bibl. PECS, p. 421. ELip

ITTOBAAL En phén. *'tb'l*, hb. *'Etba'al*, akk. *Tuba-ìl/Tu-ba-'-lu/lu₄*, gr. *(E)ithóbalos*, anthroponyme dont la vocalisation est donnée par les transcriptions assyriennes et gr. Il signifie "Baal (est) avec lui". Noter cependant que d'autres vocalisations sont possibles, comme le montre la transcription lat. *Itibalis*, "Baal (est) avec moi" (CIL VIII, 23372). Plusieurs personnages historiques ont porté ce nom.

1 I., roi de Byblos, fils d'→Ahiram (Xe s.). Il fit graver la fameuse inscription qui orne le sarcophage de son père (fig. 7; KAI 1 = TSSI III,4).

2 I. I, roi des Sidoniens (IXe s.), père de →Jézabel épouse d'Achab d'Israël. Selon Fl. Jos., *C. Ap.* I 123, il aurait été prêtre d'→Astarté et se serait emparé du trône en assassinant son prédécesseur. Son règne, suivant la même source, aurait duré 32 ans. L'historien Ménandre d'Éphèse, cité par Fl. Jos., *A.J.* VIII 324, lui attribue la fondation de Botrys (→Batroun) en Phénicie et d'→Auza en Libye. Le titre de "roi des Sidoniens", que lui donne la Bible, doit sans doute s'entendre comme signifiant roi d'un ensemble politique qui regroupe Tyr et Sidon. Fl. Jos. le dit "roi des Tyriens et des Sidoniens" (*A.J.* VIII 317; IX 138), voire simplement "roi des Tyriens" (*A.J.* VIII 324), et le mentionne dans la liste des rois de Tyr qu'il paraît avoir empruntée à Ménandre d'Éphèse (*C. Ap.* I 123).

3 I. II, roi de Tyr au temps de Téglat-Phalasar III (milieu du VIIIe s.). Une stèle retrouvée en Iran, datant vraisemblablement de 737, le mentionne parmi les tributaires du roi d'Assyrie.

4 I., roi de Sidon, placé sur le trône par Sennachérib en 701 après la fuite et la mort de →Lulî. Cet événement pourrait coïncider avec la scission du royaume qui regroupait Tyr et Sidon.

5 I. III, roi de Tyr contre qui Nabuchodonosor mena un siège de treize ans (Fl. Jos., *C. Ap.* I 156; *A.J.* X 228).

Bibl. H.J. Katzenstein, *The History of Tyre*, Jerusalem, 1973. GBun

ITUCI En lat. *Ituci Virtus Iulia*, ville de Bétique, non encore localisée, qui a émis au IIe s. av. J.C. des monnaies à légende pun., dont la lecture n'est pas assurée (→numismatique 5).

Bibl. A. Tovar, *Iberische Landeskunde* II/1, Baden-Baden 1974, p. 131. ELip

ITURÉENS Population d'origine arabe qui s'est établie à l'époque hellénistique dans la →Béqaa libanaise, autour de Chalcis (*Anğar*) et de →Baalbek, qui fut leur centre religieux et où le culte d'une triade divine au temps de l'Empire rom. paraît refléter l'influence arabe. Le pouvoir des princes i. semble s'être étendu au début du Ier s. av. J.C. jusqu'à la Méditerranée. Le territoire des I. fut intégré à la province rom. de Syrie.

Bibl. E. Schürer, rev. et éd. par G. Vermès - F. Millar, *The History of the Jewish People in the Age of Jesus Christ* I, Edinburgh 1973, p. 561-573; W. Schottroff, *Die Ituräer*, ZDPV 98 (1982), p. 125-152; E.A. Knauf, *Ismaël*, Wiesbaden 1985, p. 80-81. ELip

IUNIUS PULLUS, L. Consul en 249, issu d'une famille plébéienne. I. avait pour mission en 249 de ravitailler les troupes se trouvant devant →Lilybée. Au départ de Syracuse, il envoya la moitié des bateaux sous la conduite des questeurs en direction de Lilybée (Pol. I 52,5-8; Diod. XXIV 1,7). Ce premier groupe fut cependant obligé par le navarque carth. →Carthalon (2) de jeter l'ancre près de Phintias, qui se trouvait dans la partie de la Sicile contrôlée par les Romains (Pol. I 53,7-13; Diod. XXIV 1,7). Lorsque I. quitta Syracuse avec le deuxième groupe, il n'était pas encore renseigné sur les événements de Phintias. Près de la côte S. de la Sicile apparut à l'improviste la flotte plus puissante de Carthalon et I. se vit obligé de jeter l'ancre près des falaises de Kamarina. La flotte rom. périt presque entièrement dans une tempête (Pol. I 54,8; Diod. XXIV 1,8-9; Eutr. II 26,2; Orose, *Adv. Pag.* IV 10,3; Zon. VIII 15,13-14). Pour contrebalancer cet échec, I. lança des actions offensives dans l'*epikráteia* carth. et s'empara d'→Éryx (Pol. I 55,5-10; Diod. XXIV 1,10; Zon. VIII 15,14), mais lors de la renconquête du fort d'Aigithallos par Carthalon, il tomba entre ses mains ([Diod. XXIV 1,11]; Zon. VIII 15,14).

Bibl. PW X, col. 1080-1081 (133); M. Gwyn Morgan, *Calendars and Chronology in the First Punic War*, Chiron 7 (1977), p. 105-109; Huß, *Geschichte*, p. 244-246. WHuß

IVOIRES 1 Art A *Orient.* Quelques découvertes sporadiques faites dans la région côtière (Sidon), ainsi qu'un bel ensemble de →Kamid el-Loz (fig. 188-191), témoignent du raffinement du travail de l'i. au XIVe s. av. J.C. Les boîtes à fard en forme de canard, les boîtes de jeux, les figurines, ainsi que de petits masques, démontrent l'aspect international de cette production dont d'autres exemples furent trouvés à →Ugarit et à →Megiddo. Dès le début du Ier mill., les références à l'i. se multiplient dans les textes assyriens énumérant le tribut prélevé sur les rois de la côte ou envoyé à la Cour assyrienne. Des défenses d'éléphant furent trouvées dans la tombe d'→Ahiram, roi de Byblos, et les bandes ornementées de

Fig. 179. Plaquette ornementale en ivoire ajouré, Arslan Tash (IXe s. av. J.C.). Karlsruhe, Musée de Bade.

→Balawāt les représentent dans le tribut de Tyr et de Sidon (pl. II-IIIc). Aux meubles en i. trouvés à →Salamine et aux ornements de meubles de →Samarie s'ajoutent des centaines de pièces semblables découvertes à →Nimrud (fig. 162, 314-316; pl. IX-X), Khorsabad, →Arslan Tash (fig. 179) et d'autres sites. Ces ensembles complètent l'horizon typologique du travail de l'i. phén. qui comporte des pyxides et des récipients de formes diverses, des ornements du harnachement de chevaux, des manches de miroirs, des chasse-mouches, des épées ou des poignards, des sceptres, etc. Les ornements de meubles constituent toutefois le lot le plus important avec des éléments de trônes, de tables, de guéridons, de tabourets. Sur le plan technique, on distingue quatre groupes majeurs: a) les plaquettes rectangulaires ou en forme de trapèze du frontal (fig. 162, 314-316) ou de l'œillère du harnais, ornées d'un relief en champlevé; b) les plaquettes ajourées (fig. 180; pl. X); c-d) les pièces des groupes a-b combinées avec des inscrustations de pierres semi-précieuses ou de pâtes de verre ("bleu égyptien": pl. IX). Dans chacun de ces groupes, des critères d'ordre stylistique et iconographique permettent de rassembler des pièces exécutées dans un même atelier, voire par un même artiste. Une telle classification n'aura toutefois de sens que lorsque l'ensemble du matériel sera publié et que la reprise des fouilles au Liban aura fourni assez de données permettant d'assigner ces groupes à des centres de production déterminés. Cependant, il est établi que les productions de certains ateliers ou artistes se chevauchent considérablement et on a tenté d'attribuer un de ces groupes à un centre phén.-araméen de →Damas. Quant à l'iconographie, les motifs communs s'inspirent le plus souvent de l'art égyptien (naissance de →"Harpocrate", déesses ailées, →sphinx), un phénomène apparent également dans le choix de motifs secondaires ou de certains éléments de remplissage (frises, éléments végétaux, symbôles, pseudo-hiéroglyphes). Enfin, cette forme d'égyptomanie se rencontre même dans des compositions figurant des scènes qui relèvent des domaines de la religion locale, mais où les personnages portent des vêtements ou sont dotés d'attributs "à l'égyptienne". Toujours d'un point de vue iconographique et stylistique, les i. phén. du VIIIe s. av. J.C. constituent un véritable trait d'union entre les rares témoignages de l'art local antérieur — relevant presque exclusivement de la →glyptique — et ceux de l'époque postérieure à cet "âge d'or". Quant à ces derniers, il faut souligner l'étroite relation entre la thématique des i. et celle des →coupes métalliques dont la distribution va de pair avec l'essaimage des maîtres-ivoiriers vers l'Occident. Ce mouvement se dessine très nettement dès la fin du VIIIe s. et semble se diriger vers Carthage (fig. 180) et (de là) vers l'Étrurie, où il engendra, dans le premier cas, une production locale. En Phénicie même, l'art de l'i. connaîtra une renaissance éphémère sous la domination achéménide (fig. 186), puis à l'époque hellénistique. EGub

B *Monde punique.* Les plus anciennes nécropoles de →Carthage, à Dermech, sur la colline de Junon et à →Byrsa, ont livré de petites plaquettes d'i. incisé et

Fig. 180. Fragment de plaquette ornementale en ivoire ajouré, Byrsa, Carthage (VIIe s. av. J.C.). Carthage, Musée National.

colorié, qui ornaient divers objets déposés dans des tombes du VIIe s. av. J.C., ainsi que deux manches de miroir (fig. 181-182). Les fouilles récentes de la nécropole archaïque de Byrsa ont livré en outre un ensemble d'i. ajourés qui devaient servir à l'ornementation de pièces d'ébénisterie (fig. 180). La découverte, dans le même contexte, de tranches d'i. destinées à être ouvrées prouve que l'on travaillait l'i. à Carthage dès le milieu du VIIe s., selon la tradition de l'ivoirerie syro-phén., bien que l'on ne puisse pas exclure des importations de l'Orient. En ce qui concerne les peignes d'i. (Phén 198), découverts dans des tombes de la même époque ou du début du VIe s., au plus tard, on a depuis longtemps noté leur style égyptisant et leur grande analogie avec les i. hispano-phén. (fig. 183). Beaucoup plus récentes sont en revanche les plaquettes figurant une scène égypto-orientalisante ou mythologique, datant des IIIe-IIe s. av. J.C. Des fragments d'i. furent trouvés aussi à Malte, dans le temple de →Tas Silġ; ils peuvent remonter au VIIe-VIe s., tout comme des i. venus au jour à →Tharros et à →Monte Sirai, en Sardaigne, où le travail de l'i. semble avoir trouvé un marché aux VIIe-IIe s., avec des pièces importées et des produits locaux d'un art moins consommé. ELip

C *Espagne.* Les riches sépultures tartessiennes de la région de Carmona (province de Séville) et de →Huelva ont livré d'importants ensembles d'i. phén. des VIIe-VIe s. Les principales trouvailles proviennent des tombes "princières" d'Acebuchal, d'Alcantarilla, de Bencarrón, de la Cruz del Negro (fig. 184), de Santa Lucía, d'Osuna, de Setefilla et de La Joya. D'autres i. ont été trouvés en Estrémadure, dans des sanctuaires indigènes, p.ex. à Cancho Roano (→Zalamea de la Serena), dans des tombes ou des habitats, comme à Medellín, près de Cacérès. Ce sont surtout des plaquettes incisées, des fragments de coffrets, des pyxides et des peignes portant un décor incisé, ciselé ou sculpté en bas-relief. L'uniformité relative du décor et des motifs iconographiques trahit une production artisanale issue d'un atelier phén. local, établi probablement dans la sphère d'influence de →Gadès et visant à satisfaire la demande d'un vaste marché local. Quelques pièces, p.ex. le coffret à charnières d'argent découvert à La Joya (Huelva), peuvent être des importations orientales. C'est certainement du même atelier hispano-phén. que pro-

Fig. 181-182. Manches de miroir, ivoire, nécropoles de Douimès (à gauche) et de Junon (à droite), Carthage (VIIe s. av. J.C.). Carthage, Musée National.

viennent les peignes d'i. trouvés dans la nécropole de Junon, à Carthage, et dans l'Héraion de →Samos (fig. 185). Toute la thématique décorative est d'inspiration phén. et reproduit les motifs classiques de griffons, arbres sacrés, chars, figures ailées égyptisantes, lions et sphinx. Certes, nombre de traits iconographiques reflètent un art phén. provincial, mais ces i. témoignent, par ailleurs, d'une certaine créativité dans le dessin et l'exécution des motifs, qui les distingue des prototypes orientaux. Elle se manifeste surtout dans le tracé et la disposition des motifs animaux et végétaux, ainsi que dans la forme des cuillères et des palettes à fard, qui sont des créations manifestement occidentales. La décoration s'en tient généralement à un schématisme plus ou moins accusé, dont le symbolisme primitif peut être absent, la fonction architectonique et décorative des figures prenant le pas sur leur signification religieuse ou mythopoétique. À ce point de vue, les i. hispano-phén. s'apparentent au genre d'ornementation des i. de Carthage et au décor en frises des →coupes métalliques phén. découvertes en Étrurie, dans le Latium et à Chypre, et datant des VIIIe-VIIe s. Ce qui domine de part et d'autre, ce sont les scènes de lutte entre animaux — lions, griffons, sphinx —, les figures en position figée devant un arbre sacré, les héros casqués combattant un lion ou un griffon, les cavaliers, les chèvres et gazelles, les palmettes, fleurs de lotus, etc. Les i. hispano-phén. représentent la dernière et la plus occidentale manifestation de l'ivoirerie phén. archaïque; conservant jusqu'en plein VIe s. un répertoire entièrement oriental, ils lui donnent une forme artistique figurative qui est, à divers titres, conservatrice et archaïsante. MEAub

2 Commerce Les Phéniciens ont joué un rôle prééminent dans le →commerce de l'i. brut et des objets d'i. entre le IXe et le VIIe s. Cette spécialisation ne s'explique sans doute pas par l'existence, jusqu'au VIIIe s., d'un éléphant local dit syrien, mais plutôt par leur rôle dans un trafic de matière première de luxe à très longue distance: l'i. et peut-être même des éléphants sur pied arrivaient des Indes jusqu'à la côte syrienne suivant une route terrestre jalonnée par des trouvailles archéologiques, encore en usage à l'époque hellénistique. L'i. venait aussi d'→"Ophir" (*1 R.* 10,22) ou d'Afrique par le comptoir de Mogador (cf. Skyl. 112). Les Phéniciens le redistribuaient vers l'Assyrie, sous forme de tribut (ARI II, 586; ANET, p. 291a; Iraq 13 [1951], p. 23), vers le royaume d'Israël (*1 R.* 22,39; *Am.* 3,15) et vers l'Égée depuis la fin du IIe mill. (→Ulu Burun; *Ez.* 27,15). Le commerce phén. de l'i. doit avoir profité de l'expansion assyrienne, mais la conquête d'Alexandre ne le développa pas de la même façon: le rôle des Phéniciens est alors ponctuel (IG XI/2, 203, A, 71). Depuis le Ve s. (Ath. I 27f), l'i. de Grèce vient d'Afrique et Carthage en exporte vers la Sicile, l'Italie et l'Espagne. Les

Fig. 183-185. Peignes en ivoire: (183) Carthage (fin du VIIe s. av. J.C.); Tunis, Bardo. (184) Cruz del Negro (VIIe s. av. J.C.). New York, Hispanic Society of America. (185) Samos (c. 640-630); Samos, Musée de Vathy.

Fig. 186. Sphinx ailés à tête de Bès, ornement de meuble ou de boîte en ivoire, Sidon (Ve s. av. J.C.). Coll. privée.

défenses voyageaient entières et l'on commercialisait aussi l'i. d'hippopotame, sans doute chassé en Syrie. L'i. importé était travaillé dans les ports phén. (Sarepta; Byblos; Tyr: *Ez.* 27,6) qui se firent une spécialité de l'exportation d'i. d'art: pyxides, amulettes et surtout plaques ouvragées destinées à être incrustées dans des bijoux ou des meubles. L'aire de diffusion de ces objets est déterminée par des sources littéraires (Jérusalem, trône de Salomon: *1 R.* 2,18) et par l'archéologie sur la base de critères stylistiques et parfois d'objets inscrits en phén. (Assyrie: NESE 2 [1974], p. 48, nº 7; Athènes: IG II-III², 1456, 42). Il s'agit de circuits proprement commerciaux: par voie de terre vers les palais assyriens (Khorsabad, Nimrud, Arslan Tash, Sultantepé, Karkémish), puis la Palestine (Meggido, Samarie, Lakish, Beth-Zur); par mer vers les îles de l'Égée (Chypre, Crète, Rhodes, Samos) et l'Occident (Carthage, Préneste, Tharros, Carmona). Ce commerce de luxe connut son apogée aux VIIIe-VIIe s., preuve qu'il reçut bien son impulsion des rois assyriens; à l'époque gr.-rom., on n'en possède plus que des témoignages sporadiques (Plaute, *St.* 367-383; Héliodore, *Aethiop.* V 29,2). Les Phéniciens n'eurent jamais le monopole du commerce de l'i. dans leurs zones d'influence: il fallait compter avec l'i. nord-syrien, dont la diffusion est antérieure, puis avec une production locale, à Damas à partir de 750, et à Carthage au VIIe s. MFBas

Bibl. DEB, p. 398; M.L. Uberti, *Gli avori e gli ossi*, I Fenici, Milano 1988, p. 404-421.

Ad 1A: M.E.L. Mallowan, *Nimrud and Its Remains* I-II, London 1966; *Ivories from Nimrud* I/2, II-IV, London 1967-87; R.D. Barnett, *A Catalogue of the Nimrud Ivories in the British Museum*, London 1975²; I.J. Winter, *Is there a South Syrian Style of Ivory Carving in the Early First Millennium B.C. ?*, Iraq 63 (1981), p. 101-130; R.D. Barnett, *Ancient Ivories in the Middle East and Adjacent Countries*, Jerusalem 1982, p. 43-55 (bibl.); R. Echt, *Les ivoires figurés de Kāmid el-Lōz et l'art phénicien du IIe millénaire*, StPhoen 3 (1985), p. 69-83.

Ad 1B: A.M. Bisi, *Une figurine phénicienne trouvée à Carthage et quelques monuments apparentés*, Mélanges de Carthage 1966, p. 43-53; ead., *I pettini d'avorio di Cartagine*, Africa 2 (1967-68), p. 11-51; S. Moscati, *Gli avori del santuario di Giunone a Malta*, Studi E. Volterra VI, Milano 1969, p. 269-274; M.E. Aubet, *Los marfiles orientalizantes de Praeneste*, Barcelona 1971; S. Lancel, *Ivoires phénico-puniques de la nécropole archaïque de Byrsa, à Carthage*, ACFP 1, Roma 1983, p. 687-692; *30 ans au service du Patrimoine*, Tunis 1986, p. 74-77; PhMM, p. 229-239.

Ad1C: G. Bonsor, *Early Engraved Ivories in the Collection of the Hispanic Society of America*, New York 1928; B. Freyer-Schauenburg, *Elfenbeine aus dem samischen Heraion*, Hamburg 1966; M.E. Aubet, *Marfiles fenicios del Bajo Guadalquivir* I-II (Studia archeologica 52, 63), Valladolid 1979-80; ead., *Marfiles fenicios del Bajo Guadalquivir* III, Pyrenae 17-18 (1981-82), p. 231-279; ead., *Die westphönizische Elfenbeine aus dem Gebiet des unteren Guadalquivir*, Hamburger Beiträge zur Archäologie 9 (1982), p. 15-70.

Ad 2: F.M. Heichelheim, *Roman Syria*, An Economic Survey of Ancient Rome IV, Baltimore 1938, p. 198-208; R.D. Barnett, *Phoenician and Ivory Trade*, Archaeology 9 (1956), p. 87-97; I.J. Winter, *Phoenician and North Syrian Ivory Carving in Historical Context: Questions of Style and Distribution*, Iraq 38 (1976), p. 1-22; D. Collon, *Ivory*, Iraq 39 (1977), p. 219-222; Desanges, *Pline*, p. 97, 139-140, 148, 248-249; J.Sanmartín Ascaso, *Inscripciones fenicio-púnicas del sureste hispánico (I)*, AulaOr 4 (1986), p. 89-103; M.-F. Baslez, *Un marchand d'ivoire tyrien à Délos*, StPhoen 9 (sous presse).

İVRİZ Village d'Anatolie à 17 km au S.-E. d'Ereğli. Un bloc de calcaire, constituant la partie inférieure d'une grande stèle, fut découvert en 1985 dans le lit de l'İvriz-su, près d'un massif rocheux. Sur la face antérieure, entre les jambes d'un dieu de l'orage, et sur la face postérieure se lit une inscription en hiéroglyphes louvites (7 registres), de même que sur le petit côté droit (5 registres). Sur le petit côté gauche et sur la partie inférieure du côté droit, ainsi qu'à l'origine, certainement, au bas de la face postérieure, se lit une inscription phén. fort mutilée. Elle nomme Warpalawas (*Wrblw*) de Tuwana (*Tʾwʾn*), c.-à-d. l'Urballa des textes de Téglat-Phalasar III (ZDPV 89 [1973], p. 49-50), comme dédicant "pour son père" (Muwaḫarna). Le texte remonte par conséquent à la seconde moitié du VIIIe s. av. J.C. et constitue l'inscription phén. la plus septentrionale.

Bibl. Publication en cours de préparation par A. et B. Dinçol (Istanbul), M. Poetto (Milan), M. Armağan (Ereğli) et W. Röllig (Tübingen). WRöl

J

JAFFA En phén. *Ypy*, hb. *Yāpô*, akk. *Iappū*, ég. *Ypw*, gr./lat. *Ioppē*, arabe *Jaffā*; ville et port antiques (cf. *2 Ch.* 2,15), aujourd'hui faubourg S. de Tel Aviv, en Israël. Au VIIIe s., J. dépendait du roi Sidqa d'Ascalon (TPOA, p. 119), mais elle fut donnée au Ve s. par Xerxès I aux Sidoniens (KAI 14 = TSSI III,28,19) et Pline (*N.H.* V 69) la nomme encore *Ioppe Phoenicum*. Les vestiges de la période perse ou sidonienne comportent une section de muraille en pierres de taille, un vaste édifice qui pourrait être un temple, des ateliers métallurgiques, un grand réservoir d'eau, un →ostracon phén., de la céramique attique qui témoigne des relations avec la Grèce. Jonas est censé s'être embarqué à J. pour se rendre à →Tarshish (*Jon.* 1,3) et, dès ce temps-là, on localisait à J. le mythe d'Andromède (Skyl. 104; Fl. Jos., *B.J.* III 420), dont le père, Céphée, aux dires de Conon (36 av.-17 ap. J.C.), aurait régné sur le royaume de J., qui devait s'appeler ensuite Phénicie (FGH 26, fr. 1,XL). Les relations entre J. et l'Égée se poursuivirent à l'époque hellénistique, comme l'attestent les amphores rhodiennes et autres, mais la ville fut prise en 144 av. J.C. par Simon Maccabée (*1 M.* 12,33; 13,11; 14,5.34), qui l'incorpora à l'État juif.

Bibl. DEB, p. 679-681 (bibl.); EAEHL, p. 532-541; PECS, p. 426; PW IX, col. 1901-1902; RLA V, p. 281-282; J. Kaplan, *Jaffa*, RB 80 (1973), p. 415-417; 82 (1975), p. 257-260; 83 (1976), p. 78-79; H. Ritter-Kaplan, *The Ties between Sidonian Jaffa and Greece in the Light of Excavations*, Qadmoniot 15 (1982), p. 64-68 (hb.). EGub-ELip

JARDÍN →Toscanos.

JARDINS SACRÉS Les j.s. sont des éléments des cultes orientaux liés à la symbolique de la végétation annuellement renaissante. On les connaît grâce à la tradition classique à travers le mythe d'→Adonis, par lequel les Grecs expriment des croyances reçues du monde syro-phén. Lors des fêtes des "Adonies", les fidèles faisaient pousser sur les toits, chaque année, en été, d'éphémères petits jardins en pots: *Adṓnidos kēpoi* (*Souda*; Théophr., *H. P.* VI 7,3; Aristoph., *Lys.* 387-398; Théocr. XV: *Syracusaines*). Les antécédents syro-phén. étaient de vrais jardins, dont on a pensé reconnaître les traces archéologiques dès la fin de l'âge du Bronze (XIIIe s.) en Syrie (→Émar) ou à Chypre (→Kition, temple I). La littérature orientale ancienne — A.T. ou rituels ugaritiques relatifs au culte des ancêtres royaux — porte la marque de cette "mystique" du jardin, qui est à la fois le lieu du repos et le symbole de la puissance vitale de la végétation.

Bibl. N. Weill, BCH 90 (1966), p. 664-698; M. Detienne, *Les jardins d'Adonis*, Paris 1972; P. Faure, *Parfums et aromates de l'Antiquité*, Paris 1987, p. 172-174. MYon

JÉRUSALEM L'influence phén. s'est exercée à J. depuis les règnes de David et de Salomon, au Xe s. La construction de la résidence de David est attribuée aux artisans tyriens envoyés par →Hiram I avec une ambassade (*2 S.* 5,11; *1 Ch.* 14,11), suivie d'une deuxième, dépêchée à J. à l'avénement de Salomon (*1 R.* 5,15), avec lequel le roi de Tyr conclut divers accords (→traités 1). Il fournit le bois pour l'édification du temple et du palais royal, et fit remorquer les troncs d'arbre jusqu'à un port israélite. À J. même, les artisans tyriens et giblites taillèrent et mirent en place le bois et la pierre (*1 R.* 5,16-32; 7,1-2; 9,10-11; cf. *1 Ch.* 21,4), tandis qu'un bronzier tyrien exécuta les travaux du temple (*1 R.* 7,13-14.40.45, →Hiram 5), dont l'architecture, le mobilier, la Mer de bronze et les deux colonnes Yakîn et Boaz devaient s'inspirer de modèles phén. La découverte, en 1987/88, des vestiges d'un portique et d'une allée dallée, à la base S. de l'esplanade du temple, ne permettent pas encore de confirmer cette hypothèse. Quant au palais royal, sa salle d'apparat fut appelée Galerie de la Forêt du Liban (*1 R.* 7,2; 10,17.21) et le trône, incrusté d'ivoire et d'or, et flanqué de deux lions (*1 R.* 10,18-20), imitait les sièges divins et royaux de la Phénicie. L'architecture des tombeaux de la nécropole orientale de J. située à l'emplacement de l'actuel village de Siloé (Silwan) et datant entre le IXe et le début du VIIe s., présente également des analogies indéniables avec des chambres mortuaires phén., et le sanctuaire de Baal, édifié sous Athalie (*2 R.* 11,18), devait suivre un modèle tyrien. La →pourpre des vêtements sacerdotaux (*Ex.* 28; 39), royaux ou aristocratiques (*Jg.* 8,26; *Ct.* 7,5; *Pr.* 31,22), portée jusqu'à l'époque rom. (*Lc.* 16,19), était probablement de provenance phén., tout comme celle des tentures du Tabernacle mosaïque (*Ex.* 26,1.31-36; 27,16; 36,35-37; 38,18; *Nb.* 4,13), dont la description s'inspire du mobilier du temple de J. Au début de l'époque perse, on fit de nouveau appel aux Sidoniens et aux Tyriens pour la reconstruction du temple de J. (*Esd.* 3,7) et l'auteur de *2 Ch.* 2,12-13 en conclut au IVe s. que Hiram I avait déjà envoyé à J. un maître d'œuvre expert dans le travail de la pourpre, des étoffes précieuses et des métaux nobles pour orner le premier temple. Des marchands tyriens étaient actifs à J. au temps de l'administration achéménide, vendant du poisson et des marchandises de tout genre (*Ne.* 13,16), et des monnaies sidoniennes et tyriennes circulaient en Judée. Sous les Séleucides, les relations entre la Phénicie et J. étaient nombreuses, au point qu'une polémique judéo-phén. s'engagea dans la littérature historiographique des IIIe-IIe s. En revanche, vers 175, le grand prêtre Jason envoya une délégation de J. à Tyr pour participer aux jeux quinquennaux et sacrifier à Héraklès →Melqart (*2 M.* 4,18-20).

Bibl. DEB, p. 659-664; TRE XVI, p. 590-635; D. Ussishkin, *The Village of Silwan. The Necropolis from the Time of the Kingdom of Judah at Silwan, Jerusalem*, BA 33 (1970), p. 34-46; Th.A. Busink, *Der Tempel von Jerusalem* I, Leiden 1970; J. Margueron, *Les origines syriennes du Temple de Jérusalem*, Le Monde de la Bible 20 (1981), p. 31-33; A. Mendels, *Hellenistic Writers of the Second Century B.C.*

on the Hiram-Solomon Relationship, StPhoen 5 (1987), p. 429-441. ELip

JÉZABEL En hb. *'Îzebel*, gr. *Iezabēl/él*; fille d'→Ittobaal I (2), J. épousa Achab, roi d'Israël au IXe s. av. J.C. Ce mariage diplomatique eut pour effet d'introduire en Israël le goût du luxe phén. (→Samarie) et de favoriser le culte de →Baal, spécialement sur le →Carmel. Ce fut Jéhu qui le supprima officiellement et mit à mort J. Les passages de la Bible qui la concernent (*1 R.* 16,29-34; 18-19; 21; *2 R.* 9,30-37) sont très polémiques (cf. Fl. Jos. *C. Ap.* I 18; *A.J.* VIII 13,1; 13,7; 13,8; IX 6,4). Sur le sceau au nom de J. (pl. VIIIc), l'anthroponyme est écrit *Yzbl*, au lieu de *'yzbl*.

Bibl. DEB, p. 671; N. Avigad, *The Seal of Jezebel*, IEJ 14 (1964), p. 274-276; J.A. Soggin, *Jezabel oder die Fremde Frau*, A. Caquot - M. Delcor (éd.), *Mélanges H. Cazelles*, Kevelaer - Neukirchen - Vluyn 1981, p. 453-459. ELip

JUBA En néopun. *Ywb(')y*, lat. *Iuba*, gr. *Io(u)bas*.
1 J. I, roi de →Numidie de 50 à 46, fils de →Hiempsal II (fig. 258:2). On possède des portraits authentiques de J. I grâce à son monnayage et aux arts plastiques. Son royaume s'étendait largement à l'O. et au S. de la province rom. d'*Africa Vetus*, jusqu'à →Leptis Magna. L'une de ses capitales était →Zama (*Bell. Afr.* 91,1) et sa ville la plus riche était Cirta (→Constantine). Cette situation explique que J. ait été mêlé aux péripéties africaines des conflits de la république rom. finissante. En 63/2, alors qu'il n'était encore que prince royal, il était venu à Rome pour solliciter du Sénat un arbitrage en faveur de son père, mais avait subi un affront de la part de César (Suét., *Caes.* 71); plus tard, en 50, un tribun du parti de César, Curion, avait proposé au Sénat l'annexion pure et simple du royaume de J. C'était assez pour inciter J. à se ranger aux côtés des ennemis du parti césarien. Il infligea d'abord une défaite à l'armée rom. débarquée en Afrique sous le commandement de Curion, qui trouva la mort au cours de la bataille, en 49 av. J.C. La diversion opérée ensuite par le roi Bocchus II de Maurétanie et Sittius, qui attaquèrent la Numidie, obligea J. à diviser ses forces et, en 46, à →Thapsus, J. fut défait en même temps que le parti pompéien: tandis que Caton se suicidait à Utique, J. trouvait la mort devant Zama, qui avait refusé de lui ouvrir ses portes. La Numidie orientale fut annexée à l'→Afrique rom. et devint la province d'*Africa Nova*.
2 J. II, roi de →Maurétanie de 25 av. à 23 ap. J.C., fils de J. I. On possède des portraits authentiques de J. II grâce à son monnayage, à plusieurs sculptures et à un bronze de Volubilis (fig. 187, 258: 3-5). Petit enfant, il avait marché en 46 devant le char de César lors de son triomphe africain (Plut., *Caes.* 55), et il fut élevé en Italie par les soins d'Octave. Marié par ses protecteurs à Cléopâtre Séléné, fille de la grande Cléopâtre et d'Antoine, et devenu roi par la grâce d'Auguste, il fit d'Iol, rebaptisée *Caesarea* (→Cherchel), un témoin en terre d'Afrique de la civilisation hellénistique et de l'urbanisme augustéen. J. II, qui maîtrisait le grec, le latin et le punique, et qui disposait d'une bonne bibliothèque, écrivit des ouvrages — ainsi des *Libyca* — qui n'ont pas survécu. Plut., *Antonius* 36, l'a qualifié de "plus érudit de tous les rois" et Pline, *N.H.* V 16, considérait qu'il devait sa renommée plus à sa science qu'à son règne. Il embellit sa capitale de monuments de style classique, dont certains, comme le théâtre, sont encore perceptibles sous les remaniements postérieurs. C'est lui, semble-t-il, qui enrichit Cherchel d'originaux de la sculpture gr. ou de bonnes copies d'époque rom., et c'est sans doute aussi à lui qu'il faut attribuer la collection de bronzes réunis à →Volubilis, si cette ville fut, comme on le pense, sa seconde capitale. D'après Pline, *N.H.* VI 201, il serait le fondateur d'une industrie de la →pourpre à →Mogador, appelée dès lors *insulae purpurariae*. Sous son règne, le Maghreb a été troublé par plusieurs révoltes, qui touchèrent parfois au territoire maurétanien. J. II dut sans doute prendre

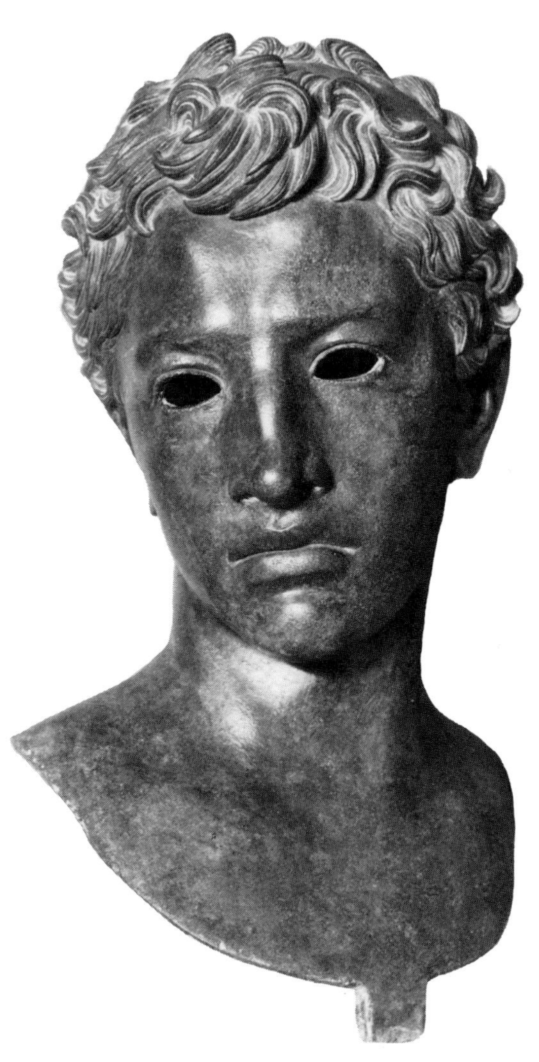

Fig. 187. Buste en bronze de Juba II, Volubilis (fin du Ier s. av. J.C.). Rabat, Musée Archéologique.

part personnellement à quelque campagne militaire organisée par les Romains, comme le suggèrent les insignes de triomphe qui figurent sur certaines de ses émissions monétaires. Son fils →Ptolémée lui succéda.

Bibl. PW IX, col. 2384; Gsell, HAAN VII, p. 289-293; VIII, p. 93-94, 100-101, 116, 134-135, 151-154, 206-276; D. Salzmann, *Die Münzen der mauretanischen Könige Juba II. und Ptolemaios,* MM 15 (1974), p. 174-183; H.G. Horn - C.B. Rüger (éd.), *Die Numider,* Köln 1979, p. 69-74, 196-198, 205-207, 209-216, 227-242, 488-501, 652-661; F. Decret - M. Fantar, *L'Afrique du Nord dans l'Antiquité,* Paris 1981, p. 152-156; P. Leveau, *Caesarea de Maurétanie,* Rome 1984, p. 13-24; A. Jodin, *Volubilis Regia Iubae,* Paris 1987. SLan-ELip

JUGURTHA En néopun. *Ygwrty* (?), lat. *Iugurt(h)a*, gr. *Io(u)go(u)rtha*; fils adoptif de →Micipsa dont la mort, en 118 av. J.C., fit éclater un conflit entre ses fils légitimes, Adherbal (→Adarbaal 4) et →Hiempsal I, et J. auxquels il avait laissé en indivis le royaume de →Numidie. Le Sénat rom. essaya en vain de délimiter leurs parts. J. fit d'abord tuer Hiempsal, puis Adherbal qui, enfermé dans sa capitale Cirta (→Constantine), y fut massacré après la capitulation de la ville, en 112, avec un grand nombre de négociants italiens (Sall., *Jug.* 26). Contrainte à la guerre, décrite par Salluste vers 41/40 dans le *Jugurtha*, Rome obtint quelques succès dus au consul L. Calpurnius Bestia, qui proposa vite la paix à J. (111), cependant que →Leptis Magna se séparait définitivement de la Numidie, devenait "amie et alliée du peuple rom.", puis obtenait, en 198, la protection d'une garnison (Sall., *Jug.* 77). Convoqué à Rome, où le Sénat retardait la ratification de la paix, J. y fit assassiner son cousin Massiva. La guerre reprit au printemps 110, d'abord conduite par Caecilius Metellus, qui remporta la victoire du Muthul, s'empara de →Béja et poussa jusqu'à →Thala (109-108). Son lieutenant Marius, élu consul pour 107, se fit confier la conduite des opérations en Numidie, prenant la ville de Capsa (→Gafsa) et poussant peut-être en 106 jusqu'à la Mulucha (Oued Moulouia), frontière du pays maure. Finalement, c'est le beau-père de J., →Bocchus I, roi de Maurétanie, qui le livra au printemps de l'année 105 au questeur de Marius, Sylla. La tentative d'unification menée par J. disparaissait avec lui: la Numidie fut distribuée entre les princes dociles, le roi Bocchus I et le prince numide →Gauda. Par ailleurs, la guerre eut pour effet une implantation beaucoup plus forte de vétérans rom. en Numidie, où des colons mariens furent établis surtout dans la moyenne vallée de la →Medjerda et dans la plaine de Souk el-Khemis, à l'O. de →Bulla Regia. La *Lex Apuleia* de 103 av. J.C. y attribua 25 ha de terres à chaque vétéran personnellement (Ps.-Aur. Victor, *Vir. ill.* 73,1).

Bibl. Gsell, HAAN VII, p. 123-265; C. Saumagne, *Masinissa et Jugurtha*, Paris 1966; J. Desanges, in C. Nicolet (éd.), *Rome et la conquête du monde méditerranéen* II, Paris 1978, p. 631-634; F. Decret - M. Fantar, *L'Afrique du Nord dans l'Antiquité*, Paris 1981, p. 121-130; G.M. Paul, *A Historical Commentary on Sallust's Bellum Jugurthinum*, Liverpool 1984. SLan-ELip

JUNON →Astarté, →Héra.

JUNON, COLLINE DE →Carthage.

K

KABALA En gr. *Kábala*, localité de Sicile, où a eu lieu une grande bataille entre Grecs et Puniques *c.* 382 av. J.C. Ces derniers, ayant à leur tête →Magon (3), subirent une lourde défaite face à Denys I de Syracuse (Diod. XV 15,3). Malgré de nombreuses hypothèses, le site est toujours inconnu. Il n'est même pas établi s'il s'agit d'une ville fortifiée ou d'une montagne à l'intérieur de l'île.

Bibl. G. Bejor, *Cabala*, BT IV, Pisa-Roma 1985, p. 226-227; Huß, *Geschichte*, p. 138-140. GFal

KABOUDIA, RAS →Alipota.

KABUL En hb. *Kabûl*, gr. *Khabōl(ō/ōn)*, district israélite aux confins tyriens (*Jos.* 19,27), acheté par →Hiram I de Tyr à Salomon pour 120 talents d'or (*1 R.* 9,11b-14). Le centre administratif de cette région, qui comptait une vingtaine de villages, se situait peut-être à *Ḫirbet ez-Zaitūn* (hb. *Ḥorvat Rō'š Zayit*), à environ 13 km au S.-E. d'Akko et à 1,5 km au N.-E. du village arabe de Kābūl, en Israël. La prospection archéologique y a décelé la présence d'un fort phén. de l'âge du Fer II qui fut incendié vers le milieu du IXe s. Cette conflagration pourrait être mise en rapport avec le passage des armées assyriennes de Salmanasar III en 841. À l'époque hellénistique, K. se trouvait à la frontière de la Galilée et de Ptolémaïs →Akko (Fl. Jos., *B.J.* III 38).

Bibl. DEB, p. 713; EJ V, col. 2-3; Abel, *Géographie* II, p. 287; Y. Aharoni, *The Land of the Bible. A Historical Geography*, Philadelphia-London 1979², p. 257-258, 307-309; Z. Gal, *Horvat Rosh Zayit - A Phoenician Fort in Upper Galilee*, Qadmoniot 17 (1984), p. 56-59 (hb.); id., *Cabul, Jiphtah-El and the Boundary between Asher and Zebulun*, ZDPV 101 (1985), p. 114-127. ELip

KADMOS Éponyme de la Kadmée, l'ancien nom de Thèbes de Béotie (Grèce), où les vestiges du palais mycénien ont livré une collection de sceaux orientaux qui témoignent des relations de la cité avec le Proche-Orient au Bronze Récent. Bien que cette trouvaille donne une apparence de justification au rapprochement du nom de K. avec l'hb. *qdm*, qui peut signifier "Orient", la légende de l'origine tyrienne de K. semble inconnue d'Homère et d'Hésiode. Elle n'est attestée qu'à partir d'→Hérodote (II 49), selon lequel K. était fils d'Agénor (gr. "valeureux"), un roi légendaire de →Tyr (IV 147), considéré plus tard comme le fondateur de Tyr (Q.-Curce IV 4,19) et, indirectement, de →Carthage (1), qualifiée de *Agenoris Urbis* dans Virg., *Aen.* I 338. Selon la légende connue d'Hérodote, K. partit à la recherche de sa sœur Europe, enlevée par des Grecs (Hdt. I 2), et, après des recherches infructueuses qui l'ont amené notamment à Théra (Hdt. IV 147; Paus. III 1,8) et à Thasos (→Égée), il s'arrêta finalement à l'emplacement de la Kadmée/Thèbes, dont il fut le fondateur. Deux traits de la légende de K. se rapportent à l'→expansion phén.

1 Son origine phénicienne La légende de K. le qualifie de Tyrien (Hdt. II 49), d'où son apparition sur des monnaies impériales rom. de Tyr et de Sidon. Cette légende reflète l'insertion d'un ancien récit de →fondation, relatif à la Kadmée, dans le cadre de diverses narrations gr. qui évoquaient l'expansion phén. en Méditerranée au Ier mill. av. J.C. et la situaient à l'âge héroïque, antérieur à la guerre de Troie. C'est ainsi, p. ex., que le Marbre de Paros, daté de 264/3 av. J.C., situe la fondation de la Kadmée 1255 ans plus tôt, c.-à-d. en 1519/8 av. J.C. (FGH 239, A 7). ELip

2 Ses "inventions" K. aurait fondé le culte d'Athéna à Lindos et celui de →Poséidon à →Rhodes (Diod. V 58,2-3), voire dédié des autels et un temple aux deux divinités sur l'île de Théra (Schol. Pind., *Pyth.* IV 88). Il aurait entamé l'exploitation des mines (Pline, *N.H.* VII 195), inventé le travail du bronze (Hyg., *Fab.* 274,4), alimenté la Kadmée en eau au moyen d'aqueducs (FHG II, p. 258), autant de traits de l'esprit inventif attribué aux Phéniciens par les Grecs. Mais c'est surtout l'introduction des *phoinikēia* ou *Kadmēia grámmata* (Hdt. V 58-61; cf. Syll³ 38,37), c.-à-d. de l'→alphabet (4), emprunté par les Grecs aux Phéniciens, qui est attachée au nom de K., bien qu'elle fût attribuée aussi à Danaos (FGH 1, fr. 20) et à Palamède, élève du centaure Chiron (KlP IV, col. 418-419). Il ne s'agit évidemment pas des caractères syllabiques de l'écriture linéaire B du grec mycénien, puisque les lettres en question ressemblaient à l'écriture ionienne (Hdt. IV 59). CBon

Bibl. PW X, col. 1460-1472; Roscher, *Lexikon* II, col. 824-893; F. Vian, *Les origines de Thèbes. Cadmos et les Spartes*, Paris 1963; Bunnens, *Expansion*, index s.v.; G. Pugliese Carratelli, *Cadmo = prima e dopo*, PdP 166 (1976), p. 5-16; R.B. Edwards, *Kadmos the Phoenician*, Amsterdam 1979; S. Accame, *Erodoto e l'introduzione dell'alfabeto in Grecia*, L. Gasperini (éd.), *Scritti F. Grosso*, Roma 1981, p. 3-11; E. Porada-H.G. Güterbock-J.A. Brinkman, AfO 28 (1981-82), p. 1-78; B. Servais-Soyez, StPhoen 1-2 (1983), p. 103-104, 109-110; C. Brillante, *Cadmo fenicio e la Grecia micenea*, Quaderni urbinati di cultura classica 17 (1984), p. 167-174; A. Schachter, *Kadmos and the Implications of the Tradition for Boiotian History*, La Béotie antique, Paris 1985, p. 143-153; G. Schepens, StPhoen 5 (1987), p. 317-320; L.H. Jeffery-A. Johnston, *The Local Scripts of Archaic Greece*, éd. rev., Oxford 1988. ELip

KAISA En akk. KUR *Ka-i-ṣa-a-a*, territoire mentionné parmi les huit régions phén. qui payèrent tribut au roi assyrien Assurnasirpal II en 875 av. J.C., quand celui-ci gagna la côte du N. de la Phénicie. D'après le texte, transmis avec de légères variantes par trois inscriptions assyriennes, K. est situé entre →Maisa et le pays d'→Amurru (AKA, p. 373,86) ou entre →Mahalata et Maisa (AKA, p. 200,26; CTN II, 267,28-29). On ignore si la liste des toponymes est arrangée selon une séquence stricte du S. au N. Une localisation proposée près de Tripolis reste donc douteuse. Pour l'étymologie du nom, on a proposé un rapport avec l'araméen *kyṣ'*, "été".

Bibl. Dussaud, *Topographie*, p. 75-76; H. Salamé-Sarkis, *Wahlia-Mahallata-Tripoli*, MUSJ 49 (1975-76), p. 549-563; R. Zadok, in *Studies in Bible and the Ancient Near East*, Jerusalem 1978, p. 171. KKes

KAMID EL-LOZ En akk. *Kumidi*, aujourd'hui *Kāmid al-Lōz*. Le tell de K. el-L. est situé à l'extrémité S.-E. de la →Béqaa libanaise, au N. de la localité du même nom. Il se trouve à une altitude de 26 m et mesure 240 m d'E. en O., *c.* 300 m du N. au S. Il fut reconnu en 1954 par A. Kuschke qui y entama les fouilles en 1963 et 1964 avec R. Hachmann, qui les poursuivit de 1966 à 1981. L'importance du site tient à sa position géographique au croisement d'anciennes routes menant, l'une, de la côte vers l'arrière-pays à l'E., l'autre, de l'Égypte à travers la Palestine vers le N. En 1897, A. Guthe avait suggéré que le nom moderne du site recouvrait celui de l'antique Kumidi qui, dans la seconde moitié du IIe mill., avait été le chef-lieu d'une entité administrative égyptienne en Asie, siège d'un *Rabû*. Cette opinion a été confirmée par la trouvaille, à K. el-L., d'une lettre adressée au *Rabû*. Les fouilles ont dégagé, jusqu'en 1981, une superficie de 5700 m². Les plus anciens vestiges, à fleur de roc, ont été mis au jour sur le versant N. du tell. Ils datent du Néolithique tardif; les traces du Chalcolithique manquent jusqu'à présent et le Bronze Ancien n'est documenté que par des tessons retrouvés dans des couches plus récentes. Le Bronze Moyen, dégagé sur plus de 2.400 m², compte un nombre imprécis d'établissements dont les bâtiments témoignent d'une qualité de matériaux et d'une technique supérieures à celles des constructions postérieures. L'enceinte fortifiée a été dégagée sur les flancs N. et E. du tell; un palais et un temple, non fouillés, sont enfouis, respectivement, sous les palais et sous les temples du Bronze Récent. La fouille s'est concentrée surtout sur la ville du Bronze Récent, dégagée sur 3.800 m², et sur les villages du Fer I. Une enceinte fortifiée entourait le noyau urbain du Bronze Récent, moins étendu que celui du Bronze Moyen. Le temple se trouvait au N.-O. et était

Fig. 190. Acrobate, ivoire, Kamid el-Loz (XIVe s. av. J.C.). Beyrouth, Musée National.

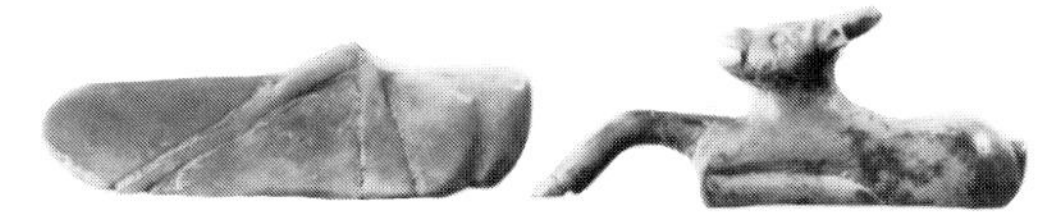

Fig. 188. Biche ou faon, ivoire, Kamid el-Loz (XIVe s. av. J.C.). Beyrouth, Musée National.
Fig. 189. Sauterelle, ivoire, Kamid el-Loz (XIVe s. av. J.C.). Beyrouth, Musée National.

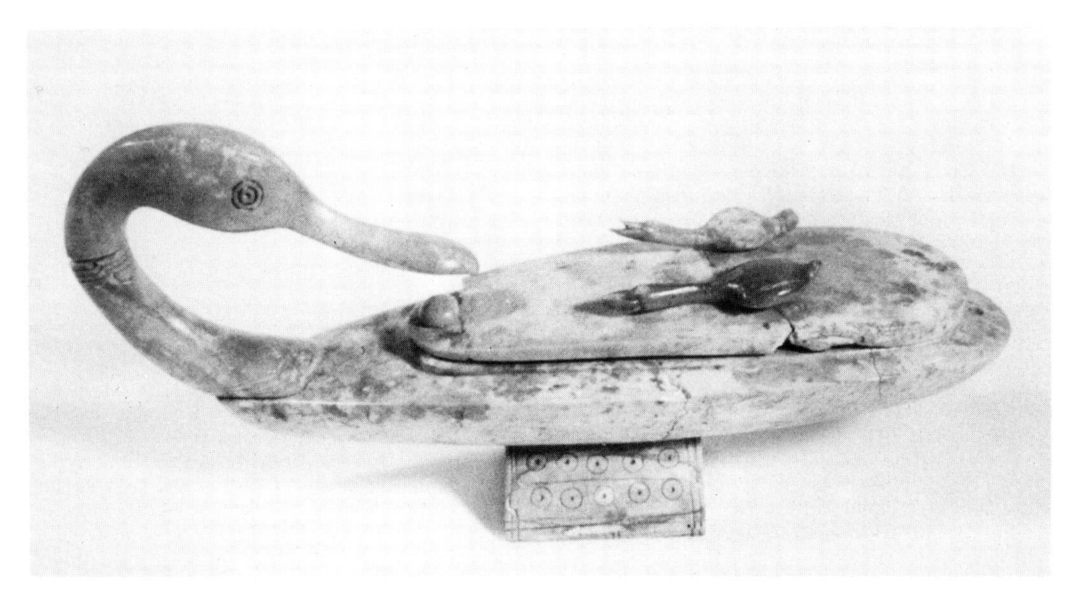

Fig. 191. Boîte à fard en forme de canard, ivoire, Kamid el-Loz (XIVe s. av. J.C.). Beyrouth, Musée National.

séparé du palais, au S.-E., par une esplanade d'où partait une rue menant hors de la ville. Le temple et le palais, détruits à plusieurs reprises, ont été chaque fois reconstruits, le temple, quatre fois, le palais, cinq fois. L'un et l'autre étaient pourvus d'annexes. Un atelier métallurgique était établi à l'E. du palais et, au N. du temple, un atelier servait à la fabrication d'objets en fritte. On n'a dégagé qu'un édifice à l'E. du plus ancien palais, dont le sous-sol abritait la sépulture de trois personnes, ensevelies avec du mobilier, des objets utilitaires et des parures. C'est probablement le mausolée royal. Après l'époque du Bronze Récent, qui a livré également un bel ensemble d'ivoires (fig. 188-191), six lettres "amarniennes" et des épigraphes importantes pour l'étude des origines de l'→alphabet, K. el-L. est restée inhabitée pendant un certain laps de temps. Au Fer I, dégagé sur 4.400 m², on a mis au jour, sur huit niveaux superposés, des villages non fortifiés, constitués de maisons à une ou deux pièces, construites en bois, disposées sans ordre et contenant un mobilier pauvre. On n'a pas découvert de traces d'un établissement "phén." du Fer II, mais cette période pourrait être représentée dans la partie S. du tell, qui n'a pas été fouillée. Un cimetière d'époque perse est enseveli dans le secteur N.-O. du tell et l'agglomération actuelle recouvre la localité de la période perse et de l'époque hellénistique et rom., dont les nécropoles se trouvent au S. du village. Des carrières de pierre et des inscriptions rupestres témoignent de l'existence d'établissements habités au Moyen Âge.

Bibl. RLA VI, p. 330-334; R. Hachmann (éd.), *Kāmid el-Lōz 1977-1981*, Bonn 1986, p. 205-211 (bibl.). RHach

KARATEPE Colline fortifiée dominant le Ceyhan, située à *c.* 100 km au N.-E. d'Adana, en →Cilicie. Le site, découvert en 1946 par H. Bossert, a été fouillé dès 1947 par une mission turque. Il consiste essentiellement en une enceinte fortifiée, percée de deux portes monumentales; les parois de chacune d'entre elles sont gravées d'une double inscription phén. et louvite hiéroglyphique. Le texte phén. se retrouve une troisième fois sur les côtés d'une statue divine. L'auteur, →Azatiwada (*'ztwd*), se vante des bienfaits qu'il a répandus sur les habitants de la plaine d'Adana et sur la maison de son seigneur →Urikki, roi des Danouniens (*'wrk mlk Dnnym*). Il commémore la construction de la forteresse, implore la bénédiction des dieux sur elle et leur malédiction contre quiconque endommagerait son inscription. Ce texte pose quantités de problèmes, à commencer par sa date, longtemps discutée. On semble s'accorder maintenant sur l'extrême fin du VIIIᵉ s. Le seul point de repère est constitué par la mention d'Urikki; or Azatiwada se targue d'avoir installé la descendance de celui-ci sur le trône: la rédaction des inscriptions doit donc se situer après la mort d'Urikki. Ces inscriptions offrent le plus long texte phén. connu; après l'inscription de →Kilamuwa et avant celle du →Cebelireis Dağı, elles révèlent le rôle de langue internationale joué par le phén. en →Anatolie aux IXᵉ-VIIᵉ s. En tant que bilingues, elles ont été déterminantes dans le déchiffrement des hiéroglyphes hittites. Elles nous informent enfin sur le panthéon louvite à cette époque et sur son *interpretatio phoenicia*.

Bibl. KAI 26; TSSI III,15; CAH III/1², p. 429-431; RLA V, p. 409-414; F. Bron, *Recherches sur les inscriptions phéniciennes de Karatepe*, Genève-Paris 1979; J. Deshayes - M. Sznycer - P. Garelli, *Remarques sur les monuments de Karatepe*, RA 75 (1981), p. 31-60. FBron

KARIKON TEIKHOS Nom de lieu mentionnée par le →*Périple* d'Hannon 5 et repris par Éphore (FGH 70, fr. 53). Il est traduit d'ordinaire par "Mur carien", comme s'il s'agissait d'un toponyme gr., alors que *karikōn* pourrait être une adaptation du nord-ouest sémitique, p.ex. *qarqa'*, "sol", et *teikhos* une traduction de *(h-)Gdr*, →"Gadès", donc "Sol de Gadès". Cette appellation, tout hypothétique qu'elle soit, conviendrait très bien à une colonie située immédiatement au S. du Cap →Spartel. ELip

KARKHÉDÔN →Zoros.

KARPASIA Capitale d'un petit royaume dans l'extrême N.-E. de →Chypre, sur la péninsule du Karpass. La ville ancienne se trouve au site de Ayios Philôn, au N. de la bourgade moderne Rizokarpaso. L'histoire en est très mal connue, aucun roi n'a laissé son nom et la liste assyrienne d'Asarhaddon n'en fait pas mention. Le royaume a dû se trouver la plupart du temps sous la domination des rois de →Salamine. On possède divers témoignages épigraphiques, en gr. syllabique (ICS 329?, 330-331c) et surtout alphabétique (AJA 65 [1961], p. 122-126, etc.). On ne connaît pas de document phén. pour cette région, mais des légendes rattachent la fondation de Karpasia à un →Pygmalion, roi mythique de Sidon (Ét. Byz., citant Hellanikos).

Bibl. ICS 329-330; SCE IV/2, p. 441-442; T.B. Mitford, AJA 65 (1961), p. 122-126. OMas

KAŞ →Ulu Burun.

KASIOS →Baal Saphon.

KASPUNA En assyr. *Ka-āš-pu-(ú-)na*, phén. **Kaspōn*, probablement Kūsbā, entre Batroun et Tripolis, à *c.* 12 de la côte méditerranéenne. K. avait pris part à l'alliance anti-assyrienne conduite par Azriyau et fut annexée à l'Assyrie par Téglat-Phalasar III, en 738 (ANET, p. 282-283). Suite à une erreur de lecture, le nom de K. avait été lu précédemment "Rashpuna".

Bibl. N. Na'aman, WO 9 (1977-78), p. 231; H. Tadmor, *"Rashpuna" - A Case of Epigraphic Error*, ErIs 18 (1985), p. 180-182 (hb.). ELip

KATHARI →Kition.

KAZEL, TELL T.K. (*Tall al-Kāzil*) est situé en Syrie, à 28 km au S. de Tartous, sur la rive droite du Nahr el-Abrach, à 3,5 km de son embouchure. Mesurant 350 × 325 m à sa base, c'est le plus grand tell de la vallée de l'Éleuthère (Nahr el-Kebir méridional), qu'il domine de 25 m de haut. Il occupe une position stratégique de premier ordre au débouché de la Trouée de Homs, l'unique passage entre la Syrie intérieure et la côte. On a proposé d'identifier T.K. avec la ville de Simyra ou *Ṣumur* des textes anciens. Les Annales de Thoutmès III relatent la sixième campagne de ce pharaon en Syrie au XVe s., quand il détruisit Qadesh et atteignit Simyra avant d'arriver à →Ardata (ANET, p. 239a). Les lettres d'el →Amarna du XIVe s. mentionnent Simyra 51 fois comme une importante capitale, bien fortifiée et riche (EA 59-62; 67; 68; 149; 155; 157; 159-161). Les textes assyriens des XIIe et XIe s. décrivent le voyage de Téglat-Phalasar I d'Arwad à Simyra, en 6 heures, et *Gn.* 10,18 mentionne les Sémarites. Pline, *N.H.* V 20, et Strab. XVI 2,12 placent Simyra entre le Nahr el-Kebir et Amrit.

Dans l'aire ainsi désignée trois tells, Ṭabbat el-Ḥammām, Tell Abou Ali et Tell Kazel, ont fait l'objet de sondages en vue de l'identification de Simyra. À Ṭabbat el-Ḥammām, où un port antique est bien visible en mer, le sondage a révélé une occupation depuis le Néolithique jusqu'à l'époque byzantine, mais avec un grand hiatus pour l'époque du Bronze Moyen et du Bronze Récent, quand Simyra était justement une cité très importante. Le Tell Abou Ali, près du village de Simyrian, a livré des vestiges de l'âge du Fer, du Bronze Récent et Moyen, mais sa petite superficie (150 m^2) et l'absence de fortifications plaident contre son identification avec Simyra. En revanche, la localisation de Simyra à T.K. peut être étayée par des données archéologiques: ses fortifications importantes et une occupation continue depuis le Bronze Moyen jusqu'à l'époque hellénistique. Le seul point faible est la situation de T.K. à 3,5 km de la mer et l'absence d'un port à l'embouchure du Nahr el-Abrach; on notera toutefois que Simyra n'a jamais été mentionnée comme étant un port important et que son port pouvait se trouver à quelque distance du site, comme c'est le cas de plusieurs villes anciennes.

Bibl. M. Dunand - N. Saliby, *À la recherche de Simyra*, AAS 7 (1957), p. 3-16; M. Dunand - A. Bounni - N. Saliby, *Fouilles de Tell Kazel*, AAS 14 (1964), p. 3-14; H. Klengel, *Sumar/Simyra und die Eleutheros-Ebene in der Geschichte Syriens*, Klio 66 (1984), p. 5-18; L. Badre, *Recent Phoenician Discoveries at Tell Kazel*, ACFP 2, Roma (sous presse); E. Gubel, *Tell Kazel à l'époque perse*, Transeuphratène 2 (1990); L. Badre-E. Gubel-M. Al-Maqdessi-H. Sader, *Tell Kazel I*, Berytus (sous presse). LBad

KEF BEZIOUN En lat. *Zattara*, petite ville numide d'Algérie, à 20 km au S.-E. de →Guelma. Des inscriptions néopun. et l'onomastique témoignent de la punicisation de la localité à l'époque pré-rom.

Bibl. AAAlg, f^e 18 (Souk Ahras), n° 233; J.-B. Chabot, *Punica VI*, JA 1916/1, p. 443-445; KAI 171; H.G. Horn - C.B. Rüger (éd.), *Die Numider*, Köln 1979, p. 578-579; Lepelley, *Cités* II, p. 247-248. ELip

KEF EL-BLIDA Site voisin d'Aïn-Dhram, dans le N.-O. de la Tunisie, où l'on a découvert plusieurs inscriptions libyques (RIL 470-478) et quatre →haouanet, dont un était décoré d'une →peinture à l'ocre rouge, directement appliquée sur la roche. La scène centrale à personnages, répartie sur deux registres, constitue un *unicum* dans le Maghreb antique. Au registre supérieur, est figuré un navire transportant huit guerriers casqués, de face, avec lance et bouclier. Sur la proue, un personnage nu, de profil, brandit la "bipenne" de la main droite et un bouclier hexagonal de l'autre; un second personnage, à crête de coq, nage dans le vide, devant le bateau. Au registre inférieur, deux échelles dont l'une supporte une figure en train de grimper. Le sens religieux et funéraire de la scène semble assuré; elle évoquerait le destin de l'âme après la mort: le personnage sur l'échelle et le personnage s'envolant symboliseraient le défunt gagnant les sphères d'éternité. Mais les avis divergent sur l'origine de cette iconographie et la date du document. J. Ferron, qui voit dans le navire la barque solaire de →Baal Hamon et dans la figure à la "bipenne" le dieu lui-même, insiste sur le côté "authentiquement phén." de l'œuvre, exécutée selon lui par un Libyen punicisé de Numidie vers la fin du VIe/début du Ve s. Pour A.M. Bisi, il faut tenir compte d'un syncrétisme plus complexe entre influence phén. et croyances autochtones, où se mêlent des traces gr.-rom. tardives, sensibles notamment dans le symbolisme de l'échelle: une datation aux Ier-IIe s. ap. J.C. est vraisemblable. Vu le caractère unique du document, il semble difficile de trancher le problème de la date; la signification eschatologique de la scène et l'influence phén. en revanche ne font pas de doute.

Bibl. AATun, f^e 17 (Zaouiet Medienn), n° 34; A.M. Bisi, *Le influenze puniche sulla religione libica: la gorfa di Kef el-Blida*, SMSR, 37 (1966), p. 85-112; J. Ferron, *La peinture funéraire de Kef el-Blida*, Archéologia 20 (1968), p. 52-55; M. Fantar, *Eschatologie phénicienne punique*, Tunis 1970, p. 26-32. JBal

KEISAN, TELL Le bastion phén. de T.K. (Akshaph ?) se trouve à 8 km au S.-E. d'→Akko. La céramique phén., qui apparaît déjà au Fer I (cruches globulaires bichromes) continue au Fer II, montrant que la population n'a pas radicalement changé. L'occupation des lieux devient plus importante au cours du Xe s. et continue sans interruption jusque vers 800 av. J.C.: les maisons à plan rectangulaire s'adossent dans un ensemble de pièces mitoyennes orientées N.-S. Le répertoire céramique s'enrichit avec des types caractéristiques de la Phénicie. L'occupation reprend vers la fin du VIIIe s. et le matériel montre deux courants de civilisation: à côté de l'abondante poterie d'origine phén. (assiettes à engobe rouge et bichromes) apparaît de la céramique assyrienne, à mettre en relation avec la conquête d'Akko par Sennachérib. Les derniers travaux à T.K. laissent penser que cette phase prend fin vers 650 et qu'il existe peut-être une lacune avant le début du niveau perse, *c.* 600 av. J.C. La céramique de l'époque perse est abondante et riche de formes. Il convient de rattacher à cette période les monnaies en argent de Tyr, datées du Ve-IVe s., de même que des garnitures de meuble en ivoire, assez grossièrement décorées. Les trouvailles de l'époque hellénistique attestent l'existence d'une agglomération importante, mais pauvre, de type rural.

Bibl. J. Briend - J.-B. Humbert, *Tell Keisan (1971-1976), une cité phénicienne en Galilée*, Fribourg-Paris 1980; J.-B. Humbert, *Récents travaux à Tell Keisan (1979-1980)*, RB 88 (1981), p. 372-398. DHer

Fig. 192. Kélibia: vestige de tour pun. (Ve s. av. J.C.), restaurée au IIIe-IIe s. av. J.C. et réutilisée dans les fondations d'une tour du fort hispano-turc.

Fig. 193. Kerkouane: maison de la rue dite de l'Apotropaïon avec un pavement en opus tessellatum *décoré du "signe de Tanit" (IIIe s. av. J.C.).*

KÉLIBIA En gr. *Aspis* ("Bouclier"), lat. *Clupea*, actuellement *Qlibia*; cité fortifiée du →Cap Bon, en Tunisie, dont le nom gr., traduit ensuite en lat., semble remonter aux mercenaires d'→Agathocle, qui y établit des Siciliens lors de son expédition, à la fin du IVe s. (Strab. XVII 3,16). Ce nom n'est vraisemblablement qu'une simple adaptation gr. d'un toponyme phén.-pun. ou libyque, peut-être *Taphit(is)*, si l'on accepte une proposition récente basée sur des données épigraphiques et numismatiques combinées. En 256, →Régulus s'empara de K. et y plaça une garnison (Pol. I 29,1-3.5-6) qui résista à la contre-offensive carth. (Pol. I 36,6-7), avant d'être évacuée par une flotte rom. en 254 (Pol. I 36,12; Diod. XXIII 18,1). Au début de la 3e →guerre pun., en 149, K. résista à l'assaut de Pison et de Mancinus (App., *Lib.* 110). Des vestiges de la forteresse ont été naguère mis au jour aux pieds du grand fort hispano-turc qui couronne encore le site et qui a remployé en partie les fortifications antiques (fig. 192). Celles-ci comportaient, semble-t-il, des tours quadrangulaires dont les blocs de fondation étaient logés dans le rocher taillé de manière à fournir une sorte de lit d'attente. Ces éléments en grand appareil ont pu être datés du Ve s. av. J.C., mais des remaniements postérieurs seraient datables des IVe-IIIe s. par la céramique à vernis noir, notamment la campanienne A. Il y a lieu de mentionner aussi la nécropole de Kélibia, à El-Mansourah, qui remonte à *c.* 300 av. J.C., ainsi que celle(s) d'où proviennent deux lampes à tête humaine et diverses poteries.

Bibl. AATun, f^e 16 (Kélibia), n° 67; PECS, p. 228-229; Desanges, *Pline*, p. 222-224, 443-444; F. Barreca, *Prospezione archeologica al Capo Bon* - II, Roma 1983, p. 29-38; M. Fantar, *L'archéologie punique au Cap Bon: découvertes récentes*, RSF 13 (1985), p. 211-221 (voir p. 215-221); *30 ans au service du Patrimoine*, Tunis 1986, p. 72, 86-87, 91-97, 108; J. Alexandropoulos, *Le monnayage de Clypea*, BAC, n.s., 18B (1982 [1988]), p. 27-30. SLan-ELip

KERKENNA En gr. *Kérkina, Kerkinītis*, lat. *Cercin(n)a*; les deux îles de K., Chergui et Gharbi, à *c.* 20 km au large de Sfax, en Tunisie, faisaient partie de l'empire de Carthage. Dès le milieu du Ve s., Hdt. IV 195 avait recueilli des renseignements d'origine carth. sur la grande île qu'il appelle *Kúrau(n)is*. En 217, un consul rom. y débarqua et exigea une rançon des habitants (Pol. III 96,12; Liv. XXII 31,2). Les ports de K. étaient des lieux de relâche (Skyl. 110; Diod. V 12,4; cf. Plut., *Dio* 25) et →Hannibal (6), quittant l'Afrique en 195 pour se rendre à Tyr, y trouva des vaisseaux de commerce phén. (Liv. XXXIII 48,3). En 46 av. J.C., Salluste y débarqua sur l'ordre de César pour s'emparer d'approvisionnements destinés aux partisans de Pompée (*Bell. Afr.* 34).

Bibl. PW III, col. 1968; Gsell, HAAN II, p. 126-127; Desanges, *Pline*, p. 434-438; J. Kolendo, *Le rôle économique des îles Kerkena au premier siècle avant notre ère*, BAC, n.s., 17 B (1981 [1984]), p. 241-249. SLan-ELip

KERKOUANE En arabe *Karkawān*, appellation communément admise d'un site pun. de Tunisie sur la façade maritime N.-E. du →Cap Bon, au lieu dit Dar es-Safi ou Tamzerat.

1 Date Les fouilles entreprises dès 1952-53 ont abouti à y faire connaître une petite ville pun. qui semble avoir disparu avant même la chute de →Carthage. Le matériel recueilli dans les derniers niveaux d'occupation de la cité date de la fin du IVe s. et de la première moitié du IIIe s.; il ne s'y trouve rien qu'on puisse faire descendre au-delà. Ce constat, rapproché des destructions opérées par →Régulus dans le Cap Bon lors de la 1re →guerre pun., permet d'affirmer que la ville de K. ne leur avait pas survécu, après environ trois siècles d'existence, puisque le matériel le plus ancien reconnu dans les fouilles urbaines remonte au VIe s., comme l'indiquent les trouvailles de céramique ionienne du type B2, corinthienne et attique. Les →mobiliers funéraires des →nécropoles confirment cette chronologie.

2 Ville À l'intérieur de son rempart, K. couvrait une superfice de 7 à 8 ha. Cette enceinte est en fait double, un large boulevard séparant la muraille extérieure de la ceinture interne, flanquée de tours et percée de deux portes, dont l'occidentale se rattache à un vieux plan syro-palestinien: c'est une porte coudée, insérée parallèlement à deux courtines, elles-mêmes parallèles. C'est le rempart interne qui, en un premier temps, a dû constituer l'unique défense de la cité (fig. 144). À l'intérieur de cette enceinte, les rues actuellement individualisées, de largeur et d'orientation variables, forment un réseau à mailles irrégulières, délimitant des *insulae* de forme et de superficie diverses (fig. 29), exception faite de l'habitat adossé à l'enceinte interne. À défaut de plan standardisé, les unités d'habitation constituant ces *insulae* répètent les mêmes composantes: elles sont axées ou centrées sur une cour au sol le plus souvent dallé ou bétonné, dans laquelle s'ouvre la margelle du puits. Quelques-unes de ces maisons comportaient de véritables péristyles (fig. 193), alors que plusieurs autres avaient une cour munie de portiques sur un ou deux côtés. La caractéristique principale de beaucoup de ces maisons est probablement l'installation des salles d'eau, qui comportent toutes des baignoires "sabots" soigneusement enduites d'un mortier hydraulique (fig. 116). En dehors des divers éléments de l'enceinte, le principal bâtiment public mis au jour au centre de la cité est un grand temple (→sanctuaires 3B) dont la superfice dégagée atteint déjà 400 m² et qui est jouxté par un établissement de bains. Il est encore impossible de savoir à quelle divinité ce temple était dédié. Les matériaux de construction utilisés à K. allaient du moellon brut à la pierre taillée et moulurée, de la brique crue ou cuite, quadrangulaire, losangiforme ou hexagonale, au bois et à la chaux. Parmi les diverses techniques mises en œuvre, on relèvera le pisé, qui nécessitait un système de coffrage, ou l'usage de crampons liant des pierres de taille. La décoration incluait stucs et moulures, colonnes et arcs, badigeonnage en noir, gris, rouge et rose.

3 Nécropoles À la cité pun. de K. se rattachent deux grandes nécropoles sises à l'intérieur des terres (fig. 392, 393) et partiellement fouillées ou pillées antérieurement à la découverte du site urbain (→tombes 2). Elles comportent des tombes à chambre avec escalier d'accès et des tombes à fosse simple. Les caveaux excavés dans le roc d'Arg el-Ghazouani et du Djebel Mlezza ont livré un abondant matériel daté entre le VIe et le IIIe s. La décoration pariétale de plusieurs des tombes du Djebel Mlezza (→peintures) est justement célèbre et la fouille d'un caveau de l'Arg el-Ghazouani a mis au jour un couvercle de →sarcophage (5) en bois sculpté représentant une femme vêtue d'une tunique et coiffée d'une tiare ou d'un *polos*. Les épitaphes pun. de la même nécropole révèlent des noms libyques, dont il faudrait conclure que la population de K. se composait, au moins en partie, de Libyques punicisés. Par ailleurs, la fouille d'un secteur de la nécropole de la plage, contemporaine de celle d'Arg el-Ghazouani, n'a mis au jour que des sépultures de jeunes enfants ou de nouveau-nés, ensevelis dans des amphores qui contenaient les restes d'un ou de deux petits squelettes, parfois calcinés, accompagnés souvent de menues offrandes. Bien que rien ne permette d'affirmer que les enfants enterrés dans cette partie de la nécropole aient été sacrifiés, on ne peut manquer de poser la question de l'existence d'un →*tophet* à K.

Bibl. AATun, f^e^ 16 (Kélibia), n° 14; P. Cintas - E.G. Gobert, *Les tombes du Jbel Mlezza*, RTun 38-40 (1939), p. 135-198; P. Cintas, *Une ville punique au Cap Bon*, CRAI 1953, p. 256-260; J.-P. Morel, *Kerkouane, ville punique du Cap Bon*, MÉFR 81 (1969), p. 473-518; M. Fantar, *Un sarcophage en bois à couvercle anthropoïde découvert dans la nécropole punique de Kerkouane*, CRAI 1972, p. 340-354; P. Bartoloni, *Prospezione archeologica al Capo Bon* - I, Roma 1973, p. 9-68; M. Fantar, *Présence punique au Cap Bon*, Africa 5-6 (1978), p. 51-70; H. Gallet de Santerre - L. Slim, *Recherches sur les nécropoles puniques de Kerkouane*, Tunis 1983; M. Fantar, *Kerkouane* I-III, Tunis 1984-86.

SLan-ELip

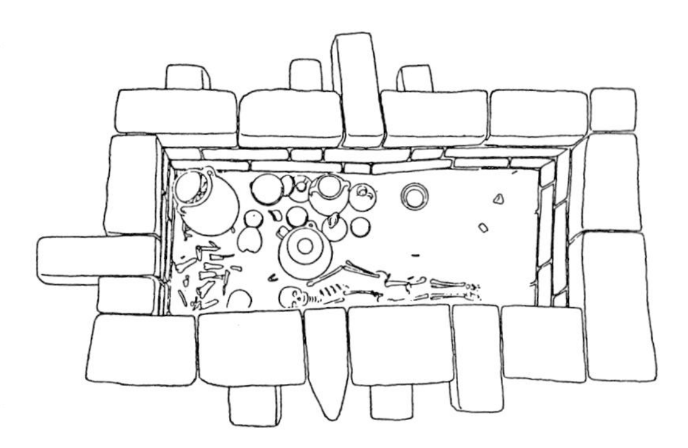

Fig. 194. Vue axonométrique de la tombe 121, Khaldé.

KERNÉ →Mehdia.

KERYNEIA En gr. *Kerúneia*, capitale probable d'un petit royaume, au milieu de la côte N. de Chy-

Fig. 195. Figurine en bronze d'une déesse assise, Khaldé (?) (XIVe-XIIIe s. av. J.C.). Coll. privée.

pre, sur le site moderne de Kyrenia. L'histoire en est tout à fait obscure et il n'en est pas fait mention dans la liste assyrienne d'Asarhaddon. En 315, le royaume fut donné par Ptolémée I au roi de →Salamine. L'épigraphie est très pauvre, aussi bien en gr. syllabique (ICS 252-253) qu'alphabétique. Il n'existe aucun témoignage sur la présence de Phéniciens dans ce royaume.

Bibl. ICS, p. 268-269; PW XI, col. 344-347; T.B. Mitford, AJA 65 (1961), p. 131-133. OMas

KHALDÉ En akk. *Ḫi-il-du-u-a*, ville du royaume de Sidon, annexée en 677/6 par Asarhaddon (AfO, Beih. 9, p. 48, col. III,2). On l'identifie avec la *mutatio Heldua* de l'*It. Burd.* (p. 583,9) et l'arabe *Ḫaldi*, à 10 km au S. de Beyrouth.

1 Khan Khaldé Lors du percement de l'autoroute →Beyrouth-Damour, plusieurs habitations de l'antique agglomération rom.-byzantine de Khan Khaldé furent mises au jour. L'importance du site (*c.* 12 km au S. de Beyrouth) est illustrée par les maisons et les basiliques paléochrétiennes (milieu V^e et VIe-VIIe s.) aux sols de mosaïque bien conservés.

2 Kobbet Choueifat Plus au N., au lieudit Kobbet Choueifat, R. →Saidah dégagea une assez vaste nécropole phén. (1961-62) (fig. 194). L'ensemble de ces 178 →tombes (1A,C) à inhumation et crémation se répartit sur les niveaux III et IV de la stratification générale du site, correspondant au Fer IIB (fin IXe-fin VIIIe s.) et IIA (X^e-fin IXe s.). Le mobilier funéraire comporte le plus souvent des urnes cinéraires à décor bichrome, des oenochoés à engobe rouge (*Red Slip*) et à embouchure ronde ou trilobée, auxquelles s'ajoutent des bols et, parfois, des →scarabées égyptiens. Les "gourdes de pèlerin" et les "cruches à bière" sont fréquentes dans les plus anciennes →tombes. L'étude de cet important ensemble, auquel appartient une pierre inscrite en phén. (*gtty*), reste inachevée suite au décès du fouilleur. Sur le terrain même, la reprise des fouilles sur les restes du tell même pourrait aboutir au dégagement du centre urbain duquel dépendait cette nécropole. Notons finalement l'existence d'un aménagement portuaire qui reste, lui aussi, à étudier.

Bibl. Forrer, *Provinzeinteilung*, p. 65; R. Saidah *Fouilles de Khaldé*, BMB 19 (1966), p. 51-90; id., AAAS 21 (1971, p. 193-198; Wild, *Ortsnamen*, p. 168; R. Saidah, *Nouveaux éléments de datation de la céramique de l'âge du Fer au Levant*, ACFP 1, Roma 1983, p. 213-216; Archéologie au Levant. Recueil R. Saidah, Lyon 1982, p. 190-191, 311-394, 402-408, 409-417, 419-428. EGub

KHARAYEB En arabe *El-Ḫarayeb*, site à *c.* 5 km au N. du *Nahr el-Qāsimiyē*, entre →Tyr et →Adlun, où 1.100 figurines en terre cuite ont été trouvées en 1946 dans une →*favissa*, échelonnées de la fin du IVe au Ier s. av. J.C. Aux types les plus anciens, égyptisants et orientaux, succèdent les exemples de style gr. démontrant l'influence des ateliers tanagréens. Centre de cultes agraires et de mystères éleusiniens, Kh. fut de nouveau explorée en 1969-70: les fouilles se sont concentrées sur le "bâtiment rectangulaire", un →sanctuaire (1) d'époque perse transformé sous les →Lagides.

Bibl. M. Chéhab, *Les terres cuites de Kharayeb*, BMB 10-11 (1951-52); B. Kaoukabani, *Rapport préliminaire sur les fouilles de Kharayeb, 1969-1970*, BMB 26 (1973), p. 41-59. EGub

KHELBÈS En gr. *Khelbēs*, phén. *Klb'* ou *Klby*, fils de *'Abda'/y*, →suffète de Tyr *c.* 564/3 d'après Fl. Jos., *C.Ap.* I 157. ELip

KHELEIFEH, TELL EL- Ce site, à un peu plus de 500 m du fond du golfe d'Aqaba (cote 147-884), a été fouillé de 1938 à 1940 par N. Glueck, qui reconnaissait cinq niveaux. La présence de Phéniciens est attestée au niveau V (V^e-début du IVe s.) par deux inscriptions phén. (n°s 2070 et 8058) ainsi que par un ostracon araméen (n° 7094) comportant deux noms probablement phén.: *B'lyt*[*n*] et *'šb'*[*l*]. Souvent identifié avec →Ésion-Gabér, T. el-K. n'est cependant pas un port et on songerait plutôt à l'identifier à Abronah (*'Abrōnāh*: *Nb.* 33,34.35). La fouille n'a pas encore été publiée et il semble que T. el-K. n'a connu que deux phases architecturales: une →forteresse à casemates et un fort avec porte à tenailles (VIIIe-début du VIe), l'occupation continuant jusqu'au IVe s.

Bibl. EAEHL, p. 713-717; N. Glueck, *Tell el-Kheleifeh Inscriptions*, H. Goedicke (éd.), *Near Eastern Studies in Honor of W.F. Albright*, Baltimore 1971, p. 225-242; B. Mazar - Z. Meshel, ErIs 12 (1975), p. 46-56; B. Delavault - A. Lemaire, RSF 7 (1979), p. 28-30; G.D. Practico, *Nelson Glueck's 1938-1940 Excavations at Tell el-Kheleifeh: a Reappraisal*, BASOR 259 (1985), p. 1-32; A. Lemaire, StPhoen 5 (1987), p. 50, 56. ALem

KHENEG →Tiddis.

KHIROKITIA Site néolithique de Chypre, à *c.* 20 km à l'E. d'→Amathonte, où un fragment d'inscription monumentale d'aspect phén., datable *c.* 850-750, a été découvert en surface. Malgré son extrême brièveté (deux lettres) et son isolement, ce document témoigne de l'implantation phén. sur la côte S. de Chypre à une haute époque. On ignore malheureusement si l'antique inscription funéraire phén. du Musée de Nicosie (Ins. Ph. 6), remontant à la première moitié du IXe s., provient de la même région, où l'on trouve le calcaire dur, jaunâtre, dans lequel on a taillé la stèle portant l'inscription en question.

Bibl. Masson-Sznycer, *Recherches*, p. 102-104, cf. p. 13-20; H.-P. Müller, *Die phönizische Grabinschrift aus dem Zypern-Museum KAI 30*, ZA 65 (1975), p. 104-132; A. Le Brun, *Fouilles récentes à Khirokitia* I-II, Paris 1985. ELip

KILAMUWA En phén. *Klmw*, nom louvite d'un roi de la dynastie araméenne qui a régné au IXe s. sur le royaume de Sam'al, dont la capitale occupait le site actuel de →Zincirli, sur le versant E. de l'→Amanus. K. est connu par deux de ses inscriptions, datables *c.* 825, l'une en phén. (fig. 422; KAI 24 = TSSI III,13), l'autre apparemment en araméen (KAI 25 = TSSI III,14). La première contient la plus ancienne mention connue de →Baal Hamon, le Seigneur de l'Amanus.

Bibl. CAH III/1^2, p. 397-398. ELip

Fig. 196. *Bol inscrit en caractères phén., Kition (c. 800 av. J.C.). Nicosie, Cyprus Museum.*

Fig. 197. "Dea Tyria gravida" avec nourrisson, Kition (VIe s. av. J.C.). Paris, Louvre.

KINYPS →Dorieus.

KINYRAS Légendaire roi chypriote, mentionné déjà chez Hom., *Il.* XI 20. Le nom de cet éponyme de la caste sacerdotale des Kinyrades, desservant la grande déesse de →Paphos, a été rapproché, d'une part, du mot sémitique *kinnāru* > *kinnōr*, "cithare", attesté également en égyptien et dans des langues indo-européennes, d'autre part, de l'épithète *qn 'rṣ* du dieu →Él (1) et du théonyme hittite *Kuniršа* (RLA VI, p. 341). Aucun de ces rapprochements ne s'impose dans l'état actuel de nos connaissances. Les mythographes gr. ont fait de K. le père de →Myrrha et d'→Adonis (2), lui attribuant même le titre de roi d'Assyrie (Hyg., *Fab.* 58. 242. 270).

Bibl. LGPN I, p. 256a; ThWAT IV, col. 210-216; S. Kirst, *Kinyras, König von Kypros, und El, Schöpfer der Erde*, FF 30 (1956), p. 185-189; A. Jirku, *Der kyprische Heros Kinyras und der syrische Gott Kinaru(m)*, FF 37 (1963), p. 211; Z.J. Kapera, *Kinyras and the Son of Mygdalion*, FolOr 13 (1971), p. 131-142; C. Baurain, *Kinyras*, BCH 104 (1980), p. 277-308; S. Ribichini, *Kinyras di Cipro*, Mélanges A. Brelich, Bari 1982, p. 479-500. ELip

KITION **1 Nom** En phén. *Kt(y)*, gr. *Kit(t)ion*, gr. syllab. (gén.) *Ke-ti-o-ne*, lat. *Citium* (et var.), l'actuelle Larnaka, ville de la côte S.-E. de →Chypre, identifiée parfois avec la →Carthage de Chypre. Son nom est attesté, sinon dès le IXe s., quand K. devint un centre phén., du moins depuis le VIIIe-VIIe s., sous la

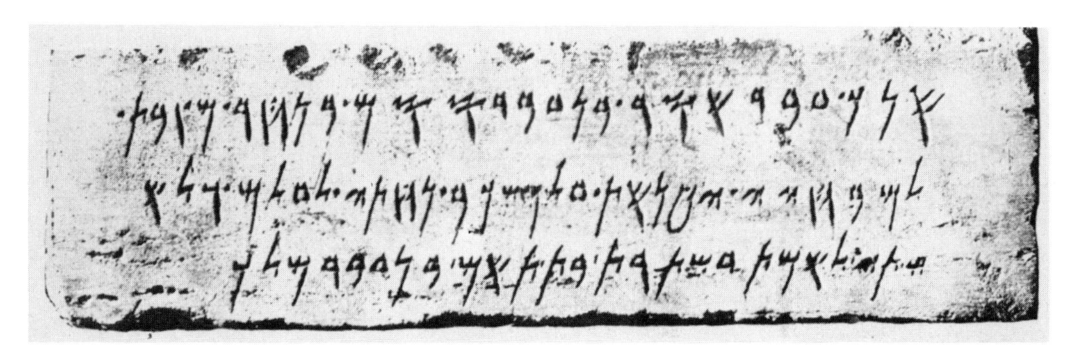

Fig. 198. Inscription funéraire de Kition (fin du IVe s. av. J.C.), découverte dès 1738. Oxford, Ashmolean Museum.

forme de l'ethnique pluriel →Kittîm.

2 Archéologie L'exploration archéologique, inaugurée par R. Pococke au XVIIIe s., a pu établir que le site de K. est occupé de façon continue depuis le XIIIe s. av. J.C. et elle a mis au jour plusieurs quartiers de la ville antique: celui de "Kathari", au N., avec le grand complexe sacral reconstruit au IXe s. sur l'emplacement d'un →sanctuaire (2Ba) du IIe mill.; celui de "Bamboula" (→sanctuaires 2Bb), qui abrite des temples de →Melqart et d'→Astarté (fig. 196), près du "port fermé" (Strab. XIV 682) que bordaient au Ve s. des hangars pour les trières et où aboutit un réseau d'égouts collecteurs (fig. 115). D'autres →sanctuaires (2Bc) se trouvent "hors les murs", en particulier près du Lac Salé, au S. de la ville, et les nécropoles, connues surtout pour les Ve-IVe s., s'étendent au N., au N.-O. et à l'O. (→tombes 2Bc).

3 Histoire politique L'installation d'une communauté phén. à K., au IXe s., s'inscrit dans le mouvement d'→expansion phén. en Méditerranée, dont K. était probablement une des premières étapes (cf. Just. XVIII 5-6). Tenue pour une fondation tyrienne, K. se révolta au temps de Salmanasar V (726-722) contre le roi de Tyr →Lulî/Éloulaios et dut faire partie des villes phén. qui se soumirent alors à l'Assyrie (Fl. Jos., *A.J.* IX 284), comme le suggère la stèle de Sargon II érigée à K. en 707 (fig. 97). Par la suite, on a peu d'information jusqu'aux temps classiques, quand l'épigraphie et le monnayage nous font connaître de *c.* 480 à 312 une succession de rois (fig. 99, 252:1-6), vraisemblablement d'une même dynastie: →Baalmilk I (2), →Azzibaal (3), Baalmilk II (3), →Baalrôm (1), →Milkyaton, →Pumayyaton. Le poids politique de K. dans l'île est alors grand et peut s'expliquer par le soutien que Baalmilk a trouvé en *c.* 480 comme allié des Perses. Au milieu du Ve s., le roi de K. devient aussi "roi d'→Idalion", riche région agricole; il étend en *c.* 430-411 son influence sur →Salamine, gouvernée par le phén. →Abdémon (3), et possède quelque temps, à partir de *c.* 350, le territoire de →Tamassos, avec ses mines de cuivre (Ath. IV 167c). Si les travaux d'→urbanisme traduisent à K., aux Ve-IVe s., la puissance économique de ses rois, l'arrivée d'→Alexandre le Grand sur la scène politique amorce pour le royaume phén. un déclin aboutissant en 312 à la prise de K. par Ptolémée I et la fin de la dynastie phén. (Diod. XIX 79,4). K. prend dès lors sa place parmi les possessions chypriotes des →Lagides et une nouvelle "ère de K." débute en 311.

4 Économie L'essor économique de K. est dû surtout au →commerce maritime, dont les origines remontent au temps où K. servait d'escale sur la route de Phénicie vers l'Occident (cf. *Is.* 23,1.12). C'est par K. que transitaient aussi ses produits et ceux de l'arrière-pays, céréales, huile, bois, sel, bronze, destinés à l'exportation, et qu'étaient acheminées vers l'intérieur les importations en provenance de l'Orient et de la Grèce, comme en témoignent les céramiques gr. ou les amphores à vin trouvées dans les fouilles. La vitalité économique de K. se reflète aussi dans les investissements lointains, p.ex. à Athènes ou sur le Pont-Euxin (Dém., *Lakrit.* 33), et dans l'établissement de communautés kitiennes au Pirée (IG II-III², 337; 4636; KAI 57), à Athènes (IG II-III², 9034; 9035; KAI 55), à Carthage (CIS I, 2625; 5997).

5 Culture Le caractère phén. de K., reconnu par toute la tradition classique (p.ex. Cic., *Fin.* IV 20,56), transparaît à travers l'onomastique royale et bourgeoise (Kition III, p. 212-216), et l'emploi constant du phén. dans les inscriptions officielles et privées jusqu'à la fin du IVe s. (fig. 99, 196, 198), ainsi que dans les pratiques funéraires et l'usage phén. de sarcophages simples en pierre. Il apparaît également dans le culte de divinités phén. et l'iconographie religieuse, p.ex. celle de l'"Héraklès-Melqart" (fig. 295), dont la figuration chypriote s'est acclimatée dans le reste du monde phén., ou celle de la *dea Tyria gravida*, originaire de la Phénicie et répandue ensuite en pays chypro-phén. (fig. 197). Mais K. se rattache aussi à un ensemble culturel plus vaste, lié aux courants philosophiques et scientifiques de la pensée gr. et orientale, dont →Zénon, le fondateur du stoïcisme, ou le médecin Apollodore (Pline, *N.H.* XX 25) sont d'illustres représentants kitiens.

Bibl. PECS, p. 456-458; PW XI, col. 536-545; G.F. Hill, *BMC. Cyprus*, London 1904; E. Gjerstad, SCE III, Stockholm 1937, p. 1-79; G.F. Hill, *A History of Cyprus* I, Cambridge 1940; V. Karageorghis (éd.), *Chronique des fouilles à Chypre*, BCH 83 (1959) ss.; Peckham, *Development*, p. 13-41; Masson-Sznycer, *Recherches*; V. Karageorghis (éd.), *Fouilles de Kition* I-V, Nicosie 1974-87; id., *Kition*, London 1976; K. Nicolaou, *The Historical Topography of Kition*, Göteborg 1976; E. Gjerstad, *The Phoenician Colonization and Expansion in Cyprus*, RDAC 1979, p. 230-254; M. Yon (éd.), *Kition-Bamboula* I-III, Paris 1982-85; S. Hadjisavvas - A. Dupont-Sommer - H. Lozachmeur, *Cinq stèles funéraires découvertes sur le site d'Agios Georghios, à Larnaca-Kition, en 1979*, RDAC 1984, p. 101-116; M. Sznycer, *Inscriptions phéniciennes sur jarres de la nécropole d'"Agios Georghios"*, RDAC 1984, p. 117-121; M. Yon-O. Callot et al., *Nouvelles découvertes dans la nécropole ouest de Kition*, RDAC 1987, p. 149-170; M. Yon, *Le royaume de Kition*, StPhoen 5 (1987), p. 357-374; 9 (sous presse).

MYon

KITTÎM En phén. et hb. *Ktym/Ktyym*. Les K. ou Kitiens sont à proprement parler les "gens de →Kition" (*Is.* 23,1.12.13), mais le terme fut employé en hb. dans une acception plus large de manière à englober au moins tous les Chypriotes (*Nb.* 24,24), également ceux de langue grecque, puisque *Gn.* 10,4; *1 Ch.* 1,7 considèrent les K. comme fils de →Yavân. *Jr.* 2,10; *Ez.* 27,6 semblent même utiliser ce gentilice au sens de "Égéens" et il est probable que K. possède ce sens dans les ostraca d'Arad qui datent de la même période (VIIe s.). À l'époque hellénistique, en *1 M.* 1,1; 8,5, les K. sont les Macédoniens et, dans la littérature apocalyptique (*Dn.* 11,30) et essénienne (*1QpHab* 9,7) de l'époque gr.-rom., le nom de K. fut appliqué aux Romains. ELip

KNOSSOS →Tekké.

KORBA (CURUBIS) →Cap Bon.

KOUASS Site d'un comptoir industriel pun. à l'embouchure de l'oued Gharifa (fig. 199), sur la côte atlantique du Maroc, et emplacement d'un excellent mouillage à 28 km au S. du cap →Spartel. Lieu de

Fig. 199. Vue aérienne du site industriel de Kouass.

pêche et de salaisons, de fabrication de →garum et de produits dérivés, K. fut aussi un important centre de potiers, développé aux VIe-Ve s. par des Puniques venus de Bétique et destiné à alimenter un grand site urbain du voisinage, sans doute celui de Zili que les fouilles récentes ont localisé à →Dchar Djedid, à 7 km à l'E. de K. K. diffusera ses produits jusqu'à la romanisation, puis verra la production se réduire considérablement, pour être définitivement abandonnée dès la fin du Ier s. ap. J.C.

Bibl. M. Ponsich, *Kouass, port antique et carrefour des voies de la Tingitane*, BAM 7 (1967), p. 369-406; id., *Nouvel aspect de l'industrie pré-romaine en Tingitane*, BAC, n.s. 4 (1968), p. 225-235; id., *Alfarerias de época fenicia y púnico-mauritana en Kuass*, Valencia 1968; id., *Les céramiques d'imitation: la campanienne de Kouass*, AEArq 42 (1969), p. 56-80. MPon

KOUKLIA →Paphos.

KOURION Capitale d'un petit royaume sur la côte S. de →Chypre, à l'O. de →Limassol, donc autrefois entre les royaumes de →Paphos et d'→Amathonte. La vieille cité est toujours visible, sur une grande acropole s'élevant juste au-dessus de la mer, à l'O. du village d'Episkopi. Une bonne tradition gr. (Hdt. V 113; Strab. XIV 6,3) attribue la fondation de K. à des colons gr. venus d'Argos. Au VIIe s., la ville figure dans la liste d'Asarhaddon, avec un roi Damasu (AfO, Beih. 9, p. 60, l. 67). Quelques rares dynastes sont connus, un Stasanôr mentionné par Hdt. V 113 au début du Ve s.; plus tard, un Pasikratès, sans doute le dernier roi, est avec Alexandre au siège de Tyr (Arr., *An.* II 22,2). La politique de ce petit royaume a dû osciller entre l'O. et l'E.; une période d'alliance ou d'union avec Paphos est à supposer d'après l'emploi de l'écriture syllabique dans sa variante paphienne. Plus à l'O., près de la route menant à Paphos, un sanctuaire important est celui dit d' "Apollon Hylatès" ou dieu des forêts, l'épithète gr. ayant été appliquée à une figure divine appelée d'abord simplement "le dieu". Tout ce que l'on sait de K. amène à y reconnaître une cité essentiellement gr. Cependant, comme dans d'autres villes de l'île, des traces de présence phén. ont été relevées. Vers 1884, une des nécropoles aurait livré deux vases à inscription phén., malheureusement disparus sans avoir été publiés. En 1969, une trouvaille fortuite a livré un bloc en forme de "fenêtre" (venant d'une tombe bâtie), qui comportait une inscription bilingue, chypriote syllabique et phén., mais très mutilée (VIIe s.; mention d'un Sidonien?). Il est donc possible qu'une petite colonie phén. ait existé à K.

Bibl. ICS, p. 189-191; PECS, p. 467-468; PW XI, col. 2210-2214; SCE IV/2, p. 449-450; T.B. Mitford, *The Inscriptions of Kourion*, Philadelphia 1971; Masson-Sznycer, *Recherches*, p. 88-91; H. Wylde Swiny, *An Archaeological Guide to the Ancient Kourion Area*, Nicosia 1982. OMas

KRONION Site de Sicile, peut-être dans la région de Palerme. Polyen, *Strat.* V 10,5 y situe une ruse de guerre d'→Himilcon (3), qui doit se référer à la grande victoire que les Carthaginois ont remportée à K., probablement en 382, sur les troupes de Denys l'Ancien, tyran de Syracuse (Diod. XV 15-17).

Bibl. Huß, *Geschichte*, p. 139-140; G. Bejor, *Cronio*, BT V, Pisa-Roma 1987, p. 468-470. ELip

KRONOS 1 Milieu gréco-romain Cic. (*N.D.* II 25) a formulé une identification admise depuis longtemps entre →Saturne et K., lui-même confondu avec Chronos, le Temps Éternel. Gell., *Noct.* V 12,1; Lact., *Div. inst.* I 12 et Aug., *Civ.* IV 10; VII 19, ont suivi Cic. Dans la lignée des Titans, K. était le fils cadet d'Ouranos, le Ciel, et de Gaia, la Terre. Après avoir dévirilisé son père avec la harpé et mangé ses enfants, sauf le dernier, Zeus, il fut chassé par celui-ci. Saturne, qui lui fut assimilé, a emprunté son type sculptural en partie à Zeus/Jupiter, en partie à K., figuré dans la tradition gr. voilé et tenant la harpé. K. a sans doute été introduit à Rome par le canal de la Sicile ou sous l'influence des Orphiques et des Pythagoriciens qui plaçaient l'âge d'or sous son autorité, ce qui contribua à faire du Saturne lat. le dieu des

Saturnia regna (l'âge d'or). L'assimilation Saturne-K., mangeur d'enfants et maître du Temps, facilita certainement la rencontre avec →Baal Hamon. M.LeG

2 Milieu sémitique Les analogies entre le rôle de K. dans la *Théogonie* d'Hésiode et celui de Kumarbi dans la théogonie hourro-hittite pourraient faire remonter au IIe mill. av. J.C. les points de contact entre la figure de K. et la Syrie du N., où le mythe de Kumarbi est en partie localisé. Le schéma théomachique qui commande le mythe de Kumarbi et celui de K. chez →Philon de Byblos (Eus., *P.E.* I 10,15-33) suppose probablement une tradition nord-syrienne commune. À →Arwad, K. était le dieu protecteur d'un quartier de la ville, où un sanctuaire lui fut dédié avec un bosquet ensemencé et planté (IGLS VII,4002). C'est sous le nom gr. de K. que Bēl ou Baal Hamon était aussi vénéré en Syrie, en Jordanie ou au Liban (D. Sourdel, *Les cultes du Hauran*, p. 35-37), notamment dans la région de →Baalbek (IGLS VI,2740), et c'est en K. voilé, tenant la harpé, son image traditionnelle, que Bēl Hamon figure sur un autel du sanctuaire palmyrénien de Rome (Syria 9 [1928], pl. XXXIX). Pareillement, à →Constantine, au IIIe-IIe s., K. peut prendre la place de Baal Hamon dans les dédicaces gr. du →*tophet* d'El-Hofra (EH gr. 3-6), tout comme Saturne le fait dans les dédicaces lat. (EH lat. 1, 2, 4, 5, 7). L'ancienne assimilation de K. à →Dagon, dont Baal Hamon n'était peut-être qu'une épithète, est encore connue de l'*E.M.* qui note sous le toponyme *Bētágōn*, "Maison de Dagon", que Dagon est le K. des Phéniciens. Philon de Byblos pourtant fait de K. et Dagon des frères, nés d'Ouranos et de Gè. C'est un autre syncrétisme que l'on rencontre dans les *Babyloniaka* de Bérose (FGH 680, fr. 4,14), où K. prend la place du dieu suméro-akkadien Enki-Éa, assimilé à →Él dans les inscriptions de →Karatepe. Or, chez Philon de Byblos, K. est identifié à Él. ELip

Bibl. PW XI, col. 1999-2000; RLA VI, p. 324-330; M. Leglay, *Saturne african. Histoire*, Paris 1966, p. 143-145, 315-318, 451-453, 472-478; L. Troiani, *L'opera storiografica di Filone da Byblos*, Pisa 1974, p. 143-192; Huß, *Geschichte*, p. 521, n. 88.

KSAR LEMSA Hameau qui occupe l'emplacement de l'ancienne *Limisa*, au cœur d'une région accidentée et boisée de Tunisie, à *c.* 50 km au S.-O. de →Thuburbo Maius. Deux dédicaces néopun. contenant la formule consacrée "au jour heureux et béni", traduite plus tard en latin par *bonus dies sollemnis*, y évoquent le sacrifice offert par le dédicant le jour de son initiation ou du moins de sa consécration à Baal Hamon - Saturne.

Bibl. AATun II, f^e^ 31 (Djebel Bou Dabouss), n°s 5-6; PECS, p. 471; PW XIII, col. 672; J.-G. Février, *Inscriptions puniques et néopuniques inédites*, BAC, n.s., 1-2 (1965-66), p. 223-229 (voir p. 226-228); M. Leglay, *Saturne africain. Histoire*, Paris 1966, p. 377-380; id., *Nouveaux documents, nouveaux points de vue sur Saturne africain*, StPhoen 6 (1988), p. 187-237 (voir p. 207-209, 233-234). ELip

KSAR TOUAL ZOUAMEL En lat. *Vicus Maracitanus*; bourg rural de Tunisie entre Le Kef (→Sicca Veneria) et →Maktar, verouillant le col qui relie les riches plaines à céréales du Sers et de la Siliana. Les ruines du bourg, d'une superficie de *c.* 10 ha, sont dominées par le monument triomphal du Gbor Klib, qui occupe le point haut du col. À 400 m à l'E. du monument se trouvait un sanctuaire de Baal→Saturne qui remontait au moins à l'époque de →Massinissa I, comme l'indiquent les monnaies trouvées dans les urnes cinéraires exhumées au pied des stèles. Les deux stèles inscrites néopun. sont datables du IIe s. av. J.C., tandis que les stèles lat. ou anépigraphes datent des IIe-IIIe s. ap. J.C. On a trouvé aussi des stèles autour du →mausolée turriforme de Gbor-Klib, voisin des ruines du bourg.

Bibl. AATun II, f^e^ 30 (Maktar), n°s 32 et 33; PECS, p. 977; J.G. Février, BAC 1946-49, p. 252-253; M. Leglay, *Saturne africain. Monuments* I, Paris 1961, p. 229-239. ELip

KSIBA MRAOU Le site de *Hanšīr el-Okseiba*, la *Civitas Popthensis* de l'époque rom., à l'E. de →Souk Ahras (Algérie), n'a pas encore été fouillé systématiquement. Il a cependant livré jusqu'ici une dizaine d'inscriptions néopun., gravées notamment sur des →stèles votives dédiées à Baal "le jour favorable et béni" et décorées de symboles pun., p.ex. du →"signe de Tanit". Si l'on n'a pas découvert des vestiges du sanctuaire néopun. autres que les stèles, on connaît un peu mieux le temple postérieur de →Saturne qui avait une forme circulaire et, installé sur une crête, dominait la cité de 30 à 40 m, du côté S. Les quelque 50 stèles trouvées à K.M. proviennent toutefois du versant N. de l'éperon rocheux qui porte la cité: ce devait être l'emplacement d'un sanctuaire plus ancien, en usage au moins du Ier au IIIe s. ap. J.C. Le culte de →Mercure est également attesté à K.M. (ILAlg 1108).

Bibl. AAAlg, f^e^ 19 (El-Kef), n° 37; J.-B. Chabot, *Punica XIV*, JA 1917/2, p. 11-18; id., BAC 1934-35, p. 203-204; M. Leglay, *Saturne africain. Monuments* I, Paris 1961, p. 420-430. ELip

KSOUR En arabe *Ksūr*, localité de Tunisie à *c.* 7 km à l'E. d'→Althiburos; ses environs ont livré une épitaphe néo-pun., dont l'onomastique est libyque (RÉS 785 = ESE III, p. 62). L'existence d'un *tophet* est attestée par la découverte récente d'une série de stèles à décor néopun. avec le "signe de Tanit" anthropomorphisé, le caducée, le soleil, le sphinx, etc., ainsi que d'urnes avec leur contenu.

Bibl. AATun II, f^e^ 29 (Ksour), n° 99; M. Ennaïfer, *La cité d'Althiburos et l'édifice des Asclepiéia*, Tunis 1976, p. 22-24; M. Ghaki, REPPAL 4 (1988), p. 267. ELip

KSOUR ABD EL-MELEK →Uzappa.

KSOUR ESSAF Bourg de Tunisie, à 12 km au S.-O. de →Mahdia; au S. de K.E. on a découvert en 1910 un caveau isolé à puits contenant une cuirasse ouvrée en bronze d'importation italienne, datable *c.* 300 av. J.C. Le mort avait été inhumé dans un coffre-sarcophage en bois de cyprès qui portait, comme les ossements, des traces de rouge funéraire. Le coffre, du même type que celui de →Gigthis, est haut de 0,84 m, long de 1,80 m et large de 0,68 m.

Bibl. AATun, f^e 74 (Mahdia), n° 60; A. Merlin, *Découverte d'une cuirasse italiote près de Ksour es-Saf,* Piot 17 (1909), p. 125-137; E. Collet-J.J. de Smet, BAC 1913, p. 343-345; *I Fenici,* Milano 1988, p. 68-69. SLan

KULMER En akk. *Kulmera/Kullimeri,* hb. et syr. *Klmr,* gr. *Khlōmarōn.* C'était au VIIe s. une des deux cités majeures du pays de Shubria, en Anatolie orientale; elle était située au N.-E. de Diarbékir (Turquie), près du Batman-su, un affluent du Tigre. D'après *Ez.* 27,23, où le toponyme est transmis sous la forme *Klmd,* due à la confusion fréquente *d/r,* K. faisait partie du circuit commercial des Tyriens, dont l'influence semble avoir atteint ces régions dès le IXe s. (→Gérdādi 1).

Bibl. DEB, p. 723; RLA VI, p. 306-307. ELip

KUNTILLET AJRUD/HORVAT TEIMAN Site à *c.* 50 km au S. de Qadesh-Barnéa, au sommet d'une colline, près de la route des caravanes allant de Gaza à Élat. Fouillé par Z. Meshel en 1975/6, K.A. n'a été occupé que pendant une courte période, probablement *c.* 776-750. Le plus important des deux groupes de bâtiments semble avoir été une sorte de caravansérail. Le site est important par ses inscriptions paléo-hébraïques et phén., ses dessins et ses restes organiques. Les dessins, peut-être des exercices, représentent des motifs classiques de l'iconographie du Proche-Orient au VIIIe s. (lion, dieu →Bès, joueur de lyre). Les inscriptions phén., fragmentaires, écrites à l'encre sur le plâtre d'un mur, semblent des formules de bénédiction (*yṭb.yhwh*) ou des textes mentionnant →Él et →Baal. Ce site paraît avoir été un caravansérail royal pour les expéditions commerciales phén.-israélites sous Jéroboam II.

Bibl. Z. Meshel, *Kuntillet Ajrud,* Jerusalem 1978; P. Beck, *The Drawings from Horvat Teiman (Kuntillet 'Ajrud),* Tel Aviv 9 (1982), p. 3-68; A. Lemaire, SEL 1 (1984), p. 131-144; id., StPhoen 5 (1987), p. 52; J. Hadley, *Some Drawings and Inscriptions on Two Pithoi from Kuntillet 'Ajrud,* VT 37 (1987), p. 180-213 (bibl.). ALem

KUSH En ég. *K(3)š,* phén. *Kš(y),* hb. *Kûš,* akk. *Kûšu/Kûsu,* nom égyptien de la Nubie méridionale, dont les villes principales étaient Kerma et Napata, dans le N. de l'actuel Soudan. Les princes égyptisés de Napata (Gebel Barkal) occupèrent au cours de la seconde moitié du VIIIe s. la plus grande partie de l'Égypte et fondèrent la XXVe dynastie, dite "éthiopienne" (*c.* 715-656), qui dut affronter les visées assyriennes sur le pays et appuya les cités phén. contre Asarhaddon, en particulier le roi →Baal I de Tyr (ANET, p. 290; TPOA, p. 129-131). Celui-ci dut cependant se soumettre au roi d'Assyrie, qui parvint à occuper Memphis en 671. La guerre reprit sous Assurbanipal qui obligea ses vassaux syro-palestiniens, notamment ceux de la côte phén., à participer à la campagne "sur mer et sur terre" (ANET, p. 294-297; TPOA, p. 131-132). Il occupa Memphis et Thèbes, forçant Taharqa (690-664), le roi de K., à se retirer en Nubie. Plus tard, en 591, un contingent phén. participa à la campagne nubienne des généraux de Psammétique II qui arrivèrent peut-être jusqu'à Napata. En témoignent les graffiti phén. d'Abu Simbel, gravés au retour de l'expédition (CIS I, 111-113; ZDMG 114 [1964], p. 226-227). On a trouvé aussi des objets de facture phén. dans la nécropole kushite de Ṣanam, face à Napata, qui fut en usage de *c.* 750 à 550 av. J.C.

Bibl. LÄg III, col. 888-901; IV, col. 526-532; RLA VI, p. 374-375; F.L. Griffith, *Oxford Excavations in Nubia,* AAA 10 (1923), p. 73-76.110-114; Peckham, *Development,* p. 127, n. 63; E. Lipiński, VT 25 (1975), p. 689; K.A. Kitchen, *The Third Intermediate Period in Egypt (1100-650 B.C.),* Warminster 1986². ELip

KYRENIA →Keryneia.

L

LAELIUS D'origine plébéienne, la *gens Laelia* provenait sans doute de Tibur (Tivoli); elle n'est entrée dans la noblesse qu'au IIe s., avec ses deux membres qui, liés aux →Scipions, ont pris une part active aux →guerres pun.

1 *C. Laelius* (*c.* 235-*c.* 160) apparaît comme préfet de la flotte de →Scipion (5) l'Africain lors de la prise de Carthagène (209), où il exécute une habile manœuvre de coordination avec les troupes terrestres. Homme de confiance de Scipion, devenu son ami, il le suit dans sa campagne d'Espagne (batailles de Baecula; de Carmona; engagement naval de Carteia, etc.) et d'Afrique (contre →Syphax: Bône; Cirta), tout en assurant un rôle de liaison avec Rome: il annonce la prise de Carthagène, puis emmène à son bord Syphax prisonnier. A →Zama, il commande la cavalerie à l'aile gauche. Sa carrière politique, commencée sitôt après la guerre, le conduit au consulat avec L. →Scipion (6) (190) et à diverses missions diplomatiques. Vieillard, il a été l'informateur de Polybe.

2 Son fils *C.L. Sapiens* (*c.* 190-après 129), ami de →Scipion (8) Émilien et son légat en 147-146, a participé aux opérations du siège de Carthage, contre le camp de Diogène à →Néphéris et contre le port militaire, dont il a forcé, l'un des premiers, le rempart. Présent à la guerre d'Espagne, consul en 140, il a tenté, tout en s'opposant à Ti. Gracchus (→Gracques 3), de promouvoir une politique favorable à la paysannerie italienne. L'amitié de L. Sapiens et de Scipion Émilien a été idéalisée par la littérature, notamment dans le dialogue fictif de Cic., *Amic.* (44 av. J.C.).

Bibl. Huß, *Geschichte*, p. 383, 398, 399, 402, 409-414, 419-420, 453-455.
JLoicq

LAGIDES ou "Ptolémées", dynastie d'origine macédonienne fondée par Ptolémée I Sôter, fils de *Lagos* et ancien général d'Alexandre le Grand, qui, après la mort de ce dernier en 323, devint satrape d'Égypte pour assumer en 306 le titre royal. Ses successeurs (Ptolémée II à XV) restèrent au pouvoir jusqu'à la conquête rom. en 30 av. J.C. Jusqu'à la fin du IIIe s., les L. réussirent à maintenir, dans le bassin oriental de la Méditerranée, un vaste empire maritime et multinational; ils firent en outre de leur capitale Alexandrie le centre culturel et scientifique du monde hellénistique. Leurs relations avec les Phéniciens, peu nombreux en →Égypte même en dehors de →Memphis, varient suivant les régions.

1 Phénicie Jusqu'à la 5e guerre de Syrie (202-198), les cités phén., sauf Arwad, ainsi que leur arrière-pays, faisaient partie de l'empire des L., la frontière avec la Syrie des →Séleucides étant constituée par l'Éleutheros (Nahr el-Kebir). Leur importance stratégique et économique était considérable en tant que ports militaires et commerciaux, au débouché des routes caravanières, en raison aussi du bois du Liban. Aussi les principales cités semblent avoir été occupées par des garnisons ptolémaïques. L'administration de la province de "Syrie et Phénicie", après l'abolition des royaumes phén. au début du IIIe s., est mal connue. Le "roman de Joseph" (Fl. Jos., *A.J.* XII 154-236) nous apprend que le fameux Tobiade y levait les impôts entre 239 et 217 ou 227/4 et 205/2. La domination des L. a incontestablement renforcé le processus d'hellénisation de la Phénicie.

2 Chypre Les L. ont dominé l'île de Chypre de 315 à 306 et de 294 à 58. Entre 313 ou 312 et 310/09, ils y ont aboli la royauté locale, y compris celle de la cité phén. de →Kition. L'exécution du roi →Pumayyaton et la destruction des temples de Melqart et d'Astarté (313 ou 312) furent plutôt inspirées par des motifs politiques que par des sentiments antiphén. Au cours du IIIe s. plusieurs Phéniciens de Chypre ont occupé dans l'île des postes importants, dont la portée reste toutefois controversée.

3 Carthage et Afrique du Nord Après une période d'antagonisme, due à la politique expansionniste de Ptolémée I, qui a étendu ses États jusqu'à la Tour d'Euphrantas (→Macomades 1), l'Égypte et Carthage ont entretenu à partir de 274 des liens d'amitié, avec une frontière commune aux Autels des →Philènes, mais les contacts mutuels sur le plan culturel et commercial sont restés fort restreints, malgré les progrès de l'→hellénisation en Afrique du N. En raison de leurs bonnes relations avec Rome, dès 273, les L. ont observé une stricte neutralité dans les →guerres pun. La fille de Cléopâtre VII, la dernière des L., fut mariée à →Juba II de Maurétanie et donna à son fils le nom de →Ptolémée.

Bibl. PW XXIII, col. 1600-1761; CAH[2] VII/1; F. Heichelheim, *Die auswärtige Bevölkerung im Ptolemäerreich*, Leipzig 1925, p. 70-71, 107-109; W. Peremans - E. Van 't Dack, *Prolégomènes à une étude concernant le commandant de place lagide en dehors de l'Égypte*, PLB 17 (1968), p. 81-99; R. Bagnall, *The Administration of the Ptolemaic Possessions outside Egypt*, Leiden 1976; J. Seibert, *Zur Bevölkerungsstruktur Zyperns*, AncSoc 7 (1976), p. 1-28; É. Will, *Histoire politique du monde hellénistique* I-II, Nancy 1979-82[2]; W. Huß, *Die Beziehungen zwischen Karthago und Ägypten in hellenistischer Zeit*, AncSoc 10 (1979), p. 119-137; Ino Michaelidou-Nicolaou, *Repercussions of the Phoenician Presence in Cyprus*, StPhoen 5 (1987), p. 331-338; A. Parmentier, *Phoenicians in the Administration of Ptolemaic Cyprus*, StPhoen 5 (1987), p. 403-412.
HHaub

LA JOYA →Huelva.

LAMPES Cet élément classique du répertoire céramique phén. se distingue aisément par la simplicité de sa forme. Les premières l., réalisées à partir d'une assiette sur laquelle un pincement du bord permet de situer la mèche, sont attestées à Tyr dans les niveaux du Bronze Récent (XIVe s.). Cette forme, très répandue en Syrie, Phénicie, Palestine, se maintient pendant des siècles en Orient, avec peu de changements,

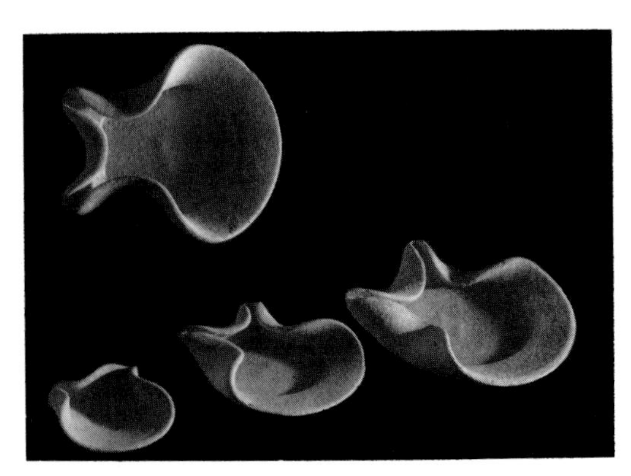

Fig. 200. Lampes puniques, Kerkouane (IVᵉ-IIIᵉ s. av. J.C.). Tunis, I.N.A.A.

et est transmise à l'Occident (Carthage, Sardaigne, Espagne), où elle apparaît dès le VIIIᵉ s. Cependant, elle y sera vite supplantée par la l. à deux becs, avec laquelle elle coexistait (fig. 200). Ces l. bicornes sont normalement recouvertes d'un engobe rouge lustré jusqu'au VIᵉ s., comme bon nombre des productions céramiques d'Occident, mais elles perdent ensuite toute décoration, à l'exception de quelques exemplaires de Carthage ornés sur le rebord de courts traits de couleur rouge et verte. L'évolution typologique et chronologique est bien connue jusqu'à la fin de l'époque pun. Les bords de l'assiette se relèvent et se referment peu à peu, de même que les deux becs qui se transforment, dès la fin du IVᵉ s., en deux tubes fermés à section circulaire. La l. devient creuse et profonde et elle adopte finalement une forme fermée à trois tubes: c'est là le type retrouvé dans les fours céramiques de Carthage du temps de la 3ᵉ guerre pun. Les l. étaient normalement placées sur une

Fig. 201. Lampe-caryatide de Kition (VIᵉ s. av. J.C.). Bruxelles, Musées Royaux d'Art et d'Histoire.
Fig. 202. Lampe-caryatide d'Illa Plana (VIᵉ-Vᵉ s. av. J.C.). Ibiza, Musée Archéologique.

petite soucoupe, décorée souvent de cercles concentriques peints, afin de recueillir l'huile qui suintait à travers la mèche. Un type plus rare, mais bien connu à Carthage et à Ibiza, consiste en des l. pourvues d'un long manche en céramique qui sortait du fond externe et permettait de les déplacer aisément. Les quelques exemplaires connus en bronze suivent en général la typologie des productions en argile. On trouve les l. dans les maisons, où leur fonction utilitaire est claire, mais aussi dans les nécropoles et les sanctuaires. Leur apparition régulière dans les tombes, où elles font partie du mobilier funéraire et, à la haute époque, semblent même avoir été allumées, fait supposer qu'elles servaient à illuminer le mort dans son voyage ou, plus simplement, qu'elles l'accompagnaient, tout comme les offrandes de boissons et d'aliments. Avec le temps, toutefois, le mobilier funéraire se simplifie et les tombes livrent des l. sans trace d'utilisation. Dès le début du IVᵉ s., elles sont souvent remplacées par des productions attiques, un reflet de l'hellénisation du monde pun. Il convient de signaler encore les lampes à plusieurs becs (kernos: fig. 234) et les lampes-caryatides d'origine orientale dont le type se répandit via Chypre (fig. 201), la Sicile et la Sardaigne jusqu'à Ibiza, où il fut adopté par les potiers locaux (fig. 202).

Bibl. J. Deneauve, *Lampes de Carthage*, Paris 1969, p. 15-38; D. Heres, *Die punischen und griechischen Tonlampen der Staatlichen Museen zu Berlin*, Berlin-Amsterdam 1969; Cintas, *Manuel* II, p. 306-317; J. Bussière, *Les lampes phénicopuniques d'Algérie*, AntAfr 25 (1989), p. 41-68. CGómB

LANGUE 1 Diffusion et durée Le phénicien est la l. des inscriptions nord-ouest sémitiques du Iᵉʳ mill. av. J.C., trouvées dans les régions côtières du Levant, depuis la bande de Gaza, au S., jusqu'au golfe d'Alexandrette, au N. Des inscriptions rédigées dans le même idiome se rencontrent aussi, parfois en grand nombre, dans les vastes aires du Proche-Orient et du bassin méditerranéen où l'influence économique et culturelle des Phéniciens s'est fait sentir. Depuis la Mésopotamie, l'Anatolie et l'Égypte, en passant par Chypre et les ports de la mer Égée, Malte, la Sicile, la Sardaigne, l'Étrurie, et jusqu'à l'Afrique du N., aux îles Baléares et à la péninsule Ibérique, les inscriptions phén. attestent l'emploi de la l. (→épigraphie). L'usage a prévalu de qualifier de "pun." l'idiome des inscriptions provenant de l'Afrique du N., spécialement de Carthage, ainsi que celui des colonies carth. établies dans le bassin occidental de la Méditerranée. On appelle alors "néopun." le langage des inscriptions caractérisées par une →écriture cursive et l'emploi de *matres lectionis*. Ces inscriptions, généralement postérieures aux guerres pun., sont attestées jusqu'au IIIᵉ s. ap. J.C.; la plupart proviennent des cités numides punicisées ou de Tripolitaine. La brillante civilisation de Carthage, sa puissance économique et militaire, ont en effet imposé progressivement le pun. comme l. de commerce, de relation et de prestige en Afrique du N. À partir des principaux ports et des villes pun., le pun. s'est étendu aux campagnes où il s'implanta peu à peu, à côté de la l. berbère parlée par les Numides. Cette situation se reflète notamment dans les inscriptions, parfois bilingues numido-pun., de →Dougga, de →Maktar, de →Constantine et d'autres sites, qui témoignent de l'utilisation du pun. comme l. officielle. Cette implantation du pun. a été tellement profonde qu'Apulée de Madaure pouvait encore dire d'un jeune homme de son temps (IIe s. ap. J.C.): "Il ne parle que le punique, à la rigueur quelques mots de grec qu'il avait appris de sa mère, mais il ne veut pas et ne sait pas parler le latin" (*Apol.* 98). D'ailleurs, nous savons par St →Augustin que le punique était parlé au moins jusqu'au Ve s. dans les régions rurales de la Numidie, tandis que les inscriptions →"lat.-pun.", dont plusieurs datent du IVe et probablement du Ve s. ap. J.C., reflètent la punicisation profonde de la Tripolitaine. Dans son commentaire des Psaumes, Arnobe le Jeune signale *c.* 460 que l'on fait encore usage "de la l. pun. du côté des →Garamantes" (PL LIII, col. 481), c.-à-d. en Tripolitaine. Ces témoignages attestent la survivance de la l. pun. six cents ans après la destruction de Carthage. Quant au phén. de l'Orient, il a survécu probablement jusqu'au IVe s. dans des régions vinicoles de Chypre, comme le suggèrent certains noms et vocables des *Passions* des →martyrs chypriotes, et, sans doute aussi, dans les campagnes libanaises.

2 Dialectes La distinction entre le phén. et le pun., bien qu'inadéquate, n'en répond pas moins à une série de données objectives. En effet, le phén. est divisé en dialectes, qui correspondent au fractionnement géographique de l'aire phén., au développement historique du langage parlé, que les textes finissent par refléter, et à l'évolution indépendante des parlers de centres parfois très distants les uns des autres. Cependant, malgré les différences locales et l'évolution du langage, le phén. ou, si l'on préfère, le phén.-pun. présente un ensemble de traits linguistiques et une individualité propre qui permettent de le distinguer des autres idiomes sémitiques de l'aire syro-palestinienne, qu'ils soient antérieurs au phén., comme la l. d'→Ugarit, ou contemporains, comme l'ancien hébreu et l'ammonite parlé en Transjordanie centrale. Ainsi, le phén. ne compte plus que 22 phonèmes consonantiques, alors que l'ugaritique en possédait 28; il a une préformante du causatif en *y*-, tandis que l'ugaritique a un causatif en *š*- et l'hébreu en *h*-; ses suffixes pronominaux offrent une gamme de variétés dialectales, dont le *-y* de la 3e pers. sing. et le *-nm* de la 3e pers. plur. ne se retrouvent pas ailleurs; il est le seul, avec le dialecte giblite du Bronze Récent (el→Amarna), à se servir de l'infinitif absolu accompagné du pronom personnel ("moi bâtir") pour exprimer une action accomplie dans le passé. L'emploi d'un →alphabet commun, à base consonantique, masque néanmoins un certain nombre de différences, surtout de nature vocalique.

La l. employée dans les plus anciennes inscriptions d'une certaine ampleur, celles de →Byblos, conserve de nombreux éléments archaïques qui dévoilent l'origine commune du phén., de l'hébreu et des idiomes transjordaniens du Ier mill. av. J.C. C'est ainsi que ni la l. ni l'écriture ne permettent de décider si le Calendrier agricole de Gézer, qui date du Xe s. comme les inscriptions giblites, est rédigé en phén., en hébreu ou, tout simplement, en cananéen qui est la l. mère dont dérivent ces idiomes du Ier mill. Du reste, l'hébreu est appelé "l. de Canaan" dans *Is.* 19,18, la Phénicie porte le nom de "Canaan" en *Is.* 23,11 et Sidon est le "premier-né de Canaan" selon *Gn.* 10,15. À l'époque hellénistique, les monnaies de Beyrouth portaient la légende "Laodicée de Canaan" et, plus tard, Philon de Byblos soutenait que le nom de Canaan aurait été changé en Phœnix (Eus., *P.E.* I 10,39), tandis que les villageois mograbins du temps de St Augustin se seraient encore présentés en punique comme des "Cananéens" (PG XXXV, col. 2096). Il est donc fort probable que les Phéniciens eux-mêmes auraient qualifié leur l. de "cananéenne", appellation qui soulignerait la continuité du langage, mais que l'on est aujourd'hui porté à réserver aux idiomes syro-palestiniens du IIe mill. av. J.C.

3 Vocalisation L'orthographe phén.-pun. étant essentiellement consonantique, la vocalisation et la prononciation des mots et des noms propres posent des problèmes que l'on n'est pas toujours en mesure de résoudre d'une manière satisfaisante. L'évolution phonétique du langage, menant jusqu'à une prononciation *bōn* du mot *ba'al*, et les différences dialectales ne permettent du reste pas de généraliser la vocalisation indiquée dans les inscriptions néopun. ou conservée par les passages pun. du *Poenulus* de →Plaute et les transcriptions en cunéiformes, en gr. ou en lat. En particulier, le passage *ā́* > *ṓ*, attesté pour les formes verbales du type *yatṓn*, "il a donné", n'a pas eu lieu partout, notamment à l'intérieur des noms propres quand le verbe en constitute le premier élément, ainsi dans *Ia-ta-na-e-li* (APN, p. 92b); la raison en est vraisemblablement la brévité de la voyelle *a*, qui n'est donc pas passée en *ṓ*. Par ailleurs, les formes transmises par le gr. et le lat. reflètent parfois une articulation abrégeant les anthroponymes ou rendant certaines phonèmes d'une manière indistincte, p.ex. quand le théonyme *'šmn* est réduit à *Sun-* (→Suniatus, →Synalos), *Sum-* (CIS I,119) ou *San/m-* (→Tétramnestos). L'appoint de l'hb., pourtant relativement proche du phén., peut être, lui aussi, fallacieux, car l'usage du phén. n'est pas toujours conforme à celui de l'hb. biblique, p.ex. *C/Karthalo* correspond au pun. *(Mil)qart-ḥalṓṣ*, "Melqart a sauvé", alors que l'hb. exigerait pour le même verbe la forme *ḥillēṣ* du piël. Une grande réserve s'impose donc dans ce domaine, compte tenu du synchronisme des dialectes et du diachronisme des sources.

4 Grammaires et lexiques La première grammaire du phénicien qui ait fait suite aux études de W. →Gesenius, est celle de P. →Schröder, *Die phönizische Sprache* (Halle 1869, réimpr. 1979). Il existe quatre grammaires plus récentes: Z.S. →Harris, *A Grammar of the Phoenician Language* (New Haven 1936), présentation claire, concise, pourvue d'un lexique; A. Van den Branden, *Grammaire phénicienne* (Beyrouth 1969), employant des caractères d'imprimerie phén., mais donnant libre cours à des vues parfois trop personnelles; J. →Friedrich-W. Röllig, *Phönizisch-punische Grammatik* (Roma 1970^2), avec une riche documentation et une analyse plus poussée des dialectes; S. Segert, *A Grammar of Phoenician and Punic* (München 1976), bonne grammaire de base avec un choix de textes, un glossaire et une bibliographie sélective. Le meilleur dictionnaire, dont une nouvelle édition est en cours de préparation, est celui de Ch.-F. Jean-J. Hoftijzer, *Dictionnaire des inscriptions sémitiques de l'Ouest* (Leiden 1965). On mentionnera aussi l'étude de R.S. Tomback, *A Comparative Semitic Lexicon of the Phoenician and Punic Languages* (Missoula 1978), ainsi que M.ª-J. Fuentes Estañol, *Vocabulario fenicio* (Barcelona 1980), à n'utiliser qu'avec prudence. Pour l'onomastique, dont les données enrichissent notre connaissance de la l. et du vocabulaire, on se reportera à F.L. Benz, *Personal Names in the Phoenician and Punic Inscriptions* (Rome 1972) et, pour la période néopunique, à K. Jongeling, *Names in Neo-Punic Inscriptions* (Groningen 1984). On tiendra compte aussi de l'article de G. Halff, *L'onomastique punique de Carthage*, Karthago 12 (1965), p. 61-146, ainsi que de celui de M.G. Amadasi Guzzo, *L'onomastica nelle iscrizioni puniche tripolitane*, RSF 14 (1986), p. 21-51.

Bibl. Z.S. Harris, *Development of the Canaanite Dialects*, New Haven 1939; K.R. Veenhof, *Phoenician-Punic*, J.H. Hospers (éd.), *A Basic Bibliography for the Study of the Semitic Languages* I, Leiden 1973, p. 146-171; M. Sznycer, *La vocalisation des formes verbales dans l'écriture néopunique*, A. Caquot-D. Cohen (éd.), *Actes du Premier congrès international de linguistique sémitique et chamito-sémitique*, The Hague 1974, p. 209-219; W. Röllig, *Das Punische im Römischen Reich*, Die Sprachen im römischen Reich der Kaiserzeit (BJb, Beih. 40), Köln 1980, p. 285-299; id., *The Phoenician Language: Remarks on the Present State of Research*, ACFP 1, Roma 1983, p. 375-385; K. Jongeling, *Survival of Punic*, StPhoen 11 (1989), p. 365-373. ELip

LAODICÉE En gr. *Laodíkeia*, nom d'au moins huit cités de l'Empire séleucide fondées ou rebaptisées à l'époque hellénistique. Trois d'entre elles ont quelque rapport avec la civilisation phén.

1 Laodicée-sur-Mer, l'actuelle Lattaquié, en arabe *al-Lāḏiqīya*, est une cité portuaire de Syrie, fondée par Séleucos I Nicator à l'emplacement d'une localité qui aurait porté le nom sémitique de *Ramitha*, le nom gr. de *Leukḕ Aktḗ* (Ét. Byz.), ainsi que le nom de Mazabda. Dans les environs du port, on a recueilli de la céramique du Bronze Récent — des jarres de fabrication locale, un fragment de vase mycénien du XIVᵉ s. et un fragment de vase chypriote — et une céramique plus abondante de l'âge du Fer couvrant la période du XIIᵉ au IVᵉ s., notamment de la poterie locale, des vases importés de Chypre (IXᵉ-VIIIᵉ s.), un kylix ionien.

2 Laodicée-de-Canaan ou **de-Phénicie** est le nom hellénistique de →Beyrouth.

3 Laodicée-du-Liban est l'antique Qadesh de l'Oronte, l'actuel Tell Nébi Mend, en Syrie.

Bibl. PECS, p. 482; PW XII, col. 713-718; Dussaud, *Topographie*; G. Saâdé, *Histoire de Lattaquié*, Damas 1964; O. Mørkholm, *The Autonomous Tetradrachms of Laodicea ad Mare*, ANSMN 23 (1983), p. 89-107. LBad

LAPÉTHOS En gr. plutôt *Lapḗthos* que *Lapáthos*, phén. *Lpš*, moderne *Lapithos*; capitale d'un petit royaume de →Chypre, dans la partie N.-O. de l'île, entre →Soloi et →Keryneia; le site antique se trouve au N.-E. de Lapithos, au lieudit *Lambousa*. Le royaume ne figure pas dans la liste d'Asarhaddon, mais il est certainement ancien (sites du Bronze Récent); suivant la tradition gr., il avait été fondé par des colons laconiens, sous la direction de Praxandros. L'histoire en est très mal connue. Cependant, grâce à des monnaies à légende phén. (fig. 252:7-9), on sait qu'au Vᵉ et au IVᵉ s., L. est dirigée par des personnages qui peuvent porter un nom phén., comme →Sidqimilk (av. 450), ou un nom gr., tels →Démonikos I (av. 450), →Andr... (*c.* 415-390), →Démonikos II (ap. *c.* 390). D'autre part, une documentation complémentaire est fournie par le site proche de →Larnaka-tis-Lapithou, sous la montagne, au S.-O. de L. Selon toute vraisemblance, on n'a pas affaire à L. à une véritable colonisation phén., comme à →Kition, mais à une symbiose d'éléments gr. et phén., ces derniers semblant être venus directement de Phénicie (allusion aux "dieux de Byblos" à Larnaka-tis-Lapithou). À l'époque hellénistique, on connaît un roi →Praxippos (2), qui est détrôné par Ptolémée I en 312 (Diod. XIX 79,4; monnaies).

Bibl. PECS, p. 482-483; PW XII, col. 763-766; Masson-Sznycer, *Recherches*, p. 97-100; O. Masson, BCH 101 (1977), p. 323-328; F.G. Maier, JHS 105 (1985), p. 32-39. OMas

LARES L'actuel Henchir Lorbeuss est un site de Tunisie aux ruines très étendues, à 28 km au S.-E. de →Sicca Veneria. Cet ancien bourg indigène est probablement l'*oppidum Laris* que Marius occupa au temps de la guerre de →Jugurtha (Sall., *Jug.* 90). Il a livré notamment une inscription néopun., inédite (NP 129), qui témoigne de la culture pun. de l'agglomération numide.

Bibl. AATun II, fᵉ 29 (Ksour), nº 70; PECS, p. 484; Gascou, *Politique municipale*, p. 131-132; Lepelley, *Cités* II, p. 125-126. ELip

LARNAKA →Kition.

LARNAKA-TIS-LAPITHOU En phén. *Nrnk*, ethnique gr. *Narnákios*; établissement antique de →Chypre, dépendant de la cité de →Lapéthos; il était situé au S.-O. de cette ville, au pied de l'extrémité O. des montagnes de Kyrénia. Découvert *c.* 1850 par A. Sakellarios, il n'est connu que par des inscriptions phén. et gr. alphabétiques, sans fouilles régulières. Une dédicace rupestre bilingue (CIS I, 95 = KAI 42) est adressée par Praxidémos, fils de Sesmas (gr.), ou →Baalshillem (3), fils de Sesmay (phén.), à →Anat, en phén., et en gr. à "Athéna Sôteira Niké" et au "roi Ptolémée", peut-être →Ptolémée I, donc en 312. Un texte de 17 lignes, uniquement phén. (RÉS 1211 = KAI 43 = TSSI III, 36), est gravé sur un gros cippe découvert en 1892. Le monument, aujourd'hui au Musée du Louvre, provient à l'évidence de l'emplacement d'un temple de →"Poséidon Narnakios" (→sanctuaires 2A), qui avait déjà livré en 1865 une longue inscription gr. (LBW 2779). Ce texte phén., rédigé sous Ptolémée II, fait plusieurs fois mention du dieu →Melqart, assimilé à Poséidon; le cippe portait la statue votive d'un Yatanbaal, fils de Gérashtart (→Gérastratos 3). Une troisième inscription phén. (Le Muséon 51 [1938], p. 285-298), découverte en

1937, indique, comme la précédente, le nom de la bourgade, *bNrnk*, "à Narnaka", et fait mention d'autres cultes locaux: →Osiris et →Astarté, avec l'indication finale, fort instructive, "...et les dieux de Byblos qui sont à Lapéthos". Avec ces mentions précises et les noms divins qui apparaissent dans l'onomastique, ces documents apportent des renseignements précieux sur la population du royaume de Lapéthos. Le dédicant de la première inscription se dénomme Praxidémos pour le gr., Baalshillem pour le phén., étant donc porteur d'un double nom. C'est un indice remarquable d'une sorte de symbiose qui a dû exister à Lapéthos entre les deux composantes ethno-linguistiques; les correspondances entre noms divins sont également instructives. On comprend mieux alors l'existence à Lapéthos de monnayages rédigés en écriture phén., mais dont les légendes évoquent pour les rois des noms gr. ou phén. Cette situation originale disparaîtra à la fin du IVe s., dans le nivellement général qui résulte de la conquête de Chypre par les →Lagides.

Bibl. Masson-Sznycer, *Recherches*, p. 97-100; O. Masson, BCH 101 (1977), p. 323-328; M. Sznycer, ÉPHÉ, IVe Sect., 1 (1978-81 [1983]), p. 41; 2 (1981-83 [1985]), p. 45; 3 (1983-85 [1987]), p. 21; 4 (1985-87 [1989]); F.G. Maier, JHS 105 (1985), p. 35-36; J.C. Greenfield, StPhoen 5 (1987), p. 391-401. OMas

LATINO-PUNIQUES, INSCRIPTIONS On appelle ainsi *c.* 40 inscriptions en caractères lat. découvertes en →Tripolitaine, surtout intérieure, notamment à →Bir ed-Dreder, →Cussabat, dans le Djebel →Tarhuna, à →Gasr Wadi el-Bir, →Ghirza, mais également sur la côte, ainsi à Syrte (→Macomades 1) et à →Zliten; une provient d'Algérie. Ces inscriptions, datées des IVe-Ve s. ap. J.C., sont de lecture souvent difficile à cause de la gravure irrégulière des signes et, souvent, du mauvais état de conservation. On doit à G. →Levi Della Vida un examen détaillé de toutes les inscriptions et la démonstration qu'elles ont été rédigées en un pun. phonétiquement évolué, avec l'influence du lexique lat. L'impossibilité de rendre des sons du sémitique en alphabet lat. a amené la création d'un signe nouveau (ꞩ) et l'utilisation de deux lettres de l'alphabet gr. (Y et Σ). Les inscriptions l.-p. confirment le témoignage de St →Augustin sur l'usage du pun. encore de son temps.

Bibl. F. Beguinot, *Di alcune iscrizioni in caratteri latini e in lingua sconosciuta trovate in Tripolitania*, RSO 24 (1949), p. 14-19; G. Levi Della Vida, *Sulle iscrizioni "latino-libiche" della Tripolitania*, OA 2 (1963), p. 65-94; G. Garbini, *Venti anni di epigrafia punica nel Magreb (1965-1985)*, Roma 1986, p. 72-81. MGAmG

LE KEF →Sicca Veneria.

LE KRAM →Carthage.

LÉDRA En gr. *Lédra*, akk. *Li-di-ir* ou *Le-de-er*; capitale d'un petit royaume situé au centre nord de Chypre, sur l'emplacement de Nicosie (région sud?). L'histoire en est pratiquement inconnue, mais la liste assyrienne d'Assarhaddon (AfO, Beih. 9, p. 60, ligne 70) mentionne L. et son roi *Ú-na-sa-gu-su*, c.-à-d. Onasagoras, nom caractéristique à Chypre. Le royaume a disparu à une date indéterminée, en tout cas avant la fin du IVe s., mais une localité L. subsiste encore au début de notre ère, avec un évêché. Les témoignages épigraphiques sont très rares (ICS 216a-b-c). Cependant, le hasard a conservé la signature gr. alphabétique (*c.* 385) d'un Lédrien nommé *Balsamōn*, sur un mur du sanctuaire d'Achoris à Karnak (Égypte). Répondant au phén.-pun. *B'lšm'* (lat. *Balsamo*), ce nom suffit à attester la présence à L. d'un élément phén.

Bibl. ICS, p. 229-232; PW XII, col. 1125-1127; T.B. Mitford, AJA 65 (1961), p. 136-138; Masson-Sznycer, *Recherches*, p. 101-102. OMas

LEPTIS MAGNA En pun. (')*Lpqy*, lat./gr. *Lepcis* ou *Leptis*, surnommée *Megálē/Magna* (Pline, *N.H.* V 27; Ptol. IV 3,3; *Stadiasme* 93; Solin 27,8; Procope, *Aed.* 6,4; *Bell. Vand.* II 21; *Tab. Peut.*; IRT 284) et appelée aussi *Neapolis* (Skyl. 109-110; Pomp. Méla I 34; Ptol. IV 3,3; Pline, *N.H.* V 27; Den. Pér. 205; Strab. XVII 3,18). Les textes font de L.M. une fondation phén.: sidonienne (Sall., *Jug.* 78: *ab Sidoniis conditum est*) ou tyrienne (Sil. It. III 257: *Sarrana L.*). Le site, comportant quatre îlots, conviendrait à un comptoir phén. et l'inscription Trip 32 du Ier s. ap. J.C. atteste la restauration d'un temple dans l'île de *Lyd*[...]. Un meilleur port sera toutefois utilisé près du cap Hermaion, l'actuelle pointe d'Homs (Libye), à 3 km à l'O. de L.M., comme l'attestent les vestiges archéologiques et le *Stadiasme* 93. À L.M., les premières traces d'occupation remontent à la fin du VIIe s., quand Carthage est déjà en mesure de contrôler la région, ce qui est évident *c.* 515, lorsqu'elle intervient pour chasser →Dorieus de sa colonie du Kinyps, à 18 km à l'E. de L.M. La nécropole du théâtre date des IVe-IIIe s., époque où apparaît le nom de Néapolis (Skyl. 109-110). L'abandon de cette nécropole au IIe s. témoigne d'une extension importante de la ville. L.M., s'il s'agit bien d'elle, paie à Carthage un impôt d'un talent par jour (Liv. XXXIV 62,3). Après la 2e →guerre pun., L.M. passe sous l'autorité des rois numides, vraisemblablement *c.* 162/1 (Pol. XXXII 2 = XXXI 21). En 111, elle obtient l'*amicitia societasque* du Peuple rom. et, en 108, la protection d'une garnison (Sall., *Jug.* 77). La ville est riche: elle est en mesure de livrer du blé à Arsinoé de Cyrénaïque *c.* 180-50; un certain T. Herennius de Syracuse s'y est établi comme banquier avant 73-71. Le premier plan d'urbanisme hippodamien date au plus tard de la première moitié du Ier s. av. J.C. Les relations difficiles de L.M. avec →Juba I semblent se placer dans le cadre d'une indépendance de droit (*Bell. Afr.* 97), qu'elle ne perdra plus. Elle bat d'ailleurs monnaie de bronze et d'argent à légende pun. La prédominance temporaire d'un parti favorable à Juba I et l'accueil de l'armée de Caton d'Utique lui valent en 46 ap. J.C. la sanction d'un tribut annuel de trois millions de livres d'huile (*Bell. Afr.* 97,3), révélateur de sa richesse, des ressources de l'arrière-pays et de l'importance de son territoire. Mais il n'y a pas de preuve qu'elle ait perdu sa liberté, encore illustrée par son conflit avec Oea (→Tripoli) en 69-70 ap. J.C. Si les mariages avec les Numides n'ont pas amené un changement de langue à L.M., contrairement à Sall., *Jug.* 78, celui-ci souligne à bon escient que "les lois et les mœurs y sont restées pour la plupart sidoniennes". L'attachement aux curies et au Sénat local, la survie du suffétat dans le cadre du municipe, le culte des divinités poliades →Shadrapha-Liber Pater et →Milkashtart-Hercule, dont les temples ornent l'ancien forum, celui d'→Él-*qōnê-'arṣ*, le prestige du flaminat, la charge sacerdotale de *praefectus sacrorum* (pun. *'dr 'zrm*, →Altava) ou d'autres plus obscures, les caractères stylistiques de la sculpture en ronde bosse des IIe-Ier s. ou les motifs peints sur des amphores funéraires, le grand nombre d'inscriptions (néo)pun. jusqu'à la fin du Ier s. ap. J.C. (Trip 9-75; 84; 91-96; ACFP 1, p. 789-796) et les titres ou expressions d'origine pun. dans diverses inscriptions lat. (IRT, p. 73-198), le profond enracinement local des grandes familles, tels les →Ṭabḥapî, tout donne raison à Salluste.

Bibl. EAA IV, p. 572-594; PECS, p. 499-500; Gascou, *Politique municipale*, p. 35-36, 75-80, 196-198; A. Di Vita, *Un passo dello* Stadiasmòs tēs megálēs thalássēs *ed il porto ellenistico di Leptis Magna*, Mélanges P. Boyancé, Rome 1974, p. 229-249; Monografie di archeologia libica 3, 10, 13, Roma 1974-87; Desanges, *Pline*, p. 261-264; 360-361; 499; Lepelley, *Cités* II, p. 335-368; G. Di Vita-Evrard, *Municipium Flavium Lepcis Magna*, BAC, n.s., 17B (1981 [1984]), p. 197-210; R. Rebuffat, *Un banquier à Lepcis Magna*, L'Africa romana III, Sassari 1986, p. 179-185. RReb

LEPTIS MINUS / MINOR En gr. *Léptis Mikrá*, ancienne ville de Tunisie, aujourd'hui Lamta dans la Petite Syrte, à 35 km au S.-E. d'Hadrumète. Elle fut nommée *Minor* pour la distinguer de la grande Leptis de Syrtes. Hannibal y débarqua en 203 (Pol. I 87,7; Liv. XXX 25,11), mais au temps de la 3e →guerre pun., L. abandonna Carthage, tout comme →Acholla et →Thapsus, et se rallia aux Romains (App., *Lib.* 94). À l'époque de la campagne de César, il y avait à L. un port (*Bell. Afr.* LXII 5; LXIII 1) et des remparts qui avaient été bâtis probablement à l'époque pun., mais dont on n'a pas pu reconnaître les vestiges. Parmi les nombreux monuments de l'époque rom., on a exploré une nécropole pun.-rom. au N.-O., sur la rive gauche de l'oued Bu Hadjar. Les caveaux pun. étaient tantôt précédés d'un puits, tantôt groupés autour d'une antichambre. Des quatre phases reconnues dans la nécropole, la première est certainement antérieure à la destruction de Carthage, la seconde, postérieure, garde une physionomie pun. Le mobilier funéraire comprenait des lampes à signature en lettres néopun. et une figurine de terre cuite qui porte au dos un →"signe de Tanit".

Bibl. AATun, f^e 66 (Moknine), n° 7; PECS, p. 500-501; PW XII, col. 2076-2077; Gsell, HAAN II, p. 135-136; J. Ferron, *La Byzacène à l'époque punique. État actuel des connaissances*, CTun 44 (1963), p. 31-46 (voir p. 35); L. Foucher, *Hadrumetum*, Paris 1964, *passim*; Bunnens, *Expansion*, p. 164, 208 (n. 225); Desanges, *Pline*, p. 231-232; M. Amandry, GNS 33 (1983), p. 11-14. SCec

LEUKOTHÉA L., appelée aussi Ino, est la fille de →Kadmos, la tante de Dionysos. Elle tua ses fils, dont →Mélicerte qui reçut un culte avec elle en divers lieux de la Méditerranée. Divinité marine, L. fut aussi une déesse oraculaire. En Italie, elle fut identifiée à Mater Matuta en raison de sa fonction de courotrophe. À →Pyrgi, elle fut identifiée par Polyen, *Strat.* V 2,21, Ael., *V.H.* I 20, et Ps.-Arstt., *Oec.* II, 2,20 à la maîtresse des lieux connue par des lamelles inscrites comme →Astarté pour les Puniques et →Uni pour les Étrusques. L. est encore attestée en Syrie (IGRR 1075), où elle est assimilée à Atargatis et représentée, comme elle, flanquée de lions. À Tyr, elle apparaît après Héraklès dans une inscription gr. d'époque sévérienne (MUSJ 38 [1962], p. 11-40). Ici encore, elle représente Astarté, comme parèdre de →Melqart. L. reflète donc les attributions marines de la grande déesse phén.

Bibl. C. Bonnet, *Le culte de Leucothéa et de Mélicerte, en Grèce, au Proche-Orient et en Italie*, SMSR 52 (1986), p. 53-71. CBon

LEVI DELLA VIDA, GIORGIO (22.8.1886-25.11.1967). Sémitisant, arabisant et islamologue italien, professeur de 1914 à 1956 à l'Institut Oriental de Naples, puis dans les Universités de Turin et de Rome. En 1931, ayant refusé de prêter serment au régime fasciste, il fut suspendu de son enseignement. Collaborateur scientifique auprès de la Bibliothèque Vaticane, de 1931 à 1939, il publia des ouvrages d'importance fondamentale sur les manuscrits arabes de cette bibliothèque. À cause des persécutions raciales, il dut quitter l'Italie en 1939 et fut, de 1939 à 1945, puis de 1946 à 1948, professeur d'arabe à l'Université de Pennsylvanie. Intéressé d'abord par le domaine syriaque, il se dédia ensuite à la philologie, à l'histoire politique et religieuse des Arabes, mais toucha par ses travaux à presque tout le domaine sémitique. Dans le cadre particulier des études phén., son nom est lié au matériel épigraphique néo-pun. et →latino-pun. de Tripolitaine, ainsi qu'au texte phén. de →Karatepe. Ses écrits se signalent par leur valeur scientifique et leur qualité littéraire.

Bibl. *Giorgio Levi Della Vida nel centenario della nascita (1886-1986)*, Roma 1988 (bibl. complète). MGAmG

LEX AGRARIA THORIA On attribue à Sp. Thorius la loi agraire rom. de 111 av. J.C. (Cic., *Br.* 36) qui a été préservée partiellement sur une tablette de bronze (CIL I/2^2, 585 = 200) et dont le § 79 énumère les sept villes libres pun. de l'ancienne →Afrique carth. (cf. App., *Lib.* 135): *...populorum leiberorum Uticensium H[adrumetinorum T]ampsitanorum Leptitanorum Aquillitanorum Usalitanorum Teudalensium*. On reconnaît successivement: →Utique, →Hadrumète, →Thapsus, →Leptis Minus, →Acholla, →Uzalis et →Theudalis.

Bibl. K. Johannsen, *Die* lex agraria *des Jahres 111 v. Chr. Text und Kommentar*, München 1971, p. 374-376. ELip

LIBAN, MONT En phén. *Lbnn*, hb. *L^ebānôn*, akk. *La/ibnān-*, ég. *Rmnn(w)*, gr. *Líbanos*, lat. *Libanus*, arabe *Lubnān*. Chaîne montagneuse séparant l'étroite plaine côtière du L. de la →Béqaa, le L. peut être qualifié d'épine dorsale de la Phénicie, avec son point culminant s'élevant à 3.088 m. Terrain de chasse, refuge naturel en temps de guerre, le massif du L. jouait un rôle crucial dans l'économie locale à cause de ses richesses forestières. Dès l'aube de l'histoire, plusieurs villes portuaires, notamment Byblos, s'étaient engagées dans le commerce du →bois, convoité par les conquérants successifs (fig. 48). Il ne faut cependant pas sous-estimer les autres causes du déboisement du L., telles que l'architecture, les constructions navales ou les activités industrielles et domestiques nécessitant l'emploi du bois en tant que produit de base ou combustible. Outre son importance dans les cultes, le L. est parfois considéré comme une frontière naturelle; les trouvailles récentes (→Kamid el-Loz) démontrent toutefois que la Béqaa n'était pas du tout coupée par ce massif des courants artistiques qui accéléraient le processus de civilisation sur la côte.

Bibl. DEB, p. 736-737; RLA VI, p. 641-650 (bibl.). EGub

LIBATION Verser sur l'autel ou la tombe une certaine quantité d'eau, de vin, de lait éventuellement mêlé de miel, d'huile, honore les dieux, désaltère et revivifie les défunts (→eschatologie). Les témoignages, assez nombreux à Ugarit, sont moins clairs dans le monde phén.-pun. Aucun texte ne mentionne la l.; la tablette d'exécration CIS I, 6068 emploie certes le verbe *nsk*, à la fois "fondre" et "verser", mais son interprétation recourt maintenant au premier sens. Les sources classiques demeurent vagues. À Himère, →Hamilcar (1) accomplit des l. sur les victimes qu'il venait de sacrifier (Hdt. VII 167). Des allusions à des cérémonies d'hommage aux morts à Nora (Cic., *Pro Scauro* VI 11), aux dieux et aux morts à Carthage (App., *Lib.* 84.89) n'en détaillent pas les modalités. L'architecture des →tombes renseigne peu. À Byblos, on a pu mettre en relation des conduits verticaux avec des rites libatoires. L'Occident phén.-pun. n'a pas livré jusqu'ici d'exemple de canalisation ou de tube à l.: c'est par erreur que W. Déonna a attribué à la Carthage pun. des installations d'époque rom. Toutefois, de récentes fouilles de tombeaux et de →haouanet dans le Cap Bon (Menzel Témine, Kerkouane, el-Harouri) ont mis en évidence, en milieu libyco-pun., des installations peut-être liées à ces pratiques. De petits autels, libres, accolés à des cippes (fig. 244) ou sommant des couvercles de tombes, ont pu recevoir des l. (Carthage, Tharros, Villaricos, Ibiza). Le mobilier funéraire comporte souvent des récipients, →céramiques, parfois bronzes, destinés aux l.: œnochoés, assiettes, phiales, kotyles (fig. 62; pl. IVa). Une phiale en or, de fabrication gr. (fin IVe-IIIe s.), porte une inscription pun. dont le sens échappe (provenance inconnue). On fera encore appel à différents documents iconographiques: plusieurs stèles votives du →*tophet* de Carthage montrent un personnage officiant (pl. XVb), ou portent l'image des vases utilisés; une autre, de Sulcis, s'orne d'une femme, une phiale dans une main; des appliques en ivoire figurent, au sein d'un thiase marin, des Ménades munies des ustensiles de la l.; plusieurs rasoirs gravés évoquent le rituel.

Bibl. DEB p. 737; KlP V, col. 922-923; PW VI A, col. 2131-2137; ThWAT V, col. 488-493; A. Parrot, *Le "refrigerium" dans l'au-delà*, Paris 1937; W. Déonna, *Croyances funéraires*, I. *La soif des morts*, RHR 119 (1939), p. 53-77 (voir p. 62-63); D. von Bothmer, *A Gold Libation Bowl*, Bulletin. The Metropolitan Museum of Art, déc. 1962, p. 154-166; C. Picard, *Les représentations de sacrifice* molk *sur les ex-voto/stèles de Carthage*, Karthago 17 (1973-74 [1976]), p. 67-138; 18 (1975-76 [1978], p. 5-116; ead., *Les représentations du cycle dionysiaque à Carthage dans l'art punique*, AntAfr 14 (1979), p. 83-113; H. Benichou-Safar, *Les tombes puniques de Carthage*, Paris 1982, p. 283-287; J. Debergh, *La libation funéraire dans l'Occident punique. Le témoignage des nécropoles*, ACFP 1, Roma 1983, p. 757-762; M. Fantar, *Présence punique et libyque dans les environs d'Aspis au Cap Bon*, CRAI 1988, p. 502-518 (voir p. 515-517). JDeb

LIBER PATER →Shadrapha (4).

LIBNAT, LIBI(N)T(U) En phén. *Lbt*, hb. *Libnāt*, ég. *Rbnt* ("Briquetage"), ville du royaume de Tyr mentionnée *c.* 350 sur un sceau urbain et probablement située près de l'embouchure du *Šîḥôr Libnāt* (*Jos.* 19,26), qu'il faut identifier au Qishôn inférieur, en Israël. Ceci conduirait à reconnaître en L. l'ancien nom sémitique de Tell →Abu Hawam.

Bibl. Y. Aharoni, *The Land of the Bible*, London 1967, p. 237-238; Aḥituv, *Toponyms*, p. 132; J.C. Greenfield, *A Group of Phoenician City Seals*, IEJ 35 (1985), p. 129-134. ELip

LIBYE En pun. *L(w)b(ym)* ("Libyens"), gr. *Libúē*, lat. *Libya*, région d'→Afrique du N., à l'O. de l'Égypte, qui tire son nom d'une tribu, les *Libu*, cités dans les textes ég. et dans la Bible (*Lehābîm*: *Gn.* 10,13; *1 Ch.* 1,11; *Lûbîm*: *Na.* 3,9; *2 Ch.* 12,3; 16,8; *Dn.* 11,43). Les *Libu* dont l'habitat s'étendait le long du littoral méditerranéen à l'O. du Delta du Nil, ont joué souvent un rôle non négligeable dans l'histoire de l'Égypte pharaonique. Dès l'époque thinite, on connaît des expéditions dirigées contre eux et, à plusieurs reprises, notamment aux XIIIe-XIIe s., ils firent peser sur l'Égypte une menace. Finalement, ce fut un dynaste libyen, Shéshonq I, qui fonda la XXIIe dynastie, au Xe s. av. J.C. Au VIIIe s., plusieurs principautés égyptiennes étaient gouvernées par les *mass* des *Libu*, *mass* signifiant "seigneur" comme dans le parler berbère des Touareg. Vers la même époque, Hom., *Od.* IV 85-90, chante la "L. où les agneaux ont des cornes dès leur naissance, où trois fois dans l'année les brebis mettent bas: du prince au berger, tout homme a son content de fromage, de viande et de laitage..." Il est difficile de savoir si cette image idyllique s'applique à une région particulière de l'Afrique du N. En général, la *Libúē* correspond pour les auteurs gr. classiques (Hdt. II 16) à toute l'Afrique du N. à l'O. du Nil. Si Xén., *Mem.* II 1,10, oppose les Libyens "gouvernés" aux Carthaginois "qui gouvernent", il doit avoir connaissance d'un emploi particulier de ce terme dans les possessions carth. En effet, les émissions monétaires attribuées communément aux révoltés de la →guerre des Mercenaires, en 241-238, portent la légende gr. *Libúōn*, "des Libyens" (fig. 254:8), qui paraît impliquer une semblable opposition. On remarquera toutefois que le nom des nombreux Carthaginois appelés *Lby* ou *Lbt*, "Libyen" ou "Libyenne", est généralement inséré dans une généalogie à noms phén.-pun. bien attestés et ne dénote donc pas une origine nécessairement non sémitique de la personne. Il devait cependant suggérer un trait particulier, suffisamment caractéristique pour qu'on l'emploie comme anthroponyme. Par ailleurs, dans certains textes gr., la L. inclut même l'Égypte et l'Éthiopie, p.ex. dans le récit du →périple (1) de Néchao, puisque Hdt. IV 42 y voit la preuve que la L. est entourée d'eau. L. est donc le terme qui correspond le moins mal, chez les auteurs qui ont une perception relativement claire de l'étendue réelle de ce continent, au sens moderne d' "Afrique". La *Libya* rom., entre l'Égypte et l'*Africa*, répond davantage à ce qu'on appelle aujourd'hui "Libye". Le terme n'est pas employé dans la langue officielle qui, pour désigner les provinces, parle respectivement de →Tripolitaine et de →Cyrénaïque, sauf en punique, où le *šd Lwbym* (Trip 76,2), "territoire des Libyens", désigne en 15-17 ap. J.C. l'Afrique proconsulaire, visée sans doute aussi par le *šd Lbym* d'une inscription bilingue, en punique et libyque, découverte à →Maktar (RIL 31,4). Plus tard, à partir du Bas-Empire, la Cyrénaïque, détachée administrativement de la Crète, prend le nom de *Libya superior*. Le terme *Libya interior*, employé par les géographes, notamment par Ptolémée, pour désigner les territoires plus au S., a des acceptions confuses, mais comprend certainement une portion du littoral atlantique du S. marocain, avec les embouchures de l'oued Noul/n, de l'oued Massa et de l'oued Draa (Ptol. IV 6,2), identifiables en raison de la persistance des toponymes jusqu'à notre époque.

Fig. 203. Inscription bilingue, pun.-libyque, Lixus.

Bibl. U. Hölscher, *Libyer und Ägypter*, Glückstadt 1937; E.S.G. Robinson, *The Coinage of the Libyans and Kindred Sardinian Issues*, NC, 6e sér., 3 (1943), p. 1-13; id., *A Hoard of Coins of the Libyans*, NC, 6e sér., 13 (1953), p. 27-32; id., *The Libyan Hoard (1952), Addenda, and the Libyan Coinage in General*, NC, 6e sér., 16 (1956), p. 9-14; Benz, *Names*, p. 133, 337-338; F. Gomaà, *Die libyschen Fürstentümer des Deltas...*, Wiesbaden 1974; K.G. Jenkins, *Varia Punica*, Festschrift für L. Mildenberg, Wetteren 1984, p. 127-136 (voir p. 133-134); K.A. Kitchen, *The Third Intermediate Period in Egypt (1100-650 B.C.)*, Warminster 1986[2]; G. Manganaro, *Per la cronologia delle emissioni a leggenda* Libúōn, StPhoen 9 (sous presse). ELip

LIBYPHÉNICIENS Appellation utilisée par les historiographes antiques pour désigner les Phéniciens de Libye, entendue au sens d'Afrique du N., c.-à-d. les Puniques mêlés aux autochtones (Pline, *N.H.* V 24; Ptol. IV 3,6) ou les Numides et les Maures punicisés (Strab. XVII 3,9), bref des gens mi-phén., mi-libyens (Diod. XX 55,4; Liv. XXI 22,3). Dans la terminologie moderne des numismates, l'adjectif "l." qualifie les légendes monétaires en caractères dérivés de l'écriture néopun. et connus par les seules monnaies d'Arsa, Lascuta, Oba, Tuririicina, Iptuci, Vesci, Bailo (→Bélo) et Asido, localités qui se trouvaient toutes en Bétique (Espagne).

Bibl. Gsell, HAAN I, p. 342; A. Tovar, *Iberische Landeskunde* II/1, Baden-Baden 1974, p. 55-56, 58-59, 62, 66-67, 150-151; S.F. Bondì, *I Libifenici nell'ordinamento cartaginese*, ANLR, 8e sér., 26 (1971), p. 653-661; J.M. Solá Solé, *El alfabeto monetario de las cecas "libio-fenice"*, Barcelona 1980; Desanges, *Pline*, p. 226-227; M. Ghaki, *Quel sens faut-il donner aux termes libyen, libyphénicien, numide et libyque?*, Turāt 1 (1983), p. 76-82. ELip

LIBYQUE Nom donné aux parlers proto-berbères de l'ancienne Afrique du N., notamment ceux des →Numides. En dehors des anthroponymes et des toponymes, il y a peu à tirer des inscriptions pun. et des auteurs gr.-lat., mais le l. possédait un alphabet consonantique, dérivé de l'→alphabet sémitique. Son existence a été révélée par la découverte, en 1631, de la bilingue pun.-l. du mausolée de →Dougga (KAI 100). Depuis on connaît quelque 1.200 inscriptions dont les plus anciennes pourraient remonter aux VIIe-VIe s. av. J.C., mais dont la plupart datent des rois numides et surtout de la domination rom. Ce sont, presque toutes, de simples épitaphes funéraires, gravées sur des stèles parfois bilingues: d'abord pun.-l. (fig. 203), puis lat.-l. On les relève en Tunisie, en Algérie et dans le N. du Maroc, mais l'aire de diffusion de l'épigraphie l. se prolonge à l'E. jusqu'à la Basse Égypte et vers l'O. jusqu'aux îles Canaries, où les Guanches ont laissé des inscriptions rupestres. En outre, on rencontre divers graffiti dans le S. marocain. Les caractères l., quelque peu modifiés, sont encore employés chez les Touaregs qui les désignent sous le nom de *tifînagh*.

Bibl. J.-B. Chabot, *Recueil des inscriptions libyques*, Paris 1940-41; D.J. Wölfel, *Monumenta linguae Canariae*, Graz 1965; L. Galand, *Inscriptions libyques*, IAM I, p. 1-78; J.R. Applegate, *The Berber Languages*, Current Trends in Linguistics VI, The Hague 1970, p. 586-661 (bibl.); G. Camps, *Recherches sur les plus anciennes inscriptions libyques de l'Afrique du Nord et du Sahara*, BAC, n.s.,

10-11B (1974-75), p. 143-166; O. Rössler, *Die Numider: Herkunft - Schrift -Sprache*, H.G. Horn - C.B. Rüger (éd.), *Die Numider*, Köln 1979, p. 89-97; L. Galand, *Langue et littérature berbères*, Paris 1979, à compléter par id., AAN 17 (1978), p. 915-935; 18 (1979), p. 1039-1059; continué par S. Chaker, AAN 20 (1981) ss.; O. Rössler, *Libyen von der Cyrenaica bis zur Mauretania Tingitana*, Die Sprachen im römischen Reich der Kaiserzeit, Köln 1980, p. 267-284; S. Chaker, *La situation linguistique dans le Maghreb antique*, Libyca. Anthropologie, préhistoire, ethnographie 28-29 (1980-81), p. 135-152; L. Galand, *Einige Fragen zu den kanarischen Felsinschriften*, Almogaren 11-12 (1980-81), p. 51-57; M. Ghaki, *La répartition des inscriptions libyques et les cités antiques*, BAC, n.s., 17B (1981 [1984]), p. 183-187; L. Galand, *Les alphabets libyques*, AntAfr 25 (1989), p. 69-81. ELip

LIDZBARSKI, MARK (Abraham Mordekaï) (7.1.1868-13.11.1928). Éminent épigraphiste et sémitisant, né à Płock (Pologne) de parents juifs orthodoxes. L. délaissa l'étude du Talmud à l'âge de quatorze ans, entra au gymnase de Poznań, puis à l'Université de Berlin, où il conquit le doctorat en 1893, après s'être converti au luthéranisme. Il consigna ses souvenirs d'enfance et de jeunesse dans l'écrit anonyme *Auf rauhem Wege. Jugenderinnerungen eines deutschen Professors* (Giessen 1927). Spécialisé dans l'étude des langues sémitiques, il devint successivement Privatdozent à Kiel (1896), professeur à Greifswald (1907), puis à Göttingen (1917). Il est célèbre pour ses études sur la secte des Mandéens et ses travaux d'épigraphie sémitique, notamment le *Handbuch der nordsemitischen Epigraphik* (Weimar 1898), *Kanaanäische Inschriften* (Giessen 1907), *Phönizische und aramäische Krugaufschriften aus Elephantine* (Berlin 1912) et son *Ephemeris für semitische Epigraphik* I-III (Giessen 1900-1915).

Bibl. DBJb 10 (1928), p. 154-157; EJ XI, col. 214; W. Baumgartner, *Mark Lidzbarski (1868-1928)*, Neue Zürcher Zeitung 426 (1968, 14.7), p. 51. ELip

LILYBÉE En gr. *Lilúbaion*, lat. *Lilybaeum*, aujourd'hui Marsala, ville située sur un promontoire, à l'extrémité de la →Sicile occidentale (fig. 204). Place forte et base navale pun. de grande importance stratégique et commerciale, L. fut fondée après la destruc-

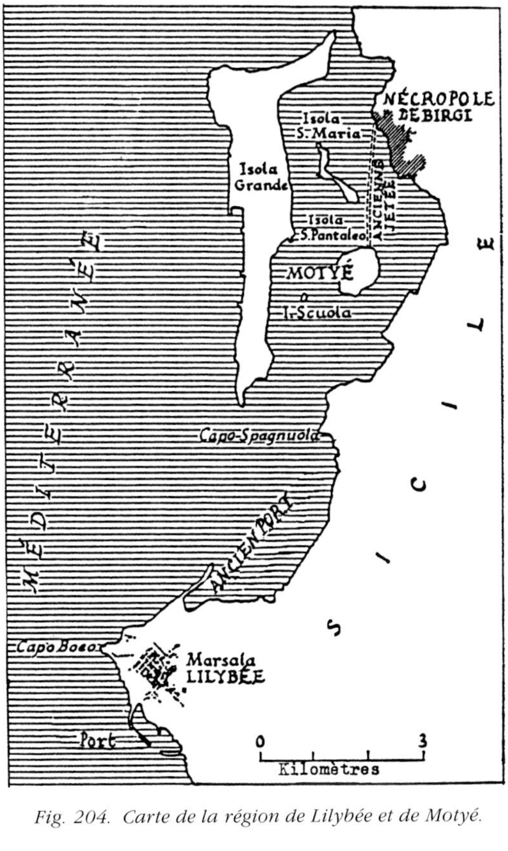

Fig. 204. Carte de la région de Lilybée et de Motyé.

Fig. 205. Stèle de Lilybée avec scène cultuelle et dédicace à Baal Hamon (IIIe-IIe s. av. J.C.). Palerme, Musée Archéologique National.

Fig. 206. Édicule peint avec scène de banquet funéraire (Ier s. ap. J.C.). Palerme, Musée Archéologique National.

tion de →Motyé (397 av. J.C.). Réputée imprenable (Diod. XXII 10; XXIV; Pol. I 42,48), elle résista à Denys I de Syracuse (368), à →Pyrrhus (276) et aux Romains (250-241). Elle continua à prospérer à l'époque rom. et Cic., *Verr.* 5,10, la définit comme une *civitas splendidissima. Civitas decumana*, siège d'un questeur, elle devint municipe, puis colonie, mais fut dévastée par les Vandales (440). La cité antique, qui se trouve sous la ville moderne, formait à l'époque pun. un quadrilatère de murailles et de bastions, répartis selon un plan urbain orthogonal qui se reflète dans le tracé moderne. Sur deux côtés, les murailles longeaient la mer, tandis que les courtines internes étaient protégées par un vaste fossé relié aux deux ports principaux. Mentionné dans les sources anciennes, ce fossé est encore visible, de même que des traces de murs et une porte avec une courtine de 7 m d'épaisseur. Ces défenses se complétaient de galeries creusées dans la roche, dont une couverte de graffiti représentant des →navires, des guerriers et des scènes érotiques. On connaît quelques maisons pun. bâties selon la technique *a telaio*. À l'E. de la ville s'étendait la nécropole, avec des centaines de →tombes (2A,B) pun. à hypogée, avec puits d'accès (Phén 350). Parmi les monuments pun., il faut noter un groupe de petites stèles à scène rituelle, avec des symboles et objets de culte (fig. 205). Certaines sont dédiées à →Baal Hamon et →Tanit (ICO Sic. 4; 5; 10). On signalera aussi quelques édicules avec représentation de banquet funéraire et de nombreux symboles peints dans une polychromie vive (fig. 206; Phén 226), une tessère d'hospitalité en os avec inscription bilingue gr.-pun. et le célèbre navire pun. de Marsala, datant peut-être de la 1re →guerre pun. (→épaves).

Bibl. PECS, p. 509-510; PW XIII, col. 542-545; H. Frost et al., *Lilybaeum (Marsala). The Punic Ship. Final Report*, NotSc 30 (1976), Suppl., Roma 1981; *Lilibeo. Testimonianze archeologiche dal IV sec. a.C. al V d.C.*, Marsala 1984. GFal

LIMASSOL En gr. *Theodosianē* au Ve s. ap. J.C., *Neápolis* au VIe s., puis *L/Nemesós*, ville médiévale et moderne sur la côte S. de →Chypre, à l'O. de Larnaka →Kition. Bien que de nombreuses trouvailles archéologiques (tombes, sanctuaires) montrent que la région a été habitée depuis l'âge du Bronze, on ne connaît pas de nom de ville antique qui soit hors de contestation. Il est donc possible que le grand habitat antique de la région ait été →Amathonte, à *c.* 10 km vers l'E. Toutefois, on sait qu'une *Qartḥadašt* ou →"Carthage" de Chypre est nommée au moins dans deux documents: la liste des tributaires d'Asarhaddon au VIIe s. et la dédicace (CIS I,5) du VIIIe s. à →Baal du Liban. Il serait séduisant de penser que ce nom, après des siècles d'obscurité, reviendrait sous la traduction *Neápolis*, mais cette explication entre en conflit avec deux autres, qui placeraient "Carthage" soit à Amathonte, soit à Kition. Il paraît difficile de trancher en faveur de *Neápolis*, bien que l'apparition des fragments CIS I,5 dans une collection de L. vers 1874 oriente nettement vers une provenance de cette région, plutôt que de la zone de Larnaka-Kition; la question demeure en partie ouverte. On signalera que le site de *Komissariato* à L. a livré en 1953 des figurines masculines d'un type phén.-pun.

Bibl. PECS, p. 613-614; PW XII, col. 1896; SCE IV/2, p. 437; n. 2; V. Karageorghis, *Two Cypriot Sanctuaries of the End of the Cypro-Archaic Period*, Roma 1977, p. 60-61; E. Gjerstad, *The Phoenician Colonization and Expansion in Cyprus*, RDAC 1979, p. 230-254 (en part. p. 233-241); E. Lipiński, *La Carthage de Chypre*, StPhoen 3 (1983), p. 209-234; O. Masson, *La dédicace à Ba'al du Liban* (CIS I,5) *et sa provenance probable de la région de Limassol*, Semitica 35 (1985), p. 33-46. OMas

LIMISA →Ksar Lemsa.

LITANI Le *Nahr el-Liṭāni* (160 km) prend sa source dans la →Béqaa, près de Baalbek, et se dirige vers le S. du Liban. Arrivé au lac Qaraoun, il prend le nom de Nahr el-Qāsimiyé et bifurque vers l'O. pour déboucher sur la côte à 9 km au N. de Tyr, où il constituait la frontière N. du territoire tyrien. Le L. traverse une des plus importantes voies de communication de l'Antiquité reliant la Syrie du N. et la Mésopotamie à la Phénicie, à la Palestine et à l'Égypte. Les prospections effectuées dans la vallée du L. ont décelé de nombreux sites qui témoignent de la permanence de cette route commerciale depuis la préhistoire jusqu'aux époques tardives. Les sites fouillés, correspondant à l'époque phén. sont ceux de →Kamid el-Loz et de Tell el →Ghassil, à 11 km au N.-E. de Rayak. À l'époque rom. plusieurs temples furent érigés le long du L.: Qasr Neb'a, Niha, Hosn Niha.

Bibl. L. Copeland, *Inventory of Stone Age Sites in Lebanon II*, MUSJ 42 (1966), p. 64-69; L. Marfoe, *Between Qadesh and Kumidi. A History of Frontier Settlement and Land Use in the Beqa', Lebanon*, Diss. Chicago 1978. LBad

LITTÉRATURE 1 Littérature phénico-punique Aucune œuvre de la l. phén.-pun. ne nous est parvenue dans l'idiome original. Paradoxalement, les seules phrases pun. d'origine proprement littéraire que l'on connaisse sont les passages pun. en caractères latins que →Plaute a insérés dans son œuvre *Poenulus*, écrite probablement en 189. Et pourtant il y avait des bibliothèques d'ouvrages phén. portant sur la →mythologie, la philosophie, le droit, l'histoire, la géographie, l'agriculture. Selon Pline (*N.H.* XVIII 22), après la prise de Carthage en 146 av. J.C., le Sénat rom. avait offert les bibliothèques de la ville aux princes numides, éduqués dans la culture phén.-pun., et St →Augustin se référait encore à l'autorité d' "hommes très érudits", selon lesquels "bien de choses se conservaient judicieusement dans les livres pun." (*Ep.* 17,2). Il était même en mesure de citer une maxime de sagesse pun.: "Si la peste demande un sou, donne-lui en deux pour qu'elle s'en aille" (*Serm.* 167,4). L'existence d'une littérature épico-mythique, comparable à celle d' →Ugarit, est attestée indirectement par →Philon de Byblos qui aurait adapté en gr. l'œuvre d'un certain →Sanchuniathon de Beyrouth, puis par le néoplatonicien Damascius qui a notamment utilisé une cosmogonie phén. résumée en gr. De son côté, Plutarque (*Mor.* 942c) évoque "les livres saints" en pun., conservés dans les temples. Carthage possédait des "écoles" de →philosophie et sa →Constitution était connue d'Aristote, qui disposait peut-être de la version gr. d'authentiques documents de →droit public. Les nombreux →traités conclus par les Carthaginois attestent l'existence d'actes de droit international, dont Polybe nous a probablement conservé un en gr., à savoir le "Serment d'Hannibal" (VII 9,1-9), et les Archives royales phén. devaient contenir, entre autres, des chroniques et des →Annales. Par ailleurs, le Pseudo-Aristote (*Mir. ausc.* 134) et Servius (*in Aen.* I 343) mentionnent une "Histoire punique", tandis que Salluste (*Jug.* 17,7) se réfère à un écrit historiographique en pun., qui aurait été l'œuvre ou la propriété du roi →Hiempsal II de Numidie (Ier s. av. J.C.). Solin (XXXII 2) et Ammien Marcellin (XXII 15,8) citent des ouvrages pun. traitant de géographie et l'on connaît la version gr. du →*Périple* d'Hannon, dont l'original remontait probablement au Ve s. Selon le témoignage de Pline (*N.H.* XVIII 22), les 28 livres du Traité d'Agronomie de Magon ont été traduits en lat. et en gr. (→agriculture 2).

2 Auteurs d'ascendance phénico-punique Si le pun. était parlé en Afrique du N. jusqu'au Ve s. ap. J.C. et le phén. probablement jusqu'au IVe s. dans des régions vinicoles de Chypre et, sans doute aussi, dans l'arrière-pays levantin, c'était néanmoins le gr. ou le lat. qui dominait alors dans les centres urbains et les milieux cultivés. Aussi connaît-on nombre d'auteurs d'ascendance phén.-pun. qui ont écrit dans ces langues, mais dont les œuvres doivent se rattacher de quelque manière à la tradition culturelle sémitique. Ils ont exercé leur talent dans des domaines divers, comme le montrent les épigrammes d'Antipatros de Sidon (*fl. c.* 120 av. J.C.), les poèmes érotiques de Méléagre, qui a vécu à Tyr *c.* 100 av. J.C. et parlait grec, araméen et phénicien (*Anth. Pal.* VII 417-419), les commentaires hippocratiques d'Apollonios de Kition (Ier s. av. J.C.), les poèmes astrologiques de Dorothéos de Sidon (Ier s. ap. J.C.), l'histoire phén. de Dios ou l'œuvre de →Philon de Byblos, dont le grammairien Hermippos de Béryte (distincte de Beyrouth) a été l'élève. Par contre, le grammairien lat. M. Valerius Probus de Beyrouth (Ier s. ap. J.C.) était d'origine rom. Si Cassius Dionysius d'Utique était certainement d'ascendance pun. (Ier s. av. J.C.), on ne peut en dire autant de Tertullien (*c.* 160-*c.* 240), de Cyprien (*c.* 200-258), du rhéteur Favonius Eulogius (IVe-Ve s.), qui ont tous illustré Carthage. En revanche, le monde punicisé de →Numidie et de →Maurétanie est représenté par le roi →Juba II (FGH 275), puis Apulée de Madaure (IIe s. ap. J.C.), dont le pun. était la langue maternelle, Fronton de Cirta (Constantine; IIe s. ap. J.C.), Térence (IIe s. ap. J.C.), Arnobe l'Ancien de Sicca Veneria (IIIe s. ap. J.C.), connu pour ses sentiments anti-rom. (I 5; II 73; IV 4; VII 50-51), et son élève Lactance (*c.* 240-*c.*320), St →Augustin et Licentius (IVe-Ve s.), tous deux de Thagaste, et leurs contemporains Martianus Capella et Macrobe, peut-être d'origine africaine (*Sat.* I 1,11), dont les *Sat.* III 9,7-8 conservent la formule rom. d'évocation des dieux de Carthage en 146 av. J.C. (cf. Serv., *in Aen* XII 841). Le grammairien Juba (IIe s. ap. J.C.) provenait de Maurétanie et →Pomponius Méla (Ier s. ap. J.C.) était natif de Tingentera (Pomp. Méla II 96). Columelle (Ier s. ap. J.C.) et le poète Canius Rufus (Ier s. ap. J.C.) provenaient tous deux de Gadès.

Fig. 209. Tombe punique de la nécropole E. de Lixus.

Bibl. KlP I, col. 471-473,1353-1354; II, col. 148, 616-617,1079-1080; III, col. 857-858,1054-1056; V, col. 599-604,612-615; PW I, col. 2513-2514; II, col. 149,1206-1207; III, col. 1483; IV, col. 1312-1340; V, col. 1572; IX, col. 2395-2397; X, col. 1054-1068; XII, col. 351-356; XIII, col. 204-210; XV, col. 481-488; Suppl. III, col. 412-421; M. Sznycer, *La littérature punique*, Archéologie vivante 1/2 (1968-69), p. 141-148; V.J. Matthews, *The* Libri Punici *of King Hiempsal*, AJPh 93 (1972), p. 330-335; N. Méthy, *Fronton et Apulée: Romains ou Africains?*, RCCM 25 (1983), p. 37-47. ELip

LIXUS En phén.-pun. *Lkš*, gr. *Líxos, Línx, Líxa*, lat. *Lixus* et *Lix(s)* sur des monnaies, cité portuaire à 5 km de Larache (Maroc), sur la rive droite du Loukkos (fig. 207), le *Wādi Safdad* de l'arabe classique, dont la vallée aurait abrité le jardin des Hespérides (Pline, *N.H.* V 3). Selon la tradition, L. aurait été fondé par des navigateurs phén. *c.* 1100 av. J.C. (cf. Pline, *N.H.* XIX 63), mais les vestiges archéologiques n'attestent une présence phén.-pun. qu'à partir du VIIe-VIe s. À cette époque, un temple à abside fut érigé sur l'acropole, dans une *area* de plus de 1.000 m^2, et il y a lieu de penser qu'il était déjà dédié à →Melqart, dont le culte se prolongera jusqu'à l'époque rom. (→sanctuaires 3B). Les vestiges les plus éloquents de L. datent des périodes carth. et maurétanienne, quand la ville connut un grand épanouissement économique et culturel (fig. 208). Le *Périple* d'Hannon 7-8 la mentionne, Skyl. 112 l'appelle "ville de Phéniciens" et on connaît deux stèles inscrites en caractères pun., probablement du IIIe s. Des monnaies à légende pun. *Mqm Šmš*, de

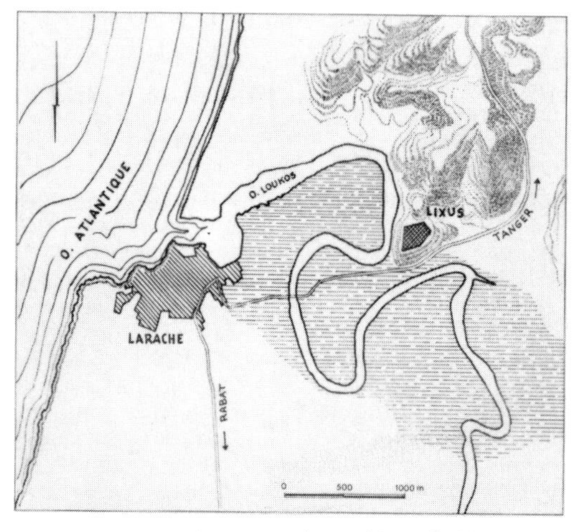

Fig. 207. Emplacement géographique de Lixus.

Fig. 208. Vue aérienne de Lixus, sur la rive droite du Loukos: 1) zone des temples; 2) quartiers de maisons puniques; 3) l'amphithéâtre; 4) usines de salaisons.

c. 50 av.-23 ap. J.C., sont généralement attribuées à L., la qualifiant de "Lieu (saint) du Soleil", ce que rappelle le nom actuel Tchemmich de la ville haute, tandis que leur iconographie — épis de blé, grappes de raisin, thons et autels — évoquerait les sources de la richesse de la cité. Le quartier portuaire et industriel, dans le bas de la ville, met en évidence un commerce florissant de salaison de poissons, de →garum et de produits dérivés (fig. 151). À mi-pente, un quartier administratif voisine avec des édifices publics. Au N., une zone d'habitat se caractérise par une architecture pun. L'ensemble est ceint d'une muraille dont le tracé rappelle certaines structures défensives hellénistiques. Les nécropoles se trouvent en dehors du rempart de la ville haute (fig. 209). Les édifices de différentes époques se superposent jusqu'à l'époque rom. et Rome saura profiter des avantages économiques de L., dus à sa situation, mais la ville déclinera progressivement.

Bibl. PECS, p. 521; PW XIII, col. 928-929; C. Tissot, *Recherches sur la géographie comparée de la Maurétanie tingitane*, Paris 1878, p. 203-221; Gsell, HAAN II, p. 172-174; M. Tarradell, *Lixus*, Tetuán 1959; id., *Marruecos púnico*, Tetuán 1960, p. 131-180; J. Février, IAM I, p. 125-129; M. Ponsich, *Contribution à l'Atlas archéologique du Maroc: région de Lixus*, BAM 6 (1966), p. 377-424; L. Galand, *Une nouvelle inscription punico-libyque de Lixus*, Semitica 20 (1970), p. 5-16; J. Marion, *Les monnaies de Shemesh et des villes autonomes de Maurétanie tingitane*, AntAfr 6 (1972), p. 59-127; Desanges, *Pline*, p. 87-91, 110-111; M. Ponsich, *Lixus. Le quartier des temples*, Rabat 1981; id., *Lixus: informations archéologiques*, ANRW II/10,2, Berlin-New York 1982, p. 817-849. MPon

LOS ALCORES →Carmona.

LOS SALADARES →Alicante.

LULÎ En akk. *Lu-li-i*, gr. *Eloulaios* ("Né au mois d'Élul": APN, p. 239-240); roi de →Sidon, adversaire de Sennachérib en 701. Il s'enfuit à Chypre et y mourut. Le roi d'Assur le remplaça par *Tuba'lu* (→Ittobaal 4). Bien que les inscriptions de Sennachérib qualifient L. de "roi de Sidon", il est clair que son autorité s'étendait également à →Tyr: c'est de Tyr qu'il prit la fuite (ARAB II,309) et Josèphe le dit expressément roi de Tyr (*A.J.* VIII 283). D'autre part, les inscriptions de Sennachérib et Ménandre d'Éphèse (Fl. Jos., *A.J.* IX 285) s'accordent à lui reconnaître le pouvoir sur une aire qui va de Sidon à Akko. Selon Ménandre d'Éphèse (Fl. Jos., *A.J.* VIII 284-287), il aurait régné 36 ans, maté une révolte de →Kition et résisté à une tentative d'invasion lancée par un roi d'Assur. Le texte est malheureusement corrompu (*Selámpsas*, corr. Nies) et on ne sait s'il s'agit de Salmanasar V ou de Téglat-Phalasar III, alors que le récit des événements fait penser à la campagne de Sennachérib en 701. La scène de la fuite de L. était représentée sur un relief de Ninive que →Barnett a pu reconstituer à partir de deux dessins de Layard (cf. D. Harden, *The Phoenicians*, pl. 51).

Bibl. H.J. Katzenstein, *The History of Tyre*, Jerusalem 1973, p. 220-258. GBun

LUTATIUS CATULUS, C. Magistrat rom. qui, consul en 242, commandait la flotte nouvellement construite, destinée à relancer, dans les parages de la Sicile occidentale, la guerre navale interrompue après les échecs répétés de →Trapani (250-249). Forte de 200 quinquérèmes et jusque-là ignorée des Carthaginois, cette *armada* s'empare aisément du port et de la ville, et peut mouiller dans la baie de →Lilybée que la flotte ennemie a évacuée. La rencontre n'a lieu qu'au printemps 241 (L.C. étant proconsul), au large des îles Égates. La flotte rom., placée sous le commandement effectif du préteur Valerius Falto, a rapidement l'avantage. La défaite est cuisante pour Carthage, dont la position en Sicile est à présent intenable, et la paix est bientôt conclue entre L.C. et →Hamilcar (8). Les deux commandants rom. reçoivent séparément, cette même année, les honneurs du triomphe.

Bibl. Huß, *Geschichte*, p. 248-250. JLoicq

LUYNES, A. DE →Collectionneurs.

LYCIE Région côtière du S.-O. de l'→Anatolie, dont la civilisation du Ier mill. av. J.C. se révèle de plus en plus l'héritière du monde louvite, tant par la langue que par la religion et la culture. En dehors d'une hellénisation évidente mais modérée, la L. conserva une relative indépendance culturelle, voire politique. Il convient de reconnaître dans les Lyciens du Ier mill. des descendants des gens du pays Lukka qui, quittant une région correspondant partiellement à la Lycaonie (à dominante louvite), s'installèrent au début du Ier mill. dans les zones côtières et montagneuses du S.-O. anatolien, y développant de nombreuses cités, surtout portuaires. Une double appellation caractérisa le pays: *Lukia/Lykia* dérivé de l'antique *Lukka* et *Trm̃mis*, où l'on retrouve l'étymon louvite *tarma-*, "le pic". Parmi les villes principales, on retiendra Xanthos (lyc. *Arñna*). Au niveau des relations avec la Syro-Phénicie, on notera les bateaux ugaritains stationnant au XIIIe s. en pays "lycien" (*Ugaritica* V, p. 87-89), les épaves du cap →Gelidonya et d'→Ulu Burun, ainsi que les toponymes du littoral lycien, p.ex. Finike, qui rappellent la venue de marins phén. (cf. Besnier, *Lexique de géographie ancienne*, p. 447). Thc. II 69 parle de marchandises venant d'Égypte et de Phénicie qui transitaient vers Athènes par Phasélis. En tout cas, les cités lyciennes de Tlôs et de Telmessos existaient déjà sous l'Empire hittite.

Bibl. RLA VII, p. 189-191 (bibl.); T.R. Bryce, *The Lycians* I, Copenhagen 1986. RLeb

LYDIE En hb. *Lûd*, akk. *Luddu*, gr. *Ludíe*, lat. *Lydia*; royaume de l'→Anatolie occidentale dont l'histoire proprement dite commence *c.* 680 avec le roi Gygès, le *Gūgu* des sources néo-assyriennes et le *Gôg* de l'A.T. Crésus, le dernier souverain indépendant de la L., fut vaincu en 547/6 par Cyrus le Grand et Sardes, sa capitale, devint le siège d'un →satrape. Aucun lien objectif n'a pu être décelé jusqu'à présent entre la L. et le monde phén.

Bibl. DEB, p. 761; RLA VII, p. 184-186; Bonnet, *Melqart*, p. 155-157. ELip

M

MACOMADES En phén.-pun. **Mqm-ḥdš*, "Lieu neuf", nom de plusieurs localités antiques de l'Afrique du N. et de Sardaigne.
1 *M. Syrtis* (*It.Ant.* 64,8), *Selorum* (*Tab. Peut.* VIII 1) ou *Maiores* (*Rav.* V 6), sur le littoral de la Grande Syrte, l'actuelle Syrte, en Libye. C'est probablement la *Makomáka* (erreur pour *Makomáda*) de Ptol. IV 3,4, qui la distingue de la Tour d'Euphrantas sur la côte (cf. Strab. XVII 3,20; *Stadiasme* 88-89), où elle marquait sous Ptolémée I la limite entre les possessions carth. et celles des →Lagides. Une nécropole chrétienne souterraine du IVe s. a livré, à Syrte, plusieurs épitaphes lat.-pun. avec des noms propres pun. (IRT 855 = KAI 180).
2 *M. Minores* (*Tab. Peut.* VI 4), que le *Stadiasme* 107 appelle *Néapolis*, sur le littoral S. de la →Byzacène, en Tunisie. Connue de Ptol. IV 3,3, de Pline, *N.H.* V 25 et d'*It. Ant.* 28, identifiée par une borne milliaire à *Iunci*, elle a été localisée à Yonga, à 12 km au S.-O. de Maharès (PECS, p. 539-540).
3 *M.* de Numidie, dont les légendes monétaires néopun. abrègent le nom en *Mqm'*, localisée à Henchir el-Mergueb (AAAlg, f^e^ 28 [Aïn Beïda], n° 3), sur la route menant de Constantine à Tébessa, en Algérie. Au début du Ve s. ap. J.C., la langue pun. y était encore utilisée, comme l'atteste son emploi par l'évêque primat de Numidie, Aurélius de M. (Aug., *Ep.* 20*, 21: BAug 46B, p. 324, l. 374).
4 *Macomadia Rusticiana*, connue par les *Actes de la Conférence de Carthage en 411* (SC 195, p. 846).
5 *Oppidum Novum*. La situation de cette ville à Ksar el-Kebir, sur le Loukkos, à *c.* 30 km en amont de →Lixus (PECS, p. 471), au Maroc, permet de croire que le nom lat. est la traduction d'un toponyme pun. On n'y a trouvé jusqu'à présent que 2 inscriptions gr. et 2 inscriptions lat. remployées dans la mosquée Souiqa (R. Rebuffat), ainsi que de la céramique "ibéro-pun.", peinte à bandes (M. Ponsich).
6 *Magomadas*, localité signalée par l'*It. Ant.* 82.84 près de Bosa, en Sardaigne (V. Bertoldi, PdP 2 [1947], p. 23-24).

Bibl. Desanges, *Pline*, p. 236-237. SLan-ELip

MADAURE En gr./lat. *Mádauros*, aujourd'hui Mdaourouch, ville d'Algérie dont l'existence remonte au moins à la fin du IIIe s. av. J.C. selon le témoignage d'Apulée, *Apol.* 24. Après avoir appartenu à →Syphax, elle fit partie du royaume de →Massinissa I. Le site a livré 800 inscriptions lat. de l'époque rom. (ILAlg I 2031-2818; 4007-4009) et un fragment d'une inscription libyque (RIL 625), mais aucune épigraphe néopun. n'y est encore venue au jour. Cité d'ancienne culture païenne, où un temple d'Hercule fut encore restauré à la fin du IIIe s. ap. J.C. (ILAlg 2048), M. fut la patrie d'Apulée et du grammairien Maxime de M. St→Augustin y fit une partie de ses études.

Bibl. AAAlg, f^e^ 18 (Souk Ahras), n° 432; ILAlg, p. 181-182; KlP III, col. 859; PECS, p. 541-542; PW XIV, col. 201-202; Lepelley, *Cités* II, p. 127-139. ELip

MADÈRE Cette île de l'Atlantique n'est pas nommée dans les sources classiques, mais il semble qu'elle fut connue des Phéniciens. En effet, on suppose que c'est à M. que se réfère un texte de Timée (Ps.-Arstt., *Mir. ausc.* 84), qui parle d'une île déserte dans l'Océan avec nombre de forêts et de rivières navigables. Sa fertilité, dit-il, attira les Carthaginois qui la visitèrent souvent et s'y établirent, et pour la protéger en interdirent l'accès aux étrangers sous peine de mort. Diod. V 20 rapporte une histoire quelque peu différente. D'après lui, les Tyriens auraient découvert l'île et auraient voulu s'y installer, mais les Carthaginois les en empêchèrent, car ils voulaient se la réserver comme lieu de refuge en cas de danger. Il semble donc, quoique l'archéologie soit encore muette à ce sujet, que les Phénico-Puniques fréquentèrent M. lors de leurs navigations, bien attestées, dans l'Atlantique. JHFern

MAGDÔL En phén./aram. *Mgdl*, gr. *Mágdōlos*, ég. *Mktr*, hb. *Migdôl*, "Tour", nom ouest-sémitique de plusieurs places fortes ou tours fortifiées.
1 M., nom probable de la forteresse du Site T. 21 à *c.* 9 km au S. de Tell Farama, l'antique Péluse (Égypte). D'importantes quantités de céramique phén. des VIIe-VIe s. av. J.C. y sont venues au jour en 1974-76, suggérant d'y reconnaître une forteresse occupée par un contingent militaire phén. au service de l'Égypte saïte. C'est à ce M. que se rapporterait la notice d'Hdt. II 159.
2 M., forme originelle du nom de →Mogador.

Bibl. DEB, p. 829; E.D. Oren, *Migdol: A New Fortress on the Edge of Eastern Nile Delta*, BASOR 256 (1984), p. 7-44; P. Chuvin - J. Yoyotte, RArch 1986, p. 49-50. ELip

MAGHRAOUA En arabe *Maġrāwa*, village de Tunisie, au N.-E. de Maktar, d'où proviennent les inscriptions néopun. NP 7 et NP 14, — cette dernière trouvée près de l'oued el-Hallag, — et où la prospection a permis de localiser une vingtaine de monuments mégalithiques et des stèles funéraires pré-rom., dont deux portent une épitaphe néopun. et neuf, libyque (cf. RIL 37). Parmi la quinzaine d'inscriptions lat., certaines sont funéraires et d'autres votives, dédiées à →Saturne, dont le culte présuppose celui de →Baal Hamon.

Bibl. AATun II, f^e^ 30 (Maktar), n° 125; J.-B. Chabot, *Punica* IV, JA 1916/1, p. 88-89; F. Bejaoui - M. Ghaki, *Maghraoua dans l'Antiquité*, REPPAL 3 (1987), p. 255-259. ELip

MAGIE De sa naissance à sa mort, et même dans l'outre-tombe, le Phénicien ou le Punique se croyait environné de mille forces mauvaises. La m. devait le protéger contre ces puissances maléfiques ou lui fournir le moyen de les utiliser à son propre avantage. Si l'on écarte les deux amulettes d'→Arslan Tash, probablement fausses et mentionnant des démons non attestés dans l'authentique documentation phén.-pun. (p.ex. *mzh, pdr, 'th*), les textes magiques connus se réduisent à une incantation carth. du IIIe s. (CIS I,6068 = KAI 89; →Hawwat), proche des *defixionum tabellae*, et aux brèves formules écrites sur papyrus ou sur des lamelles métalliques (CIS I,6067) et insérées dans des étuis porte-amulette, trouvés dans des tombes, mais les →malédictions reprises dans différents genres d'inscriptions relèvent également de la m. Nombreux sont les objets funéraires d'essence magique, doués d'une vertu prophylactique ou d'un pouvoir régénérateur: →masques de terre cuite et de pâte de verre, →amulettes, comme le scarabée, l'hypocéphale, la croix ansée ou la figurine de →Bès, →œufs d'autruche. Il est vraisemblable que certains ex-voto, comme les statuettes de femme enceinte, se rattachent à la pratique de la m. sympathique et que divers →symboles, gravés notamment sur les →stèles, tels le →"signe de Tanit", l'→"idole-bouteille", le caducée ou la main ouverte, avaient pareillement une portée magique.

Bibl. EJ XI, col. 703-715; RLA VII, p. 200-255; F. Cumont, *Les religions orientales dans le paganisme romain*, Paris 1929[4], p. 168-179, 292-296; Vercoutter, *Objets*; P. Cintas, *Amulettes puniques*, Tunis 1946; T.C. Gauder - B. Rocco, *Un talismano bronzeo contenente un nastro di papiro con iscrizione fenicia*, StMagr 7 (1975), p. 1-18; S. Ribichini, *Un episodio di magia a Cartagine nel III secolo av. Cr.*, P. Xella (éd.), *Magia. Studi... R. Garosi*, Roma 1976, p. 147-156; W. Culican, *Phoenician Demons*, JNES 35 (1976), p. 21-24; W. Helck, *"Phönizische Dämonen" im frühen Griechenland*, AA 1987, p. 445-447. ELip

MAGON En ug./phén.-pun. *Mgn*, akk. *Magānu*, gr. *Mágōn(os)*, lat. *Mago* ("Don"), nom très fréquent à Carthage.

1 M., personnage inhumé au VIIe s. av. J.C. à →Almuñécar, dans un vase d'albâtre d'origine égyptienne, servant d'urne cinéraire (fig. 210).

2 M., l'ancêtre des →Magonides, stratège carth. au VIe s., qualifié de fondateur de l'Empire par Just. XIX 1,1.

3 M., stratège et navarque carth., adversaire de Denys I de →Syracuse en 397-392 et, très probablement, en 383-382. En 396, il anéantit près de Catane la flotte syracusaine et assiège Syracuse avec Hamilcar (Diod. XIV 59-61). Ayant rallié à la cause carth. la plupart des Sicules, il marche sur Messine en 393, mais est battu par Denys I à Abakainon (Diod. XIV 90). Il entreprend en 392 une grande campagne contre Syracuse, mais sa progression est bloquée à Agyrion et il conclut une paix désavantageuse pour Carthage (StV II,233), laissant la plus grande partie de la Sicile aux mains de Denys I (Diod. XIV 95-96). →Suffète (*basileús*: Diod. XV 15,2) et commandant en chef, M. reprend en 383 la lutte contre Denys I, mais subit une défaite et est tué à →Kabala, en 382 (Diod. XV 15,2-16,2).

Fig. 210. Urne de Magon, avec l'inscription peinte en noir, Almuñécar. Grenade, Musée Archéologique.

4 M., stratège carth., adversaire de Timoléon de →Syracuse. Il entre *c.* 343 dans Syracuse pour prêter main-forte à Hikétas contre Timoléon, mais abandonne la ville après une attaque avortée contre Catane. Rentré à Carthage, il se donne la mort et son corps est crucifié (Diod. XVI,67 ss.; Plut., *Tim.* 17-22).

5 M., amiral carth. dont la flotte vient prêter main-forte au Sénat rom. contre →Pyrrhus, en 279 (Just. XVIII 2; Val. Max. III 7,10).

6 M., fils d'→Hamilcar (8) Barca, frère puîné et lieutenant d'→Hannibal (6; →Barcides). Il joue un rôle important au cours de la 2e →guerre pun., spécialement en Espagne, puis en Haute Italie, où il serait resté jusqu'à la fin de la guerre d'après App., *Lib.* 49.54.59; en revanche, Liv. XXX 19,5 le dit mort en mer, en 203, des suites des blessures reçues dans un combat.

7 M., proche parent d'→Hannibal (6), que T. Manlius Torquatus fait prisonnier en Sardaigne en 215, en même temps que →Hasdrubal (10) et →Hannon (22), l'initiateur de la révolte sarde (Liv. XXIII 41,1-2).

8 M., un des trois envoyés carth. d'→Hannibal (6) qui prêtent serment lors du traité conclu avec →Philippe V de Macédoine (StV III,528).

9 M. le Samnite (Pol. IX 25,4), stratège carth. qui s'empare en 212 de Thurioi (Liv. XXV 15,8-17) et tue Ti. Sempronius Gracchus (→Gracques 2) dans une embuscade (Pol. VIII 35,1; Liv. XXV 16,7-24; App., *Hann.* 35). La mention de son séjour à Capoue dans Liv. XXV 18,1 est contredite par d'autres passages (Liv. XXVI 5,6; 12,10). Assiégé dans Locres en 208, il est secouru par →Hannibal (6) (Liv. XXVII 28,14).

10 M., commandant de →Carthagène au cours de la 2e →guerre pun. Après une résistance acharnée, il se rend en 209 à P. Scipion (→Scipions 5) qui l'envoie à Rome avec les membres de son état-major (Pol. X 12-19).

11 M., envoyé carth. qui se rend à Rome en 149, immédiatement avant le début de la 3e guerre pun. (Pol. XXXVI 3,8).

12 M. le Bruttien, personnalité carth. dont l'intervention à l'Assemblée du peuple, en 149, eut pour résultat l'envoi des 300 otages exigés par Rome (Pol. XXXVI 5,1-5).

13 M. l'agronome →agriculture (2).

14 M., voyageur carth. qui aurait traversé trois fois le désert en vivant d'aliments secs, sans boire (Ath. II 44e). Ce trait légendaire n'est pas de nature à jeter le doute sur l'historicité même du personnage et de ses entreprises qui revêtaient manifestement un caractère exceptionnel.

Bibl. KlP III, col. 888-890; PW XIV, col. 506-508, 519; Benz, *Names*, p. 133-137, 339; Jongeling, *Names*, p. 180, 240.
Ad 1: E. Lipiński, *L'hypogée de Magon*, OLP 15 (1984), p. 126-130.
Ad 2: Huß, *Geschichte*, p. 63-64, 475-476.
Ad 3: K.F. Stroheker, *Dionysios I.*, Wiesbaden 1958; Huß, *Geschichte*, p. 124-139; L.J. Sanders, *Dionysius I of Syracuse and Greek Tyranny*, London 1987.
Ad 4: M. Sordi, *Timoleonte*, Palermo 1961; Huß, *Geschichte*, p. 158-163.
Ad 5: P. Lévêque, *Pyrrhos*, Paris 1957, p. 410-415; Huß, *Geschichte*, p. 211-212.
Ad 6: Huß, *Geschichte*, p. 309 (n. 113), 311, 316, 318, 330, 335-337, 348-349, 357, 373, 376, 383 (n. 61), 389, 394-414.
Ad 8: Huß, *Geschichte*, p. 342 (n. 61).
Ad 9: Huß, *Geschichte*, p. 364-365, 387 (n. 102).
Ad 14: Desanges, *Recherches*, p. 185-188, 374. ELip

MAGONIDES Dynastie ou famille privilégiée, qui domine Carthage du milieu du VIe au début du IVe s. Tous les Puniques connus à cette époque lui appartiennent. Ils sont appelés *basileús* par les Grecs, *dux* ou *imperator* par les Romains. La nature de cette *basíleia katà nómous*, sa distinction d'avec le suffétat, sa nature charismatique et ses fonctions militaires apparaissent dans le cas d'→Hamilcar (1) le M. Les M. connus sont: →Magon (2), qui "règne" au milieu du VIe s., son fils →Hasdrubal (1), mort *c.* 500, onze fois "dictateur" (chargé du commandement) d'après Just. XIX 1,19, et →Hannon (1), père d'→Hamilcar (1), mort à Himère en 480, puis les fils de celui-ci, Hannon, qui est peut-être le navigateur (→Périples 2), son frère Himilcon (explorateur de l'Océan?) (→Périples 3), un troisième frère →Giscon (1), banni au moins temporairement mais dont le fils →Hannibal (1) devient *basileús*, enfin →Himilcon (2), issu d'une autre branche de la famille et dernier *basileús*.

Bibl. J. Beloch, *Die Könige von Karthago*, Klio 7 (1906), p. 19-26; Gsell, HAAN II, p. 186-192; L. Maurin, *Himilcon le Magonide*, Semitica 12 (1962), p. 5-43; L.J. Sanders, *Punic Politics in the Fifth Century B.C.*, Historia 37 (1988), p. 72-89. GCPic

MAHALATA En akk. KUR *Ma-ḫal-la-ta-a-a*, un des huit territoires phén. qui payèrent tribut au roi assyrien Assurnasirpal II en 875 av. J.C., quand celui-ci gagna la côte du N. de la Phénicie. Il est mentionné entre →Byblos et →Maisa ou entre Byblos et →Kaisa, dans trois passages presque identiques (AKA, p. 373, 86; p. 200, 28; CTN II, 276, 28). Une localisation près de Tripolis reste incertaine, car on ignore si la séquence des sites suit un ordre géographique du S. au N. L'étymologie du toponyme est obscure, elle aussi. On l'a associé au nom biblique *Māḥalat* et à l'arabe *maḥāl*, "rusé".

Bibl. Dussaud, *Topographie*, p. 75-76; H. Salamé-Sarkis, *Wahlia-Mahallata-Tripoli*, MUSJ 49 (1975-76), p. 549-565; R. Zadok, in *Studies in Bible and the Ancient Near East*, Jerusalem 1978, p. 172. KKes

MAHALLIB En akk. *Maḫalliba/Maḫalab*, hb. *Mḥlb*, ville phén. dépendant de Tyr, que la Bible attribue à la tribu d'Asher (*Jos.* 19,29; cf. *Jg.* 1,31). On la localise à *Ḫirbet el-Maḥālib*, au Liban, à 6 km au N.-E. de Tyr et à 2,5 km au S. de l'embouchure du *Nahr el-Qāsimiyē*. La ville fut prise par Téglat-Phalasar III en 732 (TPOA, p. 102) et par Sennachérib en 701 (ANET, p. 287; TPOA, p. 119).

Bibl. DEB, p. 769; D. Le Lasseur, *Mission archéologique à Tyr*, Syria 3 (1922), p. 1-26, 116-133 (voir p. 120-123); Abel, *Géographie* II, p. 384; Z. Kallai, *Historical Geography of the Bible*, Jerusalem 1986, p. 221-223, 418. ELip

MAHARBAAL En gr. *Merbalos/Maarbal/s*, lat. *Maharbal*, phén. *Mhrb'l* ("Preux de Baal").

1 M., roi de Tyr *c.* 555-552, rappelé de Babylone où il avait été éduqué parmi les nobles déportés par Nabuchodonosor II (Fl.Jos., *C.Ap.* I 158).

2 M., roi d'Arwad, vassal de Xerxès I (485-465), mentionné par Hdt. VII 98 parmi les commandants de la flotte phén.-perse en 480.

3 M., suffète de Carthage vers le IIIe s. (CIS I,176 = KAI 82).

4 M., stratège carth. mentionné par Front., *Strat.* II 5,12 (cf. Polyen, *Strat.* V 10,1.3).

5 M., fils d'Himilcon (Liv. XXI 12,1) ou de Bomilcar (Flor., *Epit.* I 22,19). Il dirigea pendant plusieurs semaines le siège de →Sagonte, en 219, et est probablement identique à M., le lieutenant d'→Hannibal (6) et le commandant de la cavallerie lors de la deuxième →guerre pun.

Bibl. KlP III, col. 893; PW XIV, col. 522-524; Benz, *Names*, p. 340-341; Huß, *Geschichte*, p. 123, n. 116. ELip

MAHDIA En arabe *Mahdiyya*, cité d'époque fatimide, en Tunisie, dont l'un des quartiers hors-les-murs, *Ğemma*, pourrait préserver l'ancien toponyme *Gummi*. Le bassin portuaire, taillé à la façon d'un →cothon sur le bord S. de la presqu'île du cap Afrique, est très vraisemblablement d'époque pun., bien qu'on ait proposé d'y voir un ouvrage fatimide. Les tombes à auge, creusées dans le roc à l'extrémité du cap, sont musulmanes pour les uns, pun. pour les autres. En revanche, la vaste nécropole s'étendant en arrière du rivage, sur plus de 5 km, est incontestablement d'époque pun. tardive, mais elle a pu desservir aussi un site pré-rom. autre que celui de M. Les tombes à hypogée comportent en général un escalier d'accès et une chambre funéraire de forme quadrangulaire, munie souvent de banquettes. L'inhumation et l'incinération étaient pratiquées, de même que l'usage libyque du rouge funéraire. La →céramique rencontrée est tournée ou modelée, locale ou importée, telle la campanienne A.

Bibl. AATun, f^e^ 74 (Mahdia), n°s 49 et 51-56 (nécropole); R. Cagnat - D. Novak, *Tombeaux phéniciens de Mahdia*, CRAI 1896, p. 218-225; D. Anziani, *Nécropoles puniques du Sahel tunisien*, MÉFR 32 (1912), p. 262-284; A. Lézine, *Mahdia*, Paris 1965, p. 13-17; H. Ben Younès, *Rapport sur la campagne de fouilles effectuée dans la grande nécropole de la région de Mahdia, octobre-novembre 1982*, REPPAL 1 (1985), p. 23-61. SLan

MAHÓN En lat. *Mago*, port de l'île de Minorque (→Baléares) qui doit vraisemblablement son nom à

→Magon (6), le frère d'Hannibal, qui occupa l'île en 206 (Liv. XXVIII; XXXVII 8-10) et en fonda le *castellum* (Pomp. Méla II 124). Il est mentionné par Pline, *N.H.* III 77; Ptol. II 6,73; CIL II,3708-3710; 3712.
ELip

MAINAKÈ Ville antique de la côte andalouse (Espagne), mentionnée par Ét. Byz. (s.v.), Skymn. 147, Strab. III 4,2 et Avienus, *Ora* 426-432 (cf. 181). Le nom de M. semble transcrire le phénicien *M'yn-'k*, "Source du Pieu d'amarrage". Les autres explications du toponyme, *menūḥāh*, "lieu de repos", ou *mnqē*, "lieu libre", ne justifient pas, entre autres, la présence de la diphtongue *ay* entre le *m* et le *n* de M. et ne sont donc pas acceptables. Si Avienus confond M. avec →Málaga, qu'il situe correctement face à l'île de la *Noctiluca*, l'actuelle Isla de la Luna, il précise en même temps que M. se trouve sur une rivière. Or, les seules rivières de la région sont le Río Guadalhorce, à 5 km au S.-O. de Málaga, et le Río de Vélez, à 27 km à l'E. de la ville, et l'on trouve effectivement d'anciens établissements phén. à l'embouchure de ces deux rivières. H.G. Niemeyer propose d'identifier M. avec le site de →Toscanos, situé à l'embouchure du Río de Vélez (fig. 361), mais la question reste ouverte.

Bibl. A. Tovar, *Iberische Landeskunde* II/1, Baden-Baden 1974, p. 79-80; R. Rosenstingl, *Mainake: El enigma de un emporio*, XIV Congreso Nacional de Arqueología, Zaragoza 1977, p. 769-780; H.G. Niemeyer, *Auf der Suche nach Mainake*, Historia 29 (1980), p. 165-185; B. Warning-Treumann, *Mainake - Originally a Phoenician Place-Name?*, Historia 29 (1980), p. 186-189; E. Lipiński, OLP 12 (1981), p. 111; 15 (1984), p. 118.
ELip

MAISA En akk. KUR *Ma-i-ṣa-a-a*, un des huit territoires phén. mentionnés dans trois passages, presque identiques, des inscriptions du roi assyrien Assurnasirpal II. M. y est citée entre →Mahalata et →Kaisa (AKA, p. 373,86) ou entre Kaisa et →Arwad (AKA, p. 200,30; CTN II,267,29-30). Ensemble avec les autres territoires, M. paya tribut à Assurnasirpal II en 875 av. J.C., quand celui-ci gagna la côte du N. de la Phénicie. La localisation de M. est inconnue et on ignore si l'énumération des sites suit un ordre géographique du S. au N. L'étymologie du toponyme n'est pas claire non plus: on a interprété M. comme **mayṣa'*, dans le sens de "sortie"; on a fait aussi le rapprochement avec l'ugaritique *myṣm*, un mot apparenté à l'akkadien *mâṣu*, "baratter".

Bibl. Dussaud, *Topographie*, p. 75-76; R. Zadok, in *Studies in Bible and the Ancient Near East*, Jerusalem 1978, p. 172.
KKes

MAISON →Architecture domestique.

MAJORQUE →Baléares.

MAKÉRIS Selon Paus. X 17,2, M. est le père de Sardos, l'éponyme de la Sardaigne et son colonisateur. M. aurait été rebaptisé Héraklès par les Libyens et les Égyptiens. Il aurait accompli un voyage à Delphes, ce qui l'identifie à l'Héraklès de Canope, dans la bouche du Nil, qui est probablement Melqart (Paus. X 13,8; Zénob. V 48). M. pourrait dès lors être une déformation de Melqart. Possible du point de vue consonantique, cette déformation ne l'est toutefois pas quant aux voyelles. L'existence d'une racine libyco-berbère *mkr* pourrait faire de M. un Héraklès libyque, portant une épithète signifiant peut-être "grand".

Bibl. O. Masson, AntAfr 10 (1976), p. 59-60; Bonnet, *Melqart*, p. 250-253.
CBon

MAKMISH, TELL En hb. *Tel Mikal*, site côtier d'Israël à 12,5 km au N. de →Jaffa. Les fouilles y ont mis au jour une agglomération densément peuplée aux Ve-IVe s. av. J.C., époque où la région dépendait du royaume de Sidon. La typologie de la céramique locale illustre cette hégémonie sidonienne.

Bibl. EAEHL, p. 768-770; Z. Herzog - O. Negbi - S. Moshkovitz, *Excavations at Tel Michal, 1977*, Tel Aviv 5 (1978), p. 99-130; Z. Herzog, *Tel Mikhal (Tell Makmish), 1978*, IEJ 29 (1979), p. 120-122; Z. Herzog-G. Rapp-O. Negbi, *Excavations at Tel Michal, Israel*, Tel Aviv-Minneapolis 1989.
ELip

MAKTAR En néopun. *(h)Mkt'rm*, lat. *Mactaris* ou *civitas Mactaritana/Mactaritanorum*, ville antique de Tunisie à population numide punicisée, située sur un plateau, à 950 m d'altitude, dans la montagne du Haut Tell, à *c.* 150 km au S.-O. de Carthage. Elle ne figure dans aucune de nos sources historiographiques, mais une inscription lat. trouvée sur le forum de la cité rom. prouve qu'elle faisait partie d'un district territorial de Carthage, la *khṓra... Túska* dont →Massinissa I s'empara en 149 av. J.C. (App., *Lib.* 68) et dont les limites sont approximativement connues grâce à une borne découverte sur le →Djebel Massoudj. Les vestiges de la civilisation pun. sont abondants et importants à M., bien qu'aucun d'eux ne remonte à l'époque de la Carthage indépendante. On a trouvé notamment plus de 200 inscriptions néopun., dont un lot considérable, découvert fortuitement en 1969 dans le soubassement de l'arc de triomphe rom. de Bab el-Aïn, n'est pas encore édité. Les stèles remployées par les Romains proviennent du →*tophet* de Aïn el-Bab et de la nécropole voisine qui ont livré les autres stèles votives et funéraires de M. Les plus anciennes datent du Ier s. ap. J.C. et →Baal Hamon y est seul nommé à l'exclusion de Tanit. Le culte de →Saturne, qui lui a succédé, est en revanche assez mal connu (CIL VIII, 23403). Le plus ancien monument de la ville est un autel, construit *c.* 100 av. J.C. en grands blocs analogues à ceux des dolmens de la région et centre d'un sanctuaire de →Hoter Miskar, dont les dédicaces néopun. du Ier s. ap. J.C. font connaître un collège religieux appelé →*mizreh*. Des inscriptions lat. attestent le culte d'Apollon *deus patrius* (CIL VIII,619; AÉp 1953, p. 48; Karthago 8 [1957], p. 34-35), qui cache vraisemblablement l'→Eshmun pun., et un temple construit au-dessus d'une grotte, que les Romains dédièrent à Liber Pater (→Shadrapha), domine une place publique qui remonte vraisemblablement à l'époque numide, tout comme une enceinte mégalithique. M. était administrée par trois suffètes (KAI 146) qui furent remplacés au début du IIe s. ap. J.C. par des triumvirs (CIL VIII,630 = 11827).

Bibl. AATun II, f^e 30 (Maktar), n° 186; PECS, p. 540-541; C. Picard, *Catalogue du Musée Alaoui. Nouv. sér. Collections puniques*, Tunis [1954-55], n^os Cb 976-1052; G.C. Picard, *Civitas Mactaritana*, Karthago 8 (1957); M. Leglay, *Saturne africain. Monuments* I, Paris 1961, p. 242; J.-G. Février - M. Fantar, *Les nouvelles inscriptions monumentales néopuniques de Mactar*, Karthago 12 (1963-64), p. 45-59; G.-C. Picard, *L'administration territoriale de Carthage*, in *Mélanges d'archéologie et d'histoire offerts à A. Piganiol*, Paris 1966, p. 1257-1265; Gascou, *Politique municipale*, p. 147-151; M. Sznycer, AÉPHÉ, IVe Sect., 1976-77, p. 177-182; Lepelley, *Cités* II, p. 289-295; A. M'charek, *Aspects de l'évolution démographique et sociale à Mactaris aux IIe et IIIe siècles ap. J.-C.*, Tunis 1982; G. Picard, *Essai d'interprétation du sanctuaire de Ḥoṭer Miscar à Maktar*, BAC 18B (1982 [1988]), p. 17-20. SLan-GCPic

MÁLAGA En néopun. *Mlk'*, gr. *Malaka*, lat. *Malac(h)a*, aujourd'hui Málaga, ville d'origine phén.-pun. sur la côte S.-E. d'→Espagne, au centre d'une région fertile à l'embouchure du Guadalmedina et du Guadalhorce, dominant une grande baie qui offre d'excellentes conditions portuaires. La ville pun. devait se trouver sur la butte où s'élève la cathédrale, dont les abords, ainsi que ceux du théâtre rom., ont livré en 1974-75 et 1980-83 des vestiges phén.-pun. qui remontent au début du VIe s. La fondation de M. est donc contemporaine de l'abandon de l'établissement phén. voisin du →Guadalhorce, dont la population a dû se transférer alors à M. et contribuer à sa prospérité à l'époque pun. Aux VIe-IVe s., M. fut une puissante ville portuaire, intégrée à l'orbite politique et commerciale de Carthage. Occupée par les Romains à la fin de la 2e →guerre pun., elle participa au soulèvement anti-rom. de 177 av. J.C. (Liv. XXXIII 21). Mentionnée souvent par les auteurs classiques à partir du IIe s. av. J.C. et considérée par eux comme le principal port pun. sur la route du Détroit de Gibraltar, elle frappe sa monnaie propre (→numismatique 4; fig. 257:7,11) et conserve encore au Ier s. ap. J.C. ses industries de salaison de poissons, son marché et son urbanisme "d'aspect pun.", ainsi que son importance pour la navigation dans la direction de →Gadès (Strab. III 4,2-3; 5,5).

Bibl. PECS, p. 546-547; A. Tovar, *Iberische Landeskunde* II/1, Baden-Baden 1974, p. 76-78; B.S.J. Isserlin, *Report on Archaeological Trial Excavations undertaken at Málaga in 1974*, Segundo Congreso Internacional de Estudios sobre las Culturas del Mediterráneo Occidental. Trabajos leídos en Barcelona, Barcelona 1978, p. 65-69; J.M.J. Gran Aymerich, *Málaga, fenicia y púnica*, AulaOr 3 (1985), p. 127-147; C.J. Pérez, AulaOr 4 (1986), p. 319 (bibl.). MEAub

MALCHUS Correction du nom d'un général carth., attesté sous les formes *Maceus, Maleus* et *Mazeus* chez Just. XVIII 7, seulement *Mazeus* chez Orose, *Adv. Pag.* IV 6,7-8. Il aurait remporté de grandes victoires en Sicile avant de passer en Sardaigne, où il aurait subi une lourde défaite. En châtiment de cet échec, les Carthaginois l'auraient exilé avec ce qui restait de son armée, mais, refusant de se soumettre, il aurait assiégé Carthage. C'est à ce moment que son fils →Carthalon (1) serait revenu de Tyr, où il était allé consacrer à Melqart la dîme du butin fait par son père. M., ne parvenant pas à convaincre son fils de se joindre à lui, l'aurait fait crucifier encore revêtu de la pourpre sacerdotale. Il se serait ensuite emparé de Carthage, mais ne se serait pas maintenu longtemps au pouvoir. Accusé de crime contre l'État et de l'assassinat de son fils, il aurait été mis à mort. Son successeur aurait été un certain →Magon (2). La chronologie exacte de ces événements est incertaine, de même que l'historicité de maint détail, mais il faut probablement situer le tout dans la seconde moitié du VIe s. av. J.C.

Bibl. PW XIV, col. 849-851; Bunnens, *Expansion*, p. 288-289; Huß, *Geschichte*, p. 59-60, 62-63, 459; id., *Der iustinische Malchus - eine Ausgeburt der Phantasie?*, Latomus 47 (1988), p. 53-58. GBun

MALÉDICTION Comme la bénédiction, la m. (phén. *qbt*) est bien attestée dans tout le Proche-Orient ancien dans des inscriptions funéraires, votives, commémoratives, ainsi que sur des bornes, dans des codes législatifs ou des traités. Elle a pour but d'éviter la violation des tombes et des traités, celle des propriétés et des monuments commémoratifs. La m. est conditionnelle et précédée d'une clause précisant celui qui y serait soumis; cette clause casuistique peut commencer par "si" (*'l* ou *'m*), "qui..." (*my*) ou "tout... qui" (*kl... 'š...*). On notera que les deux formules les plus attestées, *kl 'š* (CIS I, 3784, 3785) et *kl 'dm 'š* (CIS I, 3783, 4937; KAI 13, 14), peuvent être précisées par le titre éventuel du violateur: roi (*mlk, mmlkt*), gouverneur (*skn*), prince (*rzn*), chef d'armée (*tm' mḥnt*), ou homme de renom (*'dm šm*).

Les menaces contenues dans les m. peuvent être diverses: le violateur qui effacerait l'inscription sera lui-même (ou son royaume) effacé: le violateur d'une tombe n'aura pas de descendance ni de sépulture; lui-même mourra de mort violente; il tombera aux mains de ses ennemis et son royaume connaîtra les pires malheurs; s'il s'agit d'un roi, son sceptre sera brisé et son trône renversé (KAI 1: →Ahiram), m. déjà attestée à Ugarit. Enfin, cette m. sera mise en œuvre par le ou les grands dieux invoqués, explicitement ou non: →Baal, →Baalat, →Él, →Shamash, →Tanit, les "fils des dieux" ou les "dieux saints".

Bibl. DEB, p. 773-775; S. Gevirtz, *West Semitic Curses*, VT 11 (1961), p. 137-158; D. Hillers, *Treaty-Curses and the O.T. Prophets*, Rome 1964; F. Mazza, *Le formule di maledizione*, RSF 3 (1975), p. 19-30; H.-P. Müller, ZA 65 (1975), p. 104-132; A. Demsky, ErIs 14 (1978), p. 7-11; J. Teixidor, Syria 64 (1987), p. 137-140; P. Mosca - J. Russell, EpAn 9 (1987), p. 1-28. ALem

MALKANDROS →Melqart.

MALTE En pun. *'nn*, gr. *Melítē*, lat. *Melita/e* (fig. 211). Les plus anciens témoignages archéologiques d'une présence phén. stable consistent en nécropoles et en sanctuaires répartis dans deux zones principales: l'une, côtière et portuaire, au S.-E. de l'île, avec le sanctuaire de →Tas-Silġ, l'autre vers le N.-O., territoire intérieur, naturellement défendu, correspondant à l'actuelle Rabat-Medina, d'où proviennent les stèles du VIIe s. dédiées à Baal-Hamon à l'occasion du sacrifice →*molk* (TSSI III, 21-22). Vu que l'une et l'autre région étaient déjà densément peuplées au Bronze Récent et que plusieurs sites ont livré des céramiques indigènes mêlées à des produits de type phén. de la fin du VIIIe s. (Tas-Silġ, silo de Mtarfa), on tend à considérer que les deux groupes humains vivaient côte à côte. L'économie de l'île, privée qu'elle est de ressources naturelles, devait être fondée sur le commerce, la piraterie, la pêche et, éventuellement, l'une ou l'autre industrie manufacturière.

La première occupation de M. par les Phéniciens obéit à des raisons de commerce et peut-être aussi de contrôle des trafics longeant la côte africaine ou dirigés vers le détroit de Messine (cf. Diod. V 12). Le nom de M. apparaît dans les récits de la 1e et de la 2e guerre pun.; en 218, l'île passe définitivement aux mains des Romains (Liv. XXI 51,1-2), mais conserve les institutions pun., comme l'indique IG XIV, 953 qui mentionne deux archontes, répondant aux →suffètes, ainsi que le Sénat et le peuple des Mélitains. Ptol. IV 3,13 signale les deux villes de Melitè et de Chersonèse, de même que les sanctuaires d'Astarté (Tas-Silġ) et de Melqart. Le souvenir de la fondation maltaise d'→Acholla témoigne des rapports naturels unissant M. et l'Afrique. Des →tombes (2Bd) à chambre, creusées dans la roche, avec puits d'accès, maintes fois remployées au cours des siècles, parsèment l'île; des habitats pré-rom., par contre, les vestiges sont rares. Au sein de l'Occident phén.-pun., M. présente un faciès propre de la fin du VIIIe s. au Ier s. au moins. L'archéologie confirme des contacts avec le monde gr. dès le début du VIIe s.: la céramique importée, corinthienne, gr. orientale, attique, atteint

Fig. 211. Carte de Malte et de Gozzo.

l'île via, selon toute vraisemblance, la Sicile et est à l'origine de longues séries d'imitations locales; par contre, l'influence du répertoire décoratif géométrique est pratiquement nulle. La coutume phén. de l'inhumation dans des →sarcophages anthropoïdes égyptisants, attestée à Sidon et à Arwad, exceptionnelle dans les colonies d'Occident, apparaît à M. à l'époque archaïque, au moins en quatre occasions; les différences d'avec les modes de faire phén. sont toutefois notables. Un des sarcophages, en terre cuite, présente des caractères stylistiques rhodo-ioniens. Un fort bel exemplaire à caisson sur hauts pieds, également en terre cuite, se rattache par contre à des prototypes en bois. Les objets liés aux croyances religieuses et à la →magie (→amulettes) se ressentent fortement de l'influence égyptienne. Document exceptionel, un fragment de papyrus portant l'image d'→Isis et des restes d'une inscription magique en pun. se trouvait à l'intérieur d'un étui porte-amulette en bronze retrouvé dans une tombe près de Rabat. Les quelques exemples conservés de la →sculpture locale en calcaire, alors certes abondante, mettent en évidence tantôt de très nettes influences iconographiques égyptiennes, tantôt l'adoption d'un répertoire proche-oriental plus général, ainsi les dévots debout. Divers éléments de mobilier cultuel en calcaire local mis au jour dans diverses tombes et au sanctuaire de Tas-Silġ, tels des encensoirs à couronne de feuilles pendantes, dérivent d'une tradition phén.-asiatique plus marquée. Dans l'art des bijoux, mêmes techniques et typologies sont courantes dans l'Occident phén. et certaines caractéristiques distinctives ne renvoient pas à des ateliers identifiés. Les terres cuites, au total peu nombreuses, n'offrent que peu de traits communs avec les typologies habituelles dans la zone de Carthage. L'époque hellénistique, encore après la conquête rom., constitue une période de particulière prospérité pour l'île en contact étroit avec la culture égyptienne et alexandrine. La population semble avoir crû dans de notables proportions: remploi de tombes à chambre, densité et importance des établissements qui se succèdent à brève distance à travers toute l'île, et surtout dans les zones centrale et méridionale. L'activité édilitaire, tant publique que privée, est en plein essor. Outre la restructuration du grand sanctuaire d'Astarté à Tas-Silġ, on mentionnera l'édifice en forme de tour, encore visible à Zurrieq, avec son bel appareil et sa corniche à gorge égyptienne. Des fermes détachées des habitats reflèteraient tout à la fois un programme préétabli d'utilisation des ressources du sol et des mutations au sein de l'organisation sociale: ainsi le complexe rural de S. Pawl Milqi, au N. de M., lequel connaîtra encore une importante reconstruction à l'époque rom., est doté d'une nécropole privée, comme l'indiquent les tombes et une inscription néopun. En ce qui concerne les monnaies à légendes pun. (fig. 254:7) et gr., on a proposé des relations avec l'Égypte et la Cyrénaïque. Une colonie maltaise d'une certaine importance était assurément établie à →Pantelleria, une autre peut-être à →Sabratha. La découverte de céramiques maltaises à Carthage, à Lilybée, à Ibiza, peut également être versée au dossier des activités de Maltais résidant hors de l'archipel.

Bibl. EAA IV, p. 802-813; PECS, p. 568-569; *Annual Report on the Working of the Museum Department, Malta*, 1906ss.; A. Mayr, *Die Insel Malta im Altertum*, München 1909; C. Seltman, *The Ancient Coinage of Malta*, NC, 6e sér., 6 (1946), p. 81-90; M. Cagiano de Azevedo et al., *Missione archeologica italiana a Malta* I-VIII, Roma 1964-73; ICO, p. 15-52; J. Evans, *The Prehistoric Antiquities of the Maltese Islands: A Survey*, London 1971; M. Sznycer, AÉPHÉ 105 (1973), p. 145-160; 106 (1973), p. 131-148; 107 (1975), p. 191-205; T. Gouder - B. Rocco, *Un talismano bronzeo da Malta contenente un nastro di papiro con iscrizione fenicia*, StMag 7 (1975), p. 1-18; A. Ciasca, *Insediamenti e cultura dei Fenici a Malta*, H.G. Niemeyer (éd.), *Phönizier im Westen*, Mainz a/R 1982, p. 133-154. ACias

MARATHOS →Amrit.

MARCELLUS →Claudii (4).

MARÉSHA En gr. *Marisa*, colonie hellénistique de la Shéphélah, localisée à *Tell Ṣandaḥanna*, en Israël. Elle mérite d'être citée ici à cause de la tombe d'Apollophanès, fils de Sesmios (IIe s. av. J.C.). Ce notable se trouva à la tête d'une importante communauté phén. dont les premiers colons, originaires de Sidon, s'étaient progressivement assimilés à la population iduméenne locale, à l'exemple des colons de la Macédoine. Le plan de sa tombe s'accorde avec celui des hypogées phén. contemporains et l'influence de la mère patrie est également illustrée par plusieurs détails de peintures murales, tels que tables tripodes ou encensoirs.

Bibl. DEB, p. 789-790; EAEHL, p. 782-791; PECS, p. 552-553; J.P. Peters - H. Thiersch, *Painted Tombs in the Necropolis of Marissa (Marêshah)*, London 1905; Gubel, *Furniture*, p. 260; E.D. Oren - U. Rappaport, *The Necropolis of Maresha-Beth Govrin*, IEJ 34 (1984), p. 114-153. EGub

MARI L'actuel Tell Ḥarīri, sur la rive droite de l'Euphrate, près de la ville syrienne d'Abu-Kemal, est déjà la métropole du Moyen-Euphrate et le siège d'une dynastie au IIIe mill., suivant la liste royale sumérienne. Elle est florissante pendant la seconde moitié de ce millénaire, avec des fortunes politiques diverses. Son histoire est connue en détail pour la première moitié du XVIIIe s. Quelque 18.000 tablettes cunéiformes en retracent la vie quotidienne. Le rôle économique du royaume de M. y apparaît comme primordial entre le S. (Babylonie) et l'E. (Elam) d'une part, le N. (les confins anatoliens) et l'O. (la côte méditerranéenne et Canaan) de l'autre. Des marchandises de toutes sortes venant de l'O. ou du N., le plus souvent par voie fluviale, mais aussi par caravane avec rupture de charge à →Émar, aboutissent à M. ou transitent par M. à destination de la Babylonie ou des régions orientales. Il s'agit de pierres meulières, de bois de charpente ou d'ébénisterie, d'argent, de pierres précieuses, d'or venu d'Égypte, d'ivoire, de parures et de vaisselle de luxe, de céréales, de fruits, de légumes ou de vin. Les relations sont régulières entre M. et les régions méditerranéennes: Byblos, Ugarit, Hazôr, Chypre et la Crète. Il existe un comptoir mariote à Ugarit dont le responsable reçoit des objets précieux en provenance de Qatna ou de Hazôr et en délivre à destination du dieu Adad ou du palais d'Alep. Vers 1760 Hammurabi de Babylone saccage M. qui devient une bourgade sans signification, ni politique ni économique, et tombe dans un oubli total.

Bibl. RLA VII, p. 382-418; MARI 1-5 (1982-1987); *Mari sur l'Euphrate*, DossHistArch 80 (1984). AFin

MARION En gr. *Márion*; capitale d'un royaume de →Chypre, à l'extrême N.-O. de l'île, près de la bourgade moderne de Polis-tis-Khrysokhou. M. est peut-être mentionnée dans la liste d'Asarhaddon sous la forme *Nu-ri-ia* (→Nuria); en tout cas, des inscriptions gr. syllabiques de M. remontent jusqu'au VIe s. Son histoire est mal connue; on admet que Cimon s'empara de Kition et de M. en 449, durant son expédition à Chypre (Diod. XII 3,3). La ville fut détruite en 312 par Ptolémée I et ses habitants transférés à Paphos, une ville nouvelle, Arsinoé, étant fondée vers 270 par Ptolémée II. Cependant, des rois du Ve et IVe s. sont connus par des émissions monétaires à légende gr. syllabique (ICS 168-171): Sasmas, Stasioikos I, Timocharis, Stasioikos II, entre *c.* 330 et 312, le dernier roi. Ils portent tous des noms gr., sauf le premier, Sasmas (*c.* 470/60-450). Ce nom est évidemment la transcription d'un nom phén. *Ssm*, des formes apparentées se trouvant plus tard à →Larnaka-tis-Lapithou (CIS I, 95); ces théonymes évoquent le dieu chypro-phén., mal connu, →Sasm. On a donc ici la preuve d'une présence phén. dans une dynastie locale, par ailleurs tout à fait hellénique, puisque le père de ce roi porte un nom gr. En outre, deux pièces du monnayage de ce roi portent au revers, en supplément, les lettres phén. *ml*, qui ont été diversement interprétées. Mais aucune inscription phén. sur pierre n'est connue à M. ou dans la région.

Bibl. ICS, p. 150-188; PECS, p. 552-553; PW XIV, col. 1802-1803; Masson-Sznycer, *Recherches*, p. 79-81; F.G. Maier, JHS 105 (1985), p. 35-37. OMas

MAROC L'histoire du M. antique est liée à celle de grands courants économiques et culturels venus du Proche-Orient par le Détroit de Gibraltar (fig. 154), dont les Puniques ont su se garantir le contrôle. Leur succès explique l'homogénéité économique et culturelle des deux rives du Détroit, celle de la Bétique, occupée par les Tartessiens, et celle de la →Maurétanie, habitée par les Libyens. On sait peu de chose de l'époque à laquelle des Tyriens ont fondé →Gadès au N. du Détroit et →Lixus au S. On ne sait même pas s'ils étaient venus directement du Proche-Orient ou de Carthage. Les récentes découvertes archéologiques permettent en revanche de dresser la carte des comptoirs pun. au M. (fig. 212), qui témoignent d'un dialogue constant entre la ville pun. et la campagne indigène. Ainsi, →Tanger doit son existence à son arrière-pays, Lixus à sa campagne et à la pêche. D'autres sites sont tributaires de conditions analogues, créées par les fleuves navigables qui étaient l'instrument de la pénétration pun. C'est le Bou Regreg qui explique la présence pun. à →Sala et c'est le Sebou qui permit aux Puniques de créer →Thamusida et →Banasa. C'est en remontant le Loukkos qu'ils se sont implantés à Lixus, en pénétrant dans la lagune

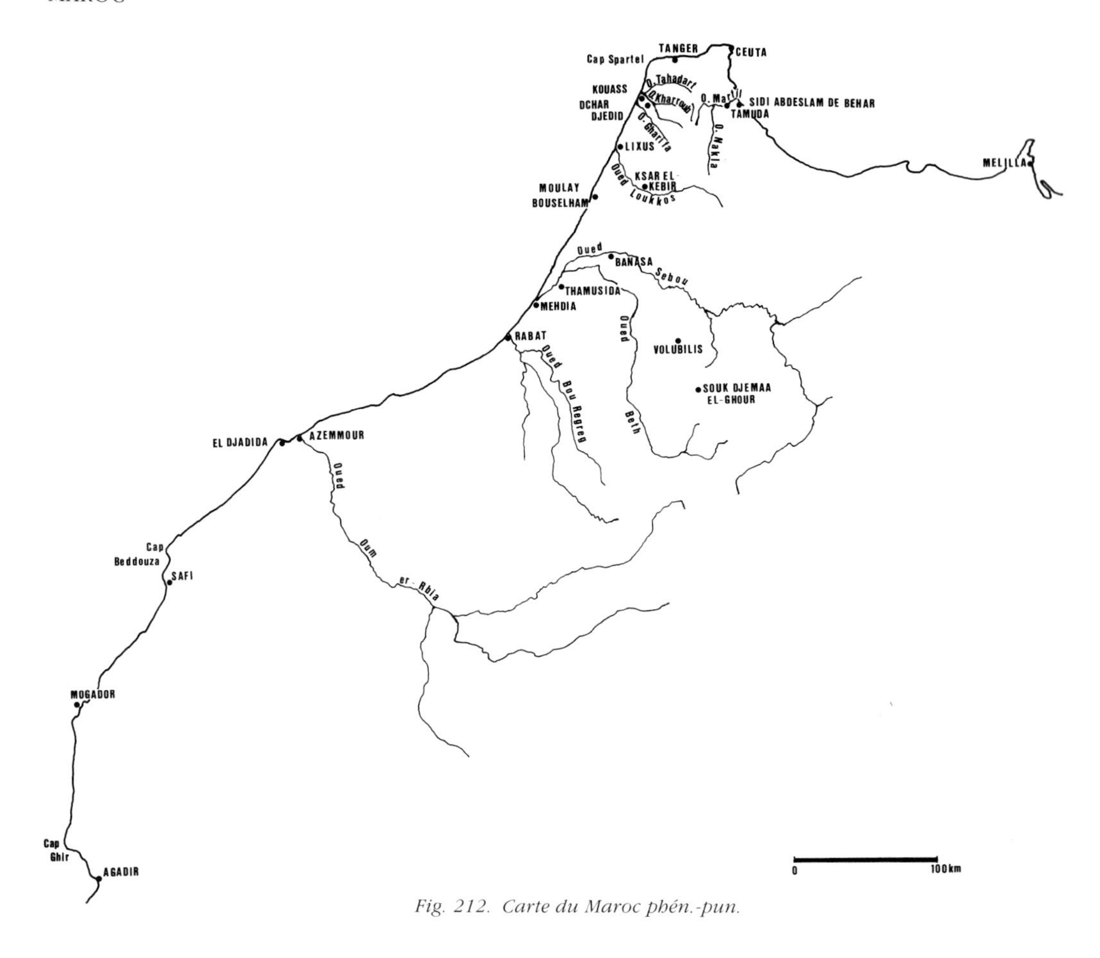

Fig. 212. Carte du Maroc phén.-pun.

de l'actuel estuaire du Tahardat qu'ils ont rejoint →Dchar Djedid et c'est par l'oued Martil qu'ils sont arrivés à →Tamuda. Cette constance des méthodes de pénétration favorise la recherche qui peut tenir compte, par ailleurs, de la transhumance des indigènes qui viennent à la rencontre de cette nouvelle civilisation. L'analyse de la distribution des sites côtiers témoigne de la pratique du cabotage et d'une sélection géographique faite en fonction des riches espaces ruraux de l'arrière-pays. En venant de l'E., une première escale s'imposait à →Rusaddir; puis venaient les mouillages à l'embouchure de l'oued Nakhla (Emsá) et à Sidi Abdeslam de Behar, qui ont livré du matériel des IVe-IIIe s. L'oued Martil offrait ensuite une possibilité de pénétration jusqu'à Tamuda. →Ceuta était la dernière escale avant les Colonnes d'Hercule (→Calpé, Mont), suivies de la côte inhospitalière du Détroit de Gibraltar jusqu'à Tanger, point de relâche évident avant de pénétrer dans l'Atlantique. Une fois passé le cap →Spartel, la côte basse et rectiligne de l'Océan était ponctuée d'escales énumérées dans le →*Périple* (2) d'Hannon et attestées par des témoignages tangibles. L'actuel estuaire du Tahadart formait une lagune qui permettait d'atteindre Dchar Djedid, où une cité était implantée. Plus au S. on trouve l'oued Gharifa et →Kouass avec son industrie de céramique ibéro-pun. Ensuite, les méandres du Loukkos menaient à Lixus, le pendant de Gadès et le centre de la punicisation du pays dès le VIIe-VIe s. Puis venait la paisible lagune de Moulay Bouselham, la Mulelacha de Pline (*N.H.* V 9), avec son ensemble de *tumuli* de transhumants en contact avec le monde ibéro-pun. L'estuaire du Sebou, dominé par la kasba de →Mehdia, était l'instrument de la pénétration pun. jusqu'à Thamusida, Banasa et même aux approches de →Volubilis. Sa navigabilité, attestée par Pline, *N.H.* V 1, explique que la punicisation se manifeste à tout moment sur ses berges fertiles. Enfin, en suivant la côte jusqu'au Bou Regreg, on atteint Sala, dernier centre urbain important du littoral atlantique de la Tingitane et le plus méridional du triangle "utile", accessible par le cabotage et la navigation fluviale, auxquels correspondait une notable transhumance allant à l'encontre des Puniques. Le site de →Mogador, type incomparable d'escale pun. sur une route maritime menant au-delà du cap →Ghir, mais isolé dans sa position, semble faire exception à cette règle. En tout cas, la punicisation du pays sera si profonde qu'il faudra une longue période de transition avec →Juba II, puis une guerre après la mort de →Ptolémée, pour voir la civilisation rom. se superposer graduellement à la culture pun., fermement enracinée.

Bibl. R. Roget, *Le Maroc chez les auteurs anciens*, Paris 1924; id., *Index de topographie antique du Maroc*, Rabat 1938; Mazard, *Corpus*, p. 177-195; P. Cintas, *Contribution à l'étude de l'expansion carthaginoise au Maroc*, Paris 1955; M. Tarradell, *Marruecos púnico*, Tetuán 1960; A. Luquet - M. Ponsich - M. Tarradell, *Contribution à l'Atlas archéologique du Maroc*, BAM 5 (1964), p. 253-300; 6 (1966), p. 365-443; 9 (1973-75), p. 237-306; *Inscriptions antiques du Maroc* I-II, Paris 1966-82; G. Souville, *Atlas préhistorique du Maroc* I, Paris 1973; M. Ponsich, *Territoires utiles du Maroc punique*, H.G. Niemeyer (éd.), *Phönizier im Westen*, Mainz a/R 1982, p. 429-444; id., *Transhumance et similitudes ibéro-maurétaniennes*, Homenaje al Prof. M. Almagro Basch II, Madrid 1983, p. 119-129. MPon

MARSALA →Lilybée.

MARSEILLE →Phocéens.

MARTYRS Les Passions des m. chrétiens de Phénicie, de Chypre et d'Afrique du N. contiennent encore des noms de gens du peuple dont l'origine phén.-pun. ne fait guère de doute. Aucune étude d'ensemble de cette →onomastique n'a encore été faite, mais on relève, p.ex., le nom de Ste *Salsa* à →Tipasa, qui reflète la tradition sémitique d'appeler "Troisième", *Šlš(t)*, le troisième enfant, dont la naissance passait pour un signe de bon augure. À Chypre, le *Bonomílēx* vénéré au village de →Phas(s)oula porte une forme tardive du nom de *Ba'al-milk*, "Baal est roi" (cf. *Anniboni*, "Hannibal"), tandis que *Elúmas* et *Abdios*, deux compagnons du martyr chypriote St Polychronios, portent des hypocoristiques en *'elim*, "Dieu", et *'abd*, "serviteur". Étant tous des vignerons, ils proviennent de l'éparchie de *Gamphánē*, où l'on reconnaît le mot ouest-sémitique *gpn*, "vigne". Par ailleurs, un nom tel que celui de *Theódoulos*, dans la "Passion de St Léonce, martyr à Tripolis en Phénicie", paraît bien être une traduction du phén. *'Abd'elim*, "Serviteur de Dieu".

Bibl. E. Lipiński, RSO 44 (1969 [1970]), p. 99-100; id., StPhoen 1-2 (1983), p. 225-231; F. Halkin, *Martyrs grecs, IIe-VIIIe s.*, London 1974, p. 319-340. ELip

MARUBBU En akk. *Ma-'-ru-ub-bu*, phén. *M'rb* (*Ma'rōb*, "Occident"), ville du royaume de Sidon qu'Asarhaddon a donnée au roi →Baal (1) de Tyr après l'écrasement de la révolte d'→Abdimilkutti (AfO, Beih. 9, p. 49, 1. 15-17). Rien ne justifie sa localisation à *'Adlūn* et son identification avec Ornithopolis, bien qu'elle doive être proche de →Sarepta, au Liban.

Bibl. Forrer, *Provinzeinteilung*, p. 65-66; TPOA, p. 127. ELip

MARZEH En akk. *marziḫu/marza'u*, ug., phén., hb., aram. *mrzḥ*, lieu de réunion, d'où →thiase ou →association religieuse. Le →Tarif de Marseille mentionne le *mrzḥ 'lm*, "thiase de la divinité" (KAI 69,16), qui apportait ses offrandes au temple de →Baal Saphon à Carthage. Aristote fait probablement allusion à l'institution carthaginoise du *m.*, quand il parle des "repas en commun des hétairies semblables aux phidities" (*Pol.* II 11,3). Dans l'inscription phén. d'une coupe du IVe s., il est fait mention d'un "*m.* de →Shamash", certainement un thiase consacré à la divinité solaire. En revanche, dans l'inscription honorifique du →Pirée (KAI 60 = TSSI III,41), *mrzḥ* est le nom d'un mois, peut-être celui de l'assemblée du *koinon* sidonien.

Bibl. DISO, p. 167; ThWAT V, col. 11-16; M.H. Pope, *Le* mrzḥ *à Ougarit et ailleurs*, AAAS 29-30 (1979-80), p. 141-143; N. Avigad - J.C. Greenfield, *A Bronze* phialē *with a Phoenician Dedicatory Inscription*, IEJ 32 (1982), p. 118-128; T.J. Lewis, *Cults of the Dead in Ancient Israel and Ugarit*, Atlanta 1989, p. 80-94. ELip

MASAESYLES En gr. *Massaisúlioi* (Pol. III 33,15), lat. *Massaesyles*, l'une des deux ethnies libyco-berbères occupant au IIIe s. av. J.C. le territoire de la Numidie, l'autre étant celle des →Massyles. Les →auteurs classiques, Liv. XXVIII 17; Pline, *N.H.* V 17.19.52; XXI 17; Strab. XVII 3,9, situent les M. entre les Maurouses ou Maures à l'O. et les Massyles à l'E., c.-à-d. en →Algérie. La mort de →Syphax en 201 n'entraîna pas la fin du royaume masaesyle, puisque son fils →Vermina semble avoir régné jusque vers 192. De toute façon, l'unification de la Numidie au profit du Massyle →Massinissa I ne signifia pas la soumission des tribus m., comme le montrerait encore l'activité d'Arcobarzane, le petit-fils de Syphax, à la veille de la 3e →guerre pun., du moins selon Liv., *Per.* XLVIII.

Bibl. Gsell, HAAN III, p. 175-176; Desanges, *Pline*, p. 145-146. MDub

MASCULULA →Henchir Guergour.

MAS DE MUSSOLS Nécropole d'une localité ibérique à l'embouchure de l'Èbre (Espagne), où l'influence du commerce phén.-pun. est perceptible *c.* 625-575 av. J.C., tout comme sur d'autres sites côtiers de la Catalogne et du Languedoc, jusqu'à Agde (France).

Bibl. J. Maluquer de Motes, *La necrópolis paleoibérica de "Mas de Mussols", Tortosa (Tarragona)*, Barcelona 1984; O. Arteaga - J. Padró - E. Sanmartí, *La expansión fenicia por las costas de Cataluña y del Languedoc*, AulaOr 4 (1986), p. 303-314. ELip

MAS LATRIE, LOUIS DE (15.4.1815-3.1.1897). Érudit et historien français, qui s'est surtout occupé de l'histoire de Chypre sous le règne des Lusignan. Il exécuta à Chypre une mission d'études de l'automne 1845 au printemps 1846, qui lui permit notamment de dresser une nouvelle carte de l'île (1862). Il confirma que →Kition se trouvait bien à Larnaka et non au village de Khiti. Il se procura une petite série d'antiquités chypriotes, entrées en 1846 à la Bibliothèque Royale (Bibliothèque Nationale). Il essaya de faire venir à Paris la stèle de Sargon II (707 av. J.C.), découverte par hasard à Kition-Larnaka dans l'été de 1845, mais elle fut en définitive achetée pour le Musée de Berlin.

Fig. 213. Masque, Amrit (fin du VIe s. av. J.C.). Beyrouth, Musée Archéologique de l'Université Américaine.
Fig. 214. Masque grimaçant, Dermech, Carthage (fin du VIIe-début du VIe s. av. J.C.). Paris, Louvre.
Fig. 215. Masque, Douimès, Carthage (Ve s. av. J.C.). Carthage, Musée National.
Fig. 216. Protomé, Tyr (fin du VIe-Ve s. av. J.C.). Coll. privée.

Bibl. ICS 19; L. de Mas Latrie, Archives des missions scientifiques 1 (1850), p. 94-112, 161-183, etc.; Ch. Lenormant, RArch 1846-47, p. 190; M. Amandry - A. Hermary - O. Masson, *Les premières antiquités chypriotes du Cabinet des Médailles et la mission Mas Latrie 1845-1846*, Centre d'études chypriotes. Cahier 8 (1987), p. 3-15. OMas

MASQUES 1 Orient Trois catégories d'objets sont qualifiés de m., à savoir: a) les m. en terre cuite (fig. 213, 216); b) les pendentifs en (pâte de) verre ou pâte friable et c) les masques-perles ou amulettes dans les mêmes matières (pl. XVIc). Trouvés dans la plupart des grands centres de la Phénicie, ainsi que dans les comptoirs phén. à Chypre et en Palestine, les m. représentent soit des visages barbus ou grimaçants, soit des visages féminins ou, plus rarement, des têtes d'animaux (taureau, lion). Pendant la première moitié du Ier mill., les m. sont généralement rehaussés de peinture rouge, tandis que les yeux sont le plus souvent percés. Une pastille d'argile entre les yeux constitue une autre caractéristique qui se retrouvera dans le monde pun. Sous la domination perse, le nombre de masques-protomés s'accroît, un phénomène qui va de pair avec une influence gr. très marquée. Les m. de type masculin montrent des personnages moustachus aux barbes soignées (fig. 213); les types grimaçants rappellent parfois la physionomie du dieu →Bès ou d'un Satyre, impression souvent confirmée par la présence d'oreilles d'animaux. Les m. représentant des visages féminins, généralement des protomés, comptent parmi les œuvres les plus raffinées de la production des coroplastes; la physionomie, les rubans et les voiles drapés trahissent une liaison intime avec les ateliers et les sculpteurs de sarcophages contemporains (fig. 216). Trouvés dans les temples (Kition, Hazôr, Amrit, Sidon, Sarepta) et les tombes (Khaldé, Sidon, Sarepta, Akzib), le rôle des m. est à la fois cultuel et apotropaïque; selon certains auteurs, finalement, les m. personnifieraient le concept de la mort même. La deuxième catégorie de m. consiste en pendentifs parfois bifaces, représentant la tête d'une déesse coiffée d'une perruque dite à "étages". Pour la troisième catégorie, dont les m. étaient également employés comme pendentifs-amulettes, on se reportera à l'article →verrerie. EGub

2 Occident Carthage est le principal centre à m. du bassin O. de la Méditerranée, mais c'est en Phénicie et à Chypre qu'il faut en chercher l'origine. La plupart proviennent de tombes, quelques-uns d'un sanctuaire.

A *Masques.* On distingue les groupes suivants: a) Les m. négroïdes de *c.* 15 à 20 cm de haut, en terre cuite rouge lustrée. Le front est bas, les yeux en olive perforés, la bouche est tordue par un rictus. Le front et le crâne sont garnis de spirales, dont l'une est coiffée par un disque solaire. Des trous sont percés sur le pourtour pour y passer des liens. Ces m. datent de la fin du VIIe-VIe s. (fig. 214, 215, 229). — b) Les m. en terre cuite claire, de 12 à 17 cm de haut. Le front est fuyant, le nez crochu, les yeux en croissant, perforés, la bouche grimaçante. Le front et les joues sont creusés de rides ondulées; des verrues et des tatouages garnissent le crâne et le front. Ces m. datent également de la fin du VIIe-VIe s. En revanche, c'est du milieu du IIe s. que date un m. grotesque au front orné de serpents se nouant la queue — une Gorgone? —, accroché au-dessus de la porte de la "chapelle Carton". — c) Les m. de Satyres barbus aux yeux et à la bouche perforés datent de la fin du IVe-IIIe s.

B *Protomés.* Les m. sont inséparables des protomés m., aux yeux et à la bouche closes. On distingue les types suivants: a) Les protomés m. de femmes coiffées du klaft maintenu sur le front par un bandeau. Un trou de suspension est percé au sommet; il y a des traces de peinture noire et blanche sur les yeux. Ces protomés datent de la fin du VIIe-début du VIe s. (fig. 218, 219). — b) Les protomés m. de femmes aux cheveux frisés, rendus par de petites spires estampées, rappelant les perruques égyptiennes. Ils datent du VIe-début du Ve s. (fig. 217, 230). — c) Les protomés m. de femmes de style grec, voilées. On distingue des traces de peinture. Ils datent de la fin du Ve-IVe s. — d) Les protomés m. d'hommes barbus. Les traits sont fins et réguliers. L'un d'eux porte un *nezem* et un anneau dans l'oreille. Les cheveux et la barbe sont rendus par de petites spires estampées. Ils datent de la fin du VIe s.

De nombreuses et diverses répliques de m. et protomés ont été mis au jour dans les cités pun. À Motyé, des urnes du →*tophet* en étaient recouvertes. Les colonies de Sardaigne, Tharros notamment, Sulcis, en ont livré également. Sans texte sur lequel s'appuyer, sans élément de comparaison précis, il est impossible de savoir quelle était la signification de ces terres cuites. Ce n'étaient pas des m. funéraires destinés, comme ceux d'Égypte, à éterniser les traits des défunts. Les m. grotesques représentent sans doute des démons. Quelques-uns parmi les plus anciens ressemblent étrangement aux m. du sanctuaire d'Artémis Orthia à Sparte qui figuraient, semble-t-il, des masques de danse. Mais seule leur valeur prophylactique paraît certaine. CPic

Bibl. C. Picard, *Sacra Punica*, Karthago 13 (1965-66 [1967]), p. 1-115; J.B. Pritchard, *Sarepta*, Philadelphia 1975, fig. 59,1; E. Stern, *Phoenician Masks and Pendants*, PEQ 108 (1976), p. 109-118; S. Moscati, *Due maschere puniche da Sulcis*, ANLR, 8e sér., 35 (1980), p. 311-313; G. Chiera, *Una maschera silenica da Sulcis*, ANLR, 8e sér., 35 (1980), p. 505-508; R. Hestrin - M. Dayagi-Mendels, *Two Phoenician Pottery Masks*, The Israel Museum News 1980, p. 83-88; W. Culican, *Opera Selecta*, Göteborg 1986, p. 391-436; J.B. Carter, *The Masks of Ortheia*, AJA 91 (1987), p. 355-383; A. Ciasca, *I protomi e le maschere*, I Fenici, Milano 1988, p. 354-369; →coroplastie.

MAS(S)INISSA En pun./num. *Msnsn*, gr. *Masinissas* ou *Mas(s)an(n)asas/es*, lat. *Masinissa*; nom de deux souverains numides.

1 M. I (*c.* 240-148), fils de Gaia, roi des →Massyles de la →Numidie orientale. Ayant reçu son éducation à Carthage (App., *Lib.* 10.37.39), M. combattit de 212/1 à 206 en Espagne, sous →Hasdrubal (5) (App., *Lib.* 10; Liv. XXV 34,1), non sans revenir plusieurs fois en Afrique pour chercher de nouveaux contingents de cavalerie numide (Liv. XXVII 5,11; cf. XXVIII 16,11), qui rendirent des services insignes aux armées pun. (Liv. XXV 34; 35,8; 36,3; XXVII

Fig. 217. Protomé, Dermech, Carthage (fin du VIe s. av. J.C.). Paris, Louvre.

Fig. 218. Protomé, Douimès, Carthage (c. 550-500 av. J.C.). Paris, Louvre.

18,7; 19,9; 20,8; XXVIII 13,6; 35; Pol. XI 21,1; App., *Iber.* 25.27). C'est en Espagne qu'il apprit la mort de son père Gaia (Liv. XXIX 29,6), de même que celle d'Oezalcès et de →Capussa (Liv. XXIX 30,1; cf. 29,7), qui avaient succédé à ce dernier, mais n'avaient régné que quelques mois. Rentré en Afrique, M. se rendit maître du royaume des Massyles, mais fut bientôt dépossédé par →Syphax. C'est dans ces circonstances qu'il offrit ses services à →Scipion (5) l'Africain, remporta une victoire sur Syphax dans les *Campi Magni* et reprit Cirta (→Constantine), où il rencontra →Sophonibaal (3). Reconnu comme roi de Numidie par Scipion en 203 (Liv. XXX 15,11), il fut le grand bénéficiaire de la victoire rom. à →Zama/→Naraggara, où sa cavalerie avait joué un rôle décisif. Sans se douter de la puissance qu'il acquerra, Rome le laissa constituer un grand royaume numide unifié, qui absorba progressivement l'État masaesyle de Syphax et de →Vermina, pour se développer ensuite à l'O. aux dépens de Carthage. Ses provocations de 193, 182, 174 (Liv. XXXIII 47,7-8; XXXIV 62; XL 17; XLII 23-24), furent suivies vers 161 de l'occupation des "Emporia" de la Petite Syrte (Pol. XXXII 2), puis de l'annexion de la →Tripolitaine, ce qui explique que son royaume touchait à la →Cyrénaïque (App., *Lib.* 106; cf. Pline, *N.H.* V 30) et qu'il reçut la visite de Ptolémée VIII Évergète II (Ath. VI 229d; XII 518f-519a). Enfin, l'occupation des *Campi Magni* et du pagus de *Tusca* (App., *Lib.* 68), c.-à-d. de la moyenne →Medjerda et de la région de →Maktar, ainsi que les atermoîments de l'arbitrage rom. provoquèrent en 150 la réaction de Carthage contre M. Prétextant une violation du →traité (9) de 201, qui interdisait aux Carthaginois de prendre les armes sans l'autorisation rom., Rome déclencha la 3e →guerre pun., qui aboutit en 146 à la destruction définitive de la Carthage pun. M. était mort en 148, après avoir dû partager la direction du royaume entre ses trois fils, →Mastanabal (1), →Gulussa et →Micipsa (App., *Lib.* 105-106; Zon. IX 27; Val. Max. V 2, *ext.* 4; Eutr. IV 11): Rome ne souhaitait pas laisser aux mains d'un seul homme une puissance numide désormais sans contrepoids. Micipsa lui éleva un sanctuaire à →Chemtou. — Ce chef berbère à l'imposante personnalité, dont les monnaies massyles reproduisent l'effigie (fig. 258:1), sera l'initiateur de l'intégration des Numides dans le monde méditerranéen. Leur sédentarisation, l'urbanisation, le monnayage de bronze (→numismatique 5), les échanges commerciaux avec Rhodes et Délos, les relations diplomatiques avec l'Égypte, iront de pair non seulement avec la punicisation du pays, perceptible surtout

Fig. 219. Protomé, Puig des Molins (Ve s. av. J.C.). Ibiza, Musée Archéologique.

dans la capitale Cirta, mais aussi avec l'→hellénisation, à la fois par l'intermédiaire des Carthaginois et directement, puisque M. offrit à Délos du blé pour 10.000 drachmes (IG XI/3, 444,A,10) et y reçut des statues honorifiques (Syll³ 652), tandis que son fils Mastanabal participa aux Panathénées.

2 M. II (?-46 av. J.C.), roi de →Numidie et père d'→Arabion (App., *B.C.* IV 54). Selon (Ps.-)Aur. Victor, *Vir. ill.* 77,2, Pompée, après avoir vaincu l'usurpateur →Hiarbas (2), rendit le royaume de Numidie à M., alors que les autres sources mentionnent unanimement →Hiempsal II. Il faut supposer sans doute qu'à la mort de →Gauda, le pouvoir en Numidie fut de nouveau divisé.

Bibl. KlP III, col. 1068-1070; PW XIV, col. 2154-2165; G. Camps, *Aux origines de la Berbérie. Massinissa ou le début de l'histoire*, Alger 1961; G. Hafner, *Das Bildnis des Massinissa*, AA 1970, p. 412-421; T. Kotula, *Masynissa*, Warszawa 1976; F. Decret - M. Fantar, *L'Afrique du Nord dans l'Antiquité*, Paris 1981, p. 99-139; G. Camps, *Les derniers rois numides: Massinissa II et Arabion*, BAC, n.s., 17B (1981 [1984]), p. 303-311; Huß, *Geschichte*, p. 398-447. MDub-ELip

MASSYLES En gr. *Masulieís*, lat. *Maesuli* ou *Massyli*, peuple libyco-berbère de l'Afrique du N.-O., entre Carthage à l'E. et les →Masaesyles à l'O. (Strab. XVII 3,9), avec lesquels les M. formaient la →Numidie. Sil.It. XVI 170 (etc.) les confond du reste avec les Masaesyles. Les M. sont nommés pour la première fois à l'époque de la 1re →guerre pun. dans les *Libyca* d'Hégésianax (FHG III, p. 70-71), selon lequel un lieutenant de →Régulus, Calpurnius Crassus, chargé de s'emparer d'une place forte appelée Garaition, tomba aux mains des M. qui s'apprêtèrent à le sacrifier à → Kronos. Il fut sauvé par la fille du roi, Bisaltia, qui s'était éprise de lui et qui se suicida après son départ. Ces traits romanesques n'enlèvent pas toute valeur historique au récit, car →Massinissa I se réfugia en 205 dans la région du →Cap Bon, près de →Kélibia (Liv. XXIX 32,6), et dans l'arrière-pays des "Emporia" de la Petite Syrte (Liv. XXIX 33,8), où des clans m. devaient donc être disséminés. Les M. apparaissent ensuite lors de la 2e guerre pun. (Pol. III 33,15; App., *Lib.* 10.27.46), quand le roi des M. était Gaia, fils de Zilalsan (Liv. XXIV 48,3; cf. KAI 101,1) et père de Massinissa I. Ce dernier parvint à créer un grand royaume numide et unifiant les États des M. et des Masaesyles.

Bibl. Desanges, *Pline*, p. 335-336; M. Fantar - F. Decret, *L'Afrique du Nord dans l'Antiquité*, Paris 1981, p. 97-119. ELip

MASTANABAL En gr. *Mastanabas/Mastanaballos*, lat. *Mastanabal-*; nom de deux rois numides.

1 M. I, le plus jeune des trois fils légitimes et survivants de →Massinissa I. Il reçut une éducation gr. (Liv., *Per.* L) et fut vainqueur aux courses des Panathénées en 168 ou 164 (IG II-III², 2316, 41-42). À la mort de Massinissa, en 148, il partagea le pouvoir avec ses frères →Micipsa et →Gulussa, recevant la charge des affaires judiciaires (App., *Lib.* 106). Il semble avoir disparu assez rapidement (Sall., *Jug.* 5,6), laissant deux fils, →Jugurtha, qui devait déclencher les troubles que l'on sait après la mort de Micipsa, et →Gauda, qui, resté seul survivant de la famille, continuera la dynastie.

2 M. II, personnage connu par une inscription de Syracuse (SEG XVI 535), qui le nomme *Masteábar*, lui donne le titre de roi (*basileús*) et en fait le fils de *Gauos*, c.-à-d. →Gauda. Il faut sans doute supposer qu'il partageait le pouvoir avec →Hiempsal II ou régnait sur la →Numidie de l'O. en 88-?. MDub-ELip

MASTANESOSUS En pun. *Mstns(n)*, lat. *(Mastane)sosus*; le nom de M. est connu par un passage de Cic., *Vat.* 12, qui en fait un roi de →Numidie occidentale en 62, par opposition à →Hiempsal II, roi de Numidie orientale. S'il est identique à Sosus, — ce qui est probable, — il est un successeur de →Bocchus I de →Maurétanie, mort *c.* 80 av. J.C., et le père de →Bocchus II et de →Bogud II. Sosus a laissé des témoignages de son règne à →Volubilis (80?-49) et des monnaies de →Tanger portent la légende lat. *Rex Bocchus Sosi f(ilius)*, "Roi Bocchus, fils de Sosus".

Bibl. M. Euzennat, *Le roi Sosus et la dynastie maurétanienne*, Mélanges J. Carcopino, Paris 1966, p. 333-339; Mazard, *Corpus*, p. 118-121. MDub-ELip

MATEUR En lat. *Mata/era* ou *oppidum Matarense*, ville de Tunisie à *c.* 40 km à l'O. d'→Utique. Bâtie sur une hauteur dominant l'oued Djoumine, à l'orée d'une plaine riche en céréales et bordée de marais, elle ne pouvait manquer d'intéresser les Puniques de haute date. Une tombe pun. au moins, à chambre hypogée, peut être datée du IIIe s. av. J.C. Un autre tombeau, à puits et à chambre, creusé dans le roc, contenait un mobilier céramique importé à vernis noir (kylix, "lampe rhodienne"), datable des IVe-IIIe av. J.C., ainsi qu'un lot de céramique pun. tardive et plusieurs poteries modelées. Un fragment de dédicace à →Tanit et →Baal Hamon, anciennement découvert à M., y suggère l'existence d'un sanctuaire qui reste à découvrir.

Bibl. AATun, f^e 12 (Mateur), n° 8; J. Renault, *Cahiers d'archéologie tunisienne* 1908; E. Vassel, BAC 1909, p. CLXI, CLXXV; P. Cintas, *Éléments d'étude pour une protohistoire de la Tunisie*, Paris 1961, p. 52, pl. 3; Desanges, *Pline*, p. 311-312. SLan

MATHO →Guerre des Mercenaires; →Mattan 7.

MATIFOU, CAP →Rusguniae.

MATTAN En phén. *Mtn* ("Don" d'une divinité); différentes vocalisation de ce nom sont attestées: *Mattan, Matten, Mattun, Metten, Mettun, Muttun.*
1 M. I (gr. *Máttēnos*, lat. *Mettes/Multo<Mutto*), roi de Tyr *c.* 840-832 (Fl.Jos., *C.Ap.* I 124.125). Il aurait été le père de →Élissa/Didon (Just. XVIII 4,3; Serv., *in Aen.* I 343).
2 M. II (akk. *Mi-e-te-en-na*), roi de Tyr vers la fin du règne de Téglat-Phalasar III (744-727). Selon un document qui n'est pas antérieur à 729, il a payé un tribut de 150 talents d'or au grand échanson assyrien envoyé à Tyr par Téglat-Phalasar III (ANET, p. 282; TPOA, p. 105).
3 M. III (gr. *Mapēn<Mattēn*), fils de →Hiram IV, roi de Tyr à l'époque de Xerxès I (485-465), mentionné par Hdt. VII 98 parmi les commandants de la flotte phén.-perse en 480.
4 M. (hb. *Mattān*, gr. *Mathan*), prêtre du temple de Baal à →Jérusalem, tué en même temps que la reine Athalie, *c.* 835 (*2 R.* 11,18; *2 Ch.* 23,17; Fl.Jos., *A.J.* IX 154). Celle-ci étant la fille de →Jézabel la Tyrienne, il est vraisemblable que le sanctuaire en question était dédié au Baal de Tyr, →Melqart.
5 M. (akk. *Me-tú-nu/Mi-tú-nu*), gouverneur de la province assyrienne d'Isana, dans la région du Haut Habur, sous les règnes de Sargon II (SAA I,44) et de Sennachérib. M. fut l'éponyme de l'an 700/699 (APN, p. 137a; RLA II, p. 450b).
6 M. (gr. *Muttunos*), un des deux →suffètes (*dikastés*) de Tyr — l'autre étant →Gérastratos (1) — qui administrèrent la cité *c.* 562-557, après le siège et la prise de Tyr par Nabuchodonosor II (Fl. Jos., *C.Ap.* I 157).
7 M. (gr. *Mathos*), Libyen, un des trois chefs de la mutinerie des mercenaires de l'armée carth. en 241-238 (→Guerre des Mercenaires).
8 M. (gr. *Muttines/Muttones*), Libyphénicien de Bizerte (*Hippo Diarrhytus*), qui commandait la cavalerie numide en Sicile en 212-210, au cours de la 2e →guerre pun. Privé du commandement par →Hannon (23), il livra aux Romains la place forte d'Agrigente (PW XVI, col. 1428-1430).
9 M. (phén. *Mtn*), fils d'Hannon, suffète de →Leptis Magna d'après une inscription bilingue pun.-lat. de l'an 8 ap. J.C. (Trip 21 = IRT 319 = KAI 120). ELip

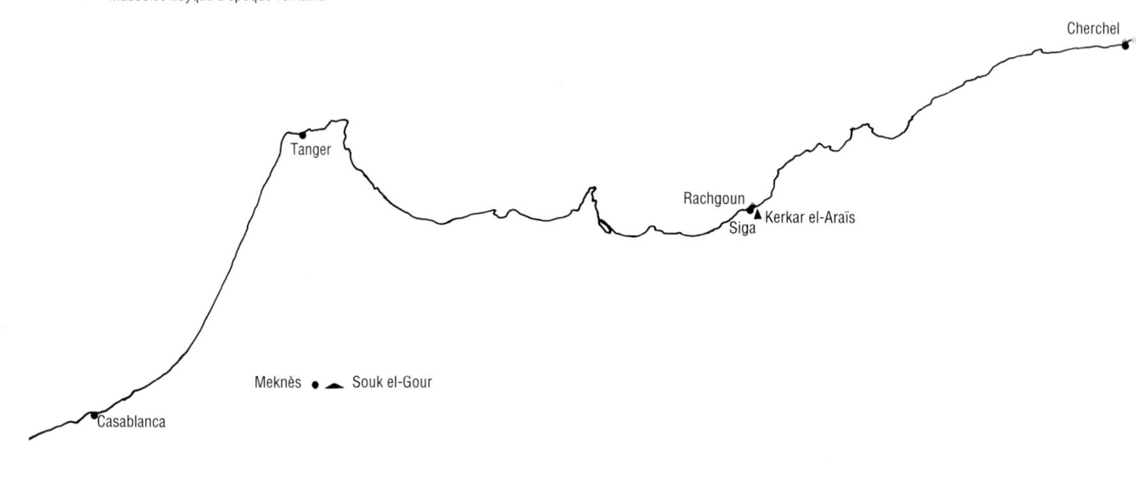

MATTANBAAL En akk. *Ma-ti-nu-Ba-'-li/Ma-ta-an-Bi-'-il/Ba-'-al*, phén. *Mtnb'l* ("Don de Baal"), nom de plusieurs rois d'→Arwad.
1 M. I, roi d'Arwad au temps de Salmanasar III (858-824). Il prit part à la coalition anti-assyrienne qui mit en échec Salmanasar III à la bataille de Qarqar, en 853 (ANET, p. 279; TPOA, p. 86).
2 M. II, roi d'Arwad au temps de Téglat-Phalasar III (744-727). Il paya le tribut au roi d'Assyrie selon une liste de vassaux qui n'est pas antérieure à 729. Les listes de 738 ne mentionnent pas de roi d'Arwad (ANET, p. 282; TPOA p. 104).
3 M. III, roi d'Arwad au début du règne d'Asarhaddon (680-669). Il dut fournir des matériaux pour la construction du palais neuf de Ninive, selon un document daté de 673 (ANET, p. 291; TPOA, p. 128). M. III fut probablement le successeur immédiat de →Abdile'ti et le prédécesseur de →Yakinlu.
4 M. fils d'Himilcon, grand prêtre à Carthage vers le IIIe s. (CIS I,5946). ELip

MAURÉTANIE En gr. *Mauroúsia*, lat. *Mauritania*, pays des Maures ou Maurouses, nom gr.-lat.? (gr. *maurós*, "évanescent", "obscur") des tribus libyco-berbères du →Maroc et de l'→Algérie occidentale. Région en grande partie accidentée et montagneuse, elle se prêtait à la culture des céréales et à l'oléiculture sur la côte, dans la vallée de la Moulouya et dans les plaines de →Volubilis et de →Sala, au Maroc. Les relations avec la Péninsule Ibérique étaient développées dès une haute époque et les côtes, aussi bien méditerranéennes qu'atlantiques, étaient fréquentées par les Phéniciens dès les VIIIe-VIIe s. On ne dispose toutefois d'aucun témoignage direct et sûr de l'existence d'un État ou d'un royaume de M. avant le IIIe s. av. J.C. Ni Hérodote au Ve s., ni les →*Périples* (2, 4), aux Ve-IVe s., n'y font la moindre allusion. La référence de Just. XXI 4,7 à un "roi des Maures" au IVe s. av. J.C. est probablement anachronique, tout comme les allusions énigmatiques de Diod. XX 17,1; 18,3. La première mention sûre est celle de Liv. XIX 30,1, d'où l'on apprend que Baga, le roi des Maures, contemporain et allié de →Massinissa I, pouvait disposer de 4.000 guerriers. Les sources classiques ne nous livrent ensuite aucune information jusqu'à l'époque de la guerre de →Jugurtha, dont le récit chez Sall., *Jug.* 19,7, évoque "le roi →Bocchus (1) qui, sauf le nom, ignorait tout du peuple rom." Celui-ci, après avoir donné sa fille en mariage à Jugurtha, le livra en 105 à Sylla et reçut des Romains la partie occidentale de la →Numidie, accroissant ainsi ses États de l'actuel Algérois et peut-être de la Grande Kabylie jusqu'à la Soummam. C'est à la mort de son successeur →Mastanesosus, en 49 av. J.C., qu'eut lieu la scission du royaume de M., →Bocchus II obtenant la M. orientale et →Bogud II recevant la partie occidentale. Ayant pris parti contre →Juba I et allié à César, Bocchus II se trouva en 46 dans le camp des vainqueurs et put étendre son royaume jusqu'à l'oued el-Kebir. En 38, il se rangea du côté d'Octave et chassa Bogud II, qui avait opté pour Antoine. Les citoyens de →Tanger obtinrent alors la citoyenneté rom., tandis que Bocchus II régna désormais sur une grande M. unifiée. À sa mort en 33 av. J.C., Octave Auguste hérita de ce royaume, qu'il confia en 25 av. J.C. à →Juba II, qui eut pour capitales →Cherchel et, vraisemblablement, Volubilis, dont il fit des centres de la culture gr. Après l'assassinat de son fils et suc-

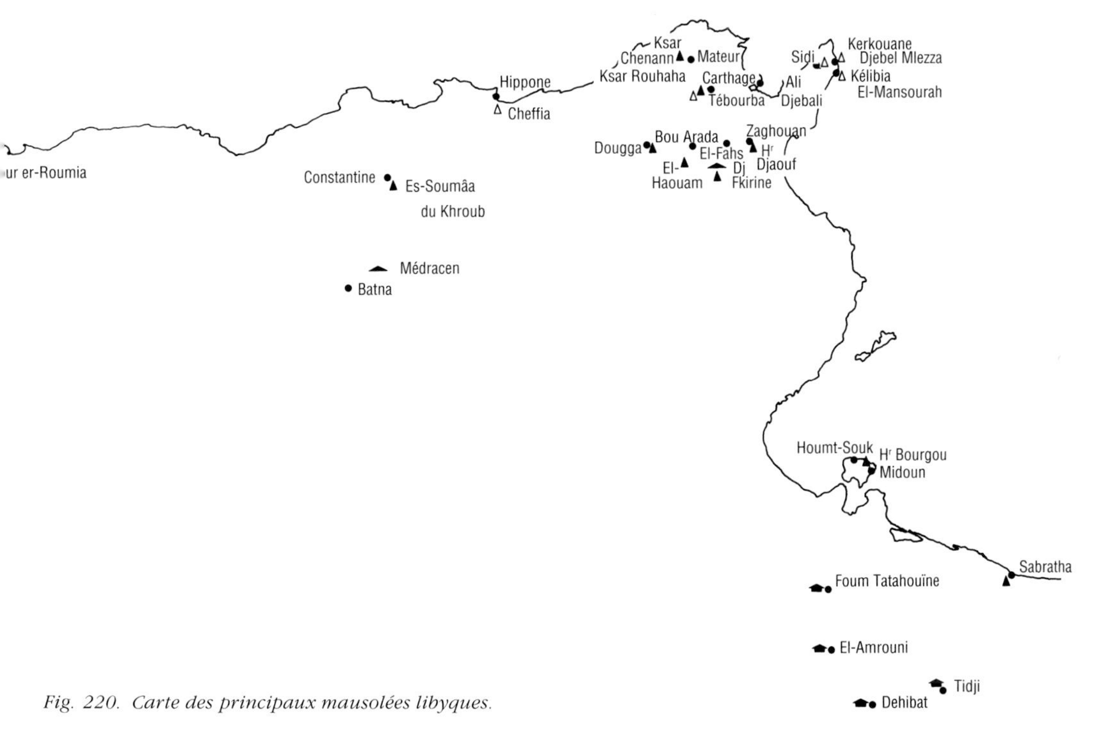

Fig. 220. Carte des principaux mausolées libyques.

Fig. 221. Mausolée de Dougga, IIe s. av. J.C.

cesseur →Ptolémée, en 40 ap. J.C., la M. fut annexée à l'Empire rom. La même année éclata une violente et longue insurrection, dirigée par Aedémon, un affranchi de Ptolémée. Quand elle fut définitivement écrasée en 44, l'empereur Claude (41-54) divisa la M. en deux provinces procuratoriennes, la M. Tingitane, avec Tanger comme chef-lieu, et la M. Césarienne, ayant Cherchel pour capitale. Des Maures servirent dans l'armée rom. et diverses colonies rom. furent créées en M., favorisant la →romanisation du pays. De larges portions du territoire maure demeurèrent toutefois sous le contrôle de chefs tribaux. Dioclétien (284-305) rattacha la M. Tingitane au diocèse d'Espagne, avec lequel les communications étaient plus faciles, tandis que la M. Césarienne, incluse dans le diocèse d'Afrique, fut à son tour divisée en M. Césarienne et M. Sitifienne (→Sétif).

Bibl. ANRW II/10,2, p. 145-168, 180-181, 194-195, 207-209, 238-259, 312-315; Gsell, HAAN VII, p. 266-295; VIII; J. Carcopino, *Le Maroc antique*, Paris 1947²; Desanges, *Pline*, p. 79-81, 120-121, 142, 152-153, 186, 377-378. ELip

MAUSOLÉE À l'époque hellénistique, dans les royaumes numides (→Numidie) et sur les franges du territoire carth., s'érigent des monuments funéraires de grandes dimensions où se mêlent éléments autochtones et éléments empruntés aux répertoires pun. et gr. (fig. 220). Ils présentent deux typologies différentes: les m. circulaires ou *tumuli* et les tours.

1 Tumuli Le Médracen, dans l'Aurès, près de Batna, et le m. royal de Maurétanie, le Kbour er-Roumia près de →Tipasa, naguère connu sous le nom de Tombeau de la Chrétienne, appartiennent au premier groupe qui dérive des *bazinas* libyques. Ils se composent de deux parties: une base cylindrique, ornée de colonnes engagées, surmontées de chapiteaux, et une surélévation tronconique à gradins. La hauteur totale du Médracen est de 18,50 m, celle du Kbour er-Roumia, de 32,40 m. Ils ont respectivement 59 m et 63,40 m de diamètre et datent, le premier, de l'extrême fin du IIIe ou du IIe s., le second, de la première moitié du Ier s. av. J.C. En revanche, il est difficile de dater les vestiges du m. du Djebel Fkirine, à *c.* 20 km au S.-O. d'El-Fahs, tandis que le m. de Souk el-Gour, à l'E. de Meknès, ne doit dater que du VIIe s. ap. J.C. et est contemporain, par conséquent, des Djedars des IVe-VIIe s.

2 Tours Le second groupe de m. comprend des constructions à étages, de plan triangulaire, aux côtés concaves, ou rectangulaire, coiffées par un sommet pyramidal: →Sabratha, en →Tripolitaine, Henchir Bourgou sur l'île de →Djerba, le m. d'El-Haouam, à *c.* 30 km au S.-O. de →Bou Arada, le m. de →Dougga (fig. 221), Henchir Djaouf au S. de →Zaghouan, Ksar Chenann et Ksar Rouhaha à l'O. de →Mateur, Es-Soumâa du Khroub à 14 km au S.-E. de →Constantine, Kerkar el-Araïs ou M. des Beni-Rhénane sur le Djebel Skouna dominant →Siga. Leur chronologie relative au sein des IIIe-Ier s. demeure objet de discussion, mais il paraît établi qu'ils étaient réservés aux dynastes numides et à leur famille, voire à des notables locaux. En effet, on notera les vestiges de m. relevés en dehors des royaumes numides, dans la région de Mateur et de Tébourba, d'une part, dans celle d'El-Fahs et de Bou Arada, d'autre part, de même que les images peintes de m. du type tour dans la tombe VIII du Djebel Mlezza (IIIe plutôt que IIe s.), près de →Kerkouane, dans la tombe 1 d'El-Mansourah, près de →Kélibia (c. 300 av. J.C.), dans l'hanout (→haouanet) de Sidi Ali Djebali, toutes les trois dans le Cap Bon, à population d'origine surtout libyque, ainsi que dans un hanout de l'Oued Séjenane, à l'O. de Mateur. JDeb

3 Mausolées libyques d'époque romaine L'usage d'ensevelir des notables libyques dans des m. se poursuit aux Ier-IIe s. ap. J.C. Ainsi signalera-t-on la représentation d'une tour coiffée d'une pyramide sur une stèle funéraire de la région de Cheffia, à l'E. d'→Hippone, qui porte une inscription bilingue lat.-libyque (RIL 151), de même que les m. de →Thyna, de →Tatahouine et d'→El-Amrouni, dans le S. de la Tunisie, et du →Wadi el-Amud, en Tripolitaine, dont les inscriptions néopun. témoignent de la continuité de la civilisation libyco-pun. On notera en outre les m. contemporains de Tidji, dans la Djeffara tripolitaine, des Beni-Guedal près de Dehibat, de Bir as-Sha-

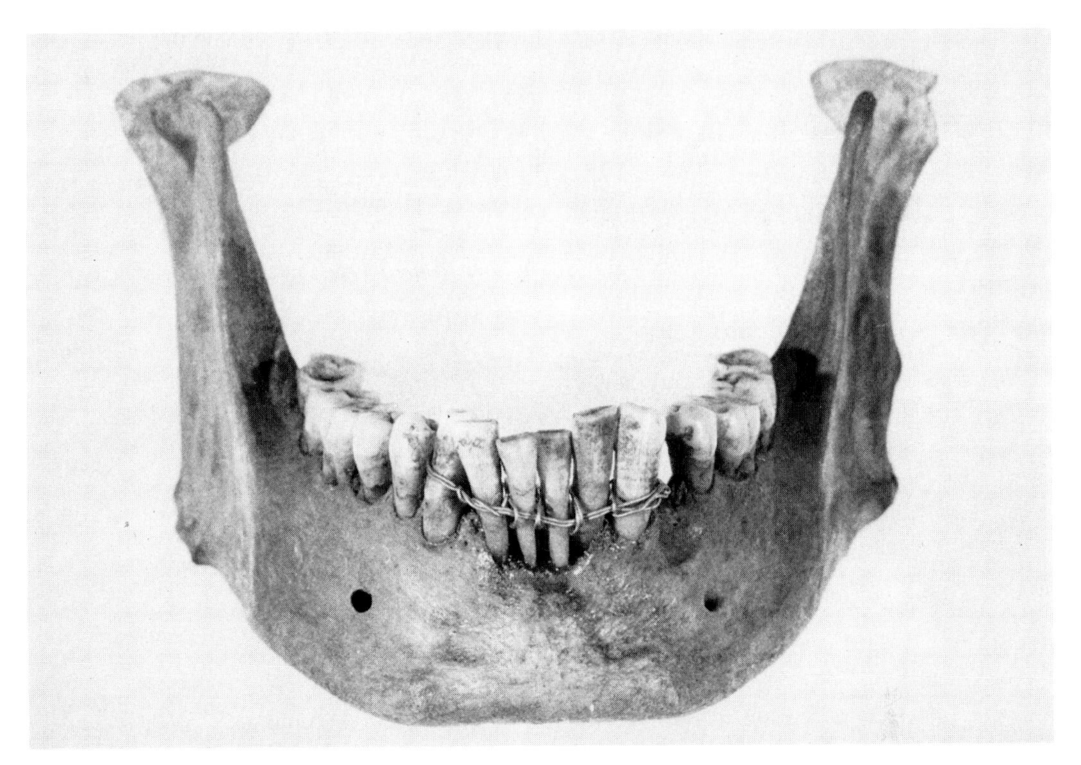

Fig. 222. Mâchoire inférieure trouvée dans une tombe sidonienne du Vᵉ s. av. J.C. avec une prothèse dentaire exécutée à l'aide d'un fil en or passé deux fois autour des six dents antérieures. Beyrouth, Musée Archéologique de l'Université Américaine.

wi, à 90 km au S.-O. de →Bu-Njem. ELip

Bibl. PECS, p. 298,564; P. Gauckler, *Note sur deux mausolées néo-puniques de Tatahouine*, BAC 1901, p. 290-295; C. Poinssot - J.W. Salomonson, *Un monument punique inconnu: le mausolée d'Henchir Djaouf*, OMRO 44 (1963), p. 57-88; G. Vuillemot, *Le mausolée des Beni-Rhénane*, CRAI 1964, p. 71-95; O. Brogan, *The Roman Remains in the Wadi el-Amud*, LA 1 (1964), p. 47-56; id., *Henscir el-Ausāf by Tiği (Tripolitania) and Some Related Tombs in the Tunisian Ğefara*, LA 2 (1965), p. 47-56; A. Jodin, *La datation du mausolée de Souk-el-Ghour (région de Meknès)*, BAM 7 (1967), p. 221-261; M. Bouchenaki, *Récents travaux dans le domaine libyco-punique en Algérie*, RSF 1 (1973), p. 217-224; G. Camps, *Nouvelles observations sur l'architecture et l'âge du Médracen, mausolée royal de Numidie*, CRAI 1973, p. 470-517; id., *Le Gour, mausolée berbère du VIIᵉ siècle*, AntAfr 8 (1974), p. 191-208; P. Trousset, *Recherches sur le* limes Tripolitanus *du Chott Djerid à la frontière tuniso-libyenne*, Paris 1974, p. 110-113, 123-126, 155-160; N. Ferchiou, *Trois types de monuments funéraires situés dans (ou sur les franges de) l'ancien territoire de la Carthage punique*, Africa 5-6 (1978), p. 191-214; H.G. Horn - C.B. Rüger (éd.), *Die Numider*, Köln 1979, en part. p. 84-87, 119-171, 263-284, 406-407, 438-439, 450-453, 456-457, 462-463; M. Bouchenaki, *Le mausolée royal de Maurétanie*, Alger 1980²; F. Rakob, *Architecture royale numide*, Architecture et société, de l'archaïsme grec à la fin de la République romaine, Rome 1983, p. 325-348; W. Heyder, *Mausolée libyco-punique à Bourgou/Jerba*, REPPAL 1 (1985), p. 179-187; J. Weriemmi-Akkari, *Un témoignage spectaculaire sur la présence libyco-punique dans l'île de Djerba: le mausolée de Henchir Bourgou*, REPPAL 1 (1985), p. 189-196; M.H. Fantar, *L'archéologie punique au Cap Bon: découvertes récentes*, RSF 13 (1985), p. 211-221 (voir p. 217-219); G. Camps, *Protohistoire de l'Afrique du Nord*, REPPAL 3 (1987), p. 43-70; N. Ferchiou, *Un problème d'éclairage historique: le cas des tumulus et des bazinas de l'ancien territoire de la Carthage punique*, REPPAL 3 (1987), p. 185-191; ead., *Le paysage funéraire pré-romain dans deux régions céréalières de Tunisie antique (Fahs - Bou Arada et Tébourba - Mateur): les tombeaux monumentaux*, AntAfr 23 (1987), p. 13-70; ead., *Le mausolée de C. Iulius Felix à Henchir Messaouer*, MDAIR 94 (1987), p. 413-463; S. Stucchi, *L'architettura funeraria suburbana cirenaica*, QAL 12 (1987), p. 249-377; F. Coarelli-Y. Thébert, *Architecture religieuse et pouvoir: réflexions sur l'hellénisme numide*, MÉFRA 100 (1988), p. 761-818.

MAZAGAN →El-Djadida.

MAZAIOS / MAZDAY (*c.* 390-328 av. J.C.). En aram./phén. *Mzdy*, gr. *Mazaĩos*, dernier →satrape perse de la Transeuphratène, dont le nom apparaît sur les monnaies caractéristiques de Sidon (pl. XIa), datées des années 16-21 d'Artaxerxès III, c.-à-d. 343-338, et des années 1-4 d'Arses, puis de Darius III, c.-à-d. 337-333. M. combattit, en 351 (Diod. XVI 42,1), la révolte de Tennès (→Tabnit II) et ses émissions des années 16-21 font suite à l'écrasement des insurgés. Après avoir commandé les Syriens de Coelé-Syrie et de Mésopotamie à Gaugamèles (Arr., *An.* III 8,6), M. livra Babylone à →Alexandre le Grand

(Q.-Curce V 1,17), qui le nomma satrape de la →Babylonie (Arr., *An.* III 16,4; Q.-Curce V 1, 44).

Bibl. H. Berve, *Das Alexanderreich* II, München 1926, p. 243-245; E. Badian, *The Administration of the Empire*, Greece & Rome 12 (1965), p. 166-188 (voir p. 173ss.); Peckham, *Development*, p. 74, n. 18; M. Alram, *Nomina propria Iranica in nummis*, Wien 1986, p. 113-116, n°s 350-369; J. et A.G. Elayi, *Abbreviations and Numbers on Phoenician Pre-Alexandrine Coinages: The Sidonian Example*, Quaderni ticinesi di numismatica e antichità classiche 17 (1988), p. 27-36. ELip

MÉDECINE À défaut d'un écrit codifiant l'art de guérir, seuls les renseignements de l'archéologie, de la paléopathologie et de l'épigraphie, ainsi que les témoignages des Grecs, permettent de se faire une idée de la m. phén. Comme le prouvent plusieurs inscriptions (CIS I, 321-323; 3513; 4884; 4885; Trip 12-13 = CIL VIII, 15-16), il y eut certainement des médecins (*rp'*; cf. Plaute, *Poen.* 1006: *rufe*) dans le monde phén. Le Levant ne fut certes pas épargné par les grandes épidémies: la lèpre fit ainsi son apparition en Phénicie-Palestine vers le XIVe s. et c'est probablement la "maladie appelée phénicienne" d'Hippocrate, *Prorrh.* II 43. Pour remédier aux maux de toutes sortes, les médecins disposaient sans doute des ressources d'une riche pharmacopée (→drogue) et pratiquaient probablement la chirurgie. Si la circoncision est bien attestée (Hdt. II 104; Aristoph., *Av.* 507; Eus., *P.E.* I 10,33), on ignore si cette opération était effectuée par des médecins. Deux tombes de Sidon ont livré des prothèses dentaires sophistiquées (PhMM 349; fig. 222). Mais Phéniciens et Carthaginois recouraient également à la religion et à la magie dans des buts curatifs: pour écarter maladies, animaux venimeux et mauvais œil, ils portaient des →amulettes, confectionnaient des ex-voto et s'adressaient aux divinités guérisseuses: →Eshmun (identifié plus tard à Asklépios), →Shadrapha, →Resheph, Shéd, "Baal qui guérit" (→*B'l mrp'*), →Astarté, qui préside à la naissance. Parmi les Phéniciens de Chypre, les "barbiers du temple" et le "maître de l'eau" (→eau 2) avaient-ils une fonction paramédicale (petite chirurgie et hydrothérapie)? Du complexe sacré mis au jour à →Kition, secteur de Bamboula, on croit pouvoir déduire que le sanctuaire était le but de pèlerinages "thérapeutiques" où l'eau jouait un rôle.

Bibl. Gsell, HAAN IV, p. 215; D. Clawson, *Phoenician Dental Art*, Berytus 1 (1934), p. 23-31; M.B. Asbell, *Specimens of the Dental Art in Ancient Phoenicia (5th-4th Cent. B.C.)*, Bulletin of the History of Medicine 22 (1948), p. 812-821; Masson-Sznycer, *Recherches*, p. 50; M. Dunand, *L'iconographie d'Echmoun dans son temple sidonien*, ACFP 1, Roma 1983, p. 515-519; M.D. Grmek, *Les maladies à l'aube de la civilisation occidentale*, Paris 1983, p. 248, 258; Huß, *Geschichte*, p. 483; A. Caubet, *Archéologie et médecine: l'exemple de Chypre*, VIIe Rencontre Internationale d'Archéologie et d'Histoire d'Antibes, Juan-les-Pins 1987, p. 189-201; DossHistArch 123 (1988), p. 76-81. MHMarg

MÉDEÏNA, HENCHIR →Althiburos.

MÈDES →Perses.

MEDJERDA Le plus important fleuve de Tunisie, l'antique *Bagradas*, qui se jette dans le golfe de Tunis au N. de Carthage. La moyenne vallée de la M. porte encore le nom de *Friguia*, qui préserve celui de la province rom. d'*Africa*.

Bibl. Desanges, *Pline*, p. 216-217; J. Gascou, *Le nom de l'oued Medjerda dans l'Antiquité*, AntAfr 17 (1981), p. 15-20. ELip

MÉDRACEN →Mausolée.

MEGADIM, TELL →Qarta.

MÉGARA →Carthage.

MEGIDDO En hb. *M^{e}giddô*, akk. *Magiddû*, ég. *Mkt*, ancien site de la vallée de Yizréel, en Israël, identifié au *Tell el-Mutesellim*. Situé au N. de la chaîne du →Carmel, cet important centre de la civilisation cananéenne est souvent mis en rapport avec le monde phén. Le célèbre trésor d'→ivoires (1A,2) de la fin du Bronze Récent ne peut toutefois être considéré comme typiquement phén., car les multiples affinités stylistiques qu'il offre n'ont trait qu'aux trouvailles semblables faites dans d'autres centres cananéens et/ou →paléophén. à →Ugarit (1) ou à →Kamid el-Loz. Aux IXe-VIIe s. par contre, l'élément proprement phén. occupe une place de choix dans le milieu cosmopolite dont témoignent les découvertes faites *in situ*. Dans le domaine de la céramique, il faut relever la présence de la poterie à engobe rouge (*Red Slip*), tandis que plusieurs encensoirs préfigurent des modèles que l'on retrouvera en Phénicie même. C'est également le cas pour une coupe en bronze, dont la décoration égyptisante annonce la production phén. Laissant de côté le problème des chapiteaux proto-éoliques, il convient de signaler encore un groupe de sceaux dont l'iconographie et les qualités techniques se rattachent directement à la glyptique phén. contemporaine.

Bibl. DEB, p. 804-806; EAEHL, p. 830-856; G.I. Davies, *Megiddo*, Cambridge 1986; A. Kempinski, *Megiddo*, München 1989. EGub

MEHDIA La kasba de M., en arabe *al-Mahdiyya*, située à 40 km au N. de Rabat, au Maroc, domine l'estuaire du Sebou (*Sabū*) et la plaine du Gharb, qui occupe l'emplacement d'un ancien golfe comblé progressivement par les alluvions du fleuve. Celui-ci est appelé *Khretēs* dans le *Périple* d'Hannon 9, *Crathis* chez Mnaséas (Pline, *N.H.* XXXVIII 38) et, par corruption, *Krábis* chez Skyl. 112, puis *Soúbour* ou *Soúbos* chez Ptol. IV 1,2; 6,2, *Sububa* d'après Polybe (Pline, *N.H.* V 9) et *Sububus* chez Pline, *N.H.* V 5. Large de c. 300 m dans son cours inférieur, il était navigable dans l'Antiquité (Pline, *N.H.* V 5) et Hannon (→Périples 2) l'a remonté, ainsi que l'un de ses affluents (*Périple* 9-10). Son point d'attache était *Kérnē* (*Périple* 8-10), apparemment *Qrn* en phén.-pun., c.-à-d. "corne", établissement fondé ou repeuplé par Hannon au Ve s. et situé sans doute à l'emplacement de la kasba de M. ou à proximité, sinon sur la Djezira Sidi Youssef, à 23 km en amont. La description de l'environnement chez Skyl. 112 correspond aux "merjas" (prés) proches de M. et la lenteur de sa navigation de *Solóeis* (→Spartel, Cap) à *Kérnē* — 7 jours contre 5 chez Hannon — s'explique par le cabotage (*paráplous*).

Bibl. Desanges, *Recherches*, p. 114; id., *Pline*, p. 95, 112; M. Euzennat, *Le limes du Sebou (Maroc)*, BAC, n.s., 17 B (1981 [1984]), p. 371-381; R. Rebuffat, *Recherches sur le bassin du Sebou II. Le Périple d'Hannon*, BAM 16 (1985-86), p. 257-284. ELip

MEILICHIOS, ZEUS D'après Philon (Eus., *P.E.* I 10,11), →Chousor était aussi appelé Z.M., "doux Z.", appellation gr. d'un dieu chthonien, dispensateur de fertilité et de richesse. On l'identifiait à Agathos Daimon, le génie de l'abondance (Paus. IX 39). C'est probablement la raison de son assimilation à Chousor, dont les inventions étaient source de prospérité. S'agissant d'un dieu gr., les diverses étymologies sémitiques proposées pour son nom ne se justifient pas.

Bibl. A.B. Cook, *Zeus* II/2, Cambridge 1925, p. 1091-1160; Ebach, *Weltentstehung*, p. 189-190; Baumgarten, *Commentary*, p. 168-169. CBon-PXel

MELILLA →Rusaddir.

MELQART En phén. *Mlqrt*, "Roi de la ville", c.-à-d. *Milk-qart, Milqart*; dieu poliade de →Tyr, une des figures majeures de la religion phén.-pun., identifié à Héraklès. Sa première attestation formelle est la dédicace araméenne de Barhadad, découverte près d'Alep (KAI 201 = TSSI II,1), de *c.* 800 av. J.C. Le dieu y est représenté debout, barbu, portant un long vêtement et une coiffe conique, une hache fenestrée sur l'épaule et probablement une fleur de lotus dans la main. Bien que cette iconographie se retrouve à Chypre, Carthage, Tharros, Ibiza, notre connaissance de l'iconographie de M. reste très insuffisante. Des témoignages littéraires classiques, souvent tardifs, donc délicats à interprêter, complètent le dossier relatif au culte de M. Pour Cic. (*N.D.* III 42), Ath. (IX 392d) et Eust. (*in Od.* XI 600), il est le fils de Zeus, qualifié de Démarous par Philon de Byblos (Eus., *P.E.* I 10,27,3), et d'→Astéria. Pour Philon encore (Eus., *P.E.* I 10,10-11) et Nonnos (*Dion.* XL 311-580), il est lié à la fondation de Tyr, tandis que pour Hdt. II 44, son sanctuaire fut fondé en même temps que la ville, au IIIe mill. Selon Fl. Jos. (*A.J.* VIII 145-146; *C.Ap.* I 117-119), Hiram I, roi de Tyr au Xe s., construisit un sanctuaire pour M.-Héraklès et →Astarté, honorés par conséquent dans le même lieu et formant le couple poliade à la tête du panthéon tyrien. Le même Hiram célébra la première *égersis*, "réveil", "résurrection" d'Héraklès-M. Ce rite était célébré annuellement au mois de Peritios (février-mars), mais peut-être le culte de M. existait-il avant que ne fût instaurée cette fête. Le dieu, probablement mort par le feu, était ramené à la vie par un mariage rituel avec sa parèdre Astarté, sans doute par l'intermédiaire de substituts, peut-être royaux. Cette fête, trop mal connue, illustrerait le *pattern* du dieu cycliquement anéanti et restauré dans son efficience. Loin d'être seulement une célébration de la renaissance de la nature, l'*égersis* restaurait l'ordre cosmique et politique (au sens large) sur lesquels veillaient le dieu poliade et son répondant terrestre, le roi de Tyr. À cela fait sans doute allusion le mythe de la mise à mort de M. par →Typhon, meurtrier d'Osiris et symbole de sécheresse, et de sa résurrection par une caille, Ortygia-Astéria, autre nom d'Astarté. Il est possible que le fameux vase de Sidon du IVe s. av. J.C., aujourd'hui disparu, représente les différents moments de l'*égersis*. Le recours au feu pose évidemment le délicat problème du rapport entre l'*égersis* et le bûcher du Mont Oeta sur lequel mourut Héraklès. M. apparaît encore comme garant du →traité (4) de vassalité passé au VIIe s. entre Baal, roi de Tyr, et Asarhaddon d'Assyrie (AfO, Beih. 9, p. 107-109). Il y est associé à →Eshmun, le dieu poliade de Sidon, pour assurer aux citoyens nourriture, vêtements et onguents. Dans la prophétie d'*Éz.*, contre Tyr, au VIe s. (*Éz.* 28,1-19), on trouve des allusions à M., du reste introduit en Israël par →Jézabel, épouse d'Achab, et rejeté comme Baal impie suite au défi lancé par Élie sur le Mont Carmel (*1 R.* 18,20-40). Plusieurs sources confirment la présence dans son sanctuaire tyrien d'éléments typiques, adoptés par des sanctuaires d'Occident: stèles jumelles, olivier enflammé, serpent, aigle. De tout cela, le sol tyrien n'a à ce jour rien livré et l'on ignore la localisation exacte du sanctuaire de M. En tant que dieu poliade, il fut associé à toutes les vicissitudes de la ville: siège d'Alexandre le Grand, exploitation de la pourpre, mais surtout expansion en Méditerannée. On ne peut exposer ici les diverses attestations du dieu en Syro-Palestine, Égypte, Anatolie, Afrique, Espagne, Italie et dans le monde égéen. Il en ressort en tout cas que M. possédait une dimension coloniale essentielle, ce qu'exprime Diod. XX 14 en le qualifiant d'Héraklès "auprès des colons". Pour Carthage et Gadès, des sources nous montrent les colons emportant des reliques de M. en fondant un sanctuaire à peine arrivés, sans doute pour favoriser les contacts, en toute impunité, avec les indigènes (Just. XVIII 4,15; XLIV 5,2). À Carthage, M. demeure populaire et sert de pivot aux relations entre colonie et métropole. On y trouve les majeures attestations du titre de →*miqim elim*, "ressusciteur de la divinité", sans doute en rapport avec la célébration de son *égersis*. Il figure aussi dans le serment d'Hannibal (Pol. VII 9,2-3). Dans le reste de l'Afrique, il est présent en divers endroits mais il est parfois bien difficile de faire le partage entre M., Héraklès et Hercule. →Gadès est un autre centre important du culte de M.; le sanctuaire, aujourd'hui sous eau, à Sancti Petri, semble une succursale de celui de Tyr. De Gadès, son culte se répandit en →Espagne et à →Ibiza. Il est attesté à →Tharros, principal centre phén. de Sardaigne (ICO, Sard. 32), et à →Malte, comme en témoignent deux cippes jumeaux (KAI 47 = TSSI III, 21-22). En Sicile, M. est surtout connu par l'onomastique, mais il y était sérieusement concurrencé par l'Héraklès des Grecs. Il est peut-être le "dieu enseveli" de →Pyrgi (KAI 277 = TSSI III,42), mais l'hypothèse de son implantation à →Rome (4) ne semble pas crédible. À Chypre, il possédait un important sanctuaire à →Kition-Bamboula, avec Astarté, comme à Tyr. Il

Fig. 223. Stèle de Barhadad dédiée à Melqart, Brēǧ (c. 800 av. J.C.). Alep, Musée Archéologique.

est aussi attesté épigraphiquement à →Larnaka-tis-Lapithou. Ce qui frappe à Chypre, c'est l'implantation d'une iconographie hérakléenne dans des contextes parfois phén. dès le VIe s. au moins. La contamination M.-Héraklès, signalée par Hdt. II 44, remonte donc plus haut et a pu avoir comme théâtre Chypre. Il faut enfin signaler l'existence de nombreuses dédicaces à Eshmun-M. à Kition-Batsalos (Kition III, index s.v.). En Grèce, les traces de M. sont problématiques, comme c'est le cas à →Thasos ou pour l'Héraklès Dactyle. Il est par contre le patron de la corporation des négociants tyriens de →Délos, les Hérakléistes (ID 1519). À l'époque impériale, le culte de M. a même été implanté en Grande-Bretagne (IG XIV, 2253). Les motifs de son assimilation à Héraklès sont certainement à rechercher dans sa dimension héroïque, car comme Héraklès est mi-dieu, mi-homme, M. est un roi divinisé. Par ailleurs, leur commune dimension d'œcistes, de fondateurs de villes, de héros culturels, a renforcé ce processus. Les racines de M. se trouvent en revanche dans le culte syrien des ancêtres royaux divinisés, attesté à Ébla dès le IIIe mill., puis à Mari et Ugarit au IIe mill. M. est toutefois un dieu à part entière et, comme Baal poliade de Tyr, il est représentatif de la religion phén. du Ier mill., liée au développement historique des cités sur la côte phén. On signalera, pour terminer, que l'on constate une certaine superposition entre les cultes de M. et de →Milkashtart, lui aussi représenté comme Héraklès et assimilé à Hercule, sans qu'il soit à ce jour possible de préciser sur quelles bases on privilégiait tantôt l'un, tantôt l'autre.

Bibl. C. Bonnet, *Melqart*, Namur-Louvain 1988. CBon

MELTZER, OTTO (12.3.1846-26.6.1909). Professeur de gymnase et historien allemand, auteur d'une histoire monumentale de Carthage, *Geschichte der Karthager* I-II (Berlin 1879-96), dont le vol. III a été publié par U. Kahrstedt (Berlin 1913). Bien que partiellement vieilli, cet ouvrage — préparé par d'autres publications de M. concernant Carthage — mérite encore d'être consulté pour sa riche documentation littéraire, épigraphique et archéologique, ainsi que pour les vues pénétrantes de M. sur l'histoire politique. ELip

MEMPHIS En ég. *Mn-nfr* ("Durable est la beauté"), d'où phén. *Mnp(y)*, ou *Nìw.t Ptḥ* ("Cité de Ptah"), d'où hb. *Np(tḥ)*; une des capitales de l'Égypte et ville cosmopolite qui compta de nombreux éléments d'origine sémite, Phéniciens en particulier. Ceux-ci s'adonnaient peut-être à la métallurgie, sur laquelle veillait le dieu →Ptah, l'Héphaïstos d'Hdt. II 2-3.99, etc. Au S. de son temple se trouvait "l'enceinte de Protée" d'Hdt. II 112, qui ajoute: "des Phéniciens de Tyr habitent tout autour et le quartier tout entier s'appelle le Camp des Tyriens; dans l'enceinte s'élève un sanctuaire dit de l' 'Aphrodite étrangère' ", c.-à-d. d'→Astarté. Malheureusement, le site de M. demeure très mal connu archéologiquement. On peut seulement signaler quelques dédicaces phén. sur des statuettes (p.ex. PhMM 134), ainsi que le support d'une stèle d'→Horus aux crocodiles qui porte une

Fig. 224. Statue funéraire d'un défunt portant les attributs d'Hercule, Bordj el-Amri (fin du IIIe s. ap. J.C.). Tunis, Bardo.

dédicace à Horus, Astarté et d'autres divinités, attribuable au IIe s. av. J.C. (KAI 48). La vaste nécropole de M., à Saqqâra, a livré divers documents phén.: des graffiti gravés sur un sphinx découvert par Mariette (CIS I,97a-b), une tablette provenant d'un puits près de la pyramide d'Ounas (RÉS 2), des statuettes en plâtre gris trouvées par Jéquier à Saqqâra-S. (ASAÉ 29 [1929], p. 156-159; 42 [1942], p. 137-139), un papyrus expédié de →Tahpanhès (KAI 50), des →ostraca du Ve s. av. J.C., recueillis durant les fouilles anglaises. Sous les →Lagides et à l'époque rom., les Phéniciens et leurs dieux étaient encore présents dans la région memphite.

Bibl. DEB, p. 809-810; LÄg IV, col. 24-41; PECS, p. 571; PW XI, col. 660-688; E. Kiessling, *Die Götter von Memphis in griechisch-römischer Zeit*, AfP 15 (1953), p. 7-45 (voir p. 21-22, 41, 45); G. Chiera, *Fenici e Cartaginesi a Menfi*, RSF 15 (1987), p. 127-131; Bonnet, *Melqart*, p. 157-162; H. Hauben, *Les nauclères "phéniciens" de Memphis (63 av. J.-C.)*, StPhoen 9 (sous presse). JLec

MENAHEM En akk. *Mi-in/ni/nu-ḫi-im-mu/Mi-nu-uḫ-mu/im-mu*, phén. *Mnḥm* ("Consolateur", "Consolation"); roi de →Samsimuruna qui paya le tribut à Sennachérib en 701.

Bibl. APN, p. 138a; ANET, p. 287; TPOA, p. 119. ELip

MÉNANDRE D'ÉPHÈSE →Annales.

MENZEL TÉMINE →Cap Bon.

MERCURE Si les inscriptions, statues et statuettes des centres urbains du Liban et de l'Afrique rom. présentent souvent un M.-Hermès — dieu au pétase et aux pieds ailés — parfaitement conforme aux aspects gr.-lat. du dieu du commerce et messager des dieux, c'est un tout autre M. qui prédomine dans les campagnes: un dieu champêtre, protecteur des troupeaux et des fruits de la terre. Il suffira de citer, au Liban, le dieu champêtre de Yammūni, si semblable au jeune dieu d'el-Furzul, le dieu-pâtre, également de Yammūni, le corps terminé en hermès, la dédicace à "M., seigneur du village de Hamon", à Ḥām dans l'Anti-Liban, et le sanctuaire de la colline de Sheikh Abdallah, situé hors des murs de →Baalbek. Une monnaie de Philippe l'Arabe, qui a permis l'identification, montre que le temple était entouré d'arbres, de vieux oliviers si l'on en juge par leur tronc tortueux. Or, le M. africain, le dieu au caducée et au scorpion, vénéré dans l'ancienne aire pun. ou punicisée, est précisément le protecteur de l'oléiculture. Il semble recouvrir une divinité pun., dont les origines seraient ainsi phén., bien qu'elle puisse être doublée d'un génie champêtre libyque. Par ailleurs, Liv. XXVI 44,6 mentionne un M. à →Carthagène. Toutefois, aucun texte ne permet jusqu'ici de l'identifier à une divinité sémitique déterminée.

Bibl. ANWR II/19,2, p. 403-405; S. Ronzevalle, *La stèle de Ferzol*, MUSJ 21 (1937-38), p. 29-71; D. Schlumberger, *Le temple de Mercure à Héliopolis-Baalbek*, BMB 3 (1939), p. 25-36; R. Dussaud, *Temples et cultes de la Triade héliopolitaine à Baalbek*, Syria 23 (1942-43), p. 33-77 (voir p. 62-76); R. Mouterde, *Qorṣ ed-Deir. Le Mercure de la région d'Héliopolis-Baalbek*, MUSJ 29 (1951-52), p. 60-63; W. Déonna, *Mercure au scorpion*, Bruxelles 1959; M. Leglay, *Saturne africain. Histoire,* Paris 1966, p. 242-245; M. Benabou, *La résistance africaine à la romanisation*, Paris 1976, p. 341-347; M. Koch, Alētēs, *Mercurius und das phönikisch-punische Pantheon in Neukarthago*, MM 23 (1982), p. 101-113. ELip

MÉRIDA En lat. *Augusta Emerita*, la plus importante ville rom. de Lusitanie, dans l'actuelle province de Badajoz (Espagne). La →mosaïque de style provincial du IVe s. ap. J.C., connue sous le nom de "Bacchus et Ariadne", porte l'inscription lat. *Ex officina Anniboni*, "De l'atelier d'Hannibal". Elle témoigne ainsi du rôle traditionnel de l'artisanat pun. dans le domaine de la mosaïque et révèle le nom d'un mosaïste d'ascendance pun. Elle est conservée au Musée archéologique de M.

Bibl. EAA I, p. 401; PECS, p. 114-116; A. García y Bellido, *El mosaico di Annius Ponius*, Arquivo de Beja 22 (1965), p. 197-202; E. Lipiński, StPhoen 1-2 (1983), p. 228-229. ELip

MERSA MADAKH Site pun. d'Algérie, situé à *c.* 40 km à l'O. d'Oran. Les fouilles y ont mis au jour les vestiges d'un comptoir qui était habité au moins au VIe s. av. J.C. La céramique suggère des rapports assez lointains avec Carthage et des liens étroits avec les établissements espagnols et les sites atlantiques du Maroc.

Bibl. G. Vuillemot, *Fouilles puniques à Mersa Madakh*, Libyca 2 (1954), p. 299-342; id., *Reconnaissances aux échelles puniques d'Oranie*, Autun 1965, p. 27-28, 131-155. ELip

MÉSOPOTAMIE Au sens étroit du terme, la M., "pays entre les fleuves", correspond à la moitié S. de l'Iraq actuel. C'est là qu'à la fin du IVe mill., les Sumériens ont mis au point la première écriture et donné naissance à l'Histoire. Établis dans cette région de marécages dont ils n'étaient pas originaires, ils se sont répandus vers le N. et vers l'O., le long du Tigre et de l'Euphrate. Ils ramenaient de ces régions les bois de construction, les pierres et le minerai dont leur territoire était dépourvu et qu'ils tiraient aussi des confins du Golfe arabo-persique. Ces équipées ont répandu la culture sumérienne à travers tout le Proche-Orient, si bien que, entendu au sens large, le terme M. englobe l'Iraq tout entier, la majeure partie de la Syrie, ainsi que le S. de l'Anatolie. De ces zones marginales, c'est la Syrie qui a été le plus profondément marquée, dans les domaines culturel et architectural, par l'empreinte sumérienne, comme l'attestent le royaume d'→Ébla ou l'agglomération de Habuba-Tell Kannâs. La côte méditerranéenne ajoute à ses attraits économiques le prestige d'une expédition lointaine et dangereuse. La même attirance se maintient quand le pouvoir politique en M. passe aux mains des Sémites. Sargon d'Akkad fonde le premier empire que nous connaissions dans le Proche-Orient. Son petit-fils Narâm-Sîn pousse jusqu'à "l'Amanus, la montagne des cèdres et la mer supérieure". Vers 2050, les Sumériens reprennent le pouvoir pour un siècle, et l'autorité d'Ur, la nouvelle capitale, s'étend sur →Mari, Ébla et même →Byblos. Sous la pression des montagnards du N.-E., de l'Élam, et de nomades venus de l'O., les Amorites, l'empire d'Ur s'effondre. Le pouvoir s'effrite. Venues de M., des tribus sémites franchissent l'Euphrate, en route vers le pays de Canaan. Des Amorites montent sur le trône à Babylone, Assur, Mari ou Eshnunna. Vers 1800-1700, les villes de l'Indus sont dévastées; la voie commerciale du Golfe tombe en désuétude, au profit quasi exclusif des régions occidentales (→Émar, Mari). Vers 1760 ou 1700, Hammurabi de Babylone abat définitivement Mari. Ainsi disparaît la tête de pont occidentale de la M. Quant au brillant empire de Babylone, il ne dépasse pas le Ḫabur vers l'O., et au N., les principautés hourrites lui interdisent le Haut-Pays. Sous les successeurs de Hammurabi, c'est la dégradation jusqu'au raid hittite de Murshili I *c.* 1600 ou 1530 et l'installation des Kassites à Babylone pour un demi-millénaire d'effacement politique. Au N.-E., Ninive est sous le contrôle du royaume hourrite du Mitanni. Les derniers siècles du IIe mill. voient se produire d'importants mouvements de peuples nouveaux. Au N.-O., les invasions des Thraces et des Phrygiens, ainsi que celles des →"Peuples de la Mer", ont raison de l'Empire hittite qui se replie vers le S. Certains de ces envahisseurs arrivés par la mer s'implantent le long de la côte méditerranéenne, en Palestine et au S.-O. de l'Anatolie. Au N. et à l'E. de la M. progressent de nouveaux venus. De ces diverses invasions, la M. ne subit pas le choc direct, mais les contre-coups. L'entrée des Kassites à Babylone en est un exemple. Un autre en est la progression vers l'E. des tribus araméennes. Sédentarisées dans les régions de l'→Oronte et de la boucle de l'Euphrate, elles menacent la M. où elles s'infiltrent. À partir de l'avènement d'Assur-uballit I (1365 ou 1353), le N. de la M. renaît. Dès ce moment, le double objectif de l'→Assyrie sera de maîtriser la →Babylonie et de mener la lutte contre les →Araméens de l'extérieur et de l'intérieur.

Bibl. CAH I-II³; R. Labat - A. Caquot - M. Sznycer - M. Vieyra, *Les religions du Proche-Orient asiatique*, Paris 1970; A. Finet (éd.), *Lorsque la royauté descendit du ciel*, Morlanwelz 1982; id., *Le code de Hammurapi*, Paris 1983²; G. Roux, *La Mésopotamie. Essai d'histoire politique, économique et culturelle*, Paris 1985. AFin

MÉTALLURGIE Les textes phén.-pun. mentionnent l'or (*ḥrṣ*), l'argent (*ksp*), le cuivre, que la langue ne distinguait pas du bronze (*nḥšt*), puis le fer (*brzl*) et le plomb (*'prt*), auxquels on peut ajouter l'étain (*bdl*), mentionné en *Ez.* 27,12.

1 Or et argent L'épuration de l'or et de l'argent semble s'être faite par coupellation, comme l'indique le nom de l'orfèvre, *nsk ḥrṣ*, "fondeur d'or". L'or, fusible à 1.063 °C, était importé des régions pourvues de →mines d'or ou de rivières charriant des paillettes d'or. L'argent, fusible à 961 °C, était surtout extrait du plomb, dont la température de fusion n'est que de 327° 3 C; il suffisait donc de porter le mélange à une température légèrement supérieure pour fondre le plomb et le séparer de l'argent. Il est improbable que l'on ait livré du minerai brut aux orfèvres dont la tâche devait consister à épurer les métaux précieux et à fabriquer la bijouterie et l'→orfèvrerie, qui avaient atteint un très haut niveau au Levant dès les XIXᵉ-XVIIIᵉ s., ce dont témoignent les chefs-d'œuvre provenant des hypogées royaux de →Byblos. Étant très ductiles et très malléables, l'or et l'argent étaient susceptibles d'être façonnés en lames plus ou moins minces par le martelage et d'être travaillés de manières diverses (fig. 54, 57). Par ailleurs, la découverte de moules "d'orfèvres", tant en Orient qu'à →Kerkouane, p.ex., démontre la pratique du moulage de pièces d'orfèvrerie, tandis que l'élaboration d'objets composites, p.ex. de statuettes du →"Smiting God", en bronze plaqué d'or ou d'argent (fig. 149, 311; pl. IIa), nécessite des soudures, faites peut-être à l'aide d'un alliage à base de cuivre et de carbone, ou des forgeages par fusion rapide et ponctuelle des éléments à assembler. À cause de leur valeur considérable, l'or et l'argent jouaient aussi un rôle important comme étalons d'échange. À →Zincirli, on a trouvé des lingots d'argent en forme de pains ronds, dont trois sont gravés du nom du roi Bar-Rakab (*c.* 730) et le plus lourd pèse 497,38 gr, ce qui correspond approximativement à une mine. Une grande quantité de plomb argentifère et d'argent était importée de la Péninsule Ibérique (→Huelva). Les fouilles de Cerro Salomón, dans la zone minière de Riotinto, puis celles de San Bartolomé de Almonte, ont montré que l'exploitation de riches filons argentifères et la pratique d'une coupellation assez rudimentaire constituaient l'occupation essentielle des habitants de ces sites à partir du IXᵉ s. et étaient probablement la raison même de la fondation de ces localités de mineurs et de métallurgistes tartessiens, en contacts étroits avec les Phéniciens. Les centres métallurgiques du S.-O. de l'Ibérie passent plus tard au second plan, surtout face au développement des mines et de la m. de Haute Andalousie et du S.-E. de la Péninsule, actives au temps d'→Hannibal (6) (Pline, *N.H.* XXXIII 96-97).

2 Cuivre La pratique de la ventilation artificielle, *mappuᵃḥ* en hb. (*Jr.* 6,29), pouvait faire monter la température de fusion au-delà de 1.200 °C dans les fourneaux, appelés en phén. *kr*, ce qui permettait de fondre le minerai de cuivre, fusible à 1.081 °C. La découverte d'installations industrielles dans le Palais N. de →Ras Ibn-Hani (XIIIᵉ s.) et à Timna (XIIᵉ-XIᵉ s.) offre des bases sûres pour reconstituer l'extraction et la m. du cuivre à la fin du Bronze Récent et à l'âge du Fer I, tant dans une région minière, comme celle de Timna, que dans un environnement urbain, où l'on procédait à l'affinement du métal sous le contrôle de l'autorité royale. La mise au jour de fourneaux complets avec tuyères de soufflerie coudées, appelés en hb. *kûr nāpûᵃḥ* (*Si.* 43,4), de minerai, de scories et de cuivre métallique à peu près pur (90 à 96,3 %), de fondants et d'outils, permet de se rendre compte des opérations de concassage, de "lavage" ou de liquation, puis de l'alliage du cuivre avec l'étain, fusible à 231 °C et importé d'abord de l'Afghanistan, ensuite de l'Extrême Occident. La découverte, à Ras Ibn-Hani, d'une lingotière en calcaire, dont la forme correspond à celle des saumons de cuivre du type dit "en peau de bœuf", montre que la fonte de ces fameux lingots d'un talent (*c.* 29 kg) se faisait également dans le royaume d'Ugarit, qui importait donc du cuivre destiné encore à l'affinage. La détection de tellure dans ce cuivre tendrait à exclure aussi bien Chypre que la région d'Ergani et Maden, en Anatolie, comme origine probable du minerai affiné à Ras Ibn-Hani. L'analyse des vestiges métallurgiques d'Athienou (Chypre), qui remontent aux XIVᵉ-XIIᵉ s., explique peut-être cette donnée surprenante. Le minerai extrait alors à Chypre était la chalcopyrite, qu'il fallait concasser et griller à 1.100 °-1.200 °C, avant de procéder à la fusion. Un minerai d'origine différente, peut-être "reconditionné" à partir d'outils de provenances diverses, pouvait ainsi exiger moins de travail et livrer plus de cuivre quasiment pur. En tout cas, l'affinage du cuivre s'effectuait également dans les cités côtières de Chypre, p.ex. à Enkomi et à →Kition, où l'on manipulait, semble-t-il, du cuivre qui avait déjà subi un premier traitement près des mines, comme l'indiquerait le faible volume des scories découvertes dans les installations urbaines. La même pratique est encore attestée à →Idalion aux IVᵉ-IIIᵉ s. Chypre jouait au Bronze Récent et au début de l'âge du Fer I un rôle important dans la diffusion de lingots de cuivre et même d'étain, comme le montrent les signes chypro-minoens d'un des lingots d'étain trouvés dans le port de Haïfa. Par ailleurs, la civilisation nuragique de Sardaigne témoigne, aux XIIIe-XIe s., d'un courant d'importation d'objets en bronze chypriotes qui font supposer que les Chypriotes et les Mycéniens de Chypre exploitaient les gîtes sardes, où l'on a même trouvé nombre de ces fameux saumons de cuivre du type dit "en peau de bœuf", marqués de signes ayant des caractéristiques mycéniennes ou chypro-minoennes. Il y eut aussi, semble-t-il, implantation sur place de bronziers levantins dont la maîtrise technique et les produits seront imités longtemps par les artisans sardes. En outre, les recherches de M. Gras sur les trafics tyrrhéniens archaïques tendent à montrer qu'il n'y eut aucune coupure entre les navigations mycéniennes et l'arrivée des Phéniciens dans les zones de la Méditerranée occidentale, riches en minerais. Le cuivre affiné et allié à l'étain dans des proportions variées — de 7 ou 12,5 à 1 d'après des textes de Mari —, éventuellement allié aussi au plomb, métal moins coûteux, donnait du bronze qui servait à la fabrication d'objets les plus divers: ustensiles, armes, vases, parures, etc. Au Ier mill. av. J.C., le dosage du plomb dans les bronzes orientaux ou orientalisants semble être fonction de la destination du métal, à marteler ou à couler. La teneur en plomb doit rester minime pour un travail par martelage, mais *c.* 5 % de plomb ne nuisent pas à la qualité du cuivre destiné à être coulé, pratique dont témoignent les moules de terre cuite, de stéatite, de pierre calcaire, etc., trouvés lors des fouilles en Orient et en Occident, ainsi que la technique de la fonte à la cire perdue.

3 Fer Il faut distinguer le fer météorique, utilisé au Proche-Orient, du fer obtenu par réduction du minerai. La température de 1.200°C, que l'on pouvait atteindre en pratiquant la ventilation artificielle, était insuffisante pour fondre le minerai de fer — généralement de l'hématite rouge ou de la magnétite — dont la température de fusion est de 1.537°C. Les fourneaux permettaient toutefois d'obtenir, sans passer par la fonte, une masse de fer spongieux que l'on débarrassait du laitier par un martelage à chaud, et que l'on poussait derechef au rouge pour le travail à façon. Le nom phén.-pun. du forgeron, *nsk (h/š) brzl*, "fondeur du fer", ne correspond donc pas vraiment à la technique utilisée. Celle-ci pouvait comprendre la carburation et la trempe qu'impliqueraient, dès les XIe-Xe s., des objets d'acier trouvés à Idalion, →Lapéthos, →Amathonte, Palaeapaphos-Skales (→Paphos), Tanak, Tell Qiri et sur le Mont Addir, à l'E. d'→Akzib. C'est à cette époque que l'emploi du fer se généralise à Chypre et dans le N. d'Israël. La m. phén.-pun. s'adapte tout naturellement à cette industrie nouvelle, notamment à →Carthage, située, d'une part, au centre de la route qui achemine vers Tyr l'étain des Cassitérides et le plomb argentifère ibérique, constituant, de l'autre, le terminus S. du circuit tyrrhénien axé sur les ports livrant le cuivre sarde et le fer appenin. L'importance de la m. carth., signalée plus tard par Pol. X 20,4 et App., *Lib.* 93, est documentée non seulement par les objets métalliques trouvés dans les tombes, mais aussi par la découverte d'ateliers métallurgiques qui se sont établis aux IVe-IIIe s. sur l'îlot de l'Amirauté et sur le flanc S.-E. de la colline de Byrsa. L'industrie la mieux attestée en cette seconde zone est celle des "fondeurs de fer", dont les installations de ventilation à double soufflet et un seul exutoire leur faisaient dépasser les 910°C nécessaires pour la carburation du fer dans des creusets de petites dimensions. Les tuyères à deux canaux se rencontrent au VIe s. à →Toscanos, où elles débouchent encore en deux exutoires distincts, en sorte que le système attesté à Carthage peut apparaître comme un progrès technique. L'analyse des résidus a permis d'y isoler de l'oligiste, minerai de fer très courant en Afrique du N., et de la magnétite, qui devait être importée par voie de mer des parages d'→Hippone.

Bibl. BRL^{2}, p. 219-224; RLA VI, p. 345-364; R.J. Forbes, *Studies in Ancient Technology* VIII-IX, Leiden 1971^{2}-72^{2}; A. Blanco Freijeiro - J.M. Luzón - D. Ruiz Mata, *Excavaciones arqueológicas en el Cerro Salomón (Riotinto, Huelva)*, Sevilla 1970; R.F. Tylecote, *A History of Metallurgy*, London 1976; H.G. Conrad - B. Rothenberg, *Antikes Kupfer im Timna-Tal*, Bochum 1980 (cf. BiOr 41 [1984], col. 275-292); T. Stech-Wheeler - J.D. Muhly - K.R. Maxwell-Hyslop - R. Maddin, *Iron at Taanach and Early Iron Metallurgy in the Eastern Mediterranean*, AJA 85 (1981), p. 245-268; D. Ruiz Mata, *El poblado metalúrgico de época tartésica de San Bartolomé (Almonte, Huelva)*, MM 22 (1981), p. 150-170; J.D. Muhly - R. Maddin -V. Karageorghis (éd.), *Early Metallurgy in Cyprus, 4000-500 B.C.*, Nicosia 1982; S. Lancel, *Byrsa* II, Rome 1982, p. 217-260; B. Rothenberg - A. Blanco Freijeiro, *Ancient Mining and Metallurgy in South-West Spain*, London 1982; R.F. Tylecote, *Metallurgy in Punic and Roman Carthage*, Mines et fonderies de la Gaule, Paris-Toulouse 1982, p. 259-278; S. Filipakis - E. Photou - C. Rolley - G. Varoufakis, *Bronzes grecs et orientaux*, BCH 107 (1983), p. 111-132; T. Dothan - A. Ben-Tor (éd.), *Excavations at Athienou, Cyprus: 1971-1972*, Jerusalem 1983, p. 132-138; J. Lagarce et al.,...*Ras Ibn Hani...*, CRAI 1983, p. 274-279; 1984, p. 401-408; 1987, p. 282-284, 287-288; M.S. Balmuth -R.J. Rowland (éd.), *Studies in Sardinian Archaeology*, Ann Arbor 1984-86, t. I, p. 114-162; t. II, p. 229-271; E. Galili -N. Shmueli, *The Underwater Discovery of a Bronze Age Cargo of Metal* (hb.), Qadmoniot 18 (1985), p. 93-96; A. Ben-Tor -Y. Portugali (éd.), *Tell Qiri*, Jerusalem 1987, p. 244-245; H.G. Buchholz, *Der Metallhandel des zweiten Jahrtausends im Mittelmeer*, M. Heltzer - E. Lipiński (éd.), *Society and Economy in the Eastern Mediterranean (c. 1500-1000 B.C.)*, Leuven 1988, p. 187-228.

ELip

MÉTAMEUR Village du S. tunisien, à 5 km au N.-O. de Médenine. L'influence de la civilisation pun. y est attestée par une inscription néopun.

Bibl. J.-B. Chabot, *Punica XXI*, JA 1918/1, p. 255-256. ELip

METHONASTARTOS En gr. *Methonastartos/Methousastartos*, phén. *Mtn ʿštrt* ("Don d'Astarté"), fils de Leastartos, roi de Tyr *c.* 912-901 d'après Fl.Jos., *C.Ap.* I 122. Il conspira avec ses frères contre →Abdastratos et usurpa le trône. Rien ne justifie l'élimination de cet anthroponyme phén. de la liste des rois de Tyr.

Bibl. F. Massa, *Le fonti classiche per la più antica storia fenicia*, ACFP 1, Roma 1983, p. 239-242. ELip

MÉTROLOGIE La m. des villes phén. est encore mal connue et les rares mentions d'unités de mesures seront utilement confrontées aux systèmes bibliques et mésopotamiens dont la documentation est plus complète. Les unités d'*itinéraire*, de *superficie*, à l'exception de la coudée pun. de 51,55 cm de *longueur*, sont absentes des sources, mais diverses mesures de *capacité* y sont attestées. Le *lg* (*c.* 0,6 l), servant à mesurer les liquides apparaît sur l'inscription d'un bassin de Tyr d'une capacité de *90 lg* "à l'estampille (*ṭb*') de Tyr" (Semitica 29 [1979], p. 10-11). Le *lg* équivalant à 0,6 l, la capacité du bassin serait de 55 l, c.-à-d. un réservoir cubique mesurant intérieurement 0,38 m de côté, ce qui correspond en gros aux dimensions du bassin. Un pluriel présumé *lgbt* apparaît sur l'ostracon phén. III de Saqqâra. Le *s'h*, correspondant peut-être au *se'ah* biblique de *c.* 13 l, est représenté par son initiale *s* sur une épigraphe tyrienne inédite *s lBdmlk* gravée sur un couvercle de jarre daté du VIIIe s. L'usage de cette abréviation est connu par un aide-mémoire commercial araméen d'Égypte, daté *c.* 300 av. J.C. (AP 81,2, etc.), et par le papyrus araméen 66,9 de Saqqâra. Sur trois récipients d'albâtre (RÉS 1847 et deux inédits), on lit *mslt* qui pourrait être une mesure de capacité encore indéterminée ou la désignation du contenu. Le *kr* est mentionné de façon surprenante dans une inscription phén. de Lapéthos (KAI 43,14):...*bk*[*s*]*p mšql kr 100 + 2*..., "en argent (ou argenté) pesant 102 *kr*". Si le *kr* équivaut à *c.* 210 l comme dans la Bible, ce serait l'équivalent d'un cube d'argent (ou argenté) d'environ 2,8 m de côté, mais la présence d'une forme participale de *šql*, "peser", permet de se demander si *kr* ne doit pas être lu *kkr*, "talent", unité pondérale attestée par l'inscription pun. CIS I, 171,4. Toutefois, comme 102 unités de *c.* 35 kg chacune donnent un poids total énorme de 3.570 kg, on peut penser que le *krš* de 83,33 g d'origine perse, donnant un total de *c.* 85 kg, serait ici plus vraisemblable. Le poids d'un autel de bronze est évalué à *100 lṭr* de *c.* 330 g, présume-t-on, soit 33 kg (CIS I, 143).

Si les poids sont les instruments métrologiques phén. les plus nombreux, nous ignorons les variations de leurs valeurs d'une ville à l'autre et l'évolution séculaire du système pondéral d'une ville donnée. Bien que le nom de "l'étalon de Tyr", *'bn Ṣr* (RÉS 1204,2), garde évidemment le souvenir des premiers poids de "pierre", ce sont des poids de métal, datant du dernier tiers du Ier mill. et acquis depuis plus d'un siècle par le Musée du Louvre, le Cabinet des Médailles de la Bibliothèque Nationale et d'autres collections, qui apportent le plus d'indications sur les étalons locaux. Parfois rectangulaires et, pour les valeurs mineures, en forme de triangle pointé vers le bas, ils sont le plus souvent de forme carrée. On retiendra ici deux séries dont les monogrammes respectifs permettent d'identifier avec certitude, à défaut de date, la ville phén. dont ces poids portent le comput.

Sur la première série (11 exemplaires étudiés), on lit les trois lettres entrelacées *M, R* et *T* formant le toponyme *Mrt* connu sur les monnaies, en grec Marathos, c.-à-d. →Amrit. La présence du nombre 25 sur plusieurs exemplaires pesant de 475 à 480 g atteste l'existence d'un étalon de *c.* 9,5 g; ce dernier doit être un sicle dont l'initiale *š* apparaît sur un poids de 46,2 g portant le nombre 5, mais un poids de 140 g portant le nombre 22 (ZDPV 92 [1976], p. 186, n° 43) permet de supposer l'existence, pendant un certain temps, d'un étalon de 6,3 g qui équivaut à un demi-sicle de Hamat au VIIIe s.

Sur la seconde série (fig. 225) (27 exemplaires étudiés), le monogramme rassemble les quatre lettres ', *R*, *W* et *D* du nom de la métropole insulaire →Arwad (*'rwd*). Un poids de 1.005 g portant le nombre 11 atteste l'existence de "décasicles" (?) de 91,3 g, tandis qu'un autre exemplaire pesant 1.306 g et marqué du nombre 50 atteste l'existence d'un double sicle arwadien de 18 g. Le poids de 9,5 g par sicle se retrouve sur tel exemplaire pesant 235 g et marqué du nombre 25, sur un autre de 114 g et marqué du nombre *12 š(ql)*. On ne sait comment dater un poids de 150 g portant le nombre 25, renvoyant donc à un étalon de 6 g et trois exemplaires triangulaires pesant respectivement 41,5 g (+ nombre *4*), 40,7 g (+ nombre *4*) et 21,6 g (+ nombre *2* + *š*), qui renvoient à un sicle supérieur à 10 g.

Pour les deux villes on a compté 8 exemplaires, de 461 à 482 g et portant le nombre 50, qui doivent être des mines de 50 sicles comme à Ugarit, et 7 exemplaires, pesant entre 226 et 250 g et portant le nombre 25, qui seraient des demi mines ou *paras* (DISO, s.v. *prs*). Un exemplaire arwadien de 920,7 g portant le

Fig. 225. Poids en plomb portant le monogramme d'Arwad (c. IIIe-IIe s. av. J.C.). Paris, Louvre.

nombre 100 est donc une double mine, mais un exemplaire de 1325 g présuppose un sicle de 13 g (ZDPV 92 [1976], p. 186, nº 43).
Quelques exemplaires d'Amrit et d'Arwad présentent aussi un *ṭ* qui pourrait être l'initiale de *ṭb'*, "estampillé" (cf. *ṭb' Ṣr*), dénotant le caractère officiel du poids comme sur une inscription de Lapéthos [*n*]*r ḥrṣ mšql 10 ṭb'm*, "[lam]pe en or pesant 10 (sicles?) estampillés" (DISO, s.v. *ṭb'*).
Un poids léontomorphe, présumé sidonien et pesant 20,9 g, porte l'inscription *šṭ ḥmš*, qui le présente peut-être comme 5 demi-(sicles) de 4,18 g.
Il est improbable qu'une telle variété de systèmes se soit développée dans une même ville à partir d'un étalon primitif et, faute de pouvoir classer ces poids chronologiquement, on est amené à présumer la coexistence de plusieurs étalons distincts, comme en Babylonie (cf. *Ez.* 45,10-14).

Bibl. DEB, p. 821-825; G. Ioppolo, *La tavola delle unità di misura nel mercato augusteo di Leptis Magna*, QAL 5 (1967), p. 89-98; F. Bron - A. Lemaire, *Poids inscrits phénico-araméens du VIIIe siècle av. J.-C.*, ACFP 1, Roma 1983, p. 763-770; id., *Les noms de poids en phénico-punique*, GLECS 25 (1979-84), p. 21-23; J.B. Segal, *Aramaic Texts from North Saqqâra*, London 1983; P. Bordreuil, *Contrôleurs peseurs et faussaires: trois épigraphes phéniciennes énigmatiques* (à paraître); P. Bordreuil-P.L. Gatier, *Les poids phéniciens du Louvre et de la Bibliothèque Nationale* (à paraître). PBor

MEUBLES Malgré les découvertes sporadiques de m., tels le lit et les trônes de →Salamine, et de centaines d'ornements de m. en →ivoire, dispersés au Proche-Orient, l'art mobilier phén. nous est surtout connu par le témoignage indirect des représentations: →sculptures (fig. 7, 163, 313, 339, 366, 368), →peintures (fig. 206), ivoires, →bijoux, →sceaux historiés (fig. 157, 160, 341, 342). La majorité de ces documents archéologiques figure des trônes ou des tables dans un contexte essentiellement religieux, qui est aussi celui des scènes de banquet. Quant aux personnages figurés, il s'agit le plus souvent de divinités et, exceptionnellement, de souverains (divinisés). D'une façon générale, la juxtaposition de ces représentations révèle l'interchangeabilité — à de rares exceptions près — de ces trônes, catégorie de m. à laquelle il convient d'ajouter les tabourets. On constate que les divinités et leurs représentants terrestres pouvaient aussi bien siéger sur des trônes d'apparat, flanqués d'une paire de →sphinx (fig. 7, 50, 159, 160, 163, 313, 339, 366, 368), de lions ou de béliers (fig. 296; pl. Vd), que sur des chaises d'une facture beaucoup plus simple, parfois même sur de simples tabourets. Ces m. sont d'origine directement étrangère, comme les trônes du type *ḥwt* (fig. 159, 342) ou les tables à corniche, ou adaptés de modèles étrangers, comme les trônes flanqués d'une paire d'êtres mythologiques, les tables tripodes (fig. 7), ou les ensembles mobiliers en rotin. En créant certains types de m. et en en adaptant d'autres, les ébénistes phén. ont contribué à l'élaboration d'un mobilier qui par la voie de l'interprétation gr.-rom. et néo-classique a bravé le temps. Sans sous-estimer les qualités des m. pun., dont la renommée se traduit dans les termes latins *fenestrae punicae* et *lectuli punici*, il faut reconnaître que la civilisation pun. ne semble guère avoir élargi le répertoire oriental. Ajoutons que plusieurs stèles pun. représentent les outils dont les ébénistes et menuisiers se servaient.

Bibl. Gubel, *Furniture*, passim. EGub

MICIPSA En pun./num. *Mkwsn*, gr. *Mikípsas/ēs*, lat. *Micipsa*; roi de →Numidie, fils aîné de →Massinissa I, qui le choisit pour successeur (148), mais →Scipion (8) lui imposa le partage du pouvoir avec ses deux frères →Mastanabal (1) et →Gulussa. M. soutint les Romains, assez mollement, pendant la 3e →guerre pun., et leur envoya un contingent lors de la guerre contre Viriathe (142), puis à Numance (134), avec son neveu →Jugurtha. La mort de ses frères lui permit de régner seul à partir de 139. Il favorisa l'agriculture et poursuivit, en même temps que l'alliance avec Rome, une politique d'→hellénisation de la Numidie, en particulier dans la capitale Cirta (→Constantine), où il fit venir des commerçants gr. (Strab. XVII 3,13). Sous son règne, en 125, une invasion de sauterelles, suivie d'une grave famine, causa beaucoup de morts au sein de la population (Liv., *Per.* LX 4; Iulius Obsequens, *Prodigiorum liber* 30; Orose, *Adv. Pag.* V 11,2-5). Sa mort en 118 déclencha une guerre de succession mettant aux prises ses deux fils Adherbal (→Adarbaal 4) et →Hiempsal (1) et son neveu Jugurtha, qu'il avait adopté *c.* 120 (Sall., *Jug.* 6-10). L'existence d'un culte funéraire de M. est attesté par une inscription pun. trouvée à →Cherchel (KAI 161) et l'on pense que le →mausolée (2) d'Es-Soumâa à el-Khroub est son tombeau.

Bibl. J.G. Février, *L'inscription funéraire de Micipsa*, RA 45 (1951), p. 139-150; H.G. Horn - C.B. Rüger (éd.), *Die Numider*, Köln 1979, p. 57-59, 111-116. MDub-ELip

MIDIDI En pun. *(h)M(y)ddm*, lat. *Mididi*, actuellement *Hanšīr Meded*, vieux centre numide de Tunisie au S.-O. de →Maktar, où les influences pun. ont précédé la romanisation. Le site a livré jusqu'ici 25 inscriptions néopun., probablement du Ier s. av. J.C., les unes funéraires, les autres votives et dédiées à →Baal Hamon, auquel on subrogea →Saturne vers le IIe s. ap. J.C.

Bibl. AATun II, fe 36 (El Ala), nº 4; M. Leglay, *Saturne africain. Monuments* I, Paris 1961, p. 297-298; Lepelley, *Cités* II, p. 295-298; M. Ghaki, *Textes libyques et puniques de la haute vallée de l'Oued el Htab*, REPPAL 1 (1985), p. 169-178; M. Sznycer, *Les inscriptions néopuniques de Mididi*, Semitica 36 (1986), p. 5-24; M. Fantar, *Nouvelles stèles à épigraphes néopuniques de Mididi*, Semitica 36 (1986), p. 25-42. ELip

MIKAL Lecture conventionnelle du nom du dieu de Bêt-Shân (vallée du Jourdain), écrit en hiéroglyphes *M'-k3-r3* sur une stèle égyptienne du XVe/XIVe s., ainsi que de l'épithète *(H)mkl/Amukl(ai)os* du →Resheph/Apollon vénéré à →Idalion (Chypre) aux IVe-III s. et mentionné dans une inscription égypto-araméenne, probablement fausse, gravée sur un buste d'Héraklès de la fin du IIIe s. av. J.C. On a voulu aussi reconnaître ce prétendu théonyme dans le patronyme féminin grec *Mikalís* et dans le nom commun *mkl* attesté en phén. dans Kition III, C1 (A,13 et B,5) et désignant en hébreu une "retenue" des eaux (*2 S.* 17,20; cf. *Jr.* 2,13).

Bibl. E. Lipiński, *Resheph Amyklos*, StPhoen 5 (1987), p. 87-99. ELip

MILEV La petite ville de Mila, à 50 km au N.-O. de →Constantine, perpétue le nom de M. qui fut une agglomération numide touchée par l'influence pun. avant de devenir une des quatre colonies de la Confédération cirtéenne. Des découvertes fortuites et les fouilles pratiquées en 1878-79 et 1957 y ont mis au jour une partie d'un grand temple de →Saturne et des stèles gravées encore du →"signe de Tanit", qui doivent remonter aux Ier s. av. - Ier s. ap. J.C. M. est restée longtemps fidèle à ses anciennes croyances, puisque Faustus de M. se faisait gloire au IVe s. ap. J.C. d'être passé directement du polythéisme de ses ancêtres à la foi chrétienne.

Bibl. AAAlg, f^e^ 17 (Constantine), n° 59; J. Lassus - M. Leglay, *Fouilles à Mila*, Libyca 4 (1956), p. 199-246; M. Leglay, *Saturne africain. Monuments* II, Paris 1966, p. 54-59; Lepelley, *Cités* II, p. 438-439. ELip

MILKASHTART En ug. *Mlk ʿṯtrt*, phén.-pun. *Mlkʿštrt*; théonyme attesté au XIIIe s. par trois textes d'→Ugarit (KTU 1.100,41; 1.107,17. [42']; RS 86.2235,17'), d'où il résulte que M. était le roi déifié de la ville d'Ashtarot-Qarnayim (*Gn.* 14,5), en Transjordanie (KTU 1.108,1-3; cf. *Dt.* 1,4; *Jos.* 12,4; 13,12.31). Il apparaît ensuite aux IIIe-IIe s. dans six inscriptions d'→Umm el-Amed, au S. de →Tyr, où il est le dieu poliade, associé dans une triade à →Astarté (KAI 19 = TSSI III,31,4) et à l'"Ange de M." (*Ml'k Mlkʿštrt*), une hypostase que l'on comparera à l'"Ange de Yahvé" dans l'A.T. et à l'"Ange de Bēl" à →Palmyre (KAI 19 = TSSI III,31,2; 32,3). En Occident, on trouve M. à →Malte, au IVe s., également associé à Astarté puisque l'inscription provient du sanctuaire de →Tas Silġ (*Missione archeologica italiana, 1970*, Roma 1973, p. 92-94). On le rencontre à →Carthage, où plusieurs inscriptions des IIIe-IIe s. attestent l'existence d'un temple de M. (CIS I,250; 2785; 4839; 4850; 5657; 6011B), ensuite à →Leptis Magna (Trip 31), où on l'associe, au Ier s. av. J.C., à →Shadrapha/Liber Pater et l'identifie à Hercule (IRT 286-289), enfin à →Gadès, où un anneau du IIe s. av. J.C. est dédié par le peuple de la ville au "Fort de M." (CIE 04.03), une autre hypostase de M. (→Azuz). Comme on ne possède jusqu'à présent que deux attestations formelles d'un temple de →Melqart à Carthage, et aucune à Gadès, on peut se demander si l'Hercule/Héraklès de ces deux villes n'est pas, en général, une *interpretatio* gr.-lat. de M. Son association à Astarté pourrait faire penser que le second élément de son nom n'était plus compris comme un toponyme, mais comme le nom de la déesse. Il se fait pourtant que M. devait avoir, dès ses origines, un lien étroit avec Astarté, dont Ashtarot était une ville sainte, comme son nom l'indique. Elle l'est restée jusqu'à l'époque hellénistique (*1 M.* 5,43; *2 M.* 12,26), persistant dans ses attaches avec le culte des →Rephaïm (*Gn.* 14,5), c.-à-d. des ancêtres divinisés. Il semble donc que le laps de temps écoulé depuis le XIIIe s. n'a pas fait oublier le sens du second élément du nom de M., vocalisé peut-être d'une manière différente du théonyme "Astarté": il continuait à évoquer le lieu saint par exellence du *Milk* ou "Roi" déifié. Par ailleurs, l'appartenance de Hammon, l'actuelle Umm el-Amed, au territoire tyrien (*Jos.* 19,28), suppose un rapport étroit entre M. et Melqart, dont la nature n'est cependant pas facile à préciser.

Bibl. D. Pardee, *A New Datum for the Meaning of the Divine Name Milkashtart*, L. Eslinger-G. Taylor (éd.), *Ascribe to the Lord. Biblical and Other Essays in Memory of P.C. Craigie*, Sheffield 1988, p. 55-68; Bonnet, *Melqart*, passim. CBon-ELip

MILKIRÂM / MILKIRÔM En akk. *Mil-ki(-i)-ram^am^/ra-me/mu*, phén. *Mlkrm* ("[Mon] Roi est exalté"), nom typiquement phén.

1 M., roi phén. du milieu du VIIIe s., dont le nom est gravé dans un cartouche, sur un bouton en ivoire, et suit le nom d'un ministre sur un fragment de vase en bronze (*lḤlṣ ʿbd Mlkrm*). On a proposé de reconnaître en M. un roi de →Tyr qui se placerait dans la lacune entre →Pygmalion (3) (*c.* 831-785) et →Ittobaal II (3) (*c.* 740-735).

2 M., haut dignitaire assyrien ("tailleur en chef") sous le règne d'Assurbanipal (668-627). Il est associé aux événements militaires en Élam, fut éponyme en 656/5 et est probablement identique à M., le gendre d'→Amatashtart, dont il épousa la fille *c.* 625.

Bibl. Ad. 1: A. Lemaire, *Milkiram, nouveau roi de Tyr?*, Syria 53 (1976), p. 83-93.
Ad. 2: E. Lipiński, *Phéniciens en Assyrie: l'éponyme Milkiram et la surintendante Amat-Ashtart*, ACFP 2, Roma (sous presse). ELip

MILKYASAP En akk. *Mil-ki-a-šá-pa*, phén. **Mlkysp* ("Le Roi a ajouté" un enfant); roi de Byblos mentionné en 673 parmi les vassaux d'Asarhaddon qui devaient fournir des matériaux pour la construction du nouveau palais de Ninive (AfO, Beih. 9, p. 60, l. 59). La même liste est reprise dans les inscriptions d'Assurbanipal (VAB 7, p. 140, l. 31). Le nom M. apparaît peut-être sous la forme abrégée *Mksp* sur un sceau royal de la même époque.

Bibl. ANET, p. 291, 294; TPOA, p. 128, 132; E. Gubel, *Nouveaux apports à l'"iconographie royale" de la glyptique phénicienne archaïque*, ACFP 2, Roma (sous presse). ELip

MILKYATON En phén. *Mlkytn*, gr. syllab. (gén.) *Mi-li-ki-ya-to-no-se* ("le Roi a donné"); "roi de →Kition et d'→Idalion" *c.* 392-361, successeur de →Baalrôm (1), personnage distinct, semble-t-il, de son homonyme (2), le père de M., qui ne porte pas de titre (CIS I,88 = Kition III, F 1; CIS I,90). M. est connu par son monnayage d'argent et, à la fin de son règne, également d'or, ainsi que par de nombreuses inscriptions phén. ou bilingues, en phén. et gr. syllab. (KAI 39 = ICS 220; KAI 41 = ICS 215), trouvées à Kition (Kition III, A 1-3, 5-7, 29-30, F 1), Idalion (CIS I,88-92), voire →Tamassos (KAI 41), et donnant la titulature de M., identique à celle de ses prédécesseurs du Ve s., →Azzibaal (3) et →Baalmilk II (3). Le long règne de M. paraît avoir été une période de prospérité qui se traduit à Kition par un développement sans précédent des aménagements publics avec l'extension des bâtiments sacrés de Bamboula, la construction d'un réseau d'égouts et l'assainissement du sous-sol (fig. 115). M. semble avoir laissé à son fils et successeur →Pumayyaton (3) une situation économique favorable.

Bibl. G. Hill, *BMC. Cyprus*, London 1904, p. XXXV-XXXVI; Peckham, *Development*, p. 17-22; M. Yon, *Kition-Bamboula 1976-1984*, Archaeology in Cyprus 1960-1985, Nicosia 1985, p. 219-226. MYon

MINES Les m. ont joué un rôle indirect mais réel chez les Phéniciens, qui recherchèrent les sources de métal sans toutefois s'intéresser eux-mêmes à leur exploitation. Leur pays ne renferme pratiquement aucun gîte métallifère et ils ont ignoré les m. de cuivre de l'Arabah (Timna), toutes proches, depuis longtemps exploitées par les Égyptiens. Quand ils vont chercher de l'argent dans le S. de l'Ibérie (→métallurgie), les m. restent aux mains des Tartessiens, qui continuent à y opérer selon leurs méthodes traditionnelles, et il devait en aller de même pour le cuivre de Chypre ou l'or de Thasos et de Thrace. On ne saurait donc parler avec certitude de m. phén., malgré les *metálla phoinikiká* de Thasos (Hdt. VI 47), "le fer de Simyra" ou "le fer du Liban", mentionnés en Babylonie au milieu du VIe s. (RLA VI, p. 646b). En revanche, les Phéniciens, tel le Tyrien →Hiram (5), sont habiles dans la fabrication d'objets de métal et plusieurs de leurs comptoirs possédaient des forges et des ateliers de fondeurs. Ils se procuraient donc des métaux bruts, dont ils fournissaient, surtout du VIIIe au VIe s., une grande partie du monde ancien. Leurs zones d'approvisionnement ont dû varier selon les époques, mais on reste mal informé sur ce point. Ainsi les données sont vagues sur →Tarshish d'où, à partir du VIIIe s., les Phéniciens exportent des métaux. On ne peut donc identifier avec la seule aide des cartes métallogéniques les m. qu'ils ont fréquentées. Il faut s'aider de l'archéologie minière et métallurgique et, avec prudence, des analyses de laboratoire encore trop rares. Aussi l'identification de ces m. est-elle, selon les cas, certaine, probable ou simplement possible. Avant le VIIIe s., les Phéniciens cherchent les métaux dans les régions proches. Or et argent leur viennent d'Égypte, qui paie le bois du Liban en métaux précieux, comme l'illustre le récit de →Wenamon. Installés à →Kition dès le IXe s., ils ont pu contrôler une part du commerce du cuivre chypriote, tout comme celui de l'or de Thasos et du Mont Pangée, en Thrace (Hdt. VI 46-7; Strab. XIV 5,28; Pline, *N.H.* VII 197; Clém. Alex., *Strom.* I 75, 8); malgré les importations phén. en Eubée et en Attique (XIe-Xe s.), c'est moins probable pour le Laurion, pourtant alors en exploitation. Au VIIIe s., au plus tard, les Phéniciens, surtout les Tyriens, se lancent vers Tarshish, où ils vont chercher argent, fer, étain, plomb (*Ez.* 27,12; Skym. 165). Rien n'assure qu'ils aient pu commercialiser du cuivre ou du fer d'Étrurie. Il en va de même en Sardaigne, malgré la présence de stations phén. non loin des gîtes de cuivre et de plomb argentifère. L'étain a pu venir de Cornouailles ou de la Bretagne française par la vallée du Rhône, "l'isthme gaulois", ou encore, avec l'étain de Galice, par la voie atlantique et le S. de l'Ibérie. Cette dernière région livre la seule certitude: du IXe au VIe s., les m. de →Huelva ont produit beaucoup d'argent, extrait sur place ou dans des établissements métallurgiques proches de la côte. Les contacts avec les Phéniciens sont étroits, sûrement par Gadès, d'où partent vers l'E., avec l'argent tartessien (Ps.-Arstt., *Mir. ausc.* 135; Diod. V 35,4), les éventuels métaux en transit, l'étain déjà nommé et peut-être aussi l'or du Soudan occidental, voire du N.-O. ibérique. Le fer et le cuivre pourraient provenir aussi des m. de Huelva — mais les vestiges métallurgiques correspondants manquent — ou, avec de l'argent encore et du plomb, des m. de la Haute Andalousie, mais leur exploitation à cette époque n'est pas sûre, malgré les influences phén. sensibles dès 700 à →Cástulo. Plus tard, les Carthaginois tireront à leur tour de l'argent des m. d'Espagne, peut-être celles de Cástulo (Pol. X 38,7) et, plus sûrement, entre 237 et 209, celles de Carthago Nova (→Carthagène) (Pol. X 10), mais la localisation du puits Baebelo, qui, selon Pline, *N.H.* 33, 96-97, fournissait 300 livres d'argent par jour à Hannibal, est incertaine. Ils contrôlent aussi la route atlantique de l'étain (voyage d'Himilcon →Périples 3; Ps.-Arstt., *Mir. ausc.* 84; Diod. V 20) et, sans doute, la production des métaux de Sardaigne. En Afrique du N., le fer travaillé dans les ateliers de →Carthage, établis au IVe et au IIIe s. dans le secteur de Byrsa, devait provenir de gîtes locaux, tels ceux de la région d'→Hippone. Il n'en est pas moins vrai que l'identification des m. qui livraient des métaux aux Phéniciens et aux Puniques reste souvent indémontrable, d'un côté, parce qu'ils ne les ont pas exploitées eux-mêmes, de l'autre, en raison des activités minières postérieures.

Bibl. C. Domergue, *Les mines de la Péninsule Ibérique dans l'Antiquité romaine,* Rome 1989, p. 141-154; D. Ruiz Mata - J. Fernández Jurado, *El yacimiento metalúrgico tartésico de San Bartolomé de Almonte*, Huelva Arqueológica 8 (1986), p. 167-274. CDom

MIQIM ELIM Le titre phén.-pun. *mqm 'lm*, à vocaliser *mīqim 'elīm*, signifie probablement "ressusciteur de la divinité". Il est attesté à Rhodes (KAI 44 = TSSI III,39), à Chypre (Larnaka-tis-Lapithou III) et surtout dans diverses inscriptions pun. (CIS I,227; 260; 261; 262; 377; 3351; 3352; 3788; 4863-4872; 5903; 5950; 5953; 5979; 5980; 6000bis; RÉS 13; 360), voire néopun. (KAI 161,4). Le titre complet comporte la mention *mtrḥ 'štrny*, vraisemblablement "époux astartéen" (→Astronoé). Il désigne une charge cultuelle, sans doute en rapport avec →Melqart (3) ou une divinité similaire. Une inscription nomme un *mqm 'lm mlt*, ce dernier mot pouvant être une abréviation de *Ml(qr)t* (CIS I,5980). Le détenteur du titre, souvent de rang social élevé, participait probablement à un mariage sacré avec →Astarté, représentée par une reine ou une prêtresse, lors de l'*égersis* qui visait à ranimer le dieu. Tous les termes du titre n'ont pas à ce jour reçu d'explication pleinement satisfaisante, mais il semble que le titre d'*egerseítēs toû Herakléous* en est le correspondant gr., attesté à Ramleh, près de Jérusalem (IGRR III,

1210), et à →Amman (IGLS XXI/2,29).

Bibl. E. Lipiński, *La fête de l'ensevelissement et de la résurrection de Melqart*, A. Finet (éd.), *Actes de la XVIIe Rencontre Assyriologique Internationale*, Ham-sur-Heure 1970, p. 30-58; Bonnet, *Melqart*, p. 174-179. CBon-ELip

MISOR →Sydyk.

MISSUA M., aujourd'hui Sidi Daoud (CIL VIII, 989), en Tunisie, se trouvait sur la côte N.-O. du →Cap Bon, près de son extrémité. Le toponyme semble remonter à un radical sémitique signifiant "carrière", en phén.-pun. **Ms'(t)*, et fait alors allusion aux carrières de grès coquillier d'→El-Haouaria, exploitées dans l'Antiquité jusqu'à M. Les ruines de M. sont étendues, mais effacées. Pline, *N.H.* V 24, qualifie M. d'*oppidum* et son port était très actif à l'époque rom., puisqu'une corporation d'amateurs de M. était représentée à Ostie, où l'on expédiait des céréales du Cap Bon et sans doute des salaisons de poisson, du →garum.

Bibl. AATun, f^e 8 (Sidi-Daoud), n° 8; G. Calza, *Il piazzale delle corporazioni e la funzione commerciale di Ostia*, Bullettino della Commissione Archeologica Comunale di Roma 43 (1915), p. 178-206; Desanges, *Pline*, p. 222-223; Lepelley, *Cités* II, p. 144-146. ELip

MIZREH En pun. *mzrḥ*, lat. *misre*, probablement "emblème" ou "enseigne". Ce vocable sémitique, dont l'hb. fait usage pour signifier le "lever" du soleil, désignait, dans le monde pun., l'ensemble des membres d'une corporation ou d'une unité militaire qui se rangeaient sous l'enseigne du groupe. Le →Tarif sacrificiel de Marseille (KAI 69,16) distingue ainsi "toute enseigne (*mzrḥ*) et tout clan et tout →thiase de la divinité et tous les hommes qui sacrifieront". La grande inscription dédicatoire d'→Althiburos (KAI 159,4) nomme douze membres "ainsi que leurs collègues (de) l'enseigne" (*wḥbrnm hmzrḥ*), qui font une offrande à →Baal-Hamon, et celle de →Maktar (KAI 145,1.12; cf. 147,1) mentionne "l'enseigne" qui a fondé le sanctuaire de →Ḥoṭer Miskar et énumère ses 31 membres à la suite du "chef de l'enseigne" (*rb mzrḥ*: KAI 145,16). Il y a lieu de se demander s'il y a un lien entre les *m.* et les diverses sodalités africaines connues à l'époque rom.

Bibl. C. Poinssot, *Suo et Sucubi*, Karthago 10 (1959), p. 93-129 (voir p. 96-98); A. Beschaouch, *La mosaïque de chasse à l'amphithéâtre découverte à Smirat, en Tunisie*, CRAI 1966, p. 134-157; M. Sznycer, *Quelques observations sur la grande inscription dédicatoire de Mactar*, Semitica 22 (1972), p. 25-43 (voir p. 36-39); J. Gascou, *Les curies africaines: origine punique ou italienne?*, AntAfr 10 (1976), p. 33-48; A. Beschaouch, *Nouvelles recherches sur les sodalités de l'Afrique romaine*, CRAI 1977, p. 486-503; id., *Une sodalité africaine méconnue: les Perexii*, CRAI 1979, p. 410-419; id., *Nouvelles observations sur les sodalités africaines*, CRAI 1985, p. 453-475. ELip

MOBILIER FUNÉRAIRE Ordinairement peu nombreux et modestes, les objets déposés dans les tombes phén.-pun. et constituant le m. d'accompagnement des morts ne semblent pas avoir eu tous au départ une vocation funéraire. Si certains répondaient à une liturgie proprement funéraire, d'autres avaient été la propriété des défunts ou constituaient des offrandes.

1 Orient À haute époque (XIe-VIIIe s.), le m. des tombes de Phénicie laisse percevoir une forte influence de l'Égypte ainsi que l'existence de relations étroites avec Chypre; celui des tombes phén. de Chypre à l'époque de la domination tyrienne est très proche du m. contemporain de Tyr. Tous comprennent des poteries (→céramique) faites sur place ou importées (œnochoés globulaires, gourdes de pèlerins, "barillets", amphores, coupes), parfois décorées de motifs d'inspiration mycénienne grâce à un engobe réalisé selon des techniques phén. ou chypriotes: *Red Slip, Black-on-Red Ware, White Painted Ware, Bichrome Ware* (fig. 66-77). Cette vaisselle pouvait contenir des →offrandes alimentaires et s'accompagner d'objets de →toilette ou de parure, d'→armes, d'→amulettes (fig. 14, 17, 24; pl. Ia-b), de figurines égyptisantes, de →masques (fig. 213, 216). Plus tard, le m. de Phénicie révèle aussi une influence hellénique qui devient dominante à partir du Ve s. On remarque alors, dans les tombes, des céramiques attiques, puis campaniennes, des statuettes grecques ou imitées de la Grèce, des monnaies, etc.

2 Afrique et Italie Le m. des tombes d'Afrique du Nord ou d'Italie est composé des mêmes éléments que celui des tombes du Proche-Orient. Les poteries (fig. 62; pl. IVa) et bijoux (pl. XIIb-c, XIII) dérivent, en général, des mêmes modèles orientaux. Seuls, leur interprétation, des influences locales ou étrangères, l'échantillonnage ou le nombre des objets particularisent les sites: fréquence des armes à →Rachgoun, des →meubles miniaturisés à Carthage, des étuis de miroirs en bronze doré à →Lilybée, influence de la céramique élyme sur des vases de →Motyé, existence de céramique ibérique aux →Andalouses, ou étrusque à →Bitia. L'époque archaïque est marquée, comme au Proche-Orient, par la présence de vases à engobe rouge brillant: aiguières, jarres, "chardons", ampoules, bols, écuelles, lampes; de petits vases protocorinthiens, corinthiens ou de bucchero apparaissent dans les tombes riches avec des amulettes, bijoux ou autres objets de métal, os, →ivoire, →faïence, terre cuite, etc. Au début du VIe s., le lustre rouge disparaît; les masques ou protomés deviennent plus fréquents en Sardaigne, à Carthage, au Cap Bon (fig. 214, 215, 217-219). Plus tard, apparaissent les biberons et les *unguentaria* et, sous l'influence grecque, les m. d'Afrique, d'Italie et du Proche-Orient s'uniformisent. HBenS

3 Espagne Le m.f. des nécropoles phén. d'Espagne est assez bien connu pour les VIIe-VIe s. seulement, grâce aux découvertes de la Laurita (→Almuñécar), de →Trayamar et de quelques tombes de →Gadès, →Villaricos, Jardín (→Toscanos) et →Puig des Molins (fig. 167, 169, 171-176, 237-239). Il s'agit surtout d'amphores et d'urnes avec ou sans décor, qui contiennent en général les corps incinérés; dans le cas de la Laurita, des amphores égyptiennes en albâtre furent (ré-)utilisées (fig. 16). Par ailleurs, ce sont des jarres et des lampes à vernis rouge, des bijoux en or, parfois de la céramique importée, corinthienne en général. Les nécropoles pun. d'Ibiza et de Villaricos permettent d'apprécier l'évolution de ce m.f. À la simplicité initiale succède, à partir de la fin du VIe s. et avec l'introduction de l'inhumation, une forte augmentation du nombre d'objets, d'une richesse variable: plats et bols, lampes, jarres et œnochoés de types divers, quelques grandes urnes décorées de filets de peinture rouge foncé, rarement des amphores. La poterie anthropomorphe est très fréquente et l'on trouve aussi des *askoi* zoomorphes (fig. 172-173; pl. IVd). La céramique attique est abondante, surtout aux Ve-IVe s., sous forme de récipients à boire, d'assiettes et de petits vases à onguents et parfums. Il faut mentionner en outre les flacons en pâte de verre (*unguentaria*) et les objets strictement personnels du défunt: bijoux en or et argent, miroirs, →rasoirs et menus objets en bronze, scarabées, amulettes (fig. 174-176). Les armes ne sont jamais présentes. Avec la réintroduction de l'incinération au IIIe s., le nombre d'objets diminue beaucoup et nous trouvons souvent la seule urne funéraire, normalement à une ou deux anses, avec éventuellement quelques objets personnels. JHFern

Bibl. SCE IV/2; M. J. Almagro Gorbea, *Corpus de las terracotas de Ibiza*, Madrid 1980; W. Culican, *The Repertoire of Phoenician Pottery*, H.G. Niemeyer (éd.), *Phönizier im Westen*, Mainz a/R 1982, p. 45-77; J.H. Fernández - J. Padró, *Escarabeos del Museo Arqueológico de Ibiza*, Madrid 1982; G. del Olmo Lete - Mª E. Aubet (éd.), *Los Fenicios en la Península Ibérica* I-II, Barcelona 1986 (= AulaOr 3-4 [1985-86]).

MOGADOR Petite île située face à l'actuelle ville d'Essaouira, sur la côte atlantique du Maroc (fig. 226). Au XIe s. ap. J.C., le géographe arabe al-Bakrî appelle ce lieu Amogdoul, toponyme dérivant probablement du pun. *(h)a-Mogdūl* (< *ha-Magdāl*), qui désignait "La Tour" de surveillance. Au XIVe s., sur les portulans, Amogdoul devient Mogdoura pour les Portugais, puis Mogadour, avec les Espagnols, nom que Essaouira a conservé jusqu'à la fin du protectorat français. Les fouilles effectuées aux abords d'une petite baie de l'île de M. ont permis de découvrir, entre autres, un →bétyle de *c.* 1,50 m de haut (Phén 161), des fragments d'amphores attiques de haute époque et un grand nombre de tessons de poterie à engobe rouge, inscrits en phén., qui doivent dater du VIIe s. av. J.C. (IAM I, p. 109-123). Ces inscriptions, qui consistent en noms propres et abréviations, attestent l'existence d'un comptoir phén. ou pun. dont les origines remontent au moins au VIIe s. et dont les "facteurs", pour employer le terme technique, pouvaient provenir de la Phénicie propre aussi bien que de Gadès, voire de Carthage. À une époque difficile à préciser, peut-être *c.* 500 av. J.C., ils ont cependant évacué M., qui ne sera habitée à nouveau de façon permanente qu'au Ier s. av. J.C., à la suite de l'installation d'un établissement fabriquant de la →pourpre. En effet, les îles Purpuraires, où →Juba II a établi des teintureries de pourpre (Pline, *N.H.* VI 201.203), sont identiques à l'île et aux îlots de M. Les Romains ont fréquenté l'île de M. jusqu'au IVe s. ap. J.C.

Bibl. PECS, p. 586; PW XXIII, col. 2020-2028; J. Desjacques - P. Koeberlé, *Mogador et les îles Purpuraires*, Hespéris 42 (1955), p. 193-202; A. Jodin, *Note préliminaire sur l'établissement pré-romain de Mogador. Campagnes de 1956-1957*, BAM 2 (1957), p. 9-40; M. Tarradell, *Marruecos púnico*, Tétuan 1960, p. 185-196; A. Jodin, *Mogador, comptoir phénicien du Maroc atlantique*, Tanger 1966; id., *Les établissements du roi Juba II aux îles Purpuraires (Mogador)*, Tanger 1967. ELip

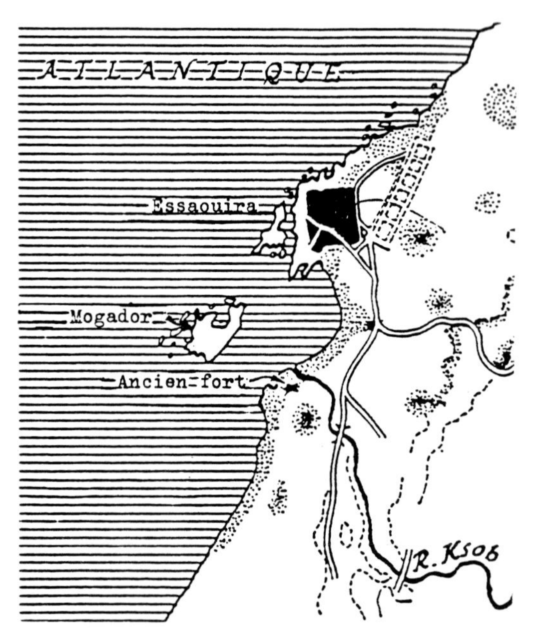

Fig. 226. Situation géographique de Mogador.

MOLK **1 Terminologie et pratique** Le mot phén.-pun. *mlk*, hb. *molek*, gr. *molokh*, lat. *molch*, est un terme cultuel qui désigne un →sacrifice et n'a rien à voir avec le titre royal →*milk*, attribué à une divinité ou à un souverain régnant ou décédé. Il se rattache probablement à la racine verbale *hlk*, "aller", que les inscriptions de →Karatepe pourraient utiliser au VIIIe s. comme un terme sacrificiel (KAI 26 = TSSI III,15,A,II,19; C,IV,2). Le substantif *m.* se rencontre à partir de la même époque en hb. et en phén.-pun. (DISO, p. 154), où il se rapporte au sacrifice d'un enfant en bas âge (pl. XVd), pas nécessairement d'un nouveau-né, parfois d'un agneau ou d'un chevreau servant de substitut. Le rituel consistait à passer la victime immolée par le feu, dans un brûloir appelé en hb. *tōpet* (le gr. de la Septante *taphet*). On déposait ensuite les restes calcinés dans une urne que l'on enterrait dans un espace sacré destiné spécialement à cet effet et qualifié abusivement par les archéologues de →*tophet*. À partir du VIIe s., l'usage se répandit en Occident de placer au-dessus de l'urne une →stèle portant une formule dédicatoire et le nom de l'offrant. La motivation des sacrifices *m.* ne semble pas avoir été constante, mais les dédicaces gravées et adressées à →Baal Hamon seul (fig. 26, 205, 307, 308) ou à →Tanit et à Baal Hamon (fig. 166, 322, 324; pl. XVb-c) indiquent généralement que l'on a affaire à un sacrifice votif, auquel l'offrant s'était obligé par un vœu (*ndr*). Les inscriptions n'en distinguent pas moins trois sortes de sacrifices *m.* Le *mlk b'l* (KAI 61A; 98; 99; CIS I,147; 194; 380; etc.) est probablement "le sacrifice *m.* (offert par) le maître" de la victime immolée (cf. *b'l zbḥ*: CIS I,165,4.8.21; 167,2.3; etc.). Le *mlk 'dm bšrm btm* (KAI 106; 107; SPC 66; 87), formule souvent abrégée (KAI 108; CIS I,306; SPC 12; 25; 29; 104?; 125), paraît désigner le "sacrifice *m.* (offert par) un homme avec des chants de joie (cf. *Gn.* 31,27; *libens animo, laetus merito*), au complet", c.-à-d. entièrement à ses frais (cf. *de sua pecunia*). Le *mlk 'mr* (KAI 61B; CIS I,307; EH 55), en lat. *molchomor/morchomor/mochomor* (→N'Gaous; fig. 246), est une expression que l'on interprète d'ordinaire au sens de "sacrifice *m.* d'un agneau" (cf. *agnum pro vicario*), bien que la vocalisation lat. *omor* évoque plutôt le participe "disant", "promettant". Ceci conduirait à traduire *mlk 'mr* par "sacrifice *m.* de celui qui l'a promis", sans préjuger de la question de savoir s'il s'agit d'un sacrifice de substitution ou non. En plus de ces formules, on rencontre les mots *'zrm 'š* (*w'zrm 'št*) (CIS I, 5702), apposés à *mlk b'l* (KAI 98) ou à *mlk 'dm* (EH 37). Le sens de *'zrm* est obscur, mais on pourrait faire le rapprochement avec l'hb. *zerem*, "ruissellement", et traduire "libation", puis par synecdoque "offrande".

2 Témoignages A Orient. Les attestations assurées de sacrifices d'enfants en Orient sont jusqu'à présent de nature exclusivement littéraire, si l'on excepte les trouvailles encore inédites d'une fouille récente, la mention du sacrifice *m.* dans l'inscription de →Nebi Yunis (RB 83 [1976], p. 569-583), dont on a toutefois contesté l'authenticité, et la découverte, dans un puits près de l'Héphaïsteion d'Athènes, d'ossements de cent à deux cents nouveau-nés, ainsi que d'un pilier hermaïque à tête féminine, attribué à Aphrodite Ourania (Hesperia 8 [1939], p. 239), données dont le rapport avec un sacrifice n'est pas évident. Le souvenir de sacrifices propitiatoires d'enfants, qui étaient tombés en désuétude à Tyr au IVe s. (Q.-Curce IV 3,23), se reflète chez Philon de Byblos (Eus., *P.E.* I 10,33.44; IV 16,6.11), mais ne porte que sur des cas exceptionnels, comparables à celui de *2 R.* 3,27 (cf. Euripide, *Phoen.* 964), voire d'Hdt. II 119. En revanche, les sacrifices d'enfants semblent avoir été fréquents à Jérusalem, aux VIIIe-VIIe s., et la loi des premiers-nés en *Ex.* 13,2; 22,28-29 paraît impliquer, dans le chef du législateur primitif, l'obligation de les sacrifier à Dieu (DEB, p. 1151). Par ailleurs, on trouve peut-être un vestige d'un sacrifice expiatoire dans quelques contrats néo-assyriens datant surtout du VIIe s. et provenant de Haute Mésopotamie, où la majorité de la population était alors araméenne. Une clause pénale de ces contrats stipule en effet que le fils aîné de l'éventuel parjure serait brûlé dans l'enceinte sacrée du dieu (H)adad ou d'une autre divinité. La mise en pratique de cette menace n'est toutefois pas attestée jusqu'à présent.

B Occident. En Occident, les vestiges archéologiques confirment l'abondante tradition littéraire, qui se révèle fiable malgré ses relents polémiques, et ils permettent même d'entrevoir l'évolution de la pratique du sacrifice *m.* Les champs d'urnes sacrificielles mises au jour à →Carthage (*tophet* de Salammbô), à →Hadrumète (Sousse), à →Constantine, à →Sabratha, à →Motyé, à →Sulcis, à →Tharros, à →Monte Sirai, témoignent de la persistance de l'usage de sacrifier des enfants jusqu'à l'époque rom. L'analyse ostéologique du contenu des urnes carth. mises au jour en 1976-77 par la Mission américaine indique que les urnes du VIIe s. contiennent des ossements de nouveau-nés ou de mort-nés, mais une urne sur trois renferme les restes d'un agneau ou d'un chevreau, preuve de l'existence de sacrifices de substitution. La plupart des urnes du IVe s. contiennent, par contre, des ossements d'enfants âgés de 1 à 4 ans et seulement une urne sur dix renferme les restes d'un animal sacrifié à la place de l'enfant. Si la diminution apparente du nombre de sacrifices de substitution, — attestée aussi à Tharros, — peut s'interpréter en fonction de l'accroissement rapide de la population de Carthage, le changement dans l'âge des enfants immolés pourrait refléter la pratique de sacrifices votifs qui auraient remplacé l'ancien "don" coutumier du premier fils à la divinité, en l'occurrence à Baal Hamon. En toute hypothèse, les sacrifices de substitution démontrent qu'il n'est pas possible de reconnaître dans le *tophet* une nécropole pour enfants mort-nés ou décédés en bas âge, comme le voudrait une opinion "apologétique" récente.

Bibl. DBS V, col. 1337-1346; DEB, p. 853,1151-1152; EJ XII, col. 230-233; ThWAT IV, col. 957-968; V, col. 706-708; O. Eissfeldt, *Molk als Opferbegriff im Punischen und Hebräischen und das Ende des Gottes Moloch*, Halle 1935; R. de Vaux, *Les sacrifices dans l'A.T.*, Paris 1964, p. 49-81; M. Leglay, *Saturne Africain. Histoire*, Paris 1966, p. 297-358; R. Rebuffat, *Le sacrifice du fils de Créon dans les "Phéniciennes" d'Euripide*, RÉA 74 (1972), p. 14-31; A.R.W. Green, *The Role of Human Sacrifice in the Ancient Near East*, Missoula 1975; C. Picard, *Les représentations du sacrifice* molk *sur les ex-voto/stèles de Carthage*, Karthago 17 (1973-74 [1976]), p. 67-138; 18 (1975-76 [1978]), p. 5-116; C. Lepelley, *Iuvenes et circoncellions: les derniers sacrifices humains de l'Afrique antique*, AntAfr 15 (1980), p. 261-271; F. Vattioni (éd.), *Sangue e antropologia biblica* I, Roma 1981, p. 127-134, 247-323; L.E. Stager, *Carthage. A View from the Tophet*, H.G. Niemeyer (éd.), *Phönizier im Westen*, Mainz a/R 1982, p. 155-166; A. Simonetti, *Sacrifici umani e uccisioni rituali nel mondo fenicio-punico*, RSF 11 (1983), p. 91-111; F. Vattioni (éd.), *Sangue e antropologia nella letteratura cristiana*, Roma 1983, p. 405-423, 525-544; E. Lipiński, *Syro-Fenicische wortels van de Karthaagse religie*, Phoenix 28 (1982 [1984]), p. 51-84 (voir p. 76-84); L.E. Stager, *Phoenicisch Karthago*, ibid., p. 84-113 (en part. p. 94-113); id. - S.R. Wolff, *Child Sacrifice at Carthage - Religious Rite or Population Control?*, BARev 10/1 (1984), p. 31-51; G.C. Heider, *The Cult of Molek. A Reassessment*, Sheffield 1985 (bibl.); M.G. Amadasi Guzzo, *La documentazione epigrafica dal* tofet *di Mozia e il problema del sacrificio* molk, StPhoen 5 (1986), p. 189-207; E. Lipiński, *Les racines syro-phéniciennes de la religion carthaginoise*, CEDAC Carthage 8 (1987), p. 28-44 (voir p. 35-38); J. Trebolle Barrera, *La transcripción* mlk = mólokh: *historia del texto e historia de la lengua,* AulaOr 5 (1987), p. 125-128; E. Lipiński, *Sacrifices d'enfants à Carthage et dans le monde sémitique oriental,* StPhoen 6 (1988), p. 151-162; F. Fedele - C.V. Foster, *Tharros: ovicaprini sacrificali e rituale del* tofet, RSF 16 (1988), p. 29-46. ELip

MONASTIR →Ruspina.

MONTE ADRANONE Établissement d'origine indigène, situé près de la frontière des possessions pun. en Sicile et conquis par les Carthaginois au IVe s. Les fouilles récentes ont permis d'y déceler d'importants vestiges architectoniques de l'époque pun., notamment les imposantes →fortifications (2B) de la cité et deux →sanctuaires (3B) édifiés sur l'acropole. Le premier, mesurant 31 × 10 m, se divisait en trois chambres, dont celle du centre comprenait deux →bétyles. La façade associait des éléments gr., comme des colonnes doriques et un fronton triangulaire, à des éléments pun., telles les corniches à gorge égyptienne. Le second sanctuaire formait un rectangle de 21 × 8 m et comportait deux chambres, dont la plus grande contenait des pilastres votifs et un petit autel de sacrifices. Une citerne se trouvait dans le voisinage de chacun de ces sanctuaires.

Bibl. PECS, p. 590; E. De Miro, *Monte Adranone: antico centro di età greca*, Kokalos 13 (1967), p. 180-185; id. - G. Fiorentini, Kokalos 18-19 (1972-73), p. 241-244; 22-23 (1976-77), p. 451-455; ead., *Santuari punici a Monte Adranone di Sambuca di Sicilia*, Miscellanea E. Manni III, Roma 1980, p. 905-915; *I Fenici*, Milano 1988, p. 200-203. ELip

MONTE LUNA L'établissement pun. de Santu Teru - M.L., autrefois Senorbì, se trouve à *c.* 35 km à vol d'oiseau au N. de →Cagliari, à l'intérieur de la Sardaigne. Il remonte à la fin du VIe s. et témoigne, jusqu'au IIIe s., d'une considérable prospérité due à sa position stratégique et à une florissante économie agricole. La civilisation matérielle révélée par le riche mobilier funéraire de la nécropole de M.L., qui compte une centaine de tombes, pour la plupart à puits, relfète une ambiance proprement carth. qui s'explique par l'origine probablement militaire de l'établissement et ses contacts étroits avec le port de Cagliari. La localité même se compose de l'acropole ceinte d'imposantes →fortifications (2B) et d'une ville basse hors-les-murs, où se trouvaient les maisons et les ateliers d'artisans.

Bibl. A. Taramelli, *Senorbì (Cagliari). Tomba di età preromana scoperta presso l'abitato*, NotSc 1931, p. 78-82; A.M. Costa, *Monete puniche da Santu Teru (Senorbì)*, Archeologia sarda 1980, p. 33-38; id., *Santu Teru - Monte Luna (campagne di scavo 1977-79)*, RSF 8 (1980), p. 265-270; id., *La necropoli punica di Monte Luna. Tipologia tombale*, RSF 11 (1983), p. 21-38; id., *Santu Teru - Monte Luna (campagne di scavo 1980-82)*, RSF 11 (1983), p. 223-234; id., *Monte Luna: una necropoli punica di età ellenistica*, ACFP 1, Roma 1983, p. 741-749. ELip

MONTE PELLEGRINO Le M.P., qui de ses 606 m d'altitude domine la ville de →Palerme, est identifié d'ordinaire à la forteresse carth. de Heirkté dont Pol. I 56 donne une impressionnante description. →Pyrrhus la conquit en 277 et →Hamilcar (8) Barca en fit sa base opérationnelle en 247-244. Cependant, on a proposé aussi de localiser Heirkté sur le Monte Castellaccio (J. Kromayer), au N.-O. de Palerme, voire sur le Monte Palmita (G. Pottino).

Bibl. J. Kromayer (- G. Veith), *Antike Schlachtfelder* III/1, Berlin 1912, p. 4-24; G. De Sanctis, *Storia dei Romani* III/1, Torino 1916, p. 178-179 (n. 83); M. Bonanno, *Punici e Greci sul Monte Pellegrino*, SicArch 21-22 (1973), p. 55-62; G. Pottino, *Cartaginesi in Sicilia*, Palermo 1976, p. 26-30. ELip

MONTE SIRAI La forteresse de M.S. occupe le plateau de la colline homonyme à la périphérie de Carbonia, dans le S.-O. de la Sardaigne (fig. 227). Sa position naturelle permet le contrôle des voies de communication menant à la zone minière de l'Iglesiente, au Campidano de →Cagliari, à la partie E. du territoire sulcitain et à la ville même de →Sulcis, dont M.S. est une fondation. Les fouilles en cours depuis plusieurs années ont permis de dater ses origines de la seconde moitié du VIIe s. et son abandon du Ier s. av. J.C. On peut y distinguer une phase phén. (I) aux VIIe-VIe s., datée par le mobilier funéraire de la nécropole archaïque, une phase pun. (II) à la fin du VIe et au Ve s., une phase pun. tardive (III) aux IVe-IIIe s. et une phase sardo-pun. (IV) de la fin du IIIe à la seconde moitié du Ier s. av. J.C., c.-à-d. à l'époque d'Auguste.

La phase I est celle de la fondation de la colonie avec la forteresse sise sur l'acropole (Phén 346), dont on a retrouvé les traces sous le donjon bâti à l'emplacement d'un ancien nuraghe, et avec la nécropole comportant des sépultures à crémation, à fosses simples, et quelques sépultures à inhumation. La fin de cette phase est marquée par la destruction du donjon phén. et l'abandon du site. On a pensé à une offensive des populations "nuragiques" au temps de l'expédition de →"Malchus" en Sardaigne. Lors de la phase II, les Carthaginois aident les Sulcitains à réoccuper le plateau et à bâtir de puissantes fortifications qui prennent de l'ampleur pendant les phases II-III, surtout au IVe s. C'est à ces phases que remontent l'organisation de l'acropole et la fortification définitive du plateau, la nécropole à inhumation, avec de grandes →tombes (2C) à chambre creusée dans le roc, avec un escalier d'accès du type sulcitain (Phén 350), employée de la fin du VIe au IIe s., la crémation réapparaissant à la fin de cette période. Toujours pendant la phase III, la forteresse se développe en habitat civil, avec une garnison militaire qu'on a évaluée à 600 soldats, et la petite colline située en face de l'acropole devient l'emplacement du →*tophet*, utilisé du IVe au IIe s. av. J.C. D'abord simple enceinte enfermant le lieu des sacrifices et le champ d'urnes en terre cuite, surmontées de stèles en un second temps, ce *tophet* est complété par la suite d'un petit temple de forme carrée, bâti sur le flanc de la colline et comprenant des pièces pourvues d'annexes et un escalier d'accès (Phén 235). Pendant la phase IV, le site ne sert plus de base militaire: le donjon de l'acropole est transformé en un temple, dont le rituel est pun., comme l'indique l'inscription ICO, Sard. 39.

L'artisanat et l'art phén.-pun. de M.S. présentent un intérêt particulier. Le donjon-temple a livré une statue en pierre locale de style nord-syrien (Phén 232) et trois bronzes figurés, deux anthropomorphes (Phén 245-246) et un zoomorphe, datant au moins du VIe s., ainsi que des fragments de plaquettes en os et des figurines en terre cuite, certaines de style oriental, d'autres, plus tardives, hellénisantes. La nécropole contenait des reliefs funéraires, des lampes (Phén 274), et le *tophet* a restitué des stèles votives dérivées d'archétypes sulcitains (Phén 254), mais influencées par le substrat local ou, au contraire, par la tradition populaire pun. L'habitat comporte deux

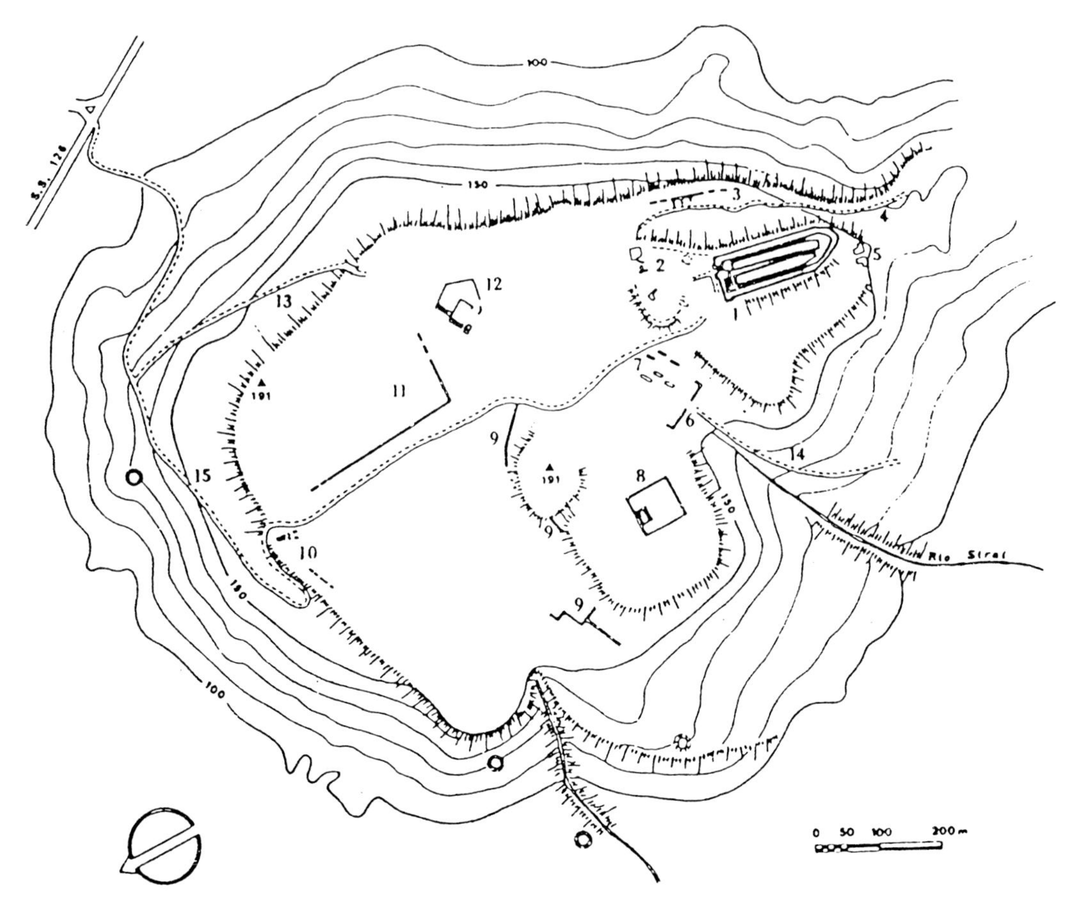

Fig. 227. Plan de Monte Sirai, Carbonia: 1) acropole; 2-3) fortifications; 4) voie d'accès; 5) défenses naturelles renforcées; 6) fortifications; 7) nécropole; 8) tophet; *9-10) fortifications; 11) murailles sur le plateau; 12) maison de type rural; 13-14-15) voies d'accès.*

types de maisons urbaines sur l'acropole et un type de maisons rurales sur le plateau, à l'intérieur de l'enceinte extérieure. Quant aux →fortifications (2B) de M.S., elles présentent le plan caractéristique des défenses en profondeur, d'origine orientale (Phén 236).

Bibl. Monte Sirai I-IV, Roma 1964-67; S. Moscati, *Un simbolo di Tanit a Monte Sirai*, RSO 39 (1964), p. 1-5; S.F. Bondì, *Le stele di Monte Sirai*, Roma 1972; id., *Gli scarabei di Monte Sirai*, Saggi Fenici-I, Roma 1975, p. 73-98; S.M. Cecchini, *Una sfinge in osso da Monte Sirai*, RSF 4 (1976), p. 41-48; F. Barreca, *Le fortificazioni puniche in Sardegna*, Atti del 1° Congresso Italiano sul Vicino Oriente Antico, Roma 1978, p. 115-128; S. Moscati, *Il Bes di Monte Sirai*, ANLR, 8ᵉ sér., 34 (1979), p. 233-239; F. Barreca - P. Bartoloni - S.F. Bondì - L.A. Marras - S. Moscati, RSF 8 (1980), p. 51-70, 143-145; 9 (1981), p. 19-20, 187-209, 217-230; 10 (1982), p. 273-299; 11 (1983), p. 183-222; 12 (1984), p. 185-198; 13 (1985), p. 247-263; 15 (1987), p. 179-190; P. Bartoloni, *Contributo alla cronologia della fortezza fenicia e punica di Monte Sirai*, Archéologie au Levant. Recueil Roger Saidah, Lyon 1982, p. 265-270; G. Tore, *I bronzi figurati fenicio-punici in Sardegna*, ACFP 1, Roma 1983, p. 449-461; F. Barreca, *Venti anni di scavi a Monte Sirai*, Nuovo Bullettino Archeologico Sardo 1 (1984 [1986]), p. 143-157; id., *La civiltà fenicio-punica in Sardegna*, Sassari 1986; S. Moscati, *Italia punica*, Milano 1986, p. 263-282, 381-382; G. Tore, *Osservazioni sulle fortificazioni puniche in Sardegna*, La fortification dans l'histoire du monde grec, Paris 1986, p. 221-227.

GTore

MONTET, PIERRE (27.6.1885-18.6.1966). Formé à l'égyptologie par V. Loret à l'Université de Lyon, M. poursuivit ses recherches à l'Institut français d'Archéologie orientale au Caire (1910-14), où il rassembla les matériaux pour sa thèse sur *Les scènes de la vie privée dans les tombeaux égyptiens de l'Ancien Empire*, parue à Strasbourg (1925), où il avait été nommé professeur en 1919. C'est la connaissance qu'il avait des rapports entre l'→Égypte et la côte phén. qui l'orienta vers →Byblos, où il dirigea quatre campagnes de fouilles (1921-24), découvrant un temple et plusieurs tombes royales. Il y exhuma des trésors d'→orfèvrerie paléophén., des vases, du mobilier en or, des →pierres précieuses, envoyés par les pharaons de la XIIe dynastie ou inspirés des modèles égyptiens. Les nécropoles des rois giblites livrèrent en outre le fameux →sarcophage (1) d'→Ahiram. M. a consacré de nombreux articles à ces découvertes et il en a tiré les conclusions dans un ouvrage intitulé *Byblos et l'Égypte* (Paris 1928-29). En 1929, il ouvrait le chantier de Tanis, ville du Delta oriental du Nil où il cherchait le point de départ de la route qui reliait l'Égypte à la côte phén. Ce chantier, où M. a dirigé vingt-et-une campagnes, a livré des trésors inespérés et des renseignements inappréciables sur les XXIe et XXIIe dynasties, dont la nécropole royale avec des tombes inviolées fut mise au jour. La publication de ces trouvailles n'a pas empêché M. de poursuivre ses recherches sur les rapports entre l'Égypte pharaonique et le monde syro-phén. Il leur a consacré un ouvrage intitulé *Les reliques de l'art syrien dans l'Égypte du Nouvel Empire* (Paris 1937) et une série d'articles érudits dans la revue *Kêmi*.

Bibl. J. Vandier, *Pierre Montet*, Syria 43 (1966), p. 335-338; E. Wolff, *Pierre Montet*, RdÉ 19 (1967), p. 7-9; F. Le Corsu, *Bibliographie de Pierre Montet*, RdÉ 19 (1967), p. 10-20. ELip

MOPSOS En phén. *Mpš*, en pseudo-hiéroglyphes louvites *Muksas*, gr. *Mópsos* ou *Móksos*, nom de l'ancêtre de la dynastie régnant à Adana (→Cilicie) au VIIe s., d'après les inscriptions de →Karatepe (KAI 26 = TSSI III,15,I,16; II,15; III,1), et éponyme des villes ciliciennes de Mopsoueste et de Mopsoukrênê, selon la *Chronique* d'Eusèbe de Césarée (R. Helm, *Eusebius. Werke* VII, p. 60b), qui donne pour l'année 1184 av. J.C. la notice suivante: *Mopsus regnavit in Cilicia, a quo Mopsicrenae et Mopsistae*. Les mythographes gr. connaissent plusieurs M., dont un devin célèbre auquel ils attribuent la colonisation gr. de la Cilicie après la guerre de Troie. Ce n'est qu'une affabulation de type connu, occasionnée par l'homonymie de personnages légendaires. On renoncera donc à l'hypothèse d'une migration gr. en Cilicie à l'époque des invasions des →"Peuples de la Mer", d'autant plus que le nom de M. (*Mu-uk-šu-uš*) est attesté en Anatolie dès le XIIIe s. av. J.C.

Bibl. PW XVI, col. 241-243; Bron, *Karatepe*, p. 172-176. ELip

MORRO DE MEZQUITILLA →Trayamar.

MOSAÏQUE **1 Orient** L'emploi de la m. comme revêtement de sol — *opus vermiculatum, opus tessellatum* polychromes — n'est pas attesté en Phénicie, même à l'époque hellénistique. À Délos, toutefois, où la population phén. était nombreuse, un →"signe de Tanit" apparaît comme *apotropaion* sur la mosaïque du vestibule de la Maison des Dauphins; or le pavement de l'*impluvium* est signé par [Asclé]piadès d'Arwad. Le thème des dauphins attelés et chevauchés par de petits personnages, sans parallèle dans le monde classique, pourrait être d'origine syro-phén. D'autres maisons de Délos, dites du Trident et des Bijoux, présentent des éléments de même origine vers ce moment (IIe s. av. J.C.). À l'époque rom., le *tessellatum* polychrome de Phénicie ne se distingue en rien de celui des autres provinces orientales de l'Empire, ni par la technique, ni par le style. On soulignera seulement le souvenir de divinités locales syro-phén. dans la version particulière de certaines légendes: Amymone ou →Béroé, nymphe de Beyrouth, représentée comme épouse légitime de Poséidon, assimilé à Él, sur une mosaïque d'Apamée; Cassiopée, arrière-petite-fille de Bélos, victorieuse des Néréides, à Apamée et Palmyre.

2 Occident Dans le monde pun., à →Carthage, →Kerkouane, en Sardaigne, Sicile, diverses techniques se rencontrent, dès le IIIe s. av. J.C. au moins: *opus figlinum*, c.-à-d. tesselles de terre cuite polychromes, carreaux losangés en terre cuite, *opus segmentatum*, c.-à-d. béton avec fragments de céramique colorés, *opus signinum*, béton de tuileau rougeâtre où sont insérées parfois des tesselles blanches en semis ou en motif décoratif, p.ex. le →"signe de Tanit" à Kerkouane (fig. 193), →Sélinonte (fig. 300), →Cagliari, enfin l'*opus tessellatum* uni. Certaines de ces techniques pourraient être locales, mais le *tessellatum* paraît plutôt originaire de Sicile (→Pavimenta punica). L'usage des pavements de type pun. en *opus signinum* ou *figlinum* continue jusqu'au IIe s. ap. J.C. dans des sites pun. comme →Utique et fait donc la liaison avec l'apparition, dès la fin du IIe s., d'écoles ou d'ateliers locaux de mosaïstes de l'Afrique proconsulaire qui suivent leur propre inspiration et ont tendance à préférer des scènes tirées de la vie économique et sociale aux motifs idylliques et mythologiques.

Bibl. M. Chéhab, *Mosaïques du Liban*, Paris 1957-59; M. Fantar, *Pavimenta punica et signe dit de Tanit*, StMagr 1 (1966) p. 57-65; P. Bruneau, *Les mosaïques* (EAD 29), Paris 1972; M.A. Alexander - M. Ennaifer (éd.), *Corpus des mosaïques de Tunisie* I/1-3, Tunis 1973-76; M. Fantar, *Les pavements puniques*, DossArch 31 (1978), p. 6-11; S. Lancel, *Byrsa* I, Roma 1979, p. 187-270; F. Chelbi, *Découverte d'un habitat punique*, CEDAC Carthage 3 (1980), p. 29-39; F. Rakob, *Deutsche Ausgrabungen in Karthago*, 150 Jahre D.A.I. 1829-1979, Mainz a/R 1981, p. 121-131; M. Fantar, *Kerkouane* I, Tunis 1984, p. 493-514; J. et J.C. Balty, *Un programme philosophique sous la cathédrale d'Apamée*, Texte et image, Paris 1984, p. 167-176. JBal

MÔT Philon de Byblos (Eus., *P.E.* I 10,34) mentionne *Moúth*, fils de →Kronos et de Rhéa, qui, après sa mort, fut divinisé par son père. Il ajoute que les Phéniciens l'appellent *Thánatos* ou *Ploútōn* (→Pluton), fait qui montre l'identité de ce personnage avec le M. ugaritique, personnification de la mort et adversaire de Baal. Dans la →cosmogonie de Philon (Eus., *P.E.* I 10,1) figure *Mṓt*, fils de *Póthos* et du Vent, dans lequel réside le principe de la création de toutes choses. Il est appelé "boue" ou "putréfaction", est conçu en forme d'œuf et resplendit comme le soleil et les astres. Il faut vraisemblablement distinguer ce *Mṓth* de *Moúth*. Il peut être interprété d'après l'égyptien *m3wt* qui qualifie la terre émergeant après la crue du Nil et désigne les rayons de lumière. L'œuf primordial et le rapport avec la terre mouillée révèlent une composante égyptienne dans les conceptions cosmogoniques de Philon.

Bibl. R.A. Oden, *Philo of Byblos and Hellenistic Historiography*, PEQ 110(1978), p. 115-126; Ebach, *Weltentstehung*, p. 40-41; Garbini, *La cosmogonia fenicia e il Primo*

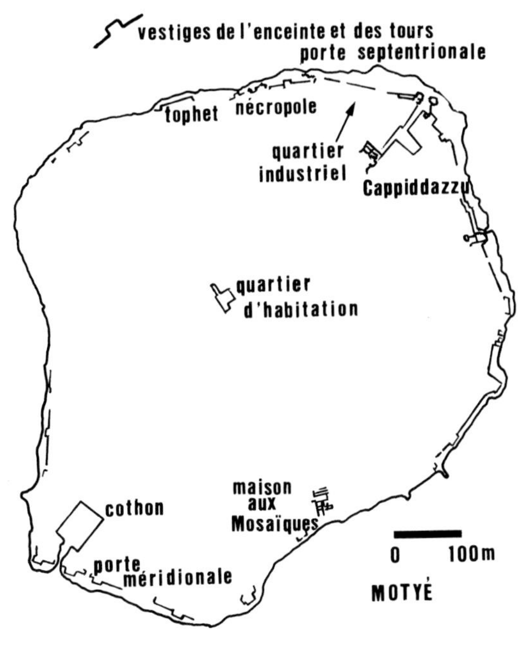

Fig. 228. Plan de Motyé.

capitolo della Genesi, G. Di Gennaro (éd.), *Il cosmo nella Bibbia*, Napoli 1982, p. 127-148. PXel

MOTYÉ En pun. *M(w)ṭw'*, gr. *Motuē*, l'actuel îlot de San Pantaleo (*c.* 45 ha: fig. 228), un des plus importants comptoirs phén. de Sicile (Thc. VI 2), qui frappa sa propre monnaie, avec légende pun. et gr., dès le Ve s. av. J.C. Situé à 8 km au N. du cap →Lilybée, dans une lagune séparée de la mer par un cordon littoral, et à 1 km de la terre ferme, à laquelle l'îlot était relié par une jetée submergée (fig. 204), encore existante, c'était un point d'accostage idéal. Habité à l'âge du Bronze, il était cependant désert à l'arrivée des Phéniciens dans la seconde moitié du VIIIe s. Devenu un bastion de la domination pun. en Sicile, il fut détruit en 397 par Denys I de →Syracuse après un siège mémorable (Diod. XIV 47-53), et ses habitants fondèrent Lilybée. Identifié dès 1619, le site de M. fut l'objet de sondages par Cavallari et Schliemann (1869-75); il fut fouillé par →Whitaker, qui découvrit l'enceinte et d'autres monuments (1906-27), puis par des missions italiennes et britanniques. Une enceinte fortifiée (*c.* 3 km) et des tours rectangulaires furent construites tout autour de l'île, peut-être dès la fin du VIIe s. (Phén 212-214, 337) (→fortifications 2B). Diverses phases y sont cependant identifiables d'après la technique et le matériau de construction: courtines à grands blocs calcaires irréguliers ou à blocs équarris, assises en pierre portant une structure en briques crues, surmontée de merlons arrondis de type oriental. Deux grandes portes s'ouvraient au N.-E. et au S.-O., des accès mineurs, à l'E. et au S.-E. La porte N., protégée par deux

Fig. 229. Masque grimaçant, Motyé (fin du VIe s. av. J.C.). Motyé, Musée Whitaker.
Fig. 230. Protomé, Motyé (fin du VIe s. av. J.C.). Motyé, Musée Whitaker.

Fig. 231. Stèle en forme d'édicule avec un bétyle, calcaire, Motyé (fin du VIe s. av. J.C.). Motyé, Musée Whitaker.

bastions carrés, comportait trois entrées et donnait sur la jetée reliant M. à la terre ferme. Des traces d'incendie indiquent que la bataille de 397 s'y était déroulée, alors qu'on avait obstrué la porte S., défendue par des tours, mais plus petite. Au S., près de la porte, s'ouvrait le →cothon, bassin rectangulaire de 51 × 37 m (Phén 155), semblable à celui de →Carthage et d'→Utique. Il y avait deux nécropoles. La plus ancienne (fin VIIIe-VIIe s.), située au N. de l'île, comprenait des centaines de tombes à incinération qui ont livré des bijoux, des armes de fer, de la céramique pun. à engobe rouge et beaucoup de vases gr. d'importation, la plupart proto-corinthiens. Les plus anciens indiquent que la fondation de M. remonte à *c.* 720. Cette nécropole fut abandonnée après la construction de l'enceinte qui la traversait. Une nouvelle nécropole fut établie sur le promontoire de Birgi (→tombes 2A,B), sur la côte sicilienne. Les défunts y étaient ensevelis dans des →sarcophages monolithiques. Un *témenos* de 27,4 × 35,4 m, appelé Cappiddazzu, se trouvait près de la porte N. Il comportait notamment un édifice à trois nefs avec corniche à gorge égyptienne (Phén 338). Au-delà de la porte s'élevait un petit temple pun. avec autel carré. Le →*tophet*, à ciel ouvert, était adossé aux murs, toujours au N. (Phén 210), et contenait des milliers d'urnes renfermant les restes des sacrifices d'enfants et d'animaux (fig. 235). On y a identifié sept strates (VIIe-IIIe s.), dont proviennent *c.* 1100 →stèles qui représentent des idoles (→bétyles, →idoles-bouteil-

*Fig. 232-233. Stèles représentant un orant dans une chapelle (*naiskos*), Motyé (VIe s. av. J.C.). Motyé, Musée Whitaker.*

Fig. 234. Lampe à plusieurs becs (kernos), Motyé (c. 650-600 av. J.C.). Motyé, Musée Whitaker.

Fig. 235. Amphore pun. à décoration géométrique, Motyé (VIIIe-VIIe s. av. J.C.). Motyé, Musée Whitaker.

les, etc.) et diverses figures humaines, parfois de style →égyptisant (fig. 231-233; Phén 220-224, 333-336). Une quarantaine sont inscrites et dédiées à →Baal Hamon. Le *tophet* a livré aussi un →masque viril grimaçant (fig. 229), des protomés féminins égyptisants de terre cuite (fig. 230) et une série de statuettes anthropomorphes: certaines, faites au tour et schématisées, sont pun. (Phén 218), d'autres proviennent de Grande-Grèce. Nous savons peu de choses de l'habitat de M. Deux édifices situés au croisement de deux rues au centre de l'île, la "Maison des Amphores" et la "Maison des Mosaïques", appartiennent à une phase postérieure à la destruction de la cité (397-*c.* 250). Récemment, des restes de murs de la période de la fondation de M. sont venus au jour près du Musée. Enfin, à la périphérie N., on a découvert deux ateliers de potiers avec des →fours (2) à plan circulaire bilobé de tradition phén. La présence de coquillages de murex dans l'un d'eux suggère l'existence d'une industrie de la →pourpre. On mentionnera enfin trois sculptures: un groupe de lionnes saisissant un taureau, un torse monumental trouvé dans la lagune, représentant un homme debout, le poing sur le torse, vêtu à l'égyptienne (fig. 297), et une statue gr. de marbre, de style sévère (*c.* 500-450), figurant un jeune homme vêtu d'une longue tunique et d'un pectoral, qui pourrait représenter un dieu, peut-être →Melqart, ou un héros pun. (→Hamilcar 1) en habit rituel (*I Fenici*, p. 539-540).

Bibl. PECS, p. 596; J.I.S. Whitaker, *Motya. A Phoenician Colony in Sicily*, London 1921; *Mozia* I-IX, Roma 1964-78; B.S.J. Isserlin - J. du Plat Taylor, *Motya* I, Leiden 1974; A. Ciasca, *Scavi alle mura di Mozia*, RSF 4 (1976), p. 69-79; 5 (1977), p. 205-218; 6 (1978), p. 227-244; 7 (1979), p. 207-227; G. Falsone, *Struttura e origine dei forni da vasaio di Mozia*, Palermo 1981; id. et al., *Gli scavi della zona K a Mozia*, Kokalos 26-27 (1980-81), p. 877-930; S. Moscati - M.L. Uberti, *Scavi a Mozia. Le stele*, Roma 1987; G. Falsone, *La statue de Motyé. Aurige ou prêtre de Melqart?*, T. Hackens - J. et B. Servais (éd.), *Mélanges J. Labarbe*, Liège-Louvain-la-Neuve 1987, p. 408-427; *La statua marmorea di Mozia e la scultura di stile severo in Sicilia*, Roma 1988.

GFal

Fig. 236. Bétyle en calcaire, Motyé (VIIe-VIe s. av. J.C.). Motyé, Musée Whitaker.

MOULES "À GÂTEAUX" Dans l'Antiquité, les pains consacrés ou distribués à l'occasion des spectacles cuisaient dans des m. d'argile, décorés de motifs qui étaient champlevés et non ajourés. Ainsi a-t-on retrouvé à Ostie des m. qui figuraient des scènes de théâtre choisies selon les programmes des spectacles. Or, de nombreux m. de terre cuite, de *c.* 10 cm de diamètre et 2 cm d'épaisseur, sont venus au jour dans des tombes de Carthage datant surtout des Ve-IVe s. av. J.C. Ils représentent des poissons, des oiseaux affrontés, des crabes, un coq, un satyre, un scarabée ailé, un personnage sur son char, un sujet phytomorphe, un schème géométrique. On a retrouvé des m. semblables, parfois de forme rectangulaire, à Tamuda, en Sicile, en Sardaigne (*I Fenici*, p. 351), à Ibiza (fig. 237-239; PhMM 80), mais aussi dans la ville même de Kerkouane. L'existence d'empreintes similaires de terre cuite ne favorise toutefois pas l'explication de S. Gsell qui y voyait des m. "à g." Du moins faudrait-il distinguer divers usages de ces m., dont certains auraient eu un sens "mystique", comme les "disques de Tarente", tout en se rapportant au culte funéraire, à l'occasion duquel on aurait distribué aussi des galettes portant des figures symboliques, pour déposer ensuite les m. eux-mêmes dans la tombe. En tout cas, l'interprétation des m. "à g." doit encore rester une question ouverte.

Bibl. M. Bieber, *Kuchenform mit Tragödienszene*, 85. Programm zum Winckelmannsfeste, Berlin 1915, p. 3-31; Gsell, HAAN IV, p. 70-71, 458; J. Dölger, *Heidnische und christl. Brotstempel mit relig. Zeichen*, Antike und Christentum I, Münster 1929, p. 1-46; P. Wuilleumier, *Les dis-*

Fig. 237. "Moule à gâteaux" représentant le dieu Bès, Puig des Molins (IVe s. av. J.C.). Ibiza, Musée Archéologique.
Fig. 238. "Moule à gâteaux" représentant un scarabée tétraptère, Puig des Molins (IVe s. av. J.C.). Ibiza, Musée Archéologique.
Fig. 239. "Moule à gâteaux" représentant une double palmette, Puig des Molins (IVe s. av. J.C.). Ibiza, Musée Archéologique.

ques de Tarente, RArch 1932-I, p. 26-64; M. Tarradell, *Sobre unos discos púnicos de cerámica procedentes de Tamuda y sus paralelos*, Crónica del II Congreso Arqueológico del S.E., Cartagena 1950, p. 326ss.; M. Astruc, *Empreintes et reliefs de terre cuite d'Ibiza,* AEArq 30 (1957), p. 139-191; ead., *Empreintes et reliefs carthaginois de terre cuite*, MÉFR 71 (1959), p. 107-134; A.M. Bisi, *Le matrici fittili puniche della Sardegna e della Sicilia*, Sefarad 28 (1968), p. 289-308; S. Moscati (éd.), *I Fenici e Cartagine*, Torino 1972, p. 22-23; M.Y. Chavanne, *Salamine de Chypre* VI, Paris 1975, p. 134-135; M. Fantar, *Kerkouane* III, Tunis 1986, p. 312-317, 354-364. ELip

MOVERS, FRANZ KARL (17.7.1806-28.9.1856). Théologien et orientaliste allemand, M. devint en 1839 professeur d'A.T. à l'Université de Breslau (Wrocław), mais ses recherches portèrent surtout sur l'histoire politique, religieuse et économique des Phéniciens, à laquelle il consacra son ouvrage monumental *Die Phönizier* (Bonn-Berlin 1841-56), ses *Phönizische Texte* I-II (Breslau 1845-47), ainsi que plusieurs articles, notamment une contribution substantielle *Phoenizien* à l'*Allgemeine Encyclopädie der Wissenschaften und Künsten*, de J.S. Ersch et J.G. Gruber (3e sér., t. 24, Leipzig 1848, p. 319-443). Si son œuvre est marquée par un certain "pan-phénicisme", elle n'en demeure pas moins une précieuse mine de renseignements.

Bibl. Reusch, *Movers*, Allgemeine deutsche Biographie XXII, Leipzig 1885, p. 417-418. ELip

MOZIA →Motyé.

MQABBA Localité de Malte où l'on a trouvé un trésor de *c.* 300 monnaies de bronze pun. (IGCH 2269), dont 255 sont entrées dans les collections du Musée National d'Archéologie à La Valette. Ces bronzes datent de la seconde moitié du IVe s. av. J.C. et proviennent vraisemblablement d'un atelier pun. de Sicile.

Bibl. C. Zammit, AntJ 1923, p. 157-158; G.K. Jenkins, *The Mqabba (Malta) Hoard of Punic Bronze Coins*, RSF 11 (1983), Suppl., p. 19-36. ELip

MÜNTER, FRIEDERICH (14.10.1761-9.4.1830). Évêque luthérien, éminent historien et orientaliste danois, auteur de la première histoire religieuse de Carthage: *Religion der Karthager* (Kopenhagen 1816, 1821²), dans laquelle il défendait déjà l'origine phén. de la religion carth., tout en admettant l'évolution locale de certaines pratiques religieuses.

Bibl. B. Kornerup, *Münter, Friederich*, Dansk Biografisk Leksikon X, København 1982, p. 197-201. ELip

MUSÉES L'origine des plus vastes collections d'antiquités phén. et pun. conservées dans les principaux m. européens (Paris, Louvre; Londres, British Museum; Istanbul, Musée Archéologique) remonte à l'époque coloniale. Depuis, bon nombre d'antiquités ont trouvé un point d'attache naturel dans les m. nationaux du Liban (Beyrouth) et de la Tunisie (Tunis, Carthage, Sousse), le réseau commercial assurant néanmoins des acquisitions ailleurs. Un deuxième facteur ayant contribué à cette distribution d'objets réside dans le phénomène de l'expansion phén. même. Voilà pourquoi on trouve de nos jours du matériel phén. (et pun.) dans les musées de la Syrie (Damas, Alep, Tartous), d'Israël (Jérusalem, Haïfa), de Chypre (Nicosie, Larnaka, Limassol, Paphos, Salamine), de Malte (La Valette, Rabat), jusqu'à Tanger au Maroc et à divers endroits en Espagne (Madrid, Barcelone, Séville, Gadès, Málaga, Ibiza), en passant par l'Italie (Rome, Cagliari et Sassari en Sardaigne, Palerme et Motyé en Sicile). Les fouilles entreprises dans ces pays assurent l'agrandissement des collections en question; l'Irak, où les tributs de la côte affluèrent à l'époque assyrienne, constitue un cas à part dans cette catégorie (Bagdad, Mossoul). Les missions scientifiques, la participation à des fouilles, les donations ou les acquisitions sont à l'origine de maintes collections phén. ou pun. aux États-Unis et en Europe: leur liste, trop longue, ne saurait être dressée ici. Il s'agit souvent d'une seule catégorie d'objets, comme les sceaux phén. du Musée des Beaux-Arts de Genève ou les ivoires du Badisches Landesmuseum de Karlsruhe. Signalons, pour terminer, le cas des collections d'étude formées par quelques universités, comme celle de l'Université Américaine de Beyrouth. EGub

MUSIQUE La m. phén. était très appréciée dans l'Antiquité; on connaît en Assyrie un musicien phén. du nom d'Abdélim (ARU 319) et Dion Chrys., *Or.* 33, 42, s'exprime ainsi au Ier s. ap. J.C.: "Aujourd'hui domine la musique des Arwadiens, les airs des Phéniciens vous séduisent et vous avez chéri ce rythme entre tous, comme d'autres le rythme spondaïque". Ce sont surtout les documents archéologiques qui nous renseignent sur les instruments employés en Phénicie lors des fêtes religieuses ou profanes. →Coupes en métal, →ivoires et sceaux reproduisant des (groupes de) musiciennes jouant d'une flûte simple ou double, instrument que l'on retrouve, tout comme le tambourin (pl. Vc), dans la →coroplastie et la →sculpture phén. et pun. La lyre à table d'harmonie de forme carrée, déjà attestée par un ivoire de →Kamid el-Loz au début du XIVe s., sera transmise par les Phéniciens à l'Occident et à l'Égypte, tout comme sa variante à table arrondie, p.ex. la *phorminx* d'une statuette en bronze de →Monte Sirai (Phén 246). Une plaquette d'ivoire de Préneste montre des harpes verticales et horizontales. En Phénicie comme en Occident, les fouilles ont mis au jour des cymbales et des clochettes en bronze.

Bibl. J. Ferron, *Les statuettes au tympanon des hypogées puniques*, AntAfr 3 (1969), p. 11-33; M.E. Aubet Semmler, *Los marfiles orientalizantes de Praeneste*, Barcelona 1971, p. 75-79; S. Moscati (éd.), *I Fenici e Cartagine*, Torino 1972, p. 56-59; R. Zadok, BASOR 230 (1978), p. 58a; StPhoen 1-2 (1983), p. 30-31; 3 (1985), p. 80-81; 5 (1987), p. 176-179. EGub

MUSOKARAS →Safi.

MYRES, SIR JOHN L. (3.7.1869-6.3.1954). Archéologue, historien et anthropologue anglais. Venu à Chypre à vingt-quatre ans pour participer aux fouilles du British Museum dans la nécropole d'→Amathonte, il devient rapidement le premier vrai spécialiste de l'archéologie locale grâce aux fouilles qu'il mène sur plusieurs sites de l'île, au catalogue du Musée de Nicosie, rédigé avec M. →Ohnefalsch-Richter et surtout à son catalogue de la coll. →Palma di Cesnola, première étude méthodique des antiquités chypriotes. Ses fouilles à →Kition-Larnaka, sur les sites de Batsalos (1894) et de Bamboula (1913), permirent la découverte de quelques inscriptions phén. (Kition III, A28, D9-10 et 12). Parmi ses nombreuses publications on retiendra ici le *Handbook of the Cesnola Collection of Antiquities from Cyprus* (New York 1914) et *The Amathus Bowl. A Long-Lost Masterpiece of Oriental Engraving*, JHS 53 [1933], p. 25-29.

Bibl. Man, juillet 1949, p. 73-74; JHS 74 (1954), p. 181-182. AHer

MYRIANDOS Nom typiquement anatolien, comme en témoigne la finale *-andos*, d'une cité de la côte cilicienne, sise dans la région du golfe d'Alexandrette, non loin de →Karatepe. Pline, *N.H.* V 80 l'appelle *Myriandrus*. Xén., *An.* I 4,6, décrit M. comme un important comptoir commercial (*empórion*) où séjournaient de nombreux Phéniciens. Au Ve s. av. J.C., M. aurait donc été, avec →Tarse, un des principaux points d'implantation phén. en →Cilicie.

Bibl. G. Kestemont, StPhoen 3 (1985), p. 135; R. Lebrun, StPhoen 5 (1987), p. 23. RLeb

MYRRHA / SMYRNA Fille de Théias ou de →Kinyras et mère d'→Adonis. Sa mère était la nymphe Orithye ou Kenchréis. Aphrodite lui inspira de l'amour pour son père et, grâce à l'aide de sa nourrice, M. s'unit à son père qui ne l'avait pas reconnue. Mais, quand il s'aperçut de l'inceste commis, il essaya de tuer M. qui demanda l'aide des dieux et fut transformée en arbre à myrrhe, qui donna naissance à Adonis.

Bibl. KlP III, col. 1524-1525. AMGCap

MYTHOLOGIE L'absence quasi complète de textes mythiques phén.-pun. limite notre connaissance de ce domaine. Seules les traditions classiques, éparses et tendacieuses, en particulier →Philon de Byblos, contiennent des allusions à la m. Cité par →Eusèbe de Césarée et imprégné d'→évhémérisme, Philon traite de la →cosmogonie, des origines de la civilisation, de la →théogonie, de la répartition des terres entre les dieux, de l'origine du sacrifice humain et d'un serpent primordial. Damascius (*De princ.* 125) résume la cosmogonie phén. de Moschos et d'Eudème de Rhodes, tandis que Nonnos et d'autres auteurs classiques semblent avoir conservé des éléments d'un mythe relatif à →Melqart. Lucien de Samosate fait écho au mythe d'→Adonis (*Syr.* 6-8). Le mythe de →Typhon est en rapport avec le →Baal Saphon et sa montagne sacrée. D'autres allusions se rencontrent çà et là, mais il manque un corpus organique, une véritable m. On a pas manquée de rapprocher les éléments connus des mythes d'→Ugarit, où interviennent nombre de divinités connues en Phénicie. Il faut toutefois éviter d'extrapoler à partir de ces traditions de l'âge du Bronze, d'autant que les auteurs classiques qui traitent de m. phén. sont souvent tardifs et influencés par l'érudition et la philosophie gr. ou rom. On ne sait donc ce qu'étaient exactement les authentiques mythes phén. et l'on soulignera leur rapport fréquent avec le rite qu'ils traduisent bien souvent en termes mythiques.

Bibl. S. Ribichini, *Questions de mythologie phénicienne d'après Philon de Byblos*, StPhoen 4 (1986), p. 41-52; id., *Poenus Advena*, Roma 1985, p. 19-40; I.Sh. Schiffmann, *Phönizisch-punische Mythologie*, Roma 1986; Bonnet, *Melqart*, p. 14-17, 400-404, 437. ELip-CBon

N

NABEUL En gr. *Néa pólis*, lat. *Neapolis*, ville de Tunisie sur la côte E. du →Cap Bon. On ne lui connaît pas d'autre nom, mais on a pensé que le gr. "Ville neuve", *Néa pólis*, traduit le pun. *Qart ḥadašt* ou *Maqōm ḥadaš* (→Macomades), qui ont le même sens. C'est, après Carthage, la ville d'Afrique du N. la plus anciennement mentionnée: Thc. VII 50,2 en parle au Ve s. comme d'un "comptoir carth." qui sert d'escale à des Grecs de Cyrène se rendant en Sicile, dont elle est située "à moins de deux jours et une nuit de navigation" (*c.* 215 km). Puis Skyl. 110 signale qu'une route venant de Carthage y aboutit en coupant la base de la péninsule du Cap Bon. Prise par →Agathocle en 310, au cours de sa guerre contre Carthage, elle est traitée par lui "avec humanité" (Diod. XX 17). En 148 av. J.C., au cours de la 3e guerre pun., Calpurnius Piso n'en empare et la réduit à l'état de cité tributaire (App., *Lib.* 110; Zon. IX 29; cf. Strab. XVII 3,13). Cité libre au temps d'Auguste (Pline, *N.H.* V 3), elle bénéficie au IIe s. ap. J.C. du statut de colonie sous le nom de *Colonia Iulia Neapolis* (Ptol. IV 3,8; CIL VIII,968). À cette époque, de grands personnages de rang sénatorial ou équestre, originaires de N., accordent leur protection à la ville, qui est encore mentionnée dans le *Bell. Afr.* 2, la *Tab. Peut.* VI 2 et l'*It. Ant.* 952. Elle a livré diverses inscriptions lat. (CIL VIII,968-976; cf. CIL II,105) et les fouilles entreprises en 1965 y ont mis au jour, entre autres, une grande maison rom.-africaine, décorée de riches mosaïques, ainsi qu'un complexe artisanal destiné à la fabrication de salaisons et de →garum.

Bibl. AATun, fe 30 (Nabeul), no 183; KlP IV, col. 33; PW XVI, col. 2130-2131; J.-P. Darmon, *Nympharum Domus*, Leiden 1980; Desanges, *Pline*, p. 225-226; Lepelley, *Cités* II, p. 151-153. ELip

NAHR ED-DĀMŪR Fleuve qui se jette dans la Méditerranée entre Beyrouth et Sidon, au N. du promontoire de *Rās ed-Dāmūr*. Il porte déjà le nom de *Damoúras* chez Pol. V 68,9 et de *Tamúras* chez Strab. XVI 2,22. Son nom se rattache probablement au théonyme →*Dēmaroūs*, attribué par →Philon de Byblos à un fils adoptif de →Dagon (Eus., *P.E.* I 10,19) et père de →Melqart (I 10,27), qu'il assimile à Zeus et à Adôdos/Hadad (I 10,31), le dieu de l'orage (→Haddu). En effet, Philon évoque aussi la lutte de Démarous contre →Pontos, la "Mer" (I 10,28), ce qui peut être une référence à un mythe lié au *Rās ed-Dāmūr* et mettant en scène un monstre marin et un dieu de l'orage (cf. *dmrn* dans KTU 1.4, VII,39). Aucune des étymologies proposées pour le nom de Démarous ne s'impose.

Bibl. Baumgarten, *Commentary*, p. 195-197; Bonnet, *Melqart*, p. 20-23. ELip

NAHR EL-AWWĀLI →Bostan esh-Sheikh.

NAHR EL-KEBIR En gr. *Eleútheros*, fleuve débouchant dans la Méditerranée à la hauteur de →Cheikh Zenad. Malgré son faible débit, il a pu délimiter, dans l'Antiquité, les territoires d'→Arwad et d'Ullasa (→Orthosia), de Sumur (→Kazel, Tell) et d'→Arqa, puis d'Arwad et de Tripolis.
La plaine qu'il traverse, le *Mákrapedíon* de Strab. XVI 2,17, n'est pas encore explorée archéologiquement.

Bibl. Dussaud, *Topographie*, p. 91-92. EGub

NAHR EL-KELB Le N. el-K. ou Fleuve du Chien est le Lycus (loup) des Grecs et des Romains. Son nom est dû à une légende qui aurait mentionné une statue d'animal, taillée dans le rocher à l'embouchure du fleuve. Long de 30 km seulement, il prend sa source au pied du mont *Ṣannīn* et débouche, à 15 km au N. de Beyrouth, au pied de Ras el-Kelb. Ce promontoire, un des plus abrupts de la côte phén., a constitué un important obstacle pour les envahisseurs de la Phénicie. Diverses routes, taillées dans la falaise, témoignent de leur passage, tout comme les nombreuses stèles commémoratives, gravées dans le roc. On en trouve dix-sept s'échelonnant du XIIIe s. av. J.C. à la période contemporaine. Les plus anciennes sont trois stèles égyptiennes de l'époque de Ramsès II, cinq stèles assyriennes, dont l'une raconte la campagne d'Égypte d'Asarhaddon en 671 av. J.C., et une stèle babylonienne de l'époque de Nabuchodonosor II, relatant sa campagne au Liban. Sept autres stèles couvrent une période allant de l'époque hellénistique jusqu'à l'an 1946.

Bibl. F.H. Weissbach, *Die Denkmäler und Inschriften an der Mündung des Nahr el-Kelb*, Berlin-Leipzig 1922; Dussaud, *Topographie*, p. 61; R. Mouterde, *Le Nahr el Kelb*, Beyrouth 1932; J. Börker-Klähn, *Altorientalische Bildstelen und vergleichbare Felsreliefs* I-II, Mainz a/R 1982, nos 211-216. LBad

NAHR EL-LITANI →Litani.

NAHR IBRAHIM Nom actuel de l'ancien fleuve Adonis, qui surgit de la grotte d'→Afqa, sur le versant O. du Liban, et se jette dans la Méditerranée au S. de Byblos (Ptol. V 14,3; Strab. XVI 2,19; Nonnos XX 144; XXXI 127; Pline, *N.H.* V 78). Il doit son nom antique à la croyance qu'→Adonis a été enseveli sur ses rives (Schol. Den. Pér. 509) et que le sang du héros blessé, s'écoulant dans le fleuve, lui donnait la couleur rouge que le N.I. prend périodiquement en charriant du limon cuivré. À Byblos, ce prodige était le signal des Adonies (Luc., *Syr.* 8). D'après une autre étiologie, rapportée par →Philon de Byblos (Eus., *P.E.* I 10, 29), les eaux du fleuve se teignaient du sang d'Ouranos châtré par →Kronos. Au Bas-Empire, on attribuait la coloration périodique des eaux du N.I. au sang des Quarante Martyrs, célébrés dans de nombreux panégyriques du IVe s., et des sources de cette époque (Sozomène, *Hist. Eccl.* III 5; Zosime I 58) parlent d'un "feu" semblable à un astre qui se jetait dans le N.I., à une certaine période de l'année, en descendant du Liban.

Bibl. M.H. Pope, *El in the Ugaritic Texts*, Leiden 1955, p. 61-72; E. Lipiński, OLP 2 (1971), p. 14; B. Soyez, *Byblos et la fête des Adonies*, Leiden 1977, p. 53-67; Baumgarten, *Commentary*, p. 211-212. BZanQ-ELip

NAOS, NAISKOS Petite chapelle d'origine égyptienne, de forme carrée ou rectangulaire, abritant le tabernacle dans lequel l'image divine était placée ou représentée. L'entablement comprend une ou plusieurs corniches décorées d'un →disque solaire ailé et/ou d'une frise d'*uraei*. Au-dessus de l'architrave se trouvait parfois une superstructure préfigurant le *geison* et la *cyma* de l'architecture gr. Les n. sont préfigurés à l'époque →paléophénicienne par les niches de certains "obélisques" de →Byblos (1) (fig. 240) et des modèles de chapelles en terre cuite. Ces derniers se retrouvent en Orient et à Chypre jusqu'à l'époque perse (pl. Vb). Des ivoires du VIIIe s. préfigurent, à leur tour, des versions →égyptisantes et bidimensionnelles d'un groupe de n. en pierre provenant des nécropoles sidoniennes et datant du troisième quart du Ier mill. (fig. 241). Ce sont ces versions phénico-égyptisantes, parfois posées sur des socles à corniches, qui sont à l'origine d'une série d'édicules monumentales phén. (→Amrit: fig. 280; pl. Ic) et pun. (→Nora) des VIe-Ve s. et d'une importante série de stèles en forme de n. où l'impact hellénistique

Fig. 241. Naos en calcaire, Sidon (c. 750-500 av. J.C.). Paris, Louvre.

Fig. 240. Stèle en forme d'édicule, Byblos (XIXe-XVIIIe s. av. J.C.).

remplace l'aspect égyptien des modèles plus anciens. La superstructure des n. ou des kiosques de même forme pouvait être supportée par des piliers à chapiteaux éoliques, hathoriques (fig. 22) et ioniques (fig. 242); les corps d'autres piliers sont décorés d'une ou de plusieurs rangée(s) de verticilles suggérant une confusion avec les →thymiatères (fig. 232).

Bibl. Hölbl, *Kulturgut*, p. 354-389; W. Culican, *Opera Selecta*, Göteborg 1986, p. 481-493; E. Gubel, *Une nouvelle scène de culte phénicien à l'époque perse*, StPhoen 4 (1986), p. 263-276. EGub

NARAGGARA Aujourd'hui Sakiet Sidi Youssef, ville numide à l'actuelle frontière algéro-tunisienne, à 33 km à l'O. de →Sicca Veneria. Le toponyme, une épigraphe libyque (RIL 570) et une inscription bilingue lat.-néopun. (NP 128 = CIL VIII, 4636 = 16811 = ILAlg I, 1186) attestent l'origine pré-rom. de la localité, que l'on est porté à distinguer de la N. où, selon Liv. XXX 29,3, l'armée rom. de →Scipion (5) avait campé avant la bataille de →Zama, en 202. Le texte de Pol. XV 5,14, tel qu'il nous est parvenu, donne cependant le nom de *Márgaron* à cette dernière localité.

Bibl. AAAlg, f^{e} 19 (El Kef), n° 73; PW XVI, col. 1698-1700; Gsell, HAAN III, p. 261-262; Lepelley, *Cités* II, p. 150; Huß, *Geschichte*, p. 417 (n. 109). ELip

Fig. 242. Plaquette en terre cuite représentant un édicule en forme de naos (Ve s. av. J.C.). Paris, Louvre.

NARBOLIA Localité de Sardaigne où l'on a trouvé des statuettes pun. en terre cuite.

Bibl. S. Moscati, *Statuette puniche da Narbolia*, ANLR, 8e sér., 23 (1968), p. 197-203. ELip

NAUCRATIS En gr. *Naúkratis*, actuellement *Kôm Ge'if*; ville et port marchand sur la branche canopique du Nil, *c.* 20 km à l'O. de Saïs. Sous Amasis (570-526), N. était le seul *empórion* de l'Égypte avec une population de diverses provenances. Au IVe s. au plus tard, N. était une *polis*; elle avait son propre monnayage, exportait du blé, de la poterie, du linge, du papyrus, de la →faïence. Elle importait de l'huile d'olive, du vin et surtout de l'argent. La fondation d'Alexandrie diminua son importance, mais elle continua à frapper monnaie et garda une partie du commerce égyptien. Les →Lagides et, plus tard, les Romains reconnurent sa structure de *polis*. Nombre de →scarabées en faïence des VIIe-VIe s. av. J.C., retrouvés dans des nécropoles phén.-pun., proviennent de N., où les fouilles ont mis au jour un atelier fabriquant des scarabées (→glyptique). On suppose que l'industrie de la faïence était en partie aux mains de négociants chypriotes ou phén., dont la présence est suggérée par des inscriptions et des sculptures chypriotes, un graffito phén. sur amphore, un sceau en forme de cartouche et un nom tel que celui d'Hérostratos.

Bibl. KlP IV, col. 10; LÄg IV, col. 360-361; PECS, p. 609-610; M.M. Austin, *Greece and Egypt in the Archaic Age*, PCPhS 1970, Suppl. 2, p. 22-33; A. Bernand, *Le delta égyptien d'après les textes grecs* I/2, Le Caire 1970, p. 575-863; W.M. Davis, GM 35 (1979), p. 13-23; G. Hölbl, *Beziehungen der ägyptischen Kultur zu Altitalien* I, Leiden 1979, p. 207-212; J. Boardman, *The Greeks Overseas*, London 1980[3], p. 118-133; W.D.E. Coulson - A. Leonard, *Cities of the Delta* I. *Naukratis*, Malibu 1981. PDils

NAVIGATION La situation géographique de la Phénicie, comprimée entre la montagne et la mer, et sa fonction traditionnelle d'intermédiaire commercial lui assignaient une destinée maritime. Très tôt, ses marins pratiquaient la n. au long cours. Les sources littéraires antiques, de la Bible (*1 R.* 10,22) aux géographes en passant par Homère (*Od.* XV 415), font aux Phéniciens et aux Puniques une réputation de grands navigateurs dans le domaine de l'exploration et celui du →commerce. Aucun →périple phén. ne nous est directement parvenu, mais l'expédition de Néchao (610-594) et le périple d'Hannon (VIe/Ve s.) laissent supposer une exploration des côtes de l'Afrique jusqu'à un point encore indéterminé, tandis que Himilcon aurait accompli un voyage jusqu'aux Îles Britanniques. Indépendamment de ces voyages exceptionnels, leur seule extension commerciale jusqu'aux confins occidentaux de la Méditerranée assurait la réputation des navigateurs phén.-pun. Comme les Grecs, ceux-ci ne naviguaient qu'à la belle saison, mais on a minimisé leurs possibilités en les supposant incapables d'étapes supérieures à 35 km de n.: les Phéniciens auraient ainsi pratiqué essentiellement le cabotage diurne. En réalité, certains périples sont évalués en jours et nuits de n. et, d'après Aratos, *Phaenomena* 37-44, les Phéniciens naviguaient aussi de nuit en se guidant sur la Petite Ourse (cf. Cic., *N.D.* II 106; *Acad.* II 66). Cette n. nocturne suppose des trajets loin des côtes, toujours périlleuses de nuit. Les Phéniciens ne devaient donc pas hésiter à se lancer en haute mer où ils pouvaient éventuellement utiliser les →courants marins du large — faibles toutefois en Méditerranée — et surtout certains vents réguliers. Cela n'exclut évidemment pas le cabotage, et les fréquents relais que ce dernier nécessitait devaient être utiles également aux navires de haute mer lors des changements de temps, rapides en Méditerranée. Pour ces étapes, les Phéniciens préféraient des îles ou des caps abrités des vents dangereux, assez élevés pour dominer les environs et assurer une position fortifiée, avec un point d'eau, un mouillage sûr, éventuellement réaménagé artificiellement, et un lieu où tirer le navire au sec. Leurs itinéraires étaient ainsi jalonnés de stations d'importance diverse. Les Phéniciens, sur leurs lents →navires incapables de remonter convenablement au vent et propulsés à la rame par calme plat, étaient aussi des navigateurs patients qui savaient attendre longtemps à une étape un vent favorable ou la conclusion d'une affaire. Le temps ne comptait guère au regard du but à atteindre pour ceux qu'→Homère qualifiait de "marins renommés, mais gens rapaces".

Bibl. P. Cintas, *Contribution à l'étude de l'expansion carthaginoise au Maroc*, Paris 1954; G. Bass, *History of Seafaring Based on Underwater-Archaeology*, London 1972; J. Rougé, *La marine dans l'Antiquité*, Paris 1975; R.R. Stieglitz, *Long-Distance Seafaring in the Ancient Near East*, BA 47 (1984), p. 134-142; L. Casson, *Ships and Seamanship in the Ancient World*, Princeton 1986[3]. JAlex

NAVIRES D'importants progrès ont été réalisés ces dernières années dans la connaissance de l'ensemble des marines antiques, grâce surtout à l'étude des →épaves qui occupe une place capitale à côté de celle des textes, pas toujours clairs, et des documents figurés qui souvent évoquent plus qu'ils ne représentent, schématisent, se plient aux conventions artistiques, se ressentent du degré d'habileté et du métier de leur auteur. Les flottes de commerce et de guerre phén. et carth. jouissaient d'une solide réputation en raison de l'ordre qui y régnait (Xén., *Oec.* VIII 11) et de la technique mise en œuvre, dont témoignent maintes sources tant orientales que classiques: plusieurs créditent les architectes navals de Tyr, de Sidon, de Carthage, de la mise au point et de l'amélioration de techniques constructives et de la conception de bâtiments nouveaux, ainsi la quadrirème carth. Les différents types de n. qui les composaient, lourds bateaux marchands à la coque arrondie, appelés *gaulos, hippos*, selon leur taille, semble-t-il, transports de troupes, galères rapides et puissantes à un ou plusieurs rangs de rames, apparaissent dans les récits des Anciens et sur une série d'images: reliefs assyriens (Phén 92), modèles en terre cuite, gravures ou très bas reliefs sur des autels de →Kition et d'→Akko ou des →stèles du *tophet* de Carthage, peinture à →Kef el-Blida et dessins à →Grotta Regina, sceau ou revers de monnaies (fig. 250: 3-5,7,8; 251: 1,2; pl. XIa). Les découvertes, celles des restes de galères monorèmes du IIIe s., coulées au large de Marsala (→Lilybée), et de l'épave d'un n. de commerce de la fin du VIe ou du début du Ve s., signalée récemment à Maargan Michael par E. Linder, complètent notre information; ainsi, l'éperon retrouvé d'un vaisseau de Marsala et surtout celui de bronze, découvert à →Atlit, permettent-ils de mieux saisir le mode d'emploi de cette arme redoutable. Enfin, fondées sur des bases archéologiques et sur le savoir-faire d'artisans, des tentatives de reconstruction de n., p.ex. de la galère de Marsala, se font jour, même si aucun modèle de vaisseau carth. n'a encore fendu les flots, comme le fit, voici peu, une trirème athénienne.

Bibl. BRL², p. 276-279; Gsell, HAAN II, p. 443-454; L. Basch, *Phoenician Oared Ships*, MarMir 55 (1969), p. 139-162, 227-245; S. Moscati (éd.), *I Fenici e Cartagine*, Torino 1972, p. 111-115, 685-690; L. Basch - H. Frost, *Another Punic Wreck in Sicily: its Ram*, IJNA 4 (1975), p. 201-228; P. Bartoloni, *Le figurazioni di carattere marino rappresentate sulle più tarde stele di Cartagine*, RSF 5 (1977), p. 147-163; 7 (1979), p. 181-191; A. Göttlicher, *Materialien für ein Corpus der Schiffsmodelle im Altertum*, Mainz a/R 1977; H. Frost et al., *Lilybaeum (Marsala). The Punic Ship. Final Report*, NotSc 30 (1976), Suppl., Roma 1981; E. Linder - Y. Ramon, *A Ram of an Ancient Warship* (hb.), Qadmoniot 14 (1981), p. 39-43; M.-C. De Graeve, *The Ships in the Ancient Near East (c. 2000-500 B.C.)*, Leuven 1981; E. Strömberg Krantz, *Des Schiffes Weg mitten im Meer*, Lund 1982; H. Frost, *The Excavation and Reconstruction of the Marsala Punic Warship*, ACFP 1, Roma 1983, p. 903-907; K. Westerberg, *Cypriot Ships from the Bronze Age to c. 500 B.C.*, Gothenburg 1983; L. Casson, *Ships and Seamanship in the Ancient World*, Princeton 1986³; D. Sperber, *Nautica Talmudica*, Ramat Gan 1987; M. Artzy, *On Boats and Sea Peoples*, BASOR 266 (1987), p. 75-84; L. Basch, *Le musée imaginaire de la marine antique*, Athènes 1987, p. 303-336, 396-398; *I Fenici*, Milano 1988, p. 72-77; D. Jones, *Glossary of Ancient Egyptian Nautical Titles and Terms*, London-New York 1988; →Gelidonya; →Ulu Burun. JDeb

NEAPOLIS →Leptis Magna; →Limassol; →Macomades; →Nabeul; →Santa Maria di Nabui.

NEBI YUNIS De N.Y., à 50 km au N.-E. de Gaza, proviennent un ostracon en écriture aram., mais avec des noms de personnes phén., et l'inscription RÉS 367, trouvée en dehors des fouilles régulières. L'objet qui la portait semblerait être une table d'offrande, dont on ignore l'actuel lieu de conservation. Seule la découverte d'estampages en a permis une récente étude épigraphique, philologique et artistique. Datable entre la fin du IIIe et le début du IIe s., elle fut publiée par J.M. Lagrange, tandis que M. Lidzbarski la déclarait fausse. Des découvertes postérieures ont toutefois montré que les noms propres, qu'il considérait comme inventés par le faussaire, sont attestés dans l'épigraphie phén. et dans la documentation ugaritique. Mais, à la l. 1, apparaît une mention du terme *mlk* (→*molk* 2A) en rapport avec le dieu →Eshmun, ce qui est étranger aux sources connues à ce jour. Enfin, le terme *nṣb* à la l. 1 convient mal à une table d'offrande. Il semble donc plus prudent de ne pas se prononcer sur son authenticité. On peut toutefois penser que la l. 1 a été ajoutée par le faussaire pour rendre l'inscription plus intéressante.

Bibl. F.M. Cross, *An Ostracon from Nebi Yunis*, IEJ 14 (1964), p. 185-186; B. Delavault - A. Lemaire, RSF 7 (1979), p. 24-26, n° 48; id., *Une stèle* molk *de Palestine dédiée à Eshmoun ? RÉS 367 reconsidéré*, RB 83 (1976), p. 569-583; C. Picard, *Le monument de Nebi Yunis*, ibid., p. 584-589; G.C. Heider, *The Cult of Molek. A Reassessment*, Sheffield 1985, p. 182-185; A. Gianto, *Some Notes on the Mulk Inscription from Nebi Yunis (RÉS 367)*, Biblica 68 (1987), p. 397-401. FIsr

NÉCROPOLES 1 Phénicie La côte phén., encore très incomplètement prospectée, a livré quatre n. où les modes d'ensevelissement utilisés dans les sépultures sont l'inhumation et l'incinération. On a dégagé 178 sépultures dans le cimetière de →Khaldé (Xe-VIIIe s.), situé à *c.* 10 km au S. de Beyrouth (fig. 194). Dans cette nécropole, où la pratique de l'inhumation est majoritaire, des ossements calcinés ont été retrouvés contenus dans des amphores. À Tell Rachidiyé (→Usu), situé à 4 km au S. de Tyr, une n. a été découverte à l'E., au pied du tell. Des trois →tombes mises au jour en 1903, seule une, qui contenait des amphores dans lesquelles se trouvaient des ossements incinérés, était bordée de banquettes pour recevoir des inhumations. Les deux autres tombes, ainsi que celles découvertes en 1975, n'ont révélé que des restes incinérés contenus dans des amphores (fig. 377). D'autres inhumations ont été retrouvées lors des fouilles de 1942 et 1943. Le site d'→Akzib (VIIIe s.), situé sur la côte à 14 km au N. d'Akko, comprend trois cimetières où des inhumations ont été découvertes parallèlement à des ossements incinérés déposés à même le sol des tombes, ou contenus dans des amphores. À →Atlit (VIIe s.), situé à 20 km au S. de Haïfa, la pratique de l'incinération est majoritaire. Sur les 18 tombes fouillées, seule une (fin VIIe s. - début VIe s.) contenait l'inhumation d'une adolescente. Tous les dépôts de crémation étaient déposés à même le sol, à l'exception d'une seule tombe où les ossements avaient été recueillis dans une amphore. L'éventualité d'une orientation rituelle respectée dans ces nécropoles, qui serait une indication des coutumes funéraires à l'époque phén., ne semble pas concluante. À Atlit, où l'on a retrouvé le plus de dépôts de crémation, les orientations sont variables. Dans la perspective de l'inhumation, l'orientation E.-O. est majoritaire à Akzib, à l'exception de la "tombe à ciste", la plus ancienne, où les squelettes reposent du S. au N. À Khaldé, il y a une nette prédominance du N. au S. S'il faut renoncer, dans l'état actuel de la documentation, à tracer les grandes lignes des pratiques funéraires phén., on peut souligner que dans le cas où l'incinération est utilisée, la majorité des ossements retrouvés brûlés n'ont subi qu'une crémation partielle. L'usage funéraire de l'incinération ne fait pas partie des pratiques du monde oriental et sémite. Il semble avoir eu une diffusion assez limitée dans le temps et n'apparaît qu'après les grands mouvements des "Peuples de la Mer" *c.* 1200 av. J.C. L'introduction de ce mode d'ensevelissement, qui se serait fait sous l'influence des Grecs de l'époque géométrique, ne correspond pas, pour certains, à un rituel proprement dit, mais à un usage commode qui consiste à faire "place nette" au moment d'une nouvelle inhumation. Cette prati-

Fig. 243. Stèle funéraire, Carthage (c. IIIe s. av. J.C.). Tunis, Bardo.

Fig. 244. Cippe funéraire, Tharros, nécropole S. (VIe-Ve s. av. J.C.). Cagliari, Musée National Archéologique.

que, qui ne s'est de toute façon jamais complètement substituée au mode traditionnel par inhumation, disparaît après le VIIe s. ou, au plus tard, après le VIe s.
CDoum

2 Monde punique Divers indices donnent à penser que les n. représentent pour les Puniques des aires sacrées et sont à ce titre, inviolables. Dans l'Occident méditerranéen, elles sont de préférence repoussées à la périphérie des cités. Leur mode d'extension varie selon les sites: à →Palerme, à →Utique, elles se développent en s'étirant et, au besoin, en s'étageant sur plusieurs niveaux; à →Carthage, tout en préservant aussi leur unité, elles se déploient, à peu près en arcs concentriques, autour du noyau urbain; ailleurs, p.ex. à →Cagliari ou à →Olbia, elles se dédoublent et évoluent en ensembles opposés de part et d'autre de la ville des vivants, ce qui serait plutôt la tendance commune.

Leur organisation spatiale ne suit pas de règle constante: elle semble, en général, bien plus liée à la nature ou à la configuration du terrain qu'à la volonté de se conformer à des prescriptions rituelles ou de ménager des aires de service communautaire, telles qu'allées ou édifices de culte. Et même si des groupes de →tombes sont établis suivant une même orientation ou un même alignement dans un secteur, cet ordre, souvent rompu par des tombes isolées, varie d'un îlot de sépultures à un autre. À Carthage, on a pu établir, pour les époques tardives, des corrélations entre l'implantation de certains hypogées et les lignes de plus grande pente des collines. Par ailleurs, la crémation des corps qui, en certains lieux, était réalisée dans la tombe, pouvait aussi se faire dans / sur un *ustrinum*, "brûloir", que l'on a parfois retrouvé sans toutefois pouvoir justifier le choix de son implantation.

On ignore si les tombes archaïques se signalaient dans les n. par des monuments de surface disparus parce que faits de bois ou constitués d'éléments fragiles. On sait par contre que divers monuments, peut-être commémoratifs, qui surmontaient parfois plusieurs puits en même temps et dont certains semblent avoir servi de lieux de culte, avaient dans certains cas été utilisés après le Ve s. On a retrouvé en effet, sur des sites pun. ou de tradition pun. postérieurs à cette date, des →stèles (2B: fig. 243, 245) (Carthage, →Tipasa, →Lilybée), des cippes (→Tharros [fig. 244], →Thapsus), des autels (Carthage) et des constructions diverses, telles que des demi-cylindres couchés (Carthage), des édicules (Sidi Yahia [→Bizerte], →Gurza), des →mausolées (→Sabratha, →Dougga).

Inhumation et incinération sont des →pratiques funéraires couramment relevées dans les n. pun. d'Occident; toutefois, alors que l'inhumation est généralement prédominante avant la fin du Ve s., après cette date, elle est largement concurrencée, voire supplantée, par l'incinération. Suivant les sites, les sépultures relevant de rites différents sont séparées ou imbriquées. En tout cas, des hypogées de caractéristiques semblables sont fréquemment regroupés au sein d'une même zone ou d'une même couche géologique.
HBenS

Fig. 245. Stèle-statue funéraire, Gammarth (IIIe s. av. J.C.). Tunis, Bardo.

Bibl. T. Macridy, *À travers les nécropoles sidoniennes*, RB 13 (1904), p. 547-572; C.N. Johns, *Excavations at Pilgrims Castle Atlit*, QDAP 6 (1937), p. 121-152; M. Chéhab, *La vie du musée*, BMB 6 (1942-43), p. 85-87; R. Saidah, *Fouilles de Khaldé*, BMB 19 (1966), p. 51-90; S. Moscati (éd.), *I Fenici e Cartagine*, Torino 1972, p. 241-273; C. Doumet, *Les tombes IV et V de Rachidieh,* AHA 1 (1982) p. 89-135; M.W. Prausnitz, *Die Nekropolen von Akhziv*, H.G. Niemeyer (éd.), *Phönizier im Westen*, Mainz a/R 1982, p. 31-44; H. Benichou-Safar, *Les tombes puniques de Carthage*, Paris 1982.

NÉPHÉRIS En lat. *Neferis*, gr. *Népheris*; ville et place forte carth. à la base du →Cap Bon (App., *Lib.* 102.108.111.126; Strab. XVII 3,16; Liv., *Per.* LI), à *c.* 30 km au S.-E. de Tunis. Bâtie sur la colline escarpée de *Hanšir Bu Baker*, qui domine une riche et fertile vallée arrosée par un affluent de l'oued Miliana, N. joua un rôle important dans la 3e →guerre pun.: les Romains y furent d'abord mis en échec par →Hasdrubal (15), mais →Scipion (8) Émilien finit par s'en emparer dans l'hiver de 147/6. À l'époque rom. (CIL VIII,12401-12402), un temple de →Saturne s'élevait en dehors de l'agglomération, au col de Sadi Salem, où l'on a trouvé de nombreux ex-voto, dont plusieurs sont dédiés à Saturne *Sobare(n)sis*. Cette épithète transcrit probablement un participe phén.-pun. *ṣōbar*, "qui entasse (le blé)", d'après l'hb. *ṣbr* (cf. *Gn.* 41,35.49), et, dans cette hypothèse, correspond exactement au lat. *Frugifer*, dont elle peut même être une traduction qui témoignerait de l'usage du pun. dans le culte traditionnel du début de l'occupation rom. Par ailleurs, une inscription trouvée près de N., à Oued-Kitan, et datant de *c.* 200 ap. J.C. est dédiée à Saturne invoqué sous le nom pun. d'*Adōn*, "Seigneur".

Bibl. AATun, f^e 29 (Grombalia), n°s 30 et 39; Gsell, HAAN III, p. 360-362, 366, 393-394; M. Leglay, *Saturne africain. Monuments* I, Paris 1961, p. 84-92; A. Beschaouch, Africa 4 (1969-70), p. 121-122; Huß, *Geschichte*, p. 444-447, 451-454.

ELip

NEPTUNE →Poséidon.

NERGAL Le texte phén. d'une inscr. bilingue du →Pirée (CIS I, 119 = KAI 59), datée du IIIe s. av. J.C., mentionne un grand-prêtre de N. (*Nrgl*), le dieu babylonien des Enfers, de la guerre et de la peste, qui fut assimilé à Héraklès à l'époque gr.-rom., notamment à →Palmyre, à Hatra et à →Tarse. "N. de Tarse" (*Nrgl Trz*) est représenté sur deux monnaies de la fin du Ve s. av. J.C., tenant l'arc et une lance ou un sceptre, et sur l'une, debout sur un lion, à droite. Cette iconographie rappelle celle d'Héraklès sur des monnaies contemporaines de →Lapéthos et pourrait indiquer que l'identification de N. à Héraklès remonte au moins au Ve s. av. J.C., sans qu'il soit nécessaire de recourir à l'hypothèse d'une médiation de →Melqart dans ce processus syncrétiste. Dès lors, il faut peut-être concevoir le N. du Pirée à l'image d'un Héraklès oriental ou de N. de Tarse, qui est également figuré dans une attitude hiératique.

Bibl. H. Seyrig, *Héraclès-Nergal*, Syria 24 (1945), p. 62-80; W. Culican, *The Iconography of Some Phoenician Seals and Seal Impressions*, AJBA 1/1 (1968), p. 50-103, surtout

p. 100-103; E. von Weiher, *Der babylonische Gott Nergal*, Kevelaer-Neukirchen-Vluyn 1971 (cf. W.G. Lambert, BiOr 30 [1973], p. 355-363); G.K. Jenkins, *Two New Tarsos Coins*, RNum, 6e sér., 15 (1973), p. 30-34; P. Chuvin, *Apollon au trident et les dieux de Tarse*, Journal des Savants 1981, p. 305-326; P. Steinkeller, *The Name of Nergal*, ZA 77 (1987), p. 161-168; Bonnet, *Melqart*, p. 148-155.
CBon-ELip

N'GAOUS En lat. *Nicivibus*, gr. *Nísibes*, arabe *Niqāwus*, bourg indigène d'Algérie, à 80 km au S. de Sétif, renommé pour ses →stèles (2A) votives à →Saturne, datables du IIIe s. ap. J.C., dont les inscriptions lat. mentionnent le *sacrum* [*m*]*ag(num) nocturnum mor*[*c*]*homor*, ou *mochomor*, ou encore *molc*[*ho*]*mor*, dont le nom transcrit le phén.-pun. *mlk 'mr* (→molk). Les formules rituelles *anima pro anima, sanguine pro sanguine, vita pro vita* et *agnum pro vicario*, qu'elles utilisent, révèlent la pratique du sacrifice de substitution offert par les parents dans le but de sauver la vie de leur fils (fig. 246). Les stèles de →Djemila offrent un commentaire figuratif de ces formules rituelles de N.

Bibl. AAAlg, fe 26 (Bou Taleb), no 161; J.-G. Février, *Le rite de substitution dans les textes de N'Gaous*, JA 250 (1962), p. 1-10; M. Leglay, *Saturne africain. Monuments* II, Paris 1966, p. 68-75; id., *Saturne africain. Histoire*, Paris 1966, p. 335-350; Lepelley, *Cités* II, p. 440-441.
ELip

NICOSIE →Lédra.

NIKOKLÈS En gr. *Nīkoklēs*, lat. *Nicocles*, nom porté par plusieurs personnages princiers de Chypre au IVe s. av. J.C.

1 N., fils d'→Évagoras I, roi de →Salamine *c.* 374-361. L'image du prince sage et vertueux qu'en donne Isocrate (*Ad Ni., Ni., Ev.*) contraste vivement avec la réputation de faste et de débauche dont d'autres sources se font l'écho, lui attribuant "une mort violente".
MYon

2 N., fils du roi Pasikratès de Soloi. Il prit part aux campagnes d'→Alexandre à partir de 331.

3 N., fils et successeur de Timarchos, vassal d'Alexandre et roi de →Paphos jusqu'à sa mort en 309 (Diod. XX 21).
ELip

Bibl. Ad 1: KlP IV, col. 107; PW XVII, col. 350-351; M.-J. Chavane - M. Yon, *Salamine de Chypre* X, *Testimonia Salaminia* 1, Paris 1978.

Ad 2-3: KlP IV, p. 107-108; PW XVII, col. 351-352; H. Berve, *Das Alexanderreich* II, München 1926, p. 278-279; W.A. Daszewski, *Nicocles and Ptolemy: Remarks on the Early History of Nea Paphos*, RDAC 1987, p. 171-175.

Fig. 246. Stèle dédiée à Saturne avec mention du molchomor, *N'Gaous (IIIe s. ap. J.C.). Constantine, Musée.*

NIKOKRÉON DE SALAMINE En gr. *Nīkokréon*; dernier roi de →Salamine (332-310), fils et successeur de Pnytagoras. Célèbre par son goût pour le faste, il organisa des fêtes en Phénicie en l'honneur d'→Alexandre, fit des offrandes dans les sanctuaires gr. (Argos, →Délos, Delphes), protégea les artistes, mais se conduisit en tyran à leur égard. Après la mort d'Alexandre, il prit d'abord le parti de Ptolémée I, qui le récompensa par le titre de "stratège de Chypre". Mais cette alliance ne dura pas: en 311/310, assiégé par Ptolémée, il se donna la mort, avec toute la famille royale, au milieu de l'incendie du palais que rappelle un grand bûcher cénotaphe découvert dans la nécropole de Salamine (Tumulus 77).

Bibl. PW XVII, col. 357-359; H. Berve, *Das Alexanderreich* II, München 1926, p. 279; G.F. Hill, *A History of Cyprus* I, Cambridge 1940; V. Karageorghis, *Excavations in the Necropolis of Salamis* III, Nicosia 1973-74 (Tumulus 77); M.J. Chavane - M. Yon, *Salamine de Chypre* X, *Testimonia Salaminia* 1, Paris 1978.
MYon

NIMRUD En akk. *Kalḫu*, l'une des capitales de l'Assyrie. N. est un site-clé pour une juste appréciation de la civilisation phén., ne serait-ce qu'à cause des tributs et des butins de guerre que les rois assyriens y ont emmagazinés. La richissime collection de

→coupes en bronze découverte par H.A. Layard en 1849 comporte en effet plusieurs exemples que des critères d'ordre stylistique et iconographique permettent d'attribuer à la production d'une ou de plusieurs villes de la côte phén. (fig. 106). C'est également le cas pour plusieurs centaines d'→ivoires illustrant, de la façon la plus spectaculaire, la versatilité technique des Phéniciens dans ce domaine (fig. 162, 314-316; pl. IX-X). Des réserves d'une pâte bleue, trouvées *in situ* et servant à réparer les incrustations de ces plaquettes, suggèrent la présence d'artistes phén. (déportés ?) sur place. Ces derniers y résidaient probablement à côté de marchands, d'un corps diplomatique et d'une Cour royale en exil, dont les archives locales ont conservé quelques noms. D'autres documents de N. font allusion à la situation politique en Phénicie.

Bibl. DEB, p. 713-714; RLA V, p. 303-323; →coupes métalliques; →ivoires. EGub

NORA N., la plus ancienne fondation phén. de Sardaigne d'après Paus. X 17 et Solin IV 1-2, est située sur la péninsule de Capo di Pula, qui est rattachée par un isthme à la côte méridionale de l'île (Phén 345). Le premier document attestant une présence phén. à N. et le culte du dieu →Pumay est la stèle inscrite CIS I,144 = TSSI III,11, connue depuis 1773 (fig. 247). Sa datation, fondée seulement sur la paléographie, oscille entre la fin du IXe et la première moitié du VIIIe s. av. J.C. Des fouilles systématiques suivirent la découverte fortuite du →*tophet* en 1889, d'où proviennent plusieurs →stèles (3Ba) (Phén 248-249). Les →nécropoles, situées de part et d'autre de l'isthme, consistent surtout en tombes à puits, avec un →mobilier funéraire s'échelonnant entre le VIIe s. av. J.C. et l'époque rom. (Phén 242). Comme l'habitat phén. et pun. est enseveli sous la ville rom., abandonnée à une date incertaine, en tout cas après 700 ap. J.C., on ne connaît que quelques éléments du site originaire. L'acropole devait se situer sur la hauteur S.-O., appelée Coltellazzo (Phén 223), où l'on a relevé des ruines de tours et de →fortifications. Le premier établissement des colons a été localisé dans la baie au S.-E. de la péninsule et d'autres vestiges portuaires ont été identifiés au N.-E. et au N.-O. La place du marché pouvait se trouver sous le forum rom. Un lieu de culte rectangulaire avec puits, réutilisant des structures nuragiques et appelé "haut-lieu de Tanit", est venu au jour dans la partie la plus élevée de la péninsule. Une seconde aire sacrée se situe dans la zone S.-O., où les fouilles de G. Pesce ont mis au jour un grand temple rom., dit "sanctuaire des divinités salutaires et oraculaires", qui est l'héritier d'un sanctuaire plus ancien, remontant peut-être au VIe-Ve s. av. J.C. Dans son voisinage se trouvait un édicule rectangulaire (→naos), dont subsiste l'architrave décorée d'*uraei*. Des vestiges de l'habitat phén.-pun. apparaissent près de la côte S.-E. et au S. du "haut-lieu de Tanit", notamment des murs "à chaînage" et plusieurs citernes. Le réseau des rues rom. semble s'être superposé en partie au réseau pun.

Bibl. ANRW II/11,1, p. 512-514; PECS, p. 628; G. Patroni, *Nora, colonia fenicia in Sardegna*, MAnt 14 (1904), col. 109-268; G. Pesce, *Nora. Guida agli scavi,* Cagliari 1957; S.M. Cecchini, *I ritrovamenti fenici e punici in Sardegna*, Roma 1969, p. 60-68; S. Moscati - M.L. Uberti, *Le stele puniche di Nora*, Roma 1970; G. Chiera, *Testimonianze su Nora*, Roma 1978; M.G. Amadasi Guzzo - P.G. Guzzo, *Di Nora, di Eracle gaditano e della più antica navigazione fenicia*, AulaOr 4 (1986), p. 59-71. MGAmG

Fig. 247. Stèle inscrite de Nora (c. 800 av. J.C.). Cagliari, Musée Archéologique National.

NOVAR Beni Fouda, autrefois Sillègue, est le site de la ville rom. de *Novar*, dans la région de →Sétif (Algérie). La découverte fortuite d'un sanctuaire de →Saturne, à la fin du XIXe s., permit d'y mettre au jour 27 stèles des IIe-IIIe s. ap. J.C., remarquables par leurs grandes dimensions, le soin de l'exécution et l'iconographie. Outre Saturne (fig. 298), on vénérait à N. le Génie de N. (CIL VIII, 20429-20430), Cérès (RecConst 19 [1878], p. 403) et Mercure (CIL VIII, 20431).

Fig. 248. Stèle dédiée à Saturne, Novar (IIIe s. ap. J.C.).
Sétif, Musée.

Bibl. AAAlg, f^e 16 (Sétif), n° 216; M. Leglay, *Saturne africain. Monuments* II, Paris 1966, p. 242-251; H.G. Horn -C.B. Rüger (éd.), *Die Numider*, Köln 1979, p. 592-593. ELip

NUMIDIE **1 Population** La N., dont les limites ont varié selon les époques, doit son nom à l'ethnie libyco-berbère des Numides que les auteurs gr., suivis par nombre de Modernes, ont considérés comme des "nomades", d'après le gr. *nómades*. Cette étymologie, apparemment contredite par l'existence de clans déterminés, appelés "Numides" à l'époque rom., a créé le cliché littéraire de Numides non sédentarisés, dépourvus d'agriculture et de centres urbains. Quoi qu'en aient dit Pol. XXXVI 16 et les auteurs qui le suivirent (Strab. XVII 3,15; Val. Max. VIII 3; App., *Lib.* 106), la population de la N. n'attendit pas le règne de →Massinissa I pour mettre en culture ses plaines fertiles. Les nécropoles mégalithiques de la N., antérieures aux IIIe-IIe s., groupent par milliers des tombes de Numides qui y déposèrent leur poterie de paysans sédentaires. Certes, la région du Maghreb qui était le plus communément désignée dans l'Antiquité sous le nom de N. correspondait au N.-E. algérien et au N.-O. tunisien, où de vastes reliefs montagneux encastrent des plaines littorales ou des hautes plaines, également des sebkhas plus ou moins salées. Il y avait donc en N. des régions peu propices à l'agriculture, parcourues par des pasteurs nomades qui ne se sédentarisèrent que plus tard. La N. antique comptait ainsi des clans sédentaires et non sédentaires. Il n'est pas aisé d'identifier un noyau central de l'habitat des Numides, puisque des clans de ce nom se rencontrent autour de *Thubursicu Numidarum*, où l'on mentionne un *princeps gentis Numidarum* (ILAlg I,1297; 1341), dans la région de Bordj Medjana (CIL VIII,8813; 8814; 8826) et de Zouarine (CIL VIII, 16352), mais un évêché nommé *Numida* est attesté en Maurétanie Césarienne en 411 et des Nemadi vivent dans la Mauritanie actuelle. Quant au récit de Sall., *Jug.* 18, on n'en retiendra que la localisation de la N. aux abords du territoire carth.

2 Royaumes On ignore à quelle époque s'organisèrent les royaumes numides des →Masaesyles et des →Massyles que les →auteurs classiques (1) font connaître dans leurs récits de la 2e →guerre pun., qui marque l'entrée de la N. dans l'histoire proprement dite. Il ne fait pas de doute que deux royaumes numides coexistaient à la fin du IIIe s. av. J.C. avec pour rois, respectivement, →Syphax chez les Masaesyles et Gaia chez les Massyles (fig. 249). Leur suzeraineté s'étendait également sur des cités côtières. En tout cas, en 206, le port de →Siga, à l'embouchure de la Tafna, appartenait à Syphax (Liv. XXVIII 17) et, en 205, Thapsus →Rusicade était aux mains du roi des Massyles (Liv. XXIX 30; cf. Vibius Sequester, *Flumina*, s.v. *Thapsus*). Ces États étaient déjà de longue date en contact suivi avec les Puniques et subissaient l'influence de la culture matérielle, de la religion et de la langue de Carthage, utilisée dans les légendes des monnaies numides dès la fin du IIIe s. Le silence d'un Pseudo →Skylax au IVe s. tient probablement à sa route maritime et à ses escales, où le navigateur rencontrait les Puniques des comptoirs locaux, vivant en symbiose avec les princes indigènes. Du reste, ces Numides ne se distinguaient des Carthaginois ni physiquement ni culturellement. L'interpénétration des Libyques et des Puniques était grande, comme l'indique la généalogie des Carthaginois appelés *Lby* ou *Lbt* (→Libye) et comme le suggèrent les nombreuses alliances matrimoniales entre aristocrates carth. et chefs numides. Déjà au temps de la → guerre des Mercenaires, →Hamilcar (8) Barca promit une de ses filles au prince numide Naravas (Pol. I 78,8). Oezalcès, frère de Gaia, eut pour femme une nièce d'→Hannibal (6) (Liv. XXIX 29,12) et Sophonisbe dut pour des raisons diplomatiques épouser Syphax, après avoir été promise à Massinissa I (→Sophonibaal 3). Et ce dernier donna une de ses filles à un Carthaginois (App., *Lib.* 93; Orose, *Adv. Pag.* IV 22,8). La langue officielle et religieuse des royaumes numides aux IIIe-IIe s. était du reste le punique, cependant que le suffétat caractérisait le système d'administration municipale (→suffète), sans qu'on puisse prétendre que l'identité des titres recouvrait nécessairement les mêmes fonctions. La religion elle-même n'échappait point à cette fusion des mondes libyco-berbère et sémitique, comme le montre le culte de →Baal Hamon et de →Tanit, notamment au sanctuaire d'El-Hofra à →Constantine, de même que celui de Bonchor, une des sept divinités libyques du bas-relief de →Béja, dont le nom en fait un dieu auxiliaire de →Melqart. Une même interaction se manifeste dans le culte des morts, qu'illustrent les pratiques funéraires et la disposition des monuments sépulcraux. Cette assimilation des influences et des valeurs carth. ne gênait pas les options politiques pro-rom. de certains souverains numides. Ainsi, l'unification de la N. sous Massinissa I, allié aux Romains, se fit aux dépens de Syphax, dont l'engagement pro-carth. lors de la 2e guerre pun. entraîna la disparition de son royaume sous son fils →Vermina. À la mort de Massinissa I, Rome imposa toutefois un morcellement du pouvoir entre →Micipsa, →Mastanabal (1), et →Gulussa, exigence qu'elle réitéra en 118 et dont le rejet par →Jugurtha mena à une guerre cruelle, au terme de laquelle →Gauda, un membre maladif de la famille royale de N., se vit placer sur le trône par Rome. Un nouveau partage du pouvoir eut lieu à sa mort, en 88, entre →Hiempsal II et →Mastanabal II. →Juba I, le successeur de Hiempsal II, lequel avait retrouvé son trône grâce à Pompée, soutint tout naturellement la cause des Pompéiens, mais perdit son royaume après la victoire de César à →Thapsus, en 46 av. J.C. La N., à l'exception des territoires cédés à la →Maurétanie et de Cirta (Constantine) avec quelques cités qui formèrent une principauté éphémère sous l'autorité de →Sittius, devint ainsi une nouvelle province de l'→Afrique rom., l'*Africa Nova*, →Arabion, le dernier roi de N., ayant succombé à son tour en 41 av. J.C.

3 Occupation romaine L'administration rom. de la N. se heurta souvent à une opposition farouche des populations locales. Après la révolte de Tacfarinas, entre 17 et 24, réprimée avec l'aide des Maurétaniens (Tacite, *Ann.* II 52; III 20-21.32.73-74; IV 13.23-26), et celle des tribus maurétaniennes elles-mêmes, en 40-44, de nouveaux troubles éclatèrent en N., qui demeura longtemps un foyer de résistance à la →ro-

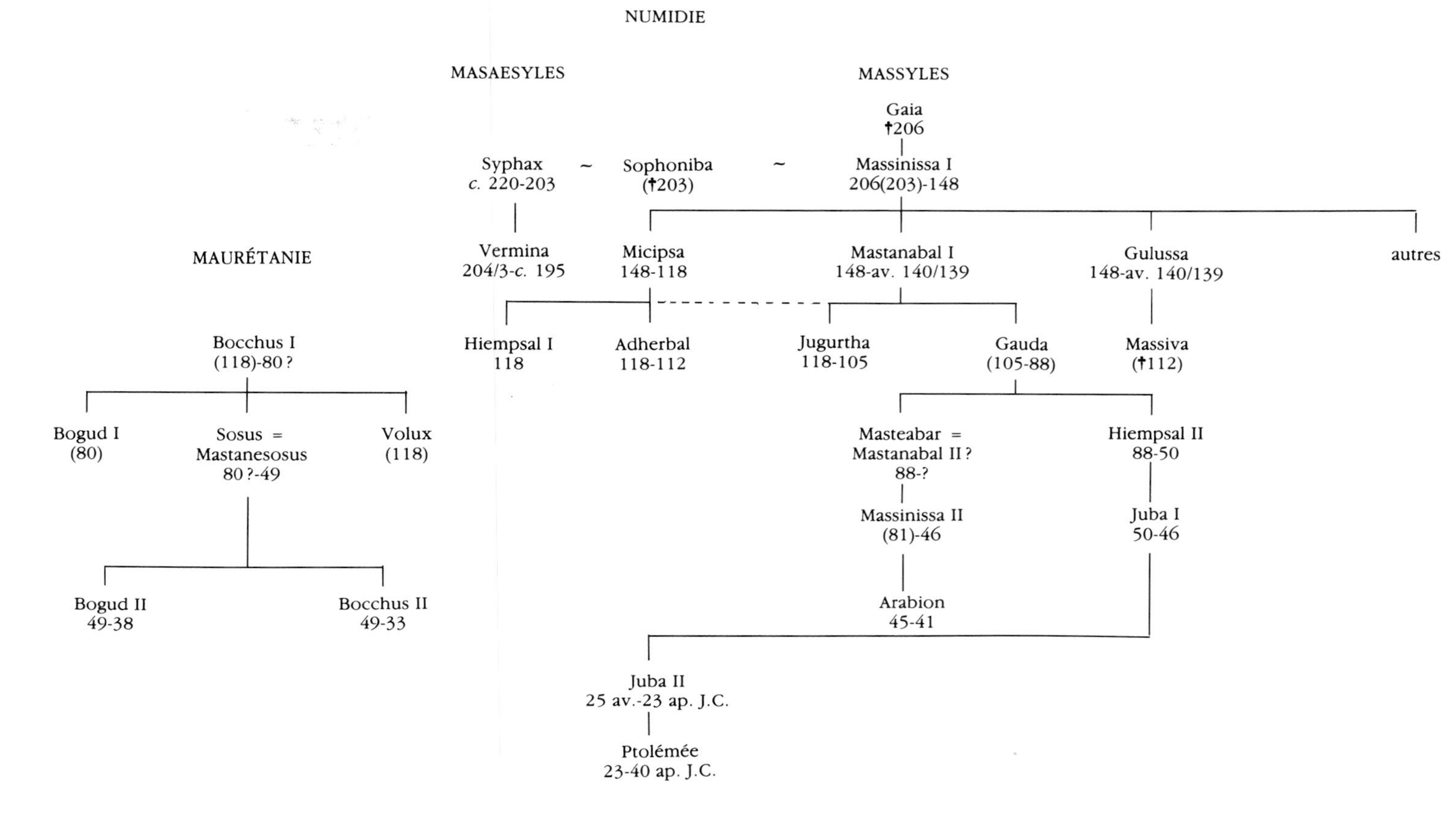

Fig. 249. Les dynasties maurétaniennes et numides.

manisation et d'agitations diverses, alimentées dans le S. par les Gétules et les →Garamantes. Malgré un *limes* particulièrement solide, destiné à protéger l'Afrique rom. des incursions des tribus méridionales, la N. souffrit de plus en plus de leurs razzias, tout en ne perdant pas le souvenir de son passé libyco-pun., dont la langue des paysans numides témoignait encore en plein Ve s. ap. J.C.

Bibl. ANRW II/10,2, p. 260-270, 315; Gsell, HAAN; C. Saumagne, *La Numidie et Rome. Massinissa et Jugurtha*, Paris 1966; M. Benabou, *La résistance africaine à la romanisation*, Paris 1976; C. Nicolet (éd.), *Rome et la conquête du monde méditerranéen* II, Paris 1978, p. 627-656; H.G. Horn - C.B. Rüger (éd.), *Die Numider*, Köln 1979; G. Camps, *Les Numides et la civilisation punique*, AntAfr 14 (1979), p. 43-53; Desanges, *Pline*, p. 17-18, 186-189, 239; F. Decret - M. Fantar, *L'Afrique du Nord dans l'Antiquité*, Paris 1981; G. Camps, *Les derniers rois numides: Massinissa II et Arabion*, BAC, n.s., 17B (1981 [1984]), p. 303-311.

MDub-ELip

Fig. 250. Monnayage des villes de la côte phén.: 1) Sidon, Baana, statère; 2) Sidon, Baana, statère; 3) Sidon, bronze (IVe s. av. J.C.); 4) Sidon, Straton I (an 13), double statère; 5) Sidon, bronze (IVe s. av. J.C,); 6) Arwad, tétrobole, (début du IVe s. av. J.C.); 7) Arwad, statère (400-350 av. J.C.); 8) Arwad, statère (IVe s. av. J.C.); 9) Tyr, Azzimilk I (an 23), didrachme; 10) Tyr, sicle (fin du IIe s. av. J.C.); 11) Arwad, drachme (c. 72 av. J.C.); 12) Arwad, tétradrachme (c. 72/1 av. J.C.); Byblos, bronze, règne de Macrin (217-218 ap. J.C.). Paris, Bibliothèque Nationale (1-3, 5, 6, 9); coll. privée (4, 7, 8, 10-12); Londres, British Museum (13).

Fig. 251. Monnayage phén.: 1) Byblos, Adarmilk, statère; 2) Sidon, Straton I (an 3), double statère; 3) Tyr, statère (c. 400-350 av. J.C.). Beyrouth, Musée National (1); Londres, British Museum (2); Paris, Bibliothèque Nationale (3).

NUMISMATIQUE Malgré l'importance de leur commerce, les Phéniciens et les Puniques frappèrent monnaie plus tard que les Lydiens et les Grecs. Les métaux précieux, qui servaient aux échanges, circulaient en barres de poids divers. Bien que les premières monnaies, aussi bien phén. que pun., datent du Ve s., les débuts et le développement du monnayage pun. en Occident est tout à fait indépendant de celui des Phéniciens de l'Orient.

1 Phénicie **A** *Époque perse* (fig. 250:1-9; 251; pl. XIa). En Phénicie, la frappe de monnaies a commencé dans le courant ou vers la fin du Ve s., d'abord dans quatre villes: →Byblos, →Tyr, →Sidon, →Arwad, qui frappent des pièces en argent. Au point de vue technique, une particularité propre au plus ancien monnayage phén. est la combinaison de parties en creux et en relief. Au point de vue des types, les premières monnaies de ces quatre cités figurent un navire, qui reflète l'importance de leur activité maritime. Des dieux y trouvent également place: →Dagon à Arwad, →Melqart à Tyr. Ce n'est qu'à Byblos que les légendes monétaires mentionnent, jusqu'à la conquête d'→Alexandre, le nom du roi et son titre "roi de *Gbl*"; à Sidon, on s'est contenté d'une ou de deux lettres initiales du nom du souverain, p.ex. *'b* pour *'Abdaštart*, →Straton I/III. Arwad n'a qu'une indication brève du nom de la ville: *m'* "d'A(rwad)". Les monnaies de Tyr portent au début des indications de valeur et, dans le courant du IVe s., des nombres marquant l'année de frappe, qui est également indiquée à Arwad. Le système est basé sur le statère de près de 14 g; à Sidon, on frappait beaucoup de doubles statères de *c.* 28 g, descendant à 25,5 g vers le milieu du IVe s.; en même temps, Tyr adopte l'étalon attique, un peu plus lourd que le phén. De ces pièces, celles de Tyr et surtout de Sidon connaissent la circulation la plus vaste, jusqu'en Anatolie, Perse, Égypte.

B *Époque gréco-romaine* (fig. 23, 40, 250:10-12). Lors de la conquête d'Alexandre, la plupart des villes cessent leur frappe propre, mais plusieurs, ainsi Tyr, Sidon, Arwad, →Akko, deviennent des ateliers monétaires pour Alexandre, ensuite pour les →Séleucides, puis pour les →Lagides. Néanmoins, les frappes autonomes reprennent en général au IIe s. Dès *c.* 260, et notamment *c.* 135-50, Arwad frappe à nouveau de magnifiques tétradrachmes de poids attique au buste de Tychè et à la Nikè; de la fin du IIe s. av. J.C. au milieu du Ier s. ap. J.C., Sidon frappe des sicles et des demis au buste de la Tychè au droit et, pour les sicles, avec l'aigle inspiré des monnaies ptolémaïques au revers. À →Tripolis, ce sont de beaux tétradrachmes aux bustes conjugués des →Dioscures. Tyr émet, jusqu'en 66 ap. J.C., une importante série de sicles à la tête juvénile de Melqart et, au revers, l'aigle ptolémaïque. Des frappes en bronze avaient commencé dès avant 350 à Sidon, notamment avec l'enlèvement d'Europe par le taureau figurant Zeus, depuis *c.* 160; on les rencontre ensuite à Arwad et à Tripolis. Dès la conquête rom., l'émission de bronze l'emporte et devient exclusive. Ces monnaies d'époque impériale, servant avant tout à la circulation locale, offrent des types intéressants, p.ex., à Byblos, un grand →bétyle dans un sanctuaire (fig. 250:13), →Astarté dans son temple; à Sidon, le char processionnel d'Astarté; à Tyr, des temples, les deux pierres sacrées dites →*Ambrosiai Petrai*, →Kadmos luttant contre un serpent, la fondation et la construction de Carthage en présence d'→Élissa-Didon, la transmission de l'→alphabet (4) aux Grecs; à →Beyrouth, Astarté ou →Poséidon dans leur temple respectif, →Eshmun entre deux serpents; à Tripolis, Astarté ou les Dioscures dans des temples aux formes souvent complexes.

2 Chypre L'influence phén. dans la production monétaire s'exprime avant tout à →Kition (fig. 252:1-6). Les émissions débutent sous →Baalmilk I (2) (479-449) avec la légende phén. *lB'lmlk*, "pour/de Baalmilk", au revers et, au droit, Héraklès-Melqart brandissant sa massue. →Az(z)ibaal (3) (449-*c.* 425), →Baalmilk II (3) (*c.* 425-400), →Baalrôm (1) (*c.* 400-392), →Milkyaton (392-361) et →Pumayyaton (3) (361-312) restent fidèles au type d'Héraklès, mais au lion assis se substitue un lion attaquant un cerf, allusion à la victoire des Perses sur les Athéniens

Fig. 252. Monnayage phén. de Chypre: 1) Kition, Baalmilk I; 2) Kition, Az(z)ibaal (revers); 3) Kition, Baalmilk II (revers); 4) Kition, Baalrôm; 5) Kition, Milkyaton; 6) Kition, Pumayyaton, or (revers); 7) Lapéthos, Démonikos II; 8) Lapéthos, Sidqimilk; 9) Lapéthos, Barik-Shamash (?); 10) Salamine, Évagoras II. Londres, British Museum (1-4, 6, 9), et Paris, Bibliothèque Nationale (5, 7, 8, 10).

qui avaient pour peu de temps occupé Kition (449). Toutes les légendes sont phén. avec le titre *mlk*, "roi", sur certaines pièces depuis Baalrôm *lmlk B'lrm, lmlk Mlkytn, lmlk Pmytn*. Ces deux derniers, à la suite d'→Évagoras I à →Salamine, introduisent le monnayage en or à côté de l'argent, selon l'étalon perse.

À →Lapéthos (fig. 252:7-9), également colonie phén., se rencontre le nom de →Sidqimilk (3e quart du Ve s.), *lṢdqmlk mlk Lpṭ*, mais avec une tête d'Athéna au droit et au revers, et *c.* 390 av. J.C. celui de →Démonikos II: bien qu'apparaissent comme types Athéna debout et un Héraklès de style tout à fait gr., la légende est phén., *lmlk Dmnks*, sur certaines de ses pièces. Comme à Sidon, le nom d'→Évagoras II de Salamine (368-351) figure parfois en abrégé sur les pièces: " ou ' (fig. 252:10). PNas

3 Carthage et le domaine punique A *Cités de Sicile* (fig. 253:1-3; 255:1). Les premières monnaies pun., en argent et en bronze, furent frappées en Sicile, *c.* 480 av. J.C. selon certains numismates, *c.* 430 selon d'autres. Elles portent, en caractères pun., le nom de →Motyé, *(h/')Mṭw'*, de →Palerme, *Ṣyṣ* ou *š b'l Ṣyṣ*, "des citoyens de Palerme", en gr. *Panormitan(ōn)*, puis d'autres villes: →Éryx, *'rk*, peut-être →Solonte, *Kpr'*, et →Rosh Melqart, *R(')š Mlqrt*, quelles qu'en soient la localisation et l'explication donnée à l'absence des dénominations inférieures au tétradrachme; les émissions de →Thermai portent la légende gr. *Thermitan(ōn)*. Destinées à circuler concurremment avec les monnaies des Grecs de Sicile, les émissions pun. sont conformes au système pondéral attique et leurs types se rattachent à l'iconographie des monnaies gr. de l'île, celles d'→Himère et de →Ségeste, puis de →Sélinonte, →Syracuse et →Agrigente. À Motyé, elles portent d'abord la tête de Gorgone au droit et, au revers, l'image parlante du palmier, en gr. *phoînix*, symbole de la →Phénicie. Puis apparaît le jeune cavalier d'Himère, la tête de l'Aréthuse syracusaine, interprétée peut-être en milieu pun. comme celle de →Tanit, le chien ségestain surmonté d'une petite tête féminine ou s'attaquant à un cerf, enfin l'aigle et le crabe agrigentins ou l'Aréthuse et le crabe syracusains. Palerme bat d'abord des monnaies avec

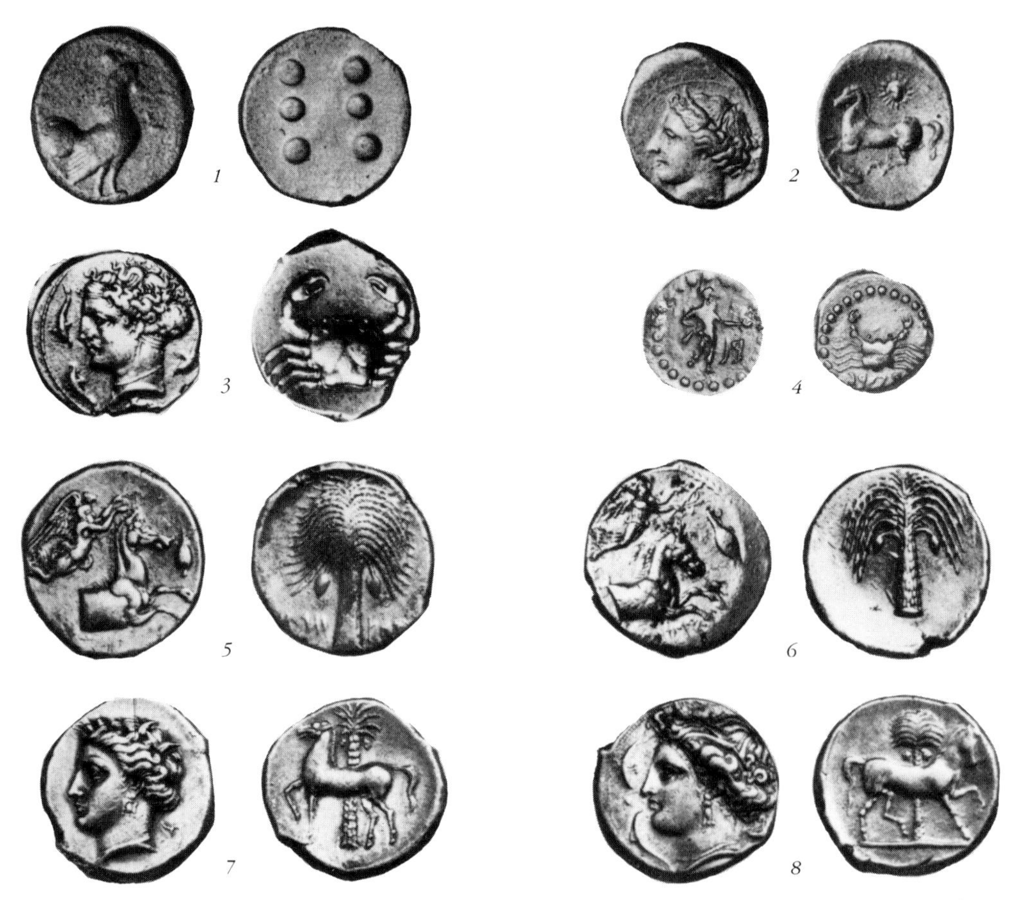

Fig. 253. Monnayage pun. et siculo-pun.: 1) Palerme, bronze, légende pun. Ṣyṣ *(c. 430 av. J.C.); 2) Palerme, bronze (IVe s. av. J.C.); 3) Motyé, tétradrachme (début du IVe s. av. J.C.); 4) bronze, lettres pun.* bp? *et légende pun.* Ršby, *Ruspe (IIe s. av. J.C.); 5-6) tétradrachme siculo-pun., légende pun.* Qrtḥdšt *(c. 410 av. J.C.); 7) tétradrachme siculo-pun., lettre pun.* š *(c. 350-340 av. J.C.); 8) tétradrachme siculo-pun. (c. 340-320 av. J.C.). Coll. privée.*

le chien au droit et la tête féminine au revers, puis avec l'Aréthuse et le quadrige, de même que des monnaies de bronze ornées du coq d'Himère. Sur les tétradrachmes de Rosh Melqart figurent, au droit, le quadrige au galop avec la Victoire couronnant l'aurige et, au revers, la tête féminine couronnée d'épis et entourée de dauphins, comme à Palerme et à Thermai.

B *Monnayage siculo-punique* (fig. 253:5-8; 254:2,4; 255:2-3; 256). Malgré l'importance de son commerce, Carthage se met à battre monnaie plus tard même que les colonies phén.-pun. de Sicile. Les premières monnaies en argent à légende pun. *Qrtḥdšt*, "Carthage", ne remontent qu'à 410-390 av. J.C. et furent sans doute fabriquées en Sicile, comme l'indique leur étalon attique. Elles devaient servir à payer les mercenaires enrôlés par Carthage au cours des guerres qu'elle mena dans l'île en 410-396. Elles représentent, au droit, un protomé de cheval avec la Victoire et, au revers, le palmier qui suggérait la Phénicie à qui savait le nom gr. de l'arbre. Ce furent donc, semble-t-il, les premières émissions "siculo-pun." L'engagement militaire et politique de Carthage en Sicile aboutit ensuite à d'autres émissions siculo-pun.: des tétradrachmes en argent, à l'étalon attique, des pièces d'or et d'électrum, à l'étalon phén. utilisé à Carthage même à partir du milieu du IVe s. Elles reprennent le type panormitain à l'Aréthuse entourée de dauphins et au quadrige monté par une Victoire ailée, ou bien l'Aréthuse et le protomé de cheval avec le palmier, ou encore l'Héraklès-Melqart à la léonté avec le protomé de cheval et le palmier, enfin deux variétés de tête de femme coiffée d'une sorte de bonnet phrygien, qualifiée parfois de "Didon", avec le lion passant devant le palmier. L'origine de ces monnaies ne s'affirme nettement que par des légendes pun., souvent absentes, *(h)mḥnt*, "(le) camp", *(š) 'm mḥnt*, "(du) peuple du camp", *mḥšbm*, "questeurs?", ou l'indication énigmatique *btw'l*. Certaines pièces d'électrum et d'argent, de grand module, notamment des décadrachmes (*c.* 38 g), portent la légende *b'rṣt*, que l'on a interprétée à tort au sens de →"Byrsa". Comme le terme *'rṣt* désignait en pun. une "province" (KAI 141,1; →pa-

*Fig. 254. Monnayage pun. et siculo-pun.: 1) Carthage, didrachme (*c. *240-230 av. J.C.); 2) tétradrachme siculo-pun., légende pun.* mḥšbm *(*c. *300 av. J.C.); 3) Carthage, quart de sicle (IIIᵉ s. av. J.C.); 4) statère siculo-pun., électron (*c. *310-290 av. J.C.); 5) bronze sardo-pun. (?), lettre pun.* ṭ *(*c. *221-202 av. J.C.); 6) bronze sardo-pun. (*c. *264-241 av. J.C.); 7) bronze maltais; légende pun.* 'nn, *"Malte" (IIᵉ-Iᵉʳ s. av. J.C.); 8) statère, probablement des mercenaires en révolte, argent, lettre pun.* m *et légende gr.* Libúōn *(*c. *241-238 av. J.C.). Coll. privée.*

gus) et que l'article est omis en phén.-pun. après la préposition *b*, il est probable que la légende "dans la Province" désigne un monnayage frappé pour l'usage de "la province" par excellence, c.-à-d. de *hḗ tōn Karkhedoniōn epikráteia*, comme les textes gr. appelaient la province pun. de Sicile (Diod. XIII 81,3; 109,2; XIV 8,5; 41,1.3; 54,2; XV 73,1; XVI 69,5; 73,1; 78,1; Platon, *Ep.* VII 349c; Plut., *Dio* 25; *Tim.* 25.25.30; Ps.-Arstt., *Mir. ausc.* 113). Ces monnaies figurent l'omniprésente tête féminine et Pégase peut y remplacer le cheval, sans doute sous l'influence des statères corinthiens et syracusains de l'époque.

C *Carthage* (fig. 254:1,3). Les émissions proprement carth. ne commencent que vers le milieu du IVᵉ s. L'hôtel monétaire de la métropole adopte l'étalon phén., basé sur un sicle de *c.* 9,4 g, attesté à Amrit et à Arwad, et plus souvent un étalon de *c.* 7,6 g, qui doit correspondre aux deux tiers d'un "sicle royal" de *c.* 11,4 g, connu également en Orient (→métrologie). Il bat monnaie en or, en électrum et en bronze; la face reproduit presque toujours la tête féminine dérivée de l'Aréthuse syracusaine et interprétée peut-être comme celle de Tanit, tandis que le revers présente le protomé de cheval, le cheval en pied, au galop ou en deçà d'un palmier. L'image du palmier est moins fréquente qu'en Sicile et elle est rarement figurée seule, mais le palmier, d'où pendent deux régimes de dattes, apparaît au revers de monnaies d'or et de bronze dont le recto figure le protomé de cheval ou la tête féminine. Les monnaies d'or de ce dernier type, à l'exécution particulièrement soignée, ont été mises en rapport avec l'expédition africaine de →Régulus en 256/5 et considérées comme la solde ou la récompense des officiers gr. de Xanthippe, le condottière lacédémonien au service de Carthage qui infligea une cuisante défaite aux Romains (Pol. I 32-34). Au IIIᵉ s. commencent à Carthage les émissions des monnaies en argent avec la tête féminine, le cheval, dans diverses attitudes, et différents symboles ou lettres isolées, marques d'ateliers ou d'émissions distinctes. Les débuts de ce monnayage en argent sont cependant antérieurs au temps des →Barcides et à leur exploitation des →mines d'Espagne. La décadence de Carthage après la 2ᵉ →guerre pun. se manifeste dans ses monnaies, dont la technique et l'aloi dégénèrent progressivement.

D *Sardaigne et autres régions* (fig. 253:3; 254:5-8). La production de monnaies pun. est très abondante en Sardaigne, où elle se poursuit de la fin du IVe s. à *c.* 215 av. J.C. Les monnaies sardo-pun. sont généralement en bronze, une série en patin jaune, et portent au droit la tête féminine, plus rarement une tête d'homme avec un ruban noué dans le cou, tandis que le revers est orné du protomé de cheval, du cheval en pied, parfois avec le palmier, du taureau en pied ou de trois épis de blé. La série de la tête féminine et du taureau en pied comporte également une monnaie en or. La ressemblance de ce monnayage avec les modèles carth. est grande, mais non complète, ce qui implique une certaine autonomie des centres pun. de Sardaigne, certainement à l'époque des révoltes anti-rom. qui se succèdent de 236 à 215 av. J.C. Cette dernière date, qui est aussi celle de la bataille de Cannes, nous reporte aux émissions campaniennes du temps de la campagne italienne d'→Hannibal (6), en 218-202. C'est alors qu'apparaissent en Italie du S., notamment à Capoue, les monnaies d'argent et de bronze à la tête féminine et au cheval ou au protomé de cheval, émises sous contrôle pun. Quant aux émissions monétaires à légende pun. de →Pantelleria, *'yrnm*, de →Malte, *'nn*, et de →Gozzo, *Gwl*, elles ne datent que de l'époque rom., mais témoignent de l'attachement de ces îles à l'héritage pun. Il en va de même du monnayage des cités de →Tripolitaine, où des légendes pun. apparaissent sur des émissions de →Leptis Magna, *(')Lpqy*, →Sabratha, *Sbrt'n*, et →Tripoli/Oea, *Wy't*. ELip

4 Espagne A *Émissions barcides* (fig. 165, 257:1-4). La conquête barcide de la Péninsule Ibérique amena les Carthaginois à y émettre de nombreuses monnaies dans les années 237-206 pour financer leurs armées et préparer la campagne d'Italie. Les premières émissions, avec la proue, l'éléphant ou Apollon au revers, sont gravées dans le plus beau style sicilien. Elles comprennent des tri-sicles, des di-sicles, des sicles, des demi-sicles et des quarts de sicle. Le style des émissions suivantes n'atteint plus la même qualité. Elles reprennent les types carth. de "Tanit" et du cheval, en or, électrum, argent et bronze, certains bronzes étant dans un style indigène. Toutes ces monnaies sont anépigraphes: seules quelques lettres phén. servent de marques d'émission. Le système métrologique est basé sur un sicle d'argent de 7,2 g, poids qui diminue dans les dernières émissions jusqu'à 6 g, correspondant au quadrigat rom. Pour le bronze, on recourt initialement à une unité de 8/9 g (moitié de 16/18 g), pour finir à 10/11 g, poids équivalent à celui des monnaies siciliennes.

Fig. 255. Monnayage siculo-pun.: 1) tétradrachme à légende pun. Rš-Mlqrt, *Rosh-Melqart (c. 340 av. J.C.); 2) tétradrachme à légende pun.* 'm mhnt *(c. 340 av. J.C.); 3) tétradrachme anépigraphe (c. 350 av. J.C.). Coll. privée.*

Fig. 256. Monnayage siculo-pun.: 1-2) tétradrachmes à légende pun. m'm mhnt *(c. 320 av. J.C.); 3) décadrachme à légende pun.* b'rst *(c. 260-250 av. J.C.). Coll. privée (1-2) et Bruxelles, Cabinet des Médailles (3).*

Fig. 257. Monnayage pun. d'Espagne: 1) double sicle à la proue; 2) double sicle à l'éléphant; 3) sicle à l'effigie de Tanit, avec cheval et étoile; 4) sicle au cheval en pied; 5) drachme de Gadès; 6) drachme d'Ibiza; 7) petit bronze de Málaga; 8) bronze de Gadès; 9) bronze d'Ibiza; 10) bronze de Sexi (Almuñécar) à légende archaïque; 11) bronze de Málaga; 12) bronze d'Olonte; 13) bronze d'Abdère; 14) bronze d'Asido à légende "libyphénicienne".

Fig. 258. Monnayage numide et maurétanien: 1) Numidie, Massinissa I et ses successeurs, bronze (IIe s. av. J.C.); 2) Maurétanie, drachme de Juba I, légendes lat. Rex Iuba *et pun.* Ywb' *(c. 60-46 av. J.C.; 3-4-5) Maurétanie, dinars de Juba II (25 av.-23 ap. J.C.). Coll. privée.*

B *Monnayage des cités* (fig. 18, 257:5-13). Quelques anciennes colonies phén. d'Espagne battent monnaie au cours de cette période. À →Gadès, on frappe des drachmes et des hémidrachmes en argent selon le système métrologique emporitain, avec Héraklès et deux thons, la légende pun. *mhlm 'gdr*, "frappe/atelier? de Gadès", ainsi que de petites pièces de bronze, anépigraphes. →Ibiza émet des monnaies d'argent au →Bès et au taureau, sans légende, et de petits bronzes aux mêmes types. À →Málaga, on frappe de petits bronzes avec une étoile au revers. À la fin de la 2e →guerre pun., les frappes militaires des Carthaginois disparaissent et, en 218, commence la longue période de l'occupation rom. Durant le IIe s. et au début du Ier s., les Romains permettent aux anciennes colonies phén.-pun. de frapper des monnaies de bronze avec légendes pun., ainsi à Gadès, Ibiza, Sexi (→Almuñécar), Málaga, →Ituci, →Olonte et →Abdère. À Gadès, une abondante émission représente Héraklès et deux thons, avec la légende *mb'l 'gdr*, "de la part des citoyens de Gadès", une marque *'aleph* et un caducée ou un trident. Les monnaies divisionnaires sont très abondantes et les types divers. La dernière émission, avec la massue devant la tête d'Héraklès, date du Ier s. av. J.C. et relève du système pondéral de 7/8 g. Ibiza fait d'abord figurer Bès et un taureau, puis Bès et, au revers, la légende *'ybšm* et une marque de valeur "50". Málaga recourt au type dit de "Vulcain", avec Hélios au revers et, pour les monnaies divisionnaires, la façade d'un temple ou une étoile; la légende néopun. est *Mlk'*. Sexi a une émission antérieure à 214, avec une légende archaïque *Sks*, la tête nue d'Héraklès et deux thons, d'un poids de 18/19 g. Suivent des émissions avec la légende *mb'l Sks*, "de la part des citoyens de Sexi", en caractères néopun., aux types d'Héraklès au droit et, au revers, deux thons ou bien une proue. À Ituci, une émission de poids sextantal, portant une légende de lat., est suivie de monnaies aux types des deux épis et du cavalier, avec la légende pun. *'ytp/bk?* au IIe s., qui devient lat. au Ier s. av. J.C. Olonte reproduit une tête masculine et un cavalier, avec la légende de pun. *L'tg*, qui devient lat. au Ier s. À Abdère, on retrouve la tête d'Héraklès au droit, remplacée au Ier s. par la façade d'un temple, et, au revers, le dauphin et le thon avec la légende *'bdr(n)*. On a découvert en Espagne d'autres monnaies à légende pun., d'origine parfois indéfinie, mais provenant sûrement de l'Afrique du N. Il faut noter que le classement chronologique des monnaies pun. d'Espagne ne peut se baser sur les caractères pun. ou néopun. de la légende, car tous les caractères sont pun. à Gadès, Ituci et Olonte, tous néopun. à Málaga et, à Ibiza, ils sont mélangés. Seul le monnayage de Sexi passe des caractères pun. aux néopun.

C *Monnaies "libyphéniciennes"* (fig. 257:14). Dans le S. de l'Espagne, à Asido, Lascuta, Vesci, Bailo, Iptuci, Arsa, Oba et Tuririicina, on trouve des monnaies à légende dite →"libyphén.", en une écriture connue par les seules monnaies et dérivant peut-être du néopun. LVill

5 Numidie et Maurétanie Bien que constituant une source essentielle de l'histoire de la région, les monnaies numido-maurétaniennes sont encore mal connues (fig. 258, 372). Leur apparente uniformité, leur facture "barbare", les difficultés de déchiffrement de leurs légendes pun. et néopun. et leurs variations pondérales ont souvent découragé l'analyse. Chronologiquement, leur frappe se situe entre l'époque de la 2e →guerre pun. (monnaies de →Syphax et de →Vermina) et la chute du dernier roi de →Maurétanie (40 ap. J.C.). Le domaine monétaire numido-maurétanien peut se diviser en trois ensembles correspondant aux futures divisions impériales rom.: →Numidie, Maurétanie césarienne, Maurétanie tingitane. En Numidie, le monnayage émis par →Massinissa I et ses successeurs, uniquement en bronze, est métrologiquement calqué sur celui de Carthage auquel il emprunte aussi le cheval de ses revers. Au droit, on trouve invariablement le portrait royal. Moins nombreuses que les précédentes, les monnaies de →Juba I, parmi lesquelles des monnaies d'argent de métrologie rom., montrent l'effigie du roi, de →Zeus Ammon ou de la déesse Afrique avec des légendes bilingues lat. et néopun. La région centrale, la future Césarienne, est dominée par le monnayage d'Iol-Caesarea (→Cherchel), d'abord influencé par la région de Carthage, puis, à l'époque de →Juba II et de →Ptolémée, par l'Espagne, Rome et l'Égypte, terre natale de Cléopâtre, épouse de Juba II. Ce roi émit quelques pièces d'or, de nombreux "deniers" et d'abondantes monnaies de bronze. En Tingitane, on trouve les monnaies typiques du détroit de Gibraltar, de métrologie gaditaine, dont l'iconographie est centrée autour de thèmes sans doute liés à l'Hèraklès gaditain. Le monnayage de cette région, sauf quelques émissions royales (→Bogud II), est entièrement de bronze. →Gadès semble avoir joué un rôle capital dans les monnayages de la région du détroit, notamment de →Tanger, dont les émissions portent le nom de la ville *T(y)ng'* en caractères néopun., tout comme celles de →Tamuda, *Tmd(')t*, →Rusaddir, *Rš'dr*, →Lixus, *Lkš*, →Sala, *S'lt*. Les types aux épis de blé et grappes de raisin y sont répandus, tandis que d'autres types apparaissent dans les émissions autonomes de →Thapsus, *Ṭpsr*, ou des villes de l'ancien royaume de Massinissa I, p.ex. dans la capitale numide de Cirta Regia/→Constantine, *Krṭn*, où une émission mentionne en outre "Bodmelqart et Hannon, suffètes", et où l'avers d'un petit bronze figure, p.ex., un sanglier de profil vers la droite, comparable à celui du revers d'une monnaie de Capoue de 216-211 av. J.C. La lecture de certaines légendes néopun. reste douteuse, ainsi celle d'un bronze qui avait été attribué à →Tabarka, tandis que l'identification de quelques toponymes, ainsi de →*Ršby*, demeure incertaine. Il est remarquable que le monnayage des Numides a pourvu aux échanges commerciaux en Afrique du N., même en Afrique proconsulaire, jusqu'au Ier s. ap. J.C. et que le premier monnayage rom. des villes africaines garde le module des monnaies pun.-numides. JAlex

Bibl. P. Naster, *Fenicische en punische munten*, Phoenix 21 (1975), p. 65-76 (cf. PhMM, p. 271-278); E. et W. Szaivert - D.R. Sear, *Griechischer Münzkatalog*, München 1980-83; t. I, p. 57-67; t. II, p. 252-264, 269-288, 323-345; B.L. Trell, *The Coins of the Phoenician World: East and West*, W. Heckel - R. Sullivan (éd.), *Ancient Coins of the Graeco-Roman World. The Nickle Numismatic Papers*, Calgary 1985, p. 117-139; E. Acquaro, *Le monete*, I Fenici, Milano 1988, p. 464-473; T. Hackens (éd.), *Phoenician and Punic Numismatics and Economic History* (StPhoen 9), Louvain-la-Neuve (sous presse).

Ad 1-2: G.F. Hill, *BMC. Cyprus*, London 1904, p. XXIX-XLII, LIII-LIV, 8-22, 30-31; id., *BMC. Phoenicia*, London 1910; Babelon, *Traité* II/2, Paris 1910, col. 501-628, 691-762, 819-824; Peckham, *Development*, p. 13-101; J.W. Betlyon, *The Coinage and Mints of Phoenicia*, Chico 1982 (cf. RB 92 [1985], p. 285-289); B.L. Trell, *Phoenician Greek Imperial Coins*, IsNumJ 6-7 (1982-83), p. 128-141.

Ad 3 et 5: L. Müller, *Numismatique de l'ancienne Afrique* I-III, Copenhague 1860-74; G.F. Hill, *BMC. Coins of Ancient Sicily*, London 1903; E. Birocchi, *La monetazione punico-sarda*, StS 2 (1935), p. 64-164; Mazard, *Corpus* (cf. RBN 102 [1956], p. 188-192); L. Forteleoni, *Le emissioni monetali della Sardegna punica*, Sassari 1961; G.K. Jenkins - R.B. Lewis, *Carthaginian Gold and Electrum Coins*, London 1963; G.K. Jenkins, *Sylloge Nummorum Graecorum 42. North Africa: Syrtica-Mauretania*, Copenhagen 1969; id., *Coins of Punic Sicily*, RSN 50 (1971), p. 25-78; 53 (1974), p. 23-41; 56 (1977), p. 5-65; 57 (1978), p. 5-68; E. Acquaro, *Le monete puniche del Museo Nazionale di Cagliari*, Roma 1974; L. Forteleoni, *Monete e zecche della Sardegna punica*, Sassari 1975; F. Guido, *Le monete puniche della collezione L. Forteleoni*, Sassari 1977; J. Jahn, *Karthago und westliches Nordafrika,* Chiron 7 (1977), p. 411-485; P. Marchetti, *Histoire économique et monétaire de la deuxième guerre punique*, Bruxelles 1978; B. Fischer, *Les monnaies antiques d'Afrique du Nord trouvées en Gaule*, Paris 1978; H.G. Horn - C.B. Rüger (éd.), *Die Numider*, Köln 1979, p. 185-208, 644-663; P. Salama, *Huit siècles de circulation monétaire sur les sites côtiers de Maurétanie centrale et orientale (IIIe siècle av. J.-C. - Ve siècle ap. J.-C.)*, Symposium numismatico de Barcelona II, Barcelona 1979, p. 109-148; E. Acquaro, *La monetazione punica*, Milano 1979; H.R. Baldus, *Unerkannte Reflexe der römischen Nordafrika-Expedition von 256/255 v. Chr. in der karthagischen Münzprägung*, Chiron 12 (1982), p. 163-190; J. Alexandropoulos, *La circulation monétaire en Afrique Proconsulaire de 146 avant J.-C. à la fin du règne de Tibère,* RÉA 84 (1982), p. 95-104; L.-M. Hans, *Karthago und Sizilien*, Hildesheim-Zürich-New York 1983, p. 20-25, 124-135; Huß, *Geschichte*, p. 489-495; H.R. Baldus, *Ägypten und Nordafrika bis 27 v. Chr.*, A Survey of Numismatic Research 1978-1984, London 1986, p. 204-232; A.M. Burnett, in A.M. Burnett - M.H. Crawford (éd.), *The Coinage of the Roman World in the Late Republic*, Oxford 1987, p. 175ss.; L.I. Manfredi, *Le monete della Sardegna punica*, Sassari 1987; H.R. Baldus, *Eine "hannibalische" Tanit (?)*, Chiron 18 (1988), p. 1-14; id., *Zwei Deutungsvorschläge zur punischen Goldprägung im mittleren 3. Jahrhundert v. Chr.*, Chiron 18 (1988), p. 171-179.

Ad 4: A.M. de Guadan, *Las monedas de Gades*, Barcelona 1963; L. Villaronga, *Las monedas hispano-cartaginesas*, Barcelona 1973; M. Campo, *Las monedas de Ebusus*, Barcelona 1976; J.M. Solá Solé, *El alfabeto monetario de las cecas "libio-fenice"*, Barcelona 1980; L. Villaronga, *Diez años de novedades en la numismática hispano-cartaginesa*, RSF 11 (1983), Suppl., p. 57-73; C. Alfraro Asins, *Las monedas de Sexs del M.A.N.*, Boletín del Museo arqueológico nacional (Madrid) 1/2 (1983), p. 191-197; id., *Sistematización del antiguo numerario gaditano,* AulaOr 4 (1986), p. 121-138; M. Campo, *Algunas questiones sobre las monedas de Malaka*, AulaOr 4 (1986), p. 139-155; L. Villaronga, *Numismática antigua de Hispania*, Barcelona 1987².

NURAGIQUE Appellation de l'ancienne civilisation de l'île de Sardaigne, d'après le mot *nuraghe* qui désigne une sorte de tour ronde construite en grands blocs, constituant le centre fortifié des villages. Les *nuraghi* caractérisent cette civilisation typique de l'île qui comprend l'âge du Bronze et l'âge du Fer, du XVIe au IIIe s. av. J.C., et correspond aux phases II (1500-1200), III (1200-900), IV (900-500) et V (500-238) de la périodisation de la préhistoire sarde proposée par G. Lilliu. En fait, les *nuraghi*, dont celui d'Orrubiu de Orroli compte dix-huit tours, datent des phases II et III: à la fin de la phase III, on a déjà des habitats dépourvus de *nuraghi*, dont l'époque coïncide ainsi avec celle des contacts avec les Mycéniens (fin de la phase II - début de la phase III). La civilisation n. entre ensuite en rapports avec Chypre (XIe-IXe s.), puis avec les Phéniciens. Les plus anciens témoins de ces contacts sont des bronzes figurés, malheureusement privés de contexte archéologique, datables des Xe-IXe s. Ils influencent le monde n. qui produit, dès le IXe s., une splendide série de petits bronzes figurés. La colonisation phén., datée de la seconde moitié du VIIIe s. à Sulcis, peut-être aussi à Cagliari et à Tharros, s'épanouit le long des côtes et un trafic se développe entre Phéniciens, Grecs (?), Étrusques et indigènes. La société n., peut-être de type aristocratique, entre ensuite dans une période de crise et la conquête carth. du VIe-Ve s. force les Protosardes à quitter les plaines et à gagner les montagnes de l'intérieur. Les n., qui se sont assimilé la culture phén.-pun., seront vaincus et refoulés par les Romains au cours d'expéditions millitaires des IIIe-IIe s., après la mainmise rom. sur l'île en 238 av. J.C.

Bibl. G. Lilliu, *Rapporti tra la civiltà nuragica e la civiltà fenicio-punica in Sardegna*, SEt 18 (1944), p. 323-370; *Kunst und Kultur Sardiniens vom Neolithikum bis zum Ende der Nuraghenzeit*, Karlsruhe 1980; *Nur, la misteriosa civiltà dei Sardi*, Milano 1980; *Ichnussa. La Sardegna dalle origini all'età classica*, Milano 1981; G. Lilliu, *La civiltà nuragica*, Sassari 1982; M.S. Balmuth - R.J. Rowland (éd.), *Studies in Sardinian Archaeology* I-III, Ann Arbor-Oxford 1984-87; *Civiltà nuragica*, Milano 1985; M. Gras, *Trafics tyrrhéniens archaïques*, Roma 1985, p. 17-252; *Società e cultura in Sardegna nei periodi orientalizzante e arcaico. Rapporti tra Sardegna, Fenici, Etruschi e Greci*, Cagliari 1986; *La Sardegna nel Mediterraneo tra il II et il I millennio a.C.*, Cagliari 1987. GTore

NURIA En akk. *Nu-ri-e* ou ZALÁG-*ia* (AfO, Beih. 9, p. 60, l. 71), nom d'une des capitales des dix rois chypriotes qui ont payé le tribut à Asarhaddon en 673 et dont la liste a été reprise dans les inscriptions d'Assurbanipal. Compte tenu de la fréquence du changement *m*>*n* en akk. et de l'existence d'un phénomène analogue en phén.-pun., il est probable que N. est →Marion: *Nōriy-*<*Māriy-*. ELip

NURRA, LA Région située à l'extrémité N.-O. de la Sardaigne, d'où provient une statuette de bronze de type phén., trouvée dans le *nuraghe* de →Flumenelongu, une stèle d'époque rom. figurant le →"signe de Tanit", repêchée en mer et conservée à Porto Torres, une autre, découverte dans une nécropole à Sant'Imbènia, près de Porto Conte di Alghero, figurant un →bétyle et datant du IIe/Ier s. av. J.C.

Bibl. ANRW II/11,1, p. 504-510; G. Lilliu, *Tracce puniche nella Nurra*, StS 8 (1948), p. 318-327; A.M. Bisi, *Le stele puniche*, Roma 1967, p. 188-189. ELip

O

ŒA →Tripoli.

ŒUFS D'AUTRUCHE L'autruche (*Strutio Camelus*) se rencontrait naguère dans la steppe syrienne, les déserts de l'Égypte et du Maghreb. Animal chassé, l'autruche était recherchée aussi bien pour sa peau, excellent cuir, pour les plumes de sa queue, panache prestigieux, que pour sa chair. L'œuf lui même peut être consommé; la coquille, qui atteint 15 cm dans son diamètre maximum, en est épaisse, solide et d'un beau poli d'ivoire; elle a été employée très tôt comme récipient, ou pour découper des perles en disque, dans l'Égypte pré-dynastique et en Palestine néolithique. Les coquilles, évidées par un petit orifice au sommet, ont reçu un décor peint, imitant les courroies qui servaient à les transporter. En Mésopotamie, à l'époque sumérienne, des œufs sciés en deux moitiés égales et ornés de bandes en mosaïque de bitume, pierre de couleur et nacre, étaient montés en coupe, ce dont on a des exemples dans les tombes royales d'Ur, *c.* 2350 av. J.C. Cette technique s'est transmise au monde égéen, où les coquilles étaient agencées sur une monture de faïence. C'est l'emploi symbolique qui a été fait des œufs d'autruche en Syrie dès le IIe mill. qui intéresse la civilisation phén.

Fig. 259. Déroulement du décor de quelques œufs d'autruche peints, Ibiza (V^e-IIIe s. av. J.C.). Ibiza, Musée Archéologique.

En effet, aussi bien à →Mari sur l'Euphrate qu'à →Ugarit, des coquilles brutes, simplement vidées par un petit trou, avaient été déposées dans des tombes, à Mari en particulier dans une tombe de femme: nul doute que l'aspect spectaculaire de l'œuf d'autruche n'ait conduit à lui attribuer une certaine importance dans les croyances populaires concernant la naissance, la mort et la renaissance. On retrouve à Chypre cette même symbolique des coquilles d'œufs dans des tombes du Bronze Récent. Durant le Ier mill., c'est auprès des Phéniciens d'Occident que l'on rencontre un véritable artisanat de l'œ. d'a. Les coquilles étaient ramassées dans les steppes de l'intérieur, en si grand nombre que l'on peut se demander s'il n'existait pas une sorte d'élevage de l'autruche. Elles étaient ensuite travaillées dans les ateliers pun. de la côte: le décor était obtenu à partir d'un pigment assez épais créant l'illusion du relief, en ocre rouge ou jaune et en noir. Les formes varient peu, depuis la coquille entière, simplement découpée au sommet, à la coupe faite dans une moitié de coquille; les motifs peints représentent alors des bandes ou des métopes enfermant des thèmes floraux. Les artisans pun. se sont également fait une spécialité de petites plaques ovales représentant un œil prophylactique ou deux yeux, dessinant une sorte de petit →masque. On connaît par ailleurs le caractère symbolique des masques en terre cuite dans la religion pun. et les masques en coquille d'œ d'a. relèvent probablement des mêmes croyances. La plupart des objets retrouvés à ce jour proviennent de tombes, datées entre les VIIe et IIIe s., les masques appartenant probablement aux séries les plus tardives. Beaucoup ont été recueillis dans les nécropoles de →Carthage ou de Gouraya (→Gunugu). L'aire de dispersion de ces objets en Méditerranée coïncide bien avec celle du commerce pun.: d'→Ibiza à l'Espagne (→Toscanos, →Villaricos), de Sardaigne (→Cagliari, →Bitia) à la Sicile et →Malte, ils font montre d'une assez grande homogénéité, compte tenu de faibles variations stylistiques dans le temps (fig. 259). Les exemplaires mis au jour en Étrurie, en revanche, bien qu'importés probablement du Maghreb pour ce qui concerne la matière brute, ont sans doute été décorés sur place dans le style →orientalisant des VIIe-VIe s. av. J.C. Avec la fin de la civilisation pun. la tradition de cet artisanat semble s'être perdue, avec quelques exceptions comme en Égypte hellénistique où l'on a retrouvé des coquilles décorées dans le style des faïences de Memphis.

Bibl. M. Astruc, *Supplément aux fouilles de Gouraya*, Libyca 2 (1954), p. 9-48; ead., *Traditions funéraires de Carthage*, CdB 6 (1956), p. 29-58; ead., *Exotisme et localisme. Études sur les coquilles décorées d'Ibiza*, Archivo de Prehistoria Levantina 6 (1957), p. 47-112; D. Oliva Alonso - M. Puya García de Leaniz, *Los huevos de avestruz de los Alcores de Carmona*, Homenaje Chicarro, Madrid 1982, p. 93-111; A. Finet, *L'œuf d'autruche*, J. Quaegebeur (éd.), *Studia Paulo Naster Oblata* II, Leuven 1982, p. 69-77;

A. Caubet, *Les œufs d'autruche au Proche Orient ancien*, RDAC 1983, p. 193-198; S. Moscati, *Le uova di struzzo*, I Fenici, Milano 1988, p. 456-463. ACaub

OFFRANDES En dehors des o. jointes au →mobilier funéraire, des o. du →*tophet*, des dépôts de fondation, des o. cultuelles d'→encens et de →parfums, le rituel phén. connaissait aussi des o. végétales, auxquelles on peut assimiler les pains d'oblation, sans oublier les différentes o. spontanées et les ex-voto, dont les temples étaient pleins. Les →tarifs sacrificiels mentionnent la *minḥat* (KAI 69,14; 74,10; 159,8), qui désigne en hébreu biblique l'o. de produits végétaux par opposition aux →sacrifices sanglants. Elle comportait à Carthage des fouaces pétries à l'huile (*bll*, cf. *Lv.* 7,10), du lait, de l'huile (KAI 69,14; 74,10; 75,1; 76 A,7), des fruits, des pains d'oblation, du miel (KAI 76 B,2-8). On offrait aussi différents ex-voto, p.ex. des miniatures de sanctuaires en terre-cuite, voire en argent (KAI 43 = TSSI III,36,14), des →trônes (KAI 17 = TSSI III,30) ou des bateaux en pierre, parfois de grandes dimensions (Procope, *Bell. Goth.* IV 22-24), des ancres, des clous votifs plaqués d'or (KAI 25 = TSSI III,14, cf. 42,10), des cassettes (KAI 29 = TSSI III, 20), des →coupes en bronze (KAI 31 = TSSI III,17; →Tekké), des statues (KAI 41) ou statuettes (KAI 52; →Sarepta), certainement aussi des →armes, des ustensiles, des →stèles (KAI 47.48). Hérodote, parlant du temple de →Melqart à Tyr, disait qu' "il était décoré d'une infinité d'o." (II 44).

Bibl. M. Leglay, *Saturne Africain. Histoire*, Paris 1966, p. 356-357. ELip

OHNEFALSCH-RICHTER, MAX (1850-1917). Archéologue amateur allemand. Arrivé à Chypre à la fin de 1878, O.-R. y travaille comme journaliste, professeur de dessin et ingénieur forestier, mais surtout il se passionne pour l'archéologie locale et effectue entre 1879 et 1894 de nombreuses fouilles pour le compte d'institutions officielles ou de particuliers. Sa principale contribution aux études phén. reste la découverte sur le site de →Tamassos, en 1885, de deux dédicaces bilingues en phén. et gr. syllabique du IVe s., adressées à un →Resheph - Apollon (RÉS 1212-1213; ICS 215-216). Il a, par ailleurs, dressé une liste utile des sanctuaires chypriotes. De son ouvrage *Kypros, die Bibel und Homer* I-II (Berlin 1893) on retiendra surtout le chapitre "Die antiken Cultusstätten auf Kypros".

Bibl. S. Reinach, Chroniques d'Orient 1 (1891), p. 168-200. AHer

OLBIA Ville du N.-E. de la Sardaigne, située au fond du Golfe d'O. (Ptol. III 3,4). Alors que les auteurs classiques attribuent sa fondation à →Iolaos (Paus. VII 2,2; IX 23; X 17,5; Diod. IV 29,4; V 15; Strab. V 2,7), les linguistes rattachent son nom à une racine méditerranéenne. La provenance de certaines céramiques phén.-pun. du VIe s., prétendument trouvées à O., n'est pas assurée et la fouille des →nécropoles, en 1936-38 et 1977-78, n'a pas livré de matériel antérieur au IVe s. av. J.C. Ces nécropoles se situent au N.-O. d'O., à Fontana Noa (IVe s.), Abba Ona (IIIe-IIe/Ier s.), Joanne Canu et Acciaradolzu (IIIe-IIe s.). Elles attestent la pratique de l'inhumation et de l'incinération, et comprennent des →tombes (2) à puits avec chambre, à fosse simple, à auges construites. Les puits sont creusés en pente ou ont de petites marches. Le mobilier funéraire (Phén 261-266) est souvent modeste; on trouve des cercueils en bois, des ossuaires en terre cuite ou en plomb et, une seule fois, un →sarcophage (Fontana Noa, n° 48). Les traces d'influences hellénisantes sont nettes. On a supposé qu'une nécropole archaïque, détruite en 1909, se trouvait près de l'étang de Salinedas, où l'on a voulu reconnaître l'ancien port pun. Les vestiges d'un temple ont été identifiés en 1939 sous l'église de S. Paolo Apostolo et l'on a reconnu les restes de l'enceinte fortifiée de l'époque pun. Selon Val. Max. V 2, la ville était fortifiée dès le temps de la 1re →guerre pun., ce qui n'empêcha pas les Romains de s'emparer d'O. en 259 (Val. Max. V 1,2; Flor., *Epit.* I 18). Près des murailles, on a découvert en 1911 une inscription pun. du IIIe s. av. J.C., dédiée par un Carthaginois dont la généalogie énumère seize générations (fig. 260; ICO, Sard. 34).

Bibl. ANRW II/11, 1, p. 529-532; PECS, p. 643-644; Å. Eliæson, *Beiträge zur Geschichte Sardiniens und Korsikas im ersten punischen Kriege*, Upsala 1906, en part. p. 25-58; E. Pais, *Ricerche storiche e geografiche sull'Italia antica*, Torino 1908, p. 541-551; O. Leuze, *Die Kämpfe um Sardinien und Korsika im ersten punischen Krieg (259 und 258 vor Chr.)*, Klio 10 (1910), p. 406-444 (en part. p. 415-417); A. Taramelli, *Terranova Pausania. Avanzi dell'antica Olbia*, NotSc 1911, p. 223-243; G. Lilliu, StS 7 (1947), p. 252; D. Levi, *Le necropoli puniche di Olbia*, StS 9 (1949 [1950]), p. 5-120; D. Panedda, *Olbia nel periodo punico e romano*, Roma 1952; E. De Felice, *La Sardegna nel Mediterraneo in base alla toponomastica costiera antica*, StS 18 (1962-63 [1964]), p. 92-94; G. Schmiedt, *Antichi porti d'Italia*, L'Universo 45 (1965), p. 256-258; S.M. Cecchini, *I ritrovamenti fenici e punici in Sardegna*, Roma 1969, p. 70-73; S. Moscati, *Un segno di Tanit presso Olbia*, RSF 7 (1979), p. 41-43; E. Acquaro, *Olbia-I/II*, RSF 7 (1979), p. 45-48; 8 (1980), p. 71-77; G. Tore, *Elementi culturali semitici nella Sardegna centro-settentrionale*, Atti della XXII Riunione scientifica dell'Istituto italiano di Preistoria et Protostoria, Firenze 1980, p. 487-511; P. Meloni, *La Sardegna romana*, Sassari 1980, p. 248-251, 419-420; G. Chiera, *Osservazioni su un testo punico da Olbia*, RSF 11 (1983), p. 177-181; S. Moscati, *Italia punica*, Milano 1986, p. 319-325, 384-385; F. Barreca, *La civiltà fenicio-punica in Sardegna*, Sassari 1986, p. 306-307; J. Debergh, *Autour des combats des années 259 et 258 av. n. è. en Corse et en Sardaigne*, StPhoen 11 (1989), p. 37-65. GTore

OLONTE En lat. *Olontigi*, ville de Bétique (Espagne), que Pomp. Méla III 5 (cf. Pline, *N.H.* III 12) situe près de →Huelva (*Onuba*), mais dont le site n'a pas encore été identifié. Elle a émis au IIe s. av. J.C. des monnaies à légende pun. *l'tg* (→numismatique 4B).

Bibl. A. Tovar, *Iberische Landeskunde* II/1, Baden-Baden 1974, p. 168-169. ELip

ONOMASTIQUE Les études d'o. phén.-pun. ont connu un essor depuis la parution des répertoires de G. Halff (1965) et de F.L. Benz (1972), tandis que l'o. néopun. a été très bien traitée par K. Jongeling (1984). Par ailleurs, on a mené des études sur l'o. de

Fig. 260. Inscription pun. d'Olbia mentionnant le "peuple de Carthage" (IIIᵉ s. av. J.C.). Sassari, Musée National G.A. Sanna.

certaines zones géographiques. Tout en révélant, p.ex. en Sardaigne ou en Tripolitaine, des traits archaïques, elles demeurent provisoires dans leurs résultats en raison de la disproportion quantitative entre les données très riches de Carthage et celles de la Phénicie et des colonies. Les sources pour l'étude de l'o. sont l'épigraphie phén.-pun., les textes cunéiformes et classiques, les inscriptions gr. et lat., ainsi que les papyrus.

1 Structures et signification Les structures des noms portés par les Phéniciens et les Puniques ne sont guère différentes de celles des autres Sémites du N.-O. On y trouve des noms théophores, dans la composition desquels intervient un nom de divinité, et des noms profanes, constitués d'un seul terme. De nombreux noms se présentent sous la forme d'une phrase verbale ou nominale, dans laquelle l'ordre sujet-prédicat n'est pas rigide, avec une prévalence de verbes à l'accompli (parfait). D'autres noms sont constitués d'un substantif seul ou d'une relation génitivale avec le premier élément à l'état construit. Si l'une des composantes du nom tombe, on parle de nom abrégé; si elle est remplacée par une terminaison vocalique, on parle conventionnellement d'hypocoristique. P.ex., *'l'm* (sujet-prédicat), "Él est (mon) oncle paternel", et *'bb'l* (prédicat-sujet), "Baal est (mon) père", sont des noms constitués par une phrase nominale. En revanche, c'est une phrase verbale, avec le verbe à l'accompli, qui forme les noms *B'lbrk* (sujet-prédicat) et *Brkb'l* (prédicat-sujet), "Baal a béni"; le nom *Brk* en est une forme abrégée. Le verbe est à l'inaccompli (imparfait) dans *'štrtṣb* (sujet-prédicat), "Astarté rendra stable", ou *Yknšmš* (prédicat-sujet), "Shamash affermira", ou encore dans le nom abrégé *Ykn*. La relation génitivale se rencontre dans *'bdb'l*, "Serviteur de Baal", dont *'bd'* est un hypocoristique, de même que dans *Mtnb'l*, "Don de Baal", dont *Mtn* est une forme abrégée. Les termes exprimant une relation familiale apparaissent fréquemment dans l'anthroponymie, ainsi *'b*, "père", *'ḥ*, "frère", *'ḥt*, "sœur", *'m*, "mère", *ḥm*, "beau-père"(?), *'m*, "oncle paternel". Dans les noms théophores, la divinité apparaît à travers ses qualités et ses actions en faveur des hommes, p.ex. *B'lnr*, "Baal est lumière", *'zb'l*, "Baal est (ma) force", *B'lrm*, "Baal est élevé", *Plṭb'l*, "Baal est (ma) délivrance", *Ḥnb'l*, "Baal est (ma) grâce". La divinité peut agir sur la personne qui porte son nom: elle la donne aux parents, *B'lytn*, rend sa naissance facile, *B'lpls*, la bénit, *Brkb'l*, la soutient dans la vie, *B'l'ms*, la guérit, *Rp'*, écoute ses prières, *B'lšm'*. Quant aux noms profanes, ils peuvent se référer aux circonstances de la naissance, *Ḥgy*, "Né le jour de fête", *Bnḥdš*, "Né à la nouvelle lune", *T'm*, "Jumeau", aux qualités ou professions des porteurs, *Glb*, "Barbier", ou être constitués de noms d'animaux, *Dbr*, "Abeille", *Nml*, "Fourmi", ou d'un ethnique comme *Kšy*, "Kushite", *Mṣry*, "Égyptien" (fém. *Mṣrt*), ou *Ṣry*, "Tyrien".

2 Usages anthroponymiques On ne dispose pas d'une étude sur la façon dont les noms sont donnés, mais la pratique de la papponymie, qui consiste à donner à l'enfant le nom de son grand-père, semble bien attestée. Le nom féminin ne paraît pas se distinguer du masculin, p.ex. *Mtnb'l*, "Don de Baal", est porté par des individus des deux sexes. Il se reconnaît d'après le contexte ou d'après sa formation, p.ex. *'ršt* ou *'kbrt* par opposition au masculin *'rš* ou *'kbr*, ou parce qu'il est composé d'une relation génitivale dans laquelle le nom à l'état construit est au féminin, p.ex. *'mtb'l*, "Servante de Baal", *Btb'l*, "Fille de Baal", *Ḥtmlk*, "Sœur de Milk". Les esclaves ne portent pas de noms spécifiques, mais ils se distinguent par l'absence de généalogie. Parmi les milliers de noms connus, on rencontre aussi des éléments d'origine non phén., résultant des contacts des Phéniciens avec les populations indigènes lors de leur expansion en Méditerranée. En Phénicie, surtout à l'époque hellénistique, mieux documentée, apparaît la mode des noms théophores composés avec des théonymes égyptiens Ammon, Horus, Isis, Osiris, Bastet, tandis qu'un important lot de noms à étymologies anatoliennes se rencontre dans l'inscription de →Cebelireis Dağı. La présence phén. en Grèce se remarque, surtout à l'époque hellénistique, par la mention d'ethniques — tyrien, sidonien, bérytain, ascalonite — après des noms de type désormais gr. Les lois qui ont présidé à l'adaptation en gr. des noms phén. ne sont pas toujours claires, même s'il semble établi qu'aux noms phén. en *'bd* correspondent des noms gr. en *dōros*. La situation est différente en Afrique du N. où, à côté de la composante phén., est attestée une présence toujours croissante de noms d'origine libyco-berbère, reconnaissables par les préfixes et suffixes. À époque tardive, surtout en Tripolitaine, on assiste aussi à une latinisation de l'o., mais l'ancienne tradition o. phén.-pun. persiste en milieu populaire jusqu'au Bas-Empire rom., comme en témoignent notamment les Passions de →martyrs chrétiens.

Bibl. DEB, p. 922-923 (bibl.); G. Halff, *L'onomastique punique de Carthage*, Karthago 12 (1965), p. 61-146; Benz, *Names*; F. Vattioni, *Per una ricerca dell'antroponimia fenicia e punica*, StMagr 11 (1979), p. 43-123; 12 (1980), p. 1-82; 14 (1982), p. 1-65; id., *Antroponimi fenicio-punici nell'epigrafia greca e latina del Nordafrica*, Archeologia e storia antica 1 (1979), p. 153-191; Z. Ben Abdalla - L.L. Sebai, *Index onomastique des inscriptions latines de la Tunisie. Suivi de: Index onomastique des inscriptions latines d'Afrique*, Paris 1983; Jongeling, *Names*; M.G. Amadasi Guzzo, *L'onomastica nelle iscrizioni puniche tripolitane*, RSF 14 (1986), p. 21-51; F. Israel, *Rassegna critica sull'onomastica fenicio-punica*, ACFP 2, Roma (sous presse). FIsr

OPHIR En hb./phén. *'pr/'wpyr*, qualification de l'or dans l'ostracon de Tell Qasilé (pl. VIIb), datant du VIIIe/VIIe s., puis dans divers textes bibliques (*1 Ch.* 29,4; *Si.* 7,18; cf. *Is.* 13,12; *Ps.* 45,10; *Jb* 28,16). Elle est empruntée au nom d'une contrée censément aurifère (*Gn.* 10,29; *1 R.* 9,28; 10,11; 22,49; *1 Ch.* 1,23; *2 Ch.* 8,18; 9,10; cf. *Jr.* 10,9), qui aurait été accessible par la Mer Rouge, si l'on en croit les indications géographiques de *1 R.* 9,26-28; 22,49. Celles-ci ne sont toutefois pas fiables, notamment en raison de l'identification livresque de la "Mer de Papyrus" (*Yām-Sûp*) avec la Mer Rouge, où le papyrus ne croissait pas. Comme l'ostracon de Tell Qasilé, site proche de l'embouchure du Yarkon, précise que "30 sicles d'or d'O." étaient destinés à Bêt-Horôn, localité située à 35 km à l'E. de ce site portuaire, l'or d'O. devait être importé par la Méditerranée. Si le mot *'pr* est identique au lat. *Afer*, — peut-être aussi au gr. *Apeíra* (*Od.* VII 8-9), — on pourrait songer à la région de Carthage et d'Utique (→Afri) où les courtiers levantins auraient pu s'approvisionner en or ibérique à partir du VIIIe s. (cf. Hdt. IV 196), sans naviguer jusqu'à →Tarshish même, qui est associée à O. en *1 R.* 22,49.

Bibl. DBS VI, col. 744-751; DEB, p. 923-924; A. Lemaire, *Inscriptions hébraïques I. Les ostraca* (LAPO 9), Paris 1977, p. 251-255; J. Naveh, *Writing and Scripts in Seventh-Century B.C.E. Philistia*, IEJ 35 (1985), p. 8-21; E. Lipiński, *L'or d'Ophir*, StPhoen 9 (sous presse). ELip

ORAN En arabe *Wahrān*; la ville d'O., en Algérie, n'a pas livré jusqu'ici de vestige pun., mais des traces importantes de la civilisation phén.-pun. ont été relevées dans les environs d'O., notamment aux →Andalouses, à →Mersa Madakh et à →Portus Magnus. ELip

ORFÈVRERIE Le rôle centralisateur du commerce international, que la Phénicie joua tout au long de son histoire, est particulièrement bien marqué par l'o. →paléophén. Comme le montrent les découvertes de →Byblos, la production locale se distingue en effet par une véritable symbiose culturelle, dont héritera l'o. phén. du Ier mill. et qui résulte d'influences mésopotamiennes et égyptiennes, tant sur le plan de la typologie et des procédés de fabrication que sur celui des techniques du décor. Ainsi, les célèbres haches fenestrées giblites des XIXe-XVIIIe s. av. J.C. témoignent de la maîtrise des techniques de la →granulation et du filigrane, tandis que d'autres bijoux habilement assemblés et décorés au repoussé ou façonnés par martelage illustrent également la technicité des joailliers. Quant au pectoral au nom de *Yapa'-shumu-abi* (fig. 261), il représente encore une autre catégorie de bijoux caractérisée par l'incrustation de pierres précieuses et de pâtes aux couleurs chatoyantes. La fouille d'un complexe palatial à →Kamid el-Loz, finalement, a livré plusieurs exemples d'o. paléophén. démontrant que ces acquis technologiques ne furent point enrayés par le temps. C'est également à l'époque du Bronze Récent qu'il faut assigner le trésor de Tell Kristina (près de Zghorta), qui se compose d'une vingtaine de patères en or dont le décor trahit l'influence mycénienne.
L'expansion du commerce phén. vers la Syrie du N.

Fig. 261. Pectoral de Byblos (XIXe-XVIIIe s. av. J.C.). Beyrouth, Musée National.

et la Cilicie, d'une part, vers l'Occident par la *via maris*, d'autre part, assurait dès la fin du IIe mill. l'affluence de quantités presque inépuisables de matières brutes pour la →métallurgie et l'o. Cet "âge d'or", qui s'étend jusqu'à la fin du VIIe s. en Orient, verra la renaissance d'une production de patères en bronze et en argent doré, dont les frises narratives traduisent des concepts tant religieux que profanes (fig. 263; pl. VIc; →coupes métalliques). Dans la catégorie des ornements et des éléments de parure, cer-

Fig. 262. Déesse sur un lion, plaquette en or (VIIIe s. av. J.C.). Coll. privée.

Fig. 263. Coupe en argent doré au mercure, Idalion (début du VIIe s. av. J.C.). Paris, Louvre.

tains types semblent limités à des époques relativement bien définies, comme c'est notamment le cas pour une série de plaquettes en feuilles d'or au décor travaillé en repoussé (fig. 262). Ces éléments de parure, dont certains étaient destinés à être intégrés dans des couronnes, ont été trouvés en Phénicie, à Chypre et à →Malte dans des contextes des VIIIe-VIIe s., mais réapparaissent en Occident, en Espagne, à →Carthage, en Sardaigne, au cours des VIe-Ve s. Par contre, les pendentifs en forme de croissant lunaire renversé semblent disparaître vers la fin de la même époque en Orient. Quant aux boucles d'oreilles naviformes d'inspiration assyrienne, les nombreux soustypes couvrent une période allant du IXe à la fin du IVe s. Les boucles d'oreilles se terminant en bas par une sorte de croix ansée ou par un élément épousant la forme d'un clou disparaissent, en Occident comme en Orient, avec l'installation du pouvoir perse (pl. XIIa). En revanche, l'usage des boucles d'oreilles à "bouseau" est attesté jusqu'au début du IVe s. Le site de Tharros en a livré des exemples particulièrement complexes, combinant le bouseau aux figures d'un faucon Horus et/ou d'une sorte d'*aegis/ousekh* aux extrémités hiérakocéphaliques (pl. XIIb-c). Le faucon est parfois représenté au-dessus de l'anneau d'un pendentif de forme ovoïde à col cylindrique, décoré ou non de granulations (VIIe-VIe s.). Ces derniers éléments se présentent souvent sous la forme de pendentifs, catégorie omniprésente de Carthage à Tanger et de l'Espagne à l'Italie. Relevons ici les exemples discoïdes ou en forme de stèle cintrée (VIIe-Ve s.) qui, outre leur aspect typique, sont singulièrement révélateurs sur le plan de l'iconographie religieuse (pl. XIIIa: →bétyle, "montagne sacrée", etc.). Les étuis magiques d'inspiration égyptienne, bien représentés à Carthage comme à →Tharros (4) (VIIe-VIe s.), se distinguent par les protomés d'animaux divins (béliers, faucons, lions). Les feuilles d'or ou de papyrus, que certains exemples ont conservées, illustrent l'adaptation locale des modèles nilotiques et soulignent la connotation religieuse des produits des orfèvres phén. et pun. D'autres pendentifs épousent la forme de palmettes, de cosses de pois (?), de lotus ou de rosaces, bref, d'éléments floraux dont la connotation religieuse va de pair avec une valeur décorative. L'œil *oudjat*, présent dans la même catégorie, se retrouve, comme les palmettes, sur plusieurs petits boîtiers rehaussés de filigrane et de dessins de granulations. Comme le scarabée à quatre ailes (fig. 63), ces motifs ornent souvent des bagues, des bracelets et plaquettes de diadème en or et en argent, trouvés à Carthage et à Tharros (pl. XIII). Quant aux bagues à chaton amovible, la surface décorée — le plus souvent de forme ellipsoïde, en cartouche allongé ou trapu — montre des scènes mythologiques ("Horus" et "Isis" ailée, "Harpocrate", faucon Horus, arbre sacré), des têtes casquées, des guerriers ou des symboles (→"signe de Tanit"). Une autre catégorie, celle des "chevalières", est caractérisée par des bagues à chaton pivotant, les scarabées étant enchâssés dans ce dernier élément. La monture, un anneau circulaire ou rentrant dans sa partie médiane, est tordue en "8" ou pourvue d'une bélière tubulaire lorsque le sceau était porté comme un élément de collier. Les extrémités de quelques anneaux de bague, ainsi que de boucles d'oreilles, se terminent parfois par des têtes de bovidés, suivant un prototype de la Phénicie achéménide transmis au monde gr. et pun. On signalera encore une série de masques funéraires en feuille d'or que l'inscription de →Batnoam permet de dater des Ve-IVe s. (pl. XIb). Quant à l'impact de l'o. phén., enfin, il est illustré en Orient par plusieurs bijoux chypriotes et rhodiens, par des exemples étrusques en Italie et par le trésor d'→Aliseda, en Espagne.

Bibl. G. Quattrocchi Pisano, *I gioielli fenici di Tharros nel Museo Nazionale di Cagliari*, Roma 1974; B. Quillard, *Bijoux carthaginois I. Les colliers*, Louvain-la-Neuve 1979 (vol. II sous presse); J. Leclant, *À propos des étuis porte-amulettes égyptiens et puniques*, R.Y. Ebied - M.J.L. Young (éd.), *Oriental Studies presented to B.S.J. Isserlin*, Leiden 1980, p. 102-107; H.G. Niemeyer, *The Trayamar Medallion Reconsidered*, ibid., 108-113; A. Perea Caveda, *La orfebrería púnica de Cádiz*, AulaOr 3 (1985), p. 295-322; M.J. Almagro Gorbea, *Orfebrería fenicio-púnica del Museo Arqueológico Nacional*, Madrid 1986; PhMM, p. 201-213; W. Culican, *Opera selecta*, Göteborg 1986, p. 177-194, 337-354, 363-388, 481-516, 527-534, 541-548, 615-627; G. Pisano, *I gioielli*, I Fenici, Milano 1988, p. 370-393; S. Moscati, *I gioielli di Tharros*, Roma 1988. EGub

ORIENTALISANT, STYLE On peut qualifier d'o. deux phénomènes culturels.

1 Grèce et Italie Dans l'acception la plus commune, c'est l'art gr. de la période qui fait suite à l'âge géométrique et se situe entre le milieu du VIIIe et la fin du VIIe s.; il est marqué par l'épanouissement du courant d'importation d'objets manufacturés, d'idées et de coutumes du Proche-Orient et de l'Égypte. En dehors de la Grèce, où les rapports avec Chypre et l'Asie Antérieure connaissent une reprise bien avant le début du courant o. proprement dit, on qualifie d'o. toute phase des civilisations de l'Occident méditerranéen qui reçoit les influences du Proche-Orient par voie directe ou, le plus souvent, par un intermédiaire gr. ou phén. On y note un décalage assez frappant par rapport à la phase o. gr., les derniers échos étant saisissables en pleine civilisation →ibérique et sur les côtes de l'Adriatique jusqu'au Ve s. av. J.C. On a mis en relation la floraison du courant o. gr. avec l'essor de la nouvelle classe marchande qui remplace ou s'oppose aux vieilles aristocraties fondées sur la propriété foncière. L'art o. reflète l'époque de grands changements qui voit les Grecs — en même temps que les Phéniciens — se lancer à la conquête des territoires et des marchés de l'Occident. Les comptoirs phén. de l'O. ne sont toutefois pas atteints par la vague d'objets exotiques et d'offrandes précieuses, que l'on retrouve comme biens de famille dans les tombeaux princiers d'Étrurie (fig. 109), du Latium étrusquisé et de la Campanie gr., ou comme cadeaux faits par des particuliers de haut rang aux sanctuaires panhelléniques de Delphes, Samos (fig. 185), Olympie (fig. 107).

La question d'un courant o. dans l'art phén. d'Occident a donc été très discutée. AMBi

2 Espagne À la fin du VIIIe s. et durant tout le VIIe s., l'art de la Péninsule Ibérique subit un processus de profonde transformation au contact des expressions figuratives et plastiques du monde phén., qui introduit en →Espagne, spécialement au pays de Tartessos (→Tarshish), de nouvelles techniques artistiques et de nouveaux éléments iconographiques et architectoniques. À la différence d'autres régions méditerranéennes, le s.o. se développe en Espagne à partir de la seule composante phén., exerçant son influence de →Gadès, de →Málaga ou d'→Almuñécar. L'immigration d'artisans orientaux, l'importation et l'imitation locale de produits phén. en →Andalousie, Estrémadure et au Levant espagnol eurent un impact assez rapide sur les sociétés indigènes. Ce processus d'acculturation se traduit par l'apparition de l'→orfèvrerie tartessienne de s.o. — représentée par les trésors du →Carambolo, d'→Ébora, de Sines et d'→Aliseda —, de somptueuses œnochoés de bronze et de verre, des →ivoires sculptés du Bas-Guadalquivir (fig. 184) et de la →céramique locale d'imitation, qui adopte le tour à rotation rapide et la typologie des formes orientales. De même, une architecture régulière, en pierres et briques crues, se substitue aux formes sobres et primitives du Bronze Final péninsulaire. Dans le S. de l'Espagne, le s.o. coïncide avec l'époque de la plus grande prospérité de Tartessos — le VIIe s. — et trouve une expression artistique surtout au sein des couches privilégiées de la société tartessienne, lesquelles bénéficiaient du commerce phén. grâce au contrôle qu'elles exerçaient sur les ressources du pays. Ce s.o. se manifeste dans les objets de luxe et les insignes du pouvoir déposés dans les tombes des chefs indigènes, qui adoptent même des traits de l'idéologie funéraire proches du monde oriental. C'est donc un style artistique propre à l'aristocratie indigène, comme le montrent les sépultures de →Carmona, de Setefilla, de La Joya (→Huelva) et d'Aliseda. MEAub

Bibl. Ad 1: RLA IV, p. 303-311; T.J. Dunbabin, *The Greeks and their Eastern Neighbours*, London 1957; J.N. Coldstream, *Geometric Greece*, London 1977; id. *Greeks and Phoenicians in the Aegean*, H.G. Niemeyer (éd.), *Phönizier im Westen*, Mainz a/R 1982, p. 261-272; J. Boardman, *The Greeks Overseas*, London 1980[3]; A. Giuliano, *Arte greca. Dalle origini all'età arcaica*, Milano 1986, p. 103-246; A.M. Bisi, *Ateliers phéniciens dans le monde égéen*, StPhoen 5 (1987), p. 225-237.

Ad 2: A. Blanco, *Orientalia*, AEArq 29 (1956), p. 3-51; M.E. Aubet Semmler, *Zur Problematik des orientalisierenden Horizontes auf der Iberischen Halbinsel*, H.G. Niemeyer (éd.), *Phönizier im Westen*, Mainz a/R 1982, p. 309-335.

ORISTANO →Othoca; →Tharros.

ORNITHOPOLIS En gr. *Ornítbōn pólis* ou *Ornithokṓmē*, "Ville/village des Oiseaux", localité du S.-Liban que l'on identifie à →Bît Ṣupuri, "Maison de l'Oiseau", et localise à *'Aïn Ṣawfar*, à *Tall Buraq* ou à →*'Adlūn*.

Bibl. PW XVIII, col. 1129. ELip

ORONTE L'actuel *Nahr el-'Āṣi* prend sa source à *'Ain Zarqa*, dans la Béqaa libanaise, et se jette dans la Méditerranée sur la côte turque, près d'Antioche. Long de 487 km, il traverse une des plus importantes régions de l'Antiquité: la voie de passage obligée entre la trouée de Homs, au S., et la Syrie septentrionale. De nombreux sites archéologiques témoignent de l'extrême densité de l'habitat de la plaine de l'O. La préhistoire est attestée par un gisement paléolithique à Latamné, un autre, datant du Chalcolithique, à Tell Qal'at el-Mudiq.
La période du Bronze Ancien y apparaît comme l'une des plus prospères de toute la Syrie. On en retrouve des vestiges importants à Hama et dans ses environs, à Tell Acharné et à Tell Sqalbiyé. Il faut signaler les nombreux sites de cette époque repérés par J.-C. Courtois et non encore exploités. Les IIe et Ier mill. sont attestés par les sites d'Alalakh, la capitale du royaume de Mukish, de Qadesh, où s'affrontèrent au XIIIe s. Égyptiens et Hittites, de Qarqur, où se déroula en 853 la fameuse bataille de Qarqar. La vallée de l'O. connut une nouvelle période de prospérité avec la fondation des villes séleucides d'Apamée, Séleucie et Antioche.

Bibl. Dussaud, *Topographie*; J.-C. Courtois, *Prospection archéologique dans la Moyenne Vallée de l'Oronte*, Syria 50 (1973), p. 53-99; J. Lundquist, *Iron II Found at Tell Qarqur*, The ASOR Newsletter 35/3 (1984), p. 1-3. LBad

ORTHOSIA Site identifié avec les ruines d'*Ard Artūsi*, à l'embouchure du Nahr el-Bārid (ég. *Merna*, lat. *Bruttium*), où l'imposant tell voisin conserve sans doute les vestiges les plus anciens. Peuplé au moins depuis le Bronze Ancien, ce tertre semble correspondre à la ville d'Ullasa des textes d'exécration égyptiens (ANET, p. 329a), peut-être identique à l'Ulisum du temps de Naram-Sîn (LAPO III, p. 107). Elle fut conquise au XVe s. par Thoutmès III pour servir de port naval et commercial (ANET, p. 239b, 240b). À l'époque d'el-Amarna, les Égyptiens s'enfuirent d'Ullasa à Byblos, la ville étant assiégée par les fils d'Abdi-Ashirta et par la flotte d'Arwad (EA 105). Séthi I la mentionne en rapport avec sa première campagne (*c.* 1290). L'absence de toute référence à la ville à l'époque phén. suggère une dévastation profonde. La ville rentre dans l'histoire sous le nom d'O. à l'époque séleucide et devient plus tard siège épiscopal. L'intérêt stratégique du site n'a guère diminué au fil des temps, ce qui explique l'absence de fouilles. Les monnaies frappées à O. depuis le Ier s. av. J.C. nous montrent une déesse poliade (Astarté/Artémis Orthosia?), associée à deux autres divinités, dont un Baal à harpé (→Kronos).

Bibl. PW XVIII, col. 1494-1495; Dussaud, *Topographie*, p. 78-80; *BMC. Phoenicia*, p. LXXVI-LXXVIII; W. Helck, *Die Beziehungen Ägyptens zu Vorderasien im 3. und 2. Jahrtausend v. Chr.*, Wiesbaden 1971, p. 53, 314; M. Aviam, Tel Aviv 12 (1985), p. 212-213. EGub

OSIRIS En ég. *Wsỉr*, phén. *'sr*, gr. *Ósiris*; dieu égyptien des morts et dieu chthonien de la fécondité, représenté normalement comme une momie avec la couronne blanche en sa forme *atef*, et tenant les emblèmes de la royauté, ainsi sur quelques statuettes en bronze et en terre cuite, trouvées à différents endroits du monde phén.-pun. Selon le mythe osiriaque chez Plut., *Is. Os.* 13-16, O. se met, à l'invitation de son frère Seth, dans un sarcophage que ce dernier ferme et jette dans le Nil. Arrivé à Byblos, un arbre grandit autour de lui et devient le pilier central du palais royal, mais →Isis réussit à récupérer le corps de son mari. Revivifié par la magie d'Isis, O. engendre →Horus et devient roi de l'au-delà. C'est à ce mythe que se rapporte le thème d'O. protégé par une ou deux déesses ailées (Isis et Nephthys), — ainsi sur des scarabées et des monnaies de Malte du IIe-Ier s. Selon Luc., *Syr.* 7, une tête arrive chaque année d'Égypte à Byblos sur les vagues, rappelant l'arrivée du corps d'O., et certains habitants de cette ville, qui identifient O. à →Adonis, disent que sa tombe se trouve chez eux. Dès le Nouvel Empire, le pilier *djed*, connu sous forme d'amulette et représenté sur des scarabées et des plaques de faïence et d'ivoire, est considéré comme l'épine dorsale d'O. Dans l'art phén. il peut symboliser l'arbre de vie et il est possible que des stèles pun. avec plusieurs corniches s'en inspirent. O. apparaît dans l'onomastique phén. depuis le IXe ou VIIIe s. et des graffiti du temple de Séthi I à →Abydos témoignent de sa vénération par des pèlerins phén. à partir du Ve s. (EVO 10 [1987], p. 71). Un texte phén. de Lapéthos mentionne, au IVe s., un temple d'O. (StPhoen 5 [1987], p. 397) et on a découvert à Tyr une sculpture de l'époque rom. d'un prêtre de ce dieu (ZÄS 31 [1893], p. 102). Les Égyptiens interprètent Sarapis comme le taureau Apis mort, assimilé à O. L'équivalence O.-Sarapis-Dionysos est attestée par les noms propres dans une inscription phén.-gr. de Malte (CIS I, 122) et le culte d'O.-Sarapis est bien connu en Afrique du N. aux IIe-IIIe s. ap. J.C.

Bibl. LÄg IV, col. 623-633; Vercoutter, *Objets*; R. du Mesnil du Buisson, *Études sur les dieux phéniciens*, Leiden 1970; Benz, *Names*, p. 272-273; S. Ribichini, in *Saggi Fenici* I, Roma 1975, p. 10; B. Soyez, *Byblos et la fête des Adonies*, Leiden 1977; Gamer-Wallert, *Funde*, p. 80, 126, 138; J. Padró Parcerisa, in *La religión romana en Hispania*, Madrid 1981, p. 335-351; id., *Documents* II, p. 22 (n. 98), 59; III, p. 8, 44-46; Hölbl, *Kulturgut*; A. Lemaire, StPhoen 4 (1986), p. 88, 94-96. PDils

OSSUAIRES Récipients contenant les ossements du mort et liés, chez les Phéniciens, à l'incinération (→pratiques funéraires). Ils ont reçu la forme de pierres cubiques, à l'évidement abritant les os calcinés, de coffres faits de dalles dressées, de vases, en terre cuite généralement, parfois en →albâtre ou en onyx blanc, comme à →Almuñécar et à →Carthage, de

◁ *Fig. 264. Ossuaire de Baalshillek, calcaire, nécropole de Ste-Monique, Carthage (IVᵉ-IIIᵉ s. av. J.C.). Carthage, Musée National.*

caisses en bois, de paniers, ou enfin de →sarcophages en réduction. Au IVᵉ s. s'instaure à Carthage, comme dans toutes les →nécropoles pun., l'usage quasi uniforme du sarcophage miniature, en calcaire, rarement en albâtre ou en marbre, surmonté d'un couvercle plat ou à double pente, sculpté parfois d'acrotères ou de moulures (fig. 264, 265); il est accompagné dans la tombe de vases cinéraires renfermant tous les autres débris en provenance de la crémation. Deux de ces o., exhumés dans la nécropole de Ste-Monique à Carthage, portent sur leur couvercle la statue funéraire du défunt, comme les grands sarcophages à statue. L'un appartenait à Baalshillek le →Rab (fig. 264; CIS I, 6047). L'épitaphe, complète ou raccourcie, est inscrite sur 9 couvercles; on la rencontre aussi sur les vases cinéraires et, une fois, sur la dalle obturant le caveau, exprimée par un terme signifiant "restes incinérés" (CIS I,5980). Les o. étaient déposés en pleine terre ou dans des puits, mais surtout dans la chambre funéraire.

Bibl. BRL², p. 269-272; Gsell, HAAN IV, p. 442-452; J. Ferron, *La Byzacène à l'époque punique*, CTun 44 (1963), p. 41-42; id., *Les relations de Carthage avec l'Étrurie*, Lato-

Fig. 265. Ossuaire à statue, calcaire, nécropole de Ste-Monique, Carthage (IVᵉ-IIIᵉ s. av. J.C.). Carthage, Musée National.

mus 25 (1966), p. 706-707; id., *Épigraphie funéraire punique*, OA 5 (1966), p. 197-201; id., *L'inscription carthaginoise peinte sur l'urne cinéraire d'Almuñécar*, Le Muséon 83 (1970), p. 249; id., *L'épitaphe punique C.I.S., 5980*, CTun 19 (1971), p. 229-230; H. Benichou-Safar, *Les tombes puniques de Carthage*, Paris 1982, p. 225-228 et 237-247.
JFer

OSTRACA Les o. sont des tessons de poterie brisée qui servent de support matériel à l'écriture, exactement comme une feuille de papier, et se distinguent ainsi des →graffiti et des →inscriptions sur vases, qui impliquent une relation fonctionnelle entre l'épigraphe et le récipient. À la différence des textes gravés sur pierre ou écrits sur cuir ou papyrus, les inscriptions sur o. n'ont en général qu'un intérêt éphémère pour leur auteur ou leur destinataire, s'il s'agit de missives, et sont ordinairement tracées en caractères cursifs, donc plus difficiles à déchiffrer. On connaît actuellement plusieurs o. phén. ou pun.

1 Phénicie Les 7 o. de →Sidon édités par A. Vanel (BMB 20 [1967], p. 45-95; MUSJ 45 [1969], p. 345-364) sont des listes nominatives des Ve-IVe s. L'o. phén. d'→Akko, publié par M. Dothan (IEJ 53 [1985], p. 81-94), leur est contemporain, mais se présente comme un document de nature économique. Il faut mentionner aussi l'inédit de →Jaffa.

2 Édom L'o. phén. de Tell el →Kheleifeh est datable de *c.* 400 av. J.C. et contient une liste de noms propres, écrite au recto et au verso (B. Delavault - A. Lemaire, RSF 7 [1979], p. 28-29).

3 Chypre L'inscription énigmatique de →Kition, gravée à la pointe sur une partie d'une assiette à engobe rouge, date probablement du VIIIe s. (Kition III, D 21). Par ailleurs, on a partiellement déchiffré 6 ou 7 o. de Kition, datables des VIe-IVe s. (Kition III, D 15; 20; 24; 26; 30; 38; cf. F 4). Quant aux comptes administratifs de Kition (Kition III, C 1), écrits à l'encre c. 400 av. J.C. sur les deux faces d'une tablette de calcaire, on ne peut, à proprement parler, les appeler o., bien qu'ils en soient proches par leur nature.

4 Égypte Au moins 3 o. phén. de Saqqâra (→Memphis) ont été publiés par J.B. Segal (*Aramaic Texts from North Saqqâra*, London 1983): une lettre (n° IX) et deux listes nominatives (n^{os} X et XVIII).

5 Tripolitaine L'o. phén. de →Cussabat, datable du Ier s. ap. J.C., est un texte de nature économique (Trip 86). Celui de →Sabratha serait une incantation (Epigraphica 45 [1983], p. 104-107).

6 Maghreb Nous ne connaissons pas d'o. pun. ou néopun. du Maghreb, bien que l'emploi d'o. et de tablettes de bois comme supports d'écriture soit attesté dans la région à l'époque vandale (p.ex. BAA 2 [1966-67], p. 239-249).
ELip

OSUNA →Andalousie; →Ivoires 1C.

OTHOCA Le site de Santa Giusta, près d'Oristano (Sardaigne), sur la rive de l'étang homonyme en contact avec le Golfe d'Oristano et la mer, a pu être identifié avec l'antique *Othaía* (Ptol. III 3,2) ou *Othoca* (*It. Ant.* 82) grâce aux fouilles d'une vaste →nécropole phén. et pun.-rom., exécutées en 1910 par A. Taramelli. Cet ancien port portait le même nom que l'→Utique africaine, comme l'indique l'ethnique *Uticensis* (CIL X,7846), qui rattache le toponyme à la racine sémitique *'tq*. La grande extension de la nécropole, en usage depuis la première moitié du VIe s., au plus tard, jusqu'à l'époque impériale rom., résultait déjà des fouilles entreprises au XIXe s. par M.G. Busachi. Les recherches récentes (1983-85, 1987, 1989) ont permis d'identifier des vestiges de l'habitat dans le secteur d'Is Olionis et de mettre au jour *c.* 30 sépultures à Santa Severa et à Is Forrixeddus, les plus anciennes remontant à la fin du VIIe s. av. J.C. Ce sont, pour la plupart, des sépultures à incinération, mais les fouilles antérieures attestent clairement l'usage des deux rites d'incinération et d'inhumation, ainsi que l'existence de plusieurs types de sépultures.

Bibl. ANRW II/11, 1, p. 522-523; A. Taramelli, Archivio Storico Sardo 6 (1910), p. 447; M.L. Wagner, Die Sprache 3 (1955), p. 91-92; R. Zucca, *Il centro fenicio-punico di Othoca*, RSF 9 (1981), p. 99-113; G. Tore - R. Zucca, *Testimonia Antiqua Uticensia (Ricerche a Santa Giusta-Oristano)*, Archivio Storico Sardo 34 (1983), p. 11-35; G. Ugas - R. Zucca, *Il commercio arcaico in Sardegna*, Cagliari 1984, p. 127-131, 172-175; F. Barreca, *La civiltà fenicia e punica in Sardegna*, Sassari 1986, p. 314-315.
GTore

OUDJEL Site de l'ancienne *Uzelis* (CIL VIII,6341), à 37 km à l'O. de Constantine, en Algérie, O. a livré une inscription libyque (RIL 775), trouvée près d'une dédicace à Jupiter (CIL VIII, 6339), ainsi qu'une inscription néopun. (RÉS 783), qui témoignent de la culture libyco-pun. du bourg pré-rom.

Bibl. AAAlg, f^{e} 17 (Constantine), n° 99.
ELip

OUDNA L'antique *Uthina*, à 20 km au S.-O. de Tunis, est une cité d'origine probablement libyque, comme le laisse supposer son nom. Le culte de →Saturne et de →Caelestis, au Ier-IIe s. ap. J.C., doit y être l'héritier d'anciens cultes pun. O. est peut-être l'Adyn de Pol. I 30,5, ville importante et fortifiée que →Régulus assiégea en 256/5 et où il remporta une victoire (Pol. I 30,4-14; Diod. XXIII 11; Zon. VIII 13). Un site d'époque pun. a été reconnu à →Henchir el-Aouine, près d'O.

Bibl. AATun, f^{e} 28 (Oudna), n° 48; PECS, p. 949; C. Picard, *Catalogue du Musée Alaoui. Nouvelle série: Collections puniques* I, Tunis 1954-55, p. 297-298; M. Leglay, *Saturne africain. Monuments* I, Paris 1961, p. 103; Desanges, *Pline*, p. 281-282.
ELip

OUSÔOS ET HYPSOURANIOS D'après Philon de Byblos (Eus., *P.E.* I 10,10-11), O. et H. appelé aussi *Samēmroûmos*, "cieux élevés" d'après le phén. *šmm rmm* comme H. en gr., étaient deux frères tyriens. O., un chasseur, inventeur des vêtements, se disputa avec H., constructeur de cabanes, et construisit le premier navire pour quitter la Tyr continentale, →Usu, qui lui avait donné son nom, et s'établir sur l'île de Tyr. Un récit un peu différent de la fondation de Tyr est rapporté par Nonnos, *Dion.* XL 465-500. Parvenu sur l'île, O. consacra deux stèles (→Ambrosiai Petrai) et leur voua un culte: ce sont les objets qui caractérisent par la suite le sanctuaire de Melqart à Tyr et la ville même (p.ex. sur le monnayage →Numismatique 1B). O. et H. passèrent ainsi au rang de personnages divins, ce qui est répété par Eus., *Laud. Const.* 13, qui nomme le premier Ousoros. Ce mythe reflète la dualité de Tyr, continentale et insulaire, la première se voulant plus ancienne que la seconde (cf. le gr. *Palaityros*). En raison de l'existence d'un quartier *šmm rmm* à Sidon (KAI 15), on a voulu y voir la transposition de la rivalité Tyr-Sidon, mais cela semble peu fondé. Quant au motif des frères ennemis, il n'est pas sans parallèle: on a en particulier rapproché la paire O.-H. de celle, biblique, d'Ésaü et Jacob (*Gen.* 25-27).

Bibl. Ebach, *Weltentstehung*, p. 149-174; Attridge-Oden, *Philo*, p. 82, n. 6; Baumgarten, *Commentary*, p. 159-165; Bonnet, *Melqart*, p. 27-31. CBon-PXel

OZERBAAL En phén. *'zrb'l*, gr. *Ozerbalos* ("Aide de Baal" plutôt que "Baal est aidant").

1 O., roi d'une cité phén. indéterminée au VIIIe ou VIIe s. Il est connu par l'inscription sigillaire d'un de ses ministres, *l'zm 'bd 'zrb'l* (Bordreuil, *Catalogue* 6). Son nom pourrait être identique à celui d'→Hasdrubal ou se lire *'Azar-Ba'al* ("Baal a aidé"), mais la seule forme phén. vocalisée de *'zrb'l*, attestée en Orient, est celle d'*Ozerbalos*,

2 O., personnage connu par l'inscription gr. LBW 1854d, trouvée à Beyrouth et datée du IIe/IIIe s. ap. J.C. ELip

OZIBAAL →Az(z)ibaal.

P

PAAR En phén. *P'r*, akk. *Paḫri*, gr. *Págra(i)*, nom de deux sites distincts du S.-E. de la Turquie.

1 P., en pseudo-hiéroglyphes louvites *Pa-ha-r(i)-wa-ná-i* (URBS), est mentionnée dans les inscriptions de →Karatepe (phén.: KAI 26 = TSSI III, 15,A,6), où le contexte suggère d'y reconnaître *uruPa-aḫ-ri*, la résidence royale d'un souverain de Que, c.-à-d. de →Cilicie, lors de la campagne de Salmanasar III en 834 (WO 1 [1947-52], p. 58, col. III,7). Ce pourrait être le grand tell de Mopsueste, l'actuelle Misis sur le Ceyhan, puisque la double chaîne montagneuse de Misis Dağları s'appelait en gr. *Pagrikà órē*.

2 P., en phén. *P'r Ḥmn*, "P. de l'Amanus", toponyme gravé sur une pierre de touche en basalte, du VIIIe s. av. J.C. On peut l'identifier avec le site moderne de Bağras et de l'antique *Págra(i)* (Strab. XVI 2,8; Ptol. V 14,9), qui commande au col de Belen la route d'İskenderun (Alexandrette) à Antakya (Antioche), à travers l'→Amanus.

Bibl. EI I, p. 937; PW XVIII, col. 2315; Dussaud, *Topographie*, p. 433-434, 444; Bron, *Karatepe*, p. 176-177; P. Bordreuil, *Catalogue* 4; id., *Du Carmel à l'Amanus*, Géographie historique au Proche-Orient, Paris 1988, p. 301-314 (voir p. 310-311). ELip

PAGUS Appellation lat. d'une circonscription territoriale. En Afrique rom., ce peut être un district hérité de l'administration carth. ou numide, qui l'appelait en pun. *'rṣt* (cf. KAI 141,1); le p. groupe alors plusieurs bourgs indigènes. Mais le p. peut être aussi une subdivision territoriale d'une cité rom., qui finissait souvent par se doter d'institutions analogues à celles des cités.

Bibl. G.C. Picard, *Le pagus dans l'Afrique romaine*, Karthago 15 (1969-70), p. 1-12; J. Gascou, *Y avait-il un* pagus *carthaginois à* Thuburbo Maius?, AntAfr 24 (1988), p. 67-80. ELip

PALAEBYBLOS Site mentionné par Strab. XVI 2,19 et Pline, *N.H.* V 78, correspondant au *Balbyblos* de la *Tab. Peut.* Localisé dans la baie de Djounié, entre le Nahr el-Ma'amiltein et le Nahr el-Kelb, il faut chercher P. soit à Djounié même, soit à Ṣarba, au S. de cette ville. Malgré son nom, il n'est pas certain que P. fût habitée à l'époque phén.

Bibl. PW XVIII, col. 2446; Dussaud, *Topographie*, p. 63. EGub

PALAEOKASTRO →Pyla.

PALAEPAPHOS →Paphos.

PALAETYR →Usu.

PALAIS Aucun p. de l'âge du Fer n'a été exhumé en terre phén., mais on attribue généralement au talent des constructeurs phén. nombre d'édifices du Fer II en Palestine (résidences de →Megiddo, →Samarie et Ramat Rahel). Plutôt qu'une origine, pour l'instant indémontrable, c'est une forte relation entre les deux régions qui est mise en évidence par les représentations de résidences phén. autour de Tyr sur les reliefs de Sennachérib. Les décors de fenêtres à colonettes et chapiteaux sont une réplique de ceux retrouvés à Ramat Rahel en particulier et connus par les →ivoires. Un tel lien est également attesté par la technique des murs à piliers utilisée en Palestine comme en Phénicie. À l'époque perse, l'existence d'un p. est assurée dans la campagne de Sidon. Le décor des chapiteaux à têtes de taureaux retrouvés là, est purement achéménide (fig. 266). Enfin, c'est peut-être une résidence que l'on devrait reconnaître dans les vestiges du Ve s. de Ras Shamra (→Ugarit). Les édifices I et IV, par leurs proportions, leur plan descendant de celui du *ḫilani*, et les colonnes qui leur sont peut-être associables, forment un ensemble d'une qualité nettement supérieure à celle des édifices domestiques connus dans la région. Aucun p. n'est connu dans le monde pun., sinon la mention de la résidence des →Barcides à →Carthagène (Pol. X 10,9).

Bibl. BRL², p. 242-247; DEB, p. 951-952; V. Fritz, *Paläste während der Bronze- und Eisenzeit in Palästina*, ZDPV 99 (1983), p. 1-42; Y. Aharoni et al., *Excavations at Ramat Rahel*, Rome 1962-64; R. Stucky, *Ras Shamra-Leukos Limen*, Paris 1983. FBrae

PALÉOPHÉNICIEN Terme employé parfois pour désigner le développement historique et culturel de la Phénicie à l'âge du Bronze. À condition qu'il ne soit pas employé pour suggérer un rapport ethnique entre la population de la Phénicie pré- ou paléophén. et celle de la Phénicie historique, plusieurs facteurs justifient son emploi. Les origines de l'→écriture phén. se situent en effet avant l'âge du Fer, l'archéologie ne cesse de fournir des documents préfigurant l'iconographie, le style, ainsi que les techniques caractérisant la production artistique du Ier mill. et l'onomastique phén. se rattache à celle de l'âge du Bronze. EGub

PALERME En gr. *Pánormos*, pun. *Ṣyṣ*, une des plus anciennes colonies phén. de Sicile (Thc. VI 2,6). En 480, elle servit de base navale carth. pour les opérations contre →Himère. Elle fut mêlée au conflit entre Carthage et →Syracuse à la fin du Ve et au début du IVe s. Conquise par →Pyrrhus en 276 (Diod. XXII 10,4), elle fut occupée par les Romains en 254 et resta sous leur domination malgré deux tentatives de reconquête carth. (→Monte Pellegrino; Diod. XXIII 19.21). La ville antique, localisée sous la ville moderne, s'est érigée sur un promontoire situé entre deux fleuves. Le noyau plus ancien (*Paleápolis*) occupait la zone la plus élevée et méridionale, le noyau récent (*Néapolis*), fondé au VIe s., le reste du promontoire jusqu'au port. On conserve certaines portions de l'enceinte au-delà de laquelle se trouvait une vaste →nécropole à inhumation et incinération. Les *c.*

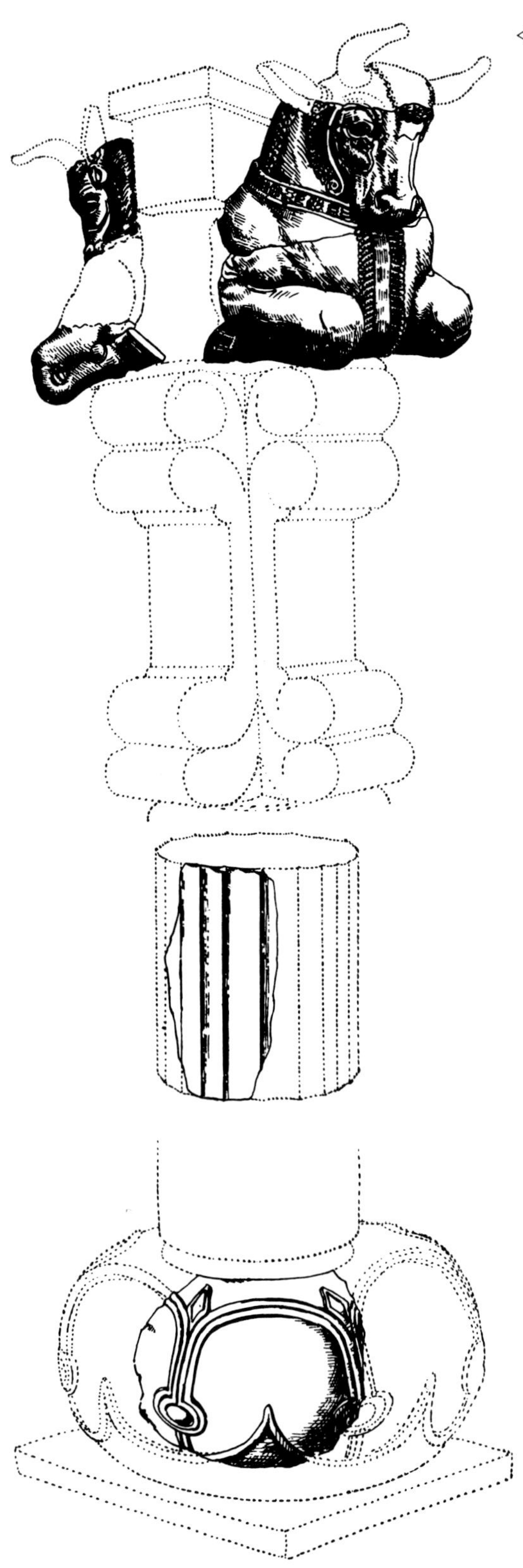

◁ *Fig. 266. Chapiteau à protomés de taureaux, avec la reconstitution d'une colonne, Sidon (Ve s. av. J.C.). Beyrouth, Musée National.*

1.000 →tombes consistaient en chambres hypogées avec couloir d'accès et escaliers. Elles contenaient de 1 à 3 →sarcophages creusés *in situ* dans la roche, couverts de plaques de calcaire et accompagnés parfois de dépositions de restes incinérés. D'autres tombes à fosse, pareillement creusées dans la roche, étaient peut-être destinées aux sépultures infantiles. Les →mobiliers funéraires comportaient de la →céramique pun. associée à celle d'importation gr., des →amulettes, des bijoux, surtout d'argent et de bronze (→orfèvrerie), des récipients pour onguents de →verre polychrome. La nécropole, dont le matériel le plus ancien ne remonte pas au-delà du milieu du VIIe s. av. J.C., fut en partie réutilisée à l'époque rom., au moins jusqu'au Ier s. ap. J.C.

Bibl. PECS, p. 671; M.O. Acanfora, *Panormo punica*, Mem ANL 8,1 (1948), p. 197-248; G.K. Jenkins, *Coins of Punic Sicily IV*: SYS - *Panormos*, RSN 50 (1971), p. 25-78; I. Tamburello, *Palermo antica* I-V, SicArch 35 (1977), p. 33-41; 37 (1978), p. 30-37; 38 (1978), p. 42-53; 39 (1979), p. 53-58; 40 (1979), p. 37-42; R. Camerata Scovazzo - G. Castellana, *Necropoli punica di Palermo*, SicArch 45 (1981), p. 43-54; I. Tamburello, *Necropoli punico-romana di Palermo. Rinvenimenti occasionali e scavi fino al 1980*, ANSP 16 (1986), p. 993-1027. ASpa

PALESTRINA Près de P., l'antique *Praeneste*, à 38 km à l'E. de Rome, on a découvert au XIXe s. des sépultures "princières" du VIIe s. av. J.C., en particulier les tombes dites "Barberini" (1855) et "Bernardini" (1876), qui contenaient un grand nombre d'œuvres d'art →orientalisant, notamment des →coupes métalliques (fig. 109), des →ivoires, des flacons et des colliers en pâte de verre. La plupart de ces objets sont conservés aujourd'hui à Rome, au Musée archéologique de Villa Giulia.

Bibl. PECS, p. 735-736; C.D. Curtis, *The Bernardini Tomb*, MAAR 3 (1923), p. 9-87; id., *The Barberini Tomb*, MAAR 5 (1925), p. 9-52; M.E. Aubet Semmler, *Estudios sobre el periodo orientalizante I. Cuencos fenicios de Praeneste*, Santiago de Compostela 1971; ead., *Los marfiles orientalizantes de Praeneste*, Barcelona 1971; F. Canciani - F.W. von Hase, *La tomba Bernardini di Palestrina*, Roma 1979. ELip

PALMA DI CESNOLA

1 Luigi (29.7.1832-21.11.1904). Archéologue amateur et collectionneur, consul des États-Unis à Chypre (1865-1876), puis directeur du Metropolitan Museum of Art de New York (1879-1904). Ardent explorateur des sites antiques de Chypre, il en retira sans aucune méthode une énorme quantité de documents dont le noyau se trouve au Metropolitan Museum. Sa collection est décrite dans *A Descriptive Atlas of the Cesnola Collection* I-III (Boston-New York 1885-1903) et dans le *Handbook of the Cesnola Collection of Antiquities from Cyprus* (New York 1914), préparé par J.L. →Myres. Le récit que donne P. di C. de ses découvertes, notamment dans *Cyprus, its Ancient Cities, Tombs and Temples* (Lon-

don 1877), doit être considéré avec prudence, mais ses lettres et des témoignages de contemporains permettent de contrôler un certain nombre de ses affirmations. Sur le site de Batsalos (→Kition), P. di C. découvrit une vingtaine de dédicaces phén. du IVe s. adressées à →Eshmun →Melqart (Kition III, A 5-25; MMJ 11 [1976], p. 55-70; →théologie 2). Il mit aussi au jour deux →sarcophages (4) anthropoïdes de type sidonien, l'un à Kition, l'autre à →Amathonte.
2 Alessandro (1839-1914). Frère du précédent et, comme lui, collectionneur d'antiquités chypriotes. Il séjourna fréquemment dans l'île entre 1873 et 1878, explorant surtout, semble-t-il, la région de →Salamine dont il traite dans *Salaminia* (London 1882, 1887²). Il découvrit aussi quelques inscriptions (Masson-Sznycer, *Recherches*, p. 115-117, 125-127).

Bibl. Ad 1: E. McFadden, *The Glitter and the Gold. A Spirited Account of the MMA First Director... L. Palma di Cesnola*, New York 1971; O. Masson, Centre d'études chypriotes, Cahier 1 (1984), p. 16-26; 2 (1984), p. 3-15. AHerm

PALMYRE En akk. *Tadmār/ēr/ūr*, hb./aram. *Tadmōr*, gr. *Palmúra*, lat. *Palmyra*; oasis et ville de la Syrie centrale, au croisement de pistes caravanières menant de la Méditerranée et de la mer Rouge à l'Euphrate, surtout à Dura-Europos, où il y avait une colonie palmyrénienne, tandis qu'Eddana, plus au S., aurait été une fondation phén. selon une notice d'Ét. Byz. (s.v. *Eddána*). P. est connue depuis le début du IIe mill., mais la plus ancienne épigraphe trouvée à P. même date de 44 av. J.C. Si les inscriptions de l'époque rom., jusqu'au IIIe s. ap. J.C., sont rédigées en aram. ou en gr. et révèlent une population mixte araméo-arabe, elles contiennent aussi des traces d'un vocabulaire religieux plus ancien, proche du phén. C'est ainsi que le théonyme babylonien *Bēl* ne fait que recouvrir l'ancien grand dieu de P. *Bôl*, nom dérivé de *Ba'al* et mentionné dans une notice d'Hsch. (s.v. *Adōnis*) qui concerne les croyances phén. La "tribu sacerdotale" desservant le sanctuaire de Malakbēl et d'Aglibôl se nommait en gr. *khōneitōn phulē*, appellation qui transcrit le terme phén. *khn*, "prêtre", distinct de l'aram. *kmr*. Ce sanctuaire même s'appelle en palmyrénien *gnt 'lm*, "le jardin des dieux", où l'on rencontre le pluriel phén. *'lm*, "dieux", précédé de l'article noté par un *'aleph*, comme en néopun. La vénération importante de →Baal Shamêm, l'unique mention de →Resheph, en l'an 6 av. J.C., le culte de →Shadrapha et d'→"Él possesseur de la terre" (*'l qnr'*) sont d'autres vestiges d'un panthéon de type phén., qui doit être antérieur à la "babylonisation" de la religion de P. dont témoignent le nom de Bēl et le culte de Nabû, Herta, Nanay. Il convient de mentionner aussi le sanctuaire de Bēl-Hamon qui est non seulement l'homonyme du →Baal Hamon phén.-pun., mais qui est figuré aussi sous les traits de →Kronos-Saturne sur l'autel du sanctuaire palmyrénien à Rome (Syria 9 [1928], pl. XXXIX) et que les Palmyréniens stationnés en Dacie associaient à →Pane Baal (*Benefal*: CIL III,7954). L'absence de documents du Ier mill. av. J.C. nous empêche toutefois de préciser la nature exacte et l'étendue des rapports entre P. et la Phénicie.

Bibl. PECS, p. 667-669; M. Gawlikowski, *Le tadmoréen*, Syria 51 (1974), p. 91-103; J. Teixidor, *Palmyre, un port romain du désert* (Semitica 34), Paris 1984; J. Starcky - M. Gawlikowski, *Palmyre*, Paris 1986 (bibl.); E. Lipiński, *Deux notes d'épigraphie palmyrénienne*, FolOr 24 (1987), p. 135-140. ELip

PALTOS Site antique, connu par Strab. XVI 753 et Pline, *N.H.* V 78-79, situé sur la côte syrienne, près de l'actuel village de 'Arab el-Mulk, de part et d'autre de l'embouchure de Nahr es-Sené. L'estuaire était peut-être un abri de fortune, mais n'a pas dû servir de port à P. à cause du courant trop fort du fleuve. P., qui faisait partie de la Pérée d'Arwad, a dû supplanter la cité d'→Ushnatu/Ushnu (Tell Daruk) et daterait de la fin de l'âge du Bronze. En effet, après les invasions des →"Peuples de la Mer", qui entraînèrent la chute d'→Ugarit, d'Ushnu de →Siyān(u), →Arwad avait détourné, à son profit, le commerce des plaines littorales de la Syrie et étendu son pouvoir sur les régions septentrionales de P. et →Gabala. À l'époque hellénistique, les monnaies de P. sont datées selon l'ère arwadienne de 259 av. J.C.

Bibl. J.-P. Rey-Coquais, *Notes de géographie syrienne antique: Les parages de Paltos*, MUSJ 41 (1965), p. 211-224; E. Oldenburg - J. Rohweder, *The Excavations at Tall Daruk (Usnu ?) and Arab al-Mulk (Paltos)*, København 1981. LBad

PANE BAAL Épithète habituelle de →Tanit dans les inscriptions pun., en particulier celles de →Carthage (*Tnt pn B'l*, aussi *p'n/pn' B'l*, avec graphème vocalique). À El-Hofra (→Constantine), elle est attestée aussi en transcription gr. *Phanebal* (EH gr. 1) ou *Phenēbal* (EH gr. 3). La traduction habituelle et peu satisfaisante de *pn B'l* est "face de Baal", mais le sens primitif de l'expression est vraisemblablement "en face de Baal", puisque le mot *pn* peut s'employer adverbialement et signifier "dans la direction de", "devant". Au IIe s. ap. J.C., P.B. apparaît comme théonyme indépendant sur des monnaies d'→Ascalon du temps d'Hadrien (117-138) et d'Antonin le Pieux (138-161), à légende gr. *Phanēbal(os)* (*BMC. Palestine,* pl. XIII,18), puis dans l'inscription lat. d'un Palmyrénien de Sarmizegetusa, en Dacie, sous la forme *Benefal* (CIL III,7954 = ILS 4341). L'épithète devait faire initialement allusion au rôle particulier de Tanit dans le culte de →Baal, mais les monnaies d'Ascalon figurent P.B. seule et la représentent en déesse armée.

Bibl. DISO, p; 229-230; G. Finkielsztejn, *Phanébal, divinité d'Ascalon*, StPhoen 9 (sous presse). ELip

PANI LORIGA Colline du S.-E. de la Sardaigne, située au S.-O. du village de Santadi, où l'on a identifié en 1965 une forteresse phén.-pun. Les fouilles de 1969-76 ont permis de localiser l'acropole à l'O. du site et de déterminer le périmètre de la double enceinte fortifiée avec une entrée au S., près d'un quartier d'habitations. Les vestiges d'un sanctuaire encore non fouillé, peut-être d'un →*tophet*, ont été reconnus à l'E. Au S.-O. de l'acropole s'étend une vaste

→nécropole phén. avec des sépultures à fosse simple, utilisée à la fin du VIIe s. et dans la première moitié du VIe s. Sur une centaine de sépultures à incinération, seuls trois cas d'inhumation ont pu être relevés. Au N.-O., on a mis au jour une dizaine de sépultures à chambre avec couloir d'accès horizontal, datées entre la seconde moitié ou la fin du VIe s. et le IIIe s. av. J.C. Ces tombes, malheureusement violées, comportent un pilier central, comme à →Monte Sirai, et de nombreuses niches sépulcrales. On présume que les fondateurs de la forteresse provenaient d'un site côtier, distant de *c.* 20 km, peut-être du Cap Teulada ou de la région de Porto Pino et de Porto Botte.

Bibl. *Monte Sirai-III*, Roma 1966, p. 162-163, 165, 167; G. Tore, *Notiziario archeologico*, StS 23 (1975), p. 365-374; F. Barreca - G. Tore, *Santadi (Cagliari), loc. Pani Loriga*, I Sardi, Milano 1984, p. 127-129; F. Barreca, *La civiltà fenicia e punica in Sardegna*, Sassari 1986, p. 313-314. GTore

PANOUFÈ En pun. *Pnp'*, ég. *P3-n-nfr/Pa-nfr*, copte *Panoube* ("Celui du Bon"); suffète de Carthage aux environs du IVe s., dont le nom égyptien témoigne d'une longue tradition familiale qui remonte au moins au VIe s. Le chef de la lignée, qui ne compte pas moins de dix-sept générations connues (CIS I,3778 = KAI 78), portait le nom de *Mṣry*, "Égyptien", et l'un des ancêtres de P. s'appelait *'bdr'*, "Serviteur de Re". Le même anthroponyme apparaît dans d'autres inscriptions carthaginoises (CIS I,908,4; 2035,4-5; 2487,4; 3557,4; 3919,4; 5523,4; 5963,2), où il pourrait désigner quelque membre de la même grande famille immigrée d'Égypte. ELip

PANTELLERIA En pun. *'yrnm* ("Île des *Rnm*"), gr. *Kós(so)ura/os*, lat. *Cossura*, île entre la Sicile et l'Afrique, dont le petit hâvre au N.-O. servait de point de relâche (Skyl. 111). Vieille colonie phén. en rapports étroits avec Carthage, elle paraît en être restée officiellement indépendante jusqu'au IIIe s., puisque les fastes triomphaux rom. mentionnent le double triomphe célébré en 253 *"de Cossurensibus et Poeneis"* (CIL I², p. 47). Mais P. fut reprise, peu de temps après, par les Carthaginois (Zon. VIII 14), pour être conquise de nouveau par les Romains en 217 (Pol. III 96,11-13; Liv. XXII 31,1-5; Zon. VIII 26). Elle possédait son →Assemblée du peuple (CIS I,265) et elle battait des monnaies à légende pun., ensuite lat.

Bibl. Gsell, HAAN I, p. 411; A. Verger, *Pantelleria nella antichità*, OA 5 (1966), p. 249-275; Desanges, *Pline*, p. 444-445; Huß, *Geschichte*, p. 17 (bibl.). ELip

PAPHOS En gr. *Páphos*, akk. *Pa-ap-pa*, phén. *Pp*, capitale d'un grand royaume de →Chypre, vers l'extrémité S.-O. de l'île, plus précisément, l'Ancienne-P. ou Palaepaphos, sur l'emplacement du village actuel de Kouklia (qu'il ne faut pas confondre avec la P. moderne, à *c.* 15 km à l'O., capitale du district, longtemps dénommée Ktima, au N. de la Nouvelle-P., *Néa Páphos*, site hellénistique et rom., devenu agglomération touristique, avec le port sur la côte). L'histoire de l'Ancienne-P. ou P. par excellence remonte très haut dans l'histoire. La tradition gr. elle-même (Strab. XIV 6,3) en attribue la fondation à l'Arcadien Agapénor, après la chute de Troie. Effectivement, un tombeau de la nécropole de Skales (S.-E. de Kouklia), datant de la fin du XIe s. a livré un bronze sur lequel est inscrit un nom gr., dans une écriture syllabique déjà chypriote. La liste d'Asarhaddon mentionne pour 673 un roi de P. *I-tu-u/ú-an-da-ar*, probablement identique avec un *Etewandros* attesté par ailleurs (ICS 176). Des fouilles commencées en 1950 dans la zone N.-E. de Kouklia ont révélé que la ville avait été assiégée et prise par les Perses à la suite de la révolte ionienne de 499/8. Des pierres inscrites en écriture syllabique, provenant d'un sanctuaire hors-les-murs saccagé à cette occasion et retrouvées dans une rampe de siège, ont fait connaître des rois du VIe s. et de nombreux objets instructifs, dont un document phén. Plus tard, une série de rois du Ve et du IVe s., inconnus des historiens gr., sont révélés par des légendes monétaires avec des noms gr. On connaît enfin les deux derniers rois de P. Timarchos (*c.* 350?-325?) et surtout son fils →Nikoklès (3) (325?-309), ce dernier auteur de diverses dédicaces. Deux rois antérieurs, Timocharis et Echétimos, portent le titre de "prêtre de la Wanassa" (ICS 16-17: épitaphes), qui est repris par Nikoklès (ICS 6-7; 90-91). Cette "reine" ou "princesse" est évidemment l'Aphrodite de P., c.-à-d. une des hypostases de la grande divinité féminine adorée depuis une époque très haute dans le temple dit d'Aphrodite, au S. du village de Kouklia, dont la "pierre noire" en forme de cône (culte aniconique) a même été retrouvée. On sait que l'*Od.* VIII 362-363 mentionne nommément Aphrodite à P., mais, sur place, les titres d' "Aphrodite" ou "Aphrodite Paphienne" n'apparaîtront que bien plus tard, vers le IIIe s. av. J.C. selon les dédicaces gr. alphabétiques conservées. Ce n'est donc peut-être pas un hasard si le seul document phén. concernant la déesse et retrouvé à Kouklia doit dater de la même période. Cette dédicace fragmentaire (RÉS 921) mentionne en tout cas *'štrt Pp*, donc →"Astarté de P.". Elle ne constitue évidemment pas une preuve du caractère "phén." de la divinité elle-même, ni même d'une véritable implantation phén. Il en va de même pour les représentations tardives du "temple" qui nous sont essentiellement connues grâce à des monnaies rom., depuis le temps d'Auguste, et que l'on ne tente plus d'utiliser pour reconstituer un édifice "syrien" ou "phén.". Ce qui est sûr, c'est qu'il s'agissait d'un *témenos* à ciel ouvert, d'un type bien attesté à Chypre. Il convient donc de parler seulement, en termes nuancés, de diverses "influences" phén., sans doute variables suivant les époques. Comme on l'a vu, les documents épigraphiques phén. sont rares. Les hypothèses du XIXe s., qui ont largement exagéré une présence sémitique dans l'O. de l'île, doivent être révisées. Comme dans d'autres grandes cités chypriotes, à l'exception de Kition, on retrouve à P. les constituantes principales du peuplement: les Grecs à côté d'une minorité d'→Étéochypriotes relevant d'un substrat très ancien, dont de rares inscriptions attestent la présence à P., puis un élément phén. instable, peut-être directement en rapport avec le culte de la déesse.

Bibl. ICS, p. 100-123; KlP IV, col. 484-487; PECS, p. 673-676; PW XVIII, col. 937-964; Masson-Sznycer, *Recherches*, p. 81-86; O. Masson, BCH 108 (1984), p. 72-77; V. Karageorghis (éd.), *Palaepaphos-Skales. An Iron Age Cemetery in Cyprus*, Konstanz 1984; F.G. Maier - V. Karageorghis, *Paphos, History and Archaeology*, Nicosia 1984; F.G. Maier - M.L. von Wartburg, *Excavating at Palaepaphos, 1966-1984*, Archaeology in Cyprus 1960-1985, Nicosia 1985, p. 142-172; O. Masson - T.B. Mitford, *Les inscriptions syllabiques de Kouklia-Paphos*, Konstanz 1986. OMas

PAPYRUS L'emploi de rouleaux de p. comme support d'écriture est attesté en Phénicie dès le XIe s. Le récit de →Wenamon mentionne en effet une livraison de rouleaux à →Sakarbaal, prince de Byblos, ville portuaire qui, grâce à son rôle d'intermédiaire dans l'exportation de ce produit, prêtera son nom aux roulaux de p., ainsi qu'à l'ensemble des écrits de la Bible. Par ailleurs, plusieurs bulles provenant de la Phénicie achéménide ou du monde pun. contemporain portent au revers l'empreinte de la trame des feuilles de p. sur lesquelles les sceaux avaient été apposés. Enfin, des étuis porte-amulettes pun. contenaient jadis des textes magiques écrits sur p. (→magie). Grâce à son climat sec, le sol égyptien a conservé deux p. portant un texte phén. (→écriture).

Bibl. DEB, p. 957; Vercoutter, *Objets*, p. 257-261; D.P. Ryan, *Papyrus*, BA 51 (1988), p. 132-140. EGub

PAPYRUS AMHERST 63 Le P.A. 63, rédigé en araméen mais dans l'écriture démotique égyptienne, date vraisemblablement de la seconde moitié du IIe s. av. J.C. Il contient plusieurs compositions, certaines remontant peut-être au VIIe s., notamment une série de textes religieux, dont l'un présente quelque ressemblance avec le *Ps.* 20 de la Bible. Les "canaanismes", l'emploi éventuel du titre phén. *'adoniy*, "mon Seigneur", et les références au Saphon (→Baal Saphon), sans doute celui du N. du Sinaï, s'expliqueraient le mieux si ces passages du P.A. 63 reflétaient l'impact d'un milieu phén. ou phénicisé de la région au S. de →Gaza, où se trouvait l'établissement de Tell er→Reqeish. Il semble, en tout cas, que le texte mentionne des localités voisines, Raphia et el-Arish, où s'élevait le sanctuaire de Mari, que l'on serait tenté d'identifier à Marna, le grand dieu de Gaza à l'époque gr.-rom. Seule une étude plus poussée du P.A. 63 pourrait éventuellement confirmer ces vues encore hypothétiques, qui ne correspondent pas aux opinions de tous les éditeurs du papyrus. Ceux-ci sont du reste portés, à des degrés divers, à y rechercher les traces d'une influence biblique.

Bibl. R.A. Bowman, *An Aramaic Text in Demotic Script*, JNES 3 (1944), p. 219-231; S.P. Vleeming - J.W. Wesselius, BiOr 39 (1982), col. 501-509; id., JEOL 28 (1983-84), p. 110-140; id., *Studies in Papyrus Amherst 63* I, Amsterdam 1985; C.F. Nims - R.C. Steiner, JAOS 103 (1983), p. 261-274; id., JNES 43 (1984), p. 89-114; id., RB 92 (1985), p. 60-81; I. Kottsieper, in O. Loretz, *Die Königspsalmen* I, Münster 1988, p. 55-75; ead., ZAW 100 (1988), p. 217-244. ELip

PARAHYBA Ville du Brésil septentrional, aujourd'hui João Pessoa, où un certain Joaquim Alves da Costa aurait découvert, en 1872, une inscription phén. du VIe/Ve s. av. J.C. relatant le périple d'un vaisseau sidonien qui aurait finalement échoué au Brésil. En 1873, L. Netto en publia une copie dans la revue brésilienne *O Mondo Novo*, mais ce texte fut communément considéré comme un faux jusqu'à ce que C.H. Gordon (1968) et L. Delekat (1969, 1972) en voulurent défendre l'authenticité. Cette opinion fut toutefois battue en brèche par d'autres chercheurs qui démontrèrent, d'une manière indiscutable, l'inauthenticité du texte. Quant à l'existence même d'une inscription gravée au XIXe s., elle n'est peut-être pas à exclure, vu que l'on connaît une plaque de marbre provenant de l'Amérique du S. et portant le texte d'un Décalogue "primitif" gravé vers la même époque en lettres paléo-hébraïques.

Bibl. C.H. Gordon, Or 37 (1968), p. 75-80, 425-436, 461-463; J. Friedrich, Or 37 (1968), p. 421-424; F.M. Cross, Or 37 (1968), p. 437-460; M.G. Guzzo Amadasi, OA 7 (1968), p. 245-261; J. Hoftijzer, Phoenix 14 (1968), p. 182-185; H. Schmökel, MUSJ 45 (1969), p. 297-306; L. Delekat, *Phönizier in Amerika*, Bonn 1969; id., Linguistica Biblica 15-16 (1972), p. 22-35,90; G.I. Joffily, ZDMG 122 (1972), p. 22-36; G. Del Olmo Lete, Anuario de Filología 4 (1978), p. 247-249; Bunnens, *Expansion*, p. 43-44; M.G. Amadasi Guzzo, I Fenici, Milano 1988, p. 570-572. ELip

PARFUMS En Phénicie, le p. avait de multiples usages: religieux (KAI 69,12; 74,9; Syria 19 [1938], p. 363: relief inédit du Louvre AO. 2060, 31-42), funéraire (MUSJ 45 [1969], p. 259-273), domestique (BMAP 2,5). Le p. devint très tôt une spécialité phén., *poinikijo* désignant en mycénien l'aromate par excellence; il figure dans les tributs assyriens (Iraq 13 [1951] p. 23 l. 5). Les Phéniciens furent des fabricants réputés: Pline, *N.H.* XIII 6,11-13 cite le *galbanum*, huile d'amande, et le *mendesion*, le p. au lis d'Ascalon, le henné de Sidon, le *telinum*. Ils cultivaient les essences rares (Pline, *N.H.* XII 104. 108. 124), mais ils importaient l'→encens et la plupart des aromates d'Arabie (*Ez.* 27,22-24; Hdt. III 107) et, au-delà, de l'Asie tropicale. Leur rôle dans le commerce est révélé par la terminologie arabe et par les noms gr. d'aromates: *lbn*, "blanc", > *líbanos*, "encens"; *ššn*, "lis", > *soūson* (ég. *sšn*); *koper*, "henné", > *kúpros*; *ṣry* > *stúrax*, "baume"; *ldn* > *ládanon*, "résine"; *mr* > *múrra*, "myrrhe", et générique *múron*, "huile parfumée".

Bibl. E. Masson, *Recherches sur les plus anciens emprunts sémitiques en grec*, Paris 1967; P. Faure, *Parfums et aromates dans l'Antiquité*, Paris 1987. MFBas

PATÈQUE Selon Hdt. III 37, Cambyse se gaussa fort de la statue du dieu →Ptah (Héphaïstos) à →Memphis: "elle ressemble beaucoup en effet aux p., ces images que les Phéniciens promènent sur les mers à la proue de leurs vaisseaux; pour en donner une idée à qui n'en a jamais vu, je dirais qu'elles représentent un pygmée". Aussi les archéologues ont-ils désigné du nom de p. de petites figurines→amulettes, nombreuses depuis la fin du Nouvel Empire et durant la Basse Époque, qui représentent une sorte de nouveau-né nu, difforme: grosse tête aplatie, jambes courtes et arquées, marques de chon-

Fig. 267. Ptah-patèque, amulette en stéatite, Puig des Molins (VIe-Ve s. av. J.C.). Ibiza, Musée Archéologique.

drodystrophie (fig. 24, 267; pl. Ib). Elles ont une valeur apotropaïque, à l'instar des images de →Bès; aussi peuvent-elles se dresser sur des crocodiles ou étrangler des serpents. Parfois elles portent la tresse de la jeunesse, ce qui les rapproche d'→Harpocrate, le dieu-enfant qui triomphe des forces du mal et est une image de résurrection; d'ailleurs, les p. présentent souvent un scarabée, symbole de renaissance, sur le sommet de leur crâne aplati. Pour leur association avec Ptah, dieu de la métallurgie, on notera que, dès l'Ancien Empire égyptien, les orfèvres sont souvent des nains (RArch 1952, p. 1-11). Dans la diffusion par le commerce phén. des amulettes égyptiennes et →égyptisantes, les p. ont été largement répandus tout autour de la Méditerranée et leur type a été repris par les coroplastes de la Grèce archaïque, puis hellénistique.

Bibl. LÄg IV, col. 914-915; RÄRG, p. 584-585; F. Ballod, *Prolegomena zur Geschichte der zwerghaften Götter in Ägypten*, Moskau 1913; W. Spiegelberg, *Zu dem Typus und der Bedeutung der als Patäken bezeichneten ägyptischen Figuren*, SBAW. PPH 28 (1925), p. 8-11; R. Hückel, *Über Wesen und Eigenart der Patäken*, ZÄS 70 (1934), p. 103-107; S. Morenz, *Ptah-Hephaistos, der Zwerg*, Festschrift F. Zucker, Berlin 1954, p. 275-290 (= *Religion und Geschichte des alten Ägypten*, Köln-Wien 1975, p. 496-509); D. Meeks, in *Génies, anges et démons*, Paris 1971, p. 55-56, n. 220-223.
JLec

PAUL-ÉMILE *L. Aemilius Paullus*, membre de la grande *gens Aemilia*, l'une des plus anciennes du patriciat rom., fils de Marcus, qui avait secouru les débris de l'armée de →Régulus isolée au cours de la 1re →guerre pun. à →Kélibia (255-254). Consul en 219, P.-É. achève la 2e guerre d'Illyrie. Il paraît bien avoir fait partie (Liv. XXI 18,1) de l'ambassade envoyée, au lendemain de la chute de →Sagonte, d'abord à Carthage pour lui signifier un ultimatum, ensuite en Espagne et dans le S. de la Gaule pour tenter de dénouer les alliances secrètement conclues par →Hannibal (6). Sa réélection au consulat en 216, dans le désarroi politique né des défaites des deux années précédentes, est dominée par l'affrontement entre le patriciat et la plèbe. Lui-même impopulaire, P.-É. se voit contraint d'être le collègue du plébéien C. →Terentius Varro, dont il ne réussit pas à contenir l'impatience à combattre Hannibal en Apulie. Aussi est-ce contre son avis (Pol. III 110,48; Liv. XXII 44,5-6) que le combat est engagé à Cannes sous le commandement de Varron. À la tête de l'aile droite, P.-É. est mortellement blessé vers la fin de la bataille. Il était le père de celui que l'histoire générale nomme "Paul-Émile", le vainqueur de Persée à Pydna.

Bibl. Huß, *Geschichte*, p. 294, 323-324, 327-331, 334.
JLoicq

PAULILATINO, SANTA CRISTINA DI Localité →nuragique du centre de la Sardaigne, d'où proviennent quatre figurines en bronze de type phén., trouvées en 1967. Une d'entre elles représente un personnage filiforme assis (Phén 244) et date du IXe/VIIIe s. av. J.C.

Bibl. G. Tore, *I bronzi figurati fenicio-punici in Sardegna*, ACFP 1, Roma 1983, p. 449-461; F. Barreca, *Phoenicians in Sardegna: The Bronze Figurines*, M.S. Balmuth (éd.), Studies in Sardinian Archaeology II, Ann Arbor 1986, p. 131-144.
ELip

PAVIMENTA PUNICA Appellation parfois appliquée aux différents pavements du monde pun. et en particulier à l'*opus signinum* (→mosaïque 2) sur la base du lexique de Festus où l'expression *pavimenta poenica* semble être attribuée à Caton l'Ancien. P. Bruneau a démontré de manière définitive, par une étude philologique du texte, qu'il faut dissocier la citation de Caton des *pavimenta poenica*. Ceux-ci sont en effet définis par Festus lui-même comme des "pavements en marbre numide" (*marmore Numidico constrata*) et reflètent une réalité d'époque impériale.

Bibl. P. Bruneau, *Pavimenta poenica*, MÉFRA 94 (1982), p. 639-655; M. Gaggiotti, *Pavimenta Punica marmore Numidico constrata*, L'Africa romana V, Sassari 1988, p. 215-221.
JBal

PEINTURES, STUCS Les documents peints sont nombreux en Phénicie à partir de l'époque hellénistique, mais ils s'inscrivent dans le cadre de l'art classique. Un ensemble de stèles et d'hypogées peints, notamment à →Marésha, permet de retracer les principaux caractères de la peinture de Sidon du IIe s. av. au IIe s. ap. J.C.: riches couleurs — surtout rouge et vert —, guirlandes, fleurs, oiseaux. On notera aussi un hypogée de la région de Tyr à sujets mythologiques: Tantale, Héraklès et Alceste, enlèvement de Perséphone, Achille et Priam. Dans le monde pun., les documents sont rares et peu significatifs. On citera les fragments de coquilles d'→œufs d'autruche à décor floral et géométrique ou les →masques apotropaïques (Carthage, Sexi, Ibiza, Villaricos; Phén 202). À →Lilybée, en Sicile, se développe un type de stèles peintes influencé par l'art classique mais abondamment pourvu des symboles typiques de l'iconographie pun.: disque solaire et croissant de lune, →"signe de Tanit", caducée (fig. 206; Phén 226). On retrouve cette symbolique dans les

hypogées de la nécropole de →Cagliari et dans un tombeau bâti, décoré de peintures, que l'on a mis au jour à Santa Giusta (→ Othoca), en Sardaigne. Dans les tombes d'Afrique du N., le décor peint se limite souvent à des faisceaux de lignes verticales et de rares motifs géométriques. Une tombe du Djebel Mlezza (→Kerkouane) fait exception, avec sa représentation de ville en pyramide et sa symbolique religieuse: coq, croissant, "signe de Tanit", autel (Phén 201). On signalera aussi les p. de quelques →haouanet: une du Djebel Behlil, dans le Cap Bon, celles des Mogods, sur la rive droite de l'oued Magasbaia et dans le Djebel Chouchou, mais le document le plus riche de sens est la p. de →Kef el-Blida.
Dans les maisons récemment découvertes à →Carthage, sont apparus de nombreux fragments de stuc peint provenant de la décoration intérieure: corniche, colonnes, pilastres, chapiteaux, taillés dans le calcaire local, portaient un décor stuqué polychrome. Des marbres colorés étaient également utilisés. Ce type de décor architectural est attesté dès la fin du IVe s. av. J.C.

Bibl. E. Deyrolle, *Les haouanet du Jbel Behelil*, BSAS 1 (1903), p. 59-68; F. Bonniard, *Sur quelques peintures rupestres des chambres sépulcrales des Mogods*, BAC 1929, p. 299-304; P. Cintas - E.G. Gobert, *Les tombes du Jbel Mlezza*, RTun 38-40 (1939), p. 135-198 (voir p. 190-197); M. Dunand, *Tombe peinte dans la campagne de Tyr*, BMB 18 (1961), p. 5-51; M. Fantar, *Eschatologie phénicienne punique*, Tunis 1970, p. 26-37; F. Rakob, *Allemagne. Campagne de travail 1981*, CEDAC Carthage 4 (1981), p. 12-14; M.G. Amadasi Guzzo, *La pittura*, I Fenici, Milano 1988, p. 448-455; M. Fantar, *La décoration peinte dans les tombes puniques et les houanets libyques de Tunisie*, Africa 10 (1988), p. 28-49.

JBal

PÉRÉTIÉ, W.A. →Collectionneurs.

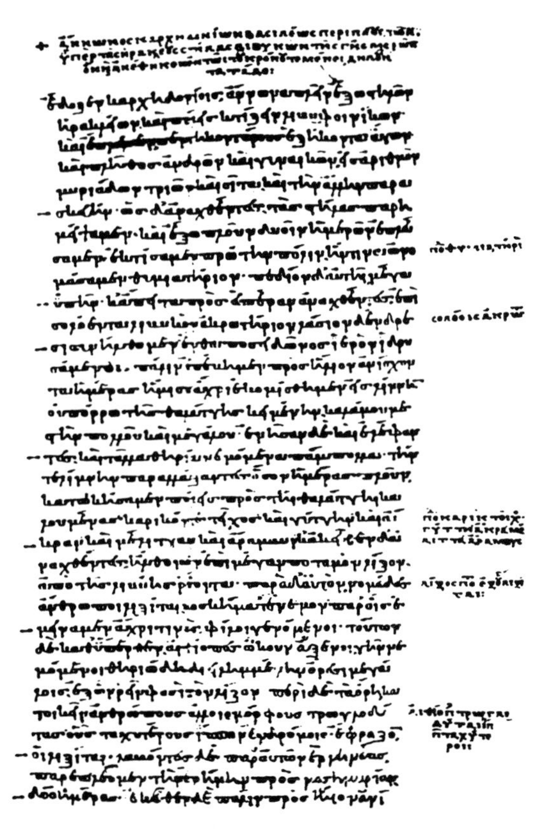

Fig. 268. Première page du Périple d'Hannon dans le Cod. Palat. Graecus *398, fol. 55r.*

PÉRIPLES Les anciens p. ou voyages de circumnavigation nous intéressent dans la mesure où ils constituent des sources pour l'étude de l'→expansion et des activités maritimes phén.-pun.

1 Périple d'Afrique sous Néchao Hdt. IV 42 (cf. Strab. II 3,4-5) fait état d'un p. de trois ans accompli par des marins phén. sous le pharaon Néchao II (610-595). Partis par la mer Rouge, ils auraient fait le tour de l'Afrique et seraient revenus par Gibraltar. L'aventure, à supposer qu'elle eut réellement lieu, fut sans lendemain.

2 Périple d'Hannon La version gr. du *Cod. Palat. 398*, fol. 55r-56r (fig. 268), de Heidelberg semble remonter au IVe s. av. J.C. et reproduire fidèlement le récit carth. d'une entreprise de recolonisation (cf. Arstt., *Pol.* II 11,15) qui devrait dater du Ve s. et dont l'historicité ne peut plus être mise en doute. Comme un jour de cabotage représente une distance maxima de 50 km, dans de très bonnes conditions de →navigation, les renseignements précis du p., comparés aux données géographiques et archéologiques, indiquent que le point extrême du voyage d'Hannon ne peut se situer au-delà du Cap Juby, le plus rapproché de l'archipel volcanique des îles Canaries. La première ville repeuplée, →Thymiatérion, ne saurait être que →Tanger, et Cernè doit être localisée aux bouches du Sebou, donc près de →Mehdia. Les tentatives de faire descendre Hannon jusqu'en Guinée, voire au Cameroun, ne tiennent pas suffisamment compte du texte et des conditions de la navigation.

3 Voyage d'Himilcon L'écrit d'Himilcon, mentionné par Pline, *N.H.* I 5, ne nous est pas parvenu, mais Avienus, *Ora* 117-129.380-389.412-415, en versifie des extraits au IVe s. ap. J.C. Himilcon aurait décrit son voyage de quatre mois jusqu'aux îles Oestrymnides, qu'Avienus, *Ora* 90-111, met en rapport avec l'Irlande, les Cornouailles et la Bretagne française, mais ailleurs, aux v. 154-155, il identifie l'Oestrymnide au N. de l'Espagne. Aussi est-il vraisemblable qu'Himilcon n'était parvenu qu'en Galice, au N.-O. de la Péninsule Ibérique.

4 Périple du Pseudo-Skylax →Skylax de Karyanda avait écrit à la fin du VIe s. un *Périple de la mer Intérieure*, c.-à-d. de la Méditerranée, dont les fr. préservés prouvent qu'il était différent du p. que lui attribue le *Parisinus suppl. gr. 443* (XIIIe s.), où l'on trouve une compilation de la seconde moitié du IVe s. av. J.C., interpolée, voire abrégée aux siècles suivants (cité Skyl.). Elle n'en contient pas moins des informations précieuses sur la côte phén. et les établissements phén.-pun. du bassin occidental de la Méditerranée et de la côte Atlantique. Son utilisation doit cependant tenir compte des interpolations et de

l'emploi de sources différentes, p.ex. au § 112 des GGM, où la mention du "fleuve Krabis" est séparée de la description de ses alentours par un passage d'une autre venue qui se rapporte au Cap →Spartel et se poursuit jusqu'à un "fleuve nommé Xiôn".
5 Périple de Polybe Pline, *N.H.* V 9-10 utilise un p. de Polybe, qui date de 146 av. J.C. et auquel Pol. III 59,7 fait allusion. Le passage conservé par Pline se réfère à la côte Atlantique du Maroc.
6 Navigations d'Eudoxe de Cyzique Strab. II 3,4-5 a recueilli le récit des voyages d'un certain Eudoxe de Cyzique, datables entre 117 et 109 av. J.C. Les passages repris par Strabon portent notamment sur →Gadès et →Lixus.
7 Tour du monde Poème géographique composé par →Denys le Périégète sous Hadrien (117-138). Il décrit notamment les côtes phén. et libyques, surtout d'après Ératosthène de Cyrène (*c.* 275-194). Ce poème a été commenté par Eustathe, paraphrasé par un anonyme en gr. et adapté en vers lat. par Avienus (IVe s.) et Priscianus (VIe s.).
8 Stadiasme de la Grande Mer Ouvrage anonyme, basé sur une œuvre gr. du IIIe s. ap. J.C., dont certaines sources remontent au Ier s. av. J.C. Il contient d'excellentes instructions nautiques sur les mouillages en Méditerranée, les points d'eau et les distances entre les différents lieux nommés. Les sections préservées concernent les trajets Alexandrie-Utique et Arwad-Milet, ainsi que Chypre et la Crète.

Bibl. GGM; Gsell, HAAN I, p. 468-523; A.B. Lloyd, *Necho and the Red Sea: Some Considerations*, JEA 63 (1977), p. 142-155; Desanges, *Recherches*, p. 3-173, 386-427; J. Blomqvist, *The Date and Origin of the Greek Version of Hanno's Periplus*, Lund 1979; J. Alvar, *El comercio del estano atlántico durante el período orientalizante*, MHA 4 (1980), p. 43-49; J. Desanges, *Le point sur le "Périple d'Hannon"*, Enquêtes et documents 6 (1981), p. 11-29; Huß, *Geschichte*, p. 75-85 (bibl.); J. Blomqvist, *Reflections of Carthaginian Commercial Activity in Hanno's Periplus*, OrSuec 33-35 (1984-86), p. 53-62; R. Rebuffat, *Recherches sur le bassin du Sebou II. Le Périple d'Hannon*, BAM 16 (1985-86), p. 257-284. ELip

PERSÉE En phén. *Prsy*, gr. *Persaios* ("Perse").
1 P., ancêtre d'une illustre lignée dont les six membres connus (Kition III, B 45) portent tous le titre de *rb srsrm*, "chef des courtiers" d'après l'hb. postbiblique *sirsōr*. Cette fonction, apparemment héréditaire, pouvait avoir quelque rapport avec la Cour royale de →Kition. Comme l'inscription phén., dédiée à la mémoire de l'arrière-petit-fils de P., qui s'appelait pareillement P., date du IVe s., l'ancêtre de la lignée doit avoir exercé sa charge au début du Ve s., peut-être sous →Baalmilk I (2). Il est possible que la famille fût réellement d'origine perse.
2 P. (*c.* 306-243), fils de Démétrios de Kition, peut-être un descendant de la même famille. Il fut, à Athènes, disciple du stoïcien→Zénon de Kition (Plut., *Arat.* 23; Paus. VIII 4). En 277, celui-ci l'envoya à Pella, à la Cour d'Antigone II Gonatas, où P. acquit une grande influence et fut précepteur d'Halcyonès, le fils d'Antigone. Nommé commandant militaire de Corinthe en 244, il laissa tomber la ville et la citadelle aux mains d'Aratos, en 243, et commit le suicide. Fidèle à la pensée de Zénon, il écrivit des traités "De la royauté", "Politique lacédémonienne", des "Dialogues de banquet", etc., dont ne subsistent que des fragments.

Bibl. Ad 2: PW XIX, col. 926-931; H. von Arnim, *Stoicorum veterum Fragmenta* I, 1903, p. 96-107. ELip

PERSES L'histoire de la domination p. sur les cités phén. est assez mal connue à cause des lacunes et du déséquilibre de la documentation. Il existe une distorsion entre les données archéologiques, peu abondantes, et les nombreuses données textuelles, dont l'essentiel est constitué par les sources classiques (Hérodote, Thucydide, Xénophon, Isocrate, Arrien, Diodore, Polyen, Quinte-Curce). Les sources achéménides ne mentionnent qu'indirectement les cités phén. (DSf 30-32) et les sources phén. ne sont pas beaucoup plus explicites (KAI 14,20; MUSJ 45 [1973], p. 259-273).
1 Histoire militaire La date du début de la domination p. sur les cités phén. est incertaine, mais elle n'est sans doute pas postérieure à 539. Comme ses prédécesseurs assyro-babyloniens, Cyrus avait besoin de débouchés sur la Méditerranée et de la puissance navale phén. Cambyse (530-522) utilisa pour la conquête de l'Égypte les flottes phén. et chypriotes; toutefois, les Phéniciens auraient refusé d'attaquer Carthage. La conquête des cités gr. d'Asie Mineure par Cyrus avait mis les P. en contact avec le monde gr. Les rencontres militaires entre les P. et les Grecs sont connues uniquement à travers les sources classiques. La flotte phén. ne constituait pas toute l'armée navale p., mais son importance ne se démentit pas sous Darius (521-486), aussi bien pendant la soumission des Ioniens des îles que dans l'écrasement des révoltes de l'Ionie et d'Onésilos de Salamine. Cette flotte se distingua dans la 2e →guerre médique sous Xerxès (486-464), qui établit des relations privilégiées avec le roi de Sidon. Mais après la défaite de Salamine en 480, elle connut des échecs successifs à l'Eurymédon en 466, en Égypte en 460/459 et à Chypre en 450. Pendant la seconde moitié du règne d'Artaxerxès I (464-425) et celui de Darius II (425-404), elle n'intervint jamais; cependant, elle joua un rôle important dans la politique p. en Méditerranée orientale, tantôt brandie comme une menace, tantôt promise comme un secours inespéré dans les événements de Samos de 441-439 et 412-409. À Chypre se développèrent alors des dynasties phén. persophiles, même à Salamine. Au IVe s., les P. durent faire face à plusieurs révoltes des satrapies occidentales. La réaction des cités phén. semble avoir été prudente face à l'expédition d'→Évagoras I de Salamine à Tyr. On ignore si elles prirent part à la première révolte des satrapes en 371, mais elles participèrent en tout cas à la deuxième révolte, en 362/1. L'événement le mieux connu de cette époque est en 351/50 la révolte de Sidon contre Artaxerxès III, qui la réprima durement en faisant exécuter Tennès et détruire Sidon (→Tabnit II). Il mit peut-être sur le trône de Sidon →Évagoras II de Salamine. Tyr pourrait avoir profité de la disgrâce de Sidon pour prendre l'hégémonie. La rapidité avec laquelle les cités phén. (sauf Tyr) se soumirent à →Alexandre donne à penser que leurs

relations avec les occupants p. n'étaient pas excellentes.

2 Administration La couverture politico-administrative p. était présente et efficace dans les cités phén., sans être toutefois aussi dense qu'ailleurs. Ces cités furent d'abord incluses dans la même satrapie que la Babylonie, puis à partir de Darius I, dans celle d'Abar-Nahara. Il y avait à Sidon, sinon le siège habituel du satrape, du moins une résidence satrapique, et à Byblos une résidence de fonctionnaire p. La présence de ces résidences au cœur même des cités implique que les P. possédaient à proximité, pour subvenir à leur entretien, des terres royales (*paradeísos* de Sidon). Les cités phén. constituaient, en quelque sorte, des États dans l'État, avec leurs structures socio-politiques autonomes. Les rois phén., par satrapes et gouverneurs interposés, étaient les interlocuteurs du Grand Roi, qui essayait de se les concilier en leur accordant des honneurs et des dons de terres, et favorisait les dynasties persophiles. La couverture politico-administrative p. était mise en place pour faciliter la perception du tribut et des taxes diverses, préoccupation essentielle des rois p. Le cinquième nome d'Hérodote, district fiscal dont faisaient partie les cités phén., devait payer 350 talents d'argent. Ces cités devaient en outre fournir du bois de cèdre, des artisans, des flottes, des équipages, et entretenir les garnisons p. La régularité de la perception du tribut était conditionnée par une bonne organisation militaire de l'espace. Les P. ont été particulièrement intéressés par certains sites phén., soit comme positions stratégiques pour contrôler la route côtière (forteresses de Byblos et de Baniyās ?), soit comme bases d'opérations vers l'Égypte ou les cités gr. (Sidon et Akko). Cependant, la couverture militaire n'a sans doute pas été ici très dense, dans la mesure où il ne semble pas y avoir eu implantation systématique de colonies militaires.
Au total, la domination p. a laissé peu de traces dans l'archéologie, l'onomastique et les cultes phén., ne produisant pas l'acculturation attendue dans une situation de dominants/dominés. En fait, une telle acculturation ne pouvait pas se produire parce qu'il n'y avait pas de volonté d'assimilation culturelle, que la culture locale était préservée et que les résidents p. n'étaient pas assez nombreux ni efficaces comme agents acculturateurs.

Bibl. CAH IV², p. 1-286, 798-839; CHI II; C. Clermont-Ganneau, *Le paradeisos royal achéménide de Sidon*, RB 30 (1921), p. 106-108; O. Leuze, *Die Satrapieneinteilung in Syrien und im Zweiströmlande von 520-320*, Halle 1935; G. Hill, *A History of Cyprus* I, Cambridge 1940, p. 111-155; A.F. Rainey, *The Satrapy "Beyond the River"*, AJBA 1/2 (1969), p. 51-78; S.F. Bondì, *Istituzioni e politica a Sidone dal 351 al 332 av. Cr.*, RSF 2 (1974), p. 149-160; J. Elayi, *Recherches sur les cités phéniciennes à l'époque perse*, Napoli 1987, p. 6-9, 73-74. JEla

PEUPLES DE LA MER Sous ce nom, on désigne conventionnellement des groupes de peuples qui, selon les sources égyptiennes, auraient opéré des mouvements migratoires vers la fin du IIᵉ mill. Ces groupes ne sont pas homogènes et même les textes égyptiens ne les considèrent qu'exceptionnellement en bloc. Il semble s'agir en fait de coalitions de circonstance. Par ailleurs, le qualificatif "de la mer" n'est pas le seul utilisé. Ces peuples sont dits aussi venir du N., des îles ou de pays étrangers. Du point de vue chronologique, deux groupes sont à considérer.

1 Merneptah Sous Merneptah, vers la fin du XIIIᵉ s., une première série de "Peuples de la Mer" apparaît en Libye dans l'armée du roi Meriaï, dont ils ne constituent nullement le gros des effectifs. Cinq noms sont connus:
Teresh. On reconnaît souvent dans ce nom celui des Tyrsènes ou Étrusques; une tradition rapportée par Hdt. I,94 fait venir les Étrusques d'Asie Mineure; nous pourrions donc les voir ici, ou du moins le groupe qui aurait donné son nom aux Étrusques, dans leur mouvement migratoire vers l'Italie.
Shekelesh. On voit souvent en eux les ancêtres des Sikèles qui ont donné leur nom à la Sicile, mais d'autres rapprochements onomastiques sont possibles, par exemple avec Sagalassos en Asie Mineure.
Eqwesh. Il pourrait s'agir des Achéens (*Akhaiwoi*) connus en Asie Mineure sous le nom d'*Aḫḫiya(wa)*.
Sherden. Leur nom serait le même que celui de la Sardaigne.
Rukka. Il s'agit probablement des Lyciens, car la langue égyptienne ne distingue pas le *r* du *l*.

2 Ramsès III Plus importante semble avoir été la coalition qui a tenté de pénétrer en Égypte sous Ramsès III au début du XIIᵉ s. et dont les reliefs et inscriptions du temple de Medinet Habu conservent le souvenir. Deux groupes viennent du N. et s'avancent vers l'Égypte. L'un, par voie de terre, anéantit le royaume →hittite, pille le S. de l'Anatolie, ravage Karkémish et descend vers le pays d'→Amurru, dans la région de Homs, où il rencontre le deuxième contingent qui est venu par mer. Ils poursuivent leur route de concert et sont arrêtés de justesse aux portes de l'Égypte. Outre les *Teresh, Shekelesh* et *Sherden*, qui figuraient déjà dans le premier groupe, on trouve:
Pereset. C'est très certainement le groupe qui a donné son nom aux →Philistins.
Tjekker. On les retrouvera installés dans la région de →Dor au temps de →Wenamon; il s'agit probablement des *Šikila* qu'une lettre d'Ugarit montre maraudant sur des navires.
Denyen. Ce sont probablement les *Danuna* de la région d'Adana en →Cilicie; le problème de leurs rapports avec les Danaens reste ouvert.
Weshesh. Ils sont inconnus par ailleurs.
L'ampleur et la portée historique de ces mouvements migratoires font l'objet d'appréciations diverses. Certains de ces peuples, notamment les *Sherden*, les *Danuna* et les *Rukka* ou *Lukka* étant attestés au moins dès le XIVᵉ s., on imagine parfois que les "Peuples de la Mer" ont exercé sur le Proche-Orient une pression croissante, qui se serait muée en invasion véritable à la fin de l'âge dit du Bronze. La plupart des destructions qui marquent la transition de cette période vers l'âge dit du Fer seraient ainsi l'œuvre des "Peuples de la Mer". C'est perdre de vue que la fin du IIᵉ mill. est une période de crise et d'instabilité générales dont les mouvements des "Peuples de la Mer" ne sont qu'un aspect. Doriens, Kashka, Phry-

giens, Araméens, Israélites sont aussi en mouvement, tandis que des crises sociales secouent le Proche-Orient.
On ignore dans quelle mesure la Phénicie fut affectée par ces troubles. Selon Just. XVIII 3,5, les Sidoniens, chassés de chez eux par le roi d'→Ascalon, seraient allés fonder →Tyr un an avant la prise de Troie. Comme Ascalon est une ville philistine et que le nom des Philistins figure parmi ceux des "Peuples de la Mer", on considère parfois que la tradition rapportée par Justin est un lointain écho du passage de ces peuples. Quant aux théories qui voudraient que parmi les "Peuples de la Mer" se soit trouvé un important contingent de réfugiés mycéniens qui auraient revivifié les cités phén. en leur injectant un sang neuf et qui y auraient développé les techniques de navigation, elles doivent beaucoup à l'imagination.

Bibl. DEB, p. 810; LÄg V, col. 814-822; R. de Vaux, *La Phénicie et les peuples de la mer*, MUSJ 45 (1969), p. 479-498; N.K. Sandars, *The Sea Peoples*, London 1985[2]; G. Bunnens, *I Filistei e le invasioni dei Popoli del Mare*, dans D. Musti (éd.), *Le origini dei Greci. Dori e mondo egeo*, Roma-Bari 1985, p. 227-256; M. Heltzer - E. Lipiński (éd.), *Society and Economy in the Eastern Mediterranean (c. 1500-1000 B.C.)*, Leuven 1988, p. 239-294. GBun

PHAS(S)OULA Village de Chypre, à 10 km au N. de Limassol. Sur la colline de Kastro, au S. du village, s'élevait à l'époque rom. un sanctuaire de Zeus Labranios, dont le culte aurait pu se greffer, par homophonie, sur celui de *Ba'al Labnān*, le →Baal du Liban qui avait été vénéré dans cette partie de l'île. Dans le village même, on voue un culte particulier au martyr *Bonomīlex*, dont le nom est une forme tardive (IVe s. ap. J.C.) de l'anthroponyme phén. →Baalmilk (6).

Bibl. E. Lipiński, StPhoen 1-2 (1983), p. 210, 211, 225-230. ELip

PHELLÈS En gr. *Phellēs*, phén. *Pls* ("Il a aplani"); roi de Tyr qui a assassiné son frère →Astarymos *c.* 879 et a régné à sa place pendant huit mois, selon Fl.Jos., *C.Ap.* I 123. Il a été tué à son tour par le grand prêtre d'Astarté qui est devenu roi sous le nom d'→Ittobaal I (2). ELip

PHÉNICIE 1 Nom La notion géographique et ethnique de Phéniciens et de P. ne provient pas du pays lui-même. Elle ne semble toutefois pas se rattacher à l'égyptien *Fnḫ.w* (→Fenkhu) et dérive encore moins du nom gr. de la →pourpre ou du dattier, qui aurait été attribué au pays et à ses habitants. En effet, on fabriquait aussi de la pourpre dans le monde gr. (Hom., *Od.* XIII 107-108; *Ez.* 27,7) et la représentation du palmier dattier sur des monnaies siculo-pun. et carth. (→numismatique 3B, C, D) reflète une étymologie populaire gr. de Sicile. C'est peut-être à cause du teint rouge de leur peau, brûlée par le soleil, ou parce qu'ils étaient souvent roux (cf. *Gn.* 25,25; *1 S.* 16,12; 17,42), que les navigateurs phén. reçurent des Grecs le nom de "Rouges", d'après le grec *phoin-*, "rouge", avec la désinence *-ik-* (→Phoinix). Encore éprouvait-on le besoin de spécifier à l'époque homérique qu'il s'agissait de Si-

Fig. 269. Localités

Liste alphabétique

Localité	N°	Localité	N°
Adlun	33	*Kaspuna*	21
Afqa	24	*Khaldé*	29
Akko	45	*Kharayeb*	38
Akshaph	48	*Makmish*	59
Akzib	44	*Marésha*	65
Alalakh	2	*Megiddo*	55
Al-Mina	3	*Qana*	41
Amman	61	*Qarta/Tel Megadim*	51
Ampa	20	*Qédesh*	42
Amrit	13	*Samarie*	57
Apollonia	58	*Sarepta*	36
Ardata	18	*Shiqmona*	50
Arwad	12	*Sidon*	31
Ascalon	64	*Tambourit*	34
Ashdod	63	*Tarse*	1
Atlit	53	*Tartous*	10
Baalbek	25	*Tell Abu Hawam*	49
Baetocécé	9	*Tell Ajjul*	67
Baniyās	8	*Tell Arqa*	16
Batroun	22	*Tell el-Ghassil*	27
Beyrouth	28	*Tell er-Reqeish*	68
Byblos	23	*Tell Ghamqé*	11
Césarée/Tour de Straton	56	*Tell Hizzin*	26
Cheikh Zenad	15	*Tell Kazel*	14
Dakerman	32	*Tell Keisan*	46
Damas	35	*Tell Rachidiyé*	40
Dor	54	*Tell Sukas*	7
Ébla	4	*Tel Megadim/Qarta*	51
Gabala	5	*Tel Ṣippor*	52
Gaza	66	*Tour de Straton/Césarée*	56
Hermel	19	*Tripolis*	17
Jaffa	60	*Tyr*	39
Jérusalem	62	*Umm el-Amed*	43
Kabul	47	*Ushnu*	6
Kamid el-Loz	30	*Wasta*	37

Liste numérique

N°	Localité	N°	Localité
1.	*Tarse*	27.	*Tell el-Ghassil*
2.	*Alalakh*	28.	*Beyrouth*
3.	*Al-Mina*	29.	*Khaldé*
4.	*Ébla*	30.	*Kamid el-Loz*
5.	*Gabala*	31.	*Sidon*
6.	*Ushnu*	32.	*Dakerman*
7.	*Tell Sukas*	33.	*Adlun*
8.	*Baniyās*	34.	*Tambourit*
9.	*Baetocécé*	35.	*Damas*
10.	*Tartous*	36.	*Sarepta*
11.	*Tell Ghamqé*	37.	*Wasta*
12.	*Arwad*	38.	*Kharayeb*
13.	*Amrit*	39.	*Tyr*
14.	*Tell Kazel*	40.	*Tell Rachidiyé*
15.	*Cheikh Zenad*	41.	*Qana*
16.	*Tell Arqa*	42.	*Qédesh*
17.	*Tripolis*	43.	*Umm el Amed*
18.	*Ardata*	44.	*Akzib*
19.	*Hermel*	45.	*Akko*
20.	*Ampa*	46.	*Tell Keisan*
21.	*Kaspuna*	47.	*Kabul*
22.	*Batroun*	48.	*Akshaph*
23.	*Byblos*	49.	*Tell Abu Hawam*
24.	*Afqa*	50.	*Shiqmona*
25.	*Baalbek*		
26.	*Tell Hizzin*		

51. *Tel Megadim/ Qarta*
52. *Tel Ṣippor*
53. *Atlit*
54. *Dor*
55. *Megiddo*
56. *Césarée/Tour de Straton*
57. *Samarie*
58. *Apollonia*
59. *Makmish*
60. *Jaffa*
61. *Amman*
62. *Jérusalem*
63. *Ashdod*
64. *Ascalon*
65. *Marésha*
66. *Gaza*
67. *Tell Ajjul*
68. *Tell er-Reqeish*

△ Monts

1. *Amanus*
2. *Djebel el-Aqra/ Saphon*
3. *Liban*
4. *Anti-Liban*
5. *Hermon*
6. *Carmel*

○ Cours d'eau

1. *Oronte*
2. *Nahr el-Kebir*
3. *Nahr Ibrahim*
4. *Nahr el-Kelb*
5. *Nahr Beyrouth*
6. *Nahr ed-Damour*
7. *Nahr el-Awwāli*
8. *Nahr el-Litani*
9. *Jourdain*

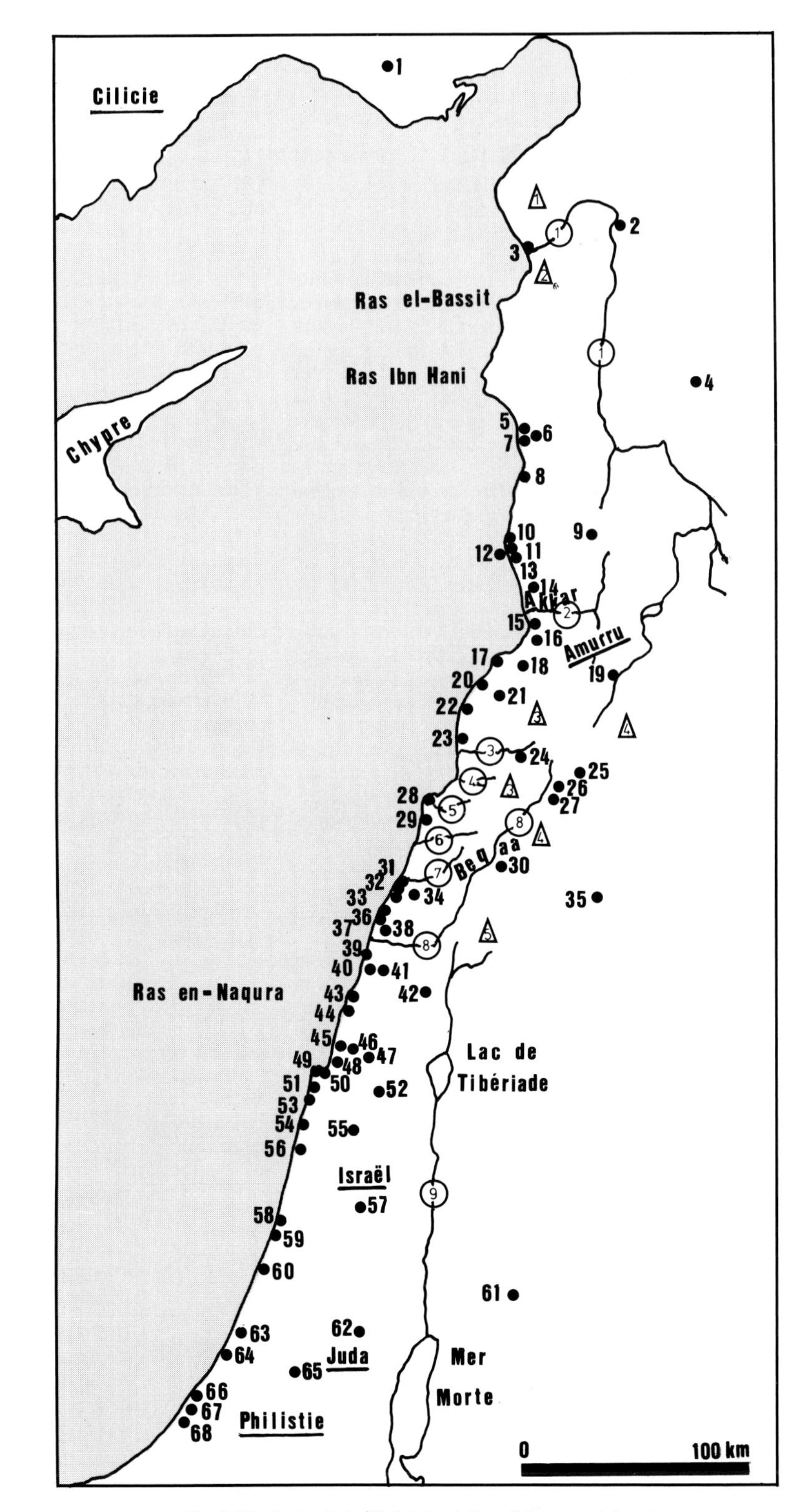

Fig. 269. Carte de la Phénicie et des régions avoisinantes.

doniens (*Il.* XXIII 743-744; *Od.* IV 83-84). Le nom de "Phéniciens" fut cependant employé dans une acception plus large, proche de "Cananéens" (*Chananei*: Aug., *Exp. ad Rom.* 13; *'š Kn'n*: KAI 116,3; *L'dk' 'š b-Kn'n*: *BMC. Phoenicia*, p. 52) (→Canaan).

2 Géographie L'extension du territoire phén. a varié au cours des siècles. Encore faut-il distinguer entre la P. proprement dite et les établissements qu'elle fonda ou occupa en divers points de la côte orientale de la Méditerranée. On peut situer la limite N. de la P. au sens strict entre →Arwad et →Baniyās. La limite méridionale touche au →Carmel et, après quelques fluctuations, se fixe entre →Dor et la →Tour de Straton. D'un point de vue maximaliste qui se fonde, d'une part, sur Hdt. VII 89; IV 38, d'autre part, sur Strab. XVI 2,12.21 et Procope, *Bell. Vand.* II 10, la P. s'étendait de →Myriandos, près d'Alexandrette/İskenderun, jusqu'à Rhinokorura (*El-'Arîš*), aux frontières de l'Égypte, soit *c.* 600 km d'étendue N.-S., mais avec une bande côtière dépassant à peine 60 km (fig. 269). Le littoral est en effet limité à l'E. par les chaînes montagneuses, parfois très élevées, du Mt Bargylos, du Mt →Liban et du Mt →Hermon, qui servaient en même temps de protection contre les incursions, mais la P., non contente des étroites plaines côtières décrites par Skyl. 104, s'enfonçait à l'E. dans les vallées encaissées ou escaladait les pentes montagneuses dont elle savait si bien exploiter les cèdres. À l'intérieur, dans la grande dépression médiane de la →Béqaa, la civilisation phén. se manifeste déjà à la fin du Bronze Récent, ainsi à →Kamid el-Loz, tout comme son influence au N. ne s'arrêtera pas plus tard au pied du Mt Saphon (Kasios, Djebel el-Aqra') (→Baal Saphon). Le noyau du peuplement phén. correspond au Liban actuel, c.-à-d. à la zone de *c.* 200 km entre l'Eleuthéros (→Nahr el-Kebir) et le →Ras en-Naqura. Au N. de l'Eleuthéros, dans la plaine d'→Akkar, se trouvent la ville de Simyra (Tell →Kazel), puis →Amrit, Tell →Ghamqé, Antarados (→Tartous), →Carné, Baniyās, Tell →Sukas, →Ushnatu/Ushnû, →Gabala, →Siyān et, sur une île face au continent, Arwad. Au S. du Nahr el-Kebir, on rencontre le site de →Cheikh Zenad, →Arqa, →Ardata. Plus au S., à l'embouchure de Nahr Qadisha, s'élève →Tripolis, puis →Ampa et →Kaspuna. Au S. du →Théouprosopon, on trouve →Batroun et, au milieu d'une bande côtière très mince et rocheuse, un peu au N. du →Nahr Ibrahim, l'antique →Byblos, qui joua un rôle capital dans le commerce entre la P. et l'Égypte. À l'embouchure du →Nahr el-Kelb, la montagne plonge dans la mer, ne laissant qu'autour de →Beyrouth et de →Khaldé une aire libre accidentée. Jusqu'au →Nahr ed-Dāmūr, la plaine côtière est encore fort étroite, puis viennent les importantes zones d'habitation de →Sidon, de →Sarepta et de →Tyr, au S. du cours inférieur du →Litani. *C.* 10 km au S. se présente à nouveau la barrière rocheuse de Ras el-Abyad (*Promontorium album*) avec →Umm el-Amed, puis, peu après Ras en-Naqura, s'ouvre la plaine d'→Akko avec →Akzib, Tell →Keisan, →Kabul, →Akshaph, →Bêt-Bétèn. Elle est bordée du côté de Tell →Abu Hawam, sur l'estuaire du Qishon, et de →Shiqmona par le Mt Carmel, au-delà duquel s'étend une plaine côtière plate, faiblement arrosée, avec →Qarta, →Atlit, Dor, la Tour de Straton, →Apollonia, Tell →Makmish, →Jaffa, →Ascalon et →Gaza. Les paysages sont donc diversifiés et les →voies terrestres de communication N.-S. difficiles en raison des barrières rocheuses et des vallées profondément découpées. Les centres urbains ont par conséquent eu tendance à se développer de manière autonome, également du point de vue politique, et la priorité fut donnée au trafic maritime, bien que la côte, parsemée de récifs, ne facilitât pas la →navigation et fût pauvre en ports naturels. Les villes, la plupart de faible étendue, furent souvent édifiées sur des îles (Arwad, Tyr) ou des plateaux rocheux surplombant la mer (Byblos, Sidon, Akko), les →ports étant construits ou aménagés au moyen de remarquables ouvrages d'art. Le cabotage avec des →navires à quille plate était pratiqué de longue date, en sorte que tous les ports ne devaient pas être établis en eaux profondes. En raison des vents changeants, plusieurs villes disposaient de deux havres, l'un au N., l'autre au S.

3 Économie Le climat de la P. est favorable, mais les écarts moyens de la température atteignent 35° à 40° au cours d'une année, l'amplitude des variations étant moindre sur la côte que dans la montagne. Grâce à sa situation en bord de mer, l'humidité atmosphérique de la P. demeure assez élevée, même durant la saison sèche, de mai à septembre. Les calottes de neige du Mt Liban (3.083 m) fondent alors et les eaux s'infiltrant sous la roche calcaire affleurent au-dessus de la couche de grès, au pied de la montagne, alimentant des sources et des cours d'eau permanents. Ceux-ci, grossissant ainsi après la saison des pluies, assurent au pays l'humidité nécessaire et charrient la marne — parfois rouge comme dans le cas du fleuve Adonis — qui amende le sol. Des terrasses, naturelles ou aménagées, permettent dès lors une agriculture de bon rendement. À côté des fruits et des légumes, on y cultive surtout les céréales, l'olive, les figues et la vigne. Le vin phén. était célèbre (KTU 1.22, I,19-20.25; *Os.* 14,8) et fut notamment exporté de Simyra (RLA VI, p. 646a). Les textes rituels attestent l'élevage du petit bétail et surtout des espèces bovines. La →chasse des animaux sauvages était certainement pratiquée sur le Mt Liban (*2 R.* 14,9 = *2 Ch.* 25,18) et la pêche devait jouer un rôle important. Ces produits périssables n'étaient pas exportés, de sorte que les informations à ce sujet nous font défaut, mais on relèvera, dans le récit de →Wenamon, la mention inattendue d'une fourniture de poisson d'Égypte à Byblos (ANET, p. 28a; TPOA, p. 78). Comme matières premières, la P. disposait surtout du →bois du Liban, dont l'exportation vers l'Égypte est attestée pour la première fois dans un document du XIXe s. av. J.C., mais elle a sans doute existé avant cette date. La Mésopotamie utilisa, au moins depuis Téglat-Phalasar I, le précieux bois du Liban, connu dès le IIIe mill. Salomon reçut d'→Hiram I de Tyr son bois de charpente, expédié par flottage jusqu'à Jaffa (*2 Ch.* 2,15; cf. *1 R.* 5,20-24; 7,2-3). La construction navale bénéficia aussi de cette ressource naturelle qui commença toutefois à diminuer aux IXe-VIIIe s., d'où la recherche de nouvelles sources de matières premières. La P. possède encore du fer, également exporté (RLA VI, p. 646b), et, en quantité insignifiante, du plomb et de l'argent. Tous les produits alimentant une industrie florissante devaient donc être importés, à l'exception du coquillage du murex, avec lequel on fabriquait l'étoffe →pourpre qui fit plus tard la renommée du pays. Une autre activité importante était la →verrerie.

4 Population La prétendue provenance des Phéniciens des rivages de la Mer Rouge (Hdt. I 1; VII 89) est à mettre au compte d'une ancienne étiologie populaire gr. qui visait à expliquer leur nom de "Rouges". Les sources historiques permettent de dire que la population phén. était →sémitique. Les textes d'exécration du Moyen Empire égyptien et des tablettes d'Ur le prouvent, ainsi que les plus anciens documents de Byblos, avec des noms tels que Abd-Addi, Abi-Shemu, Yakin-El, Yantin-'ammu, qui sont de formation paléo-cananéenne. Les lettres d'el →Amarna montrent que ce groupe ethnique resta dominant, les étrangers, comme la composante hourrite à Ugarit, restant marginaux. Les Phéniciens "véritables" se font connaître après l'invasion des →"Peuples de la Mer" dans des inscriptions alphabétiques et s'inscrivent dans une tradition cananéenne qui, linguistiquement aussi, en fait de proches parents des Hébreux de l'époque biblique.

Bibl. PW XX, col. 350-380; RLA VI, p. 641-650; Dussaud, *Topographie*; Abel, *Géographie*; S. Moscati, *La questione fenicia*, Roma 1963, p. 48-106; J.P. Brown, *The Lebanon and Phoenicia* I, Beirut 1969; J.D. Muhly, *Homer and the Phoenicians*, Berytus 19 (1970), p. 19-64; K.-H. Bernhardt, *Der alte Libanon*, Leipzig 1976; J. Elayi, *L'essor de la Phénicie*, BaM 9 (1978), p. 25-38; ead., *Studies in the Phoenician Geography*, JNES 41 (1982), p. 83-110; J.D. Muhly, *Phoenicia and the Phoenicians*, Biblical Archaeology Today, Jerusalem 1985, p. 177-191; W. Röllig, *On the Origin of the Phoenicians*, Berytus 31 (1983 [1986]), p. 79-93; C. Baurain, *Portées chronologique et géographique du terme "phénicien"*, StPhoen 4 (1986), p. 7-28; C. Vandersleyen, *L'étymologie de Phoïnix, "Phénicien"*, StPhoen 5 (1987), p. 19-22.

ELip-WRöl

PHÉRÉCYDE En gr. *Pherekúdēs*, nom de trois auteurs gr.

1 P. de Syros (VIe s. av. J.C.) composa une théogonie selon laquelle trois entités primordiales (Zas, Chronos et Chthonie) auraient donné naissance aux dieux et au cosmos. On lui attribuait aussi la théorie selon laquelle l'eau chaotique était à l'origine de toutes choses. P. aurait été le maître de Pythagore et aurait eu connaissance des livres secrets des Phéniciens.

2 P. d'Athènes (Ve s. av. J.C.) écrivit une œuvre qui traitait des mythes gr. sous forme de généalogies.

3 P. de Léros n'est connu que par les titres de ses œuvres attribuées à l'époque hellénistique (FGH I, p. 386).

Bibl. Ad 1: H. Diels - W. Kranz, *Die Fragmente der Vorsokratiker* I, Berlin 1951[6], p. 43-51; F.L. Lisi, *La teología de Ferécides de Siro*, Helmantica 36 (1985), p. 251-276.

Ad 2: FGH 3; A. Uhl, *Pherekydes von Athen*, München 1963.

AMGCap

PHILÈNES, AUTEL DES (FRÈRES) Site de l'actuelle Libye, en gr. *Bōmós* (Skyl.), mais généralement *Bōmoí Philaíou* (Skyl.) ou *Philaínou* (Pol.; Strab. XVII 3,20), puis *Philaínōn*, en lat. *Philaenon Arae* (Sall., *Jug.* 19,3), puis communément *Philaeni/orum*, avec des variantes orthographiques. Pour Skyl. 109, l'A.d.Ph. marque la limite des Maces à l'O. et des Nasamons à l'E. Pol. III 39,2; X 40,7 est le premier à considérer les A. *du* Ph. comme la frontière carth. La source gr. de Sall., *Jug.* 19, est la première attestation *des* Ph., *Philaenon arae*, tandis que Strabon atteste simultanément les A. du Ph. (XVII 3,20), limite des Nasamons, et des Ph. (III 5,5-6). Sall., *Jug.* 79, est le premier narrateur de la légende des *frères* Ph., ultérieurement rappelée par plusieurs auteurs (Pomp. Méla I 38; Val. Max. V 6,4; Sil. It. XV 701; Solin 27,8), tandis que les A. deviennent une limite interne à l'Empire rom. entre la Syrte de Cyrène et le reste de la Grande Syrte pour le *Stadiasme* (GGM I, p. 456-457), de l'*Africa* pour Pomp. Méla I 33; Ptol. IV 3,4; *Tab. Peut.*; *Rav.*, ou de la *Tripolitana* pour Orose, *Adv. Pag.* I 2,90. La seule indication sur la nature du monument se trouve chez Pline, *N.H.* V 28: *ex harena sunt hae*. Pour Strab. III 5,5-6, qui place les A. dans une énumération de colonnes ou de bornes frontières, ils ont disparu. Il s'agissait très probablement de structures non appareillées, peut-être de tumulus. La représentation de la *Tab. Peut.* risque d'être purement théorique. Rechercher les autels eux-mêmes semble dans ces conditions illusoire, bien qu'une prospection méthodique du creux de la Grande Syrte reste à faire. Les A. ne sauraient avoir été bien loin du tétrastyle frontalier élevé par les Tétrarques, dont on voit encore les restes auprès d'un petit temple (?) et de diverses constructions non identifiées, près du *Rās* el-'Aliy, au lieu dit *Ġārat Quṣūr et-Turāb*, "le creux aux châteaux en terre".

Bibl. PW XIX, col. 2098-2101; Gsell, HAAN I, p. 451-454; R. Goodchild, *Libyan Studies*, London 1976, p. 155-172; G. Abitinio, *I confini della Libia antica et le Are dei Fileni*, Rivista geografica italiana 86 (1979), p. 54-72; Desanges, *Pline*, p. 269-270.

RReb

PHILIPPE V (238-179). P. V, roi de Macédoine (221-179), mena une politique caractérisée notamment par des efforts visant à chasser les Romains d'Illyrie. La volonté de les en déloger l'amena, après Cannes, à conclure un →traité (10) avec →Hannibal (6). Le texte intégral du "serment d'Hannibal", énumérant les clauses de cette alliance offensive et défensive, est donné par Pol. VII 9 = StV III, 528. Des études linguistiques portant sur les sémitismes et les expressions diplomatiques orientales ont montré qu'il s'agissait très probablement de la traduction littérale d'un original pun. (*berît*). Même s'il est peu probable que les deux alliés aient prévu une intervention macédonienne en Italie, c'était un danger que Rome se devait de conjurer en rallumant la guerre entre États gr. Puis, comme la paix de Phoenikè, en 205, avait mis provisoirement fin à l'état de guerre entre P. V et Rome (StV III, 543), il est douteux qu'un contingent macédonien ait participé en 202 à la bataille de →Zama/→Naraggara, bien que l'annalistique rom. l'ait prétendu. L'alliance de P. V et d'Hannibal ne fut pourtant pas oubliée à Rome et elle sera l'une des raisons invoquées par Rome pour le déclenchement, en 200, de la 2e guerre de Macédoine, dès la fin de la 2e →guerre pun. La guerre se termina par la défaite décisive de P. V à Cynocéphales (197) et par l'élimination de la Macédoine des affaires gr.

Bibl. F.W. Walbank, *Philip V of Macedon*, Cambridge 1940; E.J. Bickerman, *An Oath of Hannibal*, TAPhA 75 (1944), p. 87-102; id., *Hannibal's Covenant*, AJPh 73 (1952), p. 1-23; C. Nicolet (éd.), *Rome et la conquête du monde méditerranéen* II, Paris 1978, p. 729-788; Barré, *God-List*. MDub

PHILIPPEVILLE →Rusicade.

PHILISTINS Le nom des P., d'où dérive celui de la Palestine, apparaît parmi ceux de la vague de →"Peuples de la Mer" arrêtée de justesse à l'entrée de l'Égypte par Ramsès III au début du XIIe s. Certains de ces "Peuples de la Mer" se seraient ensuite établis sur la côte palestinienne, probablement avec l'assentiment de l'Égypte, et de leur établissement à cet endroit serait issu l'ensemble culturel que nous qualifions de "philistin". On cherche souvent une origine étrangère à cet ensemble en le faisant venir tantôt d'Illyrie, tantôt d'Asie Mineure, tantôt encore du monde égéen. Ces hypothèses se fondent sur des arguments de valeur inégale qui, de toute manière, ne dépassent jamais le niveau de la présomption. Les P. n'apparaissent comme un peuple autonome que dans la Bible à une époque qui ne remonte guère au-delà du Xe s. Les Philistins sont alors constitués en cinq principautés: Gaza, →Ascalon, →Ashdod, Gath et Eqron. Ils ont apparemment subi une forte influence ouest-sémitique: ils honorent des dieux sémitiques (→Dagan, Baal-Zebul, →Astarté), tandis que les quelques inscriptions qui peuvent leur être attribuées, ainsi que la plupart des rares anthroponymes qui nous sont parvenus, relèvent également du domaine sémitique. Il s'agit donc, selon toute vraisemblance, soit d'un peuple sémitique, soit d'un peuple sémitisé. Hormis un type de →céramique assez élégante, à décor polychrome, qui pourrait dériver de prototypes mycéniens, et des →sarcophages anthropomorphes en terre cuite, dont l'origine est vraisemblablement égyptienne, la culture matérielle des Philistins est pratiquement inconnue. Un type de temple, ou de chapelle, rectangulaire avec adyton et entrée latérale, dégagé à Tell Qasile, est aussi connu à Kition. Une telle analogie pourrait établir un lien, sinon avec la Phénicie, du moins avec une localité fréquentée par des Phéniciens. Un autre rapport possible avec la Phénicie est fourni par l'hypothétique conquête de Sidon par le roi d'Ascalon.

Bibl. DEB, p. 1019-1020 (bibl.); T. Dothan, *The Philistines and their Material Culture*, Jerusalem-New Haven 1982; J.F. Brug, *A Literary and Archaeological Study of the Philistines*, Oxford 1985. GBun

PHILOKLÈS En gr. *Philoklēs*, fils d'Apollodoros (nom et patronyme phén. inconnus), dernier roi de →Sidon et général au service des deux premiers →Lagides. Sa carrière, qu'on reconstruit à partir d'un stratagème de Polyen III 16 et d'une série d'inscriptions gr., s'étend de *c.* 310 av. J.C. jusqu'en 279 au moins (seule date précise dans SEG XXVIII,1224). Nous n'avons aucun renseignement sur son règne, qui a dû commencer effectivement en 294 (plutôt qu'en 288), ni sur ses liens politiques ou familiaux avec ses prédécesseurs. En tant que général des Lagides, il contribua à la reconstruction de Thèbes — à interpréter à la lumière des relations mythiques entre cette ville et Sidon —, ainsi qu'à l'établissement et au maintien de la thalassocratie égyptienne en Égée et en Méditerranée orientale. Investi de pleins pouvoirs militaires, politiques et judiciaires, supérieur aux gouverneurs ordinaires, il exerçait une sorte de "vice-royauté du N.", ce qui lui valut nombre de dédicaces et des honneurs quasi divins à →Délos. Néomédès ou Néarchos, le prêtre d'Alexandre à Alexandrie en 273/72 ou 270/69, était peut-être son fils.

Bibl. H. Hauben, *Philocles, King of the Sidonians and General of the Ptolemies*, StPhoen 5 (1987), p. 413-427. HHaub

PHILON DE BYBLOS (*c.* 50 - *c.* 140). *Erénnios Phílōn Búblios* (*Souda*), érudit et grammairien, est l'auteur d'ouvrages philologiques et historiques, dont une *Histoire phénicienne*, prétendûment traduite de →Sanchuniathon. Cette œuvre ne nous est connue que par des citations fragmentaires de Porphyre et surtout d'→Eusèbe de Césarée (FGH 790). P. applique aux traditions religieuses phén. un →évhémérisme hérité, à ce qu'il prétend, de Sanchuniathon, ce qui se traduit par une vision rationalisante et historicisante de la mythologie phén. Il va jusqu'à humaniser des montagnes sacrées: le Mt Kasios (→Baal Saphon), le →Liban, l'→Anti-Liban et le Brathy (Eus., *P.E.* I 10,9). P. part du présupposé que seuls les Phéniciens connaissent la vraie tradition sur l'origine des dieux et du monde, tradition reprise et falsifiée par les Grecs. À travers divers fragments d'une œuvre qui devait être plus ample (8-9 livres) et plus systématique, P. traite de la →cosmogonie et de la →théogonie, dans laquelle il insiste sur l'histoire des descendants d'Ouranos: →Él/→Kronos, lui-même héros d'une geste, →Dagan, →Elioun, Bérouth, Démarous, →Melqart, →Astarté, →Sydyk, →Pontos (2). Il relate enfin la naissance de la civilisation dont les héros sont des mortels divinisés, premiers habitants de la Phénicie, à qui l'humanité est redevable de divers bienfaits. À côté de personnages obscurs, certains ont une personnalité mieux marquée, comme →Ousôos et Hypsouranios, les →Cabires, →Thot/Hermès.

Bibl. L. Troiani, *L'opera storiografica di Filone da Byblos*, Pisa 1974; J. Barr, *Philo of Byblos and his Phoenician History*, BJRyL 57 (1974-75), p. 17-68; R.A. Oden, *Philo of Byblos and Hellenistic Historiography*, PEQ 110 (1978), p. 115-126; Ebach, *Weltentstehung*; Attridge-Oden, *Philo*; Baumgarten, *Commentary*; E. Lipiński, *The Phoenician History of Philo of Byblos*, BiOr 40 (1983), col. 305-310; S. Ribichini, *Poenus Advena*, Roma 1985. CBon-ELip

PHILOSOPHIE La disparition de la littérature phén.-pun. a réduit nos informations aux seuls philosophes phén. et carth. qui furent actifs en milieu gr. Dès la fin du IVe s. av. J.C., on trouvait à →Athènes, parmi les auditeurs de Diodore Cronos, un Zénon de

Sidon et →Zénon (*c.* 335 - *c.* 263), fils de Mnaséas de Kition, d'origine phén. Celui-ci vint à Athènes à l'âge de vingt-deux ans, y fonda plus tard le stoïcisme et eut pour disciples →Persée (2) et Hérillos de Carthage, auquel se rattache une tendance stoïcienne distincte. Un autre Carthaginois, →Hasdrubal (13) (187/6 - 110/09), émigra à l'âge de vingt-quatre ans à Athènes où il prit le nom de Clitomaque et suivit les cours de Carnéade de Cyrène, le fondateur du probabilisme et de la Nouvelle Académie, dont Hasdrubal devint chef en 127/6. Une de ses nombreuses œuvres, intitulée *Consolation*, était dédiée aux habitants de la Carthage détruite (Cic., *Tusc.* III 54). Olympiodore de Gaza avait été, sous Carnéade, un de ses condisciples. Un second Zénon de Sidon, né vers 150 av. J.C., devint le chef de l'École épicuréenne et fut le maître de Cicéron qui suivit ses cours à Athènes, en 79-78. Quant à Antipatros de Tyr (Ier s. av. J.C.), il initia Caton d'Utique à la philosophie stoïcienne, professée aussi par son contemporain, Apollonios de Tyr. Boèce de Sidon, philosophe péripatéticien, fut le chef de l'École d'Athènes à l'époque d'Auguste. Enfin, l'affranchi Lucius Annaeus Cornutus, de la région de →Leptis Magna, enseigna la philosophie et la rhétorique à Rome, vers 50 ap. J.C. La pensée de ces philosophes d'origine phén. ou pun. s'est épanouie dans le milieu gr., mais s'ils ont éprouvé le besoin de se rendre à Athènes, c'est que la ph. était une activité intellectuelle qui avait aussi ses adeptes dans leur mère patrie, à Kition, Sidon et Carthage.

Bibl. PW I, col. 2225-2226, 2516; II, col. 146,603-604; VIII, col. 683-684; XI, col. 656-659; X A, col. 83-138.ELip

PHOCÉENS Grecs originaires de Phocée, cité ionienne de la côte anatolienne (Turquie). Hdt. I 163-168 rapporte qu'ils "découvrirent le golfe Adriatique, la Tyrrhénie, l'Ibérie, Tartessos", mais les témoignages manquent pour la première région citée et la première colonie des P. fut *Massalia* (Marseille), fondée *c.* 600 av. J.C. Une dizaine d'années plus tard, ce fut le tour d'*Emporion* (→Ampurias) et, plus au S., on attribue aux P. la fondation de →Mainakè, ensuite d'Alonis, sans doute Santa Pola, au S. d'Alicante, deux cas dont le dossier archéologique reste maigre. Sur la côte E. de la Corse, ils fondent →Alalia *c.* 565 av. J.C. L'objectif principal de ces colonies est le commerce des métaux. Ainsi, Marseille, à l'embouchure du Rhône, est au débouché de plusieurs voies celtiques d'arrivée de l'étain. Le pays de Tartessos (→Tarshish) était riche en plomb argentifère et en cuivre; l'or y arrivait, et surtout l'étain, des rivages atlantiques. Les P. s'y trouvaient aux côtés ou étaient en rivalité avec d'autres marchands, les Phéniciens déjà installés en nombre. Après la prise de Phocée par les Perses, en 545 av. J.C., des réfugiés vinrent gonfler la population d'Alalia et le conflit avec les partenaires occidentaux devint inévitable: la bataille d'Alalia, *c.* 540, opposa P. d'un côté, Étrusques et Carthaginois de l'autre. Les P. s'établirent alors à Élée (Velia), au S. de Paestum. Puis, peu à peu, Marseille s'imposa parmi les fondations p. du S. de la France, d'Agde à Nice, mais vraisemblablement aussi parmi celles de la côte ibérique. Les fondations p. ont eu une longue vie qui tient à leur structure d'*emporía* (→commerce): pour la plupart de petite dimension et sans vaste territoire, elles disposent de communications faciles par voie d'eau pour trafiquer avec l'intérieur des terres; elles privilégient ainsi l'échange avec l'indigène toujours proche et dont les P. se méfient, même si leur installation aux marges du monde barbare tient souvent à l'hospitalité des rois indigènes — ainsi à Marseille ou en Andalousie (Hdt. I 163). Parfois, comme à Ampurias, les deux communautés se mêlent au point d'avoir des lois communes (Strab. III 4,8; Liv. XXXIV 9).

Bibl. J. Bérard, *L'expansion et la colonisation grecques jusqu'aux guerres médiques*, Paris 1960; F. Villard, *La céramique grecque de Marseille (VIe-IVe siècles). Essai d'histoire économique*, Paris 1960; *Velia e i Focei in Occidente*, PdP 108-110 (1966), en part. J.-P. Morel, *Les Phocéens en Occident*, p. 378-420; *Nuovi studi su Velia*, PdP 130-133 (1970); J.-P. Morel, *Colonisation d'Occident*, MÉFRA 84 (1972), p. 46-79; id., *L'expansion phocéenne en Occident, dix années de recherches (1966-1975)*, BCH 99 (1975), p. 853-896; J. Boardman, *The Greeks Overseas*, London 1980[3]; *I Focei dall'Anatolia all'Oceano*, PdP 204-207 (1982). PRou

PHOINIX Le terme gr. *phoínix* et ses dérivés viennent de *phoínos*, "rouge". Il peut signifier la couleur →pourpre (Hom., *Il.* X 133; *Od.* XIV 500; XXI 118), le dattier (*Od.* VI 163), le phénix aux ailes rouges (Hdt. II 73), une sorte de cithare (Hdt. IV 192). Il sert d'anthroponyme, "Rougeaud" (LGPN I, p. 475b), de nom de lieu, tout comme plusieurs de ses dérivés (PW XX, col. 382-386, 426-436), et finit par désigner un Phénicien, acception qui, semble-t-il, demandait encore à être précisée par "Sidonien" au temps d'Homère (*Il.* XXIII 743-744; *Od.* IV 83-84). Aussi n'est-il point évident que "P. à la grande renommée" (*Il.* XIV 321), l'homonyme de "P. l'aimé de Zeus" (*Il.* IX 168), "P. sustenté par Zeus" (*Il.* IX 607) ou "divin P." (*Il.* XXIII 360), est déjà l'éponyme de la →Phénicie. P. le devient effectivement chez →Euripide (fr. 819 Nauck[2]; cf. Apd. III 1,1), mais n'acquerra jamais une personnalité bien marquée dans la mythographie gr. →Philon de Byblos se contente de signaler que Chna, c.-à-d. →Canaan, "changea son nom en P." (Eus., *P.E.* I 10,39), tandis que le Ps.-Eupolème considère Canaan comme "le père des Phéniciens" (Eus., *P.E.* IX 17,9), s'inspirant de *Gn.* 10,15, où il est dit que "Canaan a engendré Sidon, son premier-né". P. est toutefois représenté avec →Kadmos sur une monnaie sidonienne d'Élagabal (*BMC. Phoenicia*, pl. XLIII, 4). C'est probablement par référence au "rouge" qu'une légende étiologique, rapportée déjà par Hdt. I 1, fait venir les Phéniciens des rivages de la "Mer Rouge" ou Érythrée.

Bibl. C. Bonnet, *Phoinix Prôtos Heuretès*, LÉC 51 (1983), p. 3-11; ead., *La légende de Phoinix à Tyr*, StPhoen 1-2 (1983), p. 113-123; P. Wathelet, *Les Phéniciens et la tradition homérique*, StPhoen 1-2 (1983), p. 235-243; C. Baurain, *Portées chronologique et géographique du terme "Phénicien"*, StPhoen 4 (1986), p. 7-28; C. Vandersleyen, *L'étymologie de Phoïnix, "Phénicien"*, StPhoen 5 (1987), p. 19-22. CBon-ELip

PIERRES (SEMI-)PRÉCIEUSES Les p. fines qui furent utilisées en Égypte et au Proche-Orient pour créer des joyaux et des sceaux étaient semi-précieuses, telles les calcédoines (agates, cornalines, jaspes, onyx), plutôt que précieuses, comme le sont les diamants, les saphirs, les rubis et les émeraudes. En raison de l'insuffisance des sources et des études traitant de leur composition et de leur origine, elles sont toujours imparfaitement définies. Elles furent appréciées non seulement pour leur dureté, pour leur rareté et pour la beauté de leur coloration et de leur éclat, mais aussi pour la valeur magique qui leur était attribuée. Taillées, polies et parfois ornées de montures métalliques, elles furent employées concurremment avec le verre et avec les matières composites qui servaient à les imiter. Au Levant, elles étaient bien attestées à →Byblos dès les XIXe-XVIIIe s. dans certaines œuvres →égyptisantes illustrées, p. ex. les →cylindres-sceaux qui, sans doute sortis d'un atelier spécialisé dans la taille du jaspe vert, se diffusèrent jusqu'à →Carthage. Au Ier mill. av. J.C., le témoignage des textes vient appuyer les données archéologiques lacuneuses pour attester le nombre et la variété de leurs apparitions tant dans l'orfèvrerie que dans le commerce. On sait ainsi qu'elles pouvaient figurer parmi les importations qui venaient d'→Ophir, de Saba et de Rama, en Arabie, ou d'→Édom, qui fournissait malachite, corail et rubis (*Ez.* 27,16.22). D'après *Ez.* 28,11, elles servaient à orner le vêtement du roi de Tyr; elles faisaient partie des tributs phén. versés aux Assyriens au VIIe s. et décoraient l'une des colonnes du temple de Tyr (Hdt. II 44). En raison de leur valeur marchande et de leur taille réduite, qui en faisaient des objets transportables et facilement négociables, il est difficile de définir leurs origines et celles des œuvres précieuses qu'elles ornent. Dans la documentation phén.-pun., il s'agit d'abord de joyaux, comme les bijoux au décor en →granulation enchâssant des gemmes en agate, cornaline et turquoise des Ve-IVe s., trouvés à Sidon, ou des pendentifs en cornaline et cristal de roche des VIIe-VIe s., découverts à →Tharros (fig. 338; pl. XIII, XVIa). Ce sont aussi des pièces de glyptique, comme les deux cachets de bague en cornaline des VIe-Ve s., provenant d'→Amrit, ou les remarquables sceaux de →Tharros (fin du VIe-IIIe s.) taillés dans du jaspe vert tiré de gisements sardes et diffusés notamment à Carthage et à →Ibiza (fig. 176).

Bibl. *Dictionnaire archéologique des techniques* II, Paris 1964, p. 847-852; Bunnens, *Expansion*, p. 333; D. Collon, *First Impressions*, London 1987, p. 52. MTro

PIRATERIE La p. est née avec l'histoire même de la Méditerranée et elle a longtemps profité de l'inachèvement des structures étatiques. Mais, dans les siècles archaïques, "ces activités n'avaient rien de déshonorant; mieux, elles apportaient de la gloire" (Thc. I 5). "Parmi les plus actifs pirates, se trouvaient les habitants des îles, notamment les →Cariens et les Phéniciens qui s'étaient installés dans la majeure partie de l'Archipel" (mer Égée). Cette remarque de Thc. I 8,1 se situe directement dans la tradition homérique qui faisait du Phénicien ce "marin rapace qui, dans son noir vaisseau, a mille pacotilles" (*Od.* XV 415-416), ce "savant en tromperies, un rapace qui avait déjà fait bien du mal aux gens" (*Od.* XIV 287-288). On retrouve chez Hdt. le thème du marchand phén. qui n'hésite pas à s'en prendre aux femmes gr. venues faire leurs achats dans le port d'Argos (I 1) ou aux femmes égyptiennes qui desservaient le temple de Zeus à Thèbes (II 54). En dépit du témoignage de Cic., *Rep.* II 4,9, opposant le commerçant carth. au pirate étrusque, il est difficile de distinguer la p. du →commerce. La pratique phén. de la →navigation nocturne (Strab. XVI 2,24), le désir de conserver secrètes certaines routes de navigation atlantique (Strab. III 5,11), l'attaque aux navires qui tentaient d'atteindre la Sardaigne (Strab. XVII 1,19) mettent en lumière des réactions de marchands désireux de protéger leurs intérêts. Derrière l'anecdote du pirate phén. surnommé *tetra͂otos* ("quatre-oreilles"), qui affronta les fondateurs de Géla (Zénob. I 54), on devine les rivalités qu'évoque Thc. VI 1,2. Les →traités de commerce avec les Étrusques "interdisant les injustices réciproques" (Arstt., *Pol.* III 9,6) ou les traités avec Rome (Pol. III 1,22-23) interdisant les agressions carth. contre les villes du Latium apparaissent aussi comme une réglementation de la p. Par contre, le récit d'Hdt. VI 41 sur la capture d'un vaisseau gr. présente un bel exemple de ce que l'on appellera plus tard la "guerre de course". Les Phéniciens furent aussi victimes de la p. C'est pour lutter contre la p. des Phocéens de Corse (Hdt. I 167) que les Carthaginois s'allièrent vers 540 aux Étrusques lors de la "bataille d'→Alalia". On sait également (Hdt. VI 17) que le phocéen Denys, après la bataille de Ladè, en 494, alla en Phénicie où il coula des navires marchands et fit un énorme butin avant d'aller en Occident attaquer Carthaginois et Étrusques.

MGras

PIRÉE, LE En gr. *Peiraieús*, lat. *Pira(e)us*; port principal d'→Athènes dès le Ve s. av. J.C., où une communauté de marchands phén. était installée à partir de la même époque, sinon depuis le IVe s. Plusieurs inscriptions renseignent sur son existence: une dédicace phén. à →Sakon, qui mentionne un →suffète (IIIe s. [CIS I,118 = KAI 58]), une inscription funéraire phén. (CIS I,121) et trois bilingues phén.-gr., la première d'une Byzantine (IVe s. [CIS I,120 = KAI 56]), la seconde d'une Sidonienne, où la partie phén. mentionne un prêtre de →Nergal (IIIe s. [CIS I,119 = KAI 59]), et la dernière d'un Kitien (IIIe s. [RÉS 388 = KAI 57]). Le document le plus important est le décret honorifique, bilingue, daté de la célébration d'une fête (→*marzeḥ*) de la communauté (*gw* = *koinón*) des Sidoniens (RÉS 1215 = KAI 60 = TSSI III,41) et remontant au IIIe s. plutôt qu'à l'an 96 av J.C. Par ailleurs, quelques inscriptions gr. (IG II-III^2, 9032; 9033) mentionnent des Phéniciens.

Bibl. PECS, p. 683-684; R. Garland, *The Piraeus*, London 1987; M.F. Baslez - F. Briquel-Chatonnet, *Les Phéniciens en Grèce. Problèmes d'acculturation et d'intégration*, ACFP 2, Rome (sous presse); →Égée. VKri-ELip

PITHÉCUSSES En gr. *Pithēkoussai* ("Lieux des singes"), nom antique de l'île d'Ischia, à l'entrée du golfe de Naples, et celui de trois villes de la Libye supérieure.

1 Ischia Le site antique de l'île se trouve tout près de l'agglomération actuelle de Lacco Ameno, au N.-E. d'Ischia. Depuis 1952, les fouilles de G. Buchner ont apporté des informations considérables sur l'établissement où s'installèrent, dans le second quart du VIIIe s., des →Eubéens originaires de Chalcis et d'Érétrie (Strab. V 4,9) ou de la seule Chalcis (Liv. VIII 22,5). La grande période de la ville de P. fut la seconde moitié du VIIIe s. L'intérêt exceptionnel de ce site est de nous faire connaître — cas unique — une installation gr. en Occident, antérieure au phénomène colonial proprement dit. Nos connaissances proviennent essentiellement de l'exploration de la nécropole située dans la vallée de San Montano; plus de 1.300 tombes y ont été fouillées malgré des conditions de fouille difficiles: les plus anciennes sont à 7 ou 8 m de profondeur. L'habitat proprement dit est encore mal connu en raison de l'habitat moderne; un gros dépôt de céramiques y a pourtant été découvert; enfin, un secteur périphérique a révélé des installations artisanales. Toutes ces données soulignent l'originalité de P. qui, pour les Anciens, n'était pas à proprement parler une colonie (*apoikía*), puisque la plus ancienne colonie était Cumes, où les Eubéens s'installèrent plus tard. P. était une agglomération importante, dépourvue de mur d'enceinte et sans aristocratie, à la différence de Cumes, mais aussi des villes eubéennes célèbres pour leurs éleveurs de chevaux. P. n'est pas non plus un monde de guerriers — il n'y a pas d'armes dans les tombes — et se caractérise par l'importance et la qualité de son artisanat. Les mobiliers funéraires ont montré que P. était un établissement gr. qui n'était pas habité seulement par des Grecs; des Orientaux y sont enterrés aux côtés des Grecs avec des indices qui font penser à des familles issues de mariages mixtes. La provenance précise de ces Orientaux fait problème, car on remarque parmi la pacotille orientale, très abondante, la présence de sceaux fabriqués en Syrie du N. Quoi qu'il en soit, le fait important est la cohabitation de Grecs et de Sémites qui a permis l'éclosion de deux traditions artisanales parallèles: pour les Grecs, céramiques peintes dans le style eubéen; pour les Orientaux, amphores commerciales de style phén., destinées probablement au transport du vin. La position géographique d'Ischia, à l'extrémité N. du monde colonial gr. de l'Italie méridionale et de la Sicile, donne l'idée d'un établissement de frontière qui ne fut ni une colonie ni même un *empórion* (→commerce), mais une agglomération d'artisans, en liaison avec les secteurs miniers de l'Étrurie du N., comme le montre la découverte d'un fragment de minerai de fer de l'île d'Elbe, mais aussi de la Sardaigne, puisque le plus ancien vase gr. retrouvé dans la →Sulcis phén. semble de provenance pithécussaine. On y travaillait l'argile pour fabriquer céramiques et amphores; peut-être des orfèvres y avaient-ils leurs ateliers (Strab. V 4,9 parle de *khruseía*). La principale comparaison pour cet habitat mixte d'artisans pourrait être Ialysos (→Rhodes). MGras

2 Libye Les P. de Libye, mentionnées par Diod. XX 58,3 en rapport avec l'épopée d'→Agathocle, doivent être cherchées entre la côte N. de la Tunisie et la vallée de la Medjerda. En tout cas, Skyl. 111 semble situer le port de P. sur le lac de →Bizerte, mais on a suggéré aussi de le localiser à →Tabarka. ELip

Bibl. Ad 1: D. Ridgway, *L'alba della Magna Grecia*, Milano 1984; M.G. Amadasi Guzzo, *Fenici o Aramei in Occidente nell' VIII sec. a.C. ?*, StPhoen 5 (1987), p. 35-47; G. Buchner - D. Ridgway, *Pithekoussai I. La necropoli: tombe 1-723 (1952-1961)*, Roma (sous presse).

Ad 2: PW XXIII, col. 1322-1341; Desanges, *Recherches*, p. 104-105.

PIZZO CANNITA →Cannita.

PLAUTE (*c.* 250-184?). Comique lat. dont la production se situe entre la fin de la 2e →guerre pun. et 185. On lui attribuait *c.* 130 pièces, mais Varron n'en retint que 21 (Gell., *Noct.* III 3,3). Le *Poenulus* ("Le petit Carthaginois"), rédigé entre 195 et 189 (*Poen.* 524-525. 663-666. 693), a retenu l'attention à cause des passages en langue pun. transcrits en lettres lat. L'intrigue se déroule en Étolie (Grèce) et on a pensé que P. avait emprunté son sujet à un modèle gr., p.ex. au *Karkhēdónios* de Ménandre (342/1-293/89) ou à celui d'Alexis (*c.* 375 - *c.* 275). En tout cas, le *Poenulus* est un témoignage de l'image que l'on se faisait des Carthaginois dans le monde gr. des IVe-IIIe s. et dans la Rome des années qui suivaient la 2e guerre pun. L'amoureux de l'intrigue, bien que Carthaginois de naissance, est plutôt sympathique et le portrait d'Hannon, son oncle, dont le seul défaut est la dissimulation, est loin d'être négatif. Ce sont toutefois les passages pun. de l'acte V — le monologue d'Hannon et quelques phrases éparpillées (*Poen.* 994. 995. 998. 1001. 1002. 1006. 1010. 1013. 1016. 1017. 1023. 1027. 1141-1142) — qui ont surtout suscité l'intérêt des chercheurs en raison des problèmes d'ordre philologique qu'ils posent. L'établissement du texte est extrêmement complexe, car les manuscrits de P. présentent des divergences assez importantes. Le texte du Palimpseste ambrosien (IVe/Ve s.), que l'on considère tantôt comme le plus proche de l'original, tantôt comme le plus récent, diffère d'une manière notable des deux versions parallèles du monologue d'Hannon dans les manuscrits palatins (Xe s.). Par ailleurs, aucune de ces deux versions (v. 930-939 et 940-949) ne concorde totalement avec la traduction lat. (v. 950-960), qui serait éventuellement une adaptation d'un original gr. La clé du problème pourrait résider dans le texte du Palimpseste ambrosien, que l'on s'efforce de comparer avec la traduction lat. et les deux versions des manuscrits palatins. L'importance du texte pun. ou néopun. du *Poenulus* résulte surtout du fait qu'il est vocalisé et permet ainsi d'avoir une meilleure connaissance de la langue littéraire ou parlée à une période déterminée de son histoire.

Bibl. CHCL II, p. 94-115, 181-185; A. Ernout, *Plaute: Théâtre* V, Paris 1961[2]; M. Sznycer, *Les passages puniques en transcription latine dans le "Poenulus" de Plaute*, Paris 1967; G.K. Galinski, *Plautus' Poenulus and the Cult of Venus Erycina*, J. Bibauw (éd.), *Hommages à M. Renard* I, Bruxelles 1969, p. 358-364; C.R. Krahmalkov, *The Punic Speech of Hanno*, Or 39 (1970), p. 57-74; A.S. Gratwick, *Hanno's Punic Speech in the Poenulus of Plautus*, Hermes

99 (1971), p. 25-45; J.J. Glück - G. Maurach, *Punisch in plautinischer Metrik*, Semitics 2 (1971-72), p. 93-126; F. Vattioni, *Glosse puniche*, Augustinianum 16 (1976), p. 507-516; G. Garbini, *Gune bel balsamen*, StMagr 12 (1980), p. 89-92; A. Van den Branden, *Le texte punique dans le "Poenulus" de Plaute*, BeO 26 (1984), p. 162-168; C.R. Krahmalkov, *Observations on the Punic Monologue of Hanno in Poenulus*, Or 57 (1988), p. 55-66; G. Maurach, *Der Poenulus des Plautus*, Heidelberg 1988[2]. VKri-ELip

PLINE L'ANCIEN Homme d'État, historien et encyclopédiste rom. du Ier s. ap. J.C., dont la *Naturalis Historia*, dédiée en 77/8 à Titus, expose, en une compilation de 473 auteurs expressément cités, les connaissances scientifiques de l'époque. Les livres III-VI donnent, sous la forme d'un périple, une description systématique du monde connu. La date avancée pour la fondation d'→Utique par Tyr, 1178 ans avant (P. XVI 216; cf. V 76), donc en 1101/0, doit trahir un recours à la chronologie adoptée par Vell. Pat. I 2,3 à propos de →Gadès, fondée à l'époque du retour des Héraklides (1104/3 selon →Ératosthène et Apollodore), et quelques années avant Utique (cf. Ps.-Arstt., *Mir. ausc.* 134, d'après →Timée ?).

Bibl. L. v. Ian - C. Mayhoff, *Plinius Maior*, Leipzig 1892-1909; K. Sallmann, *Die Geographie des Älteren Plinius in ihrem Verhältnis zu Varro*, Berlin - New York 1971; Desanges, *Pline*. DMar

PLUTON Si l'on excepte l'identification de →Môt à P. chez Philon de Byblos (Eus., *P.E.* I 10,34), c'est seulement en Afrique du N. que P. apparaît dans un milieu dont le fond religieux a subi l'influence des cultes phén.-pun., p.ex. à →Sucubi. Dieu des enfers et de la fertilité, appelé *Frugifer* à l'instar de →Saturne africain, P. semble jouer le rôle de ce dernier dans quelques localités de population indigène, ainsi dans les régions de →Thuburbo Maius et de →Dougga-Mustis, où il était même associé à la →Caelestis, tout comme à Hadrumète, à ce qu'il paraît (CIL VIII, 22930). Il semble ainsi s'être substitué parfois à →Baal Hamon, dont il possédait certains attributs, mais il a été assimilé aussi à une divinité libyque, comme l'indique une dédicace de →Tabarka adressée *Plut(oni) Variccalae* (CIL VIII, 17330). Par ailleurs, P. accompagne souvent →Déméter et Koré, dont le culte a été introduit à Carthage au début du IVe s. av. J.C. Aussi peut-on se demander si le culte de P. lui-même, un dieu gr., n'a pas pénétré en Afrique du N. avant l'époque rom.

Bibl. KlP IV, col. 955-957; PW XXI, col. 990-1026; M. Leglay, *Saturne africain. Histoire*, Paris 1966, p. 121-125, 235-236; A. Beschaouch, *Pluton africain*, Karthago 16 (1971-72), p. 103-105; S. Ribichini, *Agrouheros, Baal Addir et le Pluton africain*, HistArchAN, Paris 1986, p. 133-142; M. Le Glay, StPhoen 6 (1988), p. 190-191, 195-196, 235. ELip

POIDS ET MESURES →Métrologie.

POMPONIUS MÉLA Géographe rom. du Ier s. ap. J.C., auteur d'un *De chorographia* en trois livres, rédigé en 43/4 (III 49), qui présente une description de la terre et de ses grandes divisions, ainsi qu'une exposition condensée et systématique du monde habité. Originaire de Tingentera, sur le golfe d'Algésiras (?), en →Andalousie, région de colonisation →libyphénicienne (II 96), P. place la fondation de →Gadès et de son temple d'Hercule →Melqart peu après la ruine de Troie (III 46). L'information chronologique, que P. doit peut-être à Cornélius Népos (III 45.90), est à rapprocher de →Strab. I 3,2, →Ératosthène, fr. III B 60 (Berger), et Velleius Paterculus I 2,1-3. Les deux références au →*Périple* (2) d'Hannon, à propos des rivages méridionaux de l'Afrique (III 90.93), sont sans doute dues aussi à C. Népos (cf. Pline, *N.H.* II 168-169).

Bibl. K. Frick, *Pomponii Melae de Chorographia libri tres*, Leipzig 1880; Desanges, *Recherches*, p. 51-55; P. Parroni, *Pomponii Melae de Chorographia libri tres*, Roma 1984; A. Silberman, *Les sources de date romaine dans la "Chorographie" de Pomponius Méla*, RPh 60 (1986), p. 239-254; id., *Pomponius Méla, Chorographie*, Paris 1988. DMar

PONTECAGNANO Localité correspondant à l'antique *Picentia*, à 9 km au S.-E. de Salerne (Italie). On y a découvert trois tombes "princières" de la fin du VIIIe ou de la première moitié du VIIe s. av. J.C. Elles contenaient plusieurs œuvres d'art →orientalisant, notamment une patère ou →coupe métallique portant une inscription phén.

Bibl. EAA, Suppl. 1970, p. 636-638; PECS, p. 711-712; B. d'Agostino, *Pontecagnano. Tombe orientalizzanti in contrada S. Antonio*, NotSc 1969, p. 75-196; id., *Tombe "principesche" dell'Orientalizzante antico da Pontecagnano* (MAntM 2/1), Roma 1977; id. - G. Garbini, *La patera orientalizzante da Pontecagnano riesaminata - L'iscrizione fenicia*, SEt 45 (1977), p. 51-62; L. Cerchiai, *Una tomba principesca del periodo orientalizzante antico a Pontecagnano*, SEt 53 (1987), p. 27-43. ELip

PONTOS 1 Sur le Pont-Euxin P., dont le nom signifie en gr. "mer", était le dieu du Pont-Euxin, "la mer hospitalière", aujourd'hui Mer Noire. Il est représenté avec la Tychè-Fortune sur une sculpture de la colonie gr. de Tomis, l'actuelle Constantza (Roumanie). Sortant de la mer et appuyé contre une embarcation, P. y apparaît en personnage nu, barbu, coiffé d'une couronne murale. Il figure aussi sur des monnaies en bronze de Tomis, dont il était le génie protecteur. Ces rivages du Pont-Euxin étaient fréquentés par des vaisseaux phén.-pun., comme l'atteste une inscription d'Istros, à 50 km au N. de Tomis, qui nomme un marchand de blé carth. ELip

2 Chez Philon de Byblos Selon Eus., *P.E.* I 10,26-28, P., fils de Nérée, donna naissance à →Poséidon et Sidon. Sa lutte contre Ouranos et Démarous (→Nahr ed-Dāmūr) laisse supposer qu'il était pour Philon l'*interpretatio* gr. du dieu →Yam, la "Mer" personnifiée, connu surtout par les textes d'Ugarit et l'A.T. comme l'adversaire, respectivement, de Baal et de Yahvé. Ses reliques furent l'objet d'un culte à Beyrouth (Eus., *P.E.* I 10,35), ce qui laisse entendre qu'il passait pour une entité divine primordiale, liée à la sphère marine que l'on tentait de se concilier.

CBon-PXel

Bibl. Ad 1: PECS, p. 419, 928-929; S. Lambrino, Dacia 3-4 (1927-32), p. 378-410 (voir p. 401); *Tezaurul de sculpturi de la Tomis*, Constanţa 1963; V. Canarache, *Le Musée d'Archéologie de Constanţa*, Constanţa 1969[2], p. 51, 57.

Ad 2: R. Dussaud, *Astarté, Pontos et Baal*, CRAI 1947, p. 201-224; E. Lipiński, *La royauté de Yahwé dans la poésie et le culte de l'ancien Israël*, Brussel 1968², p. 123-132; Ebach, *Weltentstehung*, p. 341; Baumgarten, *Commentary*, p. 207-209.

PORPHYRÉÔN Ville du littoral phén., mentionnée par Skyl. 104 et localisée par l'*It. Burd.*, p. 583,10, à huit milles rom. au N. de Sidon, au Liban, ce qui permet de l'identifier aux vestiges de *ḫān en-Nebi Yūnus* et d'*el-Ǧiyē*, l'antique →*Gi'*. Antonin de Plaisance (p. 161, 1-2) signale une autre ville de P., dont le nom se réfère à Haïfa (Israël), ainsi que Guillaume de Tyr XIII 2 le confirme au XIIᵉ s.

Bibl. PW XXII, col. 271-272; Abel, *Géographie*, II, p. 410; E. Honigmann, *L'évêché phénicien de Porphyreon (Haïfa)*, AIPHOS 7 (1939-44), p. 381-394; D. Feissel, Syria 59 (1982), p. 339-340. ELip

PORT Ville côtière aménagée pour offrir un abri aux bateaux de pêche, de plaisance, de commerce, de guerre. Les vestiges très variés des installations portuaires sont souvent immergés, suite aux variations géologiques du littoral par rapport au niveau de la mer. Il arrivait aussi que l'édification de quais, etc., fût inutile, p.ex. lorsqu'une voie terrestre de commerce débouchait sur un rivage accore ou bien là où les grandes embarcations amarrées au large étaient desservies par de petits bateaux capables de s'échouer sur la plage. Une flotte de guerre ou de piraterie requérait, par contre, des installations fortifiées ou cachées, situées à courte distance d'une voie maritime, afin de permettre des attaques rapides. Les côtes plates et exposées du Levant et de l'Afrique du N. dépourvues d'abris naturels, de criques profondes et d'îles, qui abondent ailleurs en Méditerranée, donnèrent naissance à une tradition phén. d'aménagement portuaire très typique (fig. 270, 271), qui se développa avant celle des jetées fondées sous eau. Il s'agissait de tirer profit du moindre abri naturel: les quais étaient taillés dans le roc des récifs, des caps et des péninsules, tandis que les bassins étaient creusés dans la terre ferme du rivage et ensuite reliés à la mer par un chenal (→Carthage 2, →cothon). De tels ensembles, dictés par les récifs, etc., étaient parfois plus étendus que les installations compactes, aménagées ultérieurement sur le sol marin. La plus ancienne jetée connue ayant ses fondations sous eau est datée stratigraphiquement du IXᵉ s.: ses éléments, largement immergés, aboutissent au tell de →Ṭabbat el-Ḥammām en Syrie (fouille Braidwood). Ailleurs, la date repose sur des critères généraux et est plus spéculative. Les grands ensembles étudiés par Poidebard, dont les vestiges subsistent à →Sidon, à →Arwad et, masqués par des constructions postérieures, à →Tyr et à Pharos, ont des caractéristiques qui se retrouvent dans plusieurs sites mineurs, encore mal connus. Rares sont les installations portuaires qui ont échappé aux remaniements postérieurs, tandis que l'archéologie sous-marine n'en est encore qu'à ses débuts.

Bibl. A. Poidebard, *Tyr, un grand port disparu*, Paris 1939; R.J. Braidwood, *Report on Two Soundings on the Coast of Syria, South of Tartous*, Syria 21 (1940), p. 183-226; A. Poidebard - J. Lauffray, *Sidon*, Beyrouth 1951;

Fig. 270. Maquette de l'îlot de l'Amirauté dans la lagune circulaire, port militaire de Carthage (début du IIᵉ s. av. J.C.). Carthage, Musée National.

H. Frost, *The Offshore Island Harbour at Sidon and Other Phoenician Sites in the Light of New Dating Evidence*, IJNA 2 (1973), p. 75-94; H. Hurst, *Excavations at Carthage... Interim Report*, AntJ 55 (1975), p. 11-40; 56 (1976), p. 177-197; 57 (1977), p. 232-261; 59 (1979), p. 19-49; D. Blackman, *Ancient Harbours in the Mediterranean*, IJNA 11 (1982), p. 79-104, 185-212. HFrost

PORT GUEYDON →Rusazus.

PORTO TORRES →Nurra, La.

Fig. 271. Cale sèche de l'îlot de l'Amirauté, Carthage (début du IIᵉ s. av. J.C.).

PORTUGAL Dans l'état présent de la recherche, on ne peut parler d'établissements phén. stables au P., mais bien d'une influence phén. qui s'exerçait sur les communautés indigènes à travers les relations commerciales et dont témoignent des objets d'importation et des imitations locales. Par ailleurs, l'emplacement de certains sites concernés le long de la côte atlantique peut être révélateur d'une voie maritime menant de →Gadès au N.-O. de la Péninsule Ibérique (fig. 130), où l'on pouvait s'approvisionner en or et étain. Le trésor découvert en 1966 dans une tombe de Sines et les trouvailles de Baião, Sesimbra et Santa Olaia, plus au N., à l'embouchure du Mondego, reflètent des influences phén.-pun. des VIIe-VIe s. Au cours de fouilles récentes à Alcácer do Sal, un site typique de comptoir phén. au fond de l'estuaire du Sado, on a mis au jour de la céramique phén. et des imitations locales provenant du niveau III, qui remonte décidément au VIIe s. Ce sont surtout des plats et des coupes à engobe rouge, des poteries polychromes, des coupes à manche bifide de section circulaire, de la céramique grise et des amphores à rebords typiquement phén. Deux nécropoles récemment fouillées à Ourique, dans le Bas-Alentejo, sont d'importants témoins de l'influence phén. dans l'arrière-pays. De la nécropole de Monte A-Do-Mealha-Nova, qui compte 14 sépultures à incinération, creusées de 25 à 37 cm de profondeur, proviennent notamment cinq lances de fer, des éléments de colliers en cuivre ou bronze, pâte de verre et verre, des fragments d'amphores phén. et un scarabée au nom du pharaon Pétoubastis (*c.* 818-793). La nécropole de Herdade do Pego, située sur une autre butte, compte 35 tombes qui ont pareillement livré du matériel reflétant l'influence phén. À *c.* 25 km au N. d'Ourique se trouve la mine antique d'Aljustrel, où l'on relève aussi des traces de contacts avec les Phéniciens.

Bibl. A. Dos Santos Rocha, *Estaçôes pre-romanas da Idade do Ferro nas visinhanças da Figueira*, Portugalia 2 (1908), p. 301-356 (voir p. 310ss.: Santa Olaia); J.M. da Costa, *O tesuoro fenicio au cartagines do Gaio (Sines)*, Ethnos 5 (1966), p. 529ss.; A. García y Bellido, *Algunas novedades sobre la arqueología púnico-tartessia*, AEArq 43 (1970), p. 3-49 (voir p. 23ss.); J.M.ª Blázquez, *Tartessos y los origenes de la colonización fenicia en Occidente*, Salamanca 1975², p. 280-282; J. Soares, *Nótula sobre cerâmica campaniense do castelo de Alcácer do Sal*, Setúbal Arqueológica 4 (1978), p. 133-142; A.M. Cavaleiro Paixão, *Ein neues Grab mit Skarabäus*, MM 22 (1981), p. 229-235 (bibl.); C. Domergue, *La mine antique d'Aljustrel (Portugal) et les tables de bronze de Vipasca*, Conimbriga 22 (1983), p. 5-193.
FMol

PORTUS MAGNUS Site d'Algérie qui figure chez Pomp. Méla I 29, et Pline, *N.H.* V 19,2. Il a été identifié aux ruines de Saint-Leu ou Vieil Arzew, actuellement *Arzū*. La ville d'époque rom. s'étend sur un plateau, à 2 km en retrait de la baie, que le massif du Djebel Orousse abrite des vents de l'O. Si les fouilles urbaines n'ont pas encore dégagé des vestiges de l'habitat pré-rom., des traces incontestables de la culture pun. ont été mises en évidence à Saint-Leu, notamment une aire sacrée à ciel ouvert, installée au N. de la ville, entre celle-ci et la mer. Elle a livré au XIXe s. des stèles néopun. (NP 78-79) et lat., ornées du croissant et abritant dans une niche un dédicant nu, ainsi que des urnes cinéraires qui étaient logées dans des cavités pratiquées dans un banc de tuf et dont certaines contenaient encore des cendres et des os calcinés, apparemment de petits mammifères et d'oiseaux. Comme la stèle NP 78 est dédiée à Baal et qu'une des stèles lat. porte le nom de →Saturne, il doit s'agir des vestiges d'un sanctuaire de →Baal Hamon, datable du Ier s. av. - ap. J.C. On signalera par ailleurs la découverte d'un symbole de fertilité sous la forme d'un claveau orné d'un double phallus, ainsi que celle de tombes à inhumation en fosses dont le matériel le plus ancien — céramique campanienne tardive — peut être daté de la fin du IIe s. av. J.C. Ces tombes étaient parfois surmontées de stèles dont certaines portent des caractères néopun. On ajoutera à ces vestiges une monnaie de Carthage et une inscription pun. monumentale, probablement tardive. Les influences →ibériques sont illustrées à P.M. par un vase découvert dans la nécropole et par un bas-relief représentant un dieu mâle entre deux chevaux.

Bibl. AAAlg, f^e^ 21 (Mostaganem), n° 6; PECS, p. 732-733; S. Gsell, *Le champ de stèles de Saint-Leu (Portus Magnus)*, BAC 1899, p. 459-464; M.M. Vincent, *Portus Magnus (Saint-Leu). Sépultures punico-romaines*, RAfr 77 (1935), p. 35-71; ead., *Vase ibérique du cimetière est de Portus Magnus - Saint-Leu (départ. d'Oran)*, Libyca 1 (1953), p. 13-22; J. Lassus, *Le site de Saint-Leu, Portus Magnus (Oran)*, CRAI 1956, p. 285-293; G. Vuillemot, *Inscription punique de Saint-Leu*, Libyca 7 (1959), p. 187-190; id., *Reconnaissances aux échelles puniques d'Oranie*, Autun 1965, p. 19-23; M. Leglay, *Saturne africain. Monuments* II, Paris 1966, p. 324-330; Desanges, *Pline*, p. 153-154.
SLan-ELip

POSÉIDON *Poseidōn*, dieu gr. de la mer sur la côte, dieu des sources à l'intérieur des terres, parfois aussi dieu des séismes. Vénéré dans le monde rom.-africain sous le nom lat. de Neptune (*Neptunus*), il fut assimilé d'une part à →Melqart, d'après des inscriptions gr. et phén. de →Larnaka-tis-Lapithou, d'autre part à →"Él, possesseur de la terre", selon une bilingue de →Palmyre. Cette dernière identification semble évoquer P. *gaiéokhos*, "qui tient la terre", voire P. *aspálios*, "qui rend (la terre) ferme" (cf. Macr., *Sat.* I 17,22: *terram stabiliens*), épithète sous laquelle les Rhodiens ont dédié un temple à P. sur l'île volcanique de Théra (Strab. I 3,16). Si une légende rapportée par Diod. V 58,2 attribue à →Kadmos la dédicace d'un sanctuaire à P. sur l'île de →Rhodes, ce sont des inscriptions du IIe s. av. J.C. qui attestent son culte à →Délos, chez les Tyriens (ID 1519,37-39) et les Ascalonites (ID 1720), mais surtout dans l'établissement bérytien, dont P. était le dieu suprême. Sa statue de culte le représentait sur un char tiré par des hippocampes (ID 2325), comme sur les monnaies contemporaines de →Beyrouth (*BMC. Phoenicia*, p. XLVII), dont P. était le dieu poliade, ce que confirme Philon de Byblos (Eus., *P.E.* I 10,35; cf. 27). On ignore malheureusement quel était son nom phén., bien que Él puisse entrer ici en ligne de compte, surtout si le nom sémitique de Posideion (→Ras el-Bassit) était *Butullíon*, c.-à-d. *Bt-'l*, "Maison d'Él".

C'est dans le même sens que va l'attestation d'un "Neptune" pun. à →Leptis Magna (Trip 30 = IRT 305), où il pourrait être identique à "Él, possesseur de la terre" (Trip 18). Le culte de P. dans la région de la Petite Syrte est déjà signalé par Hdt. IV 188, selon lequel les Grecs l'auraient même emprunté aux Libyens (Hdt. II 50), ce qui est certainement inexact. De nombreuses découvertes épigraphiques et des mosaïques témoignent de l'importance particulière de P.-Neptune dans l'Afrique rom., où son culte doit se greffer sur celui d'une divinité pun. ou libyque. La plus ancienne inscription lat. datée de Carthage est dédiée à Neptune (CdB 1 [1951], pl. V,2), honoré sur la côte en tant que dieu de la mer, comme à →Chullu (CIL VIII, 8194; 19916) ou à →Bougie (CIL VIII, 8925), alors que le dieu des sources devait être vénéré sous ce nom à l'intérieur du pays, p.ex. à →Gafsa (ILTun 293), à Tleta-Djouana, dans le S. tunisien (Leglay, *Sat. Afr. Mon.* I, p. 331), ou à →Mididi (*ibid.*, p. 298), où il est associé à →Saturne. Déjà le *Périple* d'Hannon 4 et Skyl. 112 signalent un autel de P. sur le cap Soloeis, très probablement le cap →Spartel, où le culte de Melqart serait bien en place, tandis que Diod. XI 21,4 mentionne le →sacrifice préparé pour P. par →Hamilcar (1) dans "le camp naval" près d'→Himère, en 480, et Diod. XIII 86,3 évoque le sacrifice d'une "multitude de bétail" offert par →Himilcon (2) à P. devant →Agrigente, en 406. C'est peut-être le P. du serment d'→Hannibal (6), où P. est cité avec Arès et Triton (Pol. VII 9,2-3). L'ensemble de ces témoignages indique que P.-Neptune fut assimilé à diverses divinités phén.-pun., voire libyques, qui avaient un rapport avec la navigation, la mer ou les sources.

Bibl. KlP IV, col. 64-66, 1076-1079; PW XVI, col. 2514-2535; XXII, col. 446-557; J. Toutain, *Les cultes païens dans l'Empire romain* I, Paris 1906, p. 373-375, 378; J. Ferron, *Inscriptions juives de Carthage*, CdB 1 (1951), p. 175-206 (voir p. 190-193); L. Foucher, *Hadrumetum*, Paris 1964, p. 236-239, 262-264; M. Fantar, *Le dieu de la mer chez les Phéniciens et les Puniques*, Roma 1977; J. Teixidor, *The Pagan God*, Princeton 1977, p. 42-44; Bonnet, *Melqart*, p. 191-192, 335-336, 373-375. CBon-ELip

POSIDEION →Ras el-Bassit.

POURPRE **1 Fabrication** La couleur p. phén. est une teinture tirée de gastéropodes marins (*Murex*); il en existe plusieurs espèces en Méditerranée orientale (fig. 272): le *Murex trunculus*, le buccin, qui en est une variété, le *Purpura haemastoma* et le *Murex brandaris*. Le *Murex trunculus* et le buccin écrasés dans de l'eau de mer dégorgent un produit incolore qui, précipitant rapidement au contact de l'air, donne la teinture p. Si on plonge de la laine dans ce bain avant que cette oxydation rapide ne s'accomplisse, la laine absorbe le produit qui précipite alors à l'intérieur de la fibre, la colorant en p. ou bleu violet; le reste, précipitant hors des fibres, est inutilisable. Ce procédé appliqué au *Purpura haemastoma* et au *Murex brandaris* ne mènerait à aucun résultat. Selon Pline (*N.H.* IX 124-141), qui décrit le procédé de teinture qui rendit la ville de Tyr célèbre, on utilisait des "ustensiles en plomb..."; il ne pouvait s'agir en fait de plomb, mais d'étain, appelé "plomb blanc" à

Fig. 272. Gastéropodes marins utilisés dans la fabrication de la pourpre: a) Murex trunculus*; b)* Buccinum*; c)* Purpura haemastoma*; d)* Murex brandaris.

l'époque, qui, attaqué par les alcalis, produisait un dégagement d'hydrogène, gaz réducteur empêchant la teinture de s'oxyder. Si l'on ajoute à ce bain de la cendre de bois avant la décantation, on obtient une liqueur alcaline attaquant l'étain avec un dégagement d'hydrogène. Ce gaz maintient la teinture sous forme réduite et permet la concentration à température peu élevée. La teinture n'était plus ainsi perdue par précipitation hors du produit à teindre. La couleur apparaît sur l'échantillon après l'extraction du bain de teinture et l'essorage, au fur et à mesure de son oxydation par l'oxygène de l'air. Les Tyriens savaient qu'ils pouvaient utiliser le *Purpura haemastoma* et le *Murex brandaris* pour reproduire la couleur p. à condition d'ajouter une quantité de *Murex trunculus* ou de buccin (*c.* 10 %), seules variétés contenant l'enzyme nécessaire à la formation de la couleur, dont la nuance peut osciller entre le bleu violet et le rouge p. JDoum

2 Noms La pourpre tyrienne de ton rouge (*purpura blatta*) est appelée *argamannu* en akk. et *'argāmān* en hb. Cette acception du mot n'est cependant attestée qu'à partir du VIIIe s. et le même vocable signifiait encore "tribut" au XIIIe s., aussi bien en ug. (*'argmn*) qu'en hittite (*arkamman-*) et dans l'akk. de Boghazköy. Mais certains rituels d'Ugarit mentionnent "le principal d'un tribut", *r'iš 'argmn* (KTU 1.41,4; 1.87,5), expression que l'on rapprochera du logogramme moyen-babylonien SÍG.SAG = SÍG *ri-iš*, "lainage principal", qui désignait la p. rouge. C'est parce que celle-ci constituait "le principal d'un tribut" que le mot "tribut" en est probablement venu, par synecdoque, à signifier la p. elle-même. L'autre logogramme akk. désignant la p. rouge, SÍG.ZA.GÌN. SA_5, "lainage rouge (d'un éclat) de lazulite", est expliqué dans un lexique assyrien par *suntu/sumtu*. On rapprochera ce mot de l'hb. et du phén. *swt* qui semble désigner un habit de laine rouge, vraisemblablement un "manteau de p.". Dans *Gn.* 49,11, il est dit du personnage royal figuré par Juda qu'il "a lavé son habit dans du vin, sa p. (*swt*) dans le sang des raisins". La reine →Batnoam de Byblos est censée déclarer dans son inscription funéraire: "je repose dans la p. (*swt*), un couvre-chef sur moi et un masque d'or à ma bouche" (KAI 11 = TSSI III,26). Déjà au IXe s., Kilamuwa disait avec dédain du roi des Danouniens qu' "il avait livré sa fille nubile pour un mouton et son preux pour la p. (*swt*)" (KAI 28 = TSSI III,13,8). On utilisait aussi des termes qui évoquaient la couleur de la laine, à Ugarit p.ex. *pḥm*, "charbon ardent". Le mollusque nommé *ḥillāzōn* en hb. talmudique et *ḥilzōnā'* en aram. servait à fabriquer la p. violette (*purpura hyacinthea*), appelée *takiltu* en akk. et *tᵉkēlet* en hb. Le terme *takiltu* est attesté au moins depuis le XVe s., notamment à Ugarit, et il correspond au logogramme SÍG.ZA.GÌN.MI, "lainage noir (d'un éclat) de lazulite". Mais à →Ugarit, on avait coutume de qualifier la laine de ce ton foncé de *'iqn'u/uqnû*, "lazulite", appellation que l'on retrouve à Nuzi (*qinaḫḫu*), en babylonien tardif (*qunû*) et en syriaque (*qun'ā, qᵉnā'a*); elle provient du même mot que le gr. *kúanos* ou l'hb. *qin'āh*, "colère bleue". Aussi est-il possible que le vocable *(h)qn'* de l'inscription pun. CIS I,3889,3 désigne la p. violette: *mkr hqn' zk'*, "marchand de pure p. violette". En tout cas, le mot phén. *tklt* n'a rien à voir avec *takiltu*, qui semble dériver de l'akk. *taklu*, "inaltérable".

3 Histoire Les renseignements de Pline (*N.H.* IX 124-141), qui décrit la fabrication de la pourpre, se réfèrent à l'époque rom. Les pêcheurs de murex formaient alors à →Tyr deux corporations; l'une avait pour port d'attache le port des Égyptiens, situé au S. de la presqu'île, l'autre le port d'Astronoé, dont l'emplacement est inconnu. La fabrication de la p. n'était toutefois pas une invention et un monopole tyriens, ni même une activité à peu près exclusive des cités phén. Selon *Ez.* 27,7, Tyr même importait de la p. des "îles d'→Élisha" et les femmes d'Ithaque tissaient de la "p. de mer" (*halipórphura*: *Od.* XIII 107-108). Édom était également un fournisseur de p. rouge (*Ez.* 27,16), ce qui ne doit point surprendre vu que l'on trouve du murex dans le golfe d'Aqaba. Bien que l'on ait découvert à Tyr des monceaux de coquilles de murex artificiellement ouvertes, les plus anciens amas, actuellement connus, de ces coquillages se trouvent à Palaikastro, en Crète orientale, où ils témoignent d'une activité intense de l'industrie de la p. à la fin du Minoen Moyen III ou au début du Minoen Récent I, *c.* 1600. À la fin du Bronze Récent, au XIIIe s., on produisait de la teinture de p. à →Hala Sultan Tekké (Chypre) et à Ugarit, où textes et monceaux de coquillages attestent l'activité des teinturiers. En Phénicie, c'est à Sidon que J.A.C. Gaillardot découvrit les plus importants amas de coquilles de *M. trunculus*, d'une part, et de *M. brandaris* et *P. haemastoma*, d'autre part. Les deux amas correspondent à des procédés de fabrication différents dans au moins deux installations distinctes. Une installation intacte de l'industrie de la p., datant de l'époque perse et hellénistique, a été trouvée à →Dor en 1986. La céramique colorée de p., trouvée à →Sarepta (1) (XIIIe s.) et à →Shiqmona, atteste l'existence d'ateliers de teinturiers dans ces localités, tout comme les amas de coquilles de murex relevés à *Tell Ḥeḏar* (Tel Mor), le port d'→Ashdod, d'où l'on exportait de la laine p. jusqu'à Ugarit (PRU VI,156). Des étoffes teintes de p. ont été identifiées à Palmyre, à Enkomi et dans le Négev, mais il existait d'autres colorants. Ainsi, la laine p. violette trouvée dans une des grottes du Naḥal Ḥever, dans le Désert de Juda, est teinte au moyen d'un succédané appelé *qᵉlā'îllān* en hb. talmudique et obtenu par un mélange de kermès (*Coccus ilicis*) et l'indigo. L'usage de ces colorants est ancien et ce n'est pas de la vraie p. que l'on trouvait, p.ex., en Mésopotamie à l'époque paléobabylonienne. Dans le monde pun., on doit signaler les teintureries de p. découvertes au Kram et aux →Andalouses, les déchets de murex amoncelés *extra muros* à →Kerkouane et les mentions de la p. de Djerba chez Strab. XVII 3,18 et Pline, *N.H.* IX 127. À Carthage, les grands personnages, tels le stratège Maceus (Just. XVIII 7,9 →Malchus) et →Hasdrubal (15) (Pol. XXXVIII 7,1), portaient un habit de p. et la tunique des prêtres carth. était ornée d'une bande de p. (Sil.It. III 236; Hérodien V 5,10; Just. XVIII 7,9).

4 Commerce La teinture de p. était d'un prix de revient relativement élevé, en raison de la quantité de mollusques nécessaires et des manipulations auxquelles il fallait la soumettre. D'après les estimations récentes, un mollusque pourrait fournir suffisamment de teinture pour colorer jusqu'à 1 g de laine p. violette et 0,5 g de laine p. rouge. Pour obtenir, p.ex., les 2.000 sicles de laine p. exportés en une fois d'Ashdod à Ugarit (PRU VI,156), il aurait donc fallu employer environ 17.000 gastéropodes. Un millier de mollusques suffiraient pour teindre les 120 sicles de laine nécessaires à la confection d'un manteau (HSS XV,221). Quant au prix, une tunique (*ktn*) de p. rouge était évaluée à Ugarit de 2 à 2,75 sicles d'argent (KTU 4.132), alors que le prix d'un esclave oscillait entre 14 et 20 sicles. Le prix de la p. n'était donc pas exorbitant et il devait en être encore de même au Ier mill., quand la p. exportée de Phénicie se trouvait sur le Moyen Euphrate, à Ḫindanu et au pays de Sūḫu (ARI II, 547 et 471), à Karkémish (ARI II, 584; ARAB I, 601) et, plus loin à l'E. à Muṣaṣir (ARAB II, 172). Les rois d'Assyrie percevaient comme tribut des cités phén. de la laine "rouge" et de la laine "noire", mais les termes propres de p. rouge (*argamannu*) et de p. violette (*takiltu*) n'apparaissent pas dans ce contexte et Tyr ne semble pas y occuper une place particulière. La renommée de la p. tyrienne doit cependant remonter au moins au IVe s. av. J.C., quand *2 Ch.* 2,13 relate l'envoi de Tyr à Jérusalem d'un ouvrier expert au travail de la p. À l'époque rom., l'industrie tyrienne de la p. fournissait des produits réputés, comme en témoignent les poètes lat. au Ier s. ap. J.C.

(PW XXIII, col. 2008). Le *Pap. Hawara 208* du Haut-Empire mentionne à Rome un certain C. Lutius Abdeus, importateur de p. tyrienne de première qualité. Au Bas-Empire, à Tyr, un cinquième des métiers nommés dans les inscriptions de la nécropole concerne la p., signe manifeste de la prospérité de l'industrie et du bien-être des fabricants et négociants de p., souvent possesseurs de beaux sarcophages de marbre sculpté. À côté de ces entrepreneurs privés et libres, mais étroitement contrôlés et attachés à leur corporation, — car les taxes et les monopoles procuraient au Trésor public d'importants revenus, — l'État avait à Tyr ses propres entreprises: une teinturerie impériale de p., dont nous connaissons un technicien des bains de teinture, et des ateliers à main d'œuvre essentiellement féminine, les gynécées, pour le tissage de la soie qui était alors teinte de p. tout comme les lainages. ELip

Bibl. KlP IV, col. 1243-1244; PW XXIII, col. 2000-2020; R. Dubois, *Tamaris sur mer*, Archives de zoologie, 5e sér., 2 (1909); F. Thureau-Dangin, *Un comptoir de laine pourpre à Ugarit*, Syria 15 (1934), p. 137-146; G. Dalman, *Arbeit und Sitte in Palästina* V, Gütersloh 1937, p. 78-86; H. Quiring, *Vorphönizischer Königspurpur und* uqnû-*Stein*, FF 21-23 (1947), p. 98-99; J. André, *Étude sur les termes de couleur dans la langue latine*, Paris 1949, p. 90-105; M. Dothan, *The Ancient Harbour of Ashdod*, Christian News from Israel 11/1 (1960), p. 16-19 (cf. IEJ 9 [1959], p. 272); L.B. Jensen, *Royal Purple of Tyre*, JNES 22 (1963), p. 104-118; M. Dietrich - O. Loretz, WO 3 (1964-66), p. 227-232; B. Landsberger, *Über Farben im Sumerisch-Akkadischen*, JCS 21 (1967), p. 139-173 (voir p. 155-173); M. Dunand, BMB 20 (1967), p. 28; N. Jidejian, *Tyre through the Ages*, Beirut 1969, p. 142-159; M. Reinhold, *History of Purple as a Status Symbol in Antiquity*, Bruxelles 1970; D. Pardee, *The Ugaritic Text 147 (90)*, UF 6 (1974), p. 275-282 (en part. p. 277-278); J.-P. Rey-Coquais, BMB 29 [1977], p. 158-160; id., *Fortune et rang social des gens de métiers de Tyr au Bas-Empire*, Ktèma 4 (1979), p. 281-292; J. Doumet, *Étude sur la couleur pourpre ancienne*, Beirut 1980; S. Mrożek, *Le prix de la pourpre dans l'histoire romaine*, Les "dévaluations" à Rome II, Rome 1980, p. 235-243; R. Jannun et al., *Biological Bromination: Bromoperoxidase Activity in the Murex Sea-Snail*, ASBC - Abstract, Bethasda Ma. 1981; E.L. Coe et al., *Biochemistry of Tyrian Purple Synthesis: Bromoperoxydase and Purpurase Activities of Murex*, ASBC - Abstract, Bethasda Ma. 1981; P.E. McGovern - R.H. Michel, *Royal Purple and the Pre-Phoenician Dye Industry of Lebanon*, Masca Journal 3 (1984), p. 67-68; S. Ribichini - P. Xella, *La terminologia dei tessili nei testi di Ugarit*, Roma 1985, en part. p. 32,58; M. Fantar, *Kerkouane* III, Tunis 1986, p. 507-511; D. Reese, *Palaikastro Shells and Bronze Purple-Dye Production in the Mediterranean Basin*, BSA 82 (1987), p. 201-206; E. Stern -I. Sharon, IEJ 37 (1987), p. 208; E. Spanier (éd.), *The Royal Purple and the Biblical Blue, ARGAMAN and TEKHELET*, Jerusalem 1987; I. Ziderman, *First Identification of Authentic* Tĕkēlet, BASOR 265 (1987), p. 25-33 (bibl.); cf. BASOR 269 (1988), p. 81-90 (bibl.); M. Heltzer - E. Lipiński (éd.), *Society and Economy in the Eastern Mediterranean (c. 1500-1000 B.C.)*, Leuven 1988, p. 300-302; N. Karmon - E. Spanier, *Remains of a Purple Dye Industry Found at Tel Shiqmona*, IEJ 38 (1988), p. 184-186.

POUZZOLES En gr. *Dikaiárkheia*, lat. *Puteoli*; cité portuaire de Campanie (Italie), fondée au VIe s. av. J.C. par →Samos. Elle connut une grande prospérité à l'époque de la 2e →guerre pun. (Liv. XXIV 7; XXVI 17). Port de Rome, elle devint l'entrepôt et le lieu de transit de toutes les importations et exportations orientales (Strab. III 2,6; XVII 1,7; Pline, *N.H.* XXXVI 70; Sén., *Ep.* 77). De ce fait, elle accueillit nombre de commerçants étrangers, notamment des Tyriens qui possédaient au IIe s. ap. J.C. le plus vaste comptoir ou *statio* de P. (CIG III, 5853 = OGIS 595 = IGRR I,421). Lorsque P. déclina suite à l'essor d'Ostie, les négociants tyriens de P. firent appel à des subventions de Tyr et de la *statio* tyrienne de →Rome (4), désormais plus riche. Une inscription lat.-gr. du Ier s. ap. J.C. est adressée par la ville de Tyr à un "dieu saint de →Sarepta (2)" (IG XIV,831 = CIL X,1601 = IGRR I,419), venu de Tyr à P. (IGRR I,420).

Bibl. KlP IV, col. 1244-1245; PECS, p. 743-744; PW XXIII, col. 2036-2060; C. Dubois, *Pouzzoles antique*, Paris 1907; V. Tran Tam Tinh, *Le culte des divinités orientales en Campanie*, Leiden 1972, p. 136-137, 153-156; Bonnet, *Melqart*, p. 121-122, 306-307. CBon-ELip

POZO MORO Site ibérique près de Motes de Chinchilla (province d'Albacete, Espagne), où l'on a trouvé une nécropole des Ve s. av. - Ier s. ap. J.C., ainsi qu'un monument sépulcral, datable *c.* 500 av. J.C., dont l'architecture et la technique reflètent une influence phén. Certains bas-reliefs ornant le monument paraissent s'inspirer de thèmes proche-orientaux.

Bibl. M. Almagro-Gorbea, *Pozo Moro y el influjo fenicio en el periodo orientalizante de la Península Ibérica*, RSF 10 (1982), p. 231-272; id., *Pozo Moro. Un monumento funerario ibérico orientalizante*, MM 24 (1983), p. 177-293. ELip

PRATIQUES FUNÉRAIRES Conformément à la tradition sémitique, les Puniques inhumaient leurs morts. Cédant pourtant à des influences étrangères, ou locales à l'époque de la colonisation, ils dérogèrent parfois à cet usage, lui superposant ou lui substituant la pratique de la crémation. Leurs →tombes étaient individuelles ou collectives, ces dernières de rite mixte le plus souvent.

1 Inhumation En cas d'inhumation, des banquettes ou des auges, des →sarcophages de pierre ou d'argile, des cercueils ou des catafalques de bois, ou plus communément la terre battue servaient de couches aux défunts. Assez rarement décorés, les sarcophages avaient parfois une forme anthropoïde. La couche pouvait être préalablement tapissée de sable, d'argile ou de cailloux. Des observations éparses et relativement tardives laissent penser que, dans certains cas au moins, les corps étaient soumis à une toilette rituelle — exceptionnellement seulement embaumés ou momifiés — puis habillés de vêtements d'apparat ou enveloppés de linceuls et parés de bijoux à valeur prophylactique. Après quoi, ils étaient installés dans le réduit funéraire, en supination le plus souvent, mais sans règle stricte d'orientation, avec parfois certains objets au creux des mains et le reste de leur →mobilier funéraire autour d'eux. À des indices divers, on soupçonne que la cérémonie des funérailles était ponctuée de comportements ou de gestes rituels: cortège funèbre p.ex., avec théorie de pleureuses, fumigations d'encens, brisure de vaisselle, libation (?) de résine sur les cadavres, sacrifice

animal, repas funèbre. Des rites autochtones, comme le décharnement des corps, se superposaient parfois au cérémonial spécifiquement phén.-pun.
2 Incinération En cas d'incinération, les ossements, habituellement brisés et tamisés, étaient confiés à la terre ou à des →ossuaires d'argile, bois, pierre ou plomb. Deux rites de crémation distincts par la typologie des tombes, la nature des ossuaires, la composition ou le traitement du mobilier d'accompagnement se retrouvent sur de nombreux sites où ils ont parfois été dénaturés par la contamination d'habitudes indigènes. À Carthage, ils étaient pratiqués, l'un sporadiquement aux VIIe-VIe s., l'autre massivement après la fin du IVe s.

Bibl. H. Benichou-Safar, *Les tombes puniques de Carthage*, Paris 1982. HBenS

PRAXIPPOS En gr. *Praxíppos*, phén. [ ]*ps*, nom d'un ou de deux rois de →Lapéthos au IVe s. av. J.C.
1 P. I, prédécesseur de →Barik-Shamash, a régné au moins 14 ans, c. 360-346, selon l'inscription phén. de Larnaka-tis-Lapithou III,2-3 (Le Muséon 51 [1938], p. 285-298).
2 P. II est le dernier roi de Lapéthos selon Diod. XIX 79,4. Ptolémée I mit fin à son règne en 312. Dans l'hypothèse où P. II serait identique à P. I, il faudrait supposer qu'Artaxerxès III avait remplacé *c.* 346 un roi gr., qui avait pris part à la révolte anti-perse de *c.* 350-346 (Diod. XVI 42,3-5), par le Phénicien Barik-Shamash, mais que le souverain déposé avait retrouvé son trône au temps d'Alexandre le Grand.

Bibl. E.S.G. Robinson, *Kings of Lapethos*, NC, 6e sér., 8 (1948), p. 60-65; J.C. Greenfield, *Larnax tēs Lapethou III Revisited*, StPhoen 5 (1986), p. 391-401. ELip

PRÉNESTE →Palestrina.

PRÊTRES →Clergé.

PRIÈRE Aucune p. articulée, à l'exception de deux incantations (CIS I,6068 = KAI 89; StMagr 7 [1975], p. 1-18), ne nous est parvenue en phén.-pun., les deux incantations d'→Arslan Tash (TSSI III,23-24), en dialecte mixte, n'étant probablement pas authentiques. De nombreuses inscriptions dédicatoires et votives se terminent cependant par une brève formule déprécatoire s'adressant à la divinité: *ybrk'*, "qu'il le bénisse!" (CIS I,138 = KAI 63; CIS I,181; 195; 271; etc.), *tšm' qlm*, "puisses-tu entendre sa voix!" (CIS I,3921 = KAI 77; EH 2-5; etc.), *lyšm' ql'*, "puisse-t-il entendre sa voix!" (EH 32). Le geste habituel de la p. du fidèle, figuré en marche vers la divinité, un pied en avant (PhMM 19,22,23,51), ou en station (PhMM 53), est celui de la main droite levée à la hauteur de la bouche, tandis que la main gauche tient une pyxide ou une offrande (Phén 49, 121, 123, 172, 177, 179, 224, 225, 317). L'adorant s'avance parfois vers son dieu, les deux mains levées (Phén 115, 176), et l'on trouve aussi le geste des mains jointes, les quatre doigts de la main droite étant enveloppés en dessous par la main gauche (Phén 8). ELip

PROSTITUTION SACRÉE Les témoignages des auteurs anciens semblent parfois confondre trois coutumes distinctes: celle du rite hiérogamique accompli vraisemblablement lors des célébrations de la mort et de la résurrection du dieu, celle des vierges qui se donnent à un étranger dans un temple et se marient ensuite, et celle des femmes et des hommes voués au service d'une divinité et se livrant à la p.s. non plus temporaire, mais permanente, dans le but de favoriser la fécondité de la nature. Des prostitués professionnels des deux sexes étaient attachés aux sanctuaires phéniciens, spécialement ceux d'→Astarté, auxquels ils procuraient des émoluments importants. Les hiérodules étaient appelées *'lmt*, littéralement "filles nubiles" (CIS I,86 = Kition III, C 1, B 9), tout comme à Palmyre (CIS II, 3913,II,125-126), ou tout simplement *'mt (š) 'štrt*, "servantes d'Astarté" (CIS I,2632,3-4; 3776,4). Les prostitués mâles ou pédérastes étaient qualifiés de *klbm*, "chiens", terme soulignant leur attachement à la divinité, ou *grm*, "jeunes garçons", "minets" (CIS I,86 = Kition III, C 1, B 10), éventuellement *'bd(bt) 'štrt*, "serviteurs (du temple) d'Astarté" (CIS I,11 = Kition III, A 1; CIS I,225; 3779; 4842; 4843; cf. 263). En traitant du rôle des hiérodules dans le temple babylonien de Mylitta, c.-à-d. Ninlil, Hdt. I 199 signale qu'une coutume semblable existait en certains lieux de Chypre (cf. Clém. Alex., *Protr.* II 13,4; Just. XVIII 5,4), ayant en vue les temples d'Astarté à →Paphos, à →Amathonte et, sans doute, →Kition, dont on possède un témoignage direct (CIS I,86 = Kition III, C 1). Luc., *Syr.* 6, se réfère à l'usage analogue du temple de l'Aphrodite de Byblos et Eusèbe (*V. Const.* III 55.58; cf. Socrate I 18,7-9) atteste la présence de "minets" et d'hiérodules aux sanctuaires d'Astarté à →Afqa et à →Baalbek jusqu'au IVe s. ap. J.C. En Occident, le temple d'Astarté à →Éryx (CIS I,135 = ICO, Sic. 1; CIS I,140 = ICO, Sard. 19; CIS I,3776,4; Pol. I 55; Diod. IV 83,4; Strab. VI 2,6; CIL VIII,24528; X,7253-7255; 7257) était fameux pour la p.s. qui s'y pratiquait et l'on connaît au moins deux hiérodules de ce sanctuaire, mère et fille (CIS I,3776): Arishutbaal ("Objet désiré de Baal"), fille d'Amotmilqart ("Servante de Melqart"). Les matronymes carth., — surtout si la mère ou la fille portent le nom d'Arishutbaal, "Objet désiré de Baal" ou "de l'Époux (divin)" (CIS I,2798; 4627), — témoignent de l'existence de la p.s. à Carthage, et →Sicca Veneria était renommée pour ses rites de p.s. pratiquée par des *punicae feminae* (Val. Max. II 6,15; cf. Solin XXVII 8; CIL VIII,15881; 15894). Il y avait aussi des maisons closes, certaines relevant peut-être de la municipalité, notamment à →Bulla Regia. Dans l'art, le thème de la "femme à la fenêtre", la *Parakúptousa* chypriote (Plut., *Mor.* 766c-d; cf. *Pr.* 7,6) et la *Venus prospiciens* de Salamine (Ov., *Met.* XIV 698-771), tout comme la statuette de l'Astarté nue de Séville (fig. 35) et certains types de figurines féminines évoquent la p.s.

Bibl. DBS VIII, col. 1356-1374; F. Münter, *Religion der Karthager*, Kopenhagen 1821^2, p. 79-82; L. Delekat, *Katoche, Hierodulie und Adoptionsfreilassung*, München 1964; A. Verger, *Note di epigrafia punica giuridica I. Matronimici e ierodulia nell'Africa punica*, RSO 40 (1965),

p. 261-265; Masson-Sznycer, *Recherches* p. 64-68; E.M. Yamauchi, *Cultic Prostitution*, Orient and Occident, Kevelaer-Neukirchen-Vluyn 1973, p. 213-222; M. Delcor, *Le hieros gamos d'Astarté*, RSF 2 (1974), p. 63-76; U. Winter, *Frau und Göttin*, Freiburg-Göttingen 1983 (cf. IEJ 36 [1986], p. 87-96); E. Lipiński, OLP 15 (1984), p. 114-116; L. Ladjimi Sebai, *À propos du collier d'esclave trouvé à Bulla Regia*, Africa 10 (1988), p. 212-219; E. Lipiński, *L'élément* 'rš *dans l'anthroponymie carthaginoise*, Studia Semitica necnon Iranica R. Macuch... dedicata, Berlin 1989, p. 137-143. ELip

PSEUDO-HIÉROGLYPHES GIBLITES Les fouilles de →Byblos ont livré, à partir de 1929, 13 inscriptions gravées sur des stèles de pierre, ainsi que des tablettes et des spatules de bronze, dans une →écriture qui comporte 120 signes reconnus, qualifiés conventionnellement de "ps.-h.". On pourrait y ajouter des objets de céramique marqués aux signes de la même écriture. Ces signes, dont certains paraissent dériver des hiéroglyphes égyptiens ou, plutôt, des signes hiératiques, doivent représenter un syllabaire, enrichi peut-être de déterminatifs, et remontent, au plus tôt, au XVIIIe s. av. J.C. Malgré les efforts de É. Dhorme et la tentative récente de G.E. Mendenhall, cette écriture doit être considérée comme non déchiffrée, mais le contexte historique et archéologique permet de supposer, jusqu'à preuve du contraire, qu'elle servait à noter une langue ouest-sémitique, dont le dialecte phén. de Byblos est peut-être issu.

Bibl. RLA IV, p. 393-394; M. Dunand, *Byblia grammata*, Paris 1945, p. 71-138; É. Dhorme, *Déchiffrement des inscriptions pseudo-hiéroglyphiques de Byblos*, Syria 25 (1946-48), p. 1-35; G. Posener, *Sur les inscriptions pseudo-hiéroglyphiques de Byblos*, MUSJ 45 (1969), p. 225-239; M. Sznycer, *Les inscriptions pseudo-hiéroglyphiques de Byblos*, J. Leclant (éd.), *Le déchiffrement des écritures et des langues*, Paris 1975, p. 75-84 (bibl.); M. Dunand, *Nouvelles inscriptions pseudo-hiéroglyphiques découvertes à Byblos*, BMB 30 (1978 [1981]), p. 51-59; G.E. Mendenhall, *The Syllabic Inscriptions from Byblos*, Beirut 1985 (cf. OLZ 83 [1988], col. 573-576). ELip

PSEUDO-SKYLAX →Skylax.

PSEUDO-SKYMNOS →Skymnos.

PTAH En ég./phén./hb./aram. *Ptḥ*; dieu suprême de →Memphis, où des divinités sémitiques, p.ex. →Resheph, semblent lui être associées dès le Nouvel Empire. Démiurge et patron des artisans, il fut assimilé au dieu sémitique →Chousor et à l'Héphaïstos gr. (Hdt. II 112.176). Vénéré par les Phéniciens d'Égypte au moins depuis le VIIe s., sous son nom ou sous celui du taureau Apis (ég. *Ḥpy*, phén. *Ḥp*), sa manifestation sur terre, il est reconnaissable à sa silhouette momiforme, coiffée d'une calotte et tenant un sceptre composé du pilier *djed* et du *ouas* combinés, tel qu'on le retrouve dans des sites phén.-pun. (fig. 149). Il faut le distinguer du "P. →patèque", malgré Hdt. III 37.

Bibl. DEB, p. 86-87, 806-807; LÄg I, col. 338-350; IV, col. 1177-1180; LIMC II/1, p. 177-182; II/2, p. 175-181; WM I/1, p. 336-337, 387-389; Benz, *Names*, p. 316,396; E. Lipiński, *Vestiges phéniciens d'Andalousie*, OLP 15 (1984), p. 83-132 (voir p. 86-89). ELip

PTOLÉMAÏS →Akko.

PTOLÉMÉE Roi de →Maurétanie (23-40 ap. J.C.), fils et successeur de →Juba II, qui l'a associé au pouvoir dès 5 ap. J.C. Son nom, de tradition →lagide, lui vient apparemment de sa mère, qui était la fille de Cléopâtre et d'Antoine. Son portrait est connu grâce à des sculptures et à son monnayage en or, argent et bronze, sur lequel figurent notamment les insignes de triomphe reçus de Tibère suite à l'intervention victorieuse de P. dans la guerre de Tacfarinas, terminée en 24. Son règne long et prospère, ainsi que les ambitions de son entourage d'affranchis gr. orientaux, éveillèrent les suspicions de Caligula, qui le convoqua à Rome, le fit assassiner et annexa son royaume. La mort de P. fut immédiatement suivie de la longue révolte d'Aedémon (40-44), déclenchée sous le prétexte de vouloir venger le roi assassiné.

Bibl. PW XXIII, col. 1768-1787; T. Kotula, *Encore sur la mort de Ptolémée, roi de Maurétanie*, Archeologia 15 (1964), p. 76-94; F. Chamoux, *Un nouveau portrait de Ptolémée de Maurétanie découvert à Cherchel*, Mélanges A. Piganiol I, Paris 1966, p. 395-406; D. Salzmann, *Die Münzen der mauretanischen Könige Juba II. und Ptolemaios*, MM 15 (1974), p. 174-183; H.G. Horn - C.B. Rüger (éd.), *Die Numider*, Köln 1979, p. 73-74, 198, 216-221, 662-663. MDub-ELip

PTOLÉMÉES →Lagides.

PUERTAS DE TIERRA →Gadès.

PUIG DES MOLINS Nécropole de la ville d'→Ibiza (2), située sur une colline près de celle-ci; elle comp-

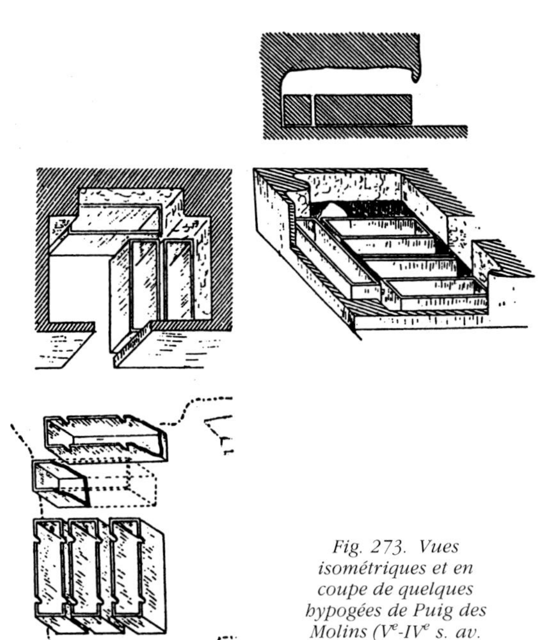

Fig. 273. Vues isométriques et en coupe de quelques hypogées de Puig des Molins (V[e]-IVe s. av. J.C.).

te, sur une surface d'environ 5 ha, plus de 3.000 →tombes (2), pour la plupart des hypogées, datant du VIIe s. av. au IIIe s. ap. J.C. (fig. 273). Le rite funéraire du VIIe et de la première moitié du VIe s. est l'incinération; les cendres étaient déposées dans une urne, dans des cavités artificielles ou dans les irrégularités naturelles de la roche, le tout étant plus ou moins protégé par des pierres. Il existe aussi quelques fosses rectangulaires qui étaient de vrais *busta*. Dès la seconde moitié du VIe s. et jusqu'à la fin du IVe s., l'inhumation s'impose décidément et l'on aménage les premiers hypogées qui occupent toute la colline. Ce sont des chambres creusées dans la roche calcaire, avec un puits d'accès rectangulaire de 1 à 3 m de long, 0,6 à 1 m de large à une profondeur de 2 à 5 m. La porte qui sépare la chambre du puits consiste en une grande pierre. La chambre est rectangulaire, de 2 à 6 m de long et de large, et d'environ 1,5 m de haut. Elle contient souvent un ou deux →sarcophages (6) en grès local, taillés dans un seul bloc et ayant plus de 2 m de long; on en a trouvé exceptionnellement six dans une même chambre. Des sarcophages en bois sont aussi connus, mais non conservés. Il existe d'autres systèmes d'ensevelissement, plus simples, tels que des fosses taillées dans le rocher ou à même la terre, aux dimensions variables, et des amphores, utilisées surtout pour inhumer des enfants. Au début du IIIe s. av. J.C., l'incinération réapparaît: les ossements calcinés se trouvent recueillis dans une grande variété d'urnes qui sont à leur tour déposées dans les hypogées. À l'époque rom., les puits d'accès sont réutilisés comme fosses d'inhumation. Le P. d. M., toujours en cours de fouille, constitue par le nombre de tombes et la richesse du →mobilier funéraire le site archéologique le plus important pour la connaissance de la civilisation phén.-pun. d'Ibiza (fig. 167, 169, 171-176, 237-239, 267).

Bibl. A. Vives y Escudero, *Estudios de arqueología cartaginesa. Necrópolis de Ibiza*, Madrid 1917; C. Román Ferrer, *Excavaciones en Ibiza* (MJSEA 46, 58, 68, 80, 81), Madrid 1922-27; J.H. Fernández, *Guía del Puig des Molins* (TMAI 10), Madrid 1983; C. Gómez Bellard, *La necrópolis del Puig des Molins (Ibiza). Campaña de 1946* (EAE 132), Madrid 1984; J.H. Fernández, *Necrópolis del Puig des Molins (Ibiza): nuevas perspectivas,* AulaOr 3 (1985), p. 149-175.

JHFern

PUMAY En phén. *Pmy*, théonyme désignant un dieu d'origine vraisemblablement chypriote, auquel est dédiée la stèle de →Nora (KAI 46 = TSSI III,11), d'après les lectures les plus assurées, et qui est documenté par des anthroponymes théophores de Chypre et de Carthage (Benz, *Names*, p. 391-392), dont celui de →Pumayyaton est connu aussi en transcriptions gr. *Pumátōn* (Timée, FGH 566) et →Pygmalion (2) (cf. KAI 73 = TSSI III,18). Selon Hsch. (s.v. *Pugmaīōn*), P. serait le pendant chypriote de l'Adonis phén., ce qui permettrait de voir en lui un dieu indigène de la végétation, mourant et ressuscitant comme l'Adonis giblite.

Bibl. A.M. Bisi, *Kypriaka*, Roma 1966, p. 7-34; Bunnens, *Expansion*, p. 300-303.

AMBi

PUMAYYATON En phén. *Pmy(y)tn*, gr. *Pumátōn* (Ath. IV 167c), *Pugmáiōn* (Hsch.) ou *Pugmalīōn* (Diod. XIX 79,4), forme apparemment dérivée par vélarisation *m*>*gm* et dissimilation *ayyō*>*aliō de Pumayy(at)ōn* ("→Pumay a donné").

1 P., roi légendaire de Chypre connu sous le nom de →Pygmalion (1).

2 P., roi de Tyr *c.* 831-785, fils de →Mattan I et frère d'→Élissa, selon Fl.Jos., *C.Ap.* I 125, qui le nomme →Pygmalion (3).

ELip

3 P., "roi de →Kition et d'→Idalion" (Kition III, A 1; 29-30) de 361 à 312, fils et successeur de →Milkyaton (fig. 99). Au milieu du IVe s., il acquiert pour 50 talents du roi Pasikypros le territoire de →Tamassos, riche en mines de cuivre, et devient alors "roi de Kition, Idalion et Tamassos" (Kition III, A 2). Cependant, →Alexandre fait en 332 don de Tamassos à Pnytagoras de →Salamine, bien que P. lui ait offert de luxueux cadeaux (Plut., *Alex.* 32) et lui ait apporté l'aide de sa marine pour le siège de Tyr en 332, effort ruineux qui l'entraîna à émettre un monnayage d'or (fig. 252:6; →numismatique 2). Dans la tourmente que les Diadoques déchaînent à la mort d'Alexandre, P. prend le parti d'Antigone, mais est vaincu par Ptolémée I et mis à mort en 312 (Diod. XIX 79,4). Avec lui disparaît le royaume phén. de Kition.

MYon

Bibl. KlP IV, col. 1246; PW XXIII, col. 2074-2076; G. Hill, *BMC. Cyprus*, London 1904, p. XL-XLI; H. Berve, *Das Alexanderreich* II, München 1926, p. 339-340; Peckham, *Development,* p. 18-19; M. Yon, *Le royaume de Kition: Époque classique*, StPhoen 9 (sous presse).

PUNIQUES Dans l'usage courant aujourd'hui, "carth." et "p." sont à peu près synonymes. Lorsqu'on les distingue, on utilise "carth." pour ce qui a directement trait à →Carthage et "p." pour tout ce qui gravite dans l'orbite de Carthage sans lui être expressément associé. Outre ces deux termes, on se sert parfois aussi de "phén. d'Occident" pour désigner soit l'ensemble des établissements phén. de l'Italie à l'Atlantique, soit les éléments de ce monde phén. qui ne sont pas spécifiquement p.

Le mot "p." est d'origine lat.: *punicus*. C'est l'adjectif correspondant au nom de peuple *Poenus*. Tout deux dérivent vraisemblablement du gr. *phoīnix* utilisé à la fois comme nom et comme adjectif. À l'origine *Poenus* et *punicus* semblent s'être appliqués indifféremment aux Phéniciens et aux Carthaginois. Avec le temps, sans doute vers la fin de la République, le mot gr. *phoīnix* s'est réintroduit dans la langue lat. sous la forme *phoenix*, et une distinction s'est établie entre *Phoenix*, "Phénicien", et *Poenus*, "Carthaginois". *Poenus* et *punicus* n'ont cependant jamais complètement perdu le sens général de "phén.".

Bibl. G. Bunnens, *La distinction entre Phéniciens et Puniques chez les auteurs classiques*, ACFP 1, Roma 1983, p. 233-238.

GBun

PUNTA DE LA VACA →Gadès.

PYGMALION En phén. *Pgmlyn*, gr. *Pygmalīōn*, nom de divers personnages historiques ou légendaires (→Pumayyaton).

1 P., roi légendaire de Chypre, peut-être d'origine phén., qui s'éprit d'une statue à laquelle Aphrodite donna la vie et qui en eut une fille nommée Paphos, laquelle engendra →Kinyras. (Ov., *Met.* X 243-297). Selon une autre tradition, P. serait le grand-père d'→Adonis que sa fille Métharmé aurait eu de Kinyras. P. passe également pour être le fondateur de →Karpasia.
2 P., divinité mentionnée avec →Astarté dans l'inscription gravée sur le médaillon de Carthage (KAI 73 = TSSI III,18).
3 P., roi de Tyr, fils de Bélos/Agénor et frère d'→Élissa-Didon. Il succéda à son père, alors qu'il n'était encore qu'un enfant. Il fit assassiner →Sicharbas/Sychée, son oncle et le mari de sa sœur, pour s'approprier ses trésors. Mais, prévenue en songe, Élissa s'enfuit avec les trésors (Virg., *Aen.* I 338-368). C'est la 7e année de son règne qu'aurait été fondée →Carthage (1) (→fondation, récits de) (Fl.Jos., *C.Ap.* I 18). Après le suicide d'Élissa, P. se rendit auprès du roi de Mélitè (Malte) pour lui réclamer sa sœur →Anna qui s'y était réfugiée.
4 P., dernier roi phén. de →Kition (→Pumayyaton 3).

Bibl. Bunnens, *Expansion*, p. 300-303; H.-P. Müller, *Pygmaion, Pygmalion und Pumaijaton: Aus der Geschichte einer mythischen Gestalt*, Or 57 (1988), p. 192-205. ARoob

PYLA Localité de Chypre, située à 10 km au N.-E. de →Kition, où l'on a identifié un sanctuaire d'Apollon (lieudit de Vigla), où le plateau de Kokkinokremos est l'emplacement d'un riche établissement de la fin du XIIIe s. et où le site côtier de Palaeokastro a livré une tête de Bès et un socle portant une dédicace phén. du VIIe s. (fig. 274), peut-être à "→Resheph attentif" (*Ršp š[qd]* →Shoqéd). Bien que la tête et le socle paraissent s'ajuster, leur disproportion inviterait à y voir deux pièces primitivement indépendantes l'une de l'autre. Par ailleurs, le village moderne de Pergamos, au N. de P., a livré des sculptures provenant d'un sanctuaire et un relief fragmentaire avec une inscription honorifique ou commémorative en phén., datable *c.* 400 av. J.C. Ces inscriptions confirment le peuplement phén. de la région située au N.-E. de Kition, dans la direction de →Salamine.

Bibl. A. Caquot - O. Masson, *Deux inscriptions phéniciennes de Chypre*, Syria 45 (1968), p. 295-321 (voir p. 295-300); Masson-Sznycer, *Recherches*, p. 121-123; A. Hermary, *Deux ex-voto chypriotes reconstitués*, La Revue du Louvre 34 (1984), p. 238-240; V. Karageorghis - M. Demas, *Pyla-Kokkinokremos*, Nicosia 1984. ELip

Fig. 274. Tête de Bès sur un socle portant une dédicace à Resheph-Sh[..], Pyla (VIIe s. av. J.C.). Paris, Louvre.

PYRGI Le site moderne de Santa Severa correspond à P., le port de la ville →étrusque de Caere, l'actuelle Cerveteri (Italie). Le nom gr. de P., *Púrgoi*, "Tours", suggère une implantation gr., voisine du comptoir carth. de *Punicum* (Santa Marinella?), signalé par la *Tab. Peut.* V 3-4 et le *Rav.* IV 32; V 2. Fondée au VIIIe s., P. était renommée pour son sanctuaire de la déesse étrusque Uni, associée à Tin, le Zeus étrusque. Strab. V 2,8 la nomme Eileithuia, en raison de sa fonction kourotrophe, et, pour le même motif, Ps.-Arstt., *Oec.* II 2,20; Diod. XV 14,3-4; Ael., *V.H.* I 20 et Polyen, *Strat.* V 2,21, l'appellent →Leukothéa, celle-ci étant assimilée en Italie à *Mater Matuta*, "Aurore", l'équivalent de Thesan, autre nom étrusque de la déesse enfanteuse de P., qui aurait patronné aussi la →prostitution sacrée (Lucilius selon Serv., *in Aen* X 184). Les ruines de son sanctuaire, dont les fondations remontent au VIe s. av. J.C., comprennent les temples A, B et l'aire C où furent découvertes, en 1964, trois lamelles d'or inscrites, deux en étrusque (TLE 874), une en phén.-pun. (ICO, App. 2 = KAI 277 = TSSI III,42). Elles commémorent la consécration d'un lieu de culte à →Astarté par Tibérie Vélianas, roi de Caere *c.* 500 av. J.C. Ces lamelles, qui prouvent l'assimilation d'Uni à Astarté, ont suscité un débat portant notamment sur le rapport entre le texte étrusque et le texte phén.-pun., selon lequel la consécration du lieu saint a eu lieu "le jour de l'ensevelissement de la divinité". On songe à →Melqart plutôt qu'à →Adonis, vu son association récurrente à Astarté dans le milieu colonial comme à Tyr, où Héraklès est encore nommé avec Leukothéa dans une inscription gr. d'époque sévérienne (MUSJ 38 [1962]), p. 18), et vu l'iconographie des temples de Pyrgi, qui contenaient des représentations de type hérakléen. Le couple phén.-pun. d'Astarté-Melqart correspondrait ainsi à P. à celui d'Uni-Tin. Quant aux implications politiques d'un culte voué à Astarté par un roi étrusque, elles ne sont pas évidentes, mais pourraient témoigner de l'existence d'un →traité (5) étrusco-carth. Par ailleurs, il est vraisemblable que le pillage du sanctuaire de P. par Denys I de Syracuse en 384/3 (Strab. V 2,8), qui ne lui rapporta pas moins de 1500 talents, avait un lien avec les plans anti-carth. de Denys (Diod. XV 14,4).

Bibl. PECS, p. 180, 743; M. Pallottino et al., *Scavi nel santuario etrusco di Pyrgi*, ArchCl 16 (1964), p. 49-117; *Le lamine di Pyrgi*, Roma 1970; R. Werner, *Die phönikisch-etruskischen Inschriften von Pyrgoi und die römische Geschichte im 4. Jh. v.Chr.*, Gräzer Beiträge 1 (1973), p. 241-271; 2 (1974), p. 263-294; G. Garbini, *I Fenici*, Napoli 1980, p. 205-234; M. Verzàr, *Pyrgi e l'Afrodite di Cipro*, MÉFRA 92 (1980), p. 35-84; *Die Göttin von Pyrgi*, Firenze 1981; G. Colonna, *Novità sui culti di Pyrgi*, RPAR, 3e sér., 57 (1984-85), p. 57-88; C. Bonnet, *Le culte de Leucothéa et de Mélicerte en Grèce, au Proche-Orient et en Italie*, SMSR 52 (1986), p. 53-71; ead. *Melqart*, p. 278-291; F.O. Hvidberg-Hansen, *The Pyrgi Texts in an East-West Perspective*, Acta Hyperborea 1 (1988), p. 58-68; F. Coarelli, *Il Foro Boario*, Roma 1988, p. 328-363.
CBon-ELip

PYRRHUS (319/8-272). Roi d'Épire qui dirigea une expédition en Italie pour soutenir Tarente menacée par les Romains. Ses victoires à Héraklée (280), puis à Ausculum (279), eurent pour effet, d'une part, une alliance entre Rome et Carthage (279/8) (→Rome 1A; →traités 9), d'autre part, une entente entre P. et les Grecs de Sicile (278) qui mirent à sa disposition leurs forces armées (Pol. VII 4,5; Just. XXIII 3,2). S'attaquant aux possessions carth. en Sicile, P. s'empara d'→Éryx et d'Heirktè (→Monte Pellegrino), mais ne parvint pas à se rendre maître de →Lilybée. Cet échec et l'autoritarisme de P. eurent pour conséquence une désaffection des Siciliotes, ce qui l'amena à se retirer de l'île en 275.

Bibl. KlP IV, col. 1262-1264; PW XXIV, col. 108-165; P. Lévêque, *Pyrrhos*, Paris 1957; P. Garoufalias, *Pyrrhus, King of Epirus*, London 1979^2; A.J. Heisserer, *Polybius 3.25.4 ("An Alliance* concerning *Pyrrhus")*, Gerión 3 (1985), p. 125-139; Huß, *Geschichte* p. 207-215.
ELip

Q

QALAMOUN, ḤOṢN/EL Petite installation portuaire à 9 km au S. de →Tripolis, correspondant au *Calamos* des sources classiques (→Kaïsa?). Ni le port, ni les tombes avoisinantes n'ont été étudiés. Il est tentant de reconnaître un substrat phén. dans la légende de Ste Marina, née ici et vénérée dans la grotte toute proche de Deïr Qannoubîn. Comme le fit →Isis/Astarté pour →Harpocrate, cette vierge aurait sauvé la vie d'un nourrisson abandonné en l'assouvissant de son lait.

Bibl. R. Dussaud, *Topographie*, p. 77; Ch.L. Brossé, *Les peintures de la grotte de Marina, près Tripoli*, Syria 7 (1926), p. 30-45, 185-186; E.C.B. McLaurin, *A Possible Phoenician Site near Tripoli*, PEQ 101 (1969), p. 39-41. EGub

QANA En hb. *Qānāh*, gr. *Kaná*, lat. *Canna*, localité du Liban méridional, mentionnée en *Jos.* 19,28 avec Hammon (→Umm el-Amed) parmi les villes de la tribu d'Asher et probablement identique à l'actuelle Qānā, à 10 km au S.-E. de Tyr. Près du village, un *naos* taillé dans le roc du →Wadi Ashour contient un bas-relief de style égyptisant (fig. 381). Eus., *Onom.*, p. 116,3-6, semble confondre Q. avec Cana de Galilée, tout en connaissant l'existence des deux localités.

Bibl. Abel, *Géographie* II, p. 412; Aḥituv, *Toponyms*, p. 123. ELip

QARTA En hb. *Qartāh*, gr. *Kartha*, lat. *Certha*; ville phén. que cite *Jos.* 21,34 et que l'*It. Burd.* (p. 585,2) situe, sous le nom de *Mutatio Certha*, à trois milles rom. de Sycaminum (→Shiqmona) et à huit milles au nord de Césarée. Le site de Q. a pu être identifié à Tel Megadim (= *Tell el-Aqra'*), en Israël, où l'on a notamment mis au jour, en 1967-69, des vestiges de la cité du Bronze Récent, riche en céramique chypriote, et surtout la ville phén. de la période perse, entourée d'une muraille et bâtie selon un plan "hippodamien", tout comme la →Dor phén. de la même époque. Q. était alors une ville prospère et commerçante, ainsi qu'en témoigne, entre autres, l'abondante poterie attique.

Bibl. EAEHL, p. 823-826; M. Broshi, *Tel Megadim*, RB 76 (1969), p. 413-414; 77 (1970), p. 387-388. ELip

QARTHADASHT →Carthage.

QARTIMME En akk. *Qar-ti-im-me*, nom d'une des villes qui dépendaient de →Baal I, roi de Tyr (Liban) à l'époque d'Asarhaddon (AfO, Beih. 9, p. 48, col. III,3). Son nom pourrait signifier "Ville-de-la-Mer" (*Qrt-ym*). À Sidon, pareillement, il y avait un quartier de Sidon-de-la-Mer (KAI 15) ou Sidon-du-Pays-de-la-Mer (KAI 14 = TSSI III,28,16.18). S'agirait-il d'une "marine", c.-à-d. du port d'une ville située un peu plus à l'intérieur des terres? Le chroniqueur byzantin Jean Malalas (*Chronographia*, p. 162-163) mentionne une ville de *Khartima* aux confins de Tyr et de Sidon, qui serait le lieu d'origine d'→Élissa. Ce nom, et peut-être aussi la ville, paraît identique à celui de Q. GBun

QÉDESH En hb. *Qedeš*, gr. *Kádasa/Kúdis(s)os*, lat. *Cydissos*, arabe *Qades*, ville située en →Galilée du N. (Israël), à 36 km à l'E. de Tyr. Comptée dans l'A.T. parmi les lieux de refuge et les villes lévitiques (*Jos.* 12,22; 19,37; 20,7; 21,32), patrie de Baraq (*Jg.* 4,6), elle fut prise par Téglat-Phalasar III qui en déporta les habitants (*2 R.* 15,29). Placée à la frontière du pays de Tyr et de la Galilée par Fl.Jos., *A.J.* XIII 154, c'était en réalité une ville tyrienne, *Kádasa tōn Turīōn* (Fl.Jos., *B.J.* II 459), où les inscriptions gr. étaient datées d'après l'ère de Tyr. L'intendant Zénon y est demeuré un certain temps en 259/8 av. J.C. (PLB XX, 32, 12; XXI, p. 490) et les généraux de Démétrius II y établirent leur quartier général *c.* 145 av. J.C. (*1 M.* 11,63.73). Le site conserve de nombreux vestiges de mausolées, de sarcophages décorés, de tombes creusées dans le rocher des collines avoisinantes et les ruines d'un temple des IIe-IIIe s. ap. J.C. dédié au "Dieu saint du Ciel", c.-à-d. à →Baal Shamêm, dont la *sungén(e)ia* ou →association religieuse est mentionnée dans l'une des inscriptions.

Bibl. DEB, p. 1082; Abel, *Géographie* II, p. 416; M. Fischer - A. Ovadiah - I. Roll, IEJ 33 (1983), p. 110-111, 254; 35 (1985), p. 189; ErIs 18 (1985), p. 353-360; Tel Aviv 13-14 (1986-87), p. 60-66 (bibl.); *Sepher Z. Vilnay* II, Jerusalem 1988 (sous presse). ELip

QÎSH En assyrien *Qí-(i-)su*, hb. *Qîš*, gr. *Kis*, ancien anthroponyme sémitique ("Donné en cadeau"), bien attesté en akk. (AHw, p. 924a), hb. (KBL³, p. 1028b) et sud-arabique, et porté au temps d'Asarhaddon, en 673, par le roi chypriote de *Si-(il-)lu-(u-)a* ou *Se-lu-a* (AfO, Beih. 9, p. 60, 1.65), cité que l'on identifie très justement à →Salamine, puisque le *m* intervocalique change facilement en *w* (GAG § 31a): *Šelāma* < *Šelōwa*. Si le roi de Salamine dans la première moitié du VIIe s. était donc un Sémite, il convient d'attribuer les riches tombes "royales" de la nécropole des VIIIe-VIIe s. à des princes d'ascendance phén. ELip

QUDSHU Prononciation conventionnelle du mot *q-d-š*, exceptionnellement *q-d-š-t* avec désinence féminine, que l'on trouve écrit en hiéroglyphes sur des stèles égyptiennes des XIXe-XXe dynasties provenant de Deir el-Medineh. Ce terme y désigne une déesse nue, qui porte la coiffure hathorique, tient dans ses mains étendues un bouquet de fleurs et/ou des serpents et se dresse debout sur un lion passant (ANEP 470-472). Elle est souvent représentée entre le dieu égyptien Min et le dieu sémitique →Resheph (fig. 275; ANEP 474). Vu que la même figure féminine apparaît aussi sur des amulettes syro-palestiniennes (ANEP 465) et que l'on ne connaît pas de déesse portant le nom propre de *qdš*, il est vraisemblable

que l'on a affaire au mot ouest-sémitique *qudāšu/ qᵉdāšā'* qui désignait, au Iᵉʳ mill. av. J.C. et plus tard, un pendentif, un anneau ou une boucle d'oreille (CAD Q, p. 293-294). Des boucles d'oreille figurant une déesse nue, se tenant debout, se rencontrent encore à l'époque nabatéenne. Il est donc probable que le terme *qdš*, "objet sacré", désignait dès le Bronze Récent les pendentifs figurant la déesse nue et que la même appellation fut attribuée aux représentations de cette déesse sur les stèles de Deir el-Medineh. La stèle conservée au Winchester College (ANEP 830) suggère de l'identifier à →Anat ou à →Astarté.

Bibl. O. Negbi, *Canaanite Gods in Metal*, Tel Aviv 1976, p. 99-100,191, nᵒˢ 1697-1702, fig. 117-119, pl. 53-54; U. Winter, *Frau und Göttin*, Freiburg-Göttingen 1983, p. 110-114, fig. 36-43; E. Lipiński, *The Syro-Palestinian Iconography of Women and Goddess*, IEJ 36 (1986), p. 87-96 (voir p. 89-90); W.A. Maier, *'Ašerah: Extrabiblical Evidence*, Atlanta 1986, p. 81-96.

ELip

Fig. 275. Stèle figurant Qudshu entre Resheph (à droite) et Min (à gauche), Deir el-Medineh (XIIIᵉ s. av. J.C.). Londres, British Museum.

R

RAB En phén.-pun. *rb*, littéralement "chef", titre qui entre généralement en composition avec d'autres termes et désigne alors le "chef d'armée", le "chef des scribes", etc. Employé seul à Carthage, il désigne un dignitaire, qui peut être →suffète, mais qui le plus souvent ne l'est pas. Il est vraisemblable qu'il qualifiait le "sénateur" ou membre du "Conseil des Anciens", titre qui, autrement, n'apparaîtrait jamais dans les inscriptions carth. En tout cas, le pluriel *rabbîm* est employé comme synonyme d'"Anciens" en *Jb* 32,9 et l'assyrien emploie le titre de *rabûti ša āli* dans la même acception que l'hb. *ziqnê hā-'îr*, "les Anciens de la ville".

Bibl. DISO, p. 271-272; Gsell, HAAN II, p. 214; W. Huß, *Die Stellung des* rb *im Karthagischen Staat*, ZDMG 129 (1979), p. 217-232; J. Teixidor, *La fonction de* rab *et de suffète en Phénicie*, Semitica 29 (1979), p. 9-17. ELip

RABAT / MEDINA →Malte.

RACHGOUN En arabe *aš-Šakūr* ou *Arğikūk*, actuellement *Rašgūn*, petite île à peu de distance du rivage, devant l'embouchure de l'oued Tafna, la *Siga* de l'Antiquité. Le toponyme moderne recouvre sans doute l'appellation antique (*Ruš-Šigan*) du cap qui couvre l'embouchure du fleuve, sur les bords duquel, à 4 km, s'élevait la cité de →Siga, nommée dans Skyl. 111, tandis que l'île d'*Akra* doit désigner l'îlot de R., où la fouille de la "nécropole du phare" a fait connaître des →tombes à incinération et des sépultures à inhumation caractérisées par un matériel pun. archaïque, témoignant notamment de contacts avec les établissements phén. de la Péninsule Ibérique. Jarres à épaulement, urnes-chardons, patères à large marli, datables du VIIe s. av. J.C., y coexistent avec une céramique modelée abondante (→mobilier funéraire). Nombreuses sont aussi les →armes (fers de lances) et les bijoux d'argent. On a relevé, par ailleurs, des sépultures d'enfants, déposés au creux d'une cavité naturelle, la tête toujours couverte par un parpaing. À l'extrémité S. de l'île, divers sondages ont permis d'explorer un habitat domestique sommairement bâti de moellons lutés à l'argile. Les pans des murs ont d'ordinaire 0,50 m à 0,55 m d'épaisseur, mais la hauteur conservée n'excède guère 0,50 m. La fouille n'a pas permis de reconstituer la disposition d'ensemble d'une maison; on remarque toutefois un plan en enfilade et l'on peut noter, semble-t-il, l'usage de la lucarne et de la banquette construite en parpaigns. La brique crue est rarement utilisée, car il fallait chercher l'argile sur la côte. Comme dans la nécropole, le matériel le plus ancien remonte au milieu du VIIe s. av. J.C., tandis que rien ne peut y être daté postérieurement à la première moitié du Ve s., date à laquelle, pour des raisons inconnues, le site a été déserté.

Bibl. AAAlg, f^e 31 (Tlemcen), n° 3; G. Vuillemot, *La nécropole du Phare dans l'île de Rachgoun (Oran)*, Libyca 3 (1955), p. 7-76; id., *Reconnaissances aux échelles puniques d'Oranie*, Autun 1965, p. 55-130. SLan-ELip

RACHIDIYÉ, TELL →Usu.

RAKAB-EL En aram./phén. *Rkb'l*, divin patron de la dynastie araméenne de Sam'al (→Zincirli), mentionné dans plusieurs inscriptions royales araméennes du VIIIe s. (KAI 214-217 = TSSI II,13-16), ainsi que dans l'inscription phén. de →Kilamuwa, roi de Sam'al au IXe s., et dans l'inscription araméenne gravée selon les principes de l'orthographe phén. sur le sceptre du même souverain (KAI 24-25 = TSSI III,13-14). Il est qualifié de "Baal de la dynastie", *b'l b(y)t* (KAI 24 = TSSI III,13,16; KAI 215 = TSSI II,14,22), et apparaît aussi dans le nom du roi Bar-Rakab, où le théonyme est abrégé en *Rkb*. Une lettre néo-assyrienne du VIIe s. mentionne le même dieu araméen sous la forme *Bé-'-li Ra-kab-bi ša* ^{uru}*Sa-ma-al-la* (AfO 27 [1980], p. 144, l. 11), "le Baal Rakab de Sam'al", indiquant à la fois la vocalisation et la signification du théonyme: "l'Aurige d'Él" (cf. ANEP 172), d'après l'araméen *rāk-bā'/rakkābā'*. ELip-PXel

RANTIDI Nom d'un site de Chypre dans les forêts à l'E. de Kouklia →Paphos (appellation antique inconnue), où se trouvait un sanctuaire rural vers le VIe s. av. J.C. Des découvertes clandestines, suivies d'une petite fouille de R. Zahn en 1910 et de recherches sporadiques en 1955, ont amené la découverte d'une série d'inscriptions gr. syllabiques, en dialecte paphien archaïque. Le culte d'un dieu, pour nous anonyme, est attesté. Une pierre isolée porte trois signes d'apparence phén., ce qui semble indiquer la présence possible d'un élément phén., comme à Kouklia-Paphos.

Bibl. ICS 30-74 a été remplacé par T.B. Mitford - O. Masson, *The Syllabic Inscriptions of Rantidi-Paphos*, Konstanz 1983. OMas

RAS ACHAKAR Cap à *c.* 3 km au S. du cap →Spartel.

RAS DIMASSE →Thapsus.

RAS ED-DREK "Cap de l'Épouvante", promontoire qui termine au S.-E. l'extrémité du →Cap Bon, en Tunisie, et dont la partie la plus élevée porte un fortin divisé en deux corps de bâtiment et pourvu de cinq citernes, situées parallèlement l'une à l'autre (→fortifications 2A). Des projectiles de fronde et de catapulte ont été recueillis dans le fortin qui pouvait abriter une garnison d'un vingtaine d'hommes et dont la situation permettait des liaisons optiques avec la forteresse de →Kélibia. L'édifice semble avoir été en usage du Ve s. à la chute de Carthage. En contrebas du promontoire se trouve un bâtiment en forme de quadrilatère régulier de 11 m sur 8 m, construit en grand appareil de grès calcaire et pourvu d'une vaste citerne en L. Il a été interprété comme un sanctuaire, bien qu'aucun des objets trouvés n'ait de rapport évident avec une forme de culte. Il serait contemporain du fortin et son utilisation se situerait entre le IVe et le IIe s. av. J.C., le matériel postérieur, comme une monnaie de Tibère (14-37), ne témoignant plus, semble-t-il, d'une activité normale de l'édifice. On a suggéré de localiser à R. ed-D. la *Hermaía* de Skyl. 110 et de Strab XVII 3,16, mais le "Cap de l'Épouvante" n'était pas le site d'une ville.

Bibl. AATun, f[e] 9 (Cap Bon); F. Barreca - M.H. Fantar, *Prospezione archeologica al Capo Bon - II*, Roma 1983, p. 17-28, 41-63; M.H. Fantar, *Kerkouane* III, Tunis 1986, p. 40-51. SLan-ELip

RAS EL-BASSIT En ug. *R'iš(y)/Rēšu*? ou *Snr(y)/Sinaru*?, gr. *Posideion*, arabe *Rās el-Basiṭ*, site côtier de Syrie, à 50 km au N. de Lattaquié (→Laodicée 1), dans une baie de 8 km de large, protégée par le cap de R. el-B. et dominée par le Djebel el-Aqra' (→Baal Saphon), culminant à 1728 m. Le port et le village de R. el-B. ont été occupés du milieu du IIe mill. av. J.C. au VIIe s. ap. J.C. L'installation primitive (*c.* 1 ha), à proximité immédiate de la plage, s'étend vers le S. à la période hellénistique. Les fouilles de 1971-87 ont été centrées sur l'habitat ancien et la →nécropole (1) de l'âge du Fer. Au Bronze Récent I (trois niveaux), on note un grand bâtiment, une maison à porche et une tombe à fosse avec trois inhumations simultanées. Dès ce moment, les importations de céramique proviennent essentiellement de Chypre. Au Bronze Récent II, on relève un bâtiment de 24,4 m sur plus de 10 m et une maison, sur deux côtés d'une vaste place empierrée. Avant-poste du royaume d'→Ugarit, R. el-B. est évacuée à la fin du XIIIe s., avant un incendie partiel. La réoccupation paraît presque immédiate, comme l'indiquent des fragments céramiques du Mycénien III C et la poterie locale décorée d'un type connu aussi à →Ras Ibn Hani. Elle continue pendant tout l'âge du Fer, où l'on relève neuf niveaux entre le XIIe et le VIe s. D'abord ouverte, la cité est ceinte au VIIIe s. d'un rempart qui fait place à un vaste bâtiment, peut-être un entrepôt, dans la seconde moitié du VIIe s. À toutes périodes, de petites maisons à une ou deux pièces, isolées, se succèdent à un rythme rapide. La nécropole à incinération des VIIIe-VIIe s. a livré 50 tombes en jarres en deçà et au-delà de l'enceinte. La céramique locale est souvent décorée et les importations, d'une variété exceptionnelle pour la côte syrienne, forment constamment un lot très important, où Chypre domine du XIe au VIIe s. À partir du Xe s. s'ajoutent des importations de la Phénicie proprement dite, notamment des amphores à bandes bichromes et toutes les variétés de *Red Slip*, ainsi que des poteries de l'Égée, de l'Eubée, des Cyclades, puis de la Grèce de l'E., à la fin du VIIe s. Au cours du VIe s., les importations attiques finissent par supplanter toutes les autres. Après une courte baisse d'activité, la ville reprend de l'importance au IVe s. et bat monnaie dans le troisième quart du siècle. L'acropole est alors occupée, la zone basse devenant un quartier portuaire et artisanal qui conservera son caractère jusqu'au début du VIIe s. ap. J.C.

Bibl. P. Courbin, *Bassit*, Syria 63 (1986), p. 175-220. FBrae

RAS EL-FORTASS Forteresse (→fortifications 2A) du →Cap Bon, édifiée sur un cap surplombant de *c.* 100 m le golfe de Tunis. Bâtie sur un habitat libyque préexistant, dont elle a remployé en partie les structures, elle barre l'accès à l'extrémité du cap au moyen de deux courtines défensives dont les murs dépassent, respectivement, 3 m et 4 m d'épaisseur et qui comportent des tours de flanquement. L'ensemble dessine un trapèze de 250 m de large sur 300 m de long. Des fouilles systématiques pourront sans doute en préciser l'organisation interne. D'après la technique employée pour l'élévation des murs, on incline à dater les origines de la forteresse du Ve s. av. J.C. Elle fut reconstruite sous l'Empire rom. et utilisée de nouveau à l'époque arabe. La grande nécropole située sur le plateau au S.-E. du cap et comptant une vingtaine de tumulus devait dépendre de l'habitat libyque, antérieur à la forteresse pun.

Bibl. AATun, f[e] 15 (Tozegrane), n° 26; F. Barreca-M.H. Fantar, *Prospezione archeologica al Capo Bon-II*, Roma 1983, p. 13-15. SLan-ELip

RAS EN-NAQURA En hb. *Roʾš ha-Niqrāʾ*, la plus méridionale des deux avancées du massif qui limite au N. la plaine d'→Akko. Elle surplombe la mer de 50 m et paraît constituer les "Échelles de Tyr", la *Klímax Turíōn* (Fl.Jos., *B.J.* II 188) ou *Túrou* (*1 M.* 11,59) et la *Sûllām(a) šel/d[e]-Ṣûr* du Talmud de Jérusalem (*ʿAbōdā Zārā* 1, 9, p. 40a; *Bābā Qammā* 4, p. 4b; etc.). Du point de vue géographique, le R. en-N. procurait une frontière naturelle au S. du pays de Tyr. On s'accorde généralement à l'identifier au Cap Sacré des listes topographiques égyptiennes et au →Baal Râsh des Annales de Salmanasar III. Le site a livré jusqu'ici des vestiges du Bronze Ancien et du Bronze Moyen I.

Bibl. EAEHL, p. 1023-1024; HUCA 52 (1981), p. 75 (bibl.). DHer

RAS IBN HANI En ug. *B'ir*, akk. PÚ/*Bi-i-ri*. Situé sur le cap de ce nom à 10 km au N. de Lattaquié, c'est l'une des principales agglomérations du royaume d'→Ugarit (*c.* 16 ha), pourvue d'un vaste palais S., qui n'a livré que peu d'objets, et d'un palais N., ayant appartenu à une reine d'Ugarit. Il a restitué des installations et un matériel plein d'intérêt: →albâtres, céramiques importées, textes cunéiformes variés, ateliers de →métallurgie (2) et de pierres dures. À la différence d'Ugarit, à jamais détruite par les →"Peuples de la Mer", R.I.H. fut aussitôt reconstruite au début du XIIe s., comme l'attestent les poteries du Mycénien IIIC 1 et dérivés. Une ville puissamment fortifiée fut édifiée *c.* 250 par Ptolémée III. Après le retrait des →Lagides, l'activité y demeura intense, comme l'indiquent les monnaies des rois séleucides et des villes phén., ainsi que l'abondance des anses timbrées d'amphores rhodiennes.

Bibl. Syria 53 (1976), p. 233-279; 55 (1978), p. 233-301; 56 (1979), p. 217-324; 61 (1984), p. 1-23 et 153-179; CRAI

1983, p. 249-290; 1984, p. 398-438; 1987, p. 274-301.
JCour

RAS IL-WARDIJA Site d'un →sanctuaire (3B) rural découvert sur la haute falaise au N.O. de l'île de →Gozzo (Malte). Très ruiné, il s'articule sur plusieurs niveaux. La partie supérieure comporte une chambre creusée dans la roche (*c.* 5 × 5 m), aux murs percés de niches, quatre à entablement, une cinquième surmontée d'un fronton; de larges banquettes destinées à des rites collectifs courent le long de trois côtés et flanquent la façade à l'extérieur. À l'entrée, des cupules recevaient les libations, attestées à Gozzo dès l'époque chalcolithique, et l'on y voit encore une grande citerne munie de gradins. Sur la terrasse inférieure, une enceinte rectangulaire, dont le côté conservé mesure *c.* 13 m, est munie d'un seuil à gradins et de cavités pour offrandes; elle renferme une construction plus petite, de *c.* 11,5 m de côté, en blocs revêtus d'un fin enduit. Au centre, la roche porte les traces de légers creux quadrangulaires, sans doute destinés à recevoir des bases pour des objets ou des symboles cultuels; un monolithe isolé, haut de 1,25 m, pourait être une →stèle ou un →bétyle. Les restes conservés appartiennent à l'époque hellénistique, mais le culte pourrait être antérieur à l'arrivée des Phéniciens. Les tessons d'époque impériale rom. sont rares.

Bibl. C. Caprino et al., in *Missione archeologica italiana a Malta*, Roma 1965-68, *Rapporto preliminare della Campagna 1964*, p. 167-176;... *1965*, p. 125-155;... *1966*, p. 81-111;... *1967*, p. 87-94.
ACias

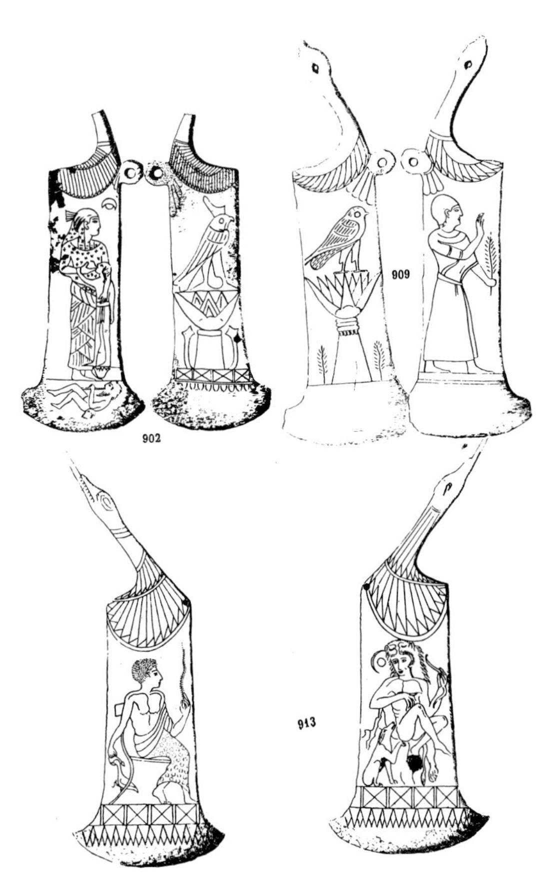

Fig. 276. Choix de rasoirs pun. de la nécropole Ste-Monique (IVe-IIIe s. av. J.C.). Tunis, Bardo.

RASOIRS Les →tombes pun. de Carthage, de la Sardaigne et de la Péninsule Ibérique ont livré un certain nombre d'objets de bronze — parfois de fer — en forme de r. Recueillis dans des →mobiliers funéraires qui datent du VIIe au IIe s. av. J.C., posés près de la tête des morts ou au-dessus du sarcophage, les r., en pun. *mglb* d'après les inscriptions gravées sur deux exemplaires de Carthage, seraient les symboles de la dépilation purificatoire du mort. Du point de vue typologique, les r., qui mesurent de 4 à 20 cm de long, n'ont pas d'antécédents en Phénicie. Ils se rattachent le mieux à des modèles égyptiens, mais reflètent aussi des influences égéennes et italiotes. Ils ont la forme d'une petite hache, dont la lame s'élargit en bas en forme de demi-lune; le côté opposé se rétrécit en pédoncule bifide et presque toujours oblique par rapport à l'axe de la hache; dans les exemplaires moins anciens, le pédoncule prend la forme d'un col d'oiseau, cygne ou ibis, qui fait pendant à une série d'incisions en éventail au-dessous du col, reproduisant les rémiges de l'oiseau (fig. 276b-c); un trou foré ou une bélière fixée à la base du pédoncule servaient à les suspendre. Les exemplaires les plus anciens n'ont pas de décoration; ce n'est qu'à partir du Ve s. que l'on commence à décorer les r. en couvrant la lame de dessins gravés au pointillé d'abord, au trait ensuite; la décoration montre, à partir de la fin du IVe s., une certaine complexité figurative, à laquelle correspondent l'adoption de la bélière et l'augmentation des dimensions des r. Les motifs gravés, empruntés aux traditions figuratives proche-orientales (fig. 276b), égyptiennes (fig 276a) et gr. (fig. 276c), ont en commun la fonction de souligner la valeur eschatologique de l'objet, illustrant les moyens magiques, symboliques, rituels, par lesquels les vivants tentent d'assurer le salut éternel au défunt et à eux-mêmes. La quantité limitée de r. retrouvés dans les tombes pun. — un peu plus de 200 —, au vu des milliers d'objets des mobiliers funéraires, permet de croire qu'ils étaient réservés à une classe sociale élevée. Parmi les motifs iconographiques de tradition égyptienne, on trouve l'enfant →Horus allaité par sa mère →Isis, ou protégé par ses ailes, ou encore perché sur une fleur de lotus, Horus à tête de faucon et un personnage coiffé de la couronne de Basse-Égypte, la main gauche levée en adoration, la main droite soutenant l'*ankh*, qualifié d'ordinaire de →Resheph. À la tradition orientale se rattachent d'autres thèmes, comme le personnage barbu, mitré, avec hache fenestrée, identifié comme →Melqart. À partir du IVe s., à côté de motifs orientaux et de motifs d'origine égyptienne, filtrés par la tradition culturelle et religieuse phén., le répertoire des r. présente des thèmes d'inspiration et de style gr., dans lesquels les divinités maintiennent leur iconographie originaire, comme Hermès, Héraklès, Asklépios, Scylla. La documentation de Sardaigne (pl. XIVa) reproduit l'évolution typologique de l'Afrique du N., d'où des exemplaires furent directement introduits dans l'île, surtout au cours du IIIe s. av. J.C., lorsque la production carth. se renouvela et recouvra sa force d'expansion. On n'y remarque aucune influence du milieu sarde, sauf dans un r. du Musée de Cagliari, dont le pédoncule se redouble en deux cols de cygne de grandeur différente, attestant une capacité créative autonome. En outre, l'originalité de certaines figurations gravées sur les r. de Sardaigne témoigne de l'art d'un graveur local travaillant sur des r. importés non figurés. Les plus anciens r. ibériques révèlent une fidélité aux modèles africains archaïques, mais s'en éloignent ensuite, faisant preuve d'une certaine autonomie typologique. Ce sont en particulier les r. d'→Ibiza qui connaissent un développement remarquable au cours du IVe s. av. J.C.: pédoncule dans l'axe de la lame, faces souvent dépourvues de décor, dentelure sur les deux épaules, trou de suspension normalement percé à la base de l'épaule, tels en sont les éléments les plus caractéristiques, qui persistent dans des exemplaires tardifs.

Bibl. C. Picard, *Sacra Punica - Étude sur les masques et rasoirs de Carthage*, Karthago 13 (1966), p. 55-88; E. Acquaro, *I rasoi punici*, Roma 1971; id., *Sull'iconografia di un rasoio punico di Sardegna*, RSF 1 (1973), p. 53-57; id., *Nuovi rasoi punici da S. Avendrace (Cagliari)*, RSO 47 (1973), p. 43-45; C. Grottanelli, *Motivi escatologici nell'iconografia di un rasoio cartaginese*, RSF 5 (1977), p. 13-22; G. Garbini, *Sulle due iscrizioni dei rasoi cartaginesi*, StMagr 11 (1979), p. 19-25; E. Acquaro, *Arte e cultura punica in Sardegna*, Sassari 1984, p. 57-69. SCec

RAS SHAMRA →Ugarit.

RAS ZEBIB Site de promontoire sur la côte N. de la Tunisie, entre →Bizerte et le Ras Sidi Ali el-Mekki. Dans les années 50, on y a mis au jour des vestiges d'habitat pun. et des →fours (2) de potiers que les monnaies et la céramique recueillies datent des IIIe-IIe s. av. J.C. En 1971-72, la reprise de l'exploration sur le site a permis la reconnaissance et la fouille partielle d'une nécropole dans le vallon qui sépare le Djebel Bou Choucha et le Djebel Touchela. Sur cette dernière éminence, la plus proche du cap, on a reconnu une importante forteresse pun. dont le détail a été précisé lors d'une prospection faite en 1986: il s'agit d'une muraille suivie sur plus de 500 m, en bel appareil de gros blocs de grès, adoptant un tracé à redans et à bastions carrés (→fortifications 2A). Plutôt qu'au site voisin de Ras el-Djebel, on s'accorde maintenant à situer à R.Z. la localité antique de *Tunisa/Thinisa* (pun. *Twnṣ/zn*).

Bibl. AATun, f[e] 3 (El Metline), n°s 4-5; P. Cintas, *La ville punique de Ras-Zbib et la localisation de Tunisa*, BAC 1963-64, p. 156-168; M.H. Fantar - A. Ciasca, *Ras-Zebib (Tunisia). Campagne 1971-1972*, RSF 1 (1973), p. 215-217; F. Chelbi, *Prospection archéologique dans la région de Bizerte (1986)*, REPPAL 3 (1987), p. 71-115 (en part. p. 72-74). SLan

RED SLIP →Céramique.

RÉGULUS *Marcus Atilius Regulus*, général et homme politique rom., frère aîné de *C. Atilius Regulus*, vainqueur des Carthaginois à la bataille navale de Tyndaris, en 257 (Pol. I 25,1-4). Consul suffect en 256, il remporta sur les Carthaginois d'→Hannon (14) la victoire navale d'Ecnome (Pol. I 25,5-28,14) et débarqua quelque peu inconsidérément en Afrique, au →Cap Bon, où il s'empara d'Aspis, c.-à-d. de →Kélibia, qui servit aux Romains de port d'attache (Pol. I 29,2-6; cf. 34,11; 37,6). Il remporta une victoire sous les murs d'Adyn, peut-être l'actuelle →Oudna (Pol. I 30,4-14), et se rendit maître de →Tunis (Pol. I 30,15). Se croyant vainqueur, il fit aux Carthaginois des propositions de paix, qui furent rejetées (Pol. I 31,4-8). La fortune allait du reste changer de camp. Selon un fragment quelque peu romanesque d'Hégésianax (FHG III, p. 70-71), un lieutenant de R., Calpurnius Crassus, subit un échec lors de l'attaque d'une place forte appelée Garaition et défendue par des Numides →massyles. En tout cas, l'intervention du condottière spartiate Xanthippe, dont Polybe surestime peut-être les mérites (Pol. I 32-34) en raison d'un préjugé "antisémitique" (Pol. VI 52,10), renversa la situation: R. fut battu et fait prisonnier (Pol. I 33-34). L'anecdote de son ambassade à Rome et de son supplice (Cic., *Off.* III 99-100; *Fin.* V 82; Liv., *Per.* XVIII; App., *Lib.* 3-4; Zon. VIII 15) ne se fonde pas sur une tradition historique: Pol. I 35 n'en dit mot dans ses réflexions sur l'issue de la bataille et Diod. XXIV 12 fait état d'informations suivant lesquelles R. mourut prisonnier "par manque de soins" (cf. Gell., *Noct.* VII 4,1).

Bibl. Gsell, HAAN III, p. 79-90; G. Walter, *La destruction de Carthage, 246-146 av. J.-C.*, Paris 1947, p. 180-197; F.W. Walbank, *A Historical Commentary on Polybius* I, Oxford 1957, p. 92-94; Huß, *Geschichte*, p. 232-236, 241-242; H.R. Baldus, *Zwei Deutungsvorschläge zur punischen Goldprägung in mittleren 3. Jahrhundert v. Chr.*, Chiron 18 (1988), p. 171-179 (voir p. 171-176); M. Fantar, *Régulus en Afrique*, StPhoen 10 (1989), p. 75-84. MDub-ELip

RENAN, ERNEST (27.2.1823-2.10.1892). Sémitisant français qui étudia l'Écriture Sainte, l'hébreu et le syriaque au Séminaire de Saint-Sulpice à Paris, sous la direction de l'abbé Le Hir (1843-45). Devenu professeur au lycée de Versailles, il publia en 1848 son *Histoire des langues sémitiques* qui établit sa réputation comme orientaliste. Après avoir été attaché au département des manuscrits à la Bibliothèque Nationale (1851-60), il se vit confier la fameuse mission archéologique en Phénicie (1860-61), dont les résultats parurent dans *Mission de Phénicie* (Paris 1864-74). Nommé en 1862 professeur d'hébreu, d'araméen et de syriaque au Collège de France, il conçut dès 1868 l'idée et le plan du *Corpus Inscriptionum Semiticarum*. La publication du CIS, auquel R., devenu membre de l'Académie en 1878, collabora avec grand intérêt, commença en 1881 avec la parution des premiers fascicules consacrés aux inscriptions phén. Si l'on a beaucoup écrit sur la personnalité de R. et son approche critique des origines du christianisme, il convient de souligner la valeur durable de son œuvre de sémitisant et d'historien, auquel on doit notamment une *Histoire du peuple* *d'Israël* en cinq volumes (Paris 1887-93), dont les deux derniers sont posthumes. Ses *Œuvres complètes* I-X, éditées par son beau-fils, H. Psichari (Paris 1947-61), ne reprennent malheureusement pas toute la production littéraire de R.

Bibl. DBS X, col. 277-344; A. Dupont-Sommer, *Ernest Renan et les débuts des études phéniciennes*, Archéologia 20 (1968), p. 6-11; É. et J. Gran-Aymerich, *Ernest Renan*, Archéologia 224 (1987), p. 71-79. ELip

REPHAÏM En phén. *Rp'm*, ug. *Rp'um*, hb. *R^{e}pā'îm*; le terme R. est attesté trois fois dans la documentation phén.-pun. Dans les inscriptions sidoniennes de →Tabnit I et d'→Eshmunazor II (KAI 13-14 = TSSI III,27-28), les R. sont manifestement les morts: ils demeurent dans l'au-delà et sont opposés aux vivants (*ḥym*), qui se trouvent "sous le soleil". La troisième attestation provient d'une inscription lat.-néopun. d'→El-Amrouni (KAI 117), où l'expression *l'l*[*nm*] *'r'p'm*, "aux dieux (que sont) les R.", correspond au lat. *D*(*is*) *M*(*anibus*) *Sac*(*rum*). Même si le néopun. paraît reproduire une formule lat. traditionnelle, on a probablement affaire à deux conceptions très proches. Les données bibliques et surtout les textes ugaritiques, qui mentionnent à maintes reprises les *Rp'um*, ont révélé une idéologie de la mort et des morts tout à fait typique des cultures syro-palestiniennes de l'âge du Bronze. Le terme R. se rattache à une racine qui signifie "guérir" (*rp'*), et non "être faible" (*rph*), même si certains passages bibliques pourraient refléter la volonté des rédacteurs de répudier cette "héroïsation" cananéenne des R. en leur déniant, même étymologiquement, tout caractère surhumain. Les R. étaient en effet les ancêtres divinisés, royaux ou non, auxquels on attribuait un rôle de guérisseurs, de dispensateurs de fécondité et de fertilité, de protecteurs de la dynastie royale et de toutes les autres familles. Leur culte était très répandu et caractérisé, entre autres, par leurs réponses oraculaires. Le laconisme des attestations phén.-pun. nous empêche de voir dans quelle mesure l'ancienne idéologie s'est perpétuée au Ier mill. Même si les R. phén. apparaissent comme des êtres passifs et lointains, la donnée d'El-Amrouni pourrait indiquer que la tradition syro-palestinienne des ancêtres guérisseurs et divinisés ne s'était pas complètement éteinte dans le monde pun.

Bibl. DEB, p. 1103; DBS X, col. 344-357; S. Ribichini - P. Xella, *Milk'aštart*, MLK(M) *e la tradizione siropalestinese sui Refaim*, RSF 7 (1979), p. 145-158; S. Ribichini, *Concezioni dell'oltretomba nel mondo fenicio e punico*, P. Xella (éd.), *Archeologia dell'inferno*, Verona 1987, p. 147-161. PXel

REQEISH, TELL ER- En arabe *El-Arqeiš* ou *Abu Ruqeiš*, site côtier à 15 km au S.-O. de Gaza, où l'on a découvert en 1940 *c.* 30 →tombes à crémation rappelant les pratiques funéraires attestées p.ex. à Tell Far'a S., Tell Adjul, →Atlit, →Akzib, →Khaldé et →Carthage. Des recherches récentes ont permis de repérer dans les dunes un établissement d'une superficie de 8 à 10 ha, dont le front de mer mesurait *c.* 650 m et dont le mur S. de l'enceinte en briques, d'une épaisseur allant jusqu'à 6,2 m, s'élevait encore à 5 m de hauteur. D'après les fouilleurs, le plus ancien des quatre niveaux archéologiques reconnus (niveau IV) permet de dater la fondation de l'établissement de la seconde moitié du VIIIe s. av. J.C., ce qui le rendrait contemporain de l'occupation assyrienne de la région sous Téglat-Phalasar III, en 734 (ANET, p. 283b; TPOA, p. 103-104), puis sous Sargon II. Ceci pourrait indiquer qu'il s'agit d'un point fortifié et d'un comptoir créé par les Assyriens à la frontière de l'Égypte et peuplé notamment de Phéniciens, comme le suggèrent les pratiques funéraires et la céramique. L'occupation du site se poursuivit jusqu'au Ier s. av. J.C.

Fig. 277. Stèle figurant Resheph, Deir el-Medineh (?) (c. XIIIe s. av. J.C.). Chicago, Oriental Institute.

Bibl. R. Hestrin - M. Dayagi-Mendels, *Another Pottery Group from Abu Ruqeish*, The Israel Museum Journal 2 (1982), p. 49-57; W. Culican, *Opera Selecta*, Göteborg 1986, p. 85-124; E. Oren - N. Fleming - S. Kornberg - R. Feinstein - P. Naḥshoni, *A Phoenician Emporium on the Border of Egypt* (hb.), Qadmoniot 19 (1986), p. 83-91. EGub-ELip

RESHEPH En phén./ug./aram. *Ršp*, hb. *Rešep*, akk. *Ra-sa-ap*, ég. *Ršpw*, théonyme ouest-sémitique.

1 Resheph en dehors du monde phénico-punique Attesté déjà au IIIe mill. à →Ébla, où il semble très populaire, R. figure aussi dans quelques noms propres d'Ur III, Mari, Terqa, Hana. Mais c'est surtout à →Ugarit et à →Ras Ibn Hani qu'il est possible de saisir avec précision sa personnalité. Identifié à →Nergal et mentionné dans le poème de Keret (KTU 1. 14,I,18-19; 1.15,II,6), R. est surtout présent dans les textes rituels (cf. TRU, index), dans sa fonction de dieu chthonien, gardien (et roi ?) des Enfers, maître des épidémies qu'il répand grâce à son arc et ses flèches. Cet aspect de R. est confirmé par la lettre amarnienne EA 35. Sa nature belliqueuse et redoutable n'est pas un obstacle à sa vaste popularité, dont fait foi aussi l'onomastique, et les nombreuses épithètes qui lui sont attribuées montrent bien qu'il peut être en même temps bienveillant, en épargnant aux hommes ses représailles. Si des traces de R. sont perceptibles dans l'Anatolie hittite et si, au VIIIe s., le roi Panamuwa de Zincirli mentionne R. (et *'rqršp*) parmi ses divinités dynastiques (KAI 214 = TSSI II, 13,2.3.11), c'est surtout en Égypte que le culte du dieu se répand à partir du Nouvel Empire sous l'influence des Asiatiques et est adopté officiellement à la Cour d'Aménophis II qui prend R. comme son propre protecteur militaire. Toutefois, c'est seulement à l'époque ramesside que son culte connaît une grande diffusion au niveau populaire: les données textuelles et iconographiques témoignent à la fois de son adoration officielle à la cour et de la dévotion de personnes privées. Diverses représentations de R. nous sont connues par les inscriptions qui les accompagnent et soulignent sa nature secourable et bienveillante, mais en même temps redoutable. R. est figuré aussi sur des stèles du Nouvel Empire dans l'attitude du pharaon frappant ses ennemis, ce qui a fait considérer le →"Smiting God" de l'art paléosyrien comme une possible figuration de R. L'A.T. garde le souvenir de R. en le présentant comme un démon au service de Yahvé (*Dt.* 32,24; *Ps.* 78,41; *Ha.* 3,5), lié parfois au feu (*Ct.* 8,6), ailleurs au vol d'oiseaux et aux flèches (*Jb* 5,7; *Ps.* 76,4; *Si.* 43,14.17). Une trace du culte de R. en Palestine et de son identification avec Apollon nous vient du nom de la ville d'→Apollonia qui s'appelait en arabe *Arsūf*.

2 Resheph dans le monde phénico-punique Si rien ne prouve que R. ait été lié au "Temple des Obélisques" à →Byblos, il est possible qu'il ait été identifié à haute époque avec l'égyptien *Ḥ'yt3w*, attesté dans les textes de Pyramides (§ 242, 423, 518) et dans le Cylindre Montet, et localisé justement à Byblos. La plus ancienne attestation directe de R. en phén. se trouve à →Karatepe, au VIIIe s., où Azatiwada mentionne ensemble Baal et R.-*ṣprm* comme ses dieux dynastiques. L'épithète *ṣprm* peut désigner des "boucs" ou des "oiseaux", mais il peut s'agir aussi d'un toponyme de Cilicie (cf. *Ṣi-ip-pi-ri*: PRU III, p. 79,83). Au Ve s., la série d'inscriptions du roi →Bodashtart (1) nous apprend qu'un quartier de Sidon s'appelait "terre des R." (KAI 15: théonyme ou nom commun ?), mais les attestations du dieu se concentrent surtout à Chypre. On retrouve ici la tradition ugaritique du dieu-archer, qui a fusionné avec un Apollon local. Déjà au VIIe s., une base de statue provenant de Palaeokastro (→Pyla) porte une dédicace à R.š[ ], qu'on a proposé de restituer š[*d*]. La base a été rapprochée matériellement d'une tête de →Bès aux traits de lion et l'ensemble rappelle l'offrande de "deux (protomés de) lions" (*'rwm*) faite au dieu par un prêtre de "R. de la flèche" (R.-*ḥṣ*) dans une inscription de Kition du IVe s. (Kition III A 2). La documentation chypriote atteste des manifestations locales du dieu, identifié avec Apollon: R. (*h*)*mkl*, c.-à-d. *amyklos* (*a-mu-ko-lo-i*, datif en gr. syll.) à → Idalion (CIS I, 89-94 = KAI 38-40 = ICS 220; Syria 45 [1966], p. 302-313), R.-*'lhyts*, c.-à-d. *alasiotas* (*a-la-si-o-ta-i*, datif en gr. syll.) à →Tamassos (RÉS 1213 = ICS 216), R.-*'lyyt*, c.-à-d. *eleitas* (*e-le-i-ta-i*, datif en gr. syll.), toujours à Tamassos (RÉS 1212 = ICS 215), tous dans le sanctuaire d'Apollon. D'après ce qu'on peut juger, une évaluation dans le sens de la continuité historique s'impose pour le culte de R. dans l'île, dont les liens avec la côte syro-palestinienne sont anciens et profonds. Par ailleurs, le fait que le dieu ne figure que rarement dans l'anthroponymie peut indiquer que la conscience populaire avait tendance à se détacher d'une adoration trop intime d'un dieu qui n'en conservait pas moins son importance à des niveaux plus officiels du culte. En effet, peu de fidèles évoquent R. dans leurs noms propres à Chypre, Memphis et Éléphantine, et on compte un seul théophore en R. à →Carthage (2) (*'bdršp*: CIS I, 2628, 6), bien que la ville ait possédé un temple qui lui était consacré, avec la mention d'un "serviteur du temple de R." (*'rš*[*p*]: CIS I, 251). Il se trouvait près de la place publique, entre les portes et la colline de Byrsa, et on y vénérait une statue du dieu en or, sur un autel lui aussi doré (cf. App., *Lib.* 127; Val. Max I 1, 18). Il est probable que l'Apollon phén., que Paus. VII 23,7-8 nomme père d'→Eshmun, soit le même R., auquel d'autres traditions (cf. *Arsippus* dans Cic., *N.D.* III 22,57) attribuent cette paternité. Ici, l'identification avec Apollon est soulignée davantage par le caractère solaire très accentué, tandis que le Serment d'Hannibal témoigne du rôle remarquable de R. au niveau officiel, puisque Apollon y est mentionné dans la première triade de divinités à côté de Zeus et de Héra (Pol. VII 9,2-3).

Bibl. DEB, p. 1104-1105 (bibl.); W.J. Fulco, *The Canaanite God Rešep*, New Haven 1976; P. Xella, *Le dieu Rashap à Ugarit*, AAS 29-30 (1979-80), p. 145-162; G. Scandone Matthiae - P. Xella, Ḥ'yt3w *di Biblo = Rašap ?*, RSF 9 (1981), p. 147-152; A. Hermary, *Deux ex-voto chypriotes reconstitués*, La Revue du Louvre 34 (1984), p. 238-240; A.R. Schulman, *The Cult Statue "Reshep, He Who Hears Prayers"*, Bulletin of the Egyptological Seminar 6 (1984), p. 89-106 (bibl.); R. Zadok, *Samarian Notes II. The Case for Biblical* Rešep = *Modern* Arsūf, BiOr 42 (1985), col. 570-571; E. Lipiński, *Resheph Amyklos*, StPoen 5 (1987), p. 87-99.

PXel

RHODES En gr. *Ródos*, hb. *Rōdān*. Plusieurs historiographes classiques gardent le souvenir d'une présence phén. à R., qu'ils lient généralement à la légende de →Kadmos. Par ailleurs, Ergias de R. (IVe s. [?] av. J.C.) rappelle les ruses grâce auxquelles les Grecs chassèrent les Phéniciens de Ialysos (Ath. VIII 360d-361c). Quant à l'archéologie, elle montre les rapports de R. avec le Levant et Chypre depuis le XIVe s. av. J.C. Ces rapports sont documentés à l'époque géométrique par l'importation à R. de poteries chypriotes du Chypro-Géométrique I et se manifestent surtout au cours du Géométrique Moyen et Récent. À partir du VIIIe s. apparaissent à R. les cruches à lèvre étalée ("à bobèche"), revêtues d'un engobe rouge, de fabrication syrienne (Al-Mina?) et phén. En se fondant sur ces importations, qui donnent essor à beaucoup d'imitations locales, Coldstream pense à une implantation de potiers phén. dans la région de Ialysos; depuis 725 av. J.C., ils exportent ces flacons à onguent dans l'Égée et dans l'Occident gr. Les liens de R. avec le Levant au cours des VIIIe-VIIe s. av. J.C. sont attestés à la fois par l'implantation de fabriques de vases en →faïence, qui rayonnent dans toute la

Méditerranée (fig. 131), et par les nombreux objets exotiques retrouvés dans les dépôts votifs des temples, surtout à Ialysos et à Lindos. Parmi les autres indices de la présence phén. à R. on relèvera les inhumations d'enfants dans des amphores "en obus" des nécropoles archaïques de Kamiros et de Ialysos, de même que le tesson avec trois lettres phén., trouvé dans la tombe 37 de Ialysos, datée *c.* 630-600 av. J.C. À l'époque hellénistique, la présence de Phéniciens est attestée par la mention d'→Abdémon (4) le Sidonien au IIIe s. et par trois inscriptions bilingues gr.-phén., attribuées au IIe s. av. J.C. Une est dédiée à un Kitien, une autre cite un →*miqim elim*, "surintendant" ou "maître de cérémonies" (KAI 44 = TSSI III,39), et la troisième est la dédicace d'un personnage au nom typiquement rhodien de *Trt*[*l*], *Trítullos* (LGPN I, p. 448a), si la restitution est correcte (KAI 45). Enfin, la version gr. d'*Ez.* 27,15 cite parmi les partenaires commerciaux de Tyr "les fils de Rhodes" (hb. *Ddn*, erreur pour *Rdn*).

Bibl. PECS, p. 755-758; PW Suppl. V, col. 731-840; C. Blinkenberg, *Lindos* I, Berlin 1931; K.F. Johansen, *Exochi*, København 1958; J.N. Coldstream, *The Phoenicians of Ialysos*, BICS 16 (1969), p. 1-8; P.M. Fraser, *Greek-Phoenician Bilingual Inscriptions from Rhodes*, BSA 65 (1970), p. 31-36; J.N. Coldstream, *Geometric Greece*, London 1977; Bunnens, *Expansion*, p. 88, 129-132, 152-153, 187-188, 207-208; A.M. Bisi, *Ateliers phéniciens dans le monde égéen*, StPhoen 5 (1987), p. 225-237. AMBi-ELip

RÍO ALGARROBO →Trayamar.

RÍO DE VÉLEZ →Toscanos.

RÍO GUADARRANQUE →Cerro del Prado.

RIOTINTO →Huelva; →Métallurgie.

ROMANISATION Par r. on entend le processus d'apparition de différents éléments de la culture et de la civilisation rom.: langue, onomastique, mode et style de vie, religion, art, organisation politique, etc. Le phénomène reflète la modification progressive des modes de vie propres jusqu'alors aux populations pun. ou punicisées de l'→Afrique du N. et le degré de r. était inversement proportionnel à la persistance de la civilisation pun. La r. s'accomplissait par l'intermédiaire des immigrés venant d'Italie et grâce à l'appropriation de nombreux éléments de la civilisation rom. par la population locale. L'émigration des habitants d'Italie sur l'ancien territoire de la Carthage pun. ne fut pas très importante. Elle commença dès la conquête de Carthage, avec la tentative manquée de création d'une colonie à Carthage sous Caius Gracchus (→Gracques 4), puis la colonisation de Marius, et prit de l'ampleur sous le règne de César et surtout sous celui d'Auguste, quand furent créées plusieurs colonies de peuplement qui devaient accueillir des vétérans. À part la colonisation organisée qui, d'ailleurs, ne fut plus continuée après Auguste, il existait aussi une migration individuelle des habitants d'Italie qui s'installaient en Afrique. C'étaient avant tout des commerçants, des magistrats rom. de différents grades et des militaires. L'appropriation de nombreux éléments de la civilisation rom. par la population pun. était due au fait que, dans la nouvelle situation politique et sociale, cette civilisation présentait un grand attrait et permettait, entre autres, une éventuelle promotion sociale. Le phénomène concernait en premier lieu les couches supérieures de la société et les citadins. Au sein de ces groupes, les transformations s'accomplissaient relativement vite, tandis que les couches inférieures, ainsi que les ruraux, étaient peu touchés par la r. Le processus connut une intensité inégale en fonction du territoire pun. envisagé. Au IIe s. ap. J.C., la r. de toute cette région est en grande partie achevée. On note cependant des manifestations de résistance à la r. et certains éléments de la civilisation pun. survécurent jusqu'à l'époque du Bas-Empire.
Les sources, avant tout archéologiques et épigraphiques, n'apportent de renseignements que sur certaines étapes du processus de r. Grâce aux inscriptions, il est possible d'étudier la diffusion progressive de l'écriture lat., aussi bien dans des textes officiels que sur des pierres tombales, l'adoption de l'onomastique rom., ce qui se limitait souvent à une simple traduction des noms pun., ainsi que l'extension du droit rom. et la diffusion de la citoyenneté concédée individuellement ou, en bloc, à une ville entière, lorsque celle-ci devenait une colonie. L'archéologie permet de décrire le processus de la r. dans les domaines de l'architecture et de l'urbanisme, surtout avec l'apparition des édifices reflétant le mode de vie rom., tels que thermes, théâtres, amphithéâtres, cirques. C'est à l'archéologie et à l'épigraphie que l'on doit également la possibilité de suivre la r. de la religion pun., où l'on observe le phénomène de l'identification des divinités majeures du panthéon pun. à des dieux rom., p.ex. dans les cas de →Saturne et de la →Caelestis (→interpretatio).
Rome ne tenait pas spécialement à imposer la r. des provinces, au point que même l'acquisition de la citoyenneté rom. nécessitait souvent de nombreuses démarches. Quant à l'ancien territoire de la Carthage pun., on peut aussi constater que, dès la fin du règne d'Auguste et jusqu'à l'avènement d'Hadrien, le gouvernement rom. s'est évertué à stopper toute modification du statut juridique des cités qui s'y trouvaient. Nombreux parmi ces centres étaient gouvernés par des magistrats portant les titres hérités de leurs prédécesseurs de l'époque pun., p.ex. →suffètes ou *decemprimi*.

Bibl. Y. Thébert, *La romanisation d'une cité indigène d'Afrique: Bulla Regia*, MÉFRA 85 (1973), p. 247-312; G.C. Picard, *La civilisation de l'Afrique romaine*, Paris 1959; M. Benabou, *La résistance africaine à la romanisation*, Paris 1976; J.-M. Lassère, *Ubique populus*, Paris 1977; H.G. Pflaum, *Afrique romaine. Scripta varia* I, Paris 1978, surtout p. 300-344 et 375-392; F. Decret - M. Fantar, *L'Afrique du Nord dans l'Antiquité*, Paris 1981, p. 140-341. JKol

ROME 1 Rome et Carthage A *Des origines aux guerres puniques.* Les relations de R. et de Carthage remontent au moins au VIe s. On ne peut mettre en doute la date donnée par Pol. III 22 au premier →traité (9) rom.-pun. (508/7: StV II,121) depuis la découverte des inscriptions de →Pyrgi qui prouvent l'existence d'une communauté phén., à cette époque, dans le port de Caere. Les liens de R. avec Caere étant fort étroits, la conclusion d'un accord entre Carthage et la plus importante cité latine, dont les plus récentes recherches archéologiques mettent en évidence l'hégémonie sur toutes les autres, est tout à fait normale. Le traité, dont Polybe s'était fait traduire le vieux latin, montre d'ailleurs que certaines cités du Latium étaient encore indépendantes, puisqu'il fait obligation aux Puniques de les remettre à leur partenaire s'ils venaient à s'en emparer. Le premier article du traité défendait aux Romains de naviguer au-delà du "Beau Cap", la zone ainsi réservée étant bien la Byzacène et la Syrtique. Il parut nécessaire de renouveler ce traité peu après le milieu du IVe s. (StV II,326), alors que R. se remettait de la catastrophe gauloise et rétablissait son hégémonie sur le Latium. Le texte nomme, après les Carthaginois, les Tyriens et les Utiquiens; la mention de la métropole phén. ne surprend pas, car plusieurs de ses comptoirs occidentaux devaient encore se réclamer de sa suzeraineté, pour marquer leur différence vis-à-vis de Carthage (Pol. III 24,14-16; Liv. VII 27,2; Diod. XVI 69,1). Il semble bien que l'initiative de l'accord ait été prise par Carthage, alors en guerre avec les Grecs de Sicile. Denys l'Ancien était mort en 367, mais l'alliance conclue entre Syracuse et la Tarente d'Archytas était grosse de périls pour les Puniques. Aussi ressèrent-ils leur entente avec les Étrusques et le renouvellement du traité avec R. s'inscrit dans la même politique. Quant à R., elle vient de fonder Ostie et peut donc envisager de nouveau une politique maritime. W. Huß pense que le traité fut renouvelé dès 343, mais Liv. VII 38,2, sur lequel il s'appuie, parle seulement de la dédicace d'une couronne d'or au Capitole par les Puniques.

L'affaiblissement des Grecs et des Étrusques devant R. et Carthage amène les Tarentins à faire appel à →Pyrrhus d'Épire (281). C'est alors seulement que R. et Carthage conclurent un nouveau traité, le troisième, dont parle Pol. III 25,3; reprenant les stipulations antérieures, il y ajoutait une alliance contre l'Épirote (StV III,466).

B *Période des →guerres puniques.* Ainsi, pendant deux siècles et demi environ, R. et Carthage avaient entretenu des relations lointaines mais très correctes. La question de savoir pourquoi elles allaient engager une lutte à mort est un des problèmes les plus difficiles de l'histoire. La complexité en était déjà sentie par les Anciens. Il s'agit en effet du premier exemple caractérisé d'impérialisme de la part de R. On ne peut faire entrer en ligne ni une crainte de l'impérialisme carth., car, dans ce cas, R. aurait plutôt attaqué la Sardaigne toute proche, ni un enchaînement dû au simple hasard. La cause première de la guerre fut l'occupation de Messine par des mercenaires campaniens, les Mamertins, et la décision des Romains de les secourir contre les Syracusains et les Carthaginois, alors qu'ils avaient peu auparavant puni de mort d'autres mercenaires campaniens qui avaient pris Rhegium. La décision finale fut prise par les comices centuriates. Elle eut des motivations politiques — ne pas laisser toute la Sicile à Carthage — et économiques: espérance de butin, mais aussi, projets de plus grande envergure des hommes d'affaires campaniens entrés dans le Sénat.

Personne, en tout cas, ne pouvait prévoir que la guerre durerait 23 ans; l'*éparchie* pun. de Sicile s'effondre très vite, comme tous les "empires" territoriaux de Carthage. Mais la puissance navale tient bon et le débarquement en Afrique de →Régulus (256) tourne à la catastrophe. La principale cause de la défaite pun. fut la désorganisation du commandement par le terrorisme des Cent Quatre. Vint ensuite la ruine d'une économie beaucoup plus vulnérable que celle de R. Celle-ci devient la première puissance navale de la Méditerranée grâce au concours des Grecs italiotes, soigneusement tenu sous silence par les historiens. Économiquement, les grands vainqueurs sont les Campaniens.

La 2e guerre pun., essai de revanche tenté par les Barcides, est menée par →Hamilcar (8) Barca et →Hannibal (6) le Barcide. Carthage y a un rôle marginal, du début où, jouant sur la notion de *berît*, elle rejette la responsabilité des affaires d'Espagne sur les Barcides, — ce qui prouve bien l'autonomie, souvent contestée, de ceux-ci, — à la fin, où elle rappelle Hannibal pour la défendre.

Peut-on dire qu'elle soit ensuite devenue un État client de R. ? Celle-ci n'aurait eu alors aucune raison de la détruire. Les récentes fouilles de →Carthage sur →Byrsa et dans le port militaire, prouvent que ses capacités économiques et guerrières demeuraient considérables. Par ailleurs, le parti oligarchique ne parvenait à s'imposer que quand les Romains intervenaient directement. Le projet rom. de transplanter Carthage à l'intérieur visait à la priver de ses ressources maritimes et à changer le caractère de son peuple, que R. ne tenait pas spécialement à annexer. GCPic

2 Rome et l'Occident punicisé

A *Péninsule Ibérique.* La décision rom. de détruire complètement Carthage, en 146, contraste avec l'attitude de R. vis-à-vis des cités phén.-pun. qui s'étaient distancées de la Métropole africaine. Par le *foedus* conclu *c.* 205 avec →Gadès en Espagne (StV III,541 →traité 12) et renouvelé en 78 av. J.C., R. avait établi avec cette cité une relation réciproque de clémence, de protection, de modération. Effectivement, Gadès, au IIe s. av. J.C., garde une autonomie théorique et reste un grand centre commercial et religieux. Au Ier s., ses liens avec R. se resserrent, notamment sous l'influence des Cornelii Balbi, et elle devient municipe rom. grâce à César (Liv., *Per.* CX; Pline, *N.H.* IV 119; Dion C. XLI 24,1). Sur →Málaga, →Abdère, Sexi (→Almuñécar), →Carthagène, peu de choses sont connues et, le plus souvent, on ne peut parler que de la persistance de la langue pun. et de certains cultes, ainsi que d'un monnayage en bronze, que R. autorise, avec des légendes en alphabet pun. (→numismatique 4B). C'est →Ibiza qui fournit l'ensemble le mieux documenté et qui apparaît comme un conservatoire de la civilisation pun. en pleine époque rom.

B *Sardaigne.* La situation est quelque peu différente en Sardaigne, dont les habitants étaient proverbialement méprisés des Romains: *Sardi venales,* *alius alio nequior* disait encore Festus, *De sign. verb.* IV,428 à la fin du IIe s. ap. J.C. Après l'annexion de l'île en 238/7, R. l'organise en province avec la Corse, dès 227, mais la traite en territoire conquis, exploitant au maximum ses richesses minérales et agricoles. Sous l'Empire, la Sardaigne parvient toutefois à une certaine prospérité et l'ancienne ville phén.-pun. de →Cagliari obtient les droits de la citoyenneté rom. L'usage de la langue pun., attesté au moins jusqu'au IIe-IIIe s. ap. J.C., est toléré par R., même dans des inscriptions municipales, comme à →Bitia (ICO, Sard. Npu. 8), ou honorifiques, comme à →Sulcis (ICO, Sard. Npu. 2 et 5).

C *Afrique.* En Afrique, la civilisation pun., elle-même pénétrée d'influences gr., continue à se développer et exerce un attrait certain sur les royaumes numides, avant de céder, progressivement, à la →romanisation. R. reconnaît l'autonomie et la souveraineté des sept villes pun. qui avaient abandonné Carthage au début de la dernière →guerre pun., →Utique, →Usalis, →Hadrumète, →Leptis Minus/Minor, →Thapsus, →Acholla et →Theudalis (→*Lex agraria Thoria* 79), qui reçoivent même de nouveaux territoires (App., *Lib.* 135). Le reste de l'ancien domaine carth. est dévolu au peuple rom. (*ager publicus populi Romani*), dont le représentant réside à Utique. La guerre de →Jugurtha, en 111-105, fournit à R. l'occasion de renforcer son implantation en Afrique. Dès le début des hostilités, →Leptis Magna se sépare définitivement du royaume de →Numidie, obtenant le titre d' "amie et alliée du peuple romain". Cette cité, dont était originaire l'empereur Septime-Sévère (193-211) qui la plaça sous le *ius Italicum*, conserve au moins jusqu'au IIIe s. ap. J.C. la civilisation et la culture pun. Ayant annexé en 46 av. J.C. le royaume de →Juba I, César crée la province d'*Africa Nova*, qui présage de la fin prochaine des royaumes berbères, dont Caligula supprime en 40 ap. J.C. les derniers vestiges d'indépendance en rompant l'expérience du protectorat inaugurée soixante-cinq plus tôt par Auguste et en faisant exécuter →Ptolémée, fils et successeur de →Juba II le Maure.

3 Rome et l'Orient phénicien R. se rendit maîtresse de l'Orient phén., très hellénisé, en déposant le roi Antiochus XIII, installé par Lucullus en 69 av. J.C., et en constituant une nouvelle province des débris de l'ancien royaume séleucide. Cette mesure prise par Pompée en 64 av. J.C. tranchait avec la politique prudente de Lucullus, mais peut s'expliquer par l'incapacité des derniers →Séleucides et l'enthousiasme avec lequel Pompée fut accueilli par les villes de Syrie et de Phénicie qui inaugurent immédiatement des ères pompéiennes. Quant à Chypre, Clodius y fait prendre possession des biens lagides en 58 av. J.C. (*lex Clodia*), confiant l'exécution de cette mesure à Caton d'Utique (Dion C. XXXVIII 30; Vell. Pat. II 45,5). Ce moyen de financer la politique frumentaire de R. est suivi, en 56, de la provincialisation de l'île, confiée à P. Lentulus Spinther, gouverneur de Cilicie. Bien que Rome n'eût pas alors de politique cohérente, tout l'Orient phén. fut ainsi transformé en province rom. en moins de dix ans et le système rom. d'imposition, déjà pratiqué en Asie Mineure, fut étendu aux régions habitées par les Phéniciens (Cic., *Prov.* 10; *Att.* II 16,2; V 13,1; 15,4). Les cités phén. n'en jouirent pas moins d'une grande prospérité et d'avantages juridiques. →Beyrouth acquiert *c.* 16 av. J.C. le titre de colonie rom., dotée du *ius Italicum*, et →Akko-Ptolémaïs le reçoit sous Claude (41-54). →Tyr, liée à R. par un *foedus* et qualifiée officiellement de "sainte, inviolable et autonome", est en outre préfecture de la flotte de guerre rom. et est promue par Septime-Sévère au statut de colonie rom., dotée du *ius Italicum*, dont →Sidon est gratifiée peu après par Élagabal (218-222), qui voulait sans doute diminuer l'importance de Tyr où une révolte venait de sévir. Des dédicaces aux empereurs, aux gouverneurs, aux administrateurs financiers de la province, à d'autres grands serviteurs de l'Empire n'en témoignent pas moins, spécialement à Tyr, d'un loyalisme continu et nécessaire envers R.

4 Phénico-Puniques à Rome Si l'on excepte les missions diplomatiques carth. ou les prisonniers de guerre pun., il ne semble pas que la R. républicaine ait accueilli beaucoup de voyageurs phén.-pun., bien qu'elle ait abrité, semble-t-il, un sanctuaire d'inspiration chypriote (VIe s.) qui aurait été à l'origine du culte d'Hercule (→Melqart) à l'Ara Maxima. Il faut donc attendre l'époque impériale pour voir affluer à R. des Orientaux de tout acabit, parmi lesquels il n'est cependant pas aisé de distinguer les Phéniciens. En tout cas, aucun texte phén. ou pun. n'est venu au jour à R., alors que l'on connaît actuellement une bilingue lat.-nabatéenne. Certes, une *statio* tyrienne prospère à R. au IIe s. ap. J.C. (CIG III,5853), une inscription du Haut-Empire y mentionne un importateur de →pourpre tyrienne de première qualité et l'on trouve, dans l'entourage de Septime-Sévère, ses familiers de Leptis Magna, Ulpien de Tyr (→Droit) et Clodius Albinus d'Hadrumète, auquel l'empereur avait accordé le titre de César. Il ne semble toutefois pas possible d'individualiser à R., au temps de l'Empire, cette communauté phén.-pun., comme on peut le faire, en revanche, pour les Juifs ou les Palmyréniens, le culte d'→Adonis étant alors trop répandu pour servir de critère quelconque. ELip

Bibl. H. Seyrig, *Sur les ères de quelques villes de Syrie*, Syria 27 (1950), p. 10-50; id., *Ères pompéiennes des villes de Phénicie*, Syria 31 (1954), p. 73-80; S.I. Oost, *Cato Uticensis and the Annexation of Cyprus*, CP 50 (1955), p. 98-109; E. Badian, *M. Porcius Cato and the Annexation and Early Administration of Cyprus*, JRS 55 (1965), p. 110-121; R. Rebuffat, *Les Phéniciens à Rome*, MÉFRA 78 (1966), p. 7-48; D. Van Berchem, *Sanctuaires d'Hercule-Melqart III. Rome*, Syria 44 (1967), p. 307-338; G.C. et C. Picard, *Vie et mort de Carthage*, Paris 1970; S. Moscati, *Tra Cartagine e Roma*, Roma 1971; C. Nicolet (éd.), *Rome et la conquête du monde méditerranéen* II, Paris 1978; F. Decret - M. Fantar, *L'Afrique du Nord dans l'Antiquité*, Paris 1981; Huß, *Geschichte*; Bonnet, *Melqart*, p. 294-304; F. Coarelli, *Il Foro Boario*, Roma 1988, passim.

RONDA Ville de la province de Málaga (Espagne), où l'on a trouvé un vase anthropomorphe avec quatre lettres phén.-pun. en relief, datables des VIe-IVe s. (CIE 09.08). ELip

ROSH MELQART En pun. *R(')š Mlqrt*, "Cap de Melqart", toponyme pun. mentionné dans deux inscriptions de Carthage (CIS I,264; 3707) et figurant *c.* 350 av. J.C. sur des monnaies siculo-pun. en argent, jamais inférieures au tétradrachme (fig. 255:1). Leur dissémination rend l'identification du site difficile. On a proposé Hérakleia Minoa (→Héraklée 2) à cause de l'équation Héraklès →Melqart, à →Sélinonte, en raison de la forte implantation d'Héraklès, à →Lilybée ou à Kephaloidion/Cefalù, dont le nom évoquerait le "cap" du dieu et où l'inscription pun. ferait suite à la légende gr. *ek Kephaloidiou Hērakleiōtan* des monnaies de la fin du Ve et du début du IVe s. Récemment, deux interprétations nouvelles ont surgi: R.M. désignerait les "élus de Melqart", une sorte d'association responsable de l'émission, ou une institution comparable au *'m mḥnt*, "peuple du camp" (fig. 255:2; 256:1-2; →numismatique 3B). Ces hypothèses se heurtent toutefois aux deux inscriptions de Carthage (CIS I,264; 3707) qui mentionnent le *'m rš mlqrt*, "le peuple de R.M.", et à l'impressionnante série de toponymes pun. formés sur *R(')š*, "cap".

Bibl. PECS, p. 447; G.K. Jenkins, *Coins of Punic Sicily*, RSN 50 (1971), p. 53-55; M. Sznycer, *L' "assemblée du peuple" dans les cités puniques*, Semitica 25 (1975), p. 60-61; A. Cutroni Tusa, *I Cartaginesi in Sicilia nell'epoca dei due Dionisii*, Kokalos 28-29 (1982-83), p. 219-220; L.I. Manfredi, Ršmlqrt, R'šmlqrt *: nota sulla numismatica punica di Sicilia*, RIN 87 (1985), p. 3-8; Bonnet, *Melqart*, p. 267-269; A. Cutroni Tusa - A. Tullio, *Cefalù*, BT V, Pisa-Roma 1987, p. 209-221; L. Mildenberg, *Zu einigen sikulo-punischen Münzlegenden*, Festschrift Clain-Stefanelli (sous presse).

CBon-ELip

ROYAUTÉ Le titre royal se présente en phén.-pun. sous deux formes: *mlk*, prononcé *milk*, et *mmlkt*, terme abstrait "royauté", employé au sens concret de "roi" ou "prince" (KAI 101). Le problème de la r. se présente de manière très différente en Orient, à Carthage et dans les royaumes numides punicisés.

1 Orient Les cités phén. de l'Orient ont hérité la monarchie des mini-États syro-cananéens de l'âge du Bronze Récent. La r. y est en droit héréditaire, mais le principe dynastique n'inclut pas nécessairement celui de la primogéniture. Aussi voit-on Assurbanipal choisir l'héritier du trône parmi les dix fils de →Yakinlu, le roi d'Arwad qui avait péri assassiné (ANET, p. 296a). Il est probable que le suzerain se subroge ici au père défunt qui n'avait sans doute pas désigné de prince héritier. Ce dernier peut être associé au gouvernement, comme on le voit dans le cas de →Yatanmilk (KAI 16). S'il est trop jeune à la mort de son père pour assumer lui-même le pouvoir, c'est la reine-mère qui exerce la fonction de régente, telle →Immi-Ashtart (1). Si le roi meurt sans descendance mâle, le trône passe normalement à une lignée collatérale de la dynastie, ce dont l'accession de →Bodashtart (1) au trône de Sidon offre un exemple. La r. phén. est sacrée dans le sens que le roi et la reine sont appelés à exercer certaines fonctions rituelles, comme le suggèrent les titres de "prêtre d'Astarté" et de "prêtresse d'Astarté" attribués à Sidon à →Eshmunazor I, →Tabnit I et à Immi-Ashtart (KAI 13; 14 = TSSI III,27,1-2; 28,14-15). Le roi →Eshmunazor II, mort trop jeune, ne reçoit rependant pas ce titre, qui doit avoir quelque rapport avec le rituel du mariage sacré. En tout cas, on est "roi par la grâce de Dieu", dont le choix s'exerce à chaque avènement, p.ex. à travers le choix fait par l'aïeul royal auquel →Yehawmilk (1) de Byblos succède "par la grâce de la →Baalat Gubal" (KAI 10 = TSSI III,25,1-2). La nécropole royale de Sidon ne suggère pas l'existence, au Ier mill., d'un culte des ancêtres dynastiques. Leur apothéose appartient au passé et, seuls, les →Rephaïm et les noms de →Melqart, le "roi de la cité", et de →Milkashtart évoquent la vénération du roi déifié. Par ailleurs, le pouvoir réel du roi est limité, non seulement parce qu'il dépend de puissants suzerains, mais parce qu'il est soumis aux pressions de son conseil, que →Sakarbaal (2) de Byblos convoque déjà au XIe s. pour affronter les Tjeker (TPOA, p. 80; →Wenamon), et aussi à celles de l'→assemblée du peuple, dont le roi doit se concilier les faveurs (KAI 10 = TSSI III,25,10-11). Ce n'est peut-être pas sans raison que les souverains de Tyr et de Sidon portaient le titre, respectivement, de "roi des Tyriens" (Bordreuil, *Catalogue* 7) et de "roi des Sidoniens" (KAI 13 = TSSI III,27,1-2; KAI 14 = TSSI III,28,1-2.13-15; KAI 15-16 = TSSI III,29, etc.), titre qui évoquait expressément les citoyens de ces deux cités. On devait cependant apprécier l'activité du roi en tant que grand bâtisseur et rénovateur des temples, comme le suggèrent les inscriptions rappelant les réalisations royales en ce domaine.

2 Carthage Carthage et les autres cités phén.-pun. de l'Occident étaient à l'origine des comptoirs, puis des bourgs soumis à l'autorité de la lointaine mère patrie, qui y était peut-être représentée par un gouverneur semblable au *skn Qrtḥdšt* de la →Carthage de Chypre, au VIIIe s. Les affaires locales se décidaient, comme en Orient, au sein d'une assemblée du peuple ou d'un conseil "d'anciens et de juges" (*Dt.* 21,2; *Esd.* 10,14), organe présidé à Jérusalem par des "duumvirs" (*2 Ch.* 19,11), que l'on retrouve à Carthage (→suffète). Ces institutions municipales sont à la base de la →Constitution de Carthage, et le titre de reine, accordé par la tradition classique à →Élissa ou la figure de →Malchus, créée par l'exégèse moderne à partir d'une émendation de Just. XVIII 7,2.7 et d'Orose, *Adv. Pag.* IV 6,7-8, ne changent rien au fait qu'aucun texte pun. ne mentionne l'existence d'un roi à Carthage. Les "rois" des auteurs gr.-lat. sont les suffètes, comme le confirment l'emploi habituel du pluriel *basileis*, la référence à leur élection (Arstt., *Pol.* II 11,4; Diod. XIII 43,5) et surtout la mention des *bini reges* chez Corn. Nép., *Hann.* VII 4. Hdt. VII 166 semble toutefois indiquer que les Grecs n'ont pas toujours distingué d'une manière adéquate le suffétat annuel du commandement militaire, dont une même personnalité pouvait être chargée pendant plusieurs années. Or, un généralat prolongé risquait d'amener un chef de guerre carth. à tenter de s'emparer du pouvoir, comme ce fut le cas d'→Hannon (9) (Just. XXI 4; Arstt., Pol. V 7,4; cf. 12,12), mais rien ne prouve que la r. devînt jamais une institution carth., malgré l'avis contraire de J. Beloch ou de G.-C. Picard. Même le pouvoir des Barcides en Espagne reste subordonné, du moins en principe, à celui des autorités civiles à Carthage (cf. *Pol.* III 8).

3 Royaumes numides Nous n'avons de témoignages

directs et sûrs de l'existence des royaumes libyco-berbères des Maures (→Maurétanie), des →Masaesyles et des →Massyles qu'à partir du IIIe s. av. J.C. Ils se sont constitués autour de tribus, représentées auprès du roi par leurs chefs, souvent jaloux du souverain (Liv. XXIX 29,9) et portant le même titre que lui, *mmlkt* en pun. et *gldt* en libyque (KAI 101). Le roi assure son pouvoir par une politique d'alliances matrimoniales, facilitée par la polygamie, mais le système successoral fondé sur la primauté de l'aîné des agnats au sein de la famille régnante complique les successions dynastiques. Encore n'est-il pas toujours appliqué. Les influences pun. et gr., perceptibles p.ex. dans l'architecture et la personnification des forces religieuses, se greffent aussi sur les →pratiques funéraires, très importantes chez les Libyques. Les →mausolées des personnages particulièrement estimés rassemblent autour d'eux des →nécropoles (2) et l'on comprend que les souverains aient fait l'objet d'un culte funéraire, dont témoignent le "sanctuaire" (*mqdš*) de Massinissa à Dougga (KAI 101) et celui de Micipsa à Cherchel (KAI 161). Aucune épthète ne suggère toutefois leur déification après la mort, mais bien leur survie glorieuse dans l'audelà, où Micipsa est censé être "le plus vivant des vivants". Les influences de l'Orient hellénistique ne semblent donc pas avoir abouti chez les Numides à l'apothéose et à la divinisation des souverains morts.

Bibl. J. Beloch, *Die Könige von Karthago*, Klio 7 (1906), p. 19-26; Gsell, HAAN II, p. 183-200; G.C. Picard, *Religions de l'Afrique antique*, Paris 1954, p. 37-47; G. Camps, *Aux origines de la Berbérie. Massinissa ou les débuts de l'histoire* (Libyca 8 [1960]), Alger 1961, p. 279-295; E. Bacigalupa Pareo, *I supremi magistrati a Cartagine*, Contributi di storia antica in onore di A. Garzetti, Genova 1977, p. 61-87; M. Sznycer, in C. Nicolet (éd.), *Rome et la conquête du monde méditerranéen* II, Paris 1978, p. 478-479 (bibl.), 565-567; id., *Le problème de la royauté dans le monde punique*, BAC, n.s., 17B (1981 [1984]), p. 291-301; J. Elayi, *Le roi et la religion dans les cités phéniciennes à l'époque perse*, StPhoen 4 (1986), p. 249-261; Bonnet, *Melqart*, p. 417-434; G.C. Picard, *Le pouvoir suprême à Carthage*, StPhoen 6 (1988), p. 119-124. ELip

RUSADDIR En pun. *Rš 'dr*, gr. *R(o)usadeiron* (Ptol. IV 1,3), lat. *Rhysaddir* (Pline, *N.H.* V 18), *Rusaddi/Rusadder* (*It. Ant.* 11,3-6), "Cap Puissant", traduit correctement *Akra Megálē* par Strab. XVII 3,16, nom phén.-pun. de l'actuel cap des Trois Fourches à l'extrémité N. de la presqu'île des Guelaïa, puis nom "de la ville et du port" (Pline, *N.H.* V 18) pun. à l'emplacement de la *Malīla* ou *Amlīl* arabe, actuellement Melilla, qui domine à la base E. de la presqu'île une petite baie servant de port à cette enclave espagnole de la côte méditerranéenne du Maroc. Les plus anciens témoins de l'habitat pun. sont les amphores et les jarres du IIIe s. trouvées en 1904 dans la →nécropole du Cerro de San Lorenzo, aujourd'hui disparue. Une seule inscription néopun. et la légende pun. *Rš 'dr* du monnayage autonome évoquent la culture pun. de la ville à l'époque des rois de Maurétanie (→numismatique 5).

Bibl. M. Tarradell, *Marruecos púnico*, Tetuán 1960, p. 63-73; Desanges, *Pline*, p. 149-150. MPon

RUSAZUS En gr. *Rousazous* (Ptol. IV 2,9), lat. *Rusazus Colonia Augusti* (Pline, *N.H.* V 2,20; CIL VIII,8929; 8933; 8937 = 20681), probablement pun. **R'š-(h)'z(z)*, "Cap (du) Fort", nom du cap Corbelin et du comptoir situé au S. du cap, à Port Gueydon ou Azeffoun, en Algérie. En effet, au S. de Port Gueydon se trouve la tour de Dawrak, restaurée sous Septime-Sévère par les *Rusa[z]itani* (CIL VIII,8991).

Bibl. AAAlg, f^e^ 6 (Fort National), n°s 70 et 74 (cf. addit. au n° 87); PECS, p. 778; PW IA, col. 1234; Desanges, *Pline*, p. 172-173. ELip

RUSGUNIAE En gr. *Rousgónion* (Ptol. IV 2,6), lat. *Rusguniae* (Pline, *N.H.* V 2,20; CIL VIII, 9045; 9047; 9247; 9250), pun. probablement **R'š-gny*, "Cap du Francolin" (d'après l'arabe *ğūnī*, hb. *gûnî*), arabe *Tāmadfūs*, le cap Matifou, qui ferme au N.-E. la baie d'Alger et arrête les vents d'E. Ce comptoir pun., où une centaine de stèles avaient été signalées à la fin du XIXe s., possédait à l'époque rom., au IIe s. ap. J.C., un sanctuaire dédié à →Saturne.

Bibl. AAAlg, f^e^ 5 (Alger), n° 36; PECS, p. 776; PW IA, col. 1236-1237; G. Mercier, BAC 1918, p. 111; id., JA 205 (1924), p. 275; P. Salama, *La colonie de Rusguniae d'après les inscriptions*, RAfr 99 (1955), p. 5-52; M. Leglay, *Saturne africain. Monuments* II, Paris 1966, p. 305; Desanges, *Pline*, p. 169-170. ELip

RUSICADE En gr. *Rousikáda* (Ptol. IV 3,1), lat. *Rusic(c)ade*, aujourd'hui Skikda, l'ex-Philippeville, en Algérie. Comme le nom de R. semble être identique aux toponymes libanais *Raškida* et *Raškiddi*, que l'on interprète dans le sens de "Cime de la Cruche", il est possible que le nom pun. du site ait été **R(')š-(h)kd*, "Cap de la Cruche", ce qui serait une allusion à un point d'eau. Le nom de R. dut être donné d'abord au promontoire (*Rus-*) de Ras Skikda, puis au comptoir pun., à la ville de l'époque numide et à la colonie rom. fondée probablement en 46 av. J.C. par P. Sittius. C'est de ces dernières périodes que datent deux stèles pun. anépigraphes, un caveau funéraire, une tête sculptée et un chapiteau d'ordre ionique. Les traditions pun. demeurèrent vivaces à R. jusqu'à la fin du Ier s. ap. J.C., comme en témoignent les nombreuses stèles anépigraphes de tradition pun. offertes à →Baal Hamon ou à →Saturne africain.

Bibl. AAAlg, f^e^ 8 (Philippeville), n° 196; PECS, p. 776; PW IA, col. 1237-1238; Gsell, HAAN II, p. 152; M. Leglay, *Saturne africain. Monuments* II, Paris 1966, p. 13-18; Desanges, *Pline*, p. 192; Lepelley, *Cités* II, p. 441-443. ELip

RUSPE En gr. *Roúspe* (Ptol. IV 3,10), lat. *Ruspe*, toponyme phén.-pun. de Tunisie qui apparaît sur la *Tab. Peut.* entre Usilla et →Acholla, dont la localisation à Ras Botria permet d'identifier R. avec la colline de Rosfa, près de Louza, à 30 km au N. de Sfax (*Asfāqus*). Si la légende néopun. *Ršby* de certaines monnaies de Byzacène (fig. 253:4; →numismatique 5) se réfère à R., ce nom pourrait être une abréviation de *Rūš Ba'alyatōn*, "Cap de Baalyaton". En effet, les inscriptions carth. semblent parfois abréger le nom de Baalyaton en *Byy* (Benz, *Names*, p. 89). Strab. XVII 3,16 nomme ce cap *ákra... Balíthōnos*, mais on est généralement enclin, peut-être à tort, à y reconnaître le cap Kaboudia, à 30 km au N.

Bibl. PECS, p. 776; PW IA, col. 1239. ELip

RUSPINA En lat. *Ruspina*, gr. *Rouspīnon* (Strab. XVII 3,12), phén.-pun. probablement **R'š-pn(t)*, "Cap d'Angle" (cf. *Ps.* 118,22), vaste promontoire de Tunisie qui limite au S. le golfe d'Hammamet et dont l'extrémité est occupée par l'actuelle ville de Monastir ([*al-*]*Munastīr*). Le nom de R. fut ensuite donné à la ville située à Henchir Ténir, à 3 km au S.-O. de Monastir et à 3 km à l'O. de l'emplacement présumé de l'ancien port (cf. *Bell. Afr.* X 1). La prospection y a relevé récemment des traces d'habitat datant au moins du IVe s. av. J.C. au VIe s. ap. J.C. et couvrant une superficie de *c.* 8 ha. L'auteur de *Bell. Afr.* XXXVII,5 notait à R., en l'an 46 av. J.C., "des tours et des vigies très anciennes". Mentionnée parmi les cités qui ont envoyé des renforts à →Hannibal (6) au début de la 2e →guerre pun. (Sil. It. III 260), R. est la première à s'allier à César en 46 av. J.C. (*Bell. Afr.* VI 7; IX 1). L'époque pun. est encore documentée archéologiquement par les →haouanet des quatre îlots proches de l'extrémité du cap, notamment de l'îlot de la Quarantaine (El-Oustania). À l'E. de cet îlot et de celui de la Tonnara, le *Stadiasme* 115 signale un mouillage.

Bibl. AATun, fe 57 (Sousse), nos 94, 96; cf. CNSA, fe 57 (Sousse), nos 94, 96 et 178-180; PW IA, col. 1239; É. Deyrolle, *Haouanet de l'îlot de la Quarantaine (Monastir)*, BSAS 1904, p. 44-46; Desanges, *Pline*, p. 233. SLan-ELip

RUSUBBICARI En gr. *Rousibikar* (Ptol. IV 2,6), lat. *Rusubbicari* (*It. Ant.*, p. 16), pun. peut-être **R'š-bbqr*, "Cap du Bétail", comptoir localisé à Mers el-Ḥağeğe, sur une légère saillie de la côte algérienne.

Bibl. AAAlg, fe 5 (Alger), no 51; PW IA, col. 1237. ELip

RUSUBISIR En gr. *Rousoubirsir* (Ptol. IV 2,8), lat. *Rusuvisir/Rusippisir*, pun. **R'š- ?*, "Cap de..."; comptoir pun. de la Maurétanie Césarienne, devenu un municipe rom. d'après la *Tab. Peut.* Il se trouvait probablement à Taksebt, sur le cap Tedless, en Algérie, où un temple pun. s'élevait à l'emplacement de la basilique chrétienne, près de laquelle on a trouvé des stèles figurées du Ier s. av. ou ap. J.C., ainsi que des ex-voto d'époque postérieure, érigés à côté de dépôts sacrificiels.

Bibl. AAAlg, fe 6 (Fort National), no 35; PW IA, col. 1245; G. Mercier, JA 205 (1924), p. 266; M. Leglay, *Saturne africain. Monuments* II, Paris 1966, p. 301-302. ELip

RUSUCCURU En gr. *Rousoukkórou* (Ptol. IV 2,8), lat. *Rusuccuru*, pun. peut-être **R'š-ḥqr'*, "Cap de la Perdrix" (d'après l'hb. *qōrē'*), surtout si l'*oppidum Ascurum* (avec *a* au lieu de *u*), mentionné dans *Bell. Afr.* 23, 1, est le même lieu que R. R. est situé à Dellys, en Algérie, à l'E. de l'embouchure de l'oued Sebaou, sur le flanc oriental d'un promontoire qui arrête les vents de l'O. Cette escale pun., puis ville rom., fort mal connue, a livré deux stèles néopun. et des stèles de l'époque rom., datant entre la fin du Ier s. av. J.C. et le début du IIe s. ap. J.C. L'existence d'un →*tophet* à R., vers le IIe-Ier s. av. J.C., est peut-être attestée par une stèle portant le →"signe de Tanit".

Bibl. AAAlg, fe 6 (Fort National), no 24; PECS, p. 777; PW IA, col. 1245; R. Dussaud, BAC 1917, p. 161-163; G. Mercier, BAC 1918, p. 110; id., JA 205 (1924), p. 287; M. Leglay, *Saturne africain. Monuments* II, Paris 1966, p. 302-303; H.G. Horn -C.B. Rüger (éd.), *Die Numider*, Köln 1979, p. 572-573; Desanges, *Pline*, p. 170-172. ELip

RUSUCMONA Le lat. *R.* de Liv. XXX 10,9 provient vraisemblablement du gr. **Rususmon-*, écrit avec un *sigma* lunaire confondu avec *c*. C'est donc le "Cap d'Eshmun" (*R'š 'šmn*), comme le confirme le nom gr.-rom. de "Cap d'Apollon" (Strab. XVII 3,13; App., *Lib.* 34; Zon. IX 12; Liv. XXX 24,8; etc.), puisque l'→Eshmun carth. fut assimilé aussi bien à Asklépios (Strab. XVII 3,14; App., *Lib.* 130) qu'à Apollon (Pol. VII 9,2; App., *Lib.* 127.133; Val. Max. I 1; Plut., *Flam.* 1,1), *medicus* ou *Paean* (Macr., *Sat.* I 17,15). Le cap portait aussi le nom de *Pulchri promuntorium* (Liv. XXIX 27,12; Pol. III 22,5; 23,1.4; 24,2.4), "Beau" étant une ancienne épithète d'Apollon. C'est l'actuel cap Sidi Ali el-Mekki, l'ex-cap Farina, à l'extrémité N.-O. du golfe de Tunis.
Ce cap joue un rôle important dans les clauses du 1er et du 2e →traité (9) entre Carthage et Rome (StV II, 121 et 326), puisqu'il marque la limite imposée à la navigation rom. En 203, au cours de la 2e →guerre pun., la flotte carth. stationnait à R. (Liv. XXX 10,9). Ce mouillage devait se trouver vers Ġar el-Melḥ, l'ex-Porto Farina, à 8 km à l'O. de l'extrémité du promontoire. Il est probable que la flotte pun. stationnait au même lieu quelques mois plus tard, lors de l'attentat contre les députés de Scipion (App., *Lib.* 34; Pol. XV 2,7).

Bibl. AATun, fe 7 (Porto-Farina), cf. no 41 (Porto Farina); PW IA, col. 1245-1246; G. Mercier, JA 205 (1924), p. 273-274; R. Werner, *Das* Kalòn akrōtērion *des Polybios*, Chiron 5 (1975), p. 21-44; Huß, *Geschichte*, p. 87-89, 406-407, 411-412 (n. 60). ELip

RUTUBIS →El-Djadida.

S

SABRATHA En (néo)pun. *Sbrt(')n*, gr./lat. *Sabrat(h)a* (Pline, *N.H.* V 25.35; Suét., *Vesp.* 3; Ptol. IV 3,3.11; *It.Ant.; Tab.Peut.; Rav.; Stadiasme* 99-100) ou *Habrotonum-* (Skyl. 110; Ét.Byz.; Strab. XVII 3,18; Pline, *N.H.* V 27)/*Habromacte* (Pomp. Méla I 34), avec le changement dialectal gr. *s>h*, en arabe *Ṣabra*; port naturel de →Tripolitaine, à 65 km à l'O. de Tripoli, en Libye, et fondation traditionnellement phén. (Sil. It. III 256). Les premiers vestiges archéologiques, notamment un mur d'enceinte, ne remontent toutefois qu'au Ve s. et un habitat permanent n'est attesté qu'à partir de la seconde moitié du IVe s., probablement près d'une grande place de marché, le futur forum. Le quartier du port conservera toujours le plan irrégulier de l'agglomération originelle. Les →nécropoles méridionales, avec des →tombes à chambre, sont connues à partir du IIIe s. La ville se construit largement dans la première moitié du IIe s., qui voit s'élever aussi une nouvelle enceinte et des →mausolées de plan triangulaire où les traditions alexandrines sont quelque peu modifiées par les tendances pun. Le mieux conservé élève à 23 m une aiguille portant sur un étage des *kouroi* debout sur des lions encadrant des métopes où figurent →Bès, Hercule et le lion, ainsi qu'un groupe non identifié; au-dessous, un étage de colonnes avec fausse porte surmontée d'*uraei* repose sur un soubassement à degrés. Un →*tophet* est en service aux IIe-Ier s. Si la prospérité de la ville ne se dément pas, son histoire particulière, après la chute de Carthage, est mal connue. S. acquiert probablement sa liberté en même temps que →Leptis Magna, et bat monnaie de bronze à légende pun. *Sbrt'n*, éventuellement abrégée en *Sbr.* Liber Pater →Shadrapha (4), honoré d'un temple dès cette époque, est le dieu poliade, avec Hercule (IRT 7; 104), tous deux figurant sur le monnayage. De S. provient la seule attestation connue d'un *flamen* de Liber Pater (IRT 55), dont le temple sera encore restauré en 340 ap. J.C. Le municipe, puis colonie, honore aussi son propre Génie (IRT 6) et, tout en donnant, comme Leptis, des temples importants à →Isis et Sérapis, reçoit aussi le culte de Baal →Saturne, qu'atteste *c.* 100 ap. J.C. une dédicace bilingue lat.-néopun. (LA 13-14 [1976-77], p. 7-19). Les inscriptions lat. de S. sont relativement nombreuses (IRT, p. 20-62), mais les épigraphes pun. sont jusqu'ici rares et, en général, peu significatives (Trip 1-4.82; Epigraphica 45 [1983], p. 104-107; Studi A. Adriani III, Roma 1984, p. 858-877), encore que l'épitaphe pun. d'un Tyrien (Trip 4) témoigne de relations avec l'Orient aux IIIe-IIe s. av. J.C. L'évidente richesse de S. à partir du Ier s. av. J.C. repose probablement sur une longue tradition de commerce maritime et saharien. Quant aux statuts municipaux, l'attachement des citoyens de S. aux institutions traditionnelles se remarque au rôle important joué par la curie à l'époque rom. et à la présence d'un duumvir quinquennal encore au IVe s. ap. J.C. (IRT 55), ce qui est exceptionnel. L'histoire de S. à l'époque vandale est obscure. Elle fut délaissée, semble-t-il, au VIIIe s.

Bibl. EAA VI, p. 1050-1060; PECS, p. 779-780; Monografie di archeologia libica 4, 6, 11, 18-21, Roma 1953-1989; Desanges, *Pline*, p. 237-238, 389-390; Lepelley, *Cités* II, p. 372-380; P.M. Kenrick, *Excavations at Sabratha 1948-1951*, London 1986; M. Le Glay, StPhoen 6 (1988), p. 187-188; →Tripolitaine. RReb

SACRÉ, SAINT Le concept du s. ou "consacré" est rendu en phén-pun., comme en sémitique commun, par la racine *qdš*. Ainsi notera-t-on la légende monétaire "Byblos la s." (*BMC. Phoenicia*, p. LXIX, 97), les "prémices s." du Tarif de Marseille (KAI 69,12) et les obscurs *hqdš* et *hqdšt* d'une inscription rituelle de Carthage (KAI 76B,2.3.4). Le verbe dérivé a généralement le sens de "consacrer": un autel à →Anat (KAI 42,4), des animaux à →Melqart (KAI 43,9), un autel au →Baal Addir de →Bir Tlelsa, une exèdre et un portique à →Él *qn 'rṣ* (Trip 18,2), une statue et un sanctuaire à →Ammon (Trip 76,1). Le verbe à la forme passive de l'hitpaël apparaît en tête de l'inscription de Bir Tlelsa, déjà citée: *lB'l 'dr htqdš*, "consacré à Baal Addir".

1 Lieux saints Le substantif *qdš* peut indiquer le →"sanctuaire", tout comme *mqdš* et *'šr qdš*, "lieu s." d'Astarté à →Pyrgi. Il est parfois possible de saisir la distinction entre *mqdš* et *bt*: la séquence des termes montre ainsi, à Gozzo (ICO Malta 6,2: *mqdš bt Ṣdmb'l*) et en Tripolitaine (Trip 76,1: *mqdš bt'y*), que *mqdš* désigne une partie déterminée du complexe, vraisemblablement le Saint des Saints, comme *qodeš (qŏdāšîm)* en hb. On connaît aussi un *qdš*, "sanctuaire", d'Astarté à Tyr (KAI 17 = TSSI III,30) et un *kdš* de →Baal Hamon à Carthage (KAI 78,5).

2 Dieux saints L'attribution de l'adjectif "s." aux dieux est typique des religions sémitiques. P.ex., "s." sont les dieux de Byblos (KAI 4 = TSSI III,6,5.7) et ceux de Sidon (KAI 14 = TSSI III,28,9.12), tandis que →Eshmun est appelé "prince s." (*šr qdš*: KAI 15; 16), à moins qu'il ne faille lire "génie du sanctuaire" (*šd qdš*). À Kition, *mlkt qdšt* peut être interprété comme épithète d'Astarté (Kition III, C 1, A,7). Melqart à →Tharros (ICO Sard. 32,1) et Baal Hamon à →Constantine (EH 20; 64; SPC 29; KAI 162,3) sont pareillement dits "s.", tandis que →Sakon est appelé *b'l qdš* à Carthage (CIS I,4841). *Hágios* en gr. et *sanctus* en lat. sont employés souvent pour désigner des divinités d'origine orientale. En Afrique du N., *sanctus* qualifie ainsi →Abaddir (CIL VIII,21481), Baal Addir (CIL VIII,19122; 19123), →Caelestis (CIL VIII,8433; 22686), →Saturne (CIL 8449; 9181; 18897) ou Esculape (CIL VIII,2587) dans des cas où il faut reconnaître en lui l' "héritier" d'→Eshmun. En Orient, *hágios* accompagne fréquemment des noms de dieux phén., p.ex. Héraklès à Tyr (MUSJ 38 [1962], p. 11-12), le Zeus de Tripolis (*BMC. Phoeni-*

cia, p. CXXI-CXXII, 214-217), le Baal de Beyrouth (Syll³ 590) ou le Zeus Céleste de →Baetocécé (IGLS VII,4028,40).

3 Personnes saintes À Ugarit et dans l'A.T., le masculin *qdš* et le féminin *qdšt* désignent aussi des personnes consacrées à la divinité, les "hiérodules" qui s'adonnaient éventuellement à la →prostitution sacrée. Cet emploi de *qdš(t)* n'est pas encore attesté en phén.-pun., si l'on excepte une inscription de →Maktar, où la *ḥnt qdšm* (KAI 145,2) semble être la "crypte des consacrés", où les mystes devaient se réunir pour leurs agapes. Par ailleurs, l'association de *sacerdotes* et de *sacrati* dans des inscriptions dédiées à Caelestis, à Rome (ILS 4438) et à Timgad (ILS 9294), et la mention de *sacrati/sacratae* dans le culte de Cérès en Afrique du N. (Aug., *Civ.* II 26,2; *Passio SS. Perp. et Fel.* 18), de Liber Pater (→Shadrapha 4) à →Madaure (Aug., *Ep.* 17), de Cybèle à →Maktar (CIL VIII,23400), pourraient remonter à une traduction du pun. *qdšm/t* par *sacrati/ae*, "mystes".

Bibl. DBS X, col. 1342-1483; DEB, p. 1145-1148; DISO, p. 253-254; ThWAT VII, col. 1173-1204; H. Delehaye, *Sanctus*, Bruxelles 1927; P. Xella, *QDŠ. Semantica del "sacro" a Ugarit*, Materiali lessicali ed epigrafici-I, Roma 1982, p. 9-17; M.I. Gruber, *Hebrew* qĕdēšāh *and Her Canaanite and Akkadian Cognates*, UF 18 (1986), p. 133-148. ELip

Fig. 279. Scène de sacrifice sur une stèle votive, Bou Qournein (195 ap. J.C.). Carthage, Musée National.

SACRIFICES 1 Textes Les sources phén. de l'Orient sont extrêmement pauvres en informations concernant les s., dont le nom générique en phén.-pun. était *zbḥ*, l'équivalent de l'ug. *dbḥ* et de l'hb. *zbḥ*. Si les inscriptions de →Karatepe mentionnent des s. d'animaux à l'occasion de certaines →fêtes de l'année (KAI 26 = TSSI III,15 A, III,1-2; C, IV,4-6), il ne s'agit vraisemblablement pas de solennités d'origine sémitique. D'après les indications de l'A.T., les s. offerts par les adeptes des cultes cananéens ne devaient pourtant pas se distinguer beaucoup de ceux des Israélites (cf. *1 R.* 18,20-40; *Ex.* 18,12; 34,15). On peut donc supposer, à la lumière des textes d'→Ugarit, d'→Émar et de la Bible, que les Phéniciens pratiquaient des s. d'animaux, prévoyant la combustion d'une partie des chairs, le partage du reste entre l'offrant et l'officiant, ainsi qu'un repas en commun, outre des →offrandes alimentaires. À l'époque hellénistique, *2 M.* 4,18-20 signale l'envoi de 300 drachmes d'argent destinées aux s. de l'Héraklès tyrien et A. Tat. II 14,2; 15,1-3 affirme qu'on venait de loin lui offrir des s., immolant une grande quantité de bœufs de la vallée du Nil (II 15,3). Effectivement, une inscription phén. de →Larnaka-tis-Lapithou commémore, au IIIᵉ s. av. J.C., le s. de "nombreux bestiaux" à →Melqart (KAI 43 = TSSI III,36,7-13), tandis que les →tarifs sacrificiels carth. des IVᵉ-IIIᵉ s. av. J.C. règlent la pratique des s. nommés *ṣw'*, *kll* et *šlm kll*, mais ne traitent expressément ni du s. →*molk* d'un enfant ou de son substitut animal, ni des s. *'lt* et *mnḥt*, mentionnés ensemble, à l'époque rom., dans une inscription néopun. d'→Althiburos (KAI 159,8). Les textes phén.-pun. qui nous ont été conservés ne permettent donc pas de reconstituer un système cohérent de s. et, encore moins, de nous en représenter le déroulement et le rituel. L'iconographie des →stèles et les inscriptions lat. d'Afrique du N. comblent heureusement une partie de cette grave lacune, du moins en ce qui regarde les sacrifices individuels, offerts en vertu d'un vœu ou d'une exigence divine révélée au cours d'un songe.

Fig. 278. Scène d'offrande sur une stèle votive du tophet, *Carthage (IIᵉ s. av. J.C.). Cracovie, Musée National.*

2 Rites sacrificiels Les préliminaires d'un s. d'animal comportaient la décoration de l'autel et la préparation de la victime. Les reliefs des stèles d'époque rom. montrent en effet des autels parés de guirlandes, entourés de palmes et flanqués de deux lampadaires, qui suggèrent des s. se déroulant la nuit (*magnum sacrum nocturnum*: →N'Gaous). Les animaux étaient sans doute lavés, peut-être nourris, puisque certains reliefs les montrent en train de manger, puis parés avec soin. Ils apparaissent sur un grand nombre de reliefs, notamment sur des stèles pun. de Carthage qui représentent béliers et moutons (CIS I,398; 419; 786; 1199; pl. LXII). L'animal était conduit à l'autel au cours d'une procession solennelle. Tenu par une corne ou porté dans les bras de l'officiant, si c'était un mouton, il était entouré du sacrificateur et des porteurs des outils rituels, hache (CIS I,607; 1595) et couteau (CIS I,2201; 2658; 2668; 3142), ainsi que des offrandes, figurées peut-être sur les stèles d'époque pun. par des vases pour l'huile, le lait, le vin (CIS I,187; 211; 367; 866; 982; 1403; 2017; 2150; 3048; 3143; 3145). Il était précédé de joueurs de flûte, visibles sur deux stèles d'Henchir Touchine (Algérie), qui entretenaient une musique aiguë et lancinante pendant toute la cérémonie. Au pied de l'autel, l'offrant portait la main sur la victime, comme on le voit sur une stèle des environs d'→Hippone (Leglay, *Saturne africain. Monuments* I, pl. XVIII,6), accomplissant le rite qui assurait la substitution mystique de la victime au dédicant ou à l'enfant, dans le s.-*molk* de substitution. Ensuite avait lieu la réception de la victime par l'officiant qui immolait l'animal, le saignait au couteau, le décapitait et déposait sa tête sur l'autel. Les stèles pun. de Carthage présentent parfois des images se rapportant à l'immolation: un taureau abattu (CIS I,2133; 3016; 3053; fig. 279) ou la tête déjà posée sur l'autel (fig. 278). Alors que celle-ci brûlait dans les flammes, l'officiant, la tête couverte par un pan de son vêtement, le bras droit levé, prononçait une prière d'offrande, offrait les grains d'encens contenus dans la cassolette qu'il tenait de la main gauche et que représentent divers bas-reliefs pun. (CIS I,866; 1587; 2017; 2150; 2650; 3145). Peut-être y ajoutait-il une libation de vin, à moins que celle-ci ne fût versée sur les tables creusées de rangées de godets (CIS I,438; 2377). Les entrailles et les graisses étaient brûlées sur l'autel, tandis que les chairs découpées étaient partagées entre l'offrant et les prêtres, qui recevaient la *qṣrt* et la *yṣlt* selon les tarifs sacrificiels de Carthage (KAI 69; 74), probablement la poitrine (*qṣrt*) et peut-être la cuisse droite (*yṣlt*). L'offrant gardait la peau (*'rt*), les pattes (*p'mm*), peut-être les côtes (*šlbm*) et le reste des chairs (*'ḥry hš'r*). Deux ou trois opérations complémentaires restaient à accomplir: l'inhumation des cendres de la victime et du mobilier votif, l'érection éventuelle d'une stèle, qui perpétuait le souvenir et la vertu du s., et vraisemblablement le blanchiment des stèles, la *dealbatio* de la "pierre de Saturne" (→Abaddir), que mentionne une inscription lat. d'Henchir es-Séghira (Tunisie: CIL VIII,23156 = ILTun 288), rite attesté aussi, semble-t-il, dans le culte de Liber Pater près d'Hadrumète (CIL VIII,11151). Outre les s. de têtes de bétail, les textes et surtout les bas-reliefs témoignent d'offrandes de rongeurs, de volatiles, de fruits, de gâteaux et de parfums, auxquels font référence les flacons figurés sur les stèles de Carthage (CIS I,256; 1242; 1271; 1282; 1288; etc.), ainsi que les →thymiatères ou brûle-parfums (CIS I,138; 619; 866; 1576; 2522; 2726; 3002). La variété des rites était assurément plus grande que la reconstitution schématique proposée ci-dessus, mais on ne disposera sans doute jamais d'un vrai rituel phén.-pun. contenant prières et rubriques.

Bibl. S. Langdon, *The History and Significance of Carthaginian Sacrifice*, JBL 23 (1904), p. 79-93; R. Dussaud, *Les origines cananéennes du sacrifice israélite*, Paris 1941²; R. de Vaux, *Les sacrifices de l'Ancien Testament*, Paris 1964, p. 42-48; L. Foucher, *Hadrumetum*, Tunis 1964, p. 53-55; M. Leglay, *Saturne africain. Histoire*, Paris 1966, p. 297-358.
ELip

SADAMBAAL / SALAMMBÔ En phén. *Ṣdmb'l* < **Ṣlmb'l*, en gr./lat. *Salambō*, théonyme mentionné vers le IIIe s. av. J.C. dans l'inscription pun. de Gozzo (CIS I,132 = KAI 62 = ICO, Malta 6,2) et identifié, à juste titre, avec *Salambō* (*Hist. Aug.*, *Heliogabal* 7,3), "Statue de Baal". En effet, l'altération de *-l-* en *-d-* semble être un phénomène typique de l'ancienne phonétique de Gozzo, attesté aussi par la double forme épigraphique *Gaūlos/Gaūdos* du nom de l'île. S. n'est toutefois pas l'amante d'→Adonis ou une Aphrodite babylonienne, comme le veut Hésychios, mais l'effigie du dieu, peut-être du dieu mort, à l'instar de l'→Osiris gainé, qui apparaît sur des bronzes maltais (Scientia 36 [1973], p. 2, nº 3; cf. p. 6, n. 20) et un autel de Byblos (MUSJ 15 [1930], pl. XXVI), associé à la *Venus lugens*. C'était le "favori des femmes", *ḥemdat nāšîm* (*Dn.* 11,37; cf. *Ez.* 8,14), que celles-ci promenaient par la ville, dansant autour de l'idole. Des détails sur cette procession de S., qui ouvrait au IIIe s. ap. J.C. la célébration des Adonies à Séville, sont fournis par le récit du martyre des Stes Juste et Rufine, tel que le rapportent les *Passionnaires* et le *Breviarium Eborense*. Ce dernier précise qu'il s'agit d'une "statue en pierre" (*idolum lapideum*) d'un "dieu" (*deus*).

Bibl. Roscher, *Lexikon* IV, col. 282-284; F. Cumont, *Les Syriens en Espagne et les Adonies à Séville*, Syria 8 (1927), p. 330-341; S. Ronzevalle, *Venus lugens et Adonis byblius*, MUSJ 15 (1930), p. 141-204, pl. XXVI-XXXVIII (voir p. 148-150).
ELip

SAFI Port de l'Atlantique, à mi-chemin entre →El-Djadida et →Mogador (Essaouira), au Maroc. C'est l'emplacement possible de l'antique *Musokáras* de Ptol. IV 1,2, à laquelle Gesenius a déjà cherché une étymologie phén. On pourrait penser à *Musok* (cf. hb. *māsāk*) *ḥares*, "Abri du soleil", c.-à-d. "contre le soleil". La première mention de la ville de S., sous le nom d'Asfi, est due au géographe arabe al-Bakrî (XIe siècle), mais *Rav.* III 11 mentionne déjà les *Getuli Sofi* entre les *Getuli Selitha* et les *Getuli Dare*. Si S. avait été le site d'un comptoir phén. ou pun., on s'expliquerait mieux la découverte, à 13 km au N. de la ville, à Lalla Fatma (bint) Mohammed, d'un groupe de cippes, difficiles à dater, qui ressemblent aux →stèles de Nora et au groupe le plus archaïque de stèles de Carthage, avec des rapprochements précis, mais aussi d'importantes différences. Ce n'est pas, semble-t-il, une production pun. périphérique, mais plutôt une imitation de modèles pun. par des artisans "gétules".

Bibl. A. Denis, *Cippes mystérieux du Maroc atlantique*, Archéologia 63 (1973), p. 63-67; G. Benigni, *Le stèle di Lalla Fatna bent Mohammed*, Saggi fenici I, Roma 1975, p. 29-31.
ELip

SAGONTE En lat. *Saguntum*, gr. *Zákuntha*, antérieurement *Arse*, cité ibérique située entre l'Èbre et le cap de la Nao, près du littoral (Espagne). Le siège et la prise de cette ville par →Hannibal (6) furent considérés à Rome, en 218, comme un *casus belli*, et la 2e →guerre pun. officiellement signifiée à Carthage par une ambassade (Pol. III 20,9; 33,1-4; Liv. XXI 18,1; 19-20). En effet, Rome était devenue en 219 l'alliée des Sagontins, s'était mêlée aux querelles intestines de la ville et avait fait exécuter des partisans de Carthage. Sur ces faits relativement simples s'est venu greffer une discussion sur la situation diplomatique de S. au vu du →traité (9) passé en 226 entre Rome et →Hasdrubal (4) qui s'était engagé à ne pas passer en armes l'Èbre (Pol. II 13,7; III 27,9; 29,3; 30,2-3). La difficulté majeure provient de Pol. III 30,3, qui semble placer S. au N. de l'Èbre (cf. App., *Iber.* 7.10), d'où certains modernes ont conclu que l'*Iber* du traité de 226 n'est pas le grand fleuve actuellement appelé Èbre, mais le Júcar qui coule au S. de S.

Bibl. KlP IV, col. 1500-1501; PECS, p. 782; J. Carcopino, *À propos du traité de l'Èbre*, CRAI 1960, p. 341-346; L. Villaronga, *Las monedas de Arse-Saguntum,* Barcelona 1967; Huß, *Geschichte*, p. 281-295; A. Pelletier, *Sagontins et Turdétains à la veille de la deuxième guerre punique*, RÉA 88 (1986), p. 307-315. ELip

SAGÛ En akk. *Sa-gu-u*, ville du royaume de →Sidon, annexée par Asarhaddon en 677/6 (AfO, Beih. 9, p. 48, col. III,4). Elle est probablement identique à la Šigata des lettres d'el→Amarna et à l'actuelle *Šaqqā*, près de *Rās eš-Šaqqā*, au Liban, comme le confirme sa mention entre →Bitirume, probablement →Batroun, et →Ampa, l'actuelle Enfé, dans l'inscription d'Asarhaddon. Ce serait donc le →Théouprosopon des Anciens.

Bibl. Dussaud, *Topographie,* p. 117; Abel, *Géographie* I, p. 3; II, p. 4. ELip

SAHEL Le *Sāḥel*, "littoral", est la bordure maritime des étendues steppiques qui couvrent le centre de la Tunisie. Région au relief peu marqué, dotée d'une côte le plus souvent basse et sablonneuse, elle s'avance vers l'E. dans la mer, entre le golfe d'Hammamet au N. et celui de la Petite Syrte, au S., et correspond à peu près à la →Byzacène antique (fig. 367). Cette région était conçue par les Anciens comme une entité de forme circulaire, dont Pol. XII 1,1 évalue le pourtour à 2.000 stades (355 km), indication que l'on retrouve dans Pline, *N.H.* V 24,11, avec un périmètre de 250 milles. Ces deux auteurs s'accordent aussi à vanter la fertilité de cette terre (→agriculture 2). En effet, la faiblesse des précipitations — de 200 à 300 mm par an —, durement ressentie à l'intérieur des terres, est compensée au S. par la proximité de la mer, d'où lui vient la forte humidité relative, apportée par les brises venant de l'E. et du N.-E. Il se peut — mais la preuve nous en manque — que la région ait été une circonscription ou province (→pagus) du territoire de Carthage, englobant des cités anciennes ayant leur territoire propre, comme →Hadrumète. En tant qu'entité administrative et au sens strict, la Byzacène carth. aurait alors été limitée à la partie N. du S. moderne. Pline semble lui reconnaître une certaine unité ethnique ou culturelle, lorsqu'il parle des →Libyphéniciens de Byzacène (*N.H.* V 24). En fait, l'analyse des vestiges archéologiques, essentiellement des →nécropoles, autorise à reconnaître au S. pun. une coloration culturelle particulière, l'empreinte phén.-pun. n'ayant pu totalement oblitérer le substrat libyque dont les nécropoles mégalithiques, p.ex. celle de Henchir El-Hjar (AATun, fe 49 [Sidi Bou Ali], no 239), sont des signes certains. Elles se jouxtaposent toutefois à des tombes souterraines, creusées profondément dans le roc et comportant un escalier et un couloir d'accès aboutissant à une ou plusieurs chambres funéraires. Des tombes de ce type, caractéristiques du S. pun., apparaissent, p.ex., à Henchir El-Hjar même, à Dar El-Aroussi (AATun, fe 42 [Enfida], no 174), à Henchir Zaraa (AATun, fe 74 [Mahdia]), à Moknine (AATun, fe 66 [Moknine]), à El-Khamara (AATun, fe 82 [La Chebba]), pour ne signaler que quelques découvertes récentes de tombes qui font partie, en général, de vastes ensembles funéraires. Toutefois, si le "Libyphénicien" du S. creuse sa sépulture dans le roc comme le Phénicien, le mort y est fréquemment inhumé en décubitus latéral fléchi — sinon en position fœtale — et rituellement peint en rouge, comme le Libyque. L'archéologie a révélé dans le S. une exceptionnelle densité d'établissements. Les vestiges d'époque pun. à Hadrumète, →Gurza (2), →El-Kénissia, →Ksour Essaf, →Leptis Minus, →Mahdia, Monastir (→Ruspina), →Salakta, →Smirat, →Thapsus, n'en épuisent pas la réalité archéologique et la prospection découvre chaque année de nouveaux sites ou révèle l'étendue insoupçonnée de tel secteur de nécropole partiellement exploré jusqu'alors. On mentionnera en particulier la nécropole pun. de la colline d'El-Hkayma, à *c.* 22 km au S.-O. de Mahdia, datable *c.* 300-150 av. J.C., voisine des ruines de Henchir Merbess (AATun, fe 74 [Mahdia], no 31), site probable de l'antique *Tegea*, et située à 7 km au N.-E. de Henchir bou Chebib, où une inscription pun. est venue au jour (RÉS 886) et d'où on peut atteindre →Bir-Tlelsa et →El-Djem. La synthèse des informations recueillies à El-Hkayma au cours des fouilles de 1984-85 enrichit considérablement notre connaissance historique et culturelle du S. dans l'Antiquité.

Bibl. J. Desanges, *Étendue et importance du Byzacium avant la création, sous Dioclétien, de la province de Byzacène*, CTun 44 (1963), p. 7-22; H. Ben Younès. *La présence punique au Sahel d'après les données littéraires et archéologiques*, diss. Univ. Tunis 1981; id., *L'architecture funéraire des nécropoles puniques du Sahel,* DossHistArch 69 (1982-83), p. 28-35; id., *La nécropole punique d'El-Hkayma,* REPPAL 2 (1986), p. 31-172; 4 (1988), p. 49-159; *30 ans au service du Patrimoine*, Tunis 1986, p. 103-105; H. Ben Younès - M. Ghaki, *Sahel*, REPPAL 3 (1987), p. 261-265. SLan-ELip

SAIDAH, ROGER (4.3.1930-31.12.1979). Archéologue libanais, né à Beyrouth. Après des études classiques dans sa ville natale, R.S. acheva sa formation universitaire à Paris et à Londres, et revint au Liban en 1961. Pendant quinze ans son nom allait se confondre avec l'essor de la Direction générale des Antiquités, où il dirigea les circonscriptions archéologiques de Beyrouth et du Mont Liban. À partir de 1975, il poursuivit son activité comme expert de l'UNESCO en Jordanie, à Bahrein, en Algérie et au S.-Yémen jusqu'à son décès prématuré. L'important matériel céramique mis au jour pendant les fouilles qu'il dirigea à →Khaldé-Heldua de 1961 à 1975 et à Sidon →Dakerman de 1967 à 1975 a fait l'objet d'une thèse intitulée *Sidon et la Phénicie méridionale au XIVe siècle avant J.C. dans le contexte proche-oriental: à propos des tombes de Dakerman* (Paris 1977). Le nombre et la valeur des contributions au mémorial *Archéologie au Levant* (Lyon 1982) permettent de mesurer combien ses amis regrettent sa compétence et ses qualités humaines. PBord-ESaid

SAINT →Sacré.

SAINTE-MONIQUE →Carthage (2).

SAINT-LEU →Portus Magnus.

SAINT-LOUIS →Carthage (2); →Byrsa.

S/ZAKARBAAL En phén. *Skrb'l/Zkrb'l*, ég. *Ṯkrb'r*, lat. *Sic(h)arbas* ("Baal s'est souvenu"), nom de divers personnages de la Phénicie.

1 *Zkrb'l*, roi d'→Amurru au XIe s. av. J.C., connu par l'inscription phén. d'une flèche (fig. 139).

2 *Ṯkrb'r* = *Skrb'l*, roi de →Byblos au temps du voyage de →Wenamon en Phénicie, au XIe s. av. J.C.

3 →Sic(h)arbas.

Bibl. Benz, *Names*, p. 305-306.
Ad 1: J. Starcky, *La flèche de Zakarba'al, roi d'Amurru*, Archéologie au Levant. Recueil R. Saidah, Lyon 1982, p. 179-186. ELip

SAKON En phén.-pun. *'skn*, avec un *aleph* prosthétique qui reflète le schème **skō/ūn* < *sikān*, ou bien *Skn*, qui pourrait se rattacher au schème intensif *sakkō/ūn* < *sakkān* ou *sikkō/ūn* < *sikkān*. S. est le →bétyle cultuel, attesté sous ce nom en Syrie du N. dès 2000 av. J.C. (*Si-kà-an*^{ki}: OLZ 79 [1984], col. 456), puis à →Mari (^{na_4}*sikkānum*), →Ugarit (*skn*: KTU 1.17,I,26.44; II,16; 6.13,1) et →Émar (^{na_4}*sikānu*). D'abord distinct de la divinité elle-même, il est ensuite personnifié en milieu phén., comme l'onomastique l'indique à partir du VIIe s. av. J.C. Le dieu S. apparaît dès lors comme élément théophore dans divers anthroponymes phén.-pun. en Assyrie, Égypte, Phénicie, Afrique du N., jusqu'en pleine époque impériale rom. S. possédait un temple à Carthage, où il est qualifié de *Skn b'l 'qdš*, "S., le seigneur saint" (CIS I,4841), et où il est nommé entre Baal et Shamash (CIS I,4963). Au IIIe s. av. J.C., un autel de marbre est dédié au →Pirée "à S. puissant", *l'skn 'dr* (CIS I,118 = KAI 58). Bien que trouvé à côté d'autels offerts à Hermès et à Zeus Sôter, il ne prouve aucunement que S. était assimilé à Hermès. Il faut distinguer S. du dieu libyque *Sug(g)an* (CIL VIII,1059; 16749 = ILAlg I,2977), dont le nom apparaît peut-être dans les anthroponymes numides tels que *Sucan* (ILTun 732), *Samsucan* (ILAlg II,1658) ou *Wrskn* (KAI 100,4.5), et il convient d'écarter tout rapprochement entre S. et les anthroponymes gr. *Sákōn, Sákēs*. Des textes magiques de →Délos invoquent une déesse *Súkona* et des dieux *Suk(o)naîoi*, mais on ignore s'ils ont quelque rapport avec S.

Bibl. Benz, *Names*, p. 365-366; Jongeling, *Names*, p. 47, 61, 133-134; J.-M. Durand, *Le culte des bétyles en Syrie*, J.-M. Durand - J.R. Kupper (éd.), *Miscellanea Babylonica*, Paris 1985, p. 79-84; C. Bonnet, *L'élément théophore* Skn *dans l'onomastique méditerranéenne*, ACFP 2, Roma 1991, p. 455-461. CBon-ELip

SALA En néopun. *S'lt*, gr./lat. *Sála(ta)* ou *Sálathos*, aujourd'hui *Šella*, nom d'un quartier situé à 2 km du centre de Rabat, capitale du Maroc, et à 3 km de l'estuaire de l'oued Bou Regreg, auquel Pomp. Méla, III 107; Pline, *N.H.* V 9.13 et Ptol. IV 1,2; 6,2 donnent le même nom qu'à la ville. Ce nom, d'origine apparemment phén.-pun., signifiait sans doute "rocher" (→Solo) et convenait à la Kasba des Oudaïda qui surplombe, de la rive gauche, l'estuaire du fleuve et devait être le site de l'établissement primitif. C'est cependant sur les croupes de Chella (*Šella*) que les fouilles ont mis au jour des vestiges phén. des VIIe-VIe s. av. J.C.: les restes d'un édifice en grand appareil et de la céramique revêtue d'un engobe rouge. Vers la fin du Ier s. av. J.C., S. frappa des monnaies à légende néopun. *S'lt* (→numismatique 5), jouissant sans doute d'une certaine autonomie sous les rois de →Maurétanie. Probablement occupée par les Romains sous le règne de Claude (41-54), elle devint sous Trajan (98-117) un municipe, puis fut élevée au rang de colonie, titre que lui donne l'*It.Ant.* 6,4: *Sala Colonia*.

Bibl. KlP IV, col. 1503; PECS, p. 793-794; PW IA, col. 1818;Mazard, *Corpus*, n°s 649-651; Desanges, *Pline*, p. 96-97, 112; J. Boube, *Les origines phéniciennes de Sala de Maurétanie*, BAC, n.s., 17B (1981 [1984]), p. 155-170.ELip

SALAKTA, RAS En lat. *Sullect(h)um*, site tunisien d'époque rom., comportant une nécropole rom. et des catacombes, à 4 km à l'E. de →Ksour Essaf et à 9 km au N. d'El-Alia, où l'on a trouvé des tombeaux mégalithiques de tradition apparemment libyque et des →tombes pun. des IIIe-IIe s. av. J.C. à puits ou à hypogée. On y a observé la pratique libyque du rouge funéraire sur les squelettes inhumés. El-Alia est l'un des sites où l'on a voulu localiser →Acholla.

Bibl. AATun, f^{e} 74 (Mahdia), n°s 136 et 142-145 (nécropoles); PECS, p. 867; Gsell, HAAN II, p. 131; D. Novak, *Notes sur la nécropole phénicienne de l'Henchir El Alia*, BAC 1898, p. 343-352. SLan

SALAMANQUE En lat. *Helmantica*, gr. *Salmatídes*, aujourd'hui Salamanca (Espagne), ville ibérique conquise par →Hannibal (6) en 220 (Pol. III 13,5-14,9; Liv. XXI 5; Polyen, *Strat.* VII 48; Ptol. II 5,7; *It.Ant.* 434,4; *Rav.* 319,7).

Bibl. PECS, p. 382; A. Tovar, *Iberische Landeskunde* II/2, Baden-Baden 1976, p. 245-246. ELip

SALAMINE DE CHYPRE En gr./lat. *Salamis*, gr. syllab. *Se-la-mi-ni-o-se* (ethnique), ég. *S-r-m-n*; ville antique sur la côte E. de →Chypre. Jusqu'à la fin du IIe mill., l'agglomération se trouvait à 2 km de la côte, sur le site d'Enkomi, mais l'habitat s'est déplacé au XIe s. vers le bord de la mer, près de l'embouchure du Pédiéios. Le nom de S., sans doute d'origine sémitique (cf. *Šalmiya* dans les textes d'Ugarit), pourrait déjà figurer vers le XVe s., avec l'afformante adjectivale *-n*, dans le théonyme *R-š-p Š-r-m-n* (M. Lidzbarski, ZA 20 [1898], p. 328), puis, en 673, dans la liste des tributaires chypriotes d'Asarhaddon (AfO, Beih. 9, p. 60, ligne 65), si →Qîsh de *Si-(il-)lu-(u-)a* ou *Se-lu-a* est bien un roi de S., cité dont la nécropole royale des VIIIe-VIIe s. atteste alors la grandeur. C'est de la même époque que date la plus ancienne des rarissimes inscriptions phén. de S. Au VIe s., Évelthon règne à S. (Hdt. V 162), où apparaît le premier monnayage chypriote (→numismatique 2). La ville prend, en 499, la tête de la révolte des rois de Chypre contre Darius I, mais l'entreprise échoue. S. joue ensuite un rôle dans les →guerres médiques, mais la paix de Callias (449) laisse Chypre dans l'orbite perse et S. se voit imposer, vers 415, le roi →Abdémon (3), un prince phén. "ami des Perses" (Diod. XIV 98). À la fin du Ve s., →Évagoras I, qui se proclame descendant de →Teukros, remet au premier plan le sentiment hellénique. Lui succède →Nikoklès (1), dont le faste rivalise avec celui de →Straton I de Sidon, puis →Évagoras II (fig. 252:9), Pnytagoras et →Nikokréon, le dernier roi, qui, vaincu par Ptolémée I, se donne la mort en 311/10. Sous les →Lagides, S. reste une ville florissante, un des centres de l'administration avec →Paphos, et le texte égyptien du décret de Canope, au IIIe s., désigne l'île de Chypre tout entière du nom de S. La S. de l'époque rom. était aussi une ville de premier plan et comptait une communauté sémitique nombreuse (cf. *Ac.* 13,5). Si les Salaminiens étaient en relations constantes avec la Phénicie et si la présence phén. à S. est attestée dès le IXe s., c'est la période de la nécropole royale des VIIIe-VIIe s. et celle du règne d'Abdémon, au Ve s., qui paraissent constituer les points forts de l'influence phén. à S. Le culte de l'Aphrodite *Parakúptousa* à S. révèle toutefois l'impact profond de la religion et de la culture phén. jusqu'à l'époque impériale rom. (→Astarté).

Bibl. KlP IV, col. 1505-1506; PECS, p. 794-796; PW IA, col. 1832-1844; G. Hill, *A History of Cyprus* I, Cambridge 1940; W. Fauth, *Aphrodite Parakyptusa,* Göttingen 1966; V. Karageorghis (éd.), *Excavations in the Necropolis of Salamis* I-IV, Nicosia 1967-78; id., *Salamis in Cyprus*, London 1969; J. Pouilloux - M. Yon (éd.), *Salamine de Chypre* I-XIII, Paris 1969-87; Masson-Sznycer, *Recherches*, p. 123-128; *Salamine de Chypre. Histoire et archéologie*, Paris 1980.
MYon

SALAMMBÔ L'héroïne imaginaire du roman de G. Flaubert (1862) qui emprunta son nom à →Sadambaal/Salammbô. Elle inspira l'opéra inachevé Salammbô de M. Moussorgsky (1863-66) et donna son nom à tout un quartier de la cité moderne de →Carthage, ainsi qu'au →*tophet* (3) de S., qui s'y trouve.
SLan

SALDAE →Bougie.

SAMARIE En hb. *Šomrōn*, aram. *Šām^{e}rayin*, akk. *Sa-me-re-na* (assyr.) / *Šá-ma-ra-'-in* (bab.), gr. *Samáreia*, lat. *Samaria*, capitale du royaume d'→Israël (2), dont la fondation par Omri (*c.* 881-874; *1 R.* 16,24) s'accompagna d'une alliance avec les Phéniciens, le fils d'Omri, Achab, épousant →"Jézabel fille d'→Ittobaal (2), roi des Sidoniens" (*1 R.* 16,31). Cette alliance, en partie dirigée contre l'→Assyrie, comme le suggère la bataille de Qarqar en 853 où se trouvèrent côte à côte contingents israélites et nord-phén., renforça l'influence économique et culturelle phén. à S., manifeste dans les constructions et décorations, p.ex. les →ivoires (*1 R.* 22,39), et dans l'instauration d'un culte dédié à →Baal (*1 R.* 16,31.32; 18,4.22), aboli ensuite lors de la révolution de Jéhu en 841 (*2 R.* 10,18-28), année qui vit la soumission de Jéhu, Tyr et Sidon à Salmanasar III. Sous Jéroboam II (*c.* 790-750), les bonnes relations phén.-israélites sont manifestes grâce à la découverte d'inscriptions phén. à S. (*lMlkrm* et *Pṭ's*), d'ivoires phénicisants (cf. *Am.* 3,15; 6,4) et des inscriptions phén.-israélites de →Kuntillet Ajrud, tandis que le théonyme "Baal" est bien attesté dans les →ostraca hébreux de S. Ces derniers révèlent que l'hébreu de S. était un dialecte très proche du phén. Avec Téglat-Phalasar III (744-727), Menahem de S., →Hiram II de Tyr et →Shapatbaal II de Byblos paient tribut à l'Assyrie et, en 722, S. devient chef-lieu d'une province assyrienne, puis néo-babylonienne et perse; on y note la présence d'un atelier phén. ou phénicisant de bronze.

Bibl. DEB, p. 322-323, 631-635, 1161-1164; EAEHL, p. 1032-1050; PECS, p. 800; H. Katzenstein, *The History of Tyre*, Jerusalem 1973; A. Lemaire, *Milkiram*, Syria 53 (1976), p. 85-93; G. Garbini, AION 37 (1977), p. 294; E. Stern, *The Material Culture of the Land of the Bible in the Persian Period, 538-332 B.C.*, Warminster 1982; id., *A Phoenician Art Centre in Post-Exilic Samaria*, ACFP 1, Roma 1983, p. 211-212; A. Lemaire, StPhoen 4 (1986), p. 93-94; id., StPhoen 5 (1987), p. 49-60.
ALem

SAMOS L'île gr. la plus proche (2 km) de l'Asie Mineure, S. fut le siège, entre le VIIIe et le VIIe s. av. J.C., d'une civilisation brillante, influencée par le Proche-Orient et le monde égéo-anatolien, qui prend un essor plus proprement gr. un peu avant la tyrannie de Polycrate, avec la cessation des importations du Levant et de l'Égypte. Dans les couches géométriques et orientalisantes de l'Héraion, fondé vers le XIe-Xe s. av. J.C., on a mis au jour un lot imposant d'offrandes étrangères, dont les terres cuites chypriotes représentent les vestiges les plus tardifs, datant de la fin du VIIe ou du début du VIe s. Les objets exotiques les plus nombreux sont les ivoires et les bronzes façonnés à la cire perdue, ces derniers surtout donnant essor à une production locale. Les ivoires commencent à être importés à S. au dernier quart du VIIIe s., pour se raréfier à l'époque de Polycrate. Il s'agit à la fois de pièces phén. et de pièces issues d'ateliers nord-syriens ou assyriens. Un lot de trois peignes gravés, qui est à attribuer à un atelier tartessien phénicisé du Bas-Guadalquivir (fig. 185; →ivoires 1C), semble confirmer le récit d'Hdt. IV 152 sur le voyage du samien Kolaios à Tartessos (→Tarshish 3), où il aurait acheté une quantité incroyable d'argent. Parmi les 184 objets en bronze retrouvés à l'Héraion et dédiées entre 670 et 640/630 av. J.C., la production chypriote est représentée par un fragment de trépied et par plusieurs candélabres. La déesse égyptisante, le dieu en marche à la couronne blanche, la déesse debout sur un lion sont issus des ateliers syriens et phén., tandis que le frontal de cheval à inscription araméenne et deux œillères se rangent dans une série d'objets de harnachement dont un lot important fut exécuté dans un atelier de →Damas qui rayonnait de la Syrie à Chypre et aux sanctuaires de la Grèce. Une œillère de ce type, d'Érétrie, et le frontal de S. aux quatres déesses nues au repoussé sont gravés d'une dédicace araméenne identique, qui mentionne Hazaël, roi de Damas.

Bibl. PECS, p. 802-803; U. Jantzen, *Greifenprotome von Samos*, AM 73 (1958) p. 26-49; B. Freyer-Schauenburg, *Elfenbeine aus dem samischen Heraion*, Hamburg 1964; ead., *Kolaios und die Westphönizischen Elfenbeine*, MM 7 (1966), p. 89-108; U. Jantzen, *"Assurattaschen" von Samos*, AntKunst 10 (1967), p. 91-93; G. Schmidt, *Kyprische Bildwerke aus dem Heraion von Samos*, Bonn 1968; U. Jantzen, *Ägyptische und Orientalische Bronzen aus dem Heraion von Samos*, Bonn 1972; G. Shipley, *A History of Samos 800-188 B.C.*, Oxford 1987; H. Kyrieleis-W. Röllig, *Ein altorientalischer Pferdschmuck aus dem Heraion von Samos*, AM 103 (1988), p. 37-76. AMBi

SAMSIMURUNA En akk. *Sam-se/i-mu-ru-na*, phén. **Šmš-'mrn*, apparemment "Soleil couchant", capitale d'une principauté de l'aire phén., mentionnée avec Sidon, Arwad et Byblos dans les inscriptions de Sennachérib (704-681) et d'Asarhaddon (680-669). En raison du second élément du toponyme, prononcé vraisemblablement *'emorrōn* (cf. le nom *'imrn* d'Ugarit et l'hb. *'ĕmorî*), "amorrhéen", c.-à-d. "occidental" (cf. hb. *qadmôn*, "oriental"), on peut supposer que S. est un toponyme de l'ancien →Amurru.

Bibl. ANET, p. 287, 291, 294; TPOA, p. 119, 128; S. Parpola, *Neo-Assyrian Toponyms*, Kevelaer-Neukirchen-Vluyn 1970, p. 303; P. Bordreuil, Syria 62 (1985), p. 24-25. ELip

SAN BARTOLOMÉ DE ALMONTE →Huelva; →Métallurgie.

SANCHUNIATHON En phén. *Sknytn* ("→Sakon a donné"), érudit phén., selon →Philon de Byblos qui prétend s'en inspirer largement (Eus., *P.E.* I 9,24). S. aurait été un novateur qui a ressuscité les œuvres oubliées de Taautos (→Thot), l'inventeur égyptien de l'écriture. S. les aurait débarrassées des spéculations qui en obscurcissaient le sens, restituant la doctrine phén. dans sa forme authentique, c.-à-d. conforme à l'→évhémérisme de Philon. Pour Porphyre (Eus., *P.E.* I 9,21), en revanche, S. vivait à Beyrouth presqu'au temps de Moïse, dont il remplissait sans doute le rôle dans la religion phén. de l'époque gr.-rom. Il aurait reçu des mémoires rédigés par le prêtre Hiérombalos, lequel les avait dédiées à son roi, Abibalos. S. aurait consulté aussi les archives publiques et sacrées, d'où la valeur de son témoignage, écrit en phén.

Bibl. PW IA, col. 2232-2244; L. Troiani, *L'opera storiografica di Filone da Byblos*, Pisa 1974; Baumgarten, *Commentary*, p. 1-7. CBon-PXel

SANCTUAIRES 1 Phénicie La civilisation phén. étant principalement celle de l'âge du Fer, on se contentera de mentionner ici, pour rappel, les s. de →Byblos, d'→Ugarit et de →Kamid el-Loz, qui remontent à l'âge du Bronze ou, si l'on préfère, à la période paléophénicienne. En ce qui regarde l'âge du Fer, quoique le paysage libanais soit parsemé de ruines de s. rom., les lieux de culte conservant les traces d'édifices d'époque proprement phén. sont rarissimes. En attendant la reprise des fouilles archéologiques au Liban, on se bornera donc à une simple énumération, renvoyant aux articles qui traitent des sites spécifiques. C'est à Tell →Sūkās, sur la côte syrienne, que se trouvent les traces d'un petit sanctuaire gr.-phén. (*c.* 550-500 av. J.C.). Descendant la plaine côtière, il faut mentionner d'abord le *Ma'ābid* d'→Amrit, "un *naos* haut campé sur un socle rocheux surgissant d'une grande cour excisée dans le roc", dont la fondation remonte au VIe s. (fig. 280; pl. Ic). Abstraction faite du →*naos*, ce s. de source se compose essentiellement d'un vaste bassin entouré d'un portique (→eau 2). Dédié au culte de →Melqart et d'→Eshmun, il reste sans parallèle dans l'univers phén.-pun. Au-delà de l'Éleuthère, le plan d'une chapelle du VIIIe s. fut relevé à Tell →Arqa peu avant l'interruption des fouilles. Si la route de Tripolis à Beyrouth est sillonnée de s., aucun ne semble remonter à l'époque phén. proprement dite. Or, à

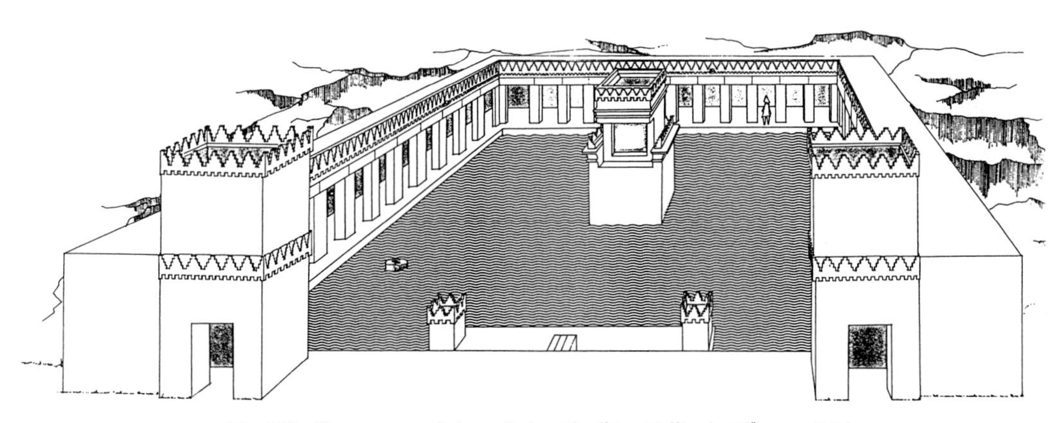

Fig. 280. Plan axonométrique du temple d'Amrit (fin du VIᵉ s. av. J.C.).

→Byblos, deux soubassements de colonnes marqueraient le réaménagement du temple de la →Baalat Gubal mentionné sur la stèle de →Yehawmilk (1) (fig. 365), où il est question d'une cour, d'une porte en or et d'un portique voûté supporté par des colonnes à chapiteaux. Laissant de côté Beyrouth et d'autres centres éclipsés par la suprématie de Byblos et de Sidon, on doit s'arrêter à →Bostan esh-Sheikh, où s'élève l'impressionnant temple d'Eshmun, près de →Sidon. Une construction pyramidale y fut érigée au VIIe s., suivie, sous le règne d'→Eshmunazor II et de son successeur →Bodashtart (1) (Ve s.), de la (re-) construction d'un podium et d'une chapelle abritant un bassin sacré avec un →trône d'Astarté posé sur un socle à gorge égyptienne (fig. 50). Un chapiteau à protomés de taureaux, marque évidente de l'influence achéménide, fut remployé dans l'une des annexes plus récentes de ce complexe cultuel, dont les trois quarts restent encore à fouiller (fig. 266). À →Sarepta (1), sur la route vers Tyr, une chapelle à plan rectangulaire fut découverte en 1972. Des banquettes longent les parois de ce bâtiment qui disposait en outre d'un autel en face d'un socle creux pour un pilier ou un →bétyle. Dédié à →Tanit-Astarté, ce s. fut érigé au VIIIe s. et réaménagé avant le IVe s. C'est également de la période perse, du Ve s., que date le s. de →Kharayeb dans l'arrière-pays. Quant à →Tyr, aucune trace n'a encore été retrouvée des temples qui se dressaient sur l'île dès le début du Xe s. (Fl.Jos., *C.Ap.* I 118), ceux de →Baal Shamêm, de Melqart et d'Astarté. Grâce à quelques inscriptions et des fragments d'architecture et de sculpture, on peut localiser des s. phén. dans l'arrière-pays de Tyr, en espérant que de futures fouilles les dégagent un jour, notamment à *Tell Ma'ašuq, Burǧ eš-Šmāli, Tell Rašīdīye* (→Usu), *Ḫirbet eṭ-Ṭayibē* et *Rās el-'Ain*. En attendant, le seul complexe religieux mis au jour dans la région est celui d'→Umm el-Amed (2). Obéissant aux canons de l'architecture sacrale gr., deux temples hellénistiques se dégagent des 18 ha de ruines. Le premier, le plus vaste, fut construit vers la fin du IVe s. et est dédié à →Milkashtart. Le second fut doté de portiques adossés contre l'enceinte (fig. 374), dont un fut dédié à →Astarté en 222 av. J.C. (TSSI III,31). Comme c'est le cas pour de nombreux sites hellénistiques ou rom., la poursuite des fouilles y révélera vraisemblablement une phase phén. plus ancienne. EGub

2 Chypre Si certaines figurations ou mentions épigraphiques en divers points de Chypre, p.ex. à →Amathonte (fig. 22), montrent bien la diffusion de la religion phén. dans l'île, c'est seulement dans les sites spécifiquement phén. que l'on peut se risquer à parler de "s. phén." On citera →Larnaka-tis-Lapithou et surtout la ville de →Kition avec ses environs proches.

A *Larnaka-tis-Lapithou.* Des inscriptions phén. et gr. y signalent l'existence de divers cultes à l'époque classique: une bilingue établit l'équivalence →Anat/Athéna Sôteira; une inscription gr. mentionne le temple de →Poséidon Narnakios, en qui l'on propose de reconnaître le →"Melqart, seigneur de Narnaka", des inscriptions en phén. On y trouve également l'attestation des cultes d'→Osiris, d'→Astarté et des "dieux de →Byblos qui sont à Lapéthos". Mais on ne connaît rien des s. eux-mêmes.

B *Kition.* Kition, en revanche, compte de nombreux s. qui ont été reconnus selon divers critères: restes architecturaux, fosses (*bóthros, favissae*) contenant des figurines (fig. 201) et des objets liés au culte, dédicaces à des dieux phén. Les plus importants s. sont ceux de la ville même, à Kathari et à Bamboula, sièges de cultes officiels, liés au pouvoir politique et détenteurs de puissance économique.

a *Kathari.* Le quartier de Kathari abrite un complexe sacré, dont le bâtiment le plus imposant est le "temple 1", dont on suit les modifications de structure pendant plus de cinq siècles. Au IXe s., les Phéniciens ont installé un temple monumental (*c.* 34 × 22 m) dans les murs du temple du Bronze Récent qui appartenait à un quartier consacré aux dieux. Trois nefs conduisent au Saint des Saints, devant lequel deux gros piliers évoquent ceux que l'on trouve dans d'autres sites, p.ex. à Jérusalem (*1 R.* 7,15-22). On y accédait primitivement par une entrée désaxée au N.-E., depuis le quartier sacré, comme au Bronze Récent, mais également par une autre porte qui s'ouvrait au S. sur la ville. Seul cet accès subsiste à partir de l'époque archaïque, le temple étant alors isolé du reste du territoire sacré, désormais occupé par un ensemble d'ateliers de →métallurgie. Il apparaît que l'activité industrielle, avec l'importante source de revenus que constitue la métallurgie du cuivre, reste sous la surveillance du pouvoir religieux, comme à l'âge du Bronze. De nombreux autels et foyers, servant aux →offrandes, →sacrifices et holocaustes, meublent le temple, la cour et l'espace devant l'entrée. Des dédicaces gravées sur des vases, "au Baal de Kition", "à Melqart", et des figurines de bronze suggèrent le culte d'une divinité masculine. Mais le culte d'Astarté était également présent dans cette zone à en juger par une dédicace probable à Astarté sur un bol du VIIe s. (fig. 196) et par les nombreuses figurines de terre cuite représentant la déesse aux bras levés, la *dea Tyria gravida* (fig. 197), etc. Au N.-E. du "temple 1" se trouve le "temple 4", plus petit (*c.* 17 × 8 m), dont les fosses, en particulier celles de la période 600-312 av. J.C., ont livré des figurines reproduisant des "déesses nues" ou des "déesses à l'enfant", qui relèvent d'un culte à caractère féminin, vraisemblablement voué à Astarté.

b *Bamboula.* Le quartier de Bamboula, partiellement fouillé, abrite un lieu sacré depuis le IVe s. Il se compose d'abord de petites pièces multiples, le long de la rue qui conduit au port, et l'on y a trouvé des autels de pierre ou d'argile, divers aménagements pour des rites employant des liquides (fig. 115; →eau 2), notamment des bassins et des canalisations, ainsi que des figurines. Des pièces aux fonctions utilitaires devaient abriter les zones fonctionnelles réservées au nombreux personnel. Vers 500, ces pièces sont remplacées par un grand espace découvert avec foyers à offrandes, comme en témoignent les figurines brûlées. À la fin du Ve s., l'espace sacré et la rue du port sont entièrement recouverts par la cour sacrée de l'époque classique, meublée d'autels de pierre; un grand bâtiment la limite au S. Le nombre et la qualité de ses installations hydrauliques, ainsi que les figurations sur la céramique attique importée, sont le témoignage d'importants rites de l'eau, de la célébration de banquets et de libations. Une inscription du IVe s. donnant les "comptes du temple d'Astarté" (Kition III, C 1) fait état d'un très nombreux personnel: gardes, barbiers, scribes, prostituées sacrées, etc. Comme on en a de nombreux exemples dans le monde phén. et pun., l'emplacement près du port est lié aux activités commerciales dans lesquelles le sanctuaire jouait un rôle non négligeable. L'ensemble de Bamboula paraît séparé en deux zones: l'une pourrait avoir été consacrée au culte d'un dieu mâle, comme le suggère une fosse avec des figurines d'Héraklès-Melqart ou de →Resheph; l'autre, caractérisée par des figurations féminines, notamment des stèles hathoriques, relevait probablement du culte d'Astarté.

c *Autres quartiers.* Quelques autres dépôts de figurines dans la ville de Larnaka invitent à localiser d'autres s. urbains à Chrysopolitissa, à Kamelarga, avec une place importante donnée à la déesse-mère et relevant peut-être de la religion populaire. D'autres s. ont été localisés hors les murs, en particulier près du lac Salé: le s. "des Salines", d'→Artémis Paralia, et celui de Batsalos, avec les dédicaces à Eshmun-Melqart. Mais aucun reste architectural n'est là pour permettre de décrire les s. eux-mêmes, ni les rites que l'on y pratiquait. MYon

3 Occident phénico-punique

A *Sources écrites.* Les lieux de culte de l'Occident phén.-pun. mentionnés par la tradition littéraire demeurent inconnus, si l'on excepte le grand s. extra-urbain de →Tas Silġ, à Malte, où le culte d'Astarté, puis d'→Héra, s'est implanté dans un s. préhistorique; c'est le lieu que Cicéron appelle *Fanum Iunonis* (*Verr.* II 46,103 - 47,104). Ce s., comme les autres dédiés à Astarté, à Byblos, →Paphos, →Éryx, →Pyrgi, →Sicca Veneria, devait être un lieu de culte cosmopolite, très fréquenté, une centre culturel et économique, pour lequel la →prostitution sacrée était probablement une source de revenus. D'autres s. cosmopolites très importants étaient ceux d'Héraklès-Melqart à →Utique, dont Pline, *N.H.* XVI 216, évoque la prodigieuse conservation des anciennes poutres de cèdre, et à →Gadès, dont Sil. It. III 32 et Strab. III 5,6 nous ont laissé une description. On y aurait gardé les dépouilles d'Héraklès et on y admirait notamment la représentation en relief de ses Douze travaux. D'autres grands lieux de culte public étaient les s. urbains qu'enrichissaient les dons et les sacrifices, dont les prix nous sont connus grâce aux →tarifs sacrificiels de Carthage. Mais on n'a retrouvé aucun s. carth. mentionné par les sources littéraires (→Carthage 2; →Byrsa): ni le s. de Junon-Astarté, ni celui d'Apollon, ni le plus important, le s. d'Eshmun-Asklépios au sommet de l'acropole, auquel on accédait par un escalier monumental de soixante marches (App., *Lib.* 130).

B *Données archéologiques.* Les s. découverts lors des fouilles archéologiques dans diverses régions du monde pun. présentent presque toujours des problèmes d'identification. Même la fonction sacrée de certains ensembles de ruines est incertaine à cause de l'absence d'indices précis, tels qu'inscriptions ou objets de culte. En outre, des aires sacrées archaïques ont fait souvent l'objet de remaniements radicaux aux époques hellénistique et rom., p.ex. à →Lixus, ce qui rend difficile l'interprétation des structures et des fonctions des monuments plus anciens. Du point de vue architectural, si le s. de →Kerkouane se présente comme un temple phén.-pun., la symbiose de l'élément pun. et de l'élément gr. est documentée à →Solonte par les édifices de l'aire sacrée, à →Sélinonte par l'aire sacrée de l'acropole et par le s. de Déméter Malophoros, à →Motyé par le s. du "Cappiddazzu" et, même dans le territoire d'→Agrigente, par les deux s. du →Monte Adranone, un site d'origine gr. En Sardaigne aussi, les éléments architecturaux d'origine orientale se combinent souvent avec ceux d'origine gr. À →Cagliari, on a découvert deux s. de l'époque hellénistique; à →Bitia, le "temple de Bès" est daté du IVe s. av. J.C. (fig. 46). C'est encore au IVe s. que remonte un des plus importants s. de →Tharros (2), celui du "temple monolithique", où des demi-colonnes et des chapiteaux doriques coexistaient avec des éléments à gorge égyptienne. En dehors des s. urbains, les découvertes archéologiques ont montré l'existence de s. *extra muros*, comme celui de Tas Silġ. Le s. du dieu →Sid, le →Sardos/Sardus Pater des Romains, dans la vallée d'→Antas, devait avoir un caractère national pour les peuples de la Sardaigne et était fréquenté par les →suffètes et les citoyens des villes pun. de l'île. Au contraire, l'influence du culte officiel était probablement moins sensible dans les s. rupestres, comme ceux de →Ras il-Wardija à Gozzo, de →Grotta Regina en Sicile, de la Cueva d'→Es Cuieram à Ibiza (fig. 126, 127), ou le s. semi-rupestre de →Tiddis, en Algérie, tous étant l'expression d'une religiosité plus ou moins populaire. C'est un caractère tout à fait privé qu'il faut reconnaître aux s. à ciel ouvert, les →*tophet* dont les restes ont été découverts à Carthage, dans d'autres centres de l'Afrique du N., à Motyé et en Sardaigne. SCec

Bibl. Ad 1: BRL^2, p. 333-342; M. Ottosson, *Temples and Cult Places in Palestine*, Stockholm 1980; A. Biran (éd.), *Temples and High Places in Biblical Times*, Jerusalem 1981; E. Stern, *The Material Culture of the Land of the Bible in the Persian Period, 538-332 B.C.*, Warminster 1982, p. 61-67; G.R.H. Wright, *Ancient Building in South Syria and Palestine*, Leiden 1985.

Ad 2: V. Karageorghis, *Kition*, London 1976; O. Masson, *Kypriaka XI. Remarques sur Larnaka-tis-Lapithou*, BCH 101 (1977), p. 323-327; M. Yon, *Cultes phéniciens à Chypre*, StPhoen 5 (1986), p. 127-152; A. Caubet, *Les sanctuaires de Kition à l'époque de la dynastie phénicienne*, StPhoen 5 (1986), p. 153-168; V. Karageorghis (éd.), *Fouilles de Kition* V, Nicosie 1987.

Ad 3: D. Van Berchem, *Sanctuaires d'Hercule-Melqart*, Syria 44 (1967), p. 73-109, 307-338; *Missione archeologica a Malta. Rapporto preliminare delle campagne 1963-1970*, Roma 1964-1973; *Grotta Regina* - I, Roma 1969; F. Barreca, *Il tempio di Antas e il culto di Sardus Pater*, Iglesias 1975; M.E. Aubet Semmler, *El santuario de Es Cuieram*, Ibiza 1982; S.M. Cecchini, *Due templi fenicio-punici di Sardegna e le loro connessioni vicino-orientali*, Studi orientali e linguistici 2 (1984-85), p. 55-65; M. Fantar, *Kerkouane* III, Tunis 1986, p. 9-376.

SAN GIOVANNI DI SINIS →Tharros.

SANLÚCAR DE BARRAMEDA →Ébora.

SANLURI Localité de l'intérieur de la Sardaigne, à mi-chemin entre Cagliari et Oristano, où divers vestiges pun. sont venus au jour.

Bibl. F. Barreca - M.C. Paderi - G. Tore, *Ricerche archeologiche nel territorio di Sanluri*, Sanluri 1982, p. 45-58. ELip

SAN MARCO →Tharros.

SAN PIETRO →Éperviers, Île des.

SAN SPERATE Localité du S. de la Sardaigne, au N.-O. de Cagliari, où l'on a identifié une →nécropole pun. remontant au VIe s. av. J.C. Elle a livré notamment un splendide →masque grotesque daté du VIe/Ve s. (Phén. 255). ELip

SANTA GIUSTA →Othoca.

SANTA LUCÍA →Ivoires 1C.

SANTA MARIA DI NABUI En gr. *Neápolis*, site de l'actuelle commune de Terralba, près de la côte O. de la Sardaigne, à *c.* 20 km au S. d'Oristano (Pline, *N.H.* III 85; Ptol. III 3,2.6-7; *It.Ant.* 84; CIL X, 7540; 8008). Les origines de la localité paraissent remonter à la civilisation →nuragique, mais la découverte fortuite de statuettes en terre cuite (→coroplastie 2), comparables à celle de →Bitia, de vases figuratifs et de disques à face anthropomorphe révèle une présence ou une influence pun. aux IVe-Ier s. av. J.C. On a supposé que le toponyme gr. de l'époque rom. est une traduction du gr. *Qrtḥdšt* ou *Mqmḥdš*, "Ville neuve".

Bibl. ANRW II/11,1, p. 520-522; PW XVI, col. 2123-2124; M.G. Guzzo Amadasi, *Neapolis = Qrtḥdšt, in Sardinia*, RSO 43 (1968), p. 19-21; P. Meloni, *La Sardegna romana*, Sassari 1975, p. 238; G. Chiera, *Qarthadasht = Tharros ?*, RSF 10 (1982), p. 197-202; F. Barreca, ACFP 1, Roma 1983, p. 301; R. Zucca, *La città punica di Neapolis in Sardegna*, ACFP 2, Roma (sous presse). ELip

Fig. 281. Sarcophages anthropoïdes de Sidon (V^e-IVe s. av. J.C.). Beyrouth, Musée National.

Fig. 282. Sarcophage anthropoïde d'Amathonte (Ve s. av. J.C.). New York, Metropolitan Museum of Art.

Fig. 283. Sarcophage à statue de Carthage, marbre (IVe-IIIe s. av. J.C.). Carthage, Musée National.

SANT'ANTIOCO →Sulcis.

SANT'IMBÈNIA →Nurra, La.

SANTU TERU →Monte Luna.

SAPHON →Baal Saphon.

SAQQÂRA →Memphis.

SARCOPHAGES Les Phéniciens semblent avoir commencé très tôt, vers la fin du IIIe mill. au moins, à utiliser le s. pour enterrer les morts. À la différence des Égyptiens, des Étrusques et des Grecs, ils paraissent l'avoir réservé aux grandes familles royales et aristocratiques, ce qui explique le nombre relativement petit, chez eux, de ce genre de monuments funéraires, proportionnellement à la très grande variété des formes réalisées à partir des prototypes inspirateurs. Il est possible que la première idée de ce procédé d'enterrement soit venue aux artisans phén. de la Mésopotamie avec ses coffres en terre cuite destinés à cet usage funèbre.

1 Cuves rectangulaires Dans l'état actuel des découvertes, les s. en pierre les plus anciens que nous connaissions pour la Phénicie ont été recueillis dans la nécropole royale de →Byblos. Ils sont inspirés de cercueils égyptiens, en bois et en pierre, dont les formes se rencontrent déjà à la fin de l'Ancien Empire. Totalement dépourvus de décor jusqu'au sarcophage d'→Ahiram (fig. 7), ils ont été taillés dans le calcaire blanc des pentes du Liban; leur cuve est parallélépipédique, aux parois épaisses et irrégulières, bien polies à l'extérieur et à l'intérieur, avec des côtés parallèles, pas rigoureusement égaux; le couvercle présente à l'extérieur une surface polygonale ou bombée dans le sens de la largeur, creuse à l'intérieur; des deux petits côtés sortent horizontalement deux énormes tenons cylindriques; il est simplement posé sur la caisse. Dans les deux exemplaires

Fig. 284. Sarcophage à statue de Pizzo Cannita, marbre (fin du VIe s. av. J.C.). Palerme, Musée Archéologique National.

plus anciens, ceux d'Abi-shemu et de Yapa-shemu-abi (XIXe-XVIIIe s.), le rebord de la cuve était biseauté et dans celui qui était muni d'un couvercle, celui-ci descendait de quelques centimètres sur ce plan incliné pour mieux assurer la fermeture: ici, quatre gros cylindres terminés en haut par un tore étaient implantés obliquement, un à chaque angle du couvercle, remplaçant madriers et tenons (Phén 26).

2 Sarcophages historiés La cuve parallélépipédique, monumentalisée et sculptée de scènes en relief, inaugure à la fin du Bronze Récent, avec le tombeau du roi giblite Ahiram (fig. 7), une nouvelle série de sépulcres royaux, les s. enrichis de sculptures funéraires. Quatre de ces s. datent de la période perse et proviennent de la nécropole des rois de →Sidon; ils sont connus sous les noms du Satrape (fig. 3-4), du Lycien (fig. 41), des Pleureuses (fig. 326; Phén 117) et d'→Abdalonymos - Alexandre (fig. 1), auxquels on peut ajouter celui des Amazones, conservé à Vienne, ainsi que ceux d'→Amathonte et de →Golgoi.

3 Sarcophages momiformes Il a existé une autre série de cercueils, mais dont un seul exemplaire a été conservé à cause de la fragilité du matériau, celui du Musée de la Valette à Malte: ils seront qualifiés de "momiformes" en terre cuite, car ils sont inspirés de la boîte à momie égyptienne, dont ils reproduisent à peu près la forme et les dimensions. Faut-il leur rattacher les cercueils dits philistins, dont le style est nettement oriental?

4 Sarcophages anthropoïdes Ceux que l'on appelle "antropoïdes phén." sont le plus souvent réalisés en pierre; fabriqués en nombre considérable dans les ateliers de Sidon (fig. 129, 281, 306, 328; Phén 106-108), d'Amrit (pl. XIVb; PhMM 9-10), et attestés en quelques exemplaires à Amathonte (fig. 282), Chypre, à →Cannita (fig. 284), Sicile, et à →Gadès (1) (Phén 289), ils ont été créés au début du Ve s. av. J.C. en partant des cercueils intérieurs à momie égyptiens, emboîtés les uns dans les autres, mais modifiés par une configuration humaine plus importante, inspirée de l'enveloppe en carton de la momie, et par un exhaussement de la cuve.

5 Sarcophages à statue Carthage, au IVe s., invente un nouveau genre, les "s. à statue" non plus anthropoïdes, mais dérivés d'eux, où la statue du mort est figurée debout sur le couvercle, mais rabattue conventionnellement dans un plan horizontal (fig. 283; Phén 178-179; cf. →ossuaires). Ces s. semblent avoir influencé les cercueils d'Étrurie. Un s. en bois à couvercle analogue est venu au jour à Carthage et un autre, remodelé en plâtre, a été trouvé à →Kerkouane.

6 Sarcophages communs Parallèlement aux s. sculptés en relief, on rencontre dans le monde phén.-pun. des s. de pierre calcaire, de grès, de gypse ou de marbre blanc en forme de simple *theca* ou à couvercle en dos d'âne, dépourvus de décor ou ornés discrètement d'un motif floral, gravé ou peint. De l'époque rom., on a conservé aussi des cercueils de bois dont l'enveloppe extérieure, faite d'un alliage de plomb, était ornée de motifs moulés en relief, cependant que des s. de marbre magnifiquement historiés de scènes d'inspiration gr.-rom. étalaient la richesse de certains citoyens de Phénicie, surtout à →Tyr (fig. 371).

Bibl. BRL[2], p. 269-276; A.L. Delattre, *Un cercueil de bois à couvercle anthropoïde*, Précis analytique des travaux de l'Académie des Sciences de Rouen 1905, p. 4-12 (cf. CRAI 1905, p. 328-329); P. Montet, *Byblos et l'Égypte*, Paris 1928, p. 143-154, 207-208, 228; G. Contenau, *Manuel d'archéologie orientale* III, Paris 1931, p. 1478-1494; E. Kukahn,

Anthropoide Sarkophage in Beyrouth, Berlin 1955; I. Kleemann, *Der Satrapen-Sarkophag aus Sidon* (IF 20), Berlin 1958; M.-L. Buhl, *The Late Egyptian Anthropoid Stone Sarcophagoi*, Copenhague 1959; J.C. Assmann, *Zur Baugeschichte der Königsgruft von Sidon*, AA 1963, p. 690-715; M.-L. Buhl, *Anfang, Verbreitung und Dauer der phönikischen anthropoïden Steinsarkophage,* ActaA 35 (1964), p. 61-80; J. Ferron, *Les relations de Carthage avec l'Étrurie*, Latomus 25 (1966), p. 704-707; M. Chéhab, *Sarcophages à reliefs de Tyr*, BMB 21 (1968); K. Schefold, *Der Alexander-Sarkophag*, Bern 1968; A.M. Donadoni Roveri, *I sarcophagi egizi*, Roma 1969, pl. XXVII,2; XXXVII,1; XL; V. von Graeve, *Der Alexandersarkophag und seine Werkstatt* (IF 28), Berlin 1970; Masson-Sznycer, *Recherches*, p. 69-75; M. Fantar, *Un sarcophage en bois à couvercle anthropoïde découvert dans la nécropole punique de Kerkouane*, CRAI 1972, p. 340-354; H. Gabelmann, *Zur Chronologie der Königsnekropole von Sidon*, AA 1979, p. 163-177; A. Hermary - V. Tatton-Brown, *Amathonte* II, Paris 1981, p. 74-85; H. Gabelmann, *Die Inhaber des Lykischen und des Satrapensarkophages*, AA 1982, p. 492-495; H. Benichou-Safar, *Les tombes puniques de Carthage,* Paris 1982, p. 128-135; M.-L. Buhl, *L'origine des sarcophages anthropoïdes phéniciens en pierre*, ACFP 1, Roma 1983, p. 199-202; R. Fleischer, *Der Klagefrauensarkophag aus Sidon* (IF 34), Tübingen 1983; B. Schmidt-Dounas, *Der Lykische Sarkophag aus Sidon* (IM 30), Tübingen 1985; P. Linant de Bellefonds, *Sarcophages attiques de la nécropole de Tyr*, Paris 1985; L.Y. Rahmani, *More Lead Coffins from Israel,* IEJ 37 (1987), p. 123-146 (bibl.); E. Akurgal, *Griechische und römische Kunst in der Türkei*, München 1987, fig. 108-116, 118-121, 134-138; M.-L. Buhl, *Les sarcophages anthropoïdes phéniciens en dehors de la Phénicie*, ActaA 58 (1987 [1988]), p. 213-221; A. Hermary, *Le sarcophage d'un prince de Soloi*, RDAC 1987, p. 231-233; J. Elayi, *Les sarcophages phéniciens d'époque perse*, IrAnt 23 (1988), p. 275-322; J. Ferron, *Sarcophages de Phénicie* I. *Les sarcophages à scènes en relief*, Paris (à paraître). JFer

SARDAIGNE En phén.-pun. *Šrdn*, gr. *Sardṓ, Ikhnoûssa*, lat. *Sardinia*; île d'Italie d'une superficie de 24.089 km^{2} (fig. 285).

1 Colonisation phénicienne La position centrale de la S. dans le bassin méditerranéen et sa richesse en minéraux devaient en faire rapidement une étape obligée pour les navires qui, partis de l'E. et empruntant les itinéraires ouverts par les Égéens, donnèrent naissance à l'expansion phén. Grâce à la conjonction des données archéologiques, épigraphiques, au demeurant assez maigres, et littéraires, plus riches, mais indirectes et tendancieuses, on peut aujourd'hui distinguer deux phases dans ce mouvement. On date la première phase, de type purement commercial et sans conquête territoriale, entre le XIe et le dernier quart du IXe s. av. J.C. Elle s'insère dans le vaste ensemble des mouvements commerciaux qui agitent la Méditerranée depuis les XIVe-XIIIe s. La seconde phase révèle au contraire un engagement politique et des apports ethniques stables. Elle commence à la fin du IXe s., soit avec la fondation de →Carthage (1) selon la chronologie réhabilitée de →Timée, et prend rapidement la forme d'un "colonialisme dissimulé", visant surtout à faire face à la concurrence gr. naissante. On la perçoit surtout dans son *faciès* pun., né de la suprématie carth. Le point de départ des deux phases se situe pourtant dans les →Cités-États de la côte libanaise: →Arwad, →Beyrouth, →Akko et surtout →Sidon et →Tyr, villes dont l'origine cananéenne constituera un héritage profond et conscient pour les colons et qui jouirent, après 1200, d'une réelle autonomie politique et culturelle. La seconde phase est liée aux bouleversements socio-économiques engendrés par les dures conditions qu'imposèrent les traités signés avec l'→Assyrie. Ils limitaient en effet l'autonomie phén. et fermaient les anciens accès aux matières premières, contraignant les Phéniciens à déplacer leur approvisionnement vers l'O. La fréquentation épisodique s'insère alors dans un plan programmé, où les préoccupations commerciales sont secondaires par rapport à la colonisation dans laquelle une composante chypriote, déjà active dans la première phase, joue un rôle essentiel. La phase précoloniale, plus perceptible en S. que dans le reste de l'Occident, souffre toutefois d'un manque d'informations écrites. Le problème principal est celui de l'origine ethnique des agents de cette phase commerciale. Divers auteurs (Ps.-Arstt., *Mir. ausc.* 100; Diod. IV 29-30.82; Paus. VII 2,2; X 17,2-5; Sil.It. XII 359-360; Sall., *Hist.* II 6-7; Strab. V 2,7; Solin I 60-61; IV 1; Isid., *Orig.* XIV 6,39; Eust., *in D. Per.* 458) relatent le peuplement de la S. en plusieurs vagues dont une gr., menée par Iolaos et Héraklès, précédée d'une vague de Libyens (Carthaginois?) guidés par →Sardos, fils de →Makéris, un Héraklès sans doute équivalent à →Melqart. Si les sources écrites sont rares, et le resteront pour toute la période carth., les sources archéologiques sont abondantes, particulièrement dans le S. Étant donné le laps de temps qui s'écoule entre l'arrivée des colons et l'apparition de monuments, qui suit la première installation consistant en simples baraquements, les données archéologiques fournissent un *terminus post quem* d'un nombre d'années non négligeable. Or, le document le plus ancien qui nous soit parvenu est la stèle de →Nora, dont certains estiment qu'elle précède de peu le dernier quart du VIIIe s., ce qui correspond à la date, suggérée par la céramique, pour l'urbanisation de →Sulcis et précède de peu celle de →Tharros (fin VIIIe-début VIIe s.). Même si la datation et l'interprétation de ce texte sont controversées, l'unanimité s'est faite sur la présence du nom phén. de la Sardaigne, *Šrdn*. Les centres de →Cagliari, →San Sperate, →Bitia, →Pani Loriga, →Othoca et →Villasimius, anciens eux aussi, remontent au VIIe s. Plus tardive semble la naissance de Néapolis (→Santa Maria di Nabui), →Olbia et →Monte Luna.

2 Histoire Les sources littéraires sont avares de renseignements sur l'histoire politique de la S. phén.-pun. Le premier fait historique connu est relatif à la campagne militaire du carth. →"Malchus" qui fut défait entre 545 et 535. Cette expédition, à laquelle fait suite la coalition anti-gr. des →Étrusques et des Carthaginois en 535 à →Alalia, semble refléter la volonté carth. d'endiguer l'effervescence sarde contre les cités phén. et de mieux contrôler le territoire. Les expéditions d'→Hasdrubal (1) et d'→Hamilcar (1), les →Magonides, et surtout le →traité (9) rom.-carth. de 509 témoignent de ce changement de politique. Dans ce traité, la S. est placée sous contrôle carth. comme appendice de la métropole. Carthage est l'unique garante des transactions commerciales en S.

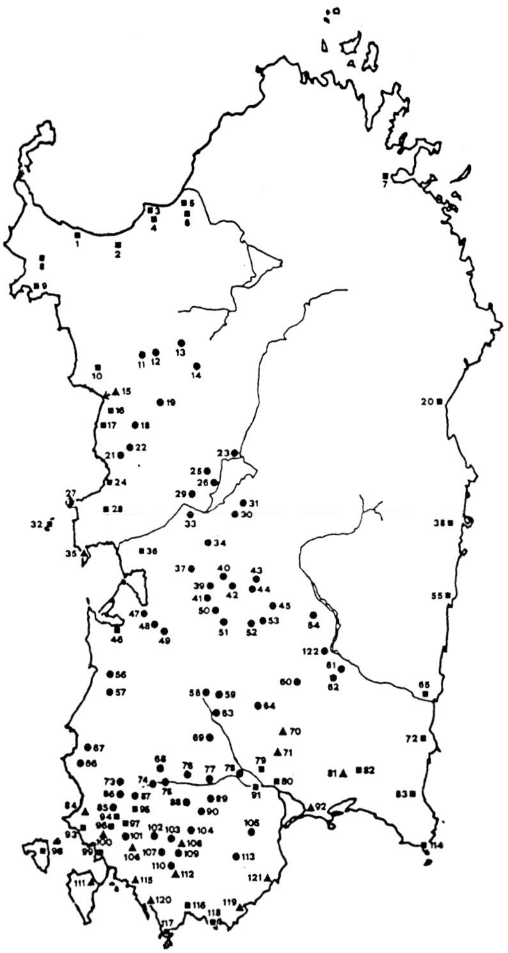

Fig. 285. *Carte de la Sardaigne phén.-pun.*

Abbasanta 25
Àllai 34
Antas 67
Assemini 80
Ballao 61
Barbusi 95
Barega 73
Baressa 50
Barùmini 51
Bitia 119
Bosa 15
Bruncu 'e Teula . . . 97
Cagliari 92
Cala Gonone 20
Campanasissa . . 104
Capo Arrubia . . . 108
Capo Carbonara . 114
Capo Malfatano . . 118
Capo Mannu 27
Carloforte 98
Casteddu'Ecciu . . . 33
Castelsardo 3
Codaruina 5
Cornus 24
Corongiu 87
Cùglieri 21
Decimo Mannu . . . 79
Escolca 53
Furtei 59
Gergei 52
Goni 122
Grugua 66
Is Caddeus 109
Isili 45
Isola Mal di Ventre . 32
Is Tramatzus 75
Macomèr 19
Magomadas 17
Maracalagonis . . . 82
Matzanni 68
Mazzaccara 99
Medau Casteddu . . 90
Medau Piredda . . . 86
Modolo 16
Mògoro 49
Monastir 70
Monte Arcuentu . . . 56
Monte Crobu . . . 106
Monte Luna 60
Monte Nai 83
Monte San Giovanni . 37
Monte Santa Vittoria 31
Monte Sirai 100
Montresta 10
Mularza Noa 14
Neoneli 30
Nora 121
Nostra Signora di Tergu 4
Nura 8
Nuragus 44
Nurallao 43
Nureci 40
Nurri 54
Olbia 7
Othoca 36
Padria 11
Pani Lòriga 112
Pantaleo 113
Paringianeddu . . . 93
Paulilàtino 29
Pesus 107
Piolanas 85
Porto Botte 115
Porto Pino 120
Porto Torres 1
Porto Zafferano . . 117
Pozzomaggiore . . . 12
Puaddas 78
Rio Murtas 103
Sagama 18
San Iaccu 88
Sanluri 58
San Niccolò Gerrei . 62
San Priamo 72
San Simeone 13
San Sperate 71
Santa Lucia 76
Santa Margherita . . 89
Santa Maria 77
Santa Maria di Flumentepido . . . 96
Santa Maria di Nabui 46
Sant' Andrea Priu . . 64
Sant' Antine 42
Sant' Antine 57
Sant' Antonio . . . 105
Santa Sida 74
Sant' Imbenia 9
Sant' Isidoro . . . 116
San Vero Milis . . . 28
Saralapis 55
Sarbutzus 94
Sa Turritta di Serrucci 84
Scano Montiferru . . 22
Serramanna 69
Settimo San Pietro . . 81
Sirri 101
Sorso 2
Sulcis 111
Sulsi 38
Tadasuni 26
Talasai 23
Terralba 47
Terreseu 102
Tharros 35
Uras 48
Usellus 39
Uta 91
Viddalba 6
Villagreca 63
Villaperuccio . . . 110
Villaputzu 65
Zeppara 41

▲ *Sites phén.*
■ *Sites phén.-pun.*
● *Sites pun.*

Vers la fin du VIe s., Carthage rayonne à partir des centres littoraux vers l'intérieur, met en place un réseau de places fortes protégées par un *limes* (V^e-IIIe s.) et fonde de nouveaux établissements vers le N. Ce mouvement s'accompagne d'une interpénétration avec les populations locales dans un but politico-économique, l'exploitation céréalière des grandes plaines et le contrôle des voies d'accès aux →mines de l'intérieur. Au IVe s., Carthage contrôle presque toute la S. et le 2e traité avec Rome (348) reflète, par sa dureté, la force de son pouvoir: "Aucun Romain ne pourra commercer ou fonder une cité en Libye ou en S.". Il est révélateur que c'est au début du IVe s. que la S. pun. s'insère dans le système monétaire méditerranéen (→numismatique 3D). Le passage de Pol. I 79,2, révélant la présence d'un boétharque carth. en S. au IIIe s., est l'indice du parallélisme institutionnel avec Carthage, mais aussi du contrôle militaire de l'île. C'est enfin un signe avant-coureur du conflit avec Rome. Carthage pensait en effet, dans un premier temps, lancer l'offensive contre Rome de S., mais la réduction de la S. à l'état de province rom., en 238 (Zon. VIII 18) ou 237 (Eutr. III 2), sanctionna la fin de la domination carth. Il s'agit naturellement d'un fait politique qui n'est pas décisif sur le plan ethnique et culturel. Les révoltes sardes qui suivirent, provoquées ou appuyées par Carthage, écrasées en 215 à →Cornus, témoignent de la persistance de la civilisation pun. Comme les cités phén., les cités sardes devaient jouir d'une autonomie, contrôlée par un pouvoir centralisateur. Avec le passage sous tutelle carth., les institutions se rapprochèrent sans doute de celles de la métropole. Ainsi les →suffètes sont-ils présents dans les principaux centres de la S. du S., au moins au IIIe s. Une inscription néopun. en atteste le maintien à Bitia au IIe-IIIe s. ap. J.C. Une bilingue lat.-néopun. du Ier s. av. J.C. atteste l'existence du →Sénat et plusieurs inscriptions parlent d'un *populus*, sans doute une →assemblée du peuple plutôt qu'une réunion religieuse ou une catégorie sociale.

La production artistique de la S. phén.-pun. est tout à fait remarquable et se différencie selon les sites (→Tharros, →Sulcis, →Nora, →Cagliari, →Monte Sirai). On mentionnera l'→orfèvrerie, les →bronzes, →stèles, statues (→sculpture 3), →scarabées et →amulettes, le →verre, les terres cuites (→coroplastie), statuettes, →ivoires, →masques et →rasoirs, sans compter la →céramique. La plupart de ces objets proviennent des nécropoles ou des →*tophet* et témoignent d'une *koinè* artistique très vivante en Méditerranée centrale. Le panthéon phén.-pun. de S. comprend →Tanit et →Baal Hamon, →Baal Shamêm, →Astarté, →Melqart, →Eshmun, →Horôn, →Shadrapha, →Bès et →Sid, identifié à →Antas à →Sardos/Sardus Pater.

Bibl. ANRW II/11,1, p. 451-458; V. Bertoldi, *Sardo-Punica*, PdP 2 (1947), p. 5-38; M.L. Wagner, *Die Punier und ihre Sprache in Sardinien*, Die Sprache 3 (1957), p. 27-43, 78-109; Huß, *Geschichte*, p. 19-23 (bibl.), passim; F. Barreca, *The Phoenician and Punic Civilization in Sardinia*, M.S. Balmuth (éd.), *Studies in Sardinian Archaeology* II, An Arbor 1986, p. 131-144; S. Moscati, *Italia punica*, Milano 1986, p. 141-325, 375-385; id., *Sardegna. Arte punica*, Milano 1987; F. Barreca, *La civiltà fenicio-punica in Sardegna*, Sassari 1988[2] (bibl.). MLUb

SARDOS/SARDUS PATER Héros éponyme des Sardes. La plupart des sources, qui ne sont pas antérieures au Ier s. ap. J.C., le considèrent comme fils d'Hercule. Paus. X 17,2 précise qu'il s'agit de →Makéris, l'Héraklès libyen. Venu de →Libye avec des colons, S. aurait été le premier à s'installer en →Sardaigne et aurait laissé son nom au pays. Son culte n'y est cependant attesté que depuis le IIe s. ap. J.C. Ptol. III 3,2 mentionne un *Sardopátoros hierón* sur la côte O. de la Sardaigne. Ce sanctuaire doit peut-être être identifié au temple rom. d'→Antas, dédié à S.P. sous Caracalla, comme en témoigne l'inscription gravée sur l'architrave. D'après les vestiges archéologiques, le temple d'époque impériale pourrait avoir connu une phase plus ancienne remontant aux IIIe-IIe s. av. J.C. Des monnaies, généralement datées de l'époque augustéenne, sont revenues au jour dans le S. de la Sardaigne, notamment à Antas. Elles sont frappées au nom du préteur Atius Balbus et portent au revers le profil d'un personnage que la légende désigne du nom de *Sard(us) Pater*. Barbu ou imberbe, il est toujours coiffé d'un couvre-chef, interprété le plus souvent comme une coiffure à plumes, et porte une lance sur l'épaule droite. C'est, actuellement, le seul témoignage iconographique dont nous disposions, car Paus. X 17,1 ne décrit pas la statue en bronze à l'effigie de S. que les *Barbaroi* de Sardaigne avaient consacrée à Delphes. Les rares données relatives à S.P. paraissent insuffisantes pour définir sa personnalité. Nombreux sont les auteurs qui croient pouvoir l'identifier au dieu →Sid, parce que les vestiges du temple romain d'Antas s'élèvent sur l'emplacement d'un →sanctuaire (3B) consacré à Sid. Il est tout aussi vraisemblable d'interpréter S.P. comme une création de la propagande rom.

Bibl. U. Bianchi, *Sardus Pater*, ANLR, 8e sér., 18 (1963), p. 97-112; C. Tronchetti, *I rapporti fra il mondo greco e la Sardegna: note sulle fonti*, EVO 9 (1986), p. 117-124 (voir p. 121-124). ARoob

SAREPTA 1 Ville En phén. *Ṣrpt*, akk. *Ṣariptu*, ég. *Ḏrpt*, hb. *Ṣārᵉpat*, gr. *Sarepta/Sarephta* (*Makrà kōmé*), aujourd'hui *Ṣarafand*; ville située au cœur de la Phénicie proprement dite, identifiée avec les ruines mises au jour sur le promontoire de Rās el-Qanṭara, à 13 km au S. de Sidon, juste au N. du village moderne de Ṣarafand (Liban), qui en a préservé le nom. Le toponyme se rattache à la racine sémitique *ṣrp*, "brûler", "rougir" du métal ou des briques au feu, voire de la laine en la colorant (akk.); il peut donc refléter une des activités industrielles attestées sur le site. S. est peut-être mentionnée déjà dans un document d'→Ébla (*Ṣa-àr-pá-at*^{ki}) et une liste géographique (*Ṣa-ra-pá-at*^{ki}/*Ṣa-ra-bàd*^{ki}), certainement dans les sources égyptiennes (ANET, p. 477a), assyriennes (ANET, p. 287b; TPOA, p. 119, 127), hébraïques (*1 R.* 17,9-10; cf. *Lc.* 4,26; *Ab.* 20), gr. et lat., puis dans les récits de voyageurs d'époque postérieure. Ville sidonienne (*1 R.* 17,9), prise par Sennachérib en 701, S. fut attribuée en 677 par Asarhaddon à →Baal I, roi de Tyr, et Skyl. 104 la regarde au IVe s. av. J.C. comme une ville tyrienne. Les fouilles des années 1969-74 ont mis au jour des vestiges surtout industriels du Bronze Récent et de l'âge du Fer (fig. 146). Elles ont permis d'établir une séquence de types →céramiques couvrant la fin du IIe et le Ier mill. av. J.C. et ont dégagé une partie de la seule manufacture de poterie connue à ce jour en Phénicie, avec 24 →fours (2) et au moins 15 ateliers. D'autres industries y sont également attestées, ainsi la →métallurgie, l'extraction d'→huile d'olive, la teinturerie de →pourpre. La découverte d'un →sanctuaire (1) phén. datant de la fin du Fer II et de l'époque perse a livré des statuettes phén. et →égyptisantes, des →amulettes, un excellent exemplaire d'une tête en →ivoire (1A) de la "Dame à la fenêtre" et une plaquette d'ivoire dédiée en phén. à →Tanit-Astarté. On a également trouvé à S. des →masques en terre cuite, un →"signe de Tanit" imprimé sur un fragment de verre et un sceau urbain portant le nom de la ville en caractères phén. (*Ṣrpt*). Ces trouvailles de l'âge du Fer constituent un apport considérable à la connaissance de la civilisation phén., de la céramique, de l'iconographie et du symbolisme religieux en Phénicie même, établissant en même temps des liens chronologiques précis entre la côte levantine et les colonies de l'Occident. WPAnd

2 Dieu Le "dieu saint de Sarepta", *theòs hágios Saraptēnós*, est connu par quatre inscriptions gr. d'époque rom., dont deux proviennent de S. et deux autres, dont une bilingue gr.-lat., du port de →Pouzzoles (IGRR 419-420). L'épithète "dieu saint" s'applique à diverses divinités orientales (→sacré 2), mais sa qualification indique qu'il s'agit du dieu principal de S. Or S., située à peine à 13 km de Sidon, en dépendait politiquement jusqu'au VIIe s. av. J.C., ce qui laisse supposer que le grand dieu de la ville était un dieu sidonien. Effectivement, c'est en l'honneur d'Asklépios, c.-à-d. d'→Eshmun, qu'un pèlerin chypriote du IVe s. av. J.C. fait exécuter à S. une dédicace digraphe, en gr. alphabétique et syllabique. Le sanctuaire d'Asklépios/Eshmun à S. semble donc avoir joui d'une renommée qui dépassait les frontières de la Phénicie. ELip

Bibl. DEB, p. 1471 (bibl.); Abel, *Géographie* II, p. 449; C.C. Torrey, *The Exiled God of Sarepta*, Berytus 9 (1948-49), p. 45-49; J.B. Pritchard, *The Roman Port at Sarafand (Sarepta)*, BMB 24 (1971), p. 39-56; id., *Sarepta in History and Tradition*, J. Reumann (éd.), *Understanding the Sacred Text*, Valley Forge 1972, p. 101-114; Wild, *Ortsnamen*, p. 241-243; J.B. Pritchard, *Sarepta*, Philadelphia 1975; id., *Recovering Sarepta*, Princeton 1978; id., *The Tanit Inscription from Sarepta*, H.G. Niemeyer (éd.), *Phönizier im Westen*, Mainz a/R 1982, p. 83-92; O. Masson, *Pèlerins chypriotes en Phénicie (Sarepta, Sidon)*, Semitica 32 (1982), p. 45-49; J.B. Pritchard, *Sarepta and Phoenician Culture in the West*, ACFP 1, Roma 1983, p. 521-525; P.E. McGovern - R.H. Michel, *Royal Purple and the Pre-Phoenician Dye Industry of Lebanon*, Masca Journal 3 (1984), p. 67-70; W.P. Anderson - I.A. Khalifeh - R.B. Koehl - J.B. Pritchard, *Sarepta* I-IV, Beirut 1985-88; W.P. Anderson, *The Kilns and Workshops of Sarepta*, Berytus 35 (1987 [1989]), p. 41-66.

SASM En phén. *Ssm*, théonyme d'origine inconnue dont les diverses transcriptions permettent d'établir la prononciation normative et d'écarter le rapprochement avec l'anthroponyme carien *Sassomos* d'Halicarnasse (Syll^3 46A). S. apparaît d'abord à Ugarit, dans les noms propres *Bn-Ssm* (KTU 4.170,18) et *'bdssm* (KTU 1.75,12), puis dans les deux anthroponymes *'bdssm* et *Sasma(y)*, attestés en milieu phén.-pun. du VIIe au IIIe s. av. J.C., en Assyrie (Ninive: ARU 319,7), Égypte (→Abydos: CIS I,1309; 1336; 1337), Judée (→Marésha; *1 Ch.* 2,40), Phénicie (Sidon: BMB 20 [1967], p. 47; Umm el-Amed?), à Carthage (CIS I,3771; 4561?; 5733), Rhodes (BSA 65 [1970], p. 31-32) et surtout à Chypre, où on les rencontre à →Kition (Kition III, B 1; 33; 44; RDAC 1984; p. 117-118), →Marion (ICS 168), →Larnaka-tis-Lapithou (CIS I,95 = KAI 42), →Idalion (CIS I,93 = KAI 40; Syria 45 [1968], p. 304) et →Tamassos (RÉS 1213 = ICS 216). Le théonyme seul figure sur une amulette phén. de provenance incertaine (RÉS 1505), dans la dédicace *l-Ssm br Pḥḥ*, "à S. fils du Souffle?", gravée sur les jambes d'une statuette de démon (Iraq 27 [1965], p. 33-41), et sur le première des deux amulettes suspectes d'→Arslan Tash (KAI 27 = TSSI III,23), qui représente notamment un dieu à la double hache en qui on a proposé de reconnaître S.

Bibl. P.R.S. Moorey, *A Bronze "Pazuzu" Statuette from Egypt*, Iraq 27 (1965), p. 33-41; A. Caquot - O. Masson, *Deux inscriptions phéniciennes de Chypre*, Syria 45 (1968), p. 295-321 (voir p. 305, 317-320); W. Fauth, *Ssm bn Pdršš*, ZDMG 120 (1970), p. 229-256; Benz, *Names*, p. 368.
CBon-ELip

SATRAPE En vieux-perse *xšaθrapāvan* ("protecteur de la royauté"), gr. *satrápēs*, aram. *peḥāh*, gouverneur nommé par le Grand Roi à la tête d'une province de l'Empire, appelée "satrapie". Selon Hdt. III 91, les cités phén. appartenaient, avec la Syrie-Palestine et Chypre, au 5e nome, district fiscal qu'Hérodote assimile à une province. À son époque, ce 5e nome devait correspondre à la satrapie d'Abar-Nahara ou de Transeuphratène (*Esd.* 4,10-11.16-17.20; 5,3; 6,6), dont la capitale n'a pas encore été identifiée, ni les limites définies avec précision. On ignore aussi quelle autorité le s. pouvait exercer sur les rois des cités phén.

Bibl. CHI II, p. 244-277, 563-565; DEB, p. 1276 (bibl.); O. Leuze, *Die Satrapieneinteilung in Syrien und im Zweiströmlande von 520-320*, Halle 1935; A.F. Rainey, *The Satrapy "Beyond the River"*, AJBA 1/2 (1969), p. 51-78; G.G. Cameron, *The Persian Satrapies and Related Matters*, JNES 32 (1973), p. 47-56.
JEla

Fig. 286. Tête d'une statue de Saturne, Sousse (IIe s. ap. J.C.). Sousse, Musée Archéologique.

Fig. 287. Stèle figurant Saturne allongé entre ses acolytes, le Soleil et la Lune, Timgad (IIIe s. ap. J.C.). Timgad, Musée.

SATURNE AFRICAIN Au →Baal Hamon pun.-berbère a succédé dans l'Afrique du N. devenue rom., à la suite d'une "captation sur place", un dieu que les textes littéraires et épigraphiques — des milliers de stèles votives — appellent *Saturnus*, du nom du dieu lat., mais qui n'est en réalité que l'habillage rom. de son prédécesseur carth. (fig. 286). La nature du dieu ne change pas: dieu cosmique, maître du ciel, dont l'emblème est le croissant sommé d'un globe et flanqué d'étoiles, maître de la terre féconde, d'où ses titres de *Frugifer, deus frugum*, maître de l'outre-tombe, il est le dieu suprême et universel des Africains, vénéré dans toutes les classes sociales, mais spécialement dans le petit peuple. Les aspects essentiels du culte ne changent guère: le *molchomor* (*sacrum magnum nocturnum m.*), sacrifice de substitution d'un animal, a remplacé le →sacrifice →*molk*, sacrifice sanglant d'un enfant, mais avec la même valeur sacrée: *ex voto agnum pro vikario anima pro anima vita pro vita sanguine pro sanguine*, disent des inscriptions d'ex-voto (fig. 246). L'esprit de l'offrande n'a pas changé: le bénéficiaire, c.-à-d. l'enfant voué au dieu, se voit promis le vrai "bonheur", et la famille attend de son acte religieux la fécondité du ménage et des troupeaux, la fertilité des champs, l'abondance et la richesse, signes de la bénédiction divine. Les périodes de plus grande ferveur se succèdent du Ier s. av. au IIIe s. ap. J.C., mais des documents récemment publiés montrent que le culte était encore très vivant dans la première moitié du IVe s.; il subsistait à l'époque de St Augustin.
S. est généralement représenté assis en majesté, ou debout, ou couché dans l'attitude des dieux-fleuves (fig. 287, 344): le torse nu, un manteau couvrant le bas du corps et une épaule, la tête voilée, il tient la harpé. Pour manifester sa souveraineté omnipotente, on lui donne comme assesseurs les →Dioscures, symboles des deux hémisphères, le Soleil et la Lune, les deux luminaires du monde (fig. 287, 345, 346), parfois les dieux de la semaine. Il a pour parèdre →*Caelestis*, l'héritière de →Tanit. À la différence de Rome, où pouvoir laïc et fonctions religieuses sont réunis dans les mêmes mains, en Afrique, comme dans les religions des pays sémitiques, les *sacerdotes Saturni* sont des prêtres ordonnés, qui ont reçu une sorte de consécration à plusieurs degrés, comportant notamment le rite de l'"entrée sous le joug" qui marque l'assujettissement total au service du dieu.

Bibl. M. Le Glay, *Saturne africain. Monuments* I-II, Paris 1961-66; id., *Saturne africain. Histoire*, Paris 1966; id., *Nouveaux documents, nouveaux points de vue sur Saturne africain*, StPhoen 6 (1988), p. 187-237. MLeG

SBEITLA Ville de Tunisie, à 212 km au S.-O. de Carthage, site de l'antique *Sufetula*, un diminutif lat. de →Sufes, localité située à 35 km au N. de S. Il ne semble donc pas qu'il faille chercher à S. des origines pun., d'autant moins qu'aucune trace d'une implantation pré-rom. n'y a été découverte à ce jour.

Fig. 288. Empreinte (moderne) du sceau d'Ashtartaz(z)i (c. *700-650 av. J.C.). Paris, Bibliothèque Nationale.*
Fig. 289. Empreinte (moderne) du sceau de Baalyaton (V[e]*-IV*[e] *s. av. J.C.). Londres, British Museum.*
Fig. 290. Empreinte (moderne) du sceau de Ragam (fin du VIIe *s. av. J.C.). Paris, Bibliothèque Nationale.*

Bibl. AATun II, f[e] 48 (Sbeitla), n° 18; ANRW II/10, 2, p. 596-632; PECS, p. 865-866; Lepelley, *Cités* II, p. 308-312; R.B. Hitchner, *Studies in the History and Archaeology of Sufetula*, Diss. Univ. Michigan, Ann Arbor 1982. ELip

SCARABÉE Cachet muni d'une base plate et ovale, le dos bombé et les flancs reproduisant les détails anatomiques d'un coléoptère (fig. 157, 158, 160; →glyptique). EGub

SCARAB(É)OÏDE Cachet en forme de →scarabée, mais à flancs et dos lisses (→glyptique). EGub

SCEAUX Le s., en phén.-pun. *ḥtm*, authentifiait les documents écrits. On imprimait sa marque sur des bulles d'argile apposées au préalable sur le cordon qui enserrait le manuscrit de →papyrus ou de cuir enroulé sur lui-même (fig. 159). Le s. pouvait aussi estampiller les bouchons d'argile de jarres ou d'autres récipients en argile avant cuisson. On parle alors d'estampilles ou de →timbres amphoriques. Le nom inscrit sur le s. permettait d'identifier le propriétaire (fig. 288-290). Sur les s. anépigraphes, dont l'étude relève de la →glyptique, un emblème pouvait jouer ce rôle.
Moins nombreux que leurs homologues hébreux et araméens, les s. phén. sont des cachets, le plus souvent des →scarabéoïdes, mais aussi des →scarabées, mesurant environ 20 × 15 mm. Leur base est ellipsoïdale, plate ou légèrement bombée, les pans sont verticaux (*c.* 5 mm) et le dos est plus ou moins légèrement bombé. Le jaspe est volontiers utilisé, mais aussi la calcédoine et la cornaline.
L'usage des cachets phén. inscrits se développe à partir du IXe s. av. J.C. et plusieurs lettres (*m, š, t,* etc.), dont l'exiguïté et le caractère lapidaire expliquent en partie un ductus volontiers conservateur, vont suivre avec un certain décalage l'évolution de l'→écriture monumentale. Celle-ci est même imitée avec bonheur sur un scarabée aniconique (fig. 289) et sur un scarabéoïde historié (fig. 288). La présence fréquente d'une iconographie →égyptisante doit être notée. Quelques s. portant le nom de tel ou tel dynaste du Levant, déjà connu par ailleurs, représentent un personnage dont l'attitude et le vêtement s'inspirent de canons pharaoniques égyptiens (fig. 290; Bordreuil, *Catalogue* 21-23). Sur plusieurs s. privés coexistent un décor égyptisant et un nom propre phén. (*ibid.* 25) dont le patronyme n'est pas toujours mentionné. Plus tardivement l'influence hellénique se manifestera par la transcription phén. d'un mot gr. (*ibid.* 36) et la gravure des seules lettres initiales et finales d'un nom propre phén. au-dessus d'un Héraklès (*ibid.* 33) marque certainement le dernier stade d'évolution des s. phén. inscrits.

Bibl. BRL[2], p. 299-307; L.G. Herr, *The Scripts of ancient Northwest Semitic Seals*, Missoula 1978, p. 171-190; P. Bordreuil, *Catalogue des sceaux ouest-sémitiques inscrits de la Bibliothèque Nationale, du Musée du Louvre et du Musée biblique de Bible et Terre Sainte*, Paris 1986, p. 19-44. PBor

SCEPTRES Nos renseignements sur les s., en phén. *ḥtr*, se fondent principalement sur des représentations dans la →sculpture, sur les →ivoires, les →coupes métalliques, les →rasoirs en bronze et surtout dans la →glyptique. À travers l'histoire phén., les divinités égyptiennes et celles du panthéon local, qui leur étaient assimilées, gardent le plus souvent leur s. traditionnel: sceptre *ouadj* pour les déesses (fig. 291a, 365), s. *ouas* pour les dieux (fig. 291b). Le fait que le premier se rencontre néanmoins assez souvent dans les mains de divinités masculines est peut-être dû à l'évolution d'un type local. La série de s. d'origine égyptienne se complète du flagellum (fig. 291c) et du s. crochu (fig. 291d) portés par →Osiris et le jeune →Harpocrate, ainsi que par les faucons (→Horus) et les vautours.
Au cours du VIIIe s. se développe une autre série de s. dont les deux premiers modèles trahissent l'adaptation d'un prototype égyptien. Le s. papyriforme

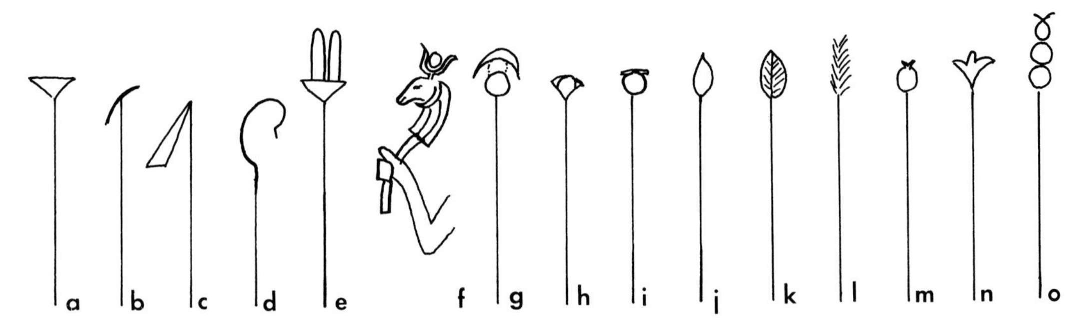

Fig. 291. Types de sceptres représentés sur les monuments phén. et pun.

couronné par deux plumes, apparemment un attribut religieux, se retrouve sur quelques sceaux (pl. VIIIb) et ivoires avant de disparaître après le VIIe s. (fig. 291e). Par contre, le s. à tête de bélier ("Khnoum"), héritage du IIe mill., restera l'attribut de deux jeunes dieux jumeaux jusqu'à l'époque rom. (fig. 30, 291f; pl. XIa). En revanche, la popularité du s. "astral", composé d'un bâton à tête globulaire (soleil), parfois couronnée d'un deuxième globe (disque lunaire?) et, invariablement, du croissant lunaire, est limitée, semble-t-il, aux VIIIe-VIIe s. (fig. 290, 291g). Associées à l'iconographie "royale" d'après le témoignage de nombreux sceaux, des dérivations plus ou moins schématisées se retrouvent par la suite dans l'ensemble de la glyptique nord-sémitique. En Phénicie même, l'emploi combiné des techniques sigillaires de la gravure et de la bouterolle font que la distinction entre le croissant et le globe s'efface, rendant à la tête du s. un aspect papyriforme (fig. 291h). Un autre s., couronné d'un élément rappelant l'anneau *shen* égyptien, résulte peut-être d'une évolution analogue, où le croissant fut rendu par un trait horizontal au-dessus du globe (fig. 291i).
Laissant de côté quelques variantes sporadiques, il faut signaler un troisième groupe de s. bien attesté jusqu'à l'époque hellénistique. Il s'agit le plus souvent d'un s. que sa tête lancéolée fait souvent identifier à une arme (fig. 291j) et qui est porté par des divinités des deux sexes. Des représentations plus détaillées indiquent toutefois qu'il s'agit d'un s. à bouton floral, assumant la forme d'une feuille (fig. 31, 291k). Le s. à épis de blé (fig. 291l) se rencontre surtout dans le monde pun., de même que le s. à tête de grenade (fig. 291m). D'autres s., à tête en forme de fleur de lis ou de lotus (fig. 291n), se retrouvent à l'E. comme à l'O., ainsi que le caducée, rare emprunt à l'iconographie gr. (fig. 291o). À l'exception de ce dernier, l'étude des représentations souligne l'interchangeabilité des s.
Quant aux découvertes archéologiques, deux s. à tête de bélier furent trouvés à →Byblos et à →Nimrud. Les fouilles du fort de ce site assyrien ont également livré plusieurs s. en ivoire, dont un portant le nom royal phén. de →Milkiram (1). EGub

SCHRÖDER, PAUL (1.2.1844-13.10.1915). Sémitisant et diplomate allemand, consul général à Beyrouth. La dissertation *De linguae Phoeniciae proprietatibus*, qu'il avait présentée en 1867 à l'Université de Halle s/S, servit de base à son ouvrage *Die phönizische Sprache. Entwurf einer Grammatik* (Halle 1869, réimpr. 1979), la première grammaire phén. qui ait fait suite aux études de W. →Gesenius. Elle reste encore un ouvrage de consultation utile, notamment en raison des 117 textes néopun. qu'elle répertorie et dont on peut trouver la concordance dans Jongeling, *Names* (p. XXVIII-XXIX). Les fonctions consulaires de S. ne l'ont pas empêché de demeurer actif dans le domaine de l'épigraphie phén. et palmyrénienne, comme en font preuve les articles qu'il a publiés. ELip

SCIPIONS La branche la plus célèbre de la famille rom. des *Cornelii*. Attestée depuis le IVe s., elle a pris une part prépondérante à la transformation de l'État rom., jusqu'alors limité à l'Italie péninsulaire, en une puissance méditerranéenne. Sans qu'on soit aucunement autorisé à parler d'une politique familiale concertée, les Scipions ont été étroitement associées, depuis la 1re →guerre pun., aux luttes qui devaient conduire à la destruction définitive de l'État carthaginois.
1 *Cn. Cornelius Scipio Asina* ("l'Âne"?), consul de 260 avec C. Duilius, se fait surprendre par le vice-amiral carth. →Bodo (2) en croyant pouvoir s'emparer de Lipari: amené par ruse sur un vaisseau ennemi, il est retenu prisonnier quelque temps. Mais, à nouveau consul (254), il remporte un succès avec la prise de →Palerme, suivie de la reddition de plusieurs autres cités siculo-pun. (triomphe, 253).
2 *L.C. Scipio,* consul en 259, cherchant à couper Carthage de toute base navale en direction de l'Italie, remporte le siège d'Aléria (→Alalia) et pénètre en Sardaigne où →Olbia, cependant, oppose une vive résistance (triomphe 259).
3 *Cnaeus C. Scipio Calvus* et **4** *Publius C. Scipio*, les fils de (2), ont combattu contre →Hasdrubal (5) Barca (frère d'→Hannibal [6]) en Espagne, où ils ont trouvé la mort. Auparavant, Publius, consul en 218, avait dû parer aux premiers chocs provoqués par l'irruption d'Hannibal en Italie. N'ayant pu l'arrêter dans la région marseillaise, il s'était porté à sa rencontre sur la rive droite du Tessin, où il devait se heurter durement aux cavaliers numides et recevoir une blessure. Entretemps Gnæus, dépêché en Espagne pour tenter une diversion, débarque à Ampurias

et progresse vers le S., s'assurant le contrôle du littoral et gagnant la sympathie des populations. Après avoir mis en déroute, vers l'embouchure de l'Èbre, une escadre d'Hasdrubal (217), il est rejoint par son frère, devenu proconsul, qui prend en mains la flotte. Tandis qu'en Italie les armées rom. venaient d'accumuler les désastres, les deux S. réussissent du moins — non sans peine — à empêcher le Carthaginois de gagner la Péninsule. Ils reprennent →Sagonte (prob. 212), mais durant l'hiver 212-211 ils succombent à quelques jours d'intervalle non loin de →Carthagène, dans des engagements respectivement contre →Magon (6) et →Hasdrubal (8), fils de Giscon, puis contre Hasdrubal Barca.

5 *P.C. Scipio Africanus* (235?-183), fils de Publius (4), poursuivit la lutte et la mena à son terme. Après avoir pris part jeune aux batailles du Tessin et de Cannes, il obtient, sans avoir été consul, l'*imperium* proconsulaire en Espagne (210). Très vite, il se signale par un coup d'éclat en s'emparant par surprise de Carthagène, principale base hispano-pun. avec Sagonte (209); le butin comprend plus de 18.000 livres d'argent, des armes, du blé et des ateliers spécialisés, que S. réquisitionne. La voie est désormais ouverte vers le S. de la Péninsule, et de là vers l'Afrique où sera gagnée une guerre jusque-là indécise. S. améliore l'armement des légionnaires et assouplit la tactique en rendant autonomes les trois lignes traditionnelles du front. Plusieurs fois victorieux en →Andalousie (Baecula, aujourd'hui Bailén, 208; Carmo, aujourd'hui →Carmona, 207, etc.), il reçoit l'allégeance de →Gadès, fonde pour ses vétérans la colonie d'Italica, près de Séville, mais ne peut empêcher Hasdrubal de s'embarquer pour l'Italie. Aussi, consul (205), il se fait attribuer la province de Sicile et — malgré l'opposition menée au Sénat par Q. Fabius Maximus, dit *Cunctator* (→Fabii 3) —, il est autorisé à passer en Afrique. Il débarque près d'Utique avec des vaisseaux neufs et des volontaires que lui offrent en grande partie les cités étrusques alliées, par un curieux revirement de l'histoire (204). À l'expiration d'une trêve négociée par →Syphax, devenu gendre d'Hasdrubal, fils de Giscon, il détruit leurs camps à tous deux, bat le Punique et le Numide aux Grandes Plaines (vallée de la →Medjerda), et parvient jusqu'à →Tunis (203). Carthage négocie à nouveau, mais en même temps rappelle d'Italie Magon et Hannibal; et c'est à ce dernier, fort de ses éléphants et d'une armée nombreuse mais peu homogène, que S. oppose victorieusement près de →Zama la tactique souple et enveloppante qu'il a mise au point, et dont les 4.000 cavaliers de →Massinissa I sont un maître atout (automne 202). S. dicte lui-même les conditions d'armistice, qu'Hannibal trouvera relativement généreuses, mais devra imposer à l'opinion carth., tandis que le peuple rom. les confirmera expressément lors des comices de 201, prorogeant S. dans son commandement malgré une opposition sénatoriale tenace. La foule l'ovationne tout au long de la route du retour vers Rome, et Liv. XXX 45 note que, pour la première fois et de manière non officielle, un général se voit surnommer d'après la nation vaincue: *Africanus*. En 199, S. est censeur et *princeps Senatus*, en 194 à nouveau consul, et si la guerre contre Antiochos III de Syrie est nominalement confiée à son frère Lucius (6), il la conduit en fait en qualité de légat (190-189). Ses qualités de diplomate l'avaient aussi fait envoyer à Carthage pour arbitrer un conflit frontalier avec Massinissa I. Toutefois, des procès suscités par la coterie sénatoriale sur la gestion des deux frères en Asie assombrissent la fin de sa vie; malade, il se retire dans sa propriété de Literno, en Campanie, et ne reparaît plus à Rome. Fin mélancolique d'un héros qui fut plus grand dans la guerre que dans la paix, comme dit en substance Liv. XXXVIII 53, parce que le conflit avec Carthage a pris alors une ampleur telle qu'il conditionne toute la vie rom.: politique, économique, diplomatique, religieuse même. — De beaucoup moindre relief apparaît son frère.

6 *L.C.Scipio Asiagenus* (ou *Asiaticus*), frère du précédent, qu'il a accompagné comme légat en Espagne et en Afrique avant d'organiser la Sicile comme préteur (193) et de commander en titre, comme consul (190), la guerre contre Antiochos.

7 *P.C.Scipio Nasica Corculum*, consul en 155, jurisconsulte éminent. Membre d'une commission d'enquête du Sénat, il s'est opposé, contre l'avis de Caton, à une déclaration de guerre immédiate à Carthage quand Rome s'est inquiétée de la voir réarmer contre Massinissa I (*c.* 153): expression d'un libéralisme familial plutôt, semble-t-il, que de la conviction politique qu'un ennemi puissant eût été nécessaire à la cohésion sociale de l'Italie rom. On sait que ce parti, fidèle aux clauses de la paix de 201, n'a pas prévalu.

8 *P.C.Scipio Æmilianus Africanus Numantinus*, fils de *L. Æmilius Paullus Macedonicus* (Paul-Émile), adopté par le fils de (5) et appelé en histoire soit "le second Africain", soit plus souvent "S. Émilien" (185/4-129). Après s'être distingué avec son père à Pydna (168), contre Persée de Macédoine, et avoir pris part à la guerre d'Espagne, il est tribun militaire en Afrique (149) et fait preuve de talents diplomatiques en réglant la succession de Massinissa I entre ses fils (148). Son ascendant sur les troupes et sa popularité à Rome font que, sans avoir l'âge légal (42 ans alors), il est élu consul pour 147 et que, malgré la loi sur le tirage au sort des secteurs, il obtient l'Afrique. Rome, à la suite des faits rappelés ci-dessus (7), avait dénoncé un manquement au traité de 201 et déclaré la guerre à Carthage avec l'intention à peine dissimulée de la détruire et de repousser toute soumission (149). S. fait aussitôt isoler la cité de son arrière-pays par une fortification et, du côté du chenal, par une digue: plusieurs armées de secours, qui tentent de forcer le blocus, sont détruites ou repoussées. L'assaut est donné au printemps 146: les troupes de S. progressent à travers des combats de rues jusqu'au pied de →Byrsa, qui résiste sept jours; la ville est totalement incendiée malgré une intervention désespérée d'→Hasdrubal (15). Le triomphe de S. a lieu peu après l'érection en province d'Afrique du territoire carth. Sa carrière s'est poursuivie avec la censure (142) et un second consulat (134) qui le conduit à nouveau en Espagne, cette fois contre les Celtibères et leur dernière place-forte, Numance (133; de là son second *cognomen*). Adversaire décidé de la politique agraire des →Gracques (3-4), dont il épouse cepen-

dant la sœur, sa mort survient si soudainement que des contemporains ont soupçonné un crime politique. L'histoire est aujourd'hui sans indulgence, comme une partie de l'opinion gr. du temps (cf. les considérations embarrassées de Pol. XXXVI 9), à l'égard de la politique menée vis-à-vis de Carthage depuis 149 par le Sénat, avec l'appui du peuple — politique dont, en se laissant par ambition élire consul, S. se faisait l'instrument. L'homme avait cependant de brillantes qualités, idéalisées il est vrai, et l'on tend à réduire l'influence politique qu'auraient eue sur lui l'historien-philosophe Polybe ou le stoïcien Panaitios de Rhodes, voire à nier l'existence réelle du fameux "cercle des S."
Il reste qu'à plus d'un égard, les deux grands S., et singulièrement le second, annoncent des temps nouveaux. Ils sont les premiers d'une longue série de chefs de guerre (*imperatores*) que les circonstances placeront au dessus des lois en les faisant apparaître providentiels, que pourront habiter des rêves monarchiques — l'épopée du premier Africain a plus d'une ressemblance avec celle d'Alexandre — et qui appuieront leur popularité sur une mystique de la prédestination et de la prémonition: qu'il suffise de rappeler le célèbre *Songe* qui clôt le *De re publica* de Cicéron (VI 9-10).

Bibl. KlP V, col. 47-50; PW IV, col. 1426-1509; Huß, *Geschichte*, index p. 563, s.v. Cornelius Scipio.
Ad 5: H.H. Scullard, *Scipio Africanus: Soldier and Politician*, London 1970; R. Seguin, *La religion de Scipion l'Africain*, Latomus 33 (1974), p. 3-21; M.H. Crawford, *Roman Republican Coinage*, Cambridge 1974, p. 310-311.
Ad 7: M. Gelzer, *Kleine Schriften* II, Wiesbaden 1963, p. 39-72.
Ad 8: A.E. Astin, *Scipio Aemilianus*, Oxford 1967.

JLoicq

SCULPTURE **1 Phénicie** La s. phén. nous est principalement connue par les rares fouilles exécutées dans des lieux de culte, à →Amrit, →Byblos, →Sidon, →Umm el-Amed, et dans des nécropoles, où les →stèles, cippes et *naiskoi* (→naos) en constituent les indices les plus relevants. Deux torses du VIIIe s., provenant de →Tyr et de →Sarepta (1), illustrent la s. en ronde bosse. Il s'agit de personnages masculins vêtus d'un pagne rappelant le *chendjit* égyptien; l'influence égyptienne est encore mieux mise en évidence par la présence d'un pectoral *ousekh* et d'un devanteau bordé de deux *uraei*. Ces attributs, ainsi que la pose, se retrouvent à l'époque dans l'art de l'→ivoire et, plus tard, dans la s. du monde pun., ainsi dans la statue de →Marsala. Plusieurs statues du Ve ou du début du IVe s., découvertes dans la *favissa* d'Amrit, illustrent l'évolution de ce type. Ce dépôt contenait en outre des statues de →Melqart et, sans doute, d'→Eshmun, l'une et l'autre fortement influencées par l'iconographie, respectivement, de l'Héraklès chypriote et de l'Imhotep égyptien. L'influence chypriote se dessine également dans la production des →sarcophages (4) anthropoïdes en pierre et en terre cuite, comme sur l'exemple de la pl. XIVb qui, de par sa taille, relève du domaine de la s. Quant aux sarcophages produits par les ateliers d'Amrit et de Sidon aux Ve-IVe s., ils reflètent les

Fig. 292. Lion en basalte, Byblos (VIe-Ve s. av. J.C.). Paris, Louvre.

Fig. 293. Relief en albâtre, Arwad (VIIIe ou Ve s. av. J.C.). Paris, Louvre.

influences gr. et égyptiennes qui remplacent la composante chypriote (fig. 129, 281, 306, 328). Les fouilles de Byblos ont livré un chef d'œuvre de la s. phén. de l'époque perse (VIe-IVe s.), un lion en basalte qui illustre la maîtrise technique du sculpteur et l'aspect cosmopolite de son œuvre (fig. 292). L'influence saïte est représentée par le croisement des pattes du lion, tandis que l'art perse, tributaire des œuvres assyriennes, se remarque au rendu de la musculature de l'animal. D'autres sculptures de lions, d'un style plus fruste et ayant probablement servi d'acrotères de temple, furent trouvées sur ce même site. Plusieurs *naiskoi* provenant des nécropoles sidoniennes ont également été attribués à la période perse, bien que les décorations latérales, les déesses ailées et les dieux jumeaux, ainsi que les →trônes de →sphinx à l'intérieur des niches, soient déjà préfigurés dans l'art phén. du Fer I et II (fig. 241). On retrou-

Fig. 294. Statuette de Baalshillem (II), marbre, Bostan esh-Sheikh (Vᵉ s. av. J.C.). Beyrouth, Musée National.

ve un tel anachronisme, à supposer qu'il ne faille pas revoir le date de ces monuments, dans quelques fragments de reliefs en →albâtre et en marbre découverts à Arwad (fig. 293) et à Tyr. Ces fragments de monuments funéraires (?) sont décorés d'une série de palmettes stylisées formant des frises et parfois même un véritable tapis végétal autour de scènes où figurent des sphinx, des griffons ou des divinités assises. Le marbre, utilisé pour une série de stèles plus tardives dans la région tyrienne à côté de la pierre calcaire locale (*ramléh*), fut aussi employé dans la s. en ronde bosse. C'est notamment le cas pour quelques statuettes représentant de jeunes garçons que l'on a retrouvées dans les ruines du temple d'Eshmun à →Bostan esh-Sheikh et qui datent de la fin du Vᵉ ou du IVᵉ s. (fig. 294). Dans le même complexe, les fouilles ont dégagé un trône de sphinx, objet de culte reproduit depuis →Amathonte jusqu'à Umm el-Amed, en passant par Byblos et la région côtière méridionale (fig. 50). Les murs derrière ce trône sidonien et celui d'un bâtiment voisin sont ornés de bas-reliefs illustrant les exploits d'un chasseur nourrissant enfants et adultes. Ce sont là les derniers exemples de bas-reliefs phén. proprement dits, sauf s'il faut compléter ce dossier de quelques reliefs rupestres. Toujours dans la région sidonienne, les chapiteaux à protomés de taureaux et leurs bases florales témoignent de l'impact de l'art achéménide. À l'époque hellénistique, le caractère autochtone de la s. phén. s'éclipse graduellement devant l'influence gr. Signalons toutefois les statues et les stèles du temple d'Umm el-Amed (fig. 375, 376), où alternent encore des éléments →égyptisants et orientaux (IIIᵉ-IIᵉ s.). Enfin, un autel de →Baalbek et plusieurs sarcophages de la région tyrienne illustrent la persistance occasionnelle de quelques thèmes et détails traités jadis par la s. phén.

◁ *Fig. 295. Héraklès-Melqart, calcaire, Idalion (c. 500-450 av. J.C.). Paris, Louvre.*

2 Chypre C'est par la voie de l'expansion phén. que cette tradition orientale de la s. sera implantée en Occident, en passant d'abord par →Chypre et →Malte, où l'on trouve cippes, stèles et sarcophages. Les chapiteaux hathoriques (fig. 22), les multiples statues de Bès (fig. 274), assimilé dans un cas à →Resheph, d'Héraklès-Melqart vainqueur du lion (fig. 295), d'un →Zeus Ammon barbu et pourvu de cornes de bélier (fig. 296) ou des →"temple boys" (fig. 333) témoignent de l'importance de l'influence phén. depuis l'époque archaïque jusqu'aux premiers temps hellénistiques. Le trône d'Astarté récemment dégagé à →Amathonte (Vᵉ s.) et les reliefs sépulcraux de →Tamassos (VIᵉ s.), encore plus greffés sur la tradition continentale, complètent ce dossier dont les nouvelles fouilles ne cessent d'accroître le nombre.

3 Occident La s. phén. et phénicisante est surtout attestée en Sardaigne, à →Sulcis, →Tharros, →Monte Sirai, où l'une des plus anciennes œuvres, trouvée

Fig. 296. Dieu aux cornes de bélier, calcaire, Chypre (fin du IVe s. av. J.C.). Paris, Louvre.

dans une tombe de Sulcis, représente un homme debout, dont l'attitude et le *chendjit* rappellent les prototypes de Tyr, de Sarepta et d'Amrit. Cette iconographie se retrouve à la même époque en Sicile, où elle est illustrée par une statue de Marsala (fig. 297). Une œuvre contemporaine de →Solonte représente une divinité assise sur un trône flanqué de deux sphinx (fig. 313), sujet traité plus tard à Carthage (IIIe-IIe s.). Sur une statue semblable de la fin du Ve s., dégagée par les fouilles de →Motyé, ces sphinx sont remplacés par des lions, un phénomène qui est peut-être lié à la propagation du culte de Cybèle. Sphinx et lions se retrouvent jusqu'au IIe s. dans la s. pun. de la Sardaigne, à Sulcis, Tharros, Cagliari, et plus sporadiquement en Sicile. Deux grandes statues du dieu Bès, datant du IIe s., illustrant la persistance de cette iconographie égyptisante en Sardaigne, où la tradition sculpturale est en outre illustrée amplement par les stèles et les cippes. C'est également le cas de l'Afrique du N., où la s. est représentée aussi par quelques statues d'adorants des IVe-IIIe s. av. J.C., ainsi que par des sarcophages et des ossuaires de la même époque (fig. 264, 265). Quant à la s. en bois, les fouilles de Sidon et de Nora ont livré des statuettes représentant le dieu Bès. À part un troisième exemplaire de la Sardaigne, il faut mentionner ici la statue d'un Baal assis sur un trône flanqué de deux sphinx. Cette œuvre, exécutée en bois de sycomore et couverte à l'origine d'une feuille d'or, est conservée au Musée de La Valette (Malte), mais reste inédite.

Fig. 297. Torse colossal de style égyptisant, lagune de Motyé (c. 550-500 av. J.C.). Palerme, Musée Archéologique National.

Bibl. M. Dunand, *Les sculptures de la favissa du temple d'Amrit*, BMB 7 (1944-45), p. 99-107; 8 (1946-48), p. 81-107; M. Dunand - R. Duru, *Oumm el-'Amed*, Paris 1962; A.M. Bisi, *Kypriaka*, Roma 1966; M. Dunand, *La piscine du trône d'Ashtarté dans le temple d'Eshmoun à Sidon*, BMB 24 (1971), p. 19-25; A. Spycket, *La statuaire du Proche-Orient ancien*, Leiden 1981; A. Hermary, *Amathonte II. La sculpture*, Paris 1981; E. Gubel, StPhoen 1-2 (1983), p. 28-31; M. Dunand, *L'iconographie d'Eshmoun dans son temple sidonien*, ACFP 1, Roma 1983, p. 512-520; id. — N. Saliby, *Le temple d'Amrith dans la pérée d'Aradus*, Paris 1985, p. 38-55; PhMM, p. 85-109; S. Moscati, in *I Fenici*, Milano 1988, p. 284-327; C. Beer, *Temple Boys*, à paraître. EGub

SEBOU, OUED →Mehdia.

SÉGESTE En gr. *Égesta*, lat. *Segesta;* la plus importante cité des →Élymes, située sur le Monte Barbaro, au N.-O. de Calatafimi. D'après Diod. V 9; XI 86; XII 82; XIII, 43, et Thc. VI 6, S., en lutte continuelle contre →Sélinonte, fit en 415 appel à Athènes, provoquant ainsi la désastreuse expédition de Sicile. S. se tourna ensuite vers Carthage, dont l'intervention en Sicile se conclut en 409 par la destruction de Sélinonte et d'→Himère. Après 397, S. resta l'alliée des

Carthaginois, mais elle passa du côté de Rome au début de la 1ᵉ →guerre pun., suite à quoi Rome l'éleva au rang de cité "libre et exempte" (Diod. XIII 5; Cic., *Verr.* III 6,13). On connaît mal la topographie de S., dont les monuments les plus connus sont le théâtre du IIIᵉ s. av. J.C. et, en dehors de l'enceinte, le temple dorique du Vᵉ s. av. J.C. Enfin, on a trouvé au lieudit "Mango", sur les pentes S. du Monte Barbaro, un sanctuaire entouré d'un grand *témenos*, qui a été fondé au VIᵉ s. av. J.C.

Bibl. PECS, p. 817-818; PW II A, col. 1055-1069; E. Gabba - G. Vallet (éd.), *La Sicilia antica* I/1, Napoli 1980, passim; Huß, *Geschichte*, p. 58-62, 101-111, 114, 128-130, 201-202, 207-208, 213, 226-227, 229. FSpat

SÉLEUCIDES Après la bataille d'Ipsos (301), seules entrèrent dans le royaume des S. avec le statut d' "amis" →Arwad et les cités de sa confédération au N. (Strab. XVI 2,14). Les S. favorisèrent le sanctuaire de →Baetocécé (IGLS VII,4028), accordèrent l'autonomie à Arwad en 259, l'asylie et l'extension de sa Pérée en 240 (Strab. XVI 2,14). Les villes du S. furent pendant le IIIᵉ s., l'enjeu des cinq "guerres de Syrie" entre →Lagides et S., jusqu'à la conquête d'Antiochos III en 200/199 (Pol. XVI 18-19). Le roi créa une nouvelle circonscription, la "Cœlé-Syrie et Phénicie", mais garda l'administration et même le personnel lagides (IEJ 16 [1966], p. 45-70). →Beyrouth prit le nom de Laodicée (IG XI/4, 1114), Ptolémaïs →Akko celui d'Antioche, deux autres villes celui de Démétrias. Le loyalisme des Phéniciens envers les S. se marque par les monuments érigés par Laodicée-Beyrouth pour Héliodore, ministre de Séleucos IV (IG XI/4, 1114), et pour Antiochos VIII Grypos (ID 1551); Arwad dédia peut-être la statue d'un ami de Démétrios I (ID 1543). Akko joua le rôle d'une capitale, comme le montre la dédicace d'un gouverneur de région (IEJ 11 [1961], p. 118-126). Durant la dernière période du règne des S., marquée par les guerres intestines, Démétrios I fut soutenu par →Tripolis en 162 (Pol. XXXI 2), Démétrios II par Tyr et Sidon contre →Tryphon en 145-140, mais Tyr et Akko l'abandonnèrent en 126/5 (App., *Syr.* 68). Profitant de l'affaiblissement de l'autorité des S., les cités recouvrent leur autonomie attestée par le monnayage (numismatique 1B) et se font reconnaître *hierá* et *ásulos*: Tyr et Sidon en 111/0, Akko après 103, Laodicée-Beyrouth avant 110 (ID 1543), Tripolis entre

Fig. 298. Tétradrachme de Sélinonte, émis en 409 av. J.C., l'année de la prise de la ville par les Carthaginois. Coll. privée.

Fig. 299. Sélinonte: restes de maisons pun. près du Temple C.

105 et 95. La domination des S. prit fin en 64/3, mais l'ère des S., inaugurée en 312/1, resta en usage dans la province rom.

Bibl. CAH VII/1²; H. Seyrig, *Sur les ères de quelques villes de Syrie. Démétrias de Phénicie*, Syria 27 (1950), p. 5-56; J.-P. Rey-Coquais, *Arados et sa Pérée*, Paris 1974; C. Préaux, *Le monde hellénistique. La Grèce et l'Orient (323-148 av. J.C.)*, Paris 1978; E. Will, *Histoire politique du monde hellénistique*, Nancy 1979²-82²; H. Bengtson, *Die Diadochen*, München 1987. MFBas

SÉLINONTE En gr. *Selinoũs*; colonie gr. de Sicile occidentale, fondée par Mégara Hybléa en 651 (Diod. XIII 59,4) ou 628 (Thc. VI 4,2). Elle s'élevait sur un promontoire baigné par deux fleuves aux bouches desquels se trouvaient deux portes et sur les rives desquels poussait l'ache sauvage qui donna son nom à la ville et figurait sur ses monnaies. S. était la colonie gr. la plus proche de l'habitat des →Élymes et de la zone pun. de Sicile. Ses rapports avec →Ségeste furent toujours hostiles, mais avec Carthage, pacifiques. La politique philo-pun. fut presque toujours menée par ses tyrans au VIᵉ-Vᵉ s. Ses possessions s'étendirent vers l'E. avec la fondation d'→Hé-

Fig. 300. Sélinonte: mosaïque représentant le "signe de Tanit" entre deux caducées.

rakleia Minoa. Grâce à une forte économie, basée sur l'agriculture et le commerce, S. devint une belle et puissante cité, riche de monuments, temples et →sanctuaires (3B), élevés sur l'Acropole et sur la colline E. À l'O., outre le fleuve, se trouvaient d'autres lieux de culte, dont celui de Déméter Malophoros. Au Ve s., S. fut mêlée à la guerre entre Syracuse et Athènes, puis, en 409 (fig. 298), elle fut assiégée et détruite par les Carthaginois, alliés de Ségeste, et elle demeura sous domination pun. jusqu'au milieu du IIIe s. À l'époque pun., l'habitat occupait l'Acropole (fig. 299) et comprenait de petites maisons construites selon la technique "à chaînage". Sur le pavement de l'une d'elles figure un →"signe de Tanit", flanqué de deux caducées (fig. 300). Un second apparaît dans le temple A. Les quartiers pun. contenaient aussi trois aires sacrées dont certaines pièces renfermaient des urnes avec des restes sacrificiels. Dans le sanctuaire de la Malophoros, on a identifié des restaurations d'époque pun. Dans l'enceinte de Zeus →Meilichios, on a découvert des →stèles jumelles reproduisant des visages humains schématisés relevant de l'art pun. Enfin, outre la →céramique et les monnaies pun. (→numismatique 3B), il faut signaler la découverte, près du temple C, de centaines d'empreintes d'argile portant des signes et des lettres pun. et la tête d'Héraklès, peut-être identifié à →Melqart, ainsi que divers →timbres amphoriques avec lettres pun. (ICO, p. 70-77).

Bibl. PECS, p. 823-825; A. Di Vita, *L'elemento punico a Selinunte nel IV e III sec. a.C.*, ArchCl 5 (1953), p. 39-47; id., *Le stele puniche del recinto di Zeus Meilichios a Selinunte,* Studi Annibalici, Cortona 1964, p. 235-250; V. Tusa, *Aree sacrificali a Selinunte e a Solunto*, Mozia II, Roma 1966, p. 143-153; id., *Selinunte punica*, RINASA 18 (1971), p. 47-68; R. Martin, *Histoire de Sélinonte d'après les fouilles récentes*, CRAI 1977, p. 48-63; V. Tusa., *I Fenici e i Cartaginesi*, Sikanìe, Milano 1985, p. 613-625; S. Moscati, *Italia punica*, Milano 1986, p. 123-129. ASpa

SÉMITES DE L'OUEST Les S. sont en théorie des descendants de Sem d'après la liste des peuples en *Gn.* 10. Cette acception est cependant rare et le mot S., dans son usage savant et académique, ne prétend même pas caractériser une famille ethnographique de peuples, réellement apparentés par la race. Tout au plus évoque-t-il un ensemble de traits culturels et religieux communs, accentués différemment selon les régions et les époques. L'emploi du terme S., attesté dès 1781 chez A.L. Schlözer, dans le *Repertorium fuer biblische und morgenlaendische Literatur* 8 (1781), p. 161, a une portée essentiellement linguistique et désigne les peuples qui parlent ou ont parlé une des langues dites "sémitiques", dont les caractéristiques les distinguent p.ex. des langues indo-européennes. En conséquence, on appelle S. de l'O., par opposition à ceux de l'E. qui sont les Akkadiens et les Assyro-Babyloniens, les peuples dont l'idiome propre appartient au groupe occidental des parlers sémitiques. On le subdivise en sémitique du S.-O., qui comprend les parlers anciens et modernes de l'Arabie du S. et de l'Éthiopie, et le sémitique du N.-O., auquel on rattache la langue locale d'→Ébla au IIIe mill., l'amorite, l'ugaritique et le cananéen au IIe mill., l'hébreu biblique, l'ammonite, le moabite et l'édomite de Transjordanie, l'araméen, le nord-arabique, le phén.-pun. au Ier mill. av. J.C., enfin, depuis le début de notre ère, l'hébreu, le nord-arabique, l'arabe classique, le moyen-arabe, les divers parlers arabes modernes et les différents dialectes araméens. Il ne fait pas de doute que le phén.-pun. a été utilisé par des populations dont la langue propre n'était pas sémitique, p.ex. les Numides de l'Afrique du N. On les distingue donc des Sémites pun., dont la langue originelle était sémitique, et l'on qualifie parfois de →Libyphéniciens les habitants de l'ancien Maghreb dont les origines étaient mixtes. ELip

SÉNAT Aristote a déjà défini, dans sa présentation de la →Constitution de Carthage, les deux assemblées de la cité: d'une part, le Conseil des Anciens ou S., d'autre part, l'→assemblée du peuple. Les auteurs gr.-rom. emploient divers termes pour désigner le S. carth.: *boulē, gerousía, sunédrion, súnklētos, senatus.* La traduction du vocable phén.-pun. se rencontre chez Q.-Curce IV 3,23, qui mentionne à Tyr les *seniores..., quorum consilio cuncta agebantur*, dans Liv. XXXIV 61,15, où il est dit expressément que le terme *seniores* désignait le S. carth., et déjà chez Arstt., *Pol.* II 11,5, qui parle des *gerόntes* de Carthage. Si →*rab* était le titre du sénateur, le pluriel (*ha-*) *rabbōt* (cf. *rbt 'lpqy*: Trip 31,1) devait désigner le S., tout comme les *rabûti ša āli* constituaient en Assyrie "(le Conseil des) Anciens de la ville" et les *'dr' 'lpqy* (Trip 27,7; 31,4) formaient l'*ordo* des décurions à Leptis Magna. Le nombre des sénateurs à Carthage est inconnu, car le Conseil des Cent, ou des Cent Quatre (Arstt., *Pol.* II 11,3.7), ne s'identifie pas à l'ensemble du S. (cf. Just. XIX 2,5-6), tandis que les "pentarchies" (Arstt., *Pol.* II 11,7) semblent être des commissions. On connaît, en tout cas, les commissions des "Trente préposés aux redevances" (CIS I,3917), des "Trente sénateurs" (Pol. I 87,3) chargés de reconcilier Hamilcar et Hannon, des "Trente prévôts des sénateurs", qui formaient un conseil restreint (Liv. XXX 16,3). On apprend aussi l'existence d'une commission des "Dix préposés aux sanctuaires" (CIS I,175 = KAI 80). La nature de nos sources explique que l'on voit le S. carth. délibérer surtout de guerre (p.ex. Pol. III 33,4) et de paix (p.ex. Pol. I 31,8; XIV 6,1), mais il pouvait, selon Arstt., *Pol.* II 11,5, décider de toute affaire, avec l'accord des →suffètes qui le convoquaient (Liv. XXX 7,5), tout comme le Conseil des Anciens à Tyr (Q.-Curce IV 3,23). Il est cependant difficile de savoir si le S. d'une cité royale d'Orient avait des prérogatives semblables à celles du S. carth. ou jouait plutôt le rôle d'un conseil royal. Du reste, les attributions du S. à Carthage, où l'institution a dû évoluer au cours des siècles, ne sont connues qu'à travers les sources classiques qui portent surtout sur les IVe-IIe s. Quant au fonctionnement du S. dans d'autres cités africaines de civilisation pun., il pourrait s'éclairer à la lumière des institutions municipales de l'Afrique rom.

Bibl. Gsell, HAAN II, p. 202-226; M. Sznycer, in C. Nicolet (éd.), *Rome et la conquête du monde méditerranéen* II, Paris 1978, p. 576-581; W. Huß, *Die Einhundert und die Einhundertvier*, WO 9 (1977-78), p. 253-254; id., *Der Senat von Karthago,* Klio 60 (1978), p. 327-329; Lepelley, *Cités* I,

p. 121-242; T. Kotula, *Les* principales *d'Afrique*, Wrocław 1982; H. Niehr, *Herrschen und richten. Die Wurzel* špṭ *im Alten Orient und im Alten Testament*, Würzburg 1986. ELip

SÉPULTURES →Mausolées; →Mobilier funéraire; →Nécropoles; →Ossuaires; →Sarcophages; →Tombes.

SETEFILLA →Andalousie; →Ivoires 1C.

SÉTIF En lat. *Sitifis*, arabe *Saṭīf*; colonie de vétérans, créée par Nerva (96-98) à 131 km à l'O. de →Constantine et à 38 au S.-O. de →Djemila. Elle consistait en partie de Romano-Africains et son développement provoqua la venue d'un certain nombre de migrants indigènes. Aussi le culte de →Saturne africain et de →Caelestis y était-il bien implanté. La nécropole du IIe s. ap. J.C., située à l'E. de la ville, a livré des vases rituels du culte de Saturne, auquel il faut sans doute rapporter aussi la sépulture d'un agneau, indice probable de sacrifices →*molk* de substitution, dont les restes étaient apparemment ensevelis dans la nécropole. On notera à ce propos qu'un tiers des tombes fouillées et analysées (75 sur 228) contenaient des restes d'enfants âgés jusqu'à trois mois. On ne saurait cependant prétendre que toutes ces sépultures témoignent encore de la pratique du sacrifice *molk*.

Bibl. AAAlg, f^e 16 (Sétif), n° 364; PECS, p. 844-845; M. Leglay, *Saturne africain. Monuments* II, Paris 1966, p. 265-285; P.-A. Février - A. Gaspary, *La nécropole orientale de Sétif*, BAA 2 (1966-67), p. 11-93; id., *Le quartier nord-ouest de Sétif* (BAA, Suppl. 1), Alger 1970; P.A. Février - R. Guéry, *Les rites funéraires de la nécropole orientale de Sétif*, Ant Afr 15 (1980), p. 91-124; Lepelley, *Cités* II, p. 497-503; R. Guéry, *La nécropole orientale de Sitifis (Sétif, Algérie): fouilles de 1966-1967*, Paris 1985; M. Le Glay, StPhoen 6 (1988), p. 220-221. ELip

SÉVILLE En gr. *Ispalis*, lat. *Hispal(is)*, une des plus importantes cités antiques d'→Espagne, sur le Bas-Guadalquivir, en →Andalousie occidentale. Même si du matériel phén. est venu au jour dans la ville même, à la Cuesta del Rosario, se sont surtout les environs de S., comme El →Carambolo et le Cerro Macareno, ou des localités plus éloignées de la province, comme Setefilla, Los Alcores, près de →Carmona, Osuna ou Alhonoz, qui sont riches en trouvailles phén. remontant jusqu'au VIIIe s. av. J.C. (fig. 35). Il ne s'agit toutefois pas de colonies phén.-pun., mais de centres tartessiens en relations commerciales suivies avec les Phéniciens de la région de →Gadès. Ceux-ci échangeaient des objets de luxe, tels que joyaux et ivoires, ou du vin et de l'huile transportés dans des amphores phén. vers l'intérieur du pays, contre les métaux et les produits de l'agriculture et de l'élevage fournis par les chefs tartessiens des alentours de S.

Bibl. A. Tovar, *Iberische Landeskunde* II/1, Baden-Baden 1974, p. 140-143; AulaOr 4 (1986), p. 327-329 (bibl.). FMol

SEXI →Almuñécar.

SEYRIG, HENRI (10.11.1895-21.1.1973). Spécialiste renommé de l'hellénisme en Orient, H.S. fut aussi un collectionneur ou, plus littéralement, un "antiquaire" d'une compétente curiosité et d'un flair peu commun qu'il exerça au cours de près de quarante ans de résidence au Levant. Les études phén. doivent beaucoup, et pour longtemps encore, à son sixième sens qui lui permit souvent de distinguer les *curiosa* d'intérêt exceptionnel et d'écarter les contrefaçons qu'il aimait à qualifier de "bizarre!", ménageant ainsi la susceptibilité du propriétaire. Connaisseur émérite de la numismatique hellénistique de Phénicie et des ressources des collections publiques et privées, il a pu démontrer selon ses propres termes "tout ce qu'une ordonnance raisonnable des séries monétaires permet d'ajouter à l'histoire, parfois si mal connue, d'une grande cité". C'est ainsi qu'il étudia les *Questions aradiennes*, *Séleucus III et Simyra*, *Ptolémaïs*, etc. Amateur averti, il sut, pendant le quart de siècle où Beyrouth fut le centre vital du Proche-Orient, constituer un important apport au corpus de la glyptique phén. Collectionneur généreux, il fit bénéficier plusieurs musées de ses libéralités et il figure à ce titre sur la liste des bienfaiteurs de la Bibliothèque Nationale. Parmi ses nombreuses publications, on relèvera en particulier les *Antiquités syriennes* I-VI (Paris 1934-66), regroupant des articles parus dans la revue *Syria*, ainsi que ses *Scripta varia* (Paris 1985), recueil d'études portant sur l'archéologie et l'histoire, et ses *Scripta numismatica* (Paris 1986).

Bibl. E. Will, Syria 50 (1973), p. 259-265; G. Le Rider, RSN 53 (1973), p. 167-171. PBor

SHADRAPHA En phén.-pun./aram. *Šdrp'*, théonyme dont la prononciation exacte est inconnue; il est composé du nom du génie Shéd et d'un dérivé de la racine ouest-sémitique *rp'*, dont le sens fondamental est "réparer" les forces, raccommoder, remettre en bon état, en bonne santé, d'où "guérir". L'interprétation de *Šdrp'* au sens de "génie guérisseur" est donc limitative et, en fait, ne rend pas justice aux fonctions fécondatrices et salvatrices du dieu.

1 Shéd Le nom de Shéd apparaît en Syro-Palestine au Bronze Récent. Un texte de →Ras Ibn Hani mentionne en effet un *Šd qdš* (RIH 77/8A,13'), "Shéd saint", à côté d'autres divinités et de Yaqaru, le fondateur de la dynastie d'→Ugarit (→Rephaïm). Au Ier mill., Shéd figure dans les anthroponymes phén. *Síd-di-lu-su-qí* (CTN III,57,31), "Shéd est un dieu attentif" (→Shoqéd), et *Gršd* (Bordreuil, *Catalogue* 26), "Client/Dévot de Shéd", peut-être aussi sous la forme *Šd'* dans des noms pun. (Benz, *Names*, p. 414). Par ailleurs, le théonyme se retrouve probablement dans le nom de lieu *Šid-di-a-si-ka* ou *Ši-di-a-si-ka*, c.-à-d. *Šēd-ḫāsikā'*, "Shéd-le-Sauveur", attesté dans un document de Ninive émanant d'un Phénicien (ARU 319). Les *Šēdîm* de l'A.T., considérés comme des démons néfastes et associés aux sacrifices d'enfants (*Dt.* 32,17; *Ps.* 106,36-38), confirment l'origine ouest-sémitique de Shéd et son appartenance à la religion phén.-pun. Le Shéd attesté en Égypte à partir de la XVIIIe dynastie et compris au sens de "sauveur" est sans doute le même dieu sémitique, introduit par des immigrés asiatiques. Il est représenté comme un jeune prince poursuivant dans son char des ennemis ou des animaux nuisibles. Le *Šēdu* mésopotamien, un génie favorable, figuré dans une attitude protectrice, a probablement la même origine. L'adjonction de l'épithète *rp'* au nom de Shéd, d'où est issue la figure de S., n'a donc pas modifié la physionomie du dieu.

2 Shadrapha **A** *Milieu phénico-punique.* La stèle dite d'→Amrit AO.22247 (RÉS 234 = 1601), qui pourrait remonter au VIIe-VIe s., livre la plus ancienne mention directe de S., représenté debout sur un lion, brandissant une massue de la main droite et tenant un petit lion par les pattes dans la main gauche (Phén 122). Une dédicace à S. apparaît ensuite à →Sarepta (1), sur un fragment de jarre du Ve-IVe s. (J.B. Pritchard, *Sarepta*, p. 100-101). On retrouve S. dans le domaine pun., à →Carthage où un autel lui est dédié (KAI 77: *Šdrb'*), dans quatre inscriptions de →Grotta Regina, datables entre le Ve et le IIIe s. (*Grotta Regina-II*, p. 24, 46, 55, 63), puis à →Antas, où une statuette de S. et une autre de →Horôn sont dédiées à →Sid / →Sardos/Sardus Pater, témoignant des fonctions similaires de S. et de Horôn (*Richerche puniche ad Antas*, pl. XXXVII). À →Leptis Magna, une statue en bronze est offerte au Ier s. ap. J.C. à S. et à →Milkashtart, les "patrons de la ville" (Trip 31), où une bilingue lat.-néopun. assimile S. à Liber Pater (Trip 25 = IRT 294). PXel

B *Palmyre.* L'absence notoire de S. dans la documentation araméenne plus ancienne permet peut-être de voir dans le dieu vénéré à →Palmyre un reflet de l'influence phén. Les trois bas-reliefs et les tessères de Palmyre, qui nomment ou figurent S. aux Ier-IIIe s. ap. J.C., précisent son caractère de dieu chthonien, guérisseur et porteur de salut. Habillé à la militaire, comme la plupart des dieux palmyréniens, S. tient une lance, autour de laquelle s'enroule un serpent, comme sur le bâton d'Asklépios, tandis qu'un scorpion touche son épaule. La présence conjointe des deux animaux, symboles chthoniens, figurait en Mésopotamie la fécondité et la fertilité, tout en possédant aussi une valeur apotropaïque.

3 Le dieu Satrape La mention du théonyme vieux-perse *Ḫštrpty, Xšaθra-pati*, "Maître du Pouvoir", dans la trilingue en gr., lycien et araméen de Xanthos (→Lycie), datée de 358 av. J.C., a remis en valeur l'interprétation iranienne de S., qui serait Mithra, et surtout du nom gr. du dieu *Satrapēs*. Celui-ci est attesté par deux inscriptions de Ma'ad, près de Byblos, l'une de l'an 8 av. J.C., l'autre du IIIe-IVe s. ap. J.C. (E. Renan, *Mission*, p. 240-241), par Paus. VII 25,5, qui mentionne une statue de *Satrapēs* en Élide (Grèce), et par une coupe magique judéo-babylonienne, où *Šdrps*, avec la désinence gr. *-s*, apparaît dans une liste d'anges "qui apportent le remède" (J.A. Montgomery, *Aramaic Incantation Texts from Nippur*, Philadelphia 1913, n° 25,5). Cette précision et la date tardive des inscriptions de Ma'ad invitent cependant à voir en *Satrapēs* une forme grécisée de S., résultant d'une confusion populaire avec le titre de →satrape. En revanche, S. n'est pas nommé dans la bilingue gr.-araméenne d'Ağcakale, près de Divriği (Turquie), qui mentionne deux "satrapes" (*sadrápēsin*: CRAI 1905, p. 93-104).

4 Liber Pater L'assimilation de S. à Liber Pater (Trip 25 = IRT 294) et à Dionysos (Dion C. LXXVII 16) est attestée formellement à Leptis Magna, dont les monnaies à légende pun. représentent S. couronné de lierre et portant le thyrse (→numismatique 3D). L'essor du culte de Liber Pater en Afrique rom. s'explique ainsi par la préexistence de S., dieu pun. qui "répare" (*rp'*) les forces de la nature, préside aux vendanges et récoltes. Divin patron de Leptis Magna (IRT 275; 289; 294-299), vénéré à Oea (→Tripoli; IRT 231; Apulée, *Apol.* LV 8) et à →Sabratha (IRT 117; 126), où son temple est encore restauré entre 340 et 350 (IRT 55), qualifié de *deus patrius* à →Maktar et honoré officiellement à →Leptis Minus, à →Dougga, →Bougie ou El-Kessour, en Maurétanie Césarienne, il jouit encore d'un pompeux culte public à →Madaure, au temps de St Augustin: l'*Ep.* 17,4 évoque les décurions et les principaux bourgeois qui parcourent les rues de la ville dans un cortège orgiaque, célébrant les mystères de Liber Pater, tandis que *Civ.* VII 21 décrit les cérémonies accomplies en son honneur et destinées à accroître la fécondité des semences. Les stèles de La →Ghorfa ou la dédicace des foulons de Maktar (*Cat. Mus. Alaoui* I, pl. XXV, n° 905) le représentent drapé dans l'himation et appuyé sur le thyrse; parfois, comme à →Ksar Toual Zouamel (RTun 1941, p. 252-253, fig. 3a-b), il est figuré nu, près d'une vigne arborescente. Dieu du vin, qui assure à ses initiés une éternelle félicité, il dispose de sanctuaires pourvus de cryptes souterraines pour les banquets sacrés, comme probablement à →Djémila (Libyca 2 [1954], p. 352-357). ELip

Bibl. Ad 1-3: LÄg V, col. 547-549; WM I/1, p. 49; G. Loukianoff, *Le dieu Ched*, BIFAO 13 (1930-31), p. 67-84; J.G. Février, *La religion des Palmyréniens*, Paris 1931, p. 139-147; G. Levi Della Vida, *The Phoenician God Satrapes*, BASOR 87 (1942), p. 29-32; J. Starcky, *Autour d'une dédicace palmyrénienne à Šadrafa et à Du'anat*, Syria 26 (1949), p. 43-85; A. Caquot, *Chadrapha*, Syria 29 (1952), p. 74-88; H. Ingholt - H. Seyrig - J. Starcky - A. Caquot, *Recueil des tessères de Palmyre*, Paris 1955, n°s 317-330, p. 183, 195; A. Di Vita, *Shadrapha e Milk'ashtart, dei patri di Leptis*, Or 37 (1968), p. 201-211; H.J.W. Drijvers, *The Religion of Palmyra*, Leiden 1976, p. 18, 31, pl. XLVII,1; XLVIII; A. Dupont-Sommer, *L'énigme du dieu "Satrape" et le dieu Mithra*, Paris 1976; *Grotta Regina-II*, Roma 1979, p. 93-96; J. Teixidor, *The Pantheon of Palmyra*, Leiden 1979, p. 101-106; *Fouilles de Xanthos* VI, Paris 1979, p. 155-156, 184-185; *Au pays de Baal et d'Astarté*, Paris 1983, n° 255; P. Xella, *Sulla più antica storia di alcune divinità fenicie*, ACFP 1, Roma 1983, p. 401-407; E. Lipiński, *Acte de vente immobilière de Milkyaton, fils d'Abd-El-Shoqéd (668 av. J.-C.)*, Semitica 39 (1989), p. 23-27.

Ad 4: ANRW II/17,2, p. 684-702; A. Bruhl, *Liber Pater*, Paris 1953; W. Seston, *Liber Pater et les curies de Leptiminus*, Mélanges Ch. Saumagne, Tunis 1968, p. 73-77; M. Benabou, *La résistance africaine à la romanisation*, Paris 1976, p. 351-356.

SHALMĀN En phén. *Šlmn*, gr. *Selamánēs* ou *Salamánēs*, dieu nord-sémitique dont la personnalité reste obscure. Une stèle lui fut dédiée à Sidon, dans la première moitié du IIe s. av. J.C. (RÉS 930 = Syria 56 [1979], p. 380-382), par un dignitaire de l'époque séleucide. Rien ne saurait justifier son identification à →Eshmun.

Bibl. IGLS II,465-473; VI,2731; WM I/1, p. 466-467; W.F. Albright, *The Syro-Mesopotamian God Šulmân-Ešmun and Related Figures*, AfO 7 (1931-32), p. 164-169. ELip

SHAMASH En phén. *Šmš*, "soleil", nom de l'astre diurne et de la divinité solaire louvite à →Karatepe (KAI 26 = TSSI III,15A, III,19; cf. IV,3), en pseudo-hiéroglyphes *CIEL-DIEU-SOLEIL-za-sá*, "Soleil du Ciel", en phén. *Šmš ʿlm*, "Soleil éternel". En milieu phén.-pun., le culte officiel de S. est attesté par l'existence d'un "mois du sacrifice à S.", *yrḥ zbḥ Šmš*, connu à →Pyrgi (KAI 277 = TSSI III,42), à →Kition (Kition III, A 27) et probablement à →Larnaka-tis-Lapithou (KAI 43 = TSSI III,36,4), puis par la mention d'un "serviteur du temple de S." à Carthage (CIS I,3780), où S. apparaît encore dans une liste de théonymes (CIS I,4963). Par ailleurs, l'inscription phén. d'une coupe de bronze datant du IVe s. cite un "→*marzeh* de S.", c.-à-d. une confrérie vouée à S., et des monnaies attribuées généralement à →Lixus portent la légende *Mqm Šmš*, "Lieu de S.", qui peut se référer à la divinité et pas simplement à l'Occident. Une tête radiée, apparemment féminine, figure sur des monnaies néopun. de →Málaga et est considérée comme l'effigie de la divinité solaire, plutôt que lunaire, puisqu'une émission de Málaga, datée *c.* 100-45 av. J.C., porte au revers la légende *Šmš* et la façade d'un temple tétrastyle, qui doit être celui de S. Plus tard, le soleil rayonnant apparaît sur les monnaies de →Juba II (→numismatique 4B, 5) et, au-dessus du →"signe de Tanit", sur quelques stèles de →Constantine (EH 239; SPC 56; 85). À Carthage, le disque solaire est parfois encadré d'*uraei* et d'ailes déployées, motif qui intervient aussi en Phénicie (Phén 122-123) ou à →Monte Sirai (Phén 254). Enfin, S. est l'élément théophore de plusieurs noms propres phén.-pun. de Phénicie, d'Égypte, de Chypre, d'Afrique du N. et de Grèce, où l'anthroponymie le rend parfois par Hélios. À l'époque rom., le culte du Soleil ne semble pas avoir été très en faveur auprès des Africains. Bien que les Libyens eussent autrefois vénéré une divinité solaire (Hdt. IV,188), l'astre n'était plus qu'un acolyte de →Saturne. Au Bas-Empire, on rencontre toutefois quelques dédicaces au Soleil Invincible, qui n'est pas forcément Mithra. L'une fut trouvée à Sloughia, en →Afrique Proconsulaire (CIL VIII, 1329); les autres proviennent de →Thagaste (CIL VIII, 5143), →Cherchel (CIL VIII, 9331), Zucchabar (CIL VIII, 9629), Lambèse (BAC 1921, p. CCXLVII) et peut-être de →Bou Arada (L'Africa romana V, p. 143-147), si l'inscription est authentique. On ignore quelles sont les attributions de S. phén.-pun., mais la divinité solaire pourrait avoir joué un rôle funéraire, comme Shapash à Ugarit, si *Šmš* se lit réellement dans l'énigmatique inscription pun. RÉS 13 (cf. 236). La *Qrtšmš*, "Cité du Soleil", d'un ostracon phén. d'Égypte (ESE III, p. 28) est sans doute la ville d'→Héliopolis.

Bibl. WM I/1, p. 308-309; Mazard, *Corpus*, p. 191-192; Benz, *Names*, p. 422; P. Rodriguez Oliva, *Sobre el culto de la Dea Luna en Malaca*, Jábega 21 (1978), p. 49-54; Bron, *Karatepe*, p. 187-188; F. Chaves Tristán - M.ª C. Marín Ceballos, *Numismatica y religión romana en Hispania*, La religión romana en Hispania, Madrid 1981, p. 34-35; N. Avigad -J.C. Greenfield, *A Bronze* Phialē *with a Phoenician Dedicatory Inscription*, IEJ 32 (1982), p. 118-128; M.-F. Baslez, StPhoen 4 (1986), p. 304; M.G. Guzzo Amadasi, *"Under Western Eyes"*, SEL 4 (1987), p. 121-127; M. Sznycer, StPhoen 5 (1987), p. 389-390. CBon-ELip

SHAPATBAAL En phén. *Šp̣tbʿl*, akk. *Sa-pa-ṭí-ba-al*, *Se-pâṭ-ba-èl* ("Baal a prononcé" ou "Arrêt de Baal") ou *Si-bi-it-ti-bi-ʾ-il/li*, d'après une étymologie populaire akk. qui y trouvait le nom des Pléiades (*Sibitti*).

1 S. I, roi de Byblos dans la première moitié du IXe s., fils d'→Elibaal. Il est connu par une dédicace à la →Baalat Gubal (KAI 7 = TSSI III,9).

2 S. II, roi de Byblos mentionné en 737 et 729/8 parmi les tributaires qui payèrent hommage à Téglat-Phalasar III en 738 (ZDPV 89 [1973], p. 48).

3 S. III, roi de Byblos mentionné *c.* 500 dans l'épitaphe de son fils (KAI 7), dont le nom est perdu dans la lacune, mais qui pourrait être →Urumilk II.

4 S., un des fils du roi →Yakinlu d'Arwad, au VIIe s. (ANET, p. 296a). JEla

SHAVÊ ZION Village côtier d'Israël, à 7 km au N. d'→Akko. En 1971-72, on y a trouvé en mer, à *c.* 1 km du rivage, plus de 250 figurines phén. en terre cuite (→coroplastie), dont quelques-unes portent le →"signe de Tanit". Comme la forme du signe correspond au plus ancien type connu en Occident, ces figurines doivent dater du Ve ou du début du IVe s. av. J.C., date que confirmeraient les autres trouvailles appartenant au chargement du caboteur coulé.

Bibl. E. Linder, *A Cargo of Phoenicio-Punic Figurines*, Archaeology 26 (1973), p. 182-187; id., Qadmoniot 6 (1973), p. 27-29. ELip

SHÉD →Shadrapha.

SHIQMONA En hb. *Šiqmônāh*, gr. *Sukáminos*, lat. *Sycaminum*, arabe *Tell es-Samaq*; ville de la côte phén. à 1.300 m au S. du →Carmel, dans les faubourgs de Haïfa, fondée au XVe s. av. J.C.; elle ne bénéficie pas d'un bon mouillage. Le site a livré plusieurs brèves inscriptions phén., dont la plus ancienne, encore inédite, remonterait au XIIe s. La ville était ceinte au Xe s. d'un mur à casemates et comportait un grand bâtiment résidentiel de 11 × 15 m qui était en usage au IXe s., époque qui paraît marquer l'apogée de la cité. La ville du VIIIe s. semble avoir subi une destruction lors des campagnes de Téglat-Phalasar III, mais le site continua à être occupé aux périodes assyrienne et babylonienne. À l'époque perse, à la fin du VIe s., une nouvelle ville y est édifiée. La zone fouillée montre un quartier résidentiel nettement conçu, où les maisons sont construites des deux côtés de rues à angle droit. Selon la coutume phén., des pierres de taille sont employées pour renforcer cloisons ou angles des maisons. La céramique recueillie a les traits usuels des sites côtiers et montre en outre des relations étroites avec Chypre. Cette cité ne vécut qu'un demi-siècle, puis disparut. Plus tard, les restes d'une forteresse du milieu du IVe s. ont livré deux jarres portant des inscriptions phén. datées "de la 25e année du roi", très probablement

→Azzimilk I, roi de Tyr, c.-à-d. de 333/2. Ce bâtiment a dû être détruit au temps d'Alexandre ou des Diadoques. À l'époque hellénistique, les quartiers résidentiels sont construits dans la plaine et non plus sur le petit tertre. La ville est mentionnée par Strab. XVI 2,27; Pline, *N.H.* V 75; Ptol. V 14 et Fl.Jos., *A.J.* XIII 332, qui signale le débarquement de Ptolémée VIII à S. On la retrouve chez Eus., *Onom.* 108,30, et dans l'*It. Burd.* (p. 584,8), et Antonin de Plaisance (p. 160, 12-14), en 570, en fait une ville juive (*Sycamina Iudaeorum*) à un mille de *Castra Samaritanorum* (Haïfa).

Bibl. EAEHL, p. 1101-1109; B. Delavault - A. Lemaire, *Shiqmona*, RSF 7 (1979), p. 14-18; HUCA 52 (1981), p. 82-83: bibl. à compléter par J. Elgavish, *Shiqmona*, RB 89 (1982), p. 238-240; J. Naveh, *Unpublished Phoenician Inscriptions from Palestine*, IEJ 37 (1987), p. 25-30 (voir p. 28-30). DHer-ELip

SHOQÉD En akk. *su-qíd*, phén. **šqd*, épithète divine attestée au VIIe s. dans les noms des Phéniciens *Ab-di-li-su-qíd*, "Serviteur du dieu attentif" (**'bd'l-šqd*), et *Síd-di-lu-su-qí(d)*, "Shéd est un dieu attentif" (**Šd'lšq[d]*), cités en 668 dans un document de Kalḫu (CTN III,57,2.31). Il faut peut-être la restituer aussi dans l'inscription contemporaine de Palaeokastro (→Pyla), dédiée à "Resheph attentif", *Ršp š[qd]* (RÉS 1214 = Syria 45 [1968], p. 297). On notera que la restitution *š[d]*, proposée antérieurement, ne complète pas la lacune et crée un théonyme double qui est inconnu par ailleurs. ELip

SIAGU Ville antique de Tunisie, à l'emplacement de Ksar ez-Zit, à 5 km au N.-O. de Hammamet. Nommée dans plusieurs inscriptions lat. (CIL V, 4922; VIII, 964-967; AÉp 1933, n° 66), S. possédait un Sénat et des suffètes en 28 ap. J.C., signe d'une forte tradition pun.

Bibl. AATun f^e 37 (Hammamet), n° 4. ELip

SICCA VENERIA En gr. *Síkka*, lat. *Sicca Veneria*, aujourd'hui Le Kef ou *El-Kef*; ville indigène du N.-O. de la Tunisie, à *c.* 170 km au S.-O. de Carthage, dont elle dépendait au IIIe s. En 241, elle reçoit les mercenaires de retour de Sicile et en attente de leur solde (Pol. I 66-67). Devenue numide, sans doute à la suite du traité de 201, elle est le lieu d'une escarmouche entre →Jugurtha et Marius (Sall., *Jug.* 56). Les vestiges les plus anciens remontent à la période numide: tombes contenant des céramiques de tradition pun., deux inscriptions libyques, des éléments d'architecture. La ville devait aussi sa renommée à un sanctuaire où se pratiquait la →prostitution sacrée. Érigée en colonie par Octave, sans doute avant 27 av. J.C., elle est la patrie du rhéteur Arnobe (IIIe-IVe s.).

Bibl. AATun., f^e 44 (Le Kef), n° 145; PECS, p. 834; RIL 17; Desanges, *Pline*, p. 197-199; Lepelley, *Cités* II, p. 156-161; A. Beschaouch, *Le territoire de Sicca Veneria*, CRAI 1981, p. 105-122; N. Ferchiou, *Note sur... Sicca Veneria*, MDAIR 89 (1982), p. 441-445; G. Mansour, *Une nouvelle inscription libyque à Sicca Veneria*, REPPAL 2 (1986), p. 315-320; N. Ferchiou, *Aperçus et hypothèses de travail sur les colonies juliennes*, CTun 34 (1986), p. 5-29. YThéb

SIC(H)ARBAS Dans l'épitomé de Trogue-Pompée (Just. XVIII 4-5), S. apparaît, sous la forme *Acerbas*, comme oncle et époux d'→Élissa, prêtre d'Héraklès (→Melqart) et deuxième autorité de Tyr, après le roi →Pygmalion (3) qui le tuera pour s'emparer de ses richesses. Ce délit causera la fuite d'Élissa et la fondation de →Carthage. Dans l'*Aen.*, S. figure comme *Sychaeus* (Sychée) que Virgile aurait, pour des raisons poétiques, préféré à S. (Serv., *in Aen.* I 343). Acerbas et Sychée remontent tous deux à l'anthroponyme phén.-pun. →S/Zakarbaal, par l'intermédiaire d'une hypothétique forme gr. *Sikhárbas*. Même si ce personnage doit beaucoup à l'élaboration poétique, le récit, dont la plus ancienne version connue remonte à →Timée, a probablement un fond historique.

Bibl. EV IV, p. 833-834; H.J. Katzenstein, *The History of Tyre*, Jerusalem 1973, p. 187-189; Bunnens, *Expansion*, p. 174-177, 180-183, 211, 246-248, 256-257, 264-265, 372-373. PXel

SICILE 1 Époque phénicienne La problématique de la colonisation phén. en S. rentre dans le cadre de l'→expansion en Méditerranée (fig. 301). Il n'existe donc pas de preuve assurée qui confirme la chronologie haute donnée par la tradition historiographi-

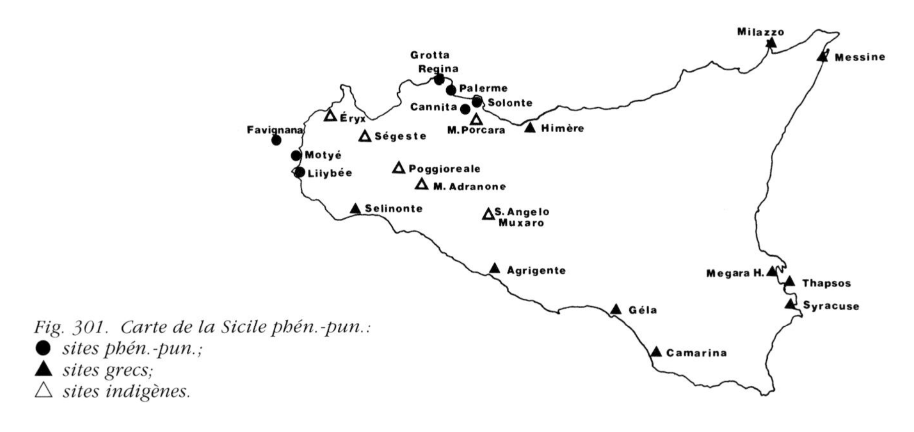

Fig. 301. Carte de la Sicile phén.-pun.:
● *sites phén.-pun.;*
▲ *sites grecs;*
△ *sites indigènes.*

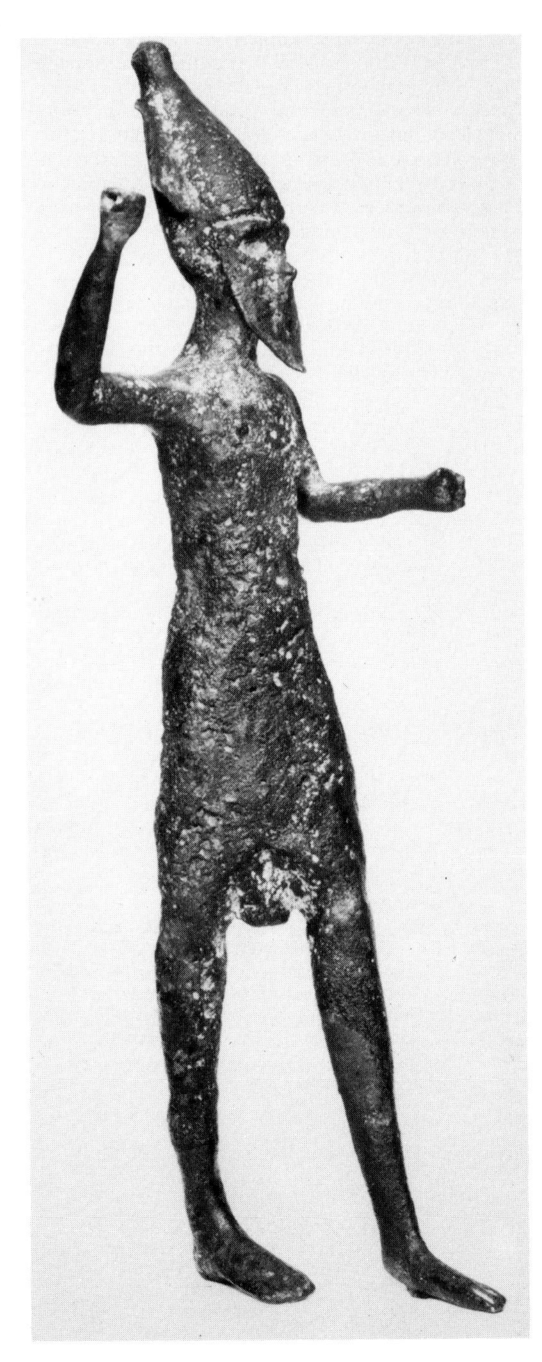

Fig. 302. Statuette trouvée en mer, au large de Sciacca (Xe ?-VIIIe s. av. J.C.). Palerme, Musée Archéologique National.

Fig. 303. Chaton de bague en or avec "signe de Tanit", Sicile (Ve-IVe s. av. J.C.). Palerme, Musée Archéologique National.

que, selon laquelle les premiers établissements phén. de l'île seraient antérieurs à *c.* 750 av. J.C. Cette date résulte de Thc. VI 2,6: les Phéniciens s'établirent initialement sur les promontoires et les îlots du pourtour de la S. pour commercer avec les →Sikèles. Après l'arrivée des Grecs, ils se seraient retirés à →Motyé, →Palerme et →Solonte, en raison de la proximité des →Élymes, leurs alliés, et de Carthage. L'implantation phén. en S. aurait donc été fractionnée géographiquement et chronologiquement. La phase pré-coloniale en S. orientale, domaine des Sikèles, aurait précédé la colonisation gr. dans la seconde moitié du VIIIe s. La phase coloniale, contemporaine des fondations gr. sur la côte orientale, aurait vu la création d'établissements phén. en S. occidentale. La phase pré-coloniale, rejetée par Beloch et Pareti, fut revalorisée par Pace dont les thèses sont encore les plus suivies. Les éléments archéologiques en sa faveur sont cependant fort ténus. En S. orientale, les seuls indices sont quelques objets de la culture indigène de Cassibile (1000-850) qui, selon Bernabò Brea, auraient subi une influence phén. Il faut y ajouter un petit bronze phén. trouvé dans la mer entre Sciacca et Sélinonte, représentant un personnage barbu, avec la couronne égyptienne, dans la posture typiquement orientale du "Smiting God" (fig. 302). Cette pièce est généralement datée de la fin du IIe mill., mais une datation aux Xe-VIIIe s. est peut-être préférable. La phase coloniale phén. est en revanche confirmée principalement par les fouilles de Motyé, dont la fondation remonte à *c.* 720. Nous savons peu de chose des deux autres colonies citées par Thc. Palerme gît sous la cité moderne et le mobilier le plus ancien des →nécropoles (2) ne remonte pas au-delà de la fin du VIIe s.; de Solonte, nous connaissons seulement le site hellénistique. Quant à la S. orientale, les matériaux phén.-pun. d'époque archaïque sont rares et, de toute façon, postérieurs aux fondations gr. Ces trouvailles, de même que les importations gr. de Motyé, démontrent l'existence d'intenses échanges commerciaux entre Phéniciens et Grecs à la fin du VIIIe et au VIIe s. Les rapports avec le monde indigène, surtout les Élymes, étaient étroits aussi, comme l'indiquent, à Motyé et à Carthage, les amphores pun. à décor géométrique peint, imitant la céramique indigène. La coupe d'or avec procession de taureaux, provenant de S. Angelo Muxaro, de *c.* 700 av. J.C., est à cet égard une pièce exceptionnelle dans laquelle l'influence phén. est évidente.

2 Époque punique À partir du VIe s., quand Carthage commence à bâtir son Empire, la S. revêt un rôle fondamental dans le cadre de cette politique et devient peu à peu une province pun. Les vieux comptoirs phén. se transforment en riches et puissantes cités fortifiées et deviennent des bases militaires soutenant la politique carth. À part Motyé, Solonte, Palerme et →Lilybée, nous savons peu de choses des autres établissements pun. de S. La côte N., entre Palerme et Trapani, n'est pas encore explorée. Il ne semble pas qu'il y ait des traces d'occupation à l'intérieur du pays avant le IVe s., étant donné les rapports pacifiques entre Puniques et indigènes. Un certain contrôle territorial semble toutefois s'être exercé depuis le VIe s. dans la vallée de l'Éleuthère, comme l'indiquent les sites internes de →Cannita (fig. 284) et de Monte Porcara, entre Palerme et Solonte, qui ont livré du matériel pun. Des traces de positions et de campements militaires du IVe-IIIe s. ont été repérées sur le →Monte Pellegrino, près de Palerme. Un lieu de culte existait à →Grotta Regina. Dans la région au N. de Lilybée, outre →Éryx, il y avait le port de →Trapani, qui joua un rôle stratégique durant la 1re →guerre pun. Quant aux îles Égates, où se déroula la célèbre bataille de 241, →Favignana recèle des restes de grottes et de tombes pun. avec une inscription et, à Levanzo, on a trouvé des vasques creusées près de la plage pour la production du →garum. Dans la mer, on a signalé diverses →épaves, dont celle de →Marsala. Autour de la lagune de Motyé, on a identifié de petits établissements ruraux (fig. 297). Plus au S., l'île de →Pantelleria servait d'escale entre le →Cap Bon et la S. Outre les restes de fortifications, on signalera un sanctuaire archaïque. Après les guerres du Ve s., →Sélinonte fut punicisée, de même que d'autres centres indigènes de l'intérieur, comme le suggèrent les restes pun. plus ou moins consistants découverts à Poggioreale et à →Monte Adranone, ainsi qu'à Rocca Nadore.

3 Guerres de Sicile Contrairement à d'autres régions pun., la S. fut un champ de bataille entre Puniques et Grecs. La première intervention directe de Carthage survint *c.* 550 av. J.C., lorsque →"Malchus" fut vainqueur des Grecs avant de passer en Sardaigne, où il fut défait. Au VIe s., on connaît aussi les tentatives manquées de Pentathlon et de →Dorieus pour fonder une colonie gr. en S. occidentale (→Héraklée [2]). Le premier grand choc eut lieu en 480 dans la plaine d'→Himère, lorsque les alliés gr., menés par Gélon de Syracuse et Théron d'Agrigente, anéantirent les forces carth. dont le chef, →Hamilcar (1), mourut sur un bûcher. À la fin du Ve s., Carthage remporta sa plus grande victoire: Sélinonte, Himère, Agrigente et Géla furent prises et détruites, de sorte que plus d'un tiers de la S. faisait partie de la province pun. Cette situation ne connut pas de changement substantiel durant les innombrables guerres des IVe et IIIe s. Les victoires de l'un et l'autre côté furent éphémères et la frontière demeura stable, le long du fleuve Halykos. Les Puniques contrôlaient les territoires élyme et sicane à l'O., les Grecs, la zone sicule, à l'E. Denys I, qui d'abord détruisit Motyé (397) et l'année suivante fut assiégé dans sa cité par la flotte d'→Himilcon (2), mena trois guerres inutiles. Vainqueur à →Kabala, il fut immédiatement après vaincu à →Kronion (382-376); enfin, il conquit diverses cités, assiégea →Lilybée, puis se retira (367). Timoléon remporta une autre grande victoire sur le →Crimisos (342), mais sans gains territoriaux. Les entreprises d'→Agathocle, vaincu finalement en S. et en Afrique du N. (310-306), n'eurent pas davantage d'impact, pas plus que celles de →Pyrrhus, qui conquit en vain la S. occidentale. Seuls les Romains, avec la 1re guerre pun. mirent fin au conflit entre Grecs et Puniques et conquirent toute l'île.

4 Culte Le →*tophet* de Motyé était dédié à →Baal Hamon. →Astarté était vénérée à Éryx et ailleurs: peut-être est-ce elle la déesse assise sur le trône de Solonte (fig. 313) et celle de la statuette similaire de Motyé. →Shadrapha est attesté à Grotta Regina et →Melqart, outre le toponyme →Rosh Melqart, apparaît comme élément →théophore sur certaines →stèles de Motyé. →Tanit, enfin, est la destinataire de quelques stèles de Lilybée et de Palerme, et le →"signe de Tanit" est assez répandu (fig. 303), même sur des →timbres amphoriques, des monnaies et un poids.

Bibl. CAH² IV, p. 739-780, 882-886; B. Pace, *Arte e civiltà della Sicilia antica* I, Milano 1958², p. 222-235; S. Chiappisi, *Il Melqart di Sciacca e la questione fenicia in Sicilia*, Roma 1961; L. Bernabò Brea, *Leggenda e archeologica nella protostoria siciliana,* Kokalos 10-11 (1964-65), p. 1-33; S. Moscati, *Sulla più antica storia dei Fenici in Sicilia*, OA 7 (1968), p. 185-193; F.W. Walbank, *The Historians of Greek Sicily*, Kokalos 14-15 (1968-69), p. 476-498; V. Tusa, *La civiltà punica in Italia*, Popoli e civiltà dell'Italia antica III, Roma 1974, p. 9-139; id. - S.F. Bondì, *Fenicio-Punici*, G. Vallet - E. Gabba (éd.), *La Sicilia antica* I/1, Napoli 1980, p. 143-225; Bunnens, *Expansion*, p. 381-382; S. Moscati, *Il mondo dei Fenici*, Milano 1979², p. 228-245; L.M. Hans, *Karthago und Sizilien*, Hildesheim 1983; Huß, *Geschichte*, p. 100-168, 176-215; V. Tusa, *I Fenici e i Cartaginesi*, Sikanìe, Milano 1986, p. 577-631; S. Moscati, *L'arte della Sicilia punica*, Milano 1987; H. Bengtson, *Die Diadochen*, München 1987, p. 157-160; L.S. Il'jinskaja, *Les Phéniciens en Sicile*, VDI 180 (1987-1), p. 41-54 (russe). GFal

SID En phén.-pun. *Ṣd*, dieu d'origine probablement phén. Il est attesté par des noms →théophores dès le VIIe s. en Syrie-Palestine, plus tard en Égypte, en Sardaigne et surtout à Carthage, où l'on trouve encore le nom *Sidiathones* à l'époque rom. En tant que divinité autonome, S. était vénéré dans le temple d'→Antas, en Sardaigne. Les nombreuses inscriptions votives gravées sur des bases de statues qui ont été mises au jour témoignent de la permanence du culte entre le Ve et le IIe s. En revanche, elles ne permettent que des hypothèses quant à la nature de S. Il serait une divinité guérisseuse, parce qu'associé dans certaines inscriptions aux dieux →Horôn et →Shadrapha. Il pourrait être un dieu chasseur, en raison du sens de la racine *ṣd* dans les langues sémitiques. Le matériel votif retrouvé dans le temple ne permet pas de trancher cette question. S. semble avoir été une divinité importante en Sardaigne à en juger par la qualité des dédicants (→suffètes) et leurs origines (→Sulcis, →Cagliari). Les épithètes qui lui sont attribuées soulèvent plus de problèmes qu'elles n'en résolvent. S. est toujours qualifié de *'dr*, "puissant", terme peu spécifique, et parfois de *b'by*, objet d'interprétations diverses (→Babay). Bien qu'aucune image certaine de S. n'ait été retrouvée, nombreux sont les auteurs qui lui attribuent l'apparence de →Sardos/Sardus Pater, la divinité vénérée à Antas à l'époque rom. On l'imagine donc coiffé d'un couvre-chef à plumes et porteur d'une lance. À Carthage, le culte de S. est attesté uniquement par des inscriptions qui ne sont pas antérieures au IVe s. av. J.C. Elles l'associent soit à →Tanit (CIS I,247-249), soit à Melqart (CIS I,256).

Bibl. M. Guzzo Amadasi, *Note sul dio Sid,* Ricerche puniche ad Antas, Roma 1969, p. 95-104; J. Ferron, *Sid: état actuel des connaissances*, Le Muséon 89 (1976), p. 425-440; S. Ribichini, *Una tradizione sul fenicio Sid*, RSF 10 (1982), p. 171-175. ARoob

SIDI AHMED EL-HACHEMI En lat. *Cit*[..., bourg indigène à 14 km à vol d'oiseau à l'O. de Maktar, en Tunisie. Une dédicace néopun., adressée probablement à Baal "au jour heureux et béni" (→Ksar Lemsa), témoigne de la punicisation de la région à l'époque pré-rom.

Bibl. AATun II, f^e 29 (Ksour), n° 121; RÉS 304-306; ESE II, p. 69-70; Lepelley, *Cités* II, p. 105-106. ELip

SIDI ALI-BEL-KASSEM En gr. *Thouboúrnika*, lat. *Thuburnica*; bourg situé dans le N.-O. de la Tunisie, au N. de Ghardimaou, région où l'on écrivait le →libyque jusqu'au IIe s. ap. J.C. On a découvert à S.A.-b.-K. un temple de Baal→Saturne, précédé d'une aire sacrée entourée d'une colonnade et contenant un grand autel des sacrifices. En dehors du temple proprement dit s'étendait le champ d'urnes cinéraires et de →stèles, les unes néopun., figurées et portant parfois des inscriptions néopun. ou gr., les autres rom., anépigraphes ou inscrites. Le sanctuaire, à l'origine peut-être à ciel ouvert, doit avoir été en usage de la fin du IIe s. av. J.C. jusqu'en pleine époque chrétienne. Il paraît avoir été détruit par les chrétiens.

Bibl. AATun, f^e 31 (Ghardimaou), n° 7; PW VIA, col. 620; L. Carton, *Note sur des fouilles exécutées à Thuburnica et à Chemtou*, BAC 1908, p. 410-427 (en part. p. 412-422); RÉS 938-939; M. Leglay, *Saturne africain. Monuments* I, Paris 1961, p. 274-285; Desanges, *Pline*, p. 293-295. ELip

SIDI ALI EL-MEKKI →Rusucmona.

SIDI BOU SAÏD →Carthage.

SIDI EL-HANI Village de Tunisie, à 30 km à l'E. de Kairouan. On y a découvert un temple contenant du matériel surtout pun. et néopun., en particulier des "cuvettes cimentées" renfermant des ossements mélangés avec du bois calciné, des fragments de stèles et de poteries, des lampes et des monnaies. Les trouvailles les plus récentes consistent en quelques lampes rom. du Ier s. ap. J.C. et une monnaie de Nerva (96-98).

Bibl. AATun, f^e 64 (Sidi el Hani), n° 40; H. Gridel, *Notes sur un temple à Sidi-el-Hani*, BSAS 17 (1925-26), p. 74-80; cf. 24 (1928 [1929]), p. 36-48. ELip

SIDI KHALIFA, HENCHIR En lat. *Pheradi Maius*, ville pré-rom. de Tunisie, probablement identique à l'*oppidum Paradae* du *Bell. Afr.* 87 et à la *Phara* de Strab. XVII 3,12. S.K. est située à 20 km au N. de l'actuelle ville d'Enfida et à *c.* 60 km au S.-E. de Tunis. Le site a livré 4 inscriptions néopun., qui témoignent de la culture pun. de la localité pré-rom.

Bibl. AATun, f^e 43 (Enfida), n° 34; PECS, p. 702; RÉS 511; J.-G. Février, *Deux inscriptions néopuniques*, Karthago 10 (1959-60), p. 61-66; J. Hoftijzer, OMRO 44 (1963), p. 95-96 (NP 12); Lepelley, *Cités* II, p. 300-302. ELip

SIDI REIS →Carpis.

SIDI YAHIA →Bizerte.

SIDON En phén. *Ṣdn*, hb. *Ṣîdôn*, ég. *Ḏdn*, gr. *Sidṓn*, arabe *Ṣaydā'*, akk. *Ṣidūna/u* dans les lettres d'El→Amarna, *Ṣidūnu/Ṣidunna* en assyrien, *Ṣa'idūnu* en babylonien et *Ṣí-du_6-na-a*^{ki} dans les documents d'→Ébla, si l'on parvient à justifier l'emploi du signe *du_6*; ville de la Phénicie méridionale, à 35 km au N. de →Tyr, bâtie sur une langue de terre à l'extrémité N. de l'étroite plaine qui s'étend entre les monts du Liban et la Méditerranée (fig. 304). Même s'il s'avère que S. n'est pas citée dans les textes d'Ébla, *c.* 2300 av. J.C., l'occupation du site du Château St-Louis remonte à la seconde moitié du IVe mill.; les premières mentions assurées de S. ne datent toutefois que du XIVe s. Les lettres d'El-Amarna (EA 144-145) montrent alors que le roi Zimredda de S. cherchait à s'affranchir de la suzeraineté égyptienne, qui s'exerçait sur la région depuis la fin du XVIe s., mais il est vraisemblable qu'elle s'est maintenue, avec quelques interruptions, jusqu'à la fin du XIIIe s. S. semble avoir joué un rôle de premier plan durant la période "obscure" des XIe-Xe s., comme l'indiquent les Mésaventures de →Wenamon qui signale la présence, dans le port de S., de "cinquante vaisseaux qui sont en relations d'affaires avec Warkat-Ili", un Sémite installé à Tanis, la capitale égyptienne, où il faisait du commerce, en même temps que le métier d'armateur (ANET, p. 27a; TPOA, p. 76). Son nom akk. rappelle que le récit se situe à une époque où, pour la première fois, S. a dû payer tribut à un souverain assyrien, en l'occurrence Téglat-Phalasar I (1114-1076: ANET, p. 275a), qui ne mentionne même pas Tyr. C'est à cette activité du port de S. qu'il faut attribuer aussi le rôle des "Sidoniens" dans le →commerce égéen, d'après Homère qui doit rapporter une donnée traditionnelle, attestée également dans la →Bible (1), où les Phéniciens sont nommés "Sidoniens" (*Dt.* 3,9; *Jos.* 13,4.6; *Jg.* 3,3; 10,12; 18,7; *1 R.* 5,20; 11,1.5; 16,31; *2 R.* 23,13; *Ez.* 32,30). La prééminence de Tyr, qui commence au Xe s., intervient à la veille de nouvelles expéditions assyriennes qui menèrent en Phénicie les rois Assurnasirpal II, Salmanasar III, Adad-nirari III, puis Téglat-Phalasar III, Sargon II, Salmanasar V, Sennachérib et Asarhaddon. Ces campagnes avaient pour objectif de percevoir le tribut de riches cités phén., parmi lesquelles S. est presque toujours nommée (ANET, p. 276b, 280b, 281b; TPOA, p. 94, 95; Fl.Jos., *A.J.* IX 285). Ces "présents" offerts aux rois d'Assyrie stimu-

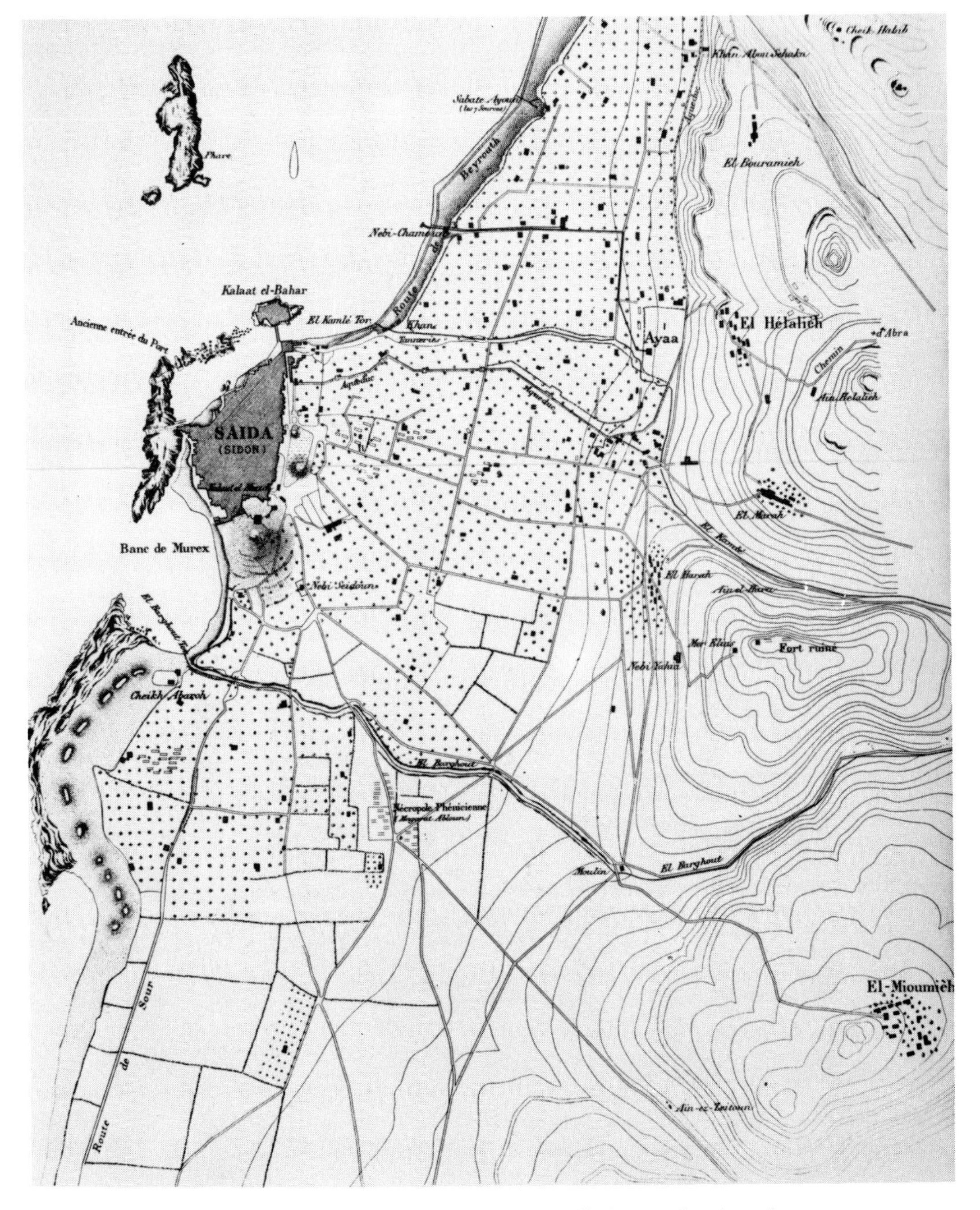

Fig. 304. Carte de Sidon et de ses environs, avec l'indication des nécropoles.

laient la recherche de nouvelles sources d'approvisionnement et favorisaient, de la sorte, l'expansion et l'émigration phén., dont l'apogée semble se placer au VIIIe s. Jusqu'à la fin du même s., les villes phén. paraissent supporter sans trop de difficulté cette suzeraineté assyrienne et le roi →Lulî de S. réimpose même son autorité à →Kition (Fl.Jos., *A.J.* IX 284). Puis, à la mort de Sargon II en 705, il rejette l'hégémonie assyrienne, mais doit fuir à Chypre à l'arrivée de Sennachérib en 701. Celui-ci installe alors sur le trône →Ittobaal (4) et lui impose un tribut annuel (ANET, p. 287-288; TPOA, p. 118-119.122). Quand

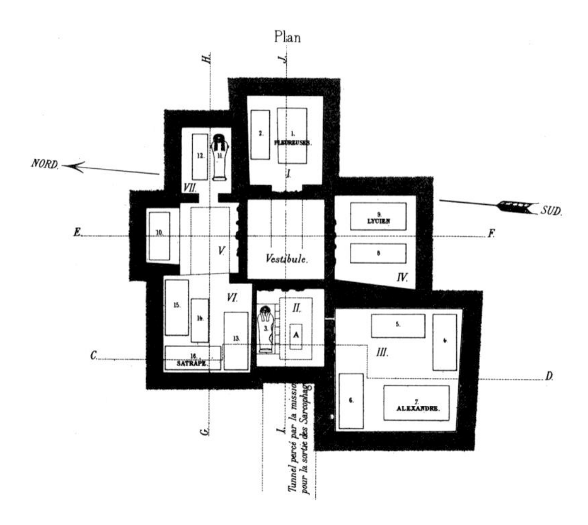

*Fig. 305. Plan de la nécropole d'*Ayya'a, *Sidon.*

→Abdimilkutti se révolte contre Asarhaddon, celui-ci s'empare de S. en 677, met la ville à sac, fait décapiter le roi rebelle, réduit le territoire de S. en province assyrienne et donne à la cité le nom de Kar-Asarhaddon, "Quai d'Asarhaddon" (ANET, p. 290-291, 302-303; TPOA, p. 126-127). C'est à ces événements que se référait originairement l'élégie d'*Is.* 23, peut-être aussi *Ez.* 28,20-23. La ville retrouva néanmoins sa prospérité, profitant du long siège de Tyr par Nabuchodonosor II, cependant que le roi de S. était retenu à la cour de Babylone (ANET, p. 308). À l'époque des Achéménides (→Perses), S. était à nouveau la principale ville phén., où se succèdent sur le trône, de la fin du VIe au milieu du IVe s., les rois →Eshmunazor I, →Tabnit I, →Eshmunazor II, →Bodashtart (1), →Yatanmilk, →Baalshillem I, →Abdémon (2), →Baana (3), →Baalshillem II, →Straton I et →Tabnit II. Xerxès I donna au roi Eshmunazor II la plaine de Saron, depuis le mont →Carmel jusqu'à Jaffa, pour récompenser la dynastie régnante de S. des services rendus par la flotte sidonienne lors des →guerres médiques. La ville, dans laquelle Sennachérib distinguait déjà S.-la-Grande (cf. *Jos.* 11,18; 19,28) et S.-la-Petite (ANET, p. 287; TPOA, p. 119), compte à l'époque perse divers quartiers, énumérés avec leurs temples dans les inscriptions d'Eshmunazor II (KAI 14 = TSSI III,28) et de Bodashtart (KAI 15). En outre, à →Bostan esh-Sheikh, à 2 km au N.-E. de S., au bord du *Nahr el-Awwāli*, s'élevait un temple d'→Eshmun (fig. 50), le grand dieu de S., où les rois ont fait montre de leur piété et de leur richesse en y dédiant des statues (fig. 294; TSSI III,29) ou en édifiant, au IVe s.,

*Fig. 306. Têtes de deux sarcophages de la nécropole d'*Ayya'a *(V[e]-IVe s. av. J.C.). Beyrouth, Musée National.*

la fameuse "tribune d'Eshmun" (fig. 49). Par ailleurs, les →sarcophages (4) (fig. 1, 3-4, 41, 129, 281, 306, 326, 328) et le →mobilier funéraire des trois grandes →nécropoles de S., celles de *Maġarat Ablūn*, de *'Ain el-Ḥalwi* et d'*Ayya'a* (fig. 305), avec les hypogées royaux, révèlent la prospérité de la ville et l'opulence de ses monarques. L'industrie de la →pourpre, attestée par les amas de coquilles de murex, n'y était pas étrangère et l'introduction de la monnaie à S., au Ve s., reflète le prestige économique de la cité (fig. 250, 1-5; 251:2; pl. XIa; →numismatique 1A). Le niveau intellectuel de ses élites ne devait pas être inférieur, puisque des Sidoniens s'expatriaient dès le IVe s. à Athènes pour s'y adonner à la →philosophie (cf. Strab. XVI 2,24). La résidence perse, dont on a retrouvé les vestiges près du Château St-Louis, était peut-être postérieure à la révolte de Tennès (→Tabnit II), en 351/0-346/5, écrasée par Artaxerxès III, qui mit probablement sur le trône de S. →Évagoras II de Salamine. Selon Diod. XVI 41,1-5, il y avait aussi un *parádeisos* près de S., c.-à-d. un "parc" des Achéménides ou de leurs →satrapes (→animaux). Lors de la conquête d'→Alexandre le Grand, alors que Tyr lui résistait, S. lui ouvrit les portes en 332, mais le roi →Straton II ou III fut déposé et remplacé par →Abdalonymos. Bénéficiant de la chute de Tyr, S. reprit un rôle prééminent en Phénicie et →Philoklès, son dernier roi, devint l'amiral de la flotte ptolémaïque. Devenue au IIIe s. une sorte de république administrée par des →suffètes, S. passa en 198 sous la mouvance des →Séleucides, mais devint autonome en 111. Pompée reconnut son indépendance en 64, ainsi que son droit de battre monnaie (→numismatique 1B). Puis Auguste agrandit considérablement son territoire jusqu'au mont →Hermon. Renommée depuis le Ier s. av. J.C. pour sa →verrerie (Pline, *N.H.* XXXVI 192-193), S. continua à prospérer à l'époque rom. et devint une *colonia* sous Élagabal.

Bibl. BRL², p. 296-298; DEB, p. 1204-1206; EJ XIV, col. 1505-1508; PECS, p. 837; PW IIA, col. 2216-2229; F.C. Eiselen, *Sidon*, New York 1907; Peckham, *Development*, p. 65-101; N. Jidejian, *Sidon through the Ages*, Beirut 1971; Wild, *Ortsnamen*, p. 152-155,202; P. Magnanini, *Le iscrizioni fenicie dell'Oriente*, Roma 1973, p. 3-15, 152-153; J. Teixidor, Syria 56 (1979), p. 380-382; id. *Deux inscriptions phéniciennes de Sidon*, Archéologie au Levant. Recueil R. Saidah, Lyon 1982, p. 233-236; R.A. Stucky, *Tribune d'Echmoun*, Bâle 1984; T. Kelly, *Herodotus and the Chronology of the Kings of Sidon*, BASOR 268 (1987), p. 39-56; J. Elayi, *Sidon, cité autonome de l'Empire perse*, Paris 1989.
NJid-ELip

SIDQIMILK En phén. *Ṣdqmlk*, roi de →Lapéthos avant 450, connu par les légendes de son monnayage (fig. 252:8; →numismatique 2).

Bibl. E.S.G. Robinson, *Kings of Lapethos*, NC, 6e sér., 8 (1948), p. 60-65; Masson-Sznycer, *Recherches*, p. 98-99.
ELip

SIGA En néopun. *Šyg'n*, gr. *Sígē/Síg(g)a*, lat. *Siga*, ville antique d'Algérie et port fluvial (Liv. XXVIII 17,16) sur la rive gauche de l'oued Tafna, près de l'actuel village de Takembrit, à 4 km de l'embouchure. Nommée déjà au IVe s. dans Skyl. 111, S. a dû être un comptoir pun. avant de devenir la capitale de →Syphax (Liv. XXVIII 17; Strab. XVII 3,9; Pline, *N.H.* V 19; Pol. XII 1,3). Elle continua plus tard à jouer un rôle économique non négligeable (*It. Ant.*, p. 5). Sur la colline, du côté opposé de la rivière, s'élève le →mausolée (2) des Beni-Rhénane (Kerkar el-Araïs), bâti par Syphax. Le site de la ville, encore peu fouillée, a livré des vestiges prérom., notamment des stèles (néo)pun. des IIIe-IIe s. av. J.C., qui permettent de croire que le culte de →Saturne à l'époque rom. y a succédé à celui de →Baal Hamon.

Bibl. AAAlg, f^e 31 (Tlemcen), n°s 1-4; PECS, p. 838; Gsell, HAAN II, p. 164-166; P. Grimal, *Les fouilles de Siga*, MÉFR 54 (1937), p. 108-141; G. Vuillemot, *Notes sur un lot d'objets découverts à Siga*, BSGAO 76 (1953), p. 25-33; E. Janier, *Siga*, Bulletin de la Société des Amis du Vieux Tlemcen 3 (1954), p. 68-77; G. Vuillemot, *Deux stèles de Siga*, ibid., p. 78-80; id., *Siga et son port fluvial*, AntAfr 5 (1971), p. 39-86; F. Decret, *Au sujet des stèles néo-puniques du Musée d'Oran*, Bulletin du Centre de recherche et de documentation. Université d'Oran 1 (1969), p. 89ss.; id., *Contribution à la recherche archéologique à Siga*, ibid. 2 (1971), p. 159-171, et BSGAO 1977-78, p. 36-54; H.G. Horn - C.B. Rüger (éd.), *Die Numider*, Köln 1979, p. 149-156, 181-186, 386-397, 454-457, 546-547; Desanges, *Pline*, p. 151-153; M. Le Glay, *Nouveaux documents, nouveaux points de vue sur Saturne africain*, StPhoen 6 (1988), p. 187-237 (voir p. 223-226).
ELip

"SIGNE DE TANIT" Sans qu'on puisse affirmer qu'il se rattache à →Tanit, le s. dit de T. est le symbole le plus fréquemment représenté sur les →stèles votives d'Afrique du Nord (fig. 307-309, 323, 324). Apparu sur des cippes de Carthage au Ve s., il a connu un grand succès, notamment en Numidie jusqu'au début de l'Empire romain. Si les représentations du symbole varient à l'infini (fig. 310), sa description révèle cependant qu'à toutes les époques trois éléments le composent: a) la base, faite d'un triangle ou d'un trapèze au sommet muni parfois d'un motif en forme de U ou de V; b) la barre horizontale dont les extrémités, à partir de la fin du IVe s. sont relevées plus ou moins perpendiculairement; c) le cercle plus ou moins aplati sur la barre.
L'ensemble évoque incontestablement, surtout à basse époque, une silhouette humaine bras étendus. Le symbole est soit gravé d'un trait simple ou double, soit en relief plat, soit en champlevé (→Constantine). Après la chute de Carthage, en Numidie, le symbole s'anthropomorphise. Le s. de T. est combiné avec d'autres symboles (symboles astraux, caducée, main, socle-autel), mais il occupe toujours une position prééminente sur la stèle, au-dessus ou au-dessous du cartouche, parfois dans le fronton. On le rencontre également sur des pavements (fig. 193, 300), des bagues (fig. 303), des →timbres amphoriques, etc., voire taillé en forme de →stèle (pl. XVc). À la fin du IIe s., alors que les autres symboles tendent à disparaître, le s. de T. reste toujours présent. On a été longtemps très partagé sur l'origine et la valeur à attribuer à ce symbole. À haute époque, il évoque la croix *ankh* dont on trouve la trace en Phénicie (fig. 327a,l,t). On a voulu voir dans ce symbole, tour à tour, la silhouette d'un orant en prière, une figuration abstraite à partir d'une table d'autel munie ou

Fig. 307-309. Stèles votives d'El-Hofra avec le "signe de Tanit" associé à d'autres symboles, Constantine (IIIe-IIe s. av. J.C.). Paris, Louvre.

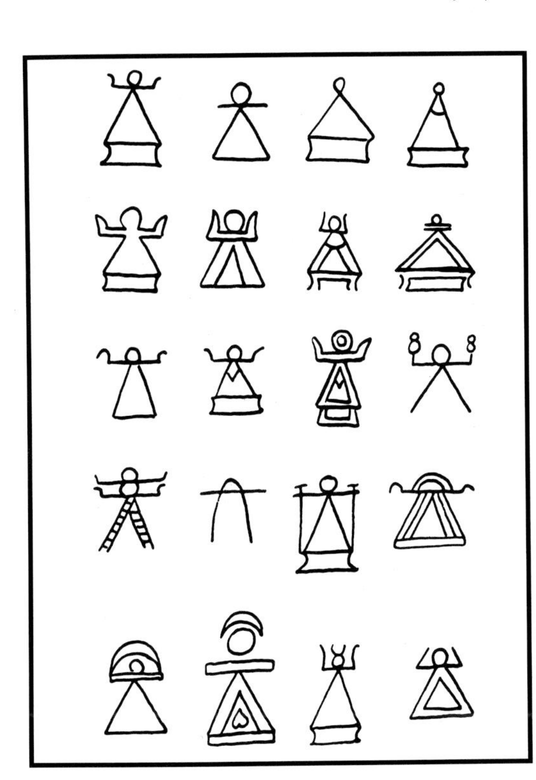

non de cornes et portée par un bétyle pyramidal ou un tronc conique, et même une idole de type égéen. Mais les découvertes récentes semblent aujourd'hui indiquer que le s. de T. proviendrait de l'Orient où l'archéologie révèle de nombreux s. de T. qui rendent de moins en moins probable son origine carth. Pas nécessairement associé à la déesse Tanit, ellemême de souche orientale, le s. de T. serait issu d'une schématisation de la figure féminine frontale, apparue d'abord en Orient selon des modèles peut-être phén., ou alors il dériverait du symbole de vie égyptien, la croix *ankh*, tout comme la croix ansée des hiéroglyphes hittites. Cette seconde explication est appuyée par la découverte en mer, près de Tyr, de statuettes de la fin du Ve s. marquées d'un s. de T. sans ligne de base (PhMM 55). Sa valeur réunirait deux idées fondamentalement présentes dans la religion phén.-pun., celles de la vie et de la fécondité, liées à la notion de salut souhaité lors du sacrifice. Le s. de T. serait alors un intermédiaire entre le monde terrestre et le monde céleste figuré par le croissant et le disque. En Numidie, à partir du IIe s., il ne serait plus qu'un intermédiaire abstrait entre le dieu →Baal Hamon et le dédicant. À cette époque, l'anthropomorphisation du symbole pourrait n'être, enfin, que la simple figuration du dédicant.

Fig. 310. Types du "signe de Tanit" relevés sur des stèles par A.-M. Bisi.

Bibl. RLA VI, p. 240-241; C. Picard, *Les représentations du sacrifice* molk, *sur les stèles de Carthage*, Karthago 18 (1975-1976 [1978]), p. 5-116 (voir p. 8-11); E. Lipiński, *Syro-Fenicische wortels van de Karthaagse Religie*, Phoenix 28 (1982 [1984]), p. 51-84, en part. p. 61-64; E. Gubel, StPhoen 1-2 (1983), p. 35; id., Syria 62 (1985), p. 179, et 65 (1988), p. 441-443; F. Bertrandy - M. Sznycer, *Les stèles puniques de Constantine*, Paris 1987, p. 55-60; E. Lipiński, *Les racines syro-phéniciennes de la religion carthaginoise*, CEDAC Carthage 8 (1987), p. 28-44, en part. p. 31-32 et 39 (bibl.). FBer

SIGUS Ville numide d'Algérie à *c.* 35 km au S.-E. de →Constantine, connue pour ses figures rupestres prérom. et pour le culte de →Baal Addir à l'époque rom. Ce culte a probablement succédé à celui de →Baal Hamon, attesté au IIe s. av. J.C. On a également pu localiser à S. une nécropole prérom., où malheureusement aucune fouille n'a pu être pratiquée. L'onomastique pun. des inscriptions lat. de S. et les inscriptions en écriture pun. témoignent de l'influence culturelle carth. qui s'est exercée sur ce centre numide aux IIIe-IIe s. av. J.C.

Bibl. AAAlg, f^{e} 17 (Constantine), n° 335; A. Berthier -F. Logeart, *Gravures rupestres de Sigus*, RAfr (1937), p. 1-3 (tiré à part); J. Février - A. Berthier, BAA 6 (1975-76), p. 80-81; H.G. Horn - C.B. Rüger (éd.), *Die Numider*, Köln 1979, p. 578-579 (= RIL 813). ELip

SIKÈLES En gr. *Sikeloí*, une des populations indigènes de →Sicile (1) lors de la colonisation phén. et gr., les autres étant les Sicanes et les →Élymes (Thc. VI 2). D'origine italique, les S. émigrèrent en Sicile orientale, se superposant aux Sicanes et les repoussant vers l'O. Ils donnèrent son nom à la Sicile, jadis la Trinakria. On discute de la date de leur migration: trois générations avant Troie, selon Hellanikos et Philistos (*c.* 1270 av. J.C.), 300 ans avant l'arrivée des Grecs, selon Thc. (*c.* 1050), que l'archéologie confirmerait. Thc. affirme encore qu'à leur arrivée en Sicile, les Phéniciens commercèrent avec les S., mais on n'a trouvé à ce jour aucun comptoir phén. d'époque pré-hellénique sur la côte E. Certaines catégories de matériel propres à la culture de Cassibile (1000-850), comme les cruches à filtre, les œnochoés trilobées, les fibules de bronze et quelques objets de fer, pourraient suggérer des contacts avec les Phéniciens.

Bibl. L. Bernabò Brea, *La Sicilia prima dei Greci*, Milano 1958; id., *Leggenda e archeologia nella protostoria siciliana*, Kokalos 10-11 (1964-65), p. 1-33; G. Voza et al., *Problematica archeologica*, E. Gabba - G. Vallet (éd.), *La Sicilia antica* I/1, Napoli 1980, p. 5-86; A.M. Bietti Sestieri, *La Sicilia e le isole Eolie...*,Kokalos 26-27 (1980-81), p. 8-79. GFal-FSpat

SIKKÛ En akk. *Sik-ku-ú*, localité du royaume de Sidon, annexée par Asarhaddon en 677/6 (AfO, Beih. 9, p. 48, col. III,1). Sa localisation précise au Liban est inconnue. ELip

SIMYRA →Kazel, Tell.

SINES →Portugal.

ṢIPPOR, TEL En arabe *Tell eṭ-Ṭuyur*, site cananéen d'Israël, à *c.* 20 km de la mer, au S.-E. d'Ashdod. Ils ne nous intéresse ici qu'à cause de ses relations externes à l'époque perse. Plusieurs types de terres cuites découvertes *in situ*, comme les déesses enceintes ou mères, les dieux barbus, etc., illustrent l'élément phén. de ces apports extérieurs.

Bibl. EAEHL, p. 1111-1113; O. Negbi, *A Deposit of Terracottas and Statuettes from Tel Sippor* ('Atiqot. English Series 6), Jerusalem 1966. EGub

SITTIUS, P. Campanien originaire de Nuceria (Italie) et ancien compagnon de Catilina, S. devient condottière en Afrique du N. et allié de César, lequel lui octroie, après →Thapsus (46 av. J.C.), une partie de la →Numidie indépendante. Cet État-tampon comprenait le territoire de la future confédération cirtéenne, avec Cirta (→Constantine), →Chullu, →Rusicade et →Milev. Il disposait d'une façade maritime, depuis l'*Ampsaga* (Oued el-Kebir) à l'O. jusqu'à un point inconnu à l'E. de Rusicade, mais →Hippone, dont S. s'était emparé à la fin du conflit africain entre Pompéiens et Césariens (*Bell. Afr.* 96,1), était cédée à la *Provincia Nova* d'→Afrique. S. fut tué en 44 av. J.C. par →Arabion.

Bibl. KlP V, col. 219-220; PW IIIA, col. 409-411; F. Decret - M. Fantar, *L'Afrique du Nord dans l'Antiquité*, Paris 1981, p. 154-158. ELip

SIYĀN En akk. *Siyānu*, ug./hb. *Syn*, ville de la Syrie du N.-O., aujourd'hui *Siānō*, à 8 km à l'E. de *Ğeblē*, où le tell homonyme marque l'emplacement de l'ancienne S. S. était la capitale d'une principauté contiguë au royaume d'→Ugarit et joue, de ce fait, un rôle important dans les textes de Ras Shamra. Son roi →Adonibaal (1) prit part, en 853, à la bataille de Qarqar, où la coalition anti-assyrienne mit en échec Salmanasar III (ANET, p. 279; TPOA, p. 86). Téglat-Phalasar III occupa la ville en 738 et annexa son territoire à l'Empire assyrien (ANET, p. 282-283; TPOA, p. 101). L'ethnique *Syny* est mentionné dans *Gn.* 10,17; *1 Ch.* 1,15, où il est vocalisé fautivement *Sînî* au lieu de *Siyānî*.

Bibl. DEB, p. 1213; PRU IV, p. 16-17; Forrer, *Provinzeinteilung*, p. 58; M. Liverani, *Storia d'Ugarit*, Roma 1962 (voir l'index p. 161); H. Klengel, *Geschichte Syriens im 2. Jahrtausend v.u.Z.* II, Berlin 1969, p. 353-355, 367-368. ELip

SKIKDA →Rusicade.

SKYLAX, PSEUDO- Auteur athénien d'un →périple (4) de la Méditerranée et du Pont-Euxin attribué par la tradition byzantine à S. de Karyanda, un marin chargé par Darius I d'un voyage de l'Indus au Golfe arabique (Hdt. IV 44; FGH 709). Le périple conservé dans le *Parisinus suppl. gr. 443* date de 338-335/4 av. J.C., mais présente, à côté de fréquentes corruptions textuelles, de graves anachronismes pour les régions autres que la Grèce. S. 104 est témoin d'une extension territoriale de →Tyr, qui occupe le littoral de →Sarepta au →Carmel et la ville d'→Ascalon; de même, →Sidon est censée avoir la possession d'→*Oríthōn Pólis*, d'une *Arados* autrement inconnue (→Atlit), au S. du →Carmel, et de →Dor, une situation peut-être directement antérieure à la révolte de Tennès (→Tabnit II). Dans sa description de la Libye, marquée çà et là par "une documentation archaïque" (Desanges), S. 111-112 connaît une domination carth. des Hespérides aux Colonnes d'Hercule (→Calpè, Mont; →Ceuta) et mentionne l'activité de marchands phén. à Cernè (→Mehdia) et sur sa pérée, d'où ils ramènent du vin, et l'importation par eux, dans ces contrées, d'onguents, de minéraux et de céramique attique.

Bibl. GGM I, p. 15-96; Desanges, *Recherches*, p. 87-120; A. Peretti, *Il periplo di Scilace*, Pisa 1979; D. Marcotte, Bollettino dei Classici, 3e sér., 7 (1986), p. 166-182. DMar

SKYMNOS, PSEUDO- Auteur gr. d'une description iambique du monde habité, conservée en partie et abusivement attribuée, au XVIIe s., au géographe S. de Chios. L'œuvre a été rédigée entre 133 av. J.C. (v. 16-18.233) et la date de parution du IVe livre des *Chroniques* d'Apollodore d'Athènes (v. 22-25), qui tombe peu après 120/19 ou 110 av. J.C., mais elle reflète un état de la Méditerranée septentrionale et du Pont-Euxin antérieur à la fin du IVe s. av. J.C. Énumérant fondations et colonies fameuses, S. n'ajoute rien à ce qu'on sait par ailleurs de l'origine de →Gadès (v. 159-162) et de la venue de →Kadmos à Thasos (v. 659-663). La mention de →Libyphéniciens venus de Carthage coloniser la Bastulie-Bastétanie, de →Calpè à →Carthagène (v. 196-198), est confirmée par Avienus (*Ora* 421) et Appien (*Iber.* 235; cf. Ptol. II 3; Marcien Hér. II 9). La légende du règne de Phineus, fils de →Phoinix de Tyr, sur la Paphlagonie avant la colonisation milésienne (v. 958-959 Müller, GGM) trouve un écho chez Arrien (FGH 156, fr. 77) et Ét. Byz. (s.v. *Paphlagonía* et *Sésamon*).

Bibl. GGM I, p. 196-237; A. Diller, *The Tradition of the Minor Greek Geographers*, Lancaster Pa. 1952, p. 165-176 (v. 722-980). DMar

SMIRAT Site pun. de Tunisie, à *c.* 20 km de la côte, à la hauteur de Ksour Essaf. On y a exploré *c.* 20 →tombes (2) à chambre hypogée, accessibles par des puits, d'une architecture très simple. Particulièrement bien conservées, elles ont permis de relever l'emploi régulier du fard funéraire rouge (→pratiques funéraires 1), la présence de linceuls, épais tissus de laine ou nattes de vannerie, et celle de coffres-sarcophages en bois, eux aussi peints en rouge et façonnés selon un modèle courant dans les nécropoles pun. du →Sahel (→Ksour Essaf) et à →Gigthis. Des résidus d'→offrandes alimentaires y ont été trouvés dans des bols en poterie modelée, fermés avec des bouchons d'argile. L'un de ces bols portait une figure gravée à la pointe sèche, peut-être la représentation héroïsée du défunt, ainsi qu'une inscription de dix signes (néo)pun., encore non déchiffrée. La céramique suggère les IIIe et IIe s. pour l'utilisation de la nécropole, qui a livré aussi des données d'un grand intérêt pour l'→anthropologie.

Bibl. E.G. Gobert - P. Cintas, *Smirat*, RTun 45-47 (1941), p. 83-121; Cintas, *Manuel* II, p. 47-49, 92; H. Ben Younès, *Le vase de Smirat et le thème de la victoire sur la mort*, REPPAL 3 (1987), p. 17-32. SLan

Fig. 311. Statuette du "Smiting God", bronze plaqué d'argent et d'or, Minet el-Beida (XIVe-XIIIe s. av. J.C.). Paris, Louvre.

Fig. 312. Statuette du "Smiting God", bronze, Syro-Phénicie (1500-1000 av. J.C.). Beyrouth, Musée Archéologique de l'Université Américaine.

"SMITING GOD" L'expression anglaise "S.G." vise les représentations du "dieu terrassant" l'ennemi, le pied gauche porté en avant, le bras droit brandissant une arme, lance ou massue. Elles sont très répandues au Proche-Orient au IIe et au Ier mill., surtout dans la →glyptique syrienne et dans les petits →bronzes exécutés à la cire perdue, issus des ateliers syro-palestiniens et anatoliens (fig. 302, 311, 312). L'attitude du "S.G.", de même que le vêtement et le couvre-chef, inspiré de la couronne blanche de la Haute-Égypte ou de la couronne *atef*, montrent l'origine égyptienne du schéma iconographique, illustré par l'image du Pharaon qui piétine l'ennemi. Au Nouvel Empire, lorsque les rapports entre l'Égypte et la Syrie s'intensifient, le "S.G." des stèles égyptiennes figure des divinités guerrières étrangères, notamment →Resheph, et il est adopté également dans la petite statuaire en bronze, qui a son foyer principal à →Byblos. L'identification avec Resheph demeure incertaine, faute de données archéologiques ou à cause de la perte des attributs. Parfois, on a affaire à une déesse représentée dans la même attitude (pl. IIb, III; fig. 53). Les modifications syro-palestiniennes du schéma égyptien touchent souvent à la lance, au petit bouclier rond, au poignard et surtout à la tiare à cornes d'origine mésopotamienne, qui remplace parfois la couronne blanche ou la couronne *atef*. O. Negbi a isolé trois sous-groupes de "S.G.":

"syro-palestinien", "syro-anatolien" et "phén.". Dans ce dernier se rangent les quelque 23 pièces mises au jour en dehors du Levant, surtout à Chypre, en Grèce, Sicile (fig. 302), Sardaigne, et dans le S. de l'Espagne. Or, s'il faut sans doute attribuer à la présence phén. les statuettes retrouvées en Occident, dans des régions fréquentées par les marchands levantins et chypriotes, on ignore l'époque du rayonnement de ces pièces, étant donné que la seule méthode valable pour leur classement chronologique paraît celle de la typologie et du style, souvent très fidèle aux exemplaires du Bronze Récent. Parfois, ils donnent essor à des imitations locales dans les ateliers tartessiens et ibériques (→orientalisant, style 2), qui atteignent →Ibiza et le S. du →Portugal. Les seuls "S.G.", dont le contexte date assurément de l'âge du Fer, sont ceux de l'Héraion de →Samos, que l'on situe entre 710 et 640/630. Ailleurs, ces statuettes semblent jouer le rôle de cadeaux faits par les prospecteurs levantins aux chefs indigènes, maîtres des ressources minières et agricoles, dans un contexte qui semble antérieur, en Sardaigne nuragique et dans l'Espagne tartessienne, à l'implantation de véritables "colonies" phén. au cours du VIIIe s. av. J.C. Il a pu en résulter des processus de →syncrétisme dans les sociétés tribales qui en étaient les destinataires.

Bibl. D. Collon, *The Smiting God*, Levant 4 (1972), p. 111-134; O. Negbi, *Canaanite Gods in Metal*, Tel Aviv 1976; J.D. Muhly, *Bronze Figurines and Near Eastern Metal Work*, IEJ 30 (1980), p. 148-161; H. Seeden, *The Standing Armed Figurines in the Levant*, München 1980; M. Almagro Basch, *Un tipo de ex-voto de bronce ibérico de origen orientalizante*, TrabPreh 37 (1980), p. 247-308; O. Negbi, Levant 14 (1982), p. 179-182; J. Gamer-Wallert, *Zwei Statuetten syro-ägyptischer Gottheiten von der "Barra de Huelva"*, MM 23 (1982), p. 46-61; M. Varela Gómez, Trab Preh 40 (1983), p. 199-220; M. Fernández Miranda, *Rešef en Ibiza*, Homenaje M. Almagro Basch II, Madrid 1983, p. 359-367; C. Renfrew, *The Archaeology of Cult. The Sanctuary at Phylakopi*, London 1985, p. 303-310; E. Swan Hall, *The Pharaoh Smites his Enemies. A Comparative Study*, München-Berlin 1986; A.M. Bisi, *Le "Smiting God" dans les milieux phéniciens d'Occident: un réexamen de la question*, StPhoen 4 (1986), p. 169-187; G. Falsone, *Anath or Astarte ?*, StPhoen 4 (1986), p. 53-76; L. Gallet de Santerre, *Les statuettes de bronze mycéniennes au type dit du "dieu Reshef" dans leur contexte égéen*, BCH 91 (1987), p. 7-29.
AMBi

SOCIÉTÉ La structure de la s. phén.-pun. nous est mal connue, mais elle devait ressembler à celle de la cité d'Assur à l'époque paléo-assyrienne et celle de la *polis* grecque, en raison même du fractionnement du territoire et des activités exercées dans chaque cité. Les rois (*mlk*) phén., même s'ils remplissaient une fonction sacrée (→royauté), jouissaient d'une autorité limitée par celle de grands rois assyriens, babyloniens ou perses dont ils étaient les vassaux, mais aussi par celle des pairs du royaume qui étaient sans doute de riches armateurs et marchands. Ce sont eux, avec les grands propriétaires fonciers, qui constituaient aussi le milieu dont étaient issus les →suffètes de Carthage, les membres du →Sénat, les dignitaires (*rb*; →rab) et, bien entendu, les puissantes familles des →Magonides et des →Barcides. Richesse (Arstt., *Pol.* II 11), ascendance distinguée (CIS I,3778 = KAI 78), accumulation de fonctions (Arstt., *Pol.* II 11), voilà les traits caractéristiques de la haute s. carthaginoise. Les simples citoyens de plein droit (*b'l*), qui faisaient partie de l'→assemblée du peuple, constituaient une classe sociale dont faisaient partie fonctionnaires, prêtres, boutiquiers, artisans, agriculteurs libres. Entre eux et les →esclaves, il y avait une couche sociale d'affranchis et de personnes engagées pour dettes (*ṣdn bd* X →droit), dont la liberté de mouvement et d'action était limitée. La position sociale et juridique des serviteurs de grandes maisons, tant en Phénicie que dans le monde pun., devait dépendre de leur fonction et de leur degré de spécialisation. Certains d'entre eux devaient être des esclaves, personnes qui ne se trouvaient pas nécessairement au bas de l'échelle sociale, puisqu'elles pouvaient se marier légalement (Plaute, *Cas.* 67-77) et disposaient d'un pécule dont elles se servaient éventuellement pour payer une stèle (CIS I,236; 318-320; 3785, etc.). Le nombre d'esclaves était très élevé à Carthage, bien que les chiffres fournis par les auteurs anciens soient exagérés. Un grand nombre d'entre eux devaient être des prisonniers de guerre (Diod. XX 69,5), mais il existait d'autres sources d'approvisionnement. Certains appartenaient aux particuliers et étaient astreints aux travaux des champs et de la ville. D'autres étaient la propriété de l'État, de la Cité ou des temples. Un nombre relativement élevé d'étrangers, de *metoikoi*, habitaient aussi Carthage, surtout des Grecs, mais les Numides et les Libyens devaient être également nombreux. Certains travaillaient peut-être comme ouvriers à gages.

Bibl. G.-G. Lapeyre - A. Pellegrin, *Carthage punique*, Paris 1942, p. 172-176; G.C. et C. Picard, *La vie quotidienne à Carthage*, Paris 1958, p. 57-127 (1982[2], p. 55-134); F. Decret - M. Fantar, *L'Afrique du Nord dans l'Antiquité*, Paris 1981, p. 224-242; Huß, *Geschichte*, p. 496-503; A. Hamdeh, *Die sozialen Strukturen im Phönizien des ersten Jahrtausends v. Chr.*, diss. Univ. Würzburg 1985.
ELip

SOLO En phén.-pun. **Sl'*, "rocher", toponyme désignant le promontoire de *Soloûs* (gr.), qui domine le cap Zafferano en Sicile (→Solonte), et le promontoire de *Solóeis* (gr.), l'actuel cap →Spartel. Il en résulte, semble-t-il, que le terme phén.-pun. repris par ces noms de lieu était *sōlṓ* < *sāla'*-. Au Liban, on rencontre les toponymes *Sil'a* et *Sil'āta/Ṣal'āta* qui paraissent dériver d'une forme féminine *Sal'at*, dont *S'lt/Salat* au Maroc (→Sala) serait l'équivalent ancien. Le *'ayin* du toponyme néopun. *S'lt* indique simplement la voyelle *a*, tandis que le *'ayin* étymologique, non prononcé, n'est pas noté, ce qui est normal en néopun.

Bibl. Wild, *Ortsnamen*, p. 119, 152.
ELip

SOLOI Capitale d'un royaume de →Chypre, dans le N.-O. de l'île, sur la baie de Morphou, site moderne de Soli. C'est peut-être la ville nommée *Si-il-li/lu* dans la liste d'Asarhaddon (AfO, Beih. 9, p. 60, l. 67). Hdt. V 115 évoque le siège de S. par les Perses au moment de la révolte ionienne, mais S. subsiste comme royaume gr. jusqu'à la fin des dynasties chypriotes, en 310. Un texte gr. alphabétique et syllabique (ICS 212) mentionne le roi Stasikratès, fils du roi

Fig. 313. Déesse assise sur un trône flanqué de sphinx, calcaire, Solonte (VIe s. av. J.C.). Palerme, Musée Archéologique National.

Stasias. Le dernier roi, connu par des monnaies, est Eunostos, mort en 310 (Ath. XIII 576e). Ce royaume semble avoir été purement hellénique et aucun vestige phén. n'y est attesté. Il faut cependant signaler à Vouni, site d'un palais à plus de 2 km à l'O. de S., la présence de deux vases à inscription phén., apparemment du IVe s., l'une lisible *lmlk*, "du roi", mais ne prouvant nullement une implantation locale de Phéniciens.

Bibl. ICS, p. 217-222; PECS, p. 850-851; PW III A, col. 938-941; SCE III, p. 399-405; Masson-Sznycer, *Recherches*, p. 86-88; J. des Gagniers - Tran Tam Tinh, *Soloi. Dix campagnes de fouilles (1964-1974)* I, Laval 1985; F.G. Maier, JHS 105 (1985), p. 36-37. OMas

SOLONTE En gr. *Solóeis* (→Solo), lat. *Soluntum*; un des plus anciens comptoirs phén. de →Sicile (Thc. VI 2), situé sur la côte N. entre →Palerme et →Himère. Les fouilles du Monte Catalfano ont mis au jour la S. hellénistique et rom. des IVe s. av. J.C. - IIe s. ap. J.C., caractérisée par un plan urbain orthogonal de type "hippodamique": *insulae* régulières, rues pavées, maisons somptueuses à péristyle et cour centrale, ornées de mosaïques et de fresques, une agora, un odéon, une citerne publique, etc. Bref, une cité complètement hellénisée. Seuls les lieux de culte sont liés à la culture pun. et également quelques →stèles funéraires, deux brûle-parfums et une statue archaïque de déesse assise, flanquée de →sphinx ailés (fig. 313). Comme il n'existe aucune couche archéologique antérieure à 350 av. J.C., il est évident que la S. de Thc. VI 2 était située ailleurs, puis fut détruite et reconstruite sur la colline: de là, le vieux problème topographique de S. Parmi les hypothèses, la plus crédible est la plus récente: le site archaïque se situerait sur le proche promontoire de Solanto et sur le petit plateau adjacent de San Cristoforo. Le lieu était idéal pour les navigateurs phén., le site conserve le nom de S. et une des tombes à hypogée de la nécropole pun. toute proche remonte au VIe s. av. J.C.

Bibl. PECS, p. 849-850; E. Gabba-G. Vallet (éd.), *La Sicilia antica* I/1, Napoli 1980, p. 151-153, 214-215, 709-715; V. Fatta, *Sulle tracce dei Fenici di Sòlanto*, SicArch 49-50 (1982), p. 57-64; A. Villa, *I capitelli di Solunto*, Roma 1982. GFal

SOPHONIBAAL En pun. *Ṣpnb'l*, gr. *Sophōnibas*, lat. *Sophoni(s)ba* ou *Suphunibal* ("Mon Saphon est Baal" ou "Ma cache est Baal"), anthroponyme fém., fréquent dans le monde pun.

1 S., fille du →*rab* Abdmelqart et épouse du *rab* Adonibaal, un →*miqim elim*, inhumée dans le voisinage de Ste-Monique à →Carthage vers le IIIe s. (CIS I,5979).

2 S., fille d'→Hasdrubal (7), épouse d'Hannon, suffète et grand-prêtre, elle-même prêtresse, inhumée dans la nécropole de Ste-Monique à Carthage au IIIe-IIe s. (CIS I,5950 = KAI 93).

3 S., fille d'→Hasdrubal (8) fils de →Giscon (5), qui aurait été promise à →Massinissa I, mais fut donnée en mariage à →Syphax pour gagner son appui contre Rome dans la 2e →guerre pun. Massinissa, l'allié de Rome, l'épousa aussitôt après la défaite de Syphax. Les auteurs classiques rapportent à ce sujet une légende dont il est difficile de délimiter le fond de vérité historique (Diod. XXVII 7; App., *Iber.* 37; *Lib.* 27-28; Zon. IX 11; Liv. XXIX 23,4; XXX 12,10-15,10).

Bibl. Benz, *Names*, p. 177-178, 401-402; Jongeling, *Names*, p. 246.

Ad 3: PW XIV, col. 2156-2157; I. Toppani, *Una regina da ritrovare: Sofonisba e il suo tragico destino*, Atti del Istituto Veneto di Scienze, Lettere ed Arti. Classe di scienze morali e lettere 136 (1977-78), p. 561-578. ELip

SOSUS →Mastanesosus.

SOUK AHRAS En lat. *Thagaste*, bourg numide d'Algérie, d'où est originaire St →Augustin. L'ancienneté de la ville et son passé culturel pun. ne sont attestés jusqu'ici que par une inscription néopun.

Bibl. AAAlg, f^e 18 (Souk-Ahras), n° 340; J.-B. Chabot, *Punica IX*, JA 1916/1, p. 458; Lepelley, *Cités* II, p. 175-184. ELip

SOUSSE →Hadrumète.

SPARTEL, CAP Promontoire du Maroc à l'extrémité N.-O. du continent africain, appelé cap Ampelusia par les Grecs (Pomp. Méla I 25; Pline, *N.H.* V 2), ce qui signifie cap des Vignes. C'est probablement le cap qu'Hdt. IV 43 et le →*Périple* (2) d'Hannon 3 nomment *Soloeis*, c.-à-d. en phén. **Sl'*, "Rocher" (→Solo). Hannon y offrit un sacrifice à →Poséidon (*Périple* 4; cf. Skyl. 95), dont le nom recouvre vraisemblablement celui de →Melqart. En tout cas, le souvenir de ce dernier se perpétue dans les grottes naturelles, dites d'Hercule, situées à 4 km du cap, près des ruines de l'ancienne petite cité de Cotte, la *Guttē* du *Périple* 5, dont le nom est attribué par Strab. XVII 3,2 et Ptol. IV 1,2 au promontoire lui-même (*Kōtēs*). Ce doit être aussi la conviction de

Fig. 314. Sphinx criocéphale, Nimrud (VIIIe s. av. J.C.).
Fig. 315. Sphinx à tête d'adolescent, Nimrud (VIIIe s. av. J.C.).

Fig. 316. Sphinx androcéphale, Nimrud (fin du VIIIe s. av. J.C.). Bruxelles, Musées Royaux d'Art et d'Histoire.

Pomp. Méla I 25, puisqu'il précise que le nom africain du cap a le même sens que le nom gr. Or ceci ne s'explique que si *Guttē* rend le phén. **Gitt*, "Pressoir à vin". Une autre explication consisterait à identifier le cap S. au cap *Arámpē*, localisé au XVIe s. à l'O. de →Tanger, et à considérer ce dernier comme un *har 'ănābîm* (hb.), "Mont des vignes". Il faut cependant noter que l'*Arambun* du *Périple* 5 se situe plus au S., peut-être à →Kouass. Ajoutons que le cap S. a livré, entre autres, une importante tombe pun.

Bibl. H. Kofhler, *Une tombe punique du cap Spartel*, Revue des Musées 25 (1930), p. 18-20 = BAC 1923, p. CCX-CCXIV; R. Rebuffat, *D'un portulan grec du XVIe siècle au Périple d'Hannon*, Karthago 17 (1973-74), p. 139-151; Desanges, *Pline*, p. 81-82. ELip

SPHINX Héritage de l'iconographie égypto-orientale de l'âge du Bronze, le s. est l'un des motifs les plus répandus dans l'art phén., reproduit dans la quasi-totalité de ses manifestations. Dès le début du Ier mill., les s. apparaissent le plus souvent avec des ailes déployées au-dessus d'un corps léonin à taille svelte, la queue dressée de l'animal décrivant le profil d'un *S* (fig. 314; pl. Xb). Muni d'un tablier entre les pattes antérieures, le s. porte fréquemment la double couronne égyptienne, soit la couronne blanche, le lebbadé (→coiffure) ou encore la couronne solaire. Représenté dans une attitude couchée, debout, piétinant des ennemis ou grimpant sur les branches inférieures de l'arbre sacré dont il est le gardien, le s. symbolise aussi le pouvoir suprême. Cette notion est illustrée par les →trônes flanqués d'une paire de ces êtres hybrides, siège que se partagent les divinités et leurs représentants terrestres (fig. 7, 50, 159, 160, 341). L'aspect du s. est parfois contaminé par la popularité d'autres motifs, tels que l'image d'un dieu à tête de faucon ou encore l'iconographie d'→Harpocrate. Voilà pourquoi on est souvent confronté avec des s. hiérakocéphales, qu'il ne faut pas confondre avec le →griffon, ou, plus rarement, à tête "harpocratique" (fig. 315). Par ailleurs, l'art des IXe-VIIe s. figure parfois des s. criocéphales rappelant une manifestation d'→Amon (fig. 314) et, dans le groupe des représentations androcéphales (fig. 316), des sphinges à tête féminine. C'est néanmoins le s. à tête masculine qui persistera jusqu'à l'époque rom. en Orient comme en Occident, où l'on ne note aucun développement proprement local des prototypes phén.

Bibl. Z. Chérif, *L'image du sphinx sur les monuments carthaginois*, REPPAL 4 (1988), p. 171-203. EGub

STÈLES **1 Orient** Le culte des →bétyles, pierres considérées comme le siège de la divinité ou sa manifestation visible, remonte à une époque très reculée dans toute la région syro-palestinienne, comme en témoignent les trouvailles de Jéricho, Gézer, Byblos, Hazôr, Bêt-Shân ou Ugarit. La Phénicie de l'âge du Fer demeure fidèle à la tradition "cananéenne" des cippes et des s., dressés dans les lieux de culte et comme *sémata* funéraires. On peut supposer, d'après une s. sans contexte assuré d'→Akzib, ornée de l'→"idole-bouteille", et d'après les témoignages des colonies phén. de l'Occident méditerranéen, que ces deux types de monuments en pierre étaient érigés dans le →*tophet*. Les inscriptions phén.-pun. donnent aux s. votives du *tophet* le nom de *mṣbt, nṣb*, mais aussi celui de *mnḥt*, "offrande", et *mtnt*, "don". La documentation phén., exception faite d'Akzib, ne semble pas remonter au-delà de l'époque perse, si l'on se réfère aux exemples de →Sidon, →Memphis ou *Burǧ eš-Šmāli*, près de Tyr (fig. 317). Les personnages au costume perse des s. hellénistiques du sanctuaire d'→Umm el-Amed (fig. 375; 376; Phén 121) se ressentent à la fois de la *koinè* artistique répandue dans tout le Proche-Orient hellénisé et des éléments égyptiens hérités par la civilisation achéménide, tel le →disque solaire ailé au sommet cintré de la dalle. À partir du IVe s. av. J.C., la litholâtrie originaire des milieux phén. semble se nuancer devant la vague des influences provenant du monde gr., auquel on emprunte le fronton à acrotères, le couronnement à *anthémion* et les deux rosettes, si fréquentes sur les s. funéraires gr. entre la seconde moitié du Ve et le IIe s. av. J.C., bien que leurs antécédents doivent être cherchés au VIe s. dans la Grèce de l'E., notamment à →Samos et en →Lydie. Ce type de s. funéraire en marbre blanc, importé de l'île de Paros ou du Pentélique, ou en calcaire local est bien

Fig. 317. Stèle de Burǧ eš-Šmali, *près de Tyr (Ve s. av. J.C.). Beyrouth, Musée National.*

Fig. 318. Stèle funéraire à inscription bilingue, gr. et phén., Athènes (c. 400 av. J.C.). Londres, British Museum.

Fig. 319. Cippe-trône du tophet, *grès, Carthage (VIIe-VIe s. av. J.C.). Carthage, Musée.*

attesté à Chypre entre la fin du Ve et le IIIe s. Le même emprunt, à plus forte raison, se décèle sur les s. bilingues gr.-phén. du →Pirée et d'→Athènes (fig. 318; CIS I,115-121), qui mentionnent des gens de Kition et de Sidon. À côté de ces s. attiques à inscription phén., il faut mentionner un groupe de s. tout à fait pareilles dans le décor à fronton et à rosettes et dans la dédicace bilingue, datées du IIIe s. av. J.C. et provenant de →Démétrias, en Thessalie: elles appartenaient à des gens de Gaza, de Tyr, de Sidon, de Kition, d'Arwad, d'Ascalon, exerçant leur commerce dans cette ville-carrefour de la Grèce du N. AMBi

2 Afrique du Nord Bien que la distinction ne soit pas toujours aisée à faire, il importe de différencier les s. votives des s. funéraires.

A *Stèles votives.* L'Afrique du N. a livré plus de 8.000 s. votives en l'honneur de →Baal Hamon et de sa parèdre →Tanit. →Carthage, avec près de 7.000 s. (fig. 166, 278, 319-325; pl. VIId, XVb-d), →Constantine, avec plus de 850 (fig. 307-309), →Hadrumètre (fig. 45, 163, 178), un certain nombre de sites de la Tunisie et de l'Algérie orientale ont fourni l'essentiel des s. connues. Ces s. avaient vraisemblablement pour but de commémorer le sacrifice →*molk* d'enfants ou celui de substitution de la victime humaine par un animal, en l'occurrence un mouton. Après le sacrifice, elles étaient placées sur les urnes contenant les cendres des victimes, à l'intérieur du sanctuaire (→*tophet*), dans un enclos sacré remblayé peu à peu au cours des siècles. Les plus anciennes s. de Carthage apparaissent à la fin du VIIIe ou au début du VIIe s. au *tophet* de →Salammbô, sous la forme de pierres dressées, au sommet pointu, à peine épannelées. Un peu plus tard, elles sont remplacées par des cippes en grès se divisant en deux grandes catégories: a) les *cippes-trônes* portant parfois dans leur creux des →bétyles, mais souvent laissés vides et imitant les trônes des sanctuaires phén. (fig. 319); b) les petits *naiskoi* de type égyptien de forme cubique (fig. 320, 321), dont la face antérieure est surmontée d'une architrave au profil de gorge égyptienne, avec parfois une frise d'*uraei* porteurs du disque ailé (→égyptisant). L'intérieur du →*naos* recueille alors, outre le bétyle, des figures de losange, l' "idole-bouteille", des représentations humaines (Phén 166, 168). À partir du Ve s., à la suite de l'influence croissante de la civilisation hellénique à Carthage (→hellénisation 2), on assiste à un changement radical de la nature des ex-voto: les cippes sont supplantés par les s. à architrave, puis à fronton triangulaire (fig. 322; pl. XVb,d; PhMM 24), plus minces, taillées dans le calcaire et munies d'acrotères latéraux (IIIe-IIe s.: fig. 166, 323-325; PhMM 26-29). De cette époque date l'organisation de la face antérieure de la s. avec un décor gravé autour d'une dédicace (Phén 173). À Carthage, l'inscription stéréotypée est dédiée "à la Dame Tanit, (en) face de Baal, et au Seigneur Baal Hamon, ce qu'a voué untel, fils d'untel", suivi parfois de sa fonction ou de son métier; "il a entendu sa voix, il l'a béni". Sur les autres sites ayant un *tophet*, p.ex. à Constantine ou Hadrumète, c'est à Baal Hamon que la dédicace s'adresse au premier chef et Tanit n'est pas toujours invoquée. Gravée soit sur un champ épigraphique lisse, soit dans un cartouche aux bords simples ou moulurés, l'inscription, à l'origine pun., est rédigée à partir de la seconde moitié du IIe s. en caractères néopun. Le décor, quant à lui, est gravé, sculpté en relief plat ou en champlevé (Numidie). Dès le début du IVe s., on représente à Carthage, puis ailleurs, le signe dit de Tanit, le caducée, la main, les astres le plus souvent dans le fronton, les motifs architecturaux, tels que colonnes, chapiteaux éoliques ou ioniques, oves, chevrons, les motifs végétaux, comme les rosaces, palmes, acanthes, boutons de lotus, des →animaux — taureau, mouton, dauphin, poisson, cheval —, les →navires ou le gouvernail seul, un certain nombre d'ustensiles sacrificiels ou autres, ainsi des canthares, œnochoés, ciseaux, cistes, également des →armes isolées ou en panoplie (Phén 167, 170, 173). Le IIIe s. marque l'apogée des s. de Carthage en raison de la multitude des symboles empruntés au répertoire gr. et de la survivance de motifs orientaux anciens, p.ex. la main droite (fig. 324-325) ou le →"temple boy". Après la chute de Carthage en 146, les ex-voto érigés selon la tradition carth. se rencontrent jusqu'au Ier s. ap. J.C. et même au-delà dans d'autres sites africains ayant subi dès le IVe s. l'influence pun. La place des s. votives et de leurs représentations figurées dans la religion pun. souligne leur importance dans l'imaginaire collectif des Carthaginois et de leurs héritiers. Mais la valeur

Fig. 320-321. Stèles en forme de naiskos *avec l'idole-bouteille, provenant du* tophet, *grès, Carthage (VIe-Ve s. av. J.C.). Carthage, Musée.*

symbolique des décors illustrant souvent le même concept nous échappe la plupart du temps. En effet, le langage religieux utilisant la s., la dédicace et les symboles devait être d'un usage si commun qu'il ne nécessitait pas d'explications complémentaires. Il reste qu'au Ve s. le changement de la forme des ex-voto pun. à Carthage doit être lié à une mutation religieuse qui fait de Tanit la principale divinité de la cité. Dans les autres sites africains, les s. érigées sont issues pour l'essentiel — sauf pour quelques cippes d'Hadrumète — des modèles offerts par les s. de la dernière période de Carthage. Mais dès le milieu du IIe s. leur iconographie s'est appauvrie et leur exécution est devenue très inférieure en qualité à celle des s. de Carthage et même d'Hadrumète.

B *Stèles funéraires.* Les s. funéraires, connues surtout par les nécropoles de Carthage, sont en calcaire blanchâtre ou gris et ont un sommet triangulaire. Elles offrent presque toujours le même décor: sous le fronton, dans une niche, apparaît un personnage, homme ou femme, représenté debout et de face, la main droite levée, tandis que la gauche tient un vase sur le ventre. Peu à peu, elles évoluent cependant vers la sculpture en ronde bosse et acquièrent un aspect anthropomorphe. Ces deux types de s., rarement épigraphes, propres à Carthage et à ses environs (→Utique), étaient destinés en général à marquer l'emplacement d'une sépulture à puits. Instauré à Carthage *c.* 400-325 av. J.C., cet usage a connu son plus grand essor au IIIe s. (fig. 243, 245; pl. XVa).FBer

3 Occident européen Les *tophet* de Sicile et de Sardaigne ont livré d'innombrables s. commémorant des sacrifices. Leur apparition ne coïncide pas avec le début de la fréquentation d'un *tophet*, car elles sont absentes des couches les plus archaïques, comme à Carthage. Les s. peuvent être de simples cippes sans représentation; elles peuvent avoir la forme d'un →trône, d'un trône sur autel ou d'un *naos* égyptisant, plus ou moins schématisés et ornés.

A *Sicile.* →Motyé a livré plus de 1.000 s. du VIe au IVe s., en calcaire ou en calcarinite locale. La technique est variable: gravure, sculpture en bas relief ou en ronde bosse; le recours à la peinture rougeâtre — rarement noire — est fréquent pour une décoration autonome ou complémentaire. Ces ateliers sont les seuls à produire des s. monolithiques doubles. L'iconographie privilégie les thèmes bétyliques plutôt qu'anthropomorphiques: bétyles simples (fig. 231, 236) ou multiples, "idoles-bouteilles", tables-autels, losanges. Parmi les figures humaines, les plus significatives sont momiformes, bénissant ou se tenant les seins (fig. 232, 233), avec tympanon, fleur de lotus, sceptre, urne, debout ou assises sur un trône. Dans certains cas, on atteint un art véritable, avec un cer-

Fig. 322. Stèle du tophet *à sommet triangulaire, décoré d'une rosace, calcaire, Carthage (IVe s. av. J.C.). Carthage, Musée.*

tain plasticisme ou un goût pour l'abstrait. Les maîtres d'un style savant et raffiné côtoyent des artisans plus grossiers et populaires. Il est possible d'attribuer plusieurs pièces à un même atelier. Le répertoire iconographique d'une grande originalité est en rapport étroit avec le Proche-Orient ignorant la médiation de Carthage (Phén 220-224). →Lilybée a livré 5 exemplaires en calcaire local (fig. 205), influencés par le courant hellénistique, comme à Carthage. Leur iconographie reflète une continuité avec la Phénicie (→Umm el-Amed). Il faut également noter les s. en tuf stuqué et peint du Ier s. ap. J.C. (fig. 206; Phén 226).

B *Sardaigne.* Les s. proviennent du *tophet* de →Nora, →Sulcis, →Monte Sirai, →Tharros, plus une s. d'une nécropole, peut-être le *tophet*, de →Cagliari.

a *Nora.* On connaît à peine une bonne moitié des s. venues au jour. Le matériau est le grès local et le calcaire de Cagliari. La technique qui prévaut est le bas-relief, les stèles gravées étant rares. La peinture est secondaire et le type est celui du *naos* égyptisant, parfois sans encadrement. Le répertoire figuratif privilégie aussi les bétyles — simples ou multiples, "idoles-bouteilles", losanges, "signes de Tanit" — aux dépens des figures anthropomorphes: homme debout, parfois avec lance, Horus sur le lotus, femme se tenant les seins, avec tympanon. La production (VIe-IVe s.) est liée à Carthage. Le style est plutôt modeste, populaire, non sans quelque élaboration et innovation (Phén 248-249).

b *Sulcis.* Sulcis a livré 1500 s. en tuf, grès et marbre. Manquent les s. au trône sur autel. Cas unique en Sardaigne, l'influence gr. y est sensible à partir du

Fig. 323-324-325. Stèles du tophet *à acrotères, calcaire, Carthage (IIIe-IIe s. av. J.C.). Paris, Bibliothèque Nationale.*

milieu du IVe s.: les encadrements égyptisants sont remplacés par des temples doriques, ioniques ou toscans, avec tympan et quelques éléments égyptisants. Les motifs anthropomorphes et zoomorphes (cf. *supra*) dominent. On n'a pas de triades de bétyles, ni d'"idoles-bouteilles", losanges ou "signes de Tanit". À côté d'ateliers de style raffiné, d'autres ont une exécution grossière (Phén 250-252).

c *Monte Sirai*. Monte Sirai a livré *c.* 150 s. à large incision ou en bas relief dans le tuf local. Toutes, sauf deux non figuratives, représentent un *naos* égyptisant plus ou moins schématique, illustrant un "langage" grossier et populaire. Le bétyle est rare; prédominent les personnages féminins. On notera une s. avec animal et une autre avec un personnage et un enfant. La dépendance à l'égard de Sulcis est évidente (Phén 254).

d *Tharros*. Tharros a livré *c.* 300 s. et autels en grès local et calcarinite. On y utilisait largement et habilement la peinture rougeâtre. La typologie est variée et les représentations anthropomorphes minoritaires, notamment un exemplaire avec un prêtre (?) et un enfant voué au sacrifice. Les ateliers sont porteurs d'innovations et d'un art savant et raffiné, réfractaire aux représentations humaines.

C *Espagne*. On ne connaît à ce jour aucun *tophet*. On a rapproché de la tradition pun. une s. de →Carthagène avec figuration anthropomorphe et deux exemplaires de Villaricos. Mais la seule pièce appartenant à cette tradition provient d'→Ibiza (IVe-IIIe s.) et représente un personnage dans un *naos* grécisant qui rappelle les personnages des →ossuaires et des →sacrophages (5) carth, ainsi que le répertoire hellénisant de Sulcis. MLUb

Bibl. Ad 1: E. Buschor, *Altsamische Grabstelen*, AM 58 (1953), p. 22-46; F. Salviat, *À propos d'une stèle de Thasos*, RArch 1966, p. 33-39; A.M. Bisi, *Le stele puniche*, Roma 1967, p. 23-48; H. Möbius, *Die Ornamente der griechischen Grabstelen klassischer und nachklassischer Zeit*, München 1968²; O. Masson, *Recherches sur les Phéniciens dans le monde hellénistique*, BCH 93 (1969), p. 679-700; B. Freyer-Schauenburg, *Samos* XI, Berlin 1974, p. 174-175, 222-223; G.M.A. Hanfmann, *On Lydian and Eastern Greek Anthemion Stelai*, RArch 1976, p. 35-44; Kition III, B 1-47; A. Caubet, *Stèles funéraires de Chypre au Musée du Louvre*, RDAC 1977, p. 170-177; S. Hadjisavvas - A. Dupont-Sommer - H. Lozachmeur, *Cinq stèles funéraires découvertes sur le site d'Agios Georghios, à Larnaca-Kition*, RDAC 1984, p. 101-116.

Ad 2: A.M. Bisi, *La religione punica nelle rappresentazioni figurate delle stele votive,* SMSR 36 (1965), p. 99-157; ead., *Le stele puniche*, Roma 1967; J. Ferron, *Mort-Dieu de Carthage ou les stèles funéraires de Carthage*, Paris 1975; C. Picard, *Les représentations du sacrifice* molk *sur les ex-voto/stèles de Carthage*, Karthago 17 (1973-74 [1976]), p. 67-138; 18 (1975-76 [1978]), p. 5-116 (voir p. 5-14); P. Bartoloni, *Le stele arcaiche del Tofet di Cartagine,* Roma 1976; id., *Le più antiche stele di Cartagine*, RPARA, 3e sér., 50 (1977-78), p. 543-554; H. Benichou-Safar, *Les tombes puniques de Carthage*, Paris 1982; F. Bertrandy - M. Sznycer, *Les stèles puniques de Constantine*, Paris 1987.

Ad 3: S. Moscati - M.L. Uberti, *Le stele puniche di Nora nel Museo Nazionale di Cagliari*, Roma 1970; S.F. Bondì, *Le stele di Monte Sirai*, Roma 1972; S. Moscati - M.L. Uberti, *Scavi a Mozia. Le stele*, Roma 1983; id. - ead., *Scavi a Tharros. I monumenti lapidei*, Roma 1985; P. Bartoloni, *Le stele di Sulcis. Catalogo*, Roma 1987; S. Moscati, *Le stele di Sulcis. Commento e confronti*, Roma 1987.

STÈLES RUPESTRES →Adlun; →Nahr el-Kelb; →Wadi Brisa.

STRABON (64/3 av. - 24/5 ap. J.C.). Historien et géographe gr., venu pour la première fois à Rome en 45/4 av. J.C. Les 47 livres de ses *Historikà hupomnḗmata*, avec une introduction sur l'histoire du monde jusqu'en 144 av. J.C., considéraient les événements depuis cette date jusqu'en 27 ou 25 av. J.C., mais il n'en subsiste que des fr. (FGH 91). Les 17 livres des *Geōgraphiká*, seuls conservés de l'œuvre de S. (le livre VII est connu par deux *epitomaí* byzantines), ont un but politique: offrir à l'homme d'État un panorama complet de la Terre habitée (I 1,1), introduit par des considérations de géographie générale et un examen critique des travaux des prédécesseurs (I-II). Tenant Homère pour l'archégète de la science géographique, S. place peu après la guerre de Troie une colonisation phén. de l'Ibérie (Turdétanie et Bastulie-Bastétanie: I 1,4; III 2,13-14) et des rivages de la Libye (I 3,2), le rôle moteur étant attribué à →Tyr (XVI 2,22-23). Par ailleurs, il ne distingue pas Phéniciens et Carthaginois, sauf en III 2,14 et 4,5. Il prête aux premiers les fondations de →Málaga et d'→Abdère (III 4,2-3), contrairement à →Skym. 196-198, ainsi que la colonisation des Gymnesiai ou →Baléares (III 5,1), à l'opposé de Diod. V 16,2-3. Le récit de la fondation de →Gadès (III 5,5) remonte peut-être à Poseidonios d'Apamée (fr. 246 Edelstein - Kidd), dont le *Perì ōkeanoû* a pu suggérer aussi l'allusion au trafic pun. dans les Cassitérides (III 5,11).

Bibl. G. Kramer, *Strabo, Geographica*, Berlin 1844-52; G. Aujac - F. Lasserre - R. Baladié, *Strabon, Géographie*, Paris 1966-89 (livres I-VIII, X-XII); G. Aujac, *Strabon et la science de son temps*, Paris 1966; E.C.L. van der Vliet, *Strabo over landen, volken en steden*, Assen-Amsterdam 1977; A.M. Biraschi, *Strabone. Saggio di bibliografia 1469-1978*, Perugia 1981; F. Prontera - G. Maddoli (éd.), *Strabone* I-II, Perugia 1984-86. DMar

STRATON En gr. *Strátōn*, équivalent phonétique gr. du nom phén.-pun. *ʿbdʿštrt*, ("Serviteur d'Astarté"), assez répandu et témoignant de l'→hellénisation (1) progressive de la Phénicie à partir du IVe s. av. J.C.

1 S. I, roi de →Sidon (376/70 - 361/58) sous Artaxerxès II, le premier à avoir pris un nom gr., surnommé "le Philhellène" par les Modernes. Ayant réservé un bon accueil à une délégation athénienne en route vers le Grand Roi, les Athéniens lui accordèrent, ainsi qu'à ses descendants, le titre de proxène, tandis que les commerçants sidoniens à →Athènes furent exemptés du *metoikion* (taxe frappant les résidents) et d'autres charges (Syll^{3} I,185 = IG II-III^{2}, 141). Son nom (ou celui de S. 3) est mentionné dans une inscription bilingue de →Délos (CIS I,114 = ID 50; cf. SEG I 341). Voulant se détacher de l'empire perse, il tâcha d'introduire l'étalon attique. Il participa à la "révolte des satrapes" en s'alliant au pharaon Tachôs, qui chercha refuge auprès de S. après l'échec de l'entreprise. Hésitant à se suicider, S. fut

Fig. 326. Sarcophage dit des Pleureuses, attribué à Straton I, Sidon (IVe s. av. J.C.). Istanbul, Musée Archéologique.

tué par sa femme (Jér., *Jovin.* I 45; cf. Xén., *Ages.* II 30). Malgré son philhellénisme, S. demeurait un monarque typiquement "oriental". Investi d'un pouvoir strictement personnel, il menait un train de vie extravagant, avec de somptueux banquets, des musiciens, des courtisanes gr., rivalisant de la sorte avec son homologue →Nikoklès (1) de Salamine (Ath. XII 531; Ael., *V.H.* VII 2 = FGH 72, fr. 18; 118, fr. 114). On s'accorde à lui attribuer le →sarcophage (2) des "Pleureuses" trouvé dans la nécropole royale de Sidon et conservé au Musée d'Istanbul (fig. 326). La →Tour de Straton (*Strátōnos Púrgos*) sur la côte palestinienne, devenue Césarée sous Hérode le Grand, est une fondation de S. ou d'un de ses successeurs.

2 S. II (?), roi de Sidon dont on postule l'existence à partir de certaines émissions monétaires et qui aurait régné de 342/41 à 340/39 (→numismatique 1A).

3 S. (II ou) III, roi de Sidon (342/1 ou 340/39-332, à distinguer de S.2 ?), philoperse et régnant par la grâce de Darius III. Il fut obligé par ses sujets de rendre la ville sans combat à →Alexandre le Grand, qui le fit déposer et remplacer par →Abdalonymos (Q.-Curce IV 1,16; Diod. XVII 47,1, où l'épisode est erronément situé à Tyr).

4 S., fils, régent (334-332) et probablement successeur (dates inconnues) du roi →Gérastratos (2) d'Arwad. En l'absence de son père, qui se trouvait à la tête de l'escadre arwadienne près de l'amiral perse Autophradatès, S. livra la ville et ses dépendances sur le continent à Alexandre (Arr., *An.* II 13,7-8; cf. 20,1; Q.-Curce IV 1,6). Rien n'indique que son père aurait été déposé.

5 S. de Beyrouth, médecin du Ier s. ap. J.C., dont Galien nous a transmis des recettes contre les maladies des yeux et de l'intestin.

Bibl. Ad 1: PW IIA, col. 2221-2222; IVA, col. 273-274; M. Dunand, MUSJ 49 (1975-76), p. 496-497; R. Moysey, AJAH 1 (1976), p. 182-189; J. Vélissaropoulos, *Les nauclères grecs*, Genève-Paris 1980, p. 97, 103, 108; J. Betlyon, *The Coinage and Mints of Phoenicia*, Chico 1982, p. 11-14; J. Élayi, ACFP 1, Roma 1983, p. 231-232.

Ad 2: J. Betlyon, *op. cit.*, p. 18-20.

Ad 3: H. Berve, *Das Alexanderreich* II, München 1926, n° 728; H. Hauben, AncSoc 1 (1970), p. 7; S.F. Bondì, RSF 2 (1974), p. 152-153, 156-157; J. Atkinson, *A Commentary on Q. Curtius Rufus' Historiae Alexandri Magni, Books 3 and 4*, Amsterdam 1980, p. 279-280; J. Betlyon, *op. cit.*, p. 20-22.

Ad 4: PW IVA, col. 273-274; H. Berve, *op. cit.*, n° 727

(cf. 225); J. Atkinson, *op. cit.*, p. 270; A. Bosworth, *A Historical Commentary on Arrian's History of Alexander* I, Oxford 1980, p. 226; J. Betlyon, *op. cit.*, p. 92, 110 (n. 107).
Ad 5: PW IVA, col. 317. HHaub

SUCUBI Aujourd'hui Henchir Brerrita ou Brighita (*Hanšir Brigita*), localité punicisée de la plaine de Fahs, en Tunisie, à 2 km de →Suo. On y a trouvé, selon toute vraisemblance, l'épitaphe bilingue lat.-néopun. CIL VIII, 793 = KAI 142 et, en tout cas, la dédicace lat. d'un temple de →Pluton, édifié au Ier s. ap. J.C. par le *misre* (→*mizreh*) local; divers noms propres pun. y sont mentionnés.

Bibl. AATun, f^e^ 34 (Bou Arada), n° 102; C. Poinssot, *Suo et Sucubi*, Karthago 10 (1959), p. 93-129 (voir p. 93-106, 117-118). ELip

SUFES Le village de Sbiba, site de l'antique S., se trouve à 37 km au S.-O. de →Maktar (Tunisie). Vu le nom typiquement pun. de S. (→suffète), le dieu Hercule, *genius patrius* de la ville (CIL VIII,11430 = 262), vénéré jusqu'à l'extrême fin du IVe s. ap. J.C. (Aug., *Ep.* 50), était probablement l'→*interpretatio* rom. de →Melqart. Le site n'a jamais fait l'objet de fouilles régulières.

Bibl. AATun II, f^e^ 36 (El Ala), n° 116; PECS, p. 865; Lepelley, *Cités* II, p. 305-307. ELip

SUFFÈTE Titre sémitique d'un magistrat qui prononçait souverainement dans un différend, une situation indécise, c.-à-d. "juge" ou "gouvernant". En Israël, avant la monarchie, le *šōpēṭ* (hb.) était la plus haute autorité civile de la fédération des tribus; dans les textes mythologiques d'Ugarit, le titre de s., en ug. *ṯpṭ*, est synonyme de "souverain" et le substantif *mṯpṭ* y désigne le "pouvoir souverain" (KTU 1.2,III,18 = 1. 6,VI,29), tout comme *mšpṭ* dans l'inscription du roi →Ahiram de Byblos (KAI 1 = TSSI III,4,2). L'institution existait en Phénicie au Ier mill. Ainsi, les extraits des →Annales de Tyr, transmis par Fl.Jos., *C. Ap.* I 156-158, énumèrent les s., en gr. *dikastḗs*, qui gouvernèrent →Tyr pendant 8 ans, après le siège de la ville par Nabuchodonosor II au VIe s.: les trois premiers s. furent en charge pendant 2,10 et 3 mois respectivement, ensuite deux s. exercèrent conjointement leurs fonctions durant 6 ans, enfin le dernier gouverna pendant près d'une année. La fonction de s. est encore attestée à Tyr aux IVe-IIIe s. (RÉS 1204), à →Kition au IVe s. (Kition III, B 31,2), au →Pirée au IIIe s. av. J.C. (KAI 58). Le suffétat y apparaît donc comme une magistrature municipale, qui peut coexister avec un pouvoir royal, mais dont les compétences doivent alors se limiter à l'administration locale et à l'exercice de la justice. La fonction des s. carth., en pun. *šufeṭ* (*špṭ*) d'après la transcription lat. *suf(f)es*, au pluriel *suf(f)etes*, est pareillement une institution municipale, que l'on retrouve dans toutes les cités pun. ou punicisées de l'Afrique du N., encore à l'époque rom., et aussi à →Gadès (Liv. XXVIII 37,2), en Sicile (ICO, Sic. 1), en Sardaigne (ICO, Sard. 9 = KAI 66). Comme à Tyr au temps de l'interrègne de *c.* 564-556 et dans l'Israël pré-monarchique, les s. de Carthage étaient les magistrats suprêmes, qui devaient leur autorité exceptionnelle à la puissance de la métropole nord-africaine et que les Grecs, faute d'un terme approprié, appelaient généralement *basileis*. À partir d'une certaine date, les auteurs classiques, p.ex. Corn. Nép., *Hann.* VII 4, et les inscriptions pun. attestent deux s., élus conjointement pour une année et éponymes. Comme ils donnaient leur nom à l'année, il devait y avoir des listes officielles des s., mais aucune ne nous est parvenue. La désignation de deux s., attestée à Tyr au VIe s. par Fl.Jos., *C.Ap.* I 157, à →Jérusalem par *2 Ch.* 19,11, et pratiquée dans d'autres cités pun., doit être un usage qui remonte à une haute époque, peut-être au Ve s. (CIS I,5632), mais des inscriptions signalent aussi trois s., non seulement dans les cités numides d'→Althiburos, de →Maktar, de →Dougga, mais aussi à Carthage (KAI 80), vers le IIIe s., et de nouveau, semble-t-il, en 44 av. J.C., dans l'agglomération indigène qui y aurait coexisté avec la colonie rom. (→Ariston 2). On a même essayé de retrouver quatre s. à Carthage. Les auteurs gr.-rom., à commencer par Arstt., *Pol.* II 11,4-6, attribuent aux s. le droit de convoquer le →Sénat, de lui soumettre les questions à débattre, de même que, d'ailleurs, à l'→assemblée du peuple, sans oublier l'exercice de la justice, dans lequel ils devaient être assistés par de simples juges, peut-être cet *ordo iudicum* qu'évoque Liv. XXXIII 46. On ignore si les fonctions suffétales étaient réparties entre les deux titulaires, auxquels le commandement militaire, en tout cas, ne revenait pas de plein droit, même si certains s. dirigèrent de grandes expéditions aux Ve-IVe s. Ils pouvaient assumer, par ailleurs, la haute fonction religieuse de →*miqim elim*. Après la chute de Carthage, des s. continuèrent à administrer les cités africaines de tradition pun. jusqu'en plein IIe s. ap. J.C., p.ex. →Apisa Minus, et la substitution des duumvirs aux s. ne dut être ressentie que comme un changement de nomenclature, puisqu'en Afrique on faisait intervenir les suffrages du peuple dans l'élection des duumvirs, qui possédaient des prérogatives administratives et judiciaires, et devaient être aptes financièrement à assumer leurs charges, tout comme les anciens s. carth. (cf. Arstt., *Pol.* II 11,7-12). L'équivalence suffètes// duumvirs est confirmée par le phénomène de latinisation que l'on constate à Maktar, où, à partir du début du IIe s., des triumvirs prennent la place des trois suffètes locaux.

Bibl. DEB, p. 703-704; PW IVA, col. 643-651, 1269; Gsell, HAAN II, p. 193-201; C. Poinssot, Karthago 10 (1959), p. 125; H.-G. Pflaum, *La romanisation de l'ancien territoire de la Carthage punique*, AntAfr 4 (1970), p. 75-118 (voir p. 85-93); W. Huß, *Vier Sufeten in Karthago?*, Le Muséon 90 (1977), p. 427-433; id., *Zu punischen Datierungsformeln*, WO 9 (1977-78), p. 249-252; M. Sznycer, in C. Nicolet (éd.), *Rome et la conquête du monde méditerranéen* II, Paris 1978, p. 567-576; J. Teixidor, *La fonction de* rab *et de suffète en Phénicie*, Semitica 29 (1979), p. 9-17; Lepelley, *Cités* I, p. 150-163; W. Huß, *Eine republikanische Ära in Karthago?*, H. Kalcyk - B. Gullath - A. Graeber (éd.), *Studien zur Alten Geschichte. S. Lauffer... dargebracht* II, Roma 1985, p. 437-442; id., *Geschichte*, p. 458-461; T.J. Mafico, *The Term* šāpiṭum *in Akkadian Documents*, JNSL 13 (1987), p. 69-87. ELip

SŪKĀS, TELL En akk. *Šuksu*, cité antique de Syrie, à 37 km au S. de Lattaquié, à la frontière méridionale du royaume d'Ugarit. La première occupation de ce site côtier, situé entre deux ports naturels, remonte à l'époque néolithique (VIIe mill.) et se poursuit à l'âge du Bronze. Touchée par le trafic mycénien au Bronze Récent, la ville reprit ses relations commerciales avec l'Égée au début du Ier mill., comme en témoigne la céramique gr. attestée à T.S. dès le IXe s. L'importance des apports gr. entre le IXe et le VIe s., ainsi que la présence d'un →sanctuaire (1) de structure gr.-phén. (550-500 av. J.C.), semblent impliquer l'implantation d'une communauté gr. aux côtés des Phéniciens peuplant le reste de la ville. Le milieu du VIIe s. marqua à T.S. le début d'une période de renouveau urbanistique et architectural, à laquelle remonte un autel archaïque de facture phén. dans le temple N.-E. Délaissée, semble-t-il, du début du Ve s. à *c.* 380 av. J.C., la ville fut rebâtie par des Phéniciens, comme il résulte de la technique utilisée dans la construction de certains murs de l'habitat, de l'horizon céramologique, de quelques sceaux, petits objets et fragments sculptés. T.S. fut probablement détruite lors du séisme de 69 av. J.C.

Bibl. PECS, p. 891-892; P.J. Riis - G. Ploug - H. Thrane - V. Alexandersen - M.-L. Buhl - J. Lund, *Sūkās* I-VIII, Copenhagen 1970-86; P.J. Riis, *Griechen in Phönizien*, H.G. Niemeyer (éd.), *Phönizien im Westen,* Mainz a/R 1982, p. 237-260; id., *La ville phénicienne de Soukas de la fin de l'âge du Bronze à la conquête romaine*, ACFP 1, Roma 1983, p. 509-514. EGub-ELip

SULCIS En phén.-pun. *Slky*, en gr. *Sûlkoi*, lat. *Sulci*, l'actuelle île de Sant'Antioco, au S.-O. de la Sardaigne. Le site offre des indices de fréquentation dès l'époque préhistorique. La céramique permet de dater la formation du noyau urbain de S. de la seconde moitié du VIIIe s. av. J.C. au moins. La ville s'étendait sur le versant N.-E. de l'île, reliée à la terre ferme par un isthme, peut-être percé d'un canal dès l'époque pun. L'isthme délimitait deux →ports: au N., un port peu profond et, au S., un port en eau profonde. La position de S. devient vite stratégique dans le cadre de la mainmise carth. sur la →Sardaigne. Son expansion dans l'arrière-pays, où la fondation de →Monte Sirai date du milieu du VIIe s., lui permettait en effet de contrôler les routes vers le Campidano et surtout vers les gisements miniers de l'Iglesiente. On ne dispose pas d'une reconstitution topographique complète de la cité phén.-pun. Les vestiges de →fortifications sur les collines Monte de Cresia et Fortino, en arrière de la côte, suggèrent que la cité était protégée par une enceinte. Des restes de rangées de grands blocs, près du port, semblent indiquer que la cité était aussi défendue du côté de la mer. Le secteur N. de l'enceinte renferme des structures complexes, témoignant d'au moins deux phases de construction. En dehors des murs, au N./N.-E., se trouve le →*tophet* (fig. 359), en usage de la seconde moitié du VIIIe s. à l'époque rom. Les urnes étaient déposées dans des cavités naturelles de la roche et plus de 1.500 →stèles (3Bb) y sont venues au jour. Il est par contre difficile d'interpréter l'enclos, la citerne (IVe s.$^{?}$) et les autres structures liées à cet enclos dans le secteur E. Une série d'objets typiques des →nécropoles archaïques en laisse supposer l'existence, mais on ignore leur localisation. La nécropole à inhumation s'étendait sur les pentes du Monte de Cresia, jusqu'à la zone E./N.-E. du Fortino. Le début de son utilisation remonte à la seconde moitié du VIe s. Les →tombes (2B,C) monumentales, à puits ou dromos (fig. 357, 358), comportent une ou plusieurs chambres et sont parfois décorées de moulures. Dans l'une d'elles, on a trouvé une figure masculine →égyptisante, sculptée et peinte en rouge (→sculpture 3). Les stèles du *tophet* révèlent l'existence d'un artisanat local actif du VIe au IIe s., héritier de la tradition orientale dans ses débuts, influencé plus tard par la tradition hellénistique. On doit à l'artisanant lapidaire deux lions en ronde bosse du Ve s., gardant peut-être une porte de la ville au IVe s. En outre, la production artisanale comprend quelques figurines de bois de fabrication locale. Les terres cuites (→coroplastie) (VIe-IIIe/IIe s.), au tour ou au moule, sont rarement d'inspiration orientale; elles sont plutôt influencées par la Grande-Grèce et la Sicile. Les →amulettes sont communes et on trouve des →scarabées en pâte de verre, de production égyptienne ou égyptisante, importés du Proche-Orient, et d'autres en →pierres précieuses ou semi-précieuses, se rattachant peut-être aux ateliers de →Tharros. Particulièrement riche, la →céramique a permis l'identification d'une production locale attestée de la seconde moitié du VIIIe au IIIe s. Ses témoins les plus anciens sont deux cruches du *tophet* et une urne d'importation chalcidienne. La majorité des monnaies de S. sont des bronzes d'émission sarde (300-216) (→numismatique 3D); les exemplaires en or ou en électrum sont rares, tout comme ceux frappés par des ateliers carth. au africains. On connaît quelques pièces siciliennes de la fin du IVe et du début du IIIe s., ainsi qu'une pièce d'Ibiza. Les divinités attestées à S. sont →Baal Hamon, →Baal Addir, →Tanit, Élat (→Él 3). On possède une douzaine d'inscriptions pun., néopun. et lat.-néopun. du VIe au Ier s. Elles attestent, entre autres, l'existence des →suffètes et du →Sénat.

Bibl. ANRW II/11, 1, p. 516-520; PECS, p. 866; S. Moscati, *Italia punica*, Milano 1986, p. 240-262, 380-381; id., *Le stele di Sulcis. Caratteri e confronti*, Roma 1986; P. Bartoloni, *Le stele di Sulcis*, Roma 1986. MLUb

SUNIATUS En phén.-pun. *'šmnytn* ("Eshmun a donné"), akk. *Sa-mu-nu-ia-tu-ni*, lat. *Suniatus*, nom très répandu, porté notamment au IVe s. par un haut personnage de Carthage, qui fut un adversaire politique d'Hannon (8) le →*Rab*. Son philhellénisme et ses rapports avec Denys I de →Syracuse lui valurent une condamnation comme traître (Just. XX, 5,11-13).

Bibl. APN, p. 192a; Gsell, HAAN II, p. 242-246; Benz, *Names*, p. 71-72. ELip

SUO Aujourd'hui Henchir Merah, localité punicisée de la plaine de Fahs, en Tunisie, à 2 km de →Sucubi, distincte de Sua. On y a trouvé une inscription néopun.

Bibl. AATun, f^{e} 34 (Bou Arada), n° 104; C. Poinssot, *Suo et Sucubi*, Karthago 10 (1959), p. 93-129; J.-G. Février, *Stèle*

néopunique de Suo, Karthago 10 (1959), p. 131-134; M. Fantar, *La stèle néopunique de Suo*, Semitica 25 (1975), p. 69-74. ELip

SYDYK et MISOR En ug./phén. *Ṣdq* et *Mšr*, gr. *Sadukos/Suduk* et *Misōr*, descendants d'Hypsouranios (→Ousôos) selon Philon (Eus., *P.E.* I 10,13-14). M., dit *eúlutos*, "facile", "prompt", et S., dit *díkaios*, "juste", se voient attribuer la découverte de l'usage du sel. Le fils de M. est *Táautos* (→Thot), tandis que les sept Dioscures, dits →Cabires ou Samothraces, naissent de S. et d'une Titanide; le huitième d'entre eux est Asklépios/→Eshmun (cf. Damasc., *V. Is.* 302). M., "rectitude" en ug., mais "plaine" en hb., et S., "justice", interprétés comme adjectifs par Philon, ont une évidente étymologie sémitique, mais Philon ne connaît plus la signification ancienne de *mîšōr* et attribue à M. le sens secondaire de "facile". Le couple de S. et M. exprimait à l'origine une idéologie selon laquelle la royauté doit se fonder sur la justice et le droit. Son correspondant en Mésopotamie est *Kittum* et *Mēšarum*, à Ugarit, le couple *Ṣdq Mšr* (KTU 1. 123, 14), en Israël et Juda, *ṣedeq* et *mêšārîm* (*Is.* 45, 19; *Ps.* 9,9; 98,9) ou une formule parallèle. Les adjectifs équivalents se rapportent en Phénicie au roi →Yahimilk (1) de Byblos qui est qualifié au Xe s. de "roi juste" (*mlk ṣdq*) et de "roi droit" (*mlk yšr*) (KAI 4 = TSSI III,6); au VIIIe s., la justice figure parmi les qualités royales à →Karatepe (KAI 26 = TSSI III, 15A, I,12-13). C'est un emploi différent du substantif *ṣdq*, signifiant la "légitimité", que l'on rencontre à l'époque perse: →Yehawmilk (1) de Byblos est un *mlk ṣdq* (KAI 10 = TSSI III, 25,9) et, à Sidon, le roi →Bodashtart (1) qualifie son propre fils →Yatanmilk de "fils légitime", *bn ṣdq* (KAI 16). S., au contraire de M., est attesté comme élément théophore dans l'onomastique phén.-pun.

Bibl. ThWAT VI, col. 902-903; E. Lipiński, *La royauté de Yahwé dans la poésie et le culte de l'ancien Israël*, Brussel 1968², p. 211-214, 318-320, 346 (n. 2); M. Liverani, Suduk e Misōr, Studi E. Volterra VI, Milano 1971, p. 55-74; H. Cazelles, *De l'idéologie royale*, JANES 5 (1973), p. 59-73; Ebach, *Weltentstehung*, p. 216-223; Baumgarten, *Commentary*, p. 175-176; M. Weinfeld, *Justice and Righteousness in Israel and the Nations* (hb.), Jerusalem 1985. PXel

SYMBOLES Chaque tradition artistique de la civilisation phén., en particulier l'art religieux, propage des images dans lesquelles les s. servent de support, de cadre de référence. L'apparition de bon nombre de concepts empruntés directement aux cultures voisines, dans un domaine aussi conservateur que celui de l'imagerie religieuse, démontre une fois de plus l'aspect régénérateur de l'art phén. Le choix des s. retenus ici ne porte évidemment que sur les exemples les plus courants. Parmi ces s., l'*ankh* égyptien (fig. 327a) est le plus populaire. D'autres hiéroglyphes à valeur prophylactique ont également été repris dans l'iconographie phén., ainsi le *nefer*, l'anneau *shen*, tandis que le scarabée *kheprer*, les plumes de *Maat*, les *uraei* et les faucons Horus figurent dans des compositions à titre individuel ou en de multiples combinaisons avec des cartouches, l'œil *oudjat* et, surtout, le →disque ailé (fig. 327b-k). Comme la corbeille *neb*, qui figure uniquement sur les sceaux (fig. 327i), ce dernier s. solaire situe les scènes qu'il accompagne dans le domaine divin. L'art phén. reproduit aussi des disques solaires, des croissants lunaires et des astres ou rosaces dans plusieurs combinaisons, suivant une tradition orientale plutôt qu'égyptienne (fig. 327p-s). Vient ensuite une série de s. dont la signification iconologique nous échappe toujours. P.ex., l'origine de "l'*ankh*" à tige bifurquée (fig. 327l) n'est pas claire: s'agit-il d'une version locale de l'*ankh* égyptien ou de l'hiéroglyphe *s3*? Toujours est-il que ce signe apparaît du IIe mill. à l'époque hellénistique. Le pseudo-*nefer* renversé (fig. 327m), par contre, ne se rencontre que dans la →glyptique des IXe-VIIe s. av. J.C. Deux autres s. particulièrement populaires à la même période sont à nouveau des adaptations de prototypes égyptiens: le scarabée tétraptère, qui comprend des variantes andro-, hiérako- et criocéphales (fig. 327n), et le serpent à quatre ailes (fig. 327o). L'un et l'autre sont adoptés par la glyptique des dignitaires des royaumes d'Israël, de Juda, d'Ammon, de Moab et d'Édom, tandis que le premier est aussi très populaire dans l'art des États araméens. L'art phén. a, bien sûr, transmis les principaux types de son répertoire symbolique également à l'art pun. Outre les exemples déjà recensés, il faut mentionner le →"signe de →Tanit", plus répandu en Occident qu'en Orient (fig. 327t). Parmi les autres s. fréquents dans le monde pun., mais préfigurés déjà dans l'art oriental, il faut citer l'image de la montagne sacrée (fig. 327u), celle d'un →bétyle en forme d'une (→idole-)bouteille (fig. 327v) et, enfin, celle de deux stèles cintrées qui représenteraient les piliers dressés devant le temple de →Melqart (fig. 327w). Soulignons toutefois que ces interprétations ne reflètent que les opinions les plus courantes à l'heure actuelle; l'une ou l'autre d'entre elles devra sans doute être reconsidérée à la lumière de nouvelles données. Relevons enfin l'existence de plusieurs figurations symboliques comprenant des éléments individuels, tels que la main d'un adorant ou les membres d'un malade sollicitant sa guérison (fig. 327x-y), et des compositions plus complexes, regroupant plusieurs figurations symboliques. Ces dernières se rapportent de façon générale à des cycles mythologiques, p.ex. la chasse de Baal (fig. 109), ou des principes cosmogoniques, p.ex. la naissance d'→Harpocrate. Quelques types de monuments, tels que les →stèles ou certaines catégories d'objets, comme les →amulettes, sont particulièrement relevants pour l'étude des s. C'est aussi le cas des monnaies (→numismatique), dont plusieurs émissions reproduisent les s. évoquant la mer (dauphin, hippocampe, murex) et la →navigation (galères). Les articles concernés contiennent de plus amples détails qui dépasseraient le cadre de la présente notice. Une autre série d'emblèmes, souvent considérés comme des s., n'a pas été retenue ici. Il s'agit entre autres, des palmiers, colombes ou coiffes hathoriques, tous regardés généralement comme des "s." de la déesse Astarté. En effet, même si ces emblèmes remplacent occasionnellement l'image de cette déesse poliade, ils n'en sont que des attributs.

Fig. 327. Symboles phén.-pun.

Bibl. C. Picard, *Sacra Punica*, Karthago 13 (1967); B. Quillard, *Bijoux carthaginois* I, Louvain-la-Neuve 1979, p. 58-62, 70-78; E. Gubel, *Baalim II*, Syria 62 (1985), p. 179; S. Moscati, *Le officine di Tharros*, Roma 1987, p. 45-55; D. Collon, *Ankh*, The Dictionary of Art (sous presse).
EGub

SYNALOS En phén.-pun. *'šmnḥlṣ*, gr. *Súnalos*, lat. *Synhalus* ("Eshmun a délivré").
1 S., commandant carth. d'→Hérakleia (2) Minoa, où il accueillit en 357 Dion, le beau-frère de Dionysios II de Syracuse (Plut., *Dion* 25,12-14; 26,3; 29,7). Diod. XVI 9,4-5 le nomme Paralos.
2 S., ambassadeur carth. envoyé avec →Bomilcar (1) à Athènes, entre 330 et 300 (IG II-III^2, 418,3).
Bibl. Ad 1: PW IVA, col. 1325-1326 (1); H. Berve, *Dion*, Wiesbaden 1957, p. 70; Huß, *Geschichte*, p. 147-148.
Ad 2: PW IVA, col. 1326 (2); Huß, *Geschichte*, p. 194 (n. 123).
ELip

SYNCRÉTISME La superposition ou l'interaction de plusieurs civilisations se remarque dans la religion phén.-pun. dès le IIe mill. Aux influences égyptiennes, amorrhéennes, égéo-anatoliennes, iraniennes, sans parler des substrats autochthones, libyco-berbères en Afrique, nuragiques en Sardaigne, succède le contact déterminant avec le monde classique. Les s. concernent tant les usages cultuels — coutumes funéraires, sacrifices — que les croyances et les divinités (→*interpretatio*). Parfois, ce semble être une simple attribution du nom d'une divinité gr.-rom. à une divinité phén.-pun. (Baal = Zeus), mais il peut s'agir aussi de l'adoption d'un dieu étranger dans le panthéon phén.-pun. (→Mercure, →Déméter et Korè) avec, dans ce cas, des développements originaux. D'autres fois encore, c'est une véritable fusion, comme dans le cas de →Tanit/→Caelestis ou →Baal Hamon/→Saturne. Le phénomène est antérieur aux contacts avec le monde classique, comme le montre le s. de la →Baalat Gubal avec Hathor ou de →Baal avec Seth. Il intervient aussi dans la religion d'Israël, née de la rencontre du yahvisme et du polythéisme cananéen. La civilisation classique a en outre pris des héros ou des divinités phén.-pun. comme modèles pour créer →Adonis, →Kinyras, →Myrrha ou →Élissa. Rome s'est pour sa part servie de l'*evocatio* pour capter, en 146 av. J.C., la bienveillance des divinités de la Carthage détruite. Le s. est enfin caractéristique des religions à mystère de l'Antiquité tardive qui attribuent une dimension sotériologique à la mort et à la renaissance des →*dying-gods*, parmi lesquels on a longtemps rangé, à tort, →Adonis.

Bibl. F. Dunand - P. Lévêque (éd.), *Les syncrétismes dans les religions de l'Antiquité*, Leiden 1975; *RelFen*, passim; M.J. Vermaseren (éd.), *Die orientalischen Religionen in Römerreich*, Leiden 1981; *Forme di contatto e processi di trasformazione nelle società antiche*, Pisa-Roma 1983.
BZanQ

SYPHAX En pun./num. *Š(y)pq*, gr. *Súphax/Sóphax*, lat. *Syphax*; roi des →Masaesyles de la →Numidie occidentale, dont la capitale était →Siga (Liv. XXIV 48,2-3; XXVIII 17,4-5; Pline, *N.H.* V 19; Strab. XVII 3,9). Il s'en prit en 214/3 aux Carthaginois et entra en relations avec les deux →Scipions (3-4) qui étaient en Espagne (App., *Iber.* 15-16; Liv. XXIV 48-49). Sollicité en 206 par Carthage, d'une part, par →Laelius (1) et →Scipion (5) l'Africain, d'autre part, il changea de camp (Liv. XXVIII 17-18; App., *Iber.* 29-30; StV III,546), épousa la Carthaginoise →Sophonibaal (3), fille d'→Hasdrubal (8), qu'il enleva à →Massinissa I, et prit le contrôle de l'ensemble de la Numidie, Cirta (→Constantine) comprise. Après le débarquement de Scipion près d'→Utique, il chercha à servir d'intermédiaire pour conclure une paix entre Romains et Carthaginois (Liv. XXX 3-4; Pol. XIV 1,9), mais son camp fut pris et incendié par le général rom. en même temps que celui d'Hasdrubal (printemps 203). Il fut battu peu après et fait prisonnier par Massinissa, qui s'empara de Cirta (Pol. XIV 7; XV 4 ss.; App., *Lib.* 20.26; Ov., *Fasti* VI 769). Livré aux Romains, il fut déporté à Rome après →Zama/→Naraggara; retenu prisonnier en Italie, il mourut en 201 à Tivoli et fut enseveli aux frais de l'État rom. (Liv. XXX 13; 16,1; 17,1-2; 45,4-5; Val. Max. V 1,1). Son fils →Vermina, qui avait combattu à Zama aux côtés d'→Hannibal (6) (Liv. XXX 36,7; 40,3), dut hériter d'une partie du royaume de S., comme le suggère le monnayage masaesyle émis à son nom. Le reste de la Numidie fut désormais contrôlé, avec l'accord de Rome, par les →Massyles de Massinissa.

Bibl. KlP V, col. 459-460; PW IVA, col. 1472-1477; Gsell, HAAN III, p. 178-240; Mazard, *Corpus*, p. 17-22; F. Decret

- M. Fantar, *L'Afrique du Nord dans l'Antiquité*, Paris 1981, p. 81-99. MDub-ELip

SYRACUSE Ville de la →Sicile orientale, fondée par Corinthe en 733 av. J.C. (Thc. VI 3). Durant la période archaïque, elle étend sa domination sur la Sicile de l'E. en créant les colonies d'Akrai, Kasmènes et Kamarina. Elle devient ensuite la cité la plus importante en Occident après Carthage, dont elle fut la rivale principale dans la lutte pour la suprématie en Sicile (V^e^-IIIe s.). L'histoire de S. est marquée par les guerres que ses chefs démocrates, stratèges et tyrans conduisent, avec des fortunes diverses, contre les Puniques: Gélon, artisan de la victoire d'→Himère (480), Denys I, le vainqueur de →Motyé (397), Timoléon, qui l'emporte au fleuve →Crimisos (342), →Agathocle, qui porte la guerre en Afrique. En 212, malgré les inventions d'Archimède, S. tombe aux mains des Romains et devient *civitas decumana*, siège d'un gouverneur. Le matériel phén.-pun. trouvé à S. est rare et souvent archaïque: quelques scarabées en stéatite, des vases de faïence, une lampe et quelques tessons de céramique à engobe rouge, des amphores pun., dont une marquée du →"signe de Tanit".

Bibl. PECS, p. 871-874; PW IV A, col. 1478-1547; E. Gabba-G. Vallet (éd.), *La Sicilia antica* I/1, Napoli 1980, p. 655-693. GFal

SYRIE Le nom de la S. est d'origine gr. et ne constitue, selon toute apparence, qu'une forme abrégée de celui de l'→Assyrie. S. et Assyrie sont en effet souvent confondues dans les textes gr. Aujourd'hui encore, les communautés syriaques se nomment elles-mêmes "assyriennes". Cette origine du nom de la S. s'explique par le fait que, lorsque les Grecs ont commencé à fréquenter cette région du Proche-Orient, elle était presque entièrement incorporée à l'Assyrie. Les limites géographiques de la S. sont difficiles à définir. L'usage retient deux acceptions. Dans l'une, le nom de S. s'applique à la bande de terre qui, allant de l'→Anatolie au Sinaï, est limitée à l'O. par la Méditerranée et à l'E. par l'Euphrate et le désert. C'est la région que les Arabes appellent "Shamiyé". Un usage plus restreint applique ce nom à la partie N. de ce territoire jusqu'au Mont →Hermon. Quel que soit le sens retenu, la Phénicie fait partie de cette entité géographique. On ne trouve guère de mot oriental qui aurait eu un de ces sens, sauf peut-être l'akkadien *eber nāri*, "outre-fleuve", qui désigne les régions à l'O. de l'Euphrate, et l'hébreu *'Arām*, souvent traduit par S. *Ḫatti*, que les Assyriens appliquent parfois aux régions situées à l'O. de l'Euphrate, désigne en fait la région de Karkémish, seul élément subsistant au Ier mill. du grand royaume hittite fondé par Shuppiluliuma I au XIVe s. av. J.C. La S. n'ayant jamais connu d'unité politique avant l'époque gr. et les particularismes locaux ayant toujours été très forts en dépit d'une très grande unité culturelle, on comprend qu'aucun nom ne se soit imposé, avant l'époque gr., pour désigner cette région dans son ensemble. Diverses populations habitent la S. du Ier mill. Outre les Phéniciens, on trouve des Araméens — notamment dans les grands royaumes d'Arpad (ou Bît-Agusi) dans la région d'Alep, Hamat (moderne Hama) et Damas, des Israélites — eux-mêmes subdivisés en Israélites au sens strict et Judéens —, ainsi que leurs cousins Édomites et Moabites, et enfin des "Néo-Hittites", c.-à-d. une population, souvent mêlée aux Araméens, qui parle un dialecte louvite noté à l'aide d'une écriture pseudo-hiéroglyphique originale.

Les contraintes géographiques (→voies de communication) déterminent deux groupes en Phénicie pour ce qui est des relations avec la S. intérieure: un groupe septentrional, avec Arwad et Byblos, qui, accédant à l'intérieur par la trouée de Homs, avait partie liée avec le royaume de Hamat, et un groupe du S., avec Tyr et Sidon, qui, contournant le Liban par le S. pour gagner la S. intérieure, était associé à Israël et à Damas.

Bibl. CAH III^2, p. 372-441; T. Nöldeke, *Assúrios, Súrios, Súros*, Hermes 5 (1871), p. 443-468. GBun

T

TABARKA En lat. *Thabraca*, ville de la côte N. de la Tunisie, à 10 km de la frontière algérienne. La ville semble être d'origine pun., comme le suggèrent l'épitaphe lat. d'*Imilcho Mythumbalis* (CIL VIII, 5206) et la fouille des années 1982-84. On ne peut cependant attribuer à T. des monnaies de bronze à légende néopun., où l'on avait cru pouvoir lire le nom de T. Le port de T. fut utilisé par les Romains pour l'exportation du marbre de →Chemtou et la ville est déjà mentionnée par Pol. XII 1,4. Elle devint rapidement colonie rom., mais son histoire est très mal connue.

Bibl. AATun, f^e^ Algérie 7 (Tabarca), n° 10; PW V A, col. 1178-1179; Desanges, *Pline*, p. 203-205; Lepelley, *Cités* II, p. 170-171; M. Langerstay, *Nouvelles fouilles à Tabarka (antique Thabraca)*, Africa 10 (1988), p. 220-253. ELip

ṬABBAT EL-ḤAMMĀM Important site de la plaine côtière d'→Akkar, au N. du →Nahr el-Kebir, en Syrie, à 1 km au S.-O. de Munṭar. Les sondages sur le tell ont livré des vestiges d'occupation durant l'âge du Fer et la période hellénistique, avec de nettes traces de civilisation matérielle phén. sous forme de →céramique et de figurines en terre cuite (→coroplastie). Un fragment de vase à engobe rouge porte l'épigraphe *b 'b*. Le vestige le plus important du site est cependant le grand môle construit en blocs de pierre calcaire de *c.* 1,90 × 0,43 m. Il protégeait le →port de la baie de Munṭar contre les vents du S.-O. et remonte probablement au IXe s. av. J.C. Ce devait être, à l'âge du Fer, le port d'une ville importante, sans doute Simyra, dont le village de Simiriyān avec son petit tell, à 5 km à l'E. de Ṭ. el-Ḥ. pourrait préserver le nom, mais dont l'emplacement réel doit sans doute être cherché à Tell →Kazel, à *c.* 7 km au S.-E. de Ṭ. el-Ḥ., sur la rive droite du Nahr el-Abrash dont l'embouchure, distante de 5 km, n'offre pas de très bonnes conditions d'ancrage.

Bibl. R.J. Braidwood, *Report on Two Sondages on the Coast of Syria, South of Tartous*, Syria 21 (1940), p. 183-221. ELip

ṬABḤAPÎ En pun. *Ṭbḥpy*, lat. *Tapap/fi(us)* ou *Typafi*, nom d'une illustre famille de →Leptis Magna aux Ier s. av. - Ier s. ap. J.C., qui est mentionnée dans de nombreuses inscriptions pun. (Trip. 11; 17; 21-24; 28) et lat. (IRT 273; 319; 321-323; 341; 828), et dont les membres ont revêtu les plus hautes charges de la cité. Si son nom contient l'élément théophore *Ḥpy*, "Apis", elle pourrait être originaire de l'Égypte ptolémaïque. ELip

TABNIT En phén. *Tbnt*, nom que l'on rapproche de l'hb. *tabnît*, "modèle", "image", et qui dérive peut-être d'une idéologie royale où le roi est à l'image de la divinité.

1 T. I, roi de →Sidon et prêtre d'Astarté vers le dernier tiers du VIe s. plutôt que dans la première moitié du Ve s., comme le soutiennent les tenants d'une autre opinion. Il était fils d'→Eshmunazor I, (demi-?)frère et époux d'→Immi-Ashtart et père d'→Eshmunazor II (KAI 14 = TSSI III,28). Sa momie a été retrouvée en 1887 dans un sarcophage en basalte noir, destiné au général égyptien Penptah, comme l'indique la double inscription hiéroglyphique, puis remployé pour T., ainsi que l'atteste l'inscription

Fig. 328. Sarcophage du général égyptien Pen-Ptah remployé pour le roi Tabnit I de Sidon (premier quart du Ve s. av. J.C.). Istanbul, Musée Archéologique.

phén. (KAI 13 = TSSI III,27). Le sarcophage est conservé au Musée d'Istanbul (fig. 328). JEla

2 T. II, nom probable du roi Tennès de Sidon, connu par Diod. XVI 42,2; 43,1-4; 45,1-6. En effet, la transcription gr. *Thamn(e)i* ou *Thamnai(on)* du nom de *Tbny*, roi d'Israël (*1 R.* 16,21-22), reflète la même tendance à l'assimilation de *b* à *n*, tandis que le *a* phén. peut s'amenuiser en *e*, double phénomène phonétique qui explique la forme *Ténnēs* du gr. Le nom complet de T. était vraisemblablement *Tabnit-'Aštart*, "Image d'Astarté", comme le suggère l'abréviation *taw-'ayin* de la série monétaire qui lui est attribuée. Celle-ci ne comporte que quatre années de règne qui doivent correspondre, sinon au règne entier de T. II, qui succéda à →Straton I, du moins aux années de la révolte anti-perse de Phénicie, conduite par Tennès avec l'aide du pharaon Nectanébo II qui lui envoya 4.000 mercenaires gr. commandés par Mentor de Rhodes (Diod. XVI 42,2). L'occasion immédiate de la révolte fut le grave échec subi par l'armée perse dans le Delta oriental au cours de l'hiver 351/0. Cet échec précipita la révolte des cités phén. et chypriotes, brimées par les autorités perses. Artaxerxès III Ochos envoya contre la Phénicie →Mazaios (*Mzdy*), →satrape de Transeuphratène et de Cilicie, et Bélésys, satrape de Chypre, qui furent vaincus par les rebelles. Le Grand Roi rassembla alors une formidable armée (Diod. XVI 40,5; Théopompe, FGH 115, fr. 263) et marcha sur Sidon. Selon Diod. XVI 45, Tennès aurait abandonné ses sujets en livrant la ville qui fut incendiée, probablement en 346/5, mais le fait qu'Artaxerxès III le fit exécuter, alors que Mentor et ses mercenaires passèrent au service des Perses, laisse penser que ces derniers avaient trahi les Sidoniens. Après l'exécution de Tennès, le Grand Roi mit vraisemblablement sur le trône de Sidon →Évagoras II de Salamine.

Bibl. Ad 1: K. Galling, *Eshmunazar und der Herr der Könige*, ZDPV 79 (1963), p. 140-151; J.C. Assmann, *Zur Baugeschichte der Königsgruft von Sidon*, AA 78 (1963), p. 690-716; Peckham, *Development*, p. 78-87.
Ad 2: *BMB. Phoenicia*, p. XCV-XCVI,150; D. Barag, *The Effects of the Tennes Rebellion on Palestine*, BASOR 183 (1966), p. 6-12; Peckham, *Development*, p. 73-74. ELip

TAFNA, OUED →Siga.

TAHPANHÈS En phén. *Tḥpnḥs*, hb. *Taḥpanḥēs*, ég. *T3-ỉḥt-n P3-nḥsy* ("La Vache de Panehsy"), gr. *Dáphnai* (Daphnè), aujourd'hui Tell Defenneh; site d'une ville antique, située sur la branche pélusiaque du Nil, à 12 km à l'O. d'El-Qanṭara (Égypte). Une lettre phén. expédiée de T. y atteste la présence d'une colonie phén. au VIe s. av. J.C. Elle mentionne "Baal-Saphon et tous les dieux de T.", paraissant indiquer de la sorte que →Baal-Saphon, vénéré à 55 km à l'E. de Péluse, était le dieu principal de la ville. C'est de T. que proviendrait aussi la fameuse stèle n° 25147 du Musée du Caire qui figure un dieu sémitique, debout sur un lion passant à droite et vêtu à l'assyrienne; on a voulu y reconnaître Baal-Saphon.

Bibl. DEB, p. 331; A. Aimé-Giron, *Ba'al Ṣaphon et les dieux de Taḥpanḥès dans un nouveau papyrus phénicien*, ASAÉ 40 (1941), p. 433-460; D. Pardee, *Handbook of Ancient Hebrew Letters*, Chico 1982, p. 165-168; J.C. Greenfield, *Notes on the Phoenician Letter from Saqqarah*, Or 53 (1984), p. 242-244; P. Chuvin - J. Yoyotte, *Documents relatifs au culte pélusien de Zeus Casios*, RArch 1986, p. 41-83. ELip

TAKEMBRIT →Siga.

TAMASSOS Capitale d'un petit royaume de →Chypre, situé dans le centre de l'île, au S.-O. de Nicosie, entre les villages de Politiko et de Pera, dans une région de →mines de cuivre qui lui a valu jadis sa prospérité. L'*Od.* I 184 y fait peut-être allusion (*Temésē*) et sa mention est certaine dans la liste d'Asarhaddon, avec *Ta-me-sú/si* (AfO, Beih. 9, p. 60, l. 68). Le site est bien identifié et a fait l'objet de diverses fouilles, mais l'histoire du royaume est tout à fait obscure. On en connaît les derniers épisodes: au milieu du IVe s., le royaume fut vendu au roi de →Kition par le dernier roi Pasikypros et, en 331, →Alexandre en fit cadeau au roi Pnytagoras de →Salamine. La documentation épigraphique en gr. est peu abondante: quelques documents en écriture syllabique (ICS 214-216, 342) et des textes alphabétiques. En revanche, le phén. est représenté depuis 1885 par deux textes importants, trouvés lors des fouilles d'→Ohnefalsch-Richter au sanctuaire rural de Phrangissa. Il s'agit de deux dédicaces bilingues, en phén. suivi du gr. syllabique (ICS 215-216 = RÉS 1212-1213), adressées au dieu →Resheph, qui est assimilé à Apollon par des Phéniciens, probablement des habitants de T. La primauté de l'élément phén. se déduit de l'ordre des textes et des détails de la version phén., avec une généalogie développée dans le premier texte. Celui-ci, daté de l'an 30 de →Milkyaton, roi de Kition et d'→Idalion (*c.* 362), est dédié *l'dny l[Ršp 'lyyt*. Comme la partie gr. nomme le dieu *Apeilôn* (variante dialectale d'Apollon) *Eleitas* (soit "des marais, des prairies"), il est clair que le phén. *'lyyt* est un simple calque de l'épithète gr. Le second texte est un peu plus ancien, datant de l'an 17 à 19 du même roi, donc *c.* 375. La dédicace est adressée *l'dny lRšp 'lhyts*; cette épithète, qui n'est pas une variante de la première, est aussi un calque et répond exactement à *Alasiôtas* de la partie gr., vu que le *s* intervocalique du gr. s'est affaibli en *h* et que le *s* final du phén. est calqué sur le gr. Il faut remarquer qu'on a vite rattaché cette épithète *Alasiôtas*, jusqu'ici unique, au nom du pays d'Alashiya, mentionné uniquement par diverses sources proche-orientales, notamment hittites et ugaritiques. Les orientalistes attribuent généralement ce nom à tout ou partie de l'île de Chypre à l'époque du Bronze Récent. En face du scepticisme de certains archéologues, on doit souligner que, pour la morphologie gr., l'adjectif *Alasiōtas* suppose un toponyme **Alasía* d'une manière absolument régulière (cf. *Massalía, Massaliṓtas*, etc.; à Chypre *Karpasía, Karpasiṓtas*). On doit donc conclure que, dans le royaume de T., dans un milieu gr.-phén. féru d'assimilations, le souvenir d'une ancienne *Alasía* pouvait se maintenir, au moins sous la forme d'une épithète locale du grand dieu Apollon, auquel on connaît par ailleurs l'épithète *Kúprios*.

Bibl. ICS, p. 222-224; PECS, p. 875-876; PW IV A, col.

2095-2098; O. Masson, BCH 88 (1964), p. 199-238; H.-G. Buchholz, AA 1973, p. 295-388; 1974, p. 554-614; 1978, p. 155-230; 1987, p. 165-228; id., *Der Beitrag der Ausgrabungen von Tamassos zur antiken Baugeschichte Zyperns*, V. Karageorghis (éd.), *Archaeology of Cyprus 1960-1985*, Nicosia 1985, p. 238-255. OMas

TAMBOURIT En arabe *Tambūrīt*, village du Liban, dans l'arrière-pays de →Sidon, où fut dégagée une grotte funéraire dont le matériel remonte au dernier quart du IXe s. av. J.C. (→tombes 1E).

Bibl. R. Saidah, *Tambourit - Une tombe de l'âge du Fer à Tambourit (région de Sidon)*, Berytus 25 (1977), p. 135-146. EGub

TAMUDA En néopun. *Tmd't*, nom d'origine libyque de l'actuel oued Martil (Martín), à l'E. des Colonnes d'Hercule (Pline, *N.H.* V 18), et de la ville antique située aux abords S. de Tétouan (Maroc), à plus de 6 km de la côte (fig. 329). Si les plus anciens vestiges d'occupation y remontent au VIe s., c'est surtout la ville maurétanienne des IIIe-Ier s. qui révèle l'influence pun. dans la technique de construction, la →céramique, le →mobilier funéraire des →nécropoles (fig. 330) et le monnayage à légende pun. *Tmd't* (→numismatique 5). Un site tout proche de T., au confluent de l'oued Kitzan et de l'oued Martil, a livré un vase d'un type que l'on date à →Trayamar du VIIIe-VIIe s., mais il s'agit probablement ici d'une survivance plus tardive. La céramique campanienne B des IIIe-IIe s. et ses imitations y sont bien représentées. Ce petit habitat rural, qui devait comporter un →port fluvial, a connu une fin violente vers le milieu du Ier s. av. J.C. T. elle-même fut détruite et abandonnée au début du Ier s. ap. J.C., peut-être suite à la grande insurrection des tribus maurétaniennes en 40-44. Ses ruines virent s'établir au IIe s. un camp rom., évacué sous le règne d'Honorius (395-423).

Fig. 329. Vue aérienne du site de Tamuda.

Bibl. PECS, p. 876; M. Tarradell, *Marruecos púnico*, Tetuán 1960, p. 97-119; E. Gozalbes, *Kitzan, poblado punico-mauritano en las inmediaciones de Tetuán (Marruecos)*, AntAfr 12 (1978), p. 15-19; Desanges, *Pline*, p. 149. MPon

*Fig. 330. Brûle-parfum (*kernophoros*), Tamuda (V^e-IIIe s. av. J.C.). Tétouan, Musée Archéologique.*

TANGER En (néo)pun. *T(y)ng'*, gr. *Thingē*, *Tingin*, lat. *Tingi*, arabe *Tanğa*; ville antique du Maroc, dont le nom est indigène et les origines auréolées de légendes, tel le combat d'Hercule avec le géant Antée, le fondateur mythique de la cité (Pomp. Méla I 26). Les données archéologiques sont plus sobres et proviennent surtout des nécropoles rurales de l'arrière-pays, auquel T. doit son existence en tant que centre portuaire ouvert au troc avec le S. de l'Espagne. Cette activité, perçue dès l'âge du Bronze, créa une civilisation identique sur les deux rives du Détroit de Gibraltar dès avant l'arrivée des marchands phén. Les →nécropoles rurales de T., notamment celle d'Aïn Dalhia Kebira, à 12 km au S. de la ville, démontrent l'avantage que les autochtones surent

Fig. 331. Reconstitution du tombeau bâti pun. de Moghogha es-Séghira. Tanger, Musée des Antiquités.

tirer à partir des VIIIe-VIIe s. d'un commerce avec les Phéniciens. Bijoux d'or, d'argent et de bronze, diverses babioles, la →céramique reflètent les techniques phén. du S. de la Bétique. C'est aux Puniques des VIe-Ve s., fermes dans leur désir de tutelle, que T. doit son épanouissement. C'est à cette époque que remonte la première mention historique de la ville chez Hécatée de Milet (FGH 1, fr. 354), suivie de celle du *Périple* d'Hannon dont le texte gr. l'appelle →Thymiatérion. L'activité rurale se développe alors

Fig. 332. Bronze de Tanger à légende pun. Tng'.

dans l'arrière-pays et les fermes se multiplient. Du phénomène de surproduction découle la nécessité d'exporter vers T., où la topographie impose un urbanisme en pente suivant un axe E.-O., aux extrémités duquel se trouvent la porte de la campagne et la porte de la mer. Le commerce, alimenté notamment par la pêche industrielle et la fabrication du →garum, suscite un monnayage autonome à légende pun., aux IIIe-IIe s., avec l'effigie de →Melqart et, au revers, les épis évoquant la richesse rurale (fig. 332; →numismatique 5). Ce dialogue ville-campagne a favorisé la création de comptoirs dans les environs immédiats de T. (fig. 331) et s'est poursuivi à l'époque maurétanienne et rom.

Bibl. PECS, p. 923; Mazard, *Corpus*, p. 180-188; M. Ponsich, *Nécropoles phéniciennes de la région de Tanger*, Rabat 1967; id., *Recherches archéologiques à Tanger et dans sa région*, Paris 1970; Desanges, *Pline*, p. 82-85, 91; M. Ponsich, *Tanger antique*, ANRW II/10,2, Berlin-New York 1982, p. 787-816. MPon

TANIT **1 Signification** T., en phén.-pun. *Tnt*, exceptionnellement *Tynt* ou *Tmt*, gr. *Thenneith/Thinith*, est un théonyme sémitique qui pourrait se rattacher au piël *tannē* du verbe *tny*, "se lamenter", "pleurer" (*Jg.* 11,40). Dans cette hypothèse, la **tannīt* serait une "pleureuse" et l'acception première du terme pourrait se faire jour, au Xe/IXe s., dans une inscription en pseudo-hiéroglyphes louvites de Til-Barsip I,2, où le mot *ta-ni-ti*, par ailleurs inconnu en louvite, désigne une hiérodule consacrée au dieu de l'orage (ZVS 92 [1978], p. 115). Cette interprétation rendrait intelligible le nom complet de la T. pun., *Tnt pn B'l*, "Pleureuse en face de Baal", et se rattacherait à la tradition iconographique de la *Venus lugens*. En tout cas, l'explication du nom de T. à partir du libyque ne saurait plus être retenue, puisque le théonyme apparaît d'abord en Orient. Par ailleurs, sa dérivation du nom d'Anat (*'nt*) est philologiquement insoutenable et l'on ne peut prendre au sérieux son interprétation dans le sens d'un féminin de Tannin, nom d'un dragon marin de la mythologie ouest-sémitique.

2 Diffusion Le théonyme T. est attesté en Orient à partir de la première moitié du VIe s., mais n'apparaît à →Carthage qu'à la fin du Ve ou au début du IVe s. Il se manifeste d'abord dans le théonyme double *Tnt-'štrt*, "la T. d'Astarté", sur une plaquette provenant d'un petit →sanctuaire (1) de →Sarepta (1), et dans l'anthroponyme *Gr-Tnt* ("Client/Fidèle de T."), attesté à Sidon (BMB 20 [1967], p. 47, l. 13) et à Kition (Kition III, D, 38,6). Le théonyme apparaît ensuite sur une lampe à huile d'époque perse (OLP 14 [1983], p. 143-146), dans le nom propre du Sidonien *'bd-Tnt* ("Serviteur de T."), gravé sur une stèle d'Athènes (KAI 53 = TSSI III,40), et sur des →tessères (intr. et 2) du IIIe/IIe s. (StPhoen 5 [1987], p. 82-84), où il est écrit *Tmt* (cf. CIS I,221; 853). Ces tessères portent l'épigraphe *ḥn(t) Tmt*, "crypte de T.", référence probable à une salle souterraine (cf. KAI 145,2), où devaient se tenir les banquets sacrés. Par ailleurs, la toponymie libanaise (*'Aqtanīt, 'Aïtanīt, Kfar Tanīt*) a gardé la trace du culte de T. et son épithète →Pane Baal se retrouve au IIe s. ap. J.C. sur des monnaies d'Ascalon. En Occident, le nom de T. n'apparaît sur les →stèles (2A) de Carthage que *c.* 400 et y précède constamment le nom de →Baal Hamon. En dehors des inscriptions du →*tophet* de →Salammbô, on ne rencontre que la "T. du Liban" (*Tnt b-Lbnn*: CIS I,3914 = KAI 81), mais le culte de T. a atteint aussi →Thinissut (KAI 137), →Hadrumète (KAI 97; RAfr 90 [1947], p. 1-80), →Constantine (EH, SPC), →Malte (ICO, Malta 10-11), →Tharros (RSF 4 [1976], p. 53-55, pl. VII), →Nora (ICO, Sard. 25), →Lilybée (ICO, Sic. 4), →Palerme (ICO, Sic. 9) et →Ibiza, où la grotte d'→Es Cuieram lui était consacrée (CIE 07.15b). Il convient d'ajouter à cette liste tous les sites africains et autres où l'on vénérait la Junon →Caelestis, dont l'identité recouvrait celle de T., à l'époque rom.

3 Nature Le culte de T. est généralement associé à celui d'→Astarté, tant à Sarepta qu'à Carthage (CIS I,3914 = KAI 81) et à Malte (ICO, Malta 9-11; 15; 31). Le nom double de "T. d'Astarté", qui livre la plus ancienne attestation du théonyme, paraît même indiquer que T. est une hypostase d'Astarté, incarnant la déesse associée au dieu de la végétation. Certaines monnaies de Malte et d'Arqa la figurent drapée dans un vêtement de deuil et un autel rom. des environs de Byblos la représente en *Venus lugens* à côté d'un →Osiris gainé (→Sadambaal), dans la fonction d'Isis. Effectivement, la T. d'Hadrumète et d'Ibiza est assimilée à Isis, voire à l'Isis ailée qui protégeait de ses ailes la momie d'Osiris. Vingt-six types différents de figurines provenant de la grotte d'Es Cuieram représentent T. vêtue d'une chape à ailes repliées (fig. 127), habit que porte également l'image idéalisée de la prêtresse carth., sculptée en relief sur son →sarcophage (5) (Phén. 178). C'est une T. drapée dans un vêtement de deuil qui semble apparaître aussi sur une stèle d'Hadrumète remontant au IVe s. (L. Foucher, *Hadrumetum*, p. 43). Cette caractéristique lui confère les traits d'une déesse chthonienne, ce que confirme son assimilation à Artémis, impliquée par l'anthroponyme de la stèle d'Athènes (KAI 53 = TSSI III,40), de même qu'à sa suivante Aréthuse, dont l'image sert probablement d'effigie à T. sur les monnaies siculo-pun. (fig. 253:2,3,7,8; 254:1,3-6; 255; 256; →numismatique 3B), puis à Koré-Perséphone, dont l'iconographie marque nombre de statuettes de T. dans la grotte d'Es Cuieram. Ses épithètes de "Mère" (*'m*: CIS I,195; 380; cf. 177 = KAI 83) et de *Nutrix* (CIL VIII, 2664; 27436; etc.) soulignent pareillement sa nature de déesse chthonienne, tout comme *Kourotrophos*, "Nourrice", servait d'appellatif aux déesses chthoniennes gr. Déesse suprême de Carthage, elle devint la Déesse ou la Junon Céleste de l'époque rom., mais aussi la Vierge Céleste, appellatif qui évoque moins sa fonction astronomique parmi les signes du zodiaque que sa nature de vierge-mère, de "Nourrice de →Saturne", dont la sève juvénile régénère la puissance du dieu de la végétation, tout comme Isis le faisait pour Osiris. Rien n'indique en effet que T. était l'épouse de Baal (Hamon). Elle était sa parèdre, qui le faisait renaître, périodiquement, d'une terre revigorée (→Dagan). Aussi fut-elle intimement associée au culte agraire lié au sacrifice →*molk*. Le →"signe de T." accompagne souvent la mention de T., mais il apparaît aussi indépendamment de la déesse et ne constituait donc pas, semble-t-il, un symbole issu du culte de T.

Bibl. PW IVA, col. 2178-2215; WM I/1, p. 311-312; S. Ronzevalle, *Traces du culte de Tanit en Phénicie*, MUSJ 5 (1911-12), p. 75*-83*; Gsell, HAAN IV, p. 240-277, 356-370; S. Ronzevalle, *Venus lugens et Adonis byblius*, MUSJ 15 (1930), p. 141-204; G.C. Picard, *Les religions de l'Afrique antique*, Paris 1954, p. 56-79; M. Renard, *Nutrix Saturni*, BAntFr 1959, p. 27-52; H. Seyrig, *Une monnaie de Césarée du Liban*, Syria 36 (1959), p. 38-45; L. Foucher, *Hadrumetum*, Tunis 1964, p. 43-48; M. Leglay, *Saturne Africain. Histoire*, Paris 1966, p. 215-222; C. Picard, *Tanit courotrophe*, Hommages à M. Renard III, Bruxelles 1969, p. 474-484; M.E. Aubet Semmler, *Las representaciones aladas de Tanit*, Revista de la Universidad Complutense 25 (1976), p. 61-82; F.O. Hvidberg-Hansen, *La déesse TNT* I-II, Copenhague 1979 (bibl.); J.-B. Pritchard, *The Tanit Inscription from Sarepta*, H.G. Niemeyer (éd.), *Phönizier im Westen*, Mainz a/R 1982, p. 83-92; E. Lipiński, *Syro-Fenicische wortels van de Karthaagse religie*, Phoenix 28 (1982 [1984]), p. 51-84 (voir p. 52-67); F. Della Corte, *La Iuno-Astarte virgiliana*, ACFP 1, Roma 1983, p. 651-660; P. Bordreuil, *Tanit du Liban*, StPhoen 5 (1987), p. 79-85; E. Lipiński, *Les racines syro-phéniciennes de la religion carthaginoise*, CEDAC Carthage 8 (1987), p. 28-44 (voir p. 29-32).
ELip

TARHUNA, DJEBEL Haut plateau de Libye, au S.-O. de →Leptis Magna, où l'on a relevé des épigraphes lat.-pun. (IRT 865-866, 873, 877) et des inscriptions pun. Ainsi a-t-on découvert à *Rās el-Ḥaddāǧia* un sanctuaire de Jupiter Ammon (→Zeus Ammon) de l'oasis de Siwa (*Ammonium*), dont la dédicace, datée du proconsulat de Lucius Aelius Lama (15-17 ap. J.C.), est rédigée en pun. et en lat. (Trip 76 = KAI 118). À *'Arabin*, on a trouvé en 1969 une dédicace néopun. à la →Caelestis, dont le nom est écrit en pun. *Qlyṣt'* (Epigraphica 45 [1983], p. 102-104).

Bibl. R. Goodchild, *Libyan Studies*, London 1976, p. 72-113.
ELip

TARIFA Site probable de l'antique *Iulia Traducta* (Ptol. II 4,6; Marcien Hér. II 9; *Rav.* 305,12), que Strab. III 1,8 appelle *Ioulia Ioza*. T. se trouve à 22 km au S.-O. d'Algéciras (Espagne), où Pomp. Méla II 96 situe Tingentera. Le nom de *Ioza*, d'après le pun. *yōṣā'*, "sortant", confirme la notice de Strab. III 1,8 rapportant le transfert des habitants de Zilis (→Dchar Djedid) sur la côte S. de l'Espagne (cf. Pline, *N.H.* V 2). La découverte de trois →sarcophages (6) pun. en pierre à T., avant 1908, ainsi que celle de fragments de poterie campanienne, indique que le site était occupé avant l'époque rom.

Bibl. PECS, p. 422; A. Tovar, *Iberische Landeskunde* II/1, Baden-Baden 1974, p. 68-69; Desanges, *Pline*, p. 84-85.
ELip

TARIFS SACRIFICIELS On entend par t.s., en pun. *b't*, deux inscriptions carth. (KAI 69; 74) dont la première, retrouvée à Marseille, plus longue et mieux conservée, était affichée dans le temple de →Baal Saphon à Carthage. On possède aussi d'autres fragments du même genre (CIS I,3915; 3916 = KAI 75; CIS I,3917 = KAI 76), fort lacunaires, donc d'interprétation difficile. Par ailleurs, on qualifie de t.s. des listes lat. de victimes offertes en Afrique du N. à →Saturne et d'autres divinités. Ces listes figurent dans des inscriptions votives de prêtres de Saturne, tandis que les t.s. pun. sont des barèmes destinés à régler les rapports entre prêtres et fidèles à l'occasion des →sacrifices accomplis dans les temples pour le compte d'offrants privés, individus, associations ou familles. Les deux t.s. de Carthage, qui reflètent des traditions légèrement différentes, déterminent donc, pour chaque sorte de sacrifice, les taxes en argent, la part du prêtre et celle de l'offrant, mais ils ne décrivent pas les rites et ne donnent pas les motifs des sacrifices.

1 La matière sacrificielle Parmi les victimes animales, les t.s. font la distinction entre le "bétail" en général (*mqn'*) et les "oiseaux" (*ṣprm*). D'après l'âge et/ou la taille des animaux, le *mqn'* est réparti en quatre catégories: bovins adultes (*'lp*), veaux (*'gl*) et cerfs (*'yl*), ovins adultes (*ybl, 'z*), petits ovins (*'mr gd*) et assimilés (*ṣrb 'yl*: un petit cervidé?). Quant aux oiseaux, les victimes les plus humbles, ils comprennent des variétés différentes, difficiles à préciser (*ṣpr 'gnn*: oiseaux de basse-cour?; *ṣṣ*: oiseau sauvage?). On offrait aussi des aliments, comme des gâteaux ou des galettes, des prémices végétales, du lait, de l'huile, et peut-être, des →parfums. Quel que soit le type d'offrande, une compensation revenait au clergé, sauf dans le cas où l'offrant ne possédait pas d'animaux.

2 Les sacrifices Selon les types de sacrifice et de victime, les prêtres recevaient une compensation en argent et/ou en nature, à savoir des parties spécifiques de l'animal offert: côtes, pattes, etc. On connaît trois types principaux de sacrifices, d'autres étant incertains: le *kll*, le *ṣw't* et le *šlm kll*, termes dont l'étymologie est difficile à établir et le rapport avec les rites bibliques, imprécis.

A. *Kll.* Dans le *kll*, on sacrifie tous les animaux, sauf les oiseaux. L'offrant (*b'l hzbḥ*) n'a droit à aucune partie de la victime; il doit au contraire payer aux prêtres une somme qui va de 10 sicles d'argent pour le bœuf à 3/4 de sicle et 2 *zr* pour les animaux les plus petits. Aux ministres du culte revient aussi une partie de la viande, s'il s'agit d'une victime de grosse taille. On ignore les modalités du rituel du *kll*, mais on peut supposer que la victime devait parvenir aux dieux intégralement, offerte peut-être en holocauste, la racine *kll* exprimant le notion d'"être complet".

B. *Ṣw't.* Le *ṣw't* était un sacrifice plus prestigieux. Les victimes sont les mêmes que dans le *kll* et, dans ce cas aussi, les oiseaux sont exclus. Ici, l'idée fondamentale semble être celle de la répartition de la victime entre prêtre et offrant, tandis que rien ne paraît revenir directement à la divinité. Quant aux compensations des prêtres, elles sont les mêmes que pour le *kll* selon le t.s. de Marseille, tandis que l'autre texte — qui leur assigne la peau seulement — montre peut-être un système différent et simplifié. On a émis l'hypothèse que le *ṣw't* était un sacrifice de communion, mais on peut affirmer seulement que, dans certains cas, la victime était tuée par les prêtres, dans d'autres directement par les fidèles et était tout simplement "présentée" à la divinité.

C. *Šlm kll.* Le *šlm kll* est attesté seulement dans le t.s. de Marseille. On y offrait aussi des oiseaux, outre les victimes habituelles. Les prêtres recevaient une compensation en argent, mais les fidèles et le clergé étaient exclus de la consommation des victimes majeures, tandis que la viande des oiseaux appartenait de droit à l'offrant. On ignore par ailleurs ce qui caractérisait le *šlm kll* par rapport au *ṣw't* et au *kll*, mais il est possible qu'on ait affaire à une variété du *kll*, comme le suggère le pluriel *kllm* dans le t.s. de Carthage. PXel

3 Tarifs latins de sacrifices Trois stèles votives d'→Aziz ben Tellis, en Numidie (CIL VIII, 8246; 8247; StPhoen 6 [1988], p. 217-219) et une inscription de Koudiat es-Souda, au S.-E. du Kef, en Tunisie (CIL VIII, 27763), contiennent une liste de victimes offertes à Saturne et d'autres divinités, notamment →Caelestis: taureau, agneau, agnelle, bélier, bélier châtré, chevreau, chevrette, coq, chapon, poule, voire 5 poules. Ces listes, qui constituent une manière de t.s., rapportent, sauf dans un cas, des victimes déterminées à des divinités nommément désignées, tout comme le font les rituels d'Ugarit (cf. TRU). À la différence des t.s. de Carthage, qui fixent la part des célébrants à l'instar de certains rituels d'Émar (cf. D. Arnaud, *Émar* VI/3, Paris 1986), les stèles d'époque rom. précisent tout au plus que le sacrifice est offert à l'occasion de l'"entrée sous le joug" d'un prêtre de Saturne, à l'âge de 65 ans, et figurent éventuellement des instruments de sacrifices et des animaux parés pour l'immolation. ELip

Bibl. Ad 1-2: R. Dussaud, *Les origines cananéennes du sacrifice israélite*, Paris 1941[2], p. 134-173, 320-323; A. Capuzzi, *I sacrifici di animali a Cartagine*, StMagr 2 (1968), p. 45-76 (bibl.); P. Xella, *Su un termine della Tariffa sacrificale di Cartagine (KAI, 74)*, F. Vattioni (éd.), *Sangue e antropologia biblica nella letteratura christiana* I, Roma 1982, p. 71-74; F. Vattioni, *A proposito di* tbrt, ibid., p. 75-77; M. Delcor, *À propos du sens de* ṣpr *dans le Tarif sacrificiel de Marseille (CIS I,165,12)*, Semitica 33 (1983), p. 33-39; P. Xella, *KTU 1.48 e la Tariffa punica di Marsiglia*, RSF 12 (1984), p. 165-168; id., *Quelques aspects du rapport économie-religion d'après les Tarifs sacrificiels puniques*, BAC, n.s., 19B (1983 [1985]), p. 39-47; D.W. Baker, *Leviticus 1-7 and the Punic Tariffs: A Form-Critical Comparison*, ZAW 91 (1987), p. 188-197.

Ad 3: M. Leglay, *Saturne africain. Monuments* I, Paris 1961, p. 294; *Monuments* II, Paris 1966, p. 63-64; F. Vattioni, *Appunti africani*, StMagr 10 (1978), p. 13-31 (voir p. 21-24); M. Le Glay, StPhoen 6 (1988), p. 217-219, 232-234.

TARQUINIA En lat. *Tarquinii*, cité des →Étrusques qui dominait au VIe s. toute l'Étrurie maritime et le Latium (Italie). Elle devait apparaître aux Carthaginois comme leur principal interlocuteur étrusque à l'époque de l'expédition d'→Alalia. C'est à la même époque que remonte l'inscription étrusque *mi puinel karθazie* (TLE 724), "NP, Carthaginois", gravée sur une plaquette en ivoire, peut-être une "tessère d'hospitalité", trouvée dans une tombe de la nécropole Ste-Monique à →Carthage. Plus tard, au IVe s., se pose le problème iconographique des rapports entre les →sarcophages (5) et →ossuaires "à statue" de Carthage et les sarcophages à couvercle anthropoïde de T., notamment celui de Llaris Partunus. Bien que la seule allusion littéraire à des mercenaires étrusques dans les armées carth. se réfère à l'an 311 (Diod. XIX 106,2), une stèle funéraire de T. mentionne un Étrusque qui a sans doute combattu aux côtés d'→Hannibal (6) sous →Capoue. Par ailleurs, Porto Clementino, site de l'antique *Graviscae* qui était le port de T., a livré des amphores pun.

Bibl. E. Benveniste, *Notes étrusques I. La tablette d'ivoire de Carthage*, SEt 8 (1933), p. 245-249; A.J. Pfiffig, *Hannibal in einer etruskischen Grabinschrift in Tarquinia*, AÖAW PH 104 (1967), p. 54-61; M. Martelli, *Un aspetto del commercio di manufatti nel IV secolo a.C.: i sarcofagi in marmo*, Prospettiva 3 (1975), p. 9-17; E. Shuey, *Underwater Survey and Excavation at Gravisca, the Port of Tarquinia*, PBSR 49 (1981), p. 17-45; B. Frau, *From the Etruscan Harbours of Graviscae and Martanum*, A. Raban (éd.), *Harbour Archaeology*, Oxford 1985, p. 93-104; *I Fenici*, Milano 1988, p. 536. ELip

TARSE En akk. *Tarzu*, aram. *Trz*, gr. *Tarsós*, ville de →Cilicie (Turquie), dont les rapports commerciaux avec la Phénicie remontent au moins au milieu du IXe s. av. J.C., comme l'indique la céramique trouvée sur le site. T. avait été parfois identifiée eronnément avec →Tarshish.

Bibl. PECS, p. 883-884. ELip

TARSHISH En phén. *Tršš*, hb. *Tršyš*, akk. *Tar-si-si*, gr. *Tartē(s)sós, Tarsēion, Thersitai, Tharseis*.

1 Localisation T. est une région située à l'extrémité occidentale de la Méditerranée, comme il ressort de l'inscription du roi Asarhaddon d'Assyrie, du *Ps.* 72,10 et de *Jon.* 1,3. Pour souligner l'universalité de son pouvoir à l'O., Asarhaddon affirme en 673: "tous les rois du milieu de la mer, depuis Chypre et l'Ionie jusqu'à Tarshish, se sont prosternés à mes pieds" (AfO, Beih. 9, p. 86). Au *Ps.* 72,10, la suzeraineté universelle du roi se manifeste par le tribut apporté par "les rois de T. et des îles", dans l'extrême O., par "les rois de Shéba (*Šb'*) et de Saba (*Sb'*)", dans l'extrême S. de la péninsule Arabique et de la Nubie. Enfin, d'après *Jon.* 1,3, Jonas s'embarque à →Jaffa à destination de T. pour se soustraire à sa mission ninivite en fuyant le plus loin possible dans la direction opposée. L'identification de T. avec la Bétique, faite par un lexique de l'époque du Bas-Empire et reprise par →Bochart au XVIIe s., correspond ainsi aux données textuelles et implique l'identité de T. et du Tartessos de la tradition classique, connu des Grecs au moins depuis le VIe s. et localisé dans l'actuelle →Andalousie. L'identification de T. avec →Tarse, attestée d'abord par Fl.Jos., *A.J.* I 127; VIII 183; IX 208, est de toute façon exclue, puisque la forme sémitique de ce dernier toponyme était *Trz/Tarzu*.

2 Nom La forme sémitique du toponyme T., qui apparaît sur la stèle de →Nora (fig. 247; KAI 46 = TSSI III,11) dès la fin du IXe s., a dû rester en usage dans le monde pun., d'où l'ethnique **Taršīšī* > **Taršī* (haplologie) est passé chez Polybe sous les formes altérées *Tarsēion* (III 24,2.4) et *Thersītai* (III 33,9). Quant à l'orthographe cunéiforme *Tar-si-si*, elle reflète une prononciation identique à celle de l'hb. et, très certainement, du phén. Le nom habituel de T. dans la littérature gréco-latine est en revanche *Tartēs(s)os*. L'alternance des formes *Taršīš/Tartēs-*, auxquelles il convient d'ajouter celle de *Turdet(ani)*, reflète des perceptions différentes d'un phonème indigène qui devait correspondre à une interdentale fricative. Le nom de T. est donc ibérique ou "tartessien" et il est inutile, dès lors, de lui chercher une étymologie sémitique.

3 Importance économique T. constitue le pôle occidental de l'expansion commerciale des Phéniciens qu'attiraient les ressources minérales de la péninsule Ibérique, particulièrement ses gisements aurifères et argentifères. L'inscription de Nora, site qui se trouvait dans l'axe de la voie maritimie reliant le Levant à T., et les trouvailles archéologiques d'Andalousie prouvent que les expéditions phén. vers T. remontent au moins au IXe s. et que les Phéniciens de Chypre y ont joué un rôle important. Rien ne permet jusqu'ici de dater cette expansion du XIe ou de la première moitié du Xe s., car les dates de la fondation de →Gadès et de →Lixus, transmises par la tradition classique, ne sont pas fiables et la mention du "vaisseau de T." en *1 R.* 10,22, dont dépend *2 Ch.* 9,21, n'est rapportée à l'époque de Salomon que par le rédacteur des *Livres des Rois* qui travaillait au VIe s. Sa source ne nommait pas ici Salomon et pouvait se référer à →Hiram II de Tyr (*c.* 736-729) et à un des derniers rois d'Israël, voire à Achaz, roi de Juda. Les plus anciennes mentions bibliques de T. semblent effectivement dater de la seconde moitié du VIIIe s. (*Is.* 2,16; *Ps.* 48,8; 72,10), de l'époque d'Asarhaddon (*Is.* 23,1.6.10.14) et de la fin du VIIe s. (*Gn.* 10,4 = *1 Ch.* 1,7; *Jr.* 10,9). C'est, en Syro-Palestine, la période de l'hégémonie assyrienne qui constituait un stimulant pour les entreprises commerciales des Phéniciens obligés de satisfaire une demande accrue de matières premières et poussés, pour cette raison, à intensifier leurs relations avec T. Deux textes bibliques, *1 R.* 10,22 et *Ez.* 27,12, datant du VIe s., fournissent quelques indications sur la cargaison des navires revenant de T. On y mentionne l'or (*1 R.* 10,22; cf. *1 R.* 22,49; *Is.* 60,9), l'argent (*1 R.* 10,22; *Ez.* 27,12; cf. *Is.* 60,9), l'ivoire (*1 R.* 10,22; cf. *Ez.* 27,15), le fer, l'étain et le plomb (*Ez.* 27,12), des *qpym* et des *t(w)kyym* (*1 R.* 10,22), qui ne sont pas des singes de deux espèces ou des singes et de la volaille, mais probablement des instruments tranchants (cf. akk. *quppû*) en fer ou en bronze, ainsi que le suggère la traduction gr. *toreutōn kaì pelekētōn*, qui évoque l'action de ciseler et de tailler. Ces cargaisons correspondent parfaitement aux produits que l'on pouvait alors acquérir en Andalousie et dans les régions avoisinantes. Les sources classiques offrent une image plus pauvre et anecdotique du commerce tartessien. Les premiers auteurs gr. qui l'évoquent se font déjà l'écho d'anecdotes phén. et samiennes sur la richesse du pays et la longévité de ses rois. Stésichore d'Himère (*c.* 632/29 - 556/3), dont les informations venaient peut-être des Phéniciens de la Sicile occidentale, parle du fleuve Tartessos dont les eaux auraient roulé de l'argent (fr. 4, Diehl). C'est probablement à son séjour à →Samos qu'Anacréon (*c.* 570-500) doit sa connaissance de Tartessos où il déclare ne pas vouloir régner 150 ans (fr. 8, Diehl). Selon Hdt. IV 152, le Samien Kolaios aurait été poussé par la tempête à Tartessos et y aurait acquis une quantité incalculable d'argent. Il rappelle aussi que les Phocéens s'y seraient rendus à leur tour au temps du roi Arganthonios qui leur aurait donné beaucoup d'argent et aurait vécu 120 ans (I 163). Hécatée de Milet (VIe-Ve s.) disposait, semble-t-il, de renseignements plus concrets et savait que Tartessos était un pays qui comptait plusieurs villes (FGH 1, fr. 38).

4 "Vaisseau de Tarshish" Plusieurs textes bibliques utilisent l'expression "vaisseau de T." (*1 R.* 10,22; 22,49; *Is.* 2,16; 23,1.14; 60,9; *Ez.* 27,25; *Ps.* 48,8; *2 Ch.* 9,21), que l'on traduit souvent d'une manière abusive par "flotte de T.". Cette tournure désignait à l'origine les vaisseaux allant à T. et on suppose qu'elle finit par s'appliquer à tout vaisseau au long cours, voguant même en Mer Rouge. Cette interprétation s'appuie sur *1 R.* 22,49 où les vaisseaux de T., destinés à chercher l'or d'→Ophir, sont censés s'être brisés à Éçyôn-Gébèr. Ce passage, qui se rapporte au roi Josaphat (*c.* 873-848), est cependant une interpolation d'époque hellénistique, insérée dans le texte après la rédaction des *Livres des Rois*, achevée au VIe s. Il est donc possible que son auteur ne comprenait plus le sens de l'expression "vaisseau de T." qui devait être tombée en désuétude dès le Ve/IVe s. av. J.C., comme l'indiquent *Jon.* 1,3 et *2 Ch.* 20,36-37 qui évitent de l'employer, tout en l'interprétant au sens de "vaisseau allant à T.".

Bibl. PECS, p. 884-885; E. Lipiński, *Tartessos et la stèle de Nora*, Segundo Congreso Internacional de Estudios sobre las Culturas del Mediterráneo Occidental, Barcelona 1978, p. 71-77; W. Tyloch, *Le problème de Tarsis à la lumière de la philologie et de l'exégèse*, Deuxième Congrès International d'Étude des Cultures de la Méditerranée Occidentale II, Alger 1978, p. 46-51; Bunnens, *Expansion*, en part. p. 331-348; J. Alvar, *Aportaciones al estudio di Tarsis bíblico*, RSF 10 (1982), p. 211-230; M. Elat, *Tarshish and the Problem of the Phoenician Colonization in the Western Mediterranean*, OLP 13 (1982), p. 55-69; C.G. Wagner, *Aproximación al proceso histórico de Tartessos*, AEArq 56 (1983), p. 3-36; M. Koch, *Tarschisch und Hispanien*, Berlin 1984 (bibl.); C.G. Wagner, *Tartessos y las tradiciones literarias*, RSF 14 (1986), p. 201-228; J.B. Tsirkin, *The Greeks and Tartessos*, Oikumene 5 (1986), p. 163-171; id., *The Hebrew Bible and the Origin of the Tartessian Power*, AulaOr 4

(1986), p. 179-185; E. Lipiński, *Carthage et Tarshish*, BiOr 45 (1988), col. 60-81. ELip

TARTESSOS →Andalousie; →Espagne; →Orientalisant, Style 2; →Tarshish.

TARTOUS En gr. *Antárados*, lat. *Antaradus*, d'où l'arabe *Ṭarṭūs*, ville qui titre son nom de sa position face à l'île d'→Arwad. Mentionnée pour la première fois par Ptol. V 15,16, puis par les *Homélies pseudo-clémentines* XII 1 et la *Tab. Peut.*, T. est située sur une petite crique au pied des monts Alaouites. Aux époques perse et hellénistique, le site de T. fait partie de la pérée d'Arwad, mais ne paraît pas alors avoir formé une cité. Son territoire était utilisé, semble-t-il, par les Arwadiens comme →nécropole. En effet, on y a découvert une série de →sarcophages (4) anthropoïdes d'époque achéménide. Leur aspect est très proche de celui des sarcophages de →Sidon avec des visages de type gr. coiffés selon la mode égyptienne. Il s'agit d'une production locale, taillée dans la lave de Safita. C'est aux époques hellénistique et rom. que remontent les nombreuses statuettes de marbre ou de bronze reproduisant des modèles bien connus de la statuaire gr. et le "laraire de T." représentant la Tychè de Tyr. La découverte la plus notable faite à T. est celle d'un masque en or, très proche par son style de ceux de Homs ou de Baalbek, qui date probablement de la fin de l'époque hellénistique. Les dernières guerres civiles de la république rom. voient →Carné, que Ptolémée désigne comme l'*epípeion* d'Arwad, se séparer de cette dernière. Les Arwadiens cherchent alors à fixer plus au S. leur installation continentale et choisissent le site de T. La ville nouvelle se développe alors au détriment d'→Amrit, le centre de gravité de la vie urbaine de cette partie de la côte se déplaçant vers le N. Selon Ptol. V 15,16, *Antárados* aurait été la plus septentrionale des villes de Phénicie et se trouvait sous la dépendance directe d'Arwad. On ne lui connaît alors aucun monnayage propre. Ce n'est qu'en 333 ap. J.C. que T. est fondée comme cité indépendante par Constance sous le nom de *Constantia*. C'est désormais, avec Arwad, la seule *pólis* de la côte entre →Baniyās et →Orthosia. Dans l'*It. Burd.* (p. 582, 10), elle est mentionnée comme *mansio* dépendant d'Arwad.

Bibl. R. Dussaud, *Topographie*, p. 124. PLer

TAS SILĠ **1 Fouilles** Le grand →sanctuaire (3A) de T.-S., large de *c.* 100 m, était dédié à →Astarté / Héra / Junon, comme l'indiquent les inscriptions pun. et gr. Il domine la baie de Marsaxlokk, port du S.-E. de →Malte. Fréquenté certainement par les Phéniciens dès la fin du VIIIe s., il était renommé pour son ancienneté et sa richesse (Cic., *Verr.* II), et connut déprédations et destructions jusqu'au XIXe s. L'architecture de ses cours et portiques date de l'époque hellénistique (seconde moitié du IVe-Ier s.) et peut être comparée avec celle des →mausolées pun. d'Afrique du N. Le grand temple, en axe E.-O., est le reste d'une construction mégalithique à plan curviligne d'époque chalcolithique. Les autels des IIIe-IIe s. témoignent des aspects chthoniens de la déesse. La céramique pun.-maltaise abonde au sein de grandes →*favissae*, celle importée est rare, exception faite des amphores commerciales gr. Les vestiges d'ex-voto ou de mobilier demeurent peu nombreux: ivoires, bijoux, bronzes, terres cuites, statues en marbre et en calcaire, autels, encensoirs. ACias

2 Inscriptions Les fouilles de T.S. ont livré un grand nombre d'inscriptions trouvées dans les décharges du sanctuaire et datables entre la fin du Ve et le Ier s. av. J.C. Ce sont, pour la plupart, des inscriptions votives, qui se répartissent en trois classes, suivant qu'elles sont gravées sur pierre, sur ivoire/os ou sur céramique. Les premières, dont deux contiennent le nom d'Astarté (IIe-Ier s.), apparaissent sur des éléments architecturaux; par ailleurs, les lettres *ḥ* et *ḥb* sont gravées sur quelques blocs de construction (IIIe-IIe s.). La plus ancienne inscription sur os est la dédicace d'un bassin *'bst* à Astarté (fin V^e^ - début IVe s.); des fragments d'ivoire portent des épigraphes en une écriture typiquement pun. (IIIe s. av. J.C.). Les plus nombreuses sont les inscriptions sur céramique. Leur importance réside dans l'attestation d'un type de graphie pun. très évoluée, à caractère local. La seule formule non abrégée, *l'štrt* correspondant au gr. *Hḗra*, a été gravée avant cuisson sur des marmites. Les plus fréquentes sont les lettres *lt*, abréviation probable de la formule précédente, qui figurent sur divers types de récipients. D'autres lettres, d'interprétation incertaine, sont gravées, plus rarement peintes, sur des vases ou, parfois, des lampes. Une inscription fragmentaire mentionne le dieu →Milkashtart. Quelques inscriptions néopun., fragmentaires, sont gravées avec soin sur des tessons à vernis noir. MGAmG

Bibl. *Missione archeologica italiana a Malta*, Roma 1964-73; M. Cagiano de Azevedo, *Frammento di una iscrizione latina dal "Fanum Iunonis" melitense*, ANLR, 8e sér., 24 (1969), p. 155-159; S. Moscati, *Un avorio di Tas-Silġ*, OA 9 (1970), p. 61-64; A. Ciasca, *Il tempio fenicio di Tas-Silġ*, Kokalos 22-23 (1976-77), p. 162-172; C. Grottanelli, *Astarte-Matuta e Tinnit Fortuna*, VO 5 (1982), p. 103-116.

TATA(H)OUINE, (FOUM) Dans les environs de T., dans le S. tunisien, on a découvert deux →mausolées (3), l'un décoré de bas-reliefs représentant des figures humaines, des animaux et des plantes, l'autre pourvu d'une inscription néopun. qui dévoile l'origine libyque du défunt: *Foltakan* fils de *Mašwalat*.

Bibl. Cpt. Tribolet - P. Gauckler - P. Berger, *Recherches archéologiques aux environs du poste de Tatahouine*, BAC 1901, p. 284-298; RÉS 237 = 1857; ESE II, p. 63-64. ELip

TÉBESSA En lat. *Theveste*, arabe *Tabassā*, ville d'Algérie à 38 km au S.-O. d'Haïdra, l'antique *Ammaedara*, et à 20 km de la frontière tunisienne. Si T. est identique à l'Hécatompylos de Pol. I 73,1 et de Diod. IV 18,3; XXIV 10,2 (cf. Jér., *in Ep. ad Gal.* 2: PL XXVI,353), comme on l'admet généralement, elle était déjà une ville importante à l'époque de la 1re →guerre pun., quand →Hannon (17) le *Rab* s'en empara *c.* 247 av. J.C. En tout cas, des fouilles ont permis de constater la présence de vestiges datables au IVe/IIIe s., notamment des monnaies carth. trouvées dans la nécropole mégalithique de Gastel, et des marques claires de la civilisation pun. y sont encore apparentes à l'époque rom., quand T. devint un gros centre d'administration financière et domaniale. Le culte de →Saturne y était très vivant, de même que celui de →Caelestis (ILAlg I, 2997; 2998; 3000; 3066), qui avait un sanctuaire, probablement voisin de celui de Saturne. Parmi les trouvailles faites dans une →*favissa*, il faut relever celle de deux statuettes de déesse assise sur un trône à haut dossier et accostée de taureaux, ainsi qu'un fragment de statuette de déesse, debout, tenant un enfant nu, sans doute la "Nourrice de Saturne".

Bibl. AAAlg, f^e 29 (Thala), n° 101; E. Sérée de Roch, *Thébessa, antique Theveste*, Alger 1952; M. Leglay, *Saturne africain. Monuments* I, Paris 1961, p. 332-360; Gascou, *Politique municipale*, p. 91-97; R. Lequément, *Fouilles à l'amphitéâtre de Tébessa (1965-1968),* [Alger 1979]; Lepelley, *Cités* II, p. 185-189. ELip

TÉBOURSOUK En lat. *Thubursucu(m), Thibursicu(m) Bure,* site antique de Tunisie. T. n'est mentionné que par des inscriptions et seule l'archéologie démontre la présence d'un centre prérom. en une contrée sans doute possédée par Carthage depuis longtemps et conservée par elle jusqu'à ce que →Massinissa I ne s'en empare au milieu du IIe s. Les vestiges prérom. comprennent une vaste nécropole de dolmens, dominant la ville, et des hypogées creusés dans le roc. La découverte de 35 →stèles (2A) néopun. sur l'emplacement de l'ancienne église démontre que celle-ci occupe le site d'un sanctuaire de →Baal Hamon, auquel on subrogea sans doute →Saturne *Frugifer* (ILAfr 506) à l'époque rom.; →Tanit n'était pas oubliée. L'iconographie, d'un rendu assez fruste, puise au répertoire commun élaboré à Carthage et le →"signe de Tanit" anthropomorphisé continue à être gravé sur des stèles rom. T. devint municipe sous Septime-Sévère, puis colonie sans doute entre 260 et 268.

Bibl. AATun, f^e 33 (Téboursouk), n°s 27-28; L. Carton, *Découvertes épigraphiques et archéologiques faites en Tunisie*, Paris 1895, p. 344-355; Ravard, *Découverte d'un tombeau néo-punique dans le camp de Teboursouk*, BAC 14 (1896), p. 143-146; *Catalogue du Musée Alaoui*, Paris 1897, p. 148 (n° 13), 154 (n° 60), 227-229 (n°s 112-136); J.-B. Chabot, *Punica XIX*, JA 1918/1, p. 249-250; RIL 12; M. Leglay, *Saturne africain. Monuments* I, Paris 1961, p. 203; M. Fantar, *Téboursouk*, MAIBL 16, Paris 1974, p. 379-431; Lepelley, *Cités* II, p. 206-209. YThéb

TEJADA LA VIEJA →Huelva.

TEKKÉ Actuellement Ambelokipi, à *c.* 1 km au N.-O. de l'acropole de Knossos, en Crète. Des fouilles de sauvetage y ont mis au jour, en 1975-76, une nécropole datée du Protogéométrique et du Géométrique, entre le Xe et le VIIe s. Parmi la quinzaine de tombes explorées, la tombe J du Protogéométrique est probablement la plus ancienne. Presque intacte lors de la fouille, elle contenait plus de cinquante vases peints. La céramique attique d'importation, relevant du Protogéométrique Récent, permet de dater le premier emploi de la tombe de la seconde moitié du Xe s. Un second ensevelissement y eut lieu au début du IXe s. et, parmi les trouvailles qui s'y rattachent, il faut signaler un bol en bronze portant la dédicace phén. d'un certain ⌜*T*⌝*bn* au dieu →Amon, datable du Xe s. Ce bol inscrit et la céramique phén. du IXe s., découverte dans les tombes de T., p.ex. une cruche bichrome et une cruche à engobe rouge, témoignent de l'existence d'un réseau commercial reliant la Crète à la Phénicie. De plus, une tholos située à 50 m au N. de la tombe J a livré la sépulture d'un orfèvre levantin du IXe s., reconnaissable au dépôt de fondation de type oriental contenant de l'→orfèvrerie phén. et du métal précieux non encore ouvré. Au VIIIe s., les importations de →céramique levantine augmentent à T., mais révèlent alors une origine plutôt chypro-phén. Le grand nombre d'aryballes, trouvés notamment sur le site voisin de Fortetsa, suggère la présence, dans la région de Knossos, d'une petite fabrique d'onguents créée à l'initiative d'un Chypro-Phén. au VIIIe s. et vendant ses produits dans des imitations locales des aryballes chypro-phén. La céramique chypro-phén., surtout les cruchettes *Black-on-Red*, fut imitée sur place jusqu'au VIIe s.

Bibl. PECS, p. 459-460; H.W. Catling, *The Knossos Area, 1974-1976*, Archaeological Reports 23 (1976-77), p. 3-23 (voir p. 11-14); M. Sznycer, *L'inscription phénicienne de Tekké, près de Cnossos*, Kadmos 18 (1979), p. 89-93; F.M. Cross, BASOR 238 (1980), p. 15-17; E. Lipiński, OLP 14 (1983), p. 129-133; É. Puech, RB 90 (1983), p. 374-395; J.N. Coldstream, *Greeks and Phoenicians in the Aegean*, H.G. Niemeyer (éd.), *Phönizier im Westen*, Mainz a/R 1982, p. 261-275; id., *Cypriaca and Creto-Cypriaca from the North Cemetery of Knossos*, RDAC 1984, p. 122-137; G. Falsone, *La coupe phénicienne de Fortetsa, Crète. Une reconsidération*, StPhoen 5 (1987), p. 181-194. ELip

TEMPLE BOY On désigne du vocable anglo-saxon de T.B. des représentations figurées d'un type spécifique à Chypre, dont on a répertorié jusqu'ici quelque 200 exemplaires: il s'agit de statuettes en calcaire représentant un petit garçon accroupi, jambes écartées de façon à bien dévoiler le sexe nu (fig. 333). L'enfant, légèrement vêtu d'une tunique, est chargé d'amulettes enfilées sur un lien, disposé en collier ou en travers de la poitrine, ou épinglées sur la robe. Il tient souvent une offrande, petit animal, fleur ou fruit. Ces statuettes apparaissent à Chypre au début de la période chypro-classique et perdurent à travers la période hellénistique. Elles ont été retrouvées dans plusieurs sanctuaires, en compagnie d'images de kourotrophes (femmes portant un enfant) et de groupes montrant des scènes d'accouchement: le sanctuaire d'Athienou →Golgoi, exploré au XIXe siècle par Melchior de Vogüé et E. Duthoit, en a livré d'excellents exemples. L'ensemble des ex-voto qu'on y a mis au jour permet de reconnaître un culte de la fertilité, où des pratiques particulières concernaient la naissance et l'enfance. Plusieurs interprétations sont possibles quant à l'origine du culte dont témoignent les statuettes chypriotes de T.B. Peut-être s'agit-il simplement d'images de jeunes dédicants, venus, comme leurs aînés, apporter leur offrande à la divinité, ou des enfants consacrés, comme le jeune Samuel au Temple de Jérusalem: c'est cette dernière explication qui a valu leur nom conventionnel aux statuettes chypriotes. Une récen-

Fig. 333. Statuette de "temple boy", calcaire (fin du IVe s. av. J.C.). Londres, British Museum.

te hypothèse propose d'y reconnaître des statuettes offertes à la divinité au moment d'un rite de passage, à savoir celui de la circoncision des garçons phén. Le T.B. servirait alors un double objectif: celui de commémorer l'initiation du garçon dans la communauté et de servir d'ex-voto dans le but de demander la protection de la divinité contre les risques d'infections, peut-être mortelles, après l'opération de l'organe sexuel. L'ambiance phén. dans laquelle baignait une partie de l'île, notamment autour de →Kition et d'→Idalion, proche de Golgoi, permet d'avancer une autre hypothèse: on comparera les sculptures de Golgoi aux figurines de terre cuite d'enfants brandissant des serpents, dites de "Ptah →patèque". À Kition, elles sont associées à des images locales de la *dea Tyria gravida* et constituent une sorte de double juvénile du démon monstrueux →Bès. Parallèlement, les dédicaces phén. à →Astarté, →Resheph (ou →Melqart) et →Eshmun permettent de reconnaître l'existence, à Kition, d'un culte de la triade orientale comportant une déesse mère, un dieu père et un dieu enfant; enfin, l'association du culte d'Eshmun et de statues d'enfants accroupis est bien attestée à →Bostan esh-Sheikh, près de Sidon (fig. 294). S'il est peu probable que les Chypriotes aient formellement identifié à Eshmun les images de T.B. retrouvées dans l'île, il semble cependant que les fidèles et les artisans qui travaillaient pour eux aient adapté aux besoins de leurs propres croyances des réalités préexistantes dans le monde phén.

Bibl. F.N. Pryce, *British Museum. Catalogue of Sculptures. I. Cypriote and Etruscan*, London 1931; A. Westholm, *The Cypriote "Temple Boys"*, OpAth 2 (1955), p. 75-77; C. Beer, *Cypriot "Temple-Boys": Some Problems*, Praktikà toû deúterou diethnoûs kupriologikoû sunedríou, Nicosia 1985, p. 385-390; M. Yon, *Cultes phéniciens à Chypre: l'interprétation chypriote*, StPhoen 4 (1986), p. 127-152 (voir p. 135-136); C. Beer, *Comparative Votive Religion: The Evidence of Children in Cyprus, Greece, and Etruria*, Boreas 15 (1987), p. 21-29; ead., *Temple-Boys* (sous presse).
CBeer-ACau

TEMPLES →Sanctuaires.

TENNÈS →Tabnit 2.

TERENTIUS VARRO, C. Consul qui commandait l'armée rom. lors de la journée décisive de la bataille de Cannes (216). Issu d'une *gens* très ramifiée d'origine sabine, il est, à notre connaissance, le premier à avoir exercé de hautes charges à Rome. L'annalistique, émanation directe de l'aristocratie et qui est à la base de nos sources (Pol. III 110,3; 113-116; Liv. XXII 25-26; 39; 44-45; Val.Max. III 4; IV 5) a fait de lui une présentation très négative, lui attribuant sans partage la responsabilité du désastre de Cannes. Fils d'un boucher enrichi, il n'aurait dû sa réussite politique qu'à des intrigues démagogiques, défendant p.ex., au pire moment de la lutte contre →Hannibal (6), l'égalité des droits entre dictateur et maître de cavalerie. Consul avec L. Aemilius Paullus (→Paul-Émile), qui se serait laissé élire pour lui faire contrepoids, il aurait très rapidement opposé à ce dernier sa témérité et son inexpérience. Il semble pourtant s'être distingué dans la 1re campagne d'Illyrie; son comportement à Cannes, où il était placé à l'aile gauche du dispositif rom., est inconnu, mais on sait que, resté seul commandant après la mort de son collègue, il rassembla les débris de l'armée. D'autre part, Tite-Live ne peut dissimuler ni sa popularité auprès des troupes, pourtant éprouvées, ni les remerciements qu'après la bataille le Sénat lui décerne malgré tout "pour n'avoir pas désespéré de la République". Et cet échec n'a nullement fait tort à la suite de sa carrière puisque, sans parler d'une dictature militaire qu'il aurait refusée au profit de Junius Pera (216), il a été proconsul (215-213), puis propréteur (208-207) et, à ce titre, a participé dans le Picenum et en Étrurie à la lutte contre Hannibal et à la reconquête de l'Italie. Le grand érudit et polygraphe Varron (Ier s. av. J.C.) appartenait à la même branche des *Terentii*.

Bibl. G. Vallet, *C. Terentius Varro ou l'expression d'une antipathie chez Tite-Live*, Hommages à J. Bayet, Bruxelles 1964, p. 707-717.
JLoicq

TESSÈRES Les t. sont des espèces de jetons d'entrée qui servaient de tickets d'admission aux banquets rituels, comme à →Palmyre, ou aux jeux théâtraux et sacrés, p.ex. en l'honneur d'Héraklès →Melqart à Tyr (*2 M.* 4,18), les "Olympiades hérakléennes", *Hēráklia Olúmpia*, de l'époque rom. C'est une de ces tessères, semble-t-il, confectionnée en os et datant du IIe s. ap. J.C., qui représente à l'avers la tête du dieu barbu et porte au revers l'inscription gr. *hi(erá) Hēraklē(s) á(sulos)* (fig. 334), mentionnant Héraklès et faisant allusion au caractère "sacré" et "inviolable" de son sanctuaire. Ces t. continuaient la tradition d'un type de t. plus anciennes, inscrites en phén.-pun., tandis qu'un second type de t. semble nommer "la crypte de →Tanit", *ḥn(t) Tmt* (fig. 335, 336; cf. KAI 145,2), expression dont une explication différente est donnée ci-dessous. ELip

1 Tessères de Melqart de Tyr Vers 1950 apparaissait sur le marché d'antiquités de Beyrouth un flan de bronze d'un diamètre de 27 mm, frappé d'inscriptions en lettres phén.-pun.: sur une face *lMlqrt bṢr*, "(Appartenant) à Melqart dans Tyr", sur l'autre face *hyr w'sls*, transcription des mots gr. *hierá*, "sacrée", et *ásulos*, "inviolable", le *w* étant la copule phén. Cette évocation du droit d'asile rappelle le privilège de l'asylie et de la consécration accordées en 141/0 av. J.C. au temple tyrien de Melqart. La même inscription est désormais attestée par une dizaine de t., issues toutefois de plusieurs matrices. L'écriture révèle une tradition paléographique de la Méditerranée occidentale, ce qui ne peut manquer de rappeler la double dédicace gr.-lat. de Leptis Magna à Tyr, témoignant de la fréquentation de la métropole phén. par des "pèlerins" venus de l'Occident. Ces t., datant de *c.* 100 av. J.C., étaient peut-être destinées aux porteurs pun. des offrandes apportées au sanctuaire tyrien de Melqart.

2 Tessères de Tanit Un second type de t., provenant, semble-t-il, du S.-Liban, est apparu sur le marché d'antiquités de Beyrouth en 1981. On en connaît à présent quatre exemplaires de terre cuite, longs de *c.* 2 cm et issus de trois matrices différentes. Les deux premiers portent *ḥntmt* en caractères phén. et un dauphin est figuré en bas. Le second exemplaire est surmonté d'un →"signe de Tanit" qui permet de reconnaître le théonyme →Tanit dans le mot *Tmt* (fig. 335), orthographe exceptionnelle du nom de la déesse à Carthage. Les deux autres exemplaires portent *ḥnt Tmt*, l'un avec la lettre ' suivie du chiffre *11* (fig. 336), l'autre avec un décor au verso. Si *ḥn* signifie "faveur" ou "grâce", d'où "grâce de Tamit", et si *ḥnt Tmt* n'est pas dû au doublement malencontreux du *t*, on pourrait voir en *ḥnt* le pluriel de *ḥn*, "grâces de Tamit", ou une forme verbale féminine à l'accompli: "Tamit a été favorable". Ces t. donnaient vraisemblablement accès aux banquets rituels. PBord

Bibl. H. Seyrig, *Tessère relative à l'asylie de Tyr*, Syria 28 (1951), p. 225-228; A. Fuchs-J. Schwartz, *Tessère relative à l'asylie de Tyr*, GNS 30 (1980), p. 68-69; J. Teixidor, Semitica 34 (1984), p. 47, n. 111; A. Catastini, RSF 13 (1985), p. 9-10; PhMM 277; P. Bordreuil, StPhoen 4 (1986), p. 81-82; id., *Tanit du Liban*, StPhoen 5 (1987), p. 79-85 (voir p. 82-84); J.-P. Rey-Coquais, *Une double dédicace de Lepcis Magna à Tyr*, L'Africa romana IV, Sassari 1987, p. 597-602; Bonnet, *Melqart*, p. 57-58, 60-61

TÉTOUAN →Tamuda.

TÉTRAMNESTOS L'entourage de Xerxès I avant la bataille de Salamine (→guerres médiques) comprenait, selon Hdt. VII 98, le Sidonien T., fils d'→Anysos. Même si T. n'est pas qualifié de roi, on l'a considéré comme souverain de →Sidon, car la plupart des personnages cités sont des rois, et on a proposé de l'identifier à →Tabnit I. En fait, la nature royale de T. est probable, mais pas assurée, car Hdt. distingue les tyrans étrangers, dont les rois phén. faisaient partie (VIII 67-68), des "commandants des vaisseaux" qui ne leur sont pas nécessairement identiques et parmi lesquels figure T. (VII 98). On ne peut donc exclure qu'il s'agisse de deux Sidoniens différentes. L'identification avec Tabnit est problématique car le patronyme de T., Anysos, même si la forme est partiellement corrompue, ne correspond pas au nom d'→Eshmunazor I, père de Tabnit. On notera par ailleurs que →Tabnit II est appelé en gr. *Tennēs* (Diod. XIV 42,2; 43,1-4; 45,1-6).

Bibl. H. Hauben, *The King of the Sidonians and the Persian Imperial Fleet*, AncSoc 1 (1970), p. 1-8; G. Garbini, *Tetramnēstos, re di Sidone*, RSF 12 (1984), p. 3-7; T. Kelley, *Herodotus and the Chronology of the Kings of Sidon*, BASOR 168 (1987), p. 39-56. PXel

TEUKROS En gr. *Teūkros*, lat. *Teucer*; personnage mythique présenté dans la tradition gr.-lat. comme

Fig. 334. Tessère tyrienne en os, Tyr (IIe s. ap. J.C.). Coll. privée.

Fig. 335-336. Tessères tyriennes en bronze, Tyr (c. 100 av. J.C.). Coll. privée.

héros gr. de la Guerre de Troie et fondateur de →Salamine de Chypre. Fils de Télamon de Salamine (Attique), il est exilé par son père après la prise de Troie pour n'avoir pas défendu son frère Ajax. Alors commence l'errance qui le mène, en suivant les côtes d'Anatolie, jusqu'à Sidon de Phénicie; de là, "avec l'aide de Bélus" (Virg., *Aen.* I 619-621), il gagne Chypre où il fonde une nouvelle Salamine. La tradition gr. insiste donc sur l'aspect chypriote, qui se réfère à des mouvements de population qu'on rattache aux →"Peuples de la Mer" du XIIe s. et au peuplement gr. de Chypre. La prétendue relation entre le nom de T. et les Tjeker est cependant fallacieuse, car les *Ṯkr* sont probablement les *Šikila* d'une lettre d'Ugarit. Quelques témoignages d'époque rom. — création tardive, ou reflet d'autres traditions non attestées auparavant — font repartir T. de Salamine vers l'Occident, où il est lié à la fondation de Carthagène, à Gadès..., c.-à-d. à des zones de colonisation phén. Sous son nom se mêlent donc diverses traditions de mouvements de population en Méditerranée, qui s'étalent sur plusieurs siècles.

Bibl. PW VA, col. 1122-1123; Roscher, *Lexikon* V, col. 403-404; E. Gjerstad, *The Colonization of Cyprus in Greek Legends*, OpArch 3 (1944), p. 107-123; A. Strobel, *Der spätbronzezeitliche Seevölkersturm*, Berlin 1976, p. 48-54; M.J. Chavane - M. Yon, *Salamine de Chypre* X, *Testimonia Salaminia* 1, Paris 1978; F. Schachermeyr, *Die Levante im Zeitalter der Wanderungen von 13. bis zum 11. Jahrhundert v. Chr.*, Wien 1982, p. 113-122. MYon

TEXTILE Dès le IIIe mill., les archives d'→Ébla, puis celles de →Mari, qui mentionnent les "vêtements giblites" (ARMT XVIII, p. 128), ensuite les textes d'el →Amarna et d'→Ugarit s'accordent à attribuer une place de choix aux étoffes dans le commerce →paléophén. Si →Byblos, point d'importation de la laine égyptienne, est le plus souvent associée à ces activités d'exportation ou de production, d'autres villes suivirent rapidement son exemple. Les →vêtements multicolores des Sidoniens sont évoqués par la tradition homérique (*Il.* VI 289-290) et, devenus marques d'honneur pour ceux qui les portaient, réapparaissent entre le IXe et le VIIe s. dans les Annales néo-assyriennes détaillant le tribut imposé aux villes phén. Ces laines teintes sont le plus souvent décrites par des qualificatifs désignant des minéraux (cornaline, lapis-lazuli) et suggérant un procédé basé sur des pigments minéralogiques. Par ailleurs, il est parfois question de laine rouge et noire, ainsi que de →pourpre rouge et pourpre violette, couleurs obtenues grâce au *Murex trunculus*. De véritables monticules de murex concassés, au S. de →Tyr et de →Sidon, témoignent de l'importance de l'industrie de la teinturerie dans ces deux villes. Outre des dépôts moins vastes trouvés à →Sarepta (1) et dans d'autres centres phén., il y a lieu de mentionner des quantités considérables de murex à →Kerkouane, où la tradition orientale fut poursuivie. En ce qui concerne le rôle du t. dans le commerce phén., *Ez.* 27,7.16.18.24 fournit de précieux renseignements quant aux étoffes exportées par Tyr ou importées comme articles complétant le stock des marchandises. Un grand nombre de fuseaux, de poids de tisserand et d'aiguilles mis au jour dans la plupart des centres phén. et pun. corrobore l'importance du t. dans le cadre des activités domestiques ou (semi-)industrielles. La mention d'étoffes, de coussins et de tapis pun. dans le commerce carth. atteste la persistance d'une tradition millénaire.

Bibl. S. Moscati (éd.), *I Fenici e Cartagine*, Torino 1972, p. 499-501; H. Limet, *Les relations entre Mari et la côte méditerranéenne sous le règne de Zimri-Lim*, StPhoen 3 (1985), p. 13-20; G. Bunnens, *Le luxe phénicien d'après les inscriptions royales assyriennes*, ibid., p. 121-133; E. Lipiński, *Products and Brokers of Tyre according to Ezekiel 27*, ibid., p. 213-220; S. Ribichini - P. Xella, *La terminologia dei tessili nei testi di Ugarit*, Roma 1985. EGub

THABARBUSIS →Guelma.

THAENAE →Thyna.

THAGASTE →Souk Ahras.

THALA Localité de Tunisie, à 53 km au S. de →Sicca Veneria, T. a gardé son nom antique. Mentionnée déjà par Sall., *Jug.* 75-76, comme "une place grande et riche", dont Metellus s'empara en 108 av. J.C., elle devait son développement au royaume numide et conserva jusqu'au Bas-Empire rom. les cultes d'origine pun. voués à →Tanit/→Caelestis, à →Pluton et à →Saturne, dont on a pu reconnaître les trois sanctuaires voisins dans les ruines, étendues mais effacées. Un fragment de stèle pun. représente un buste féminin, la tête encadrée d'un croissant, figurant peut-être Tanit. Le temple de Saturne, dont une basilique chrétienne prit la place au Ve/VIe s., contenait un →bétyle, en lat. *baetilum* (CIL VIII,23283), et ses vestiges architecturaux comprennent notamment un bloc de pierre décoré d'un grand croissant et un linteau sculpté d'un gros phallus en relief, symbole de fécondité. Son aire sacrée a livré des stèles ornées du →"signe de Tanit".

Bibl. AATun II, f^e 35 (Thala), n° 77; C. Courtois, *La Thala de Salluste*, RecConst 69 (1955-56), p. 55-69; M. Leglay, *Saturne africain. Monuments* I, Paris 1961, p. 299-306; Lepelley, *Cités* II, p. 315-317. ELip

THAMUSIDA Le site marocain de T. est identifié grâce aux documents géographiques d'époque rom. L'archéologie atteste la présence, sur une faible éminence, d'un modeste établissement de la seconde moitié du IIe s. qui, dans la première moitié du Ier s. av. J.C., entre en relations commerciales avec Gadès et les villes du Détroit. Il semble décliner sous Auguste et péricliter peut-être ensuite, jusqu'à ce que l'occupation rom., après 40, ranime l'économie. La ville conserve alors sa vocation portuaire, maritime et fluviale. Le pun. y est encore parlé, comme l'indiquent des graffiti. Le "temple carré" offre, avec ses deux colonnes détachées en avant de la façade, un trait sémitique et pourrait avoir été consacré à une Vénus-→Astarté. On note aussi le succès du culte d'Hercule à T. et tout le long de la côte marocaine, et, parmi les trouvailles, de nombreuses monnaies gaditaines et pun.-maurétaniennes, ainsi qu'une statuette du dieu →Bès en bronze.

Bibl. PECS, p. 902; *Thamusida* I-III, Rome 1965-77; J. Février, IAM I, p. 101-102; R. Rebuffat, MÉFR 75 (1963), p. 67-78; AntAfr 1 (1967), p. 31-57; 5 (1971), p. 179-191; BAM 8 (1968-72), p. 51-65; 16 (1985-86), p. 257-284. RReb

THAPSOS Site côtier du S.-E. de la Sicile, au N. de →Syracuse. C'est un des sites-clés de la protohistoire sicilienne, situé sur une péninsule basse et rocheuse, dite "de Magnisi", reliée à la terre ferme par un isthme formant deux →ports naturels. Dès 1894, les fouilles ont démontré l'importance de T. au Bronze Moyen sicilien et le site donna son nom à la culture homonyme, en rapport étroit avec le monde mycénien (fin XVe-XIIIe s.). Dans la vaste nécropole, sur la falaise rocheuse, abonde la céramique du Mycénien III A 1-2 et III B, mêlée à la poterie locale. En plus de bijoux, perles et armes de type égéen, on y a trouvé trois vases chypriotes de la classe *Base-Ring* II et *White-Shaved*. L'habitat passe alors de huttes circulaires de tradition indigène à une seconde phase de constructions rectangulaires à cour interne, alignées le long d'axes routiers réguliers. Ce phénomène urbain, qui reflète l'influence égéenne, est pour cette période unique en Occident. Dans une troisième phase, celle du Xe-IXe s., la poterie "plumée" locale est associée à celle de Borġ in-Nadur et de Baħrija (→Malte). Enfin, c'est à la phase protocoloniale gr. qu'appartiennent les coupes corinthiennes du Géométrique tardif, dites "style de T.", trouvées dans des tombes plus antiques réutilisées. À cause de sa topographie, T. fut erronément considérée comme un comptoir phén. Elle était au contraire en relation avec les premières arrivées gr. en Sicile (Thc. VI 4.97). Les Mégariens l'occupèrent un temps avant d'aller fonder Mégara Hyblaea; les Athéniens, en 414, dans la guerre contre Syracuse, y basèrent leur flotte et fortifièrent l'isthme. T. est mentionnée par Virg., *Æn.* III 689, et Ov., *Fasti* IV 477.

Bibl. PW V A, col. 1281-1285; P. Orsi, *Thapsos*, MAnt 6 (1895), col. 85-150; G. Voza, *Thapsos. Archeologia nella Sicilia sud-orientale*, Napoli 1973, p. 30-52. GFal

THAPSUS En pun. *Ṭpsr*, gr. *Tháψsos*, lat. *Thapsus* avec un gentilice *[T]ampsitanorum* dans la →*Lex agraria* de 111 av. J.C. Localisée à la pointe du Ras Dimass, en Tunisie, T. est mentionnée au milieu du IVe s. dans Skyl. 110 et tomba entre les mains d'→Agathocle en 310 (Diod. XX 17,6). Lors de la 3e →guerre pun., la ville se rangea du côté des Romains (App., *Lib.* 94). Les →fortifications de T., bien attestées lors de la campagne africaine de César, en 46 av. J.C. (*Bell. Afr.*), et remontant sans doute au temps d'Agathocle, n'ont pas été retrouvées, en dépit des découvertes annoncées par Daux au siècle dernier. La ville est renommée pour la victoire décisive remportée par César, en 46, sur les généraux du parti pompéien et sur →Juba I, roi de →Numidie. Comme dans le cas de →Leptis Minus, les installations portuaires rom., découvertes grâce à des recherches sous-marines, ne permettent pas de préjuger de l'aspect pun. du port. En revanche, suite à plusieurs campagnes de fouilles menées depuis la fin du siècle dernier, les divers secteurs de la vaste nécropole qui s'étend sur 2 km en arrière de T. sont bien connus. Il s'agit, pour l'essentiel, de tombes à chambre funéraire creusées dans les dunes de sable consolidé, accessibles par des puits. Certaines sépultures étaient couronnées de cippes et des peintures avaient orné les murs d'au moins quelques chambres sépulcrales. Celles-ci ont livré notamment des coffres-sarcophages d'un type répandu dans le →Sahel (→Ksour Essaf) et attesté aussi à →Gigthis, ainsi qu'une sorte de catafalque en bois sur quatre pieds. La →céramique (2) est de fabrication locale ou importée, comme dans le cas des amphores rhodiennes. L'usage libyque du rouge funéraire a été relevé. Dans le secteur le mieux daté, celui d'El-Faca, les tombes remontent jusqu'au IVe s. av. J.C. — Il faut distinguer T. de la ville homonyme mentionnée par Liv. XXIX 30 et du fleuve *Thapsus* qui est localisé par Vibius Sequester, *Flumina* (s.v.), près de →Rusicade et qui n'est autre que l'actuel oued Safsaf, la ville étant probablement Rusicade elle-même.

Bibl. AATun, f^e^ 66 (Moknine), n°s 75-78; C. Epinat - D. Novak, *Notes sur la nécropole punique de Thapsus*, BAC 1900, p. 154-162; M.H. Fantar, *La cité punique de Thapsus*, Actes du IIe Congrès International d'Étude des cultures de la Méditerranée occidentale II, Alger 1978, p. 59-70; Desanges, *Pline*, p. 233-234; H. Ben Younès, *La présence punique au Sahel d'après les données littéraires et archéologiques*, diss. Univ. Tunis 1981, p. 208-251. SLan-ELip

THARROS En gr. *Tarraí* (Ptol. III 3,2), lat. *Tarri/Tharros* (*Rav.* IV 411; *It.Ant.* 84; CIL X, 8009); site d'origine →nuragique sur la côte O. de la Sardaigne, à *c.* 20 km d'Oristano (fig. 337). Il occupe la péninsule de Sinis qui ferme à l'O. le golfe d'Oristano et se termine au S. par le cap San Marco (Phén 154). Le *nuraghe* de Baboe Cabitza au S. et le village nuragique de Su Muru Mannu au N. du site attestent son occupation dès le IIe mill., quand la céramique chypro-mycénienne du Bronze Récent finissant y témoigne de contacts avec la Méditerranée orientale.

1 Ville A *Époque phénicienne.* La poterie permet de faire remonter les origines de l'établissement phén. au début du VIIe s. La cité phén. n'est pas encore localisée avec précision, bien qu'on soit porté à chercher son noyau primitif dans la zone du temple à cella tripartite (VIIe-VIe s.?), au S. de Su Muru Mannu, occupé par le →*tophet* dès le début du VIIe s. On peut rapporter aussi à l'époque phén. les deux →nécropoles à incinération (*c.* 625-500 av. J.C.), avec fosses simples et cistes en pierre, celle de San Giovanni di Sinis au N. et celle de la Torre Vecchia au S. Leur coexistence soulève le problème de la grande extension du centre phén. ou bien de la présence de deux noyaux urbains, unis par la suite.

B *Époque carthaginoise.* À la suite de l'intervention carth. en Sardaigne, T. semble connaître une prospérité due sans doute à sa position de place forte maritime dotée d'un vaste arrière-pays la reliant à →Cagliari. Malgré la difficulté de distinguer les structures pun. des structures rom. qui les recouvrent et occupent pratiquement toute l'extrémité S. de la péninsule, on a identifié les murailles (→fortifications), le →*tophet*, les nécropoles, divers temples et édifices publics, ainsi que quelques quartiers d'habitations. La structure des habitations est peu connue, mais on

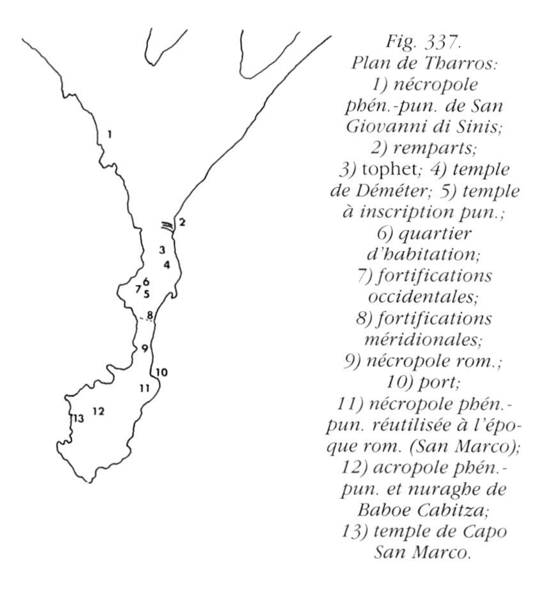

Fig. 337. Plan de Tharros: 1) nécropole phén.-pun. de San Giovanni di Sinis; 2) remparts; 3) tophet; *4) temple de Déméter; 5) temple à inscription pun.; 6) quartier d'habitation; 7) fortifications occidentales; 8) fortifications méridionales; 9) nécropole rom.; 10) port; 11) nécropole phén.-pun. réutilisée à l'époque rom. (San Marco); 12) acropole phén.-pun. et nuraghe de Baboe Cabitza; 13) temple de Capo San Marco.*

a identifié des éléments pun. comme le mur "à chaînage", dit appareil pun., les citernes elliptiques avec puisoir, le plan d'habitation avec avant-cour. Les installations portuaires ont sans doute été localisées dans la zone du Porto Vecchio. De larges portions de l'enceinte sont conservées au N. Les murs, avec merlons cintrés comme à →Motyé, sont aussi visibles au N./N.-O.: il reste un terre-plein, un fossé et une courtine à deux poternes. Leur construction est datée du début du Ve s., avec des restructurations fréquentes. Ainsi le fossé comblé au Ier s. av. J.C. servit de nécropole au Ier s. ap. J.C.

2 Sanctuaires Sur la hauteur de Su Muru Mannu, à l'emplacement du village nuragique abandonné, on a retrouvé le *tophet*, qui fut utilisé du début du VIIe au IIe s. et connut des transformations nombreuses et profondes. Les milliers d'urnes ont une typologie différenciée dans le temps (→céramique 2). Parmi les types les plus antiques, on notera les vases "à chardon", les cruches bichromes, les amphores globulaires. Entre la fin du VIe et la fin du Ve ou le IVe s., on rencontre les cruches à col cylindrique, les amphores sans col, les urnes globulaires. Durant la dernière phase, on trouve les cruches à haut col et celles à paroi rentrante. Coupelles, assiettes et lampes servent de couvercles aux urnes. Ces récipients contiennent les cendres et les ossements humains ou animaux consumés. Environ 300 →stèles (3Bd) et autels (VIe-IIIe s.) ont été remployés à l'époque rom. comme matériau de construction. Parmi les →sanctuaires (3B) bâtis à l'époque pun. tardive, le "temple monolithique" possède un soubassement taillé dans le roc. Flanqué au S. d'une citerne, il semble avoir été profondément remanié à l'époque rom. Deux lions en grès, grandeur nature, du IVe-IIIe s., en gardaient l'entrée (→sculpture 3). Au S., le temple "à plan de type sémitique", mis au jour dans son état rom., est lui aussi partiellement taillé dans la roche et possède un puits. Sur la pente S.-E. de la colline de Torre San Giovanni, dans le cadre d'un complexe monumental modifié à l'époque hellénistique, s'élève le petit temple K., de la fin de la République: de type italique, il a de probables antécédents pun. Les divinités connues à T. sont →Baal Hamon, →Tanit, →Melqart.

3 Nécropoles Les deux nécropoles phén. (N. et S.) s'agrandissent à l'époque pun. (VIe/V^{e}-IIIe s.) pour accueillir les inhumations dans des tombes à fosse, coffre ou hypogée avec accès à puits ou dromos. On y trouvait bas-reliefs, cippes et inscriptions. Les riches →mobiliers funéraires ont livré des objets qui comptent parmi les plus significatifs de la culture matérielle phén.-pun.

4 Artisanat T. présente un large éventail de productions artisanales. Les stèles et autels du *tophet*, ainsi que les monuments funéraires, les lions du temple, deux cippes, l'un représentant une danse, l'autre une chasse, sont le produit de l'artisanat local pun. Les terres cuites au tour ou au moule (VIe-IIIe/IIe s.) sont rarement liées à la tradition proche-orientale ou carth. (→coroplastie), représentée toutefois par la femme se tenant les seins, les protomés →égyptisants, les →masques (2A,B). Elles suivent beaucoup plus fréquemment des modèles de Grèce, de Grande-Grèce ou de Sicile, documentés par la déesse au tympanon, au lotus, au trône, par le joueur de flûte, le satyre, le brûle-parfum kernophore (cf. fig. 330), ainsi que par des matrices avec motifs géométriques, animaliers ou végétaux (cf. fig. 237-239). Les milliers d'→amulettes des nécropoles — rarement du *tophet* — imitent les modèles égyptiens, mais on exclut pour l'instant une production locale. Leurs bases sont parfois marquées de signes hiéroglyphiques ou géométriques. Plusieurs milliers de →scarabées proviennent des nécropoles. Certains, en pâte commune, sont égyptiens, d'autres, égyptisants; ils ont été fabriqués en Égypte par des artisans étrangers ou hors d'Égypte, bien que l'idée d'une production à T. même semble prématurée. En revanche, les scarabées en →pierres (semi-)précieuses sont attribués, du moins en partie, à l'artisanat local. Les →rasoirs en bronze, décorés ou non, ont été importés directement de Carthage ou par l'Espagne. Les petits carquois votifs proviennent des centres nuragiques et les →Osiris momiformes en bronze, d'époque ptolémaïque, viennent d'Égypte. Des objets en bronze du *tophet* sont également des importations. Les divers →ivoires et os travaillés sont importés du Proche-Orient, de Carthage, d'Espagne et d'Étrurie; certains sont produits sur place. Les bijoux (pl. XIIb-c, XIII, XVI; →orfèvrerie) en or, argent, bronze, pierres (semi-)précieuses, verre monochrome et polychrome (fig. 338; →verrerie), sont parmi les plus représentatifs du monde phén.-pun. Trouvés dans le mobilier funéraire, ils peuvent être antérieurs à leur déposition dans les tombes. Les pièces à →granulation sont archaïques, parfois originaires du Levant, tandis que la technique et les types se simplifient à la fin de l'époque pun. Les coquilles d'→œufs d'autruche, très fragmentaires, proviennent d'Afrique du N. Les verres polychromes travaillés donnent des vases, des pendentifs et des perles de collier. La céramique, issue d'ateliers locaux, est très abondante et multiforme, avec des cruches, patères, amphores. Les

Fig. 338. Collier de perles et masques en (pâte de) verre, Tharros (Ve-IVe s. av. J.C.). Paris, Louvre.

contacts avec l'extérieur sont attestés par la céramique étrusque, protocorinthienne et corinthienne, attique, ionienne et laconienne.

5 Inscriptions et monnaies Les inscriptions funéraires sont au nombre de huit, trois autres proviennent du *tophet*, deux de la ville. Deux lamelles-amulettes portent des inscriptions et l'on trouve deux graffiti néopun. sur des vases; quelques lettres figurent sur des scarabées, sans compter un →ostracon sur vernis noir. Les monnaies sont de frappe sicilienne (fin IVe-début IIIe s.) et pun.-sarde (241-238) (fig. 254:5-6; →numismatique 3).

Bibl. ANRW II/11,1, p. 525-527; PECS, p. 902-903; G. Pesce, *Tharros*, Cagliari 1966; *Tharros* I-XIII, RSF 3 (1975), p. 89-119, 213-225; 4 (1976), p. 197-228; 6 (1978), p. 63-99; 7 (1979), p. 49-124; 8 (1980), p. 79-142; 9 (1981), p. 29-119; 10 (1982), p. 37-127; 11 (1983), p. 49-111; 12 (1984), p. 47-101; 13 (1985), p. 11-147; 14 (1986), p. 95-107; 15 (1987), p. 75-102; R. Zucca, *Tharros*, Oristano 1984; S. Moscati - M.L. Uberti, *Scavi al tofet di Tharros. I Monumenti lapidei*, Roma 1985; S. Moscati, *Italia punica*, Roma 1986, p. 289-318; Hölbl, *Kulturgut*; F. Barreca, *La civiltà fenicio-punica in Sardegna*, Sassari 1986 (1988²), en part. p. 282-287; R.D. Barnett - C. Mendleson, *Tharros*, London 1987; S. Moscati, *Le officine di Tharros*, Roma 1987; id., *I gioielli di Tharros*, Roma 1988. MLUb

THASOS →Égée.

THÉOGONIE La t. phén. ne nous est connue que par →Philon de Byblos (Eus., *P.E.* I 10,14-38.43-44). C'est le schéma théomachique qui la commande, comme c'est le cas dans les mythes hourro-hittites du cycle de Kumarbi, dans les mythes ugaritiques et dans la *Théogonie* d'Hésiode. D'après Philon, →Kronos enchaîna son père Ouranos dans un lieu souterrain et l'émascula (I 10,29). Ensuite, Kronos dut céder le pouvoir au dieu de l'orage *Adōdos* (→Haddu) (I 10,31). Cette trame souligne la parenté entre la t. phén. et le mythe de Kumarbi qui occupait la même place dans les généalogies et connut des vicissitudes identiques. Il en va de même pour Hésiode. Le texte de Philon, comme souvent, semble toutefois combiner deux traditions concurrentes, celle de Kronos et celle d'Élos (→Él).

Bibl. RLA III, p. 469-470; WM I/1, p. 285-286; Baumgarten, *Commentary*, p. 180-243 (cf. BiOr 40 [1983], col. 308-310); J. Puhvel, *Comparative Mythology*, Baltimore-London 1987, p. 21-32. ELip

THÉOLOGIE **1 Polythéisme** →Eusèbe de Césarée intitule "Résumé de la th. des anciens Phéniciens" (*P.E.* I 9,30) le chapitre qu'il consacre à la doctrine attribuée par →Philon de Byblos à →Sanchuniathon. L'impression qui s'en dégage est celle d'un foisonnement de dieux, réduits par l'→évhémérisme à la condition humaine. En réalité, le nombre de divinités vénérées par les Phéniciens et les Puniques ne paraît pas démesuré, surtout si on le compare au panthéon égyptien ou mésopotamien. Dans la mesure où les maigres données épigraphiques nous font connaître le culte officiel, celui-ci tendait, semble-t-il, à s'organiser autour d'un nombre limité de dieux, qui étaient censés protéger la dynastie régnante, la cité et ses habitants, en favorisant leurs entreprises, en les mettant à l'abri des ennemis et des maladies, voire en frappant leurs adversaires et en les guérissant des maux contractés. Ces dieux sauveurs et guérisseurs ne se présentent toutefois pas sous la forme d'un groupe clos et immuable. Il faut tenir compte, en effet, de l'évolution de la religion polythéiste des Phéniciens, capable de s'assimiler des divinités d'une autre cité, voire d'une autre culture, des choix opérés par la dévotion populaire, qui peut privilégier un membre subalterne du panthéon, et du conservatisme de l'→onomastique, dont les noms théophores préservent des théonymes anciens à côté des noms de divinités en vogue. Ce phénomène est particulièrement sensible à Carthage, où →Baal Hamon et →Tanit semblent occuper la première place, alors que leur rôle en Orient paraît plutôt effacé.

2 Théonymes composites La structure politique des Cités-États phén., héritée de l'âge du Bronze, et l'ancien usage ouest-sémitique de déifier le souverain défunt ou, du moins, l'ancêtre de la lignée royale ont mené à l'apparition d'un nombre croissant de théonymes composites qui soulignent le particularisme de la cité ou mettent en relief l'origine divine de la fonction royale. La th. officielle est donc portée à parler de Baal de Sidon, de Baal de Tyr, de Baal de Kition, de la →Baalat de Gubal, du divin Roi de la Cité (→Melqart) ou du Roi d'Ashtarot (→Milkashtart). Des théonymes analogues, certains anciens, d'autres très récents, signalent l'endroit où le dieu se manifeste ou réside, ville sainte ou montagne sacrée: →Baal Shamêm, Baal Hamon, →Baal Saphon, →Baal du Liban, Tanit du Liban, →Astarté de →Paphos, →Resheph d'Amyclées, Resheph d'→Alashiya, probablement →Eshmun *M'rḥ* (KAI 66 = ICO, Sard. 9); ils finissent par devenir des vrais noms propres dont la signification primitive n'était plus toujours perçue avec clarté. D'autres noms divins de structure semblable visent à préciser les fonctions du dieu ou à le caractériser à l'aide d'une épithète, p.ex. →Baal Addir, ou de son symbole, ainsi →Baal *ṣmd* ou *Ršp ḥṣ*, "Resheph de la Flèche". Des figures sacrées, qui n'étaient à l'origine que des acolytes de la divinité, sont parfois promues au rang de divinités de plein droit, donnant naissance à des théonymes comme *Ml'k Mlk'štrt*, l'"Ange de Milkashtart", *'zz Mlk'štrt*, le "Fort de Milkashtart" (→Azuz), probablement *Ṣd Tnt* (CIS I,247-249; 5145) et *Ṣd Mlqrt* (CIS I, 256; 4275), respectivement (→Sid) "Chasseur? de Tanit" et de "Melqart", ainsi que la *Tnt 'štrt* de →Sarepta (1), "Tanit d'Astarté", dont elle se distinguera nettement à Carthage, où l'on dédiera un double sanctuaire "à la Dame Astarté et à Tanit du Liban" (KAI 81). Une tendance contraire se dessine quand deux divinités, traditionnellement associées, finissent par se confondre dans un culte commun qui les désigne d'un théonyme double. Ainsi Eshmun et Melqart, mentionnés ensemble dès les VIIIe-VIIe s., sont jumelés à Chypre, au Ve-IVe s., sous le nom d'Eshmun-Melqart (Kition III, A 3,8; 5B; 10-15; 25). Il est plus difficile d'expliquer l'origine de *'šmn 'štrt* (CIS I, 245), car *'štrt* peut être le nom d'Astarté ou celui de la ville d'Ashtarot, hypothèse moins probable. Ces noms composites cachent toute une th., que nous ignorons presque complètement, bien qu'elle ait dû servir de base aux spéculations des mythographes gr.

3 Panthéon Les dieux d'une Cité-État constituaient un panthéon local, dont on a cherché à déterminer la structure. L'*Histoire phénicienne* de Philon de Byblos et les mythes d'→Ugarit ont orienté la recherche vers des ensembles familiaux, analogues à la triade égyptienne d'Isis, →Osiris et →Horus et à la triade arabique comprenant essentiellement un dieu-père (divinité lunaire), une déesse-mère (divinité solaire) et un jeune dieu-fils (divinité stellaire). La célèbre triade d'Héliopolis/→Baalbek, — composée, on le sait, de Jupiter, de Vénus et de →Mercure, — a été considérée dès lors comme l'aboutissement d'un système phén., dans lequel intervenaient Baal, Astarté et un jeune dieu champêtre qui reçut le nom d'Hermès/Mercure et fut conçu par les Modernes comme un →Adonis (2), un →"dying-god". La représentation d'Hermès nu, tenant un caducée, entre un sanglier et un lion (QDAP 4 [1934], pl. LVII), semblait confirmer cette identification, mais la triade d'→Umm el-Amed, formée de Milkashtart, d'Astarté et de l'Ange de Milkashtart, invite à considérer la troisième divinité comme un dieu actif, exécuteur des missions décidées par la dyade originelle, mais pas nécessairement comme un dieu-fils. En effet, c'est le couple du dieu ou de la déesse poliades et de la divinité parèdre qui constituait le centre du culte officiel de la cité et des citoyens expatriés qui vénéraient leurs *theoi patrioi*. La triade semble être le fruit d'une évolution postérieure, — de la dyade à la triade, — qui se manifeste aussi dans le texte du →traité (10) passé en 215 entre →Hannibal (6) et →Philippe V de Macédoine, où les divinités prises à témoin par les Carthaginois forment des triades, bien marquées dans le libellé gr. de l'accord, dont la troisième ne comporte que des divinités mâles: "Zeus, →Héra et Apollon; le Daimôn des Carthaginois, Héraklès et →Iolaos; Arès, Triton, →Poséidon" (Pol. VII 9,2). L'existence de triades dans les panthéons phén. est donc un fait indéniable, mais leur apparition est tardive et leur constitution ne semble pas pouvoir se ramener au schéma familial de père, mère et fils.

Bibl. P. Xella, *Aspetti e problemi dell'indagine storico-religiosa*, RelFen, Roma 1981, p. 7-28; S. Ribichini, *Poenus Advena*, Roma 1985, p. 41-73; Huß, *Geschichte*, p. 511-546; P. Xella, *Le polythéisme phénicien*, StPhoen 4 (1986), p. 29-40; B. Servais-Soyez, *La triade phénicienne aux époques hellénistique et romaine*, StPhoen 4 (1986), p. 347-360; C. Grottanelli, *La religione fenicio-punica: vecchi problemi e studi recenti*, SMSR 54 (1988), p. 171-184. ELip

THÉOPHORES Noms propres dont l'un des éléments composants est un théonyme. Dans l'état actuel de nos connaissances, l'→onomastique est la seule source épigraphique pour les divinités suivantes de la religion phén. et pun.: *'bst, 'dm, Gd, D'm, Ḥmn, Ḥr, K(y)šr, Mskr, Mr, N'm, 'n, 'štr, Ptḥ, Ṣpn, Šgr, Šḥr, Šlm, Tywn*. Cette liste devra être revue à la lumière des découvertes épigraphiques. On constate que certaines de ces divinités sont égyptiennes. Leur présence dans l'onomastique constitua une véritable mode. D'autres sont des divinités sémitiques communes, comme *Gd*, ou encore des divinités connues dès →Ébla (*D'm, N'm*), →Ugarit (*K[y]šr, 'štr, Ṣpn, Šḥr, Šlm, Tywn*) ou par la documentation épigraphique palestinienne (*Šgr*).

Bibl. A. Caquot, *Le kathénothéisme des Sémites de l'Ouest d'après leurs noms de personne*, Numen, Suppl. 31, Leiden 1975, p. 157-166. FIsr

THÉOUPROSOPON Nom gr., "Face de Dieu", de l'actuel promontoire blanc de *Rās eš-Šaq'a/Šaqqa*, d'un effet imposant, que la route de →Batroun à →Tripolis (Liban) traverse par des goulets. La ville toute proche de *Šaqqa* est attestée aux IIe et Ier mill. av. J.C. (→Sagû), mais le nom de T. apparaît pour la première fois chez Pol. V 68,7-8. Strab. XVI 2,18 y place un poste fortifié.

Bibl. M. Davie - H. Salamé-Sarkis, *Le Théouprosopon - Ras eš-Šaq'a: Étude géo-historique*, AHA 5 (1985). HSar

THERMAI Ville de →Sicile, actuellement Termini Imerese, à l'O. d'→Himère. Elle reçut des colons carth. à la fin du Ve s. (Diod. XIII 79,8), mais s'ouvrit bientôt aux Himéréens échappés du désastre de 409 et fut presque complètement hellénisée, au point de frapper des monnaies d'argent et de bronze à légendes gr. Patrie d'→Agathocle, elle ne fut définitivement détachée du domaine carth. qu'avec la prise de la ville par les Romains *c.* 252, au cours de la Ire →guerre pun. (Diod. XXIII 19).

Bibl. L.-M. Hans, *Karthago und Sizilien*, Hildesheim 1983, en part. p. 131-133. ELip

THEUDALIS Une des sept villes pun. qui avaient abandonné Carthage lors de la 3e →guerre pun. et furent récompensées par Rome, d'après la *Lex agraria Thoria* (CIL I/2[2], 585 = 200, 79) de l'an 111 av.

J.C. (Cic., *Br.* 36). Rome leur accorda l'autonomie administrative et leur attribua, semble-t-il, des portions du territoire domanial (cf. App., *Lib.* 135). Mentionnée par Pline, *N.H.* V 23 et Ptol. IV 3,8, T. serait située en arrière du lac de Bizerte, peut-être sur l'un des sites récemment reconnus.

Bibl. K. Johanssen, *Die* lex agraria *des Jahres 111 v. Chr.*, diss. München 1971, p. 374-376; Desanges, *Pline*, p. 213-214; F. Chelbi, *Prospection archéologique dans la région de Bizerte (année 1986)*, REPPAL 3 (1987), p. 71-115.ELip

THIASE Dénomination gr. d'associations religieuses, correspondant au sémitique →*marzeh*, institution commune aux →Sémites de l'O., attestée à Ugarit et dans le monde phén.-pun.: au IVe s. en Phénicie ou à Chypre (IEJ 32 [1982], p. 118-128), au IVe et au IIe s. au Pirée, chez les Sidoniens (KAI 60), et à Délos, chez les Tyriens et les Bérytiens (ID 1519-1520), au IIIe s. à Carthage (KAI 69,16). Voué aux dieux, le t. est une structure de sociabilité fondée sur un banquet cultuel régulièrement célébré. Le même mot désigne le groupe et la fête (KAI 60). Une cotisation est perçue (ID 1519-1520); le t. possède un enclos sacré (*ḥṣr/témenos*) comprenant chapelles et lieux de réunion. Les membres sont appelés *thiasítai* (*mt/bny mrzḥ*), le président, *archithiasítēs* (*rb mrzḥ*). C'est un groupe restreint, fermé, peut-être une élite sociale qui exerce parfois sa propre justice (ID 1520).

Bibl. ThWAT V, col. 11-16 (bibl.). MFBas

THIGNICA →Aïn Tounga.

THINISSUT En pun. *Tnmst*, lat. *Thinissut* (ILAfr 306 = ILS 9495), aujourd'hui Bir bou Rekba, bourg proche de →Siagu, à 5 km au N.-O. de Hammamet, en Tunisie. Il a livré un édifice cultuel, qui, pour être daté du début de l'époque impériale rom., n'en constitue pas moins un des ensembles les plus représentatifs de la religion pun. Plusieurs cours juxtaposées formaient cet ensemble, au centre duquel le →sanctuaire (3B) principal, lui-même au milieu d'une *area*, comportait deux chapelles, auxquelles doit se référer la dédicace néopun. "à Baal et à Tanit-*pn*-Baal" (KAI 137), recueillie dans cette partie de l'édifice. La grande chapelle abritait les statues de →Baal Hamon et de →Tanit. Baal, représenté en dieu barbu, assis sur un →trône à accoudoirs en forme de →sphinx, coiffé d'une tiare de végétaux ou de plumes (fig. 339), présente une forte ressemblance avec le Baal d'une stèle du →tophet d'→Hadrumète (2) (fig. 163) et d'une statue de la "chapelle Carton" à →Carthage (2C). Tanit elle-même est figurée assise, tout comme d'autres divinités féminines, dont une déesse Nourrice et une Athéna, représentées par des statues placées dans des niches. La seconde chapelle, plus petite, abritait deux statues de la déesse léontocéphale, le *Genius Terrae Africae*, dont le costume imite la dépouille d'un oiseau et dont le type de représentation s'inspire de celui de la déesse égyptienne Sekhmet. À l'O. de ce double sanctuaire, un ensemble monumental à trois cours en enfilade contenait trois statues féminines, à savoir, de la déesse léontocéphale, d'une déesse dressée sur un lion, qui

Fig. 339. Statue de Baal Hamon, temple de Thinissut (Ier s. ap. J.C.). Timis, Musée du Bardo.

était l'animal sacré d'→Astarté (8), et d'une déesse debout. À l'E. du sanctuaire central, une cinquième cour, bordée de portiques, enfermait une petite chapelle ou plutôt un autel. Enfin, à l'extrémité S.-E. de l'édifice, une cour fermée ne cachait, hormis un socle de statue, que des stèles et des vases d'offrandes; c'était un champ d'urnes sacrificielles plutôt qu'une →*favissa*. La décoration des stèles se limite à un disque radié et à une palme, ou bien au →"signe de Tanit" et au croissant. Trois seulement portent une inscription lat. et une seule peut avec certitude être rapportée au culte de →Saturne (ILAfr 310), qui perpétuait celui du Baal pun. et auquel un fidèle au nom typiquement rom. a dédié, au IIe s. ap. J.C., une citerne dans la grande cour centrale du sanctuaire (ILAfr 309). Ce sanctuaire consacré aux dieux de Carthage associés à des divinités gr. et orientales témoigne de la persistance, moyennant certaines adaptations, des traditions religieuses pré-rom. en milieu rural vers la fin du Ier s. ap. J.C. L'inscription néopun. atteste, par ailleurs, le maintien de la magistrature exercée par deux →suffètes et dévoile une anthroponymie libyco-pun.

Bibl. AATun, f[e] 37 (Hammamet), n° 3; A. Merlin, *Le sanctuaire de Baal et de Tanit près de Siagu*, Paris 1910; M. Leglay, *Saturne africain. Monuments* I, Paris 1961, p. 97-100.
SLan-ELip

THOT En ég. *Ḏḥwtj*; dieu égyptien du calendrier lunaire, de l'arithmétique et de la sagesse, messager des dieux et grand magicien. L'ibis et le babouin sont ses animaux sacrés. Les Grecs l'identifiaient à Hermès et, au Ier s. ap. J.C., il reçut l'épithète de Trismégiste. →Philon de Byblos mentionne *Táautos*, appelé *Thōuth* par les Égyptiens, *Thōth* par les Alexandrins et Hermès par les Grecs, comme la source principale de →Sanchuniathon et, ainsi, de sa propre *Histoire phén.* (Eus., *P.E.* I 9,24). Bien que Philon le considère comme un Phénicien, Taautos est certainement le dieu égyptien T., intégré probablement dans le panthéon phén. sous une influence alexandrine. Comme T., Taautos est l'inventeur de l'→écriture et il a noté l'ancienne histoire des dieux phén. Sous le nom d'Hermès Trismégiste il est le secrétaire et le conseiller de →Kronos et reçoit en récompense la royauté sur l'Égypte. La cosmogonie que Philon attribue à Taautos est clairement inspirée de la cosmogonie égyptienne d'Hermopolis. T. est représenté sur des amulettes et des scarabées, trouvés partout dans le monde phén.-pun., et sur des bandes magiques de la Sardaigne et de Carthage. Il est figuré tantôt comme un homme à tête d'ibis, tantôt comme ibis ou babouin. Quelques amulettes d'un dieu apparemment à tête de singe peuvent aussi lui être attribuées. Des monnaies de Tyr d'époque rom. montrent Hermès-T. tenant une tige de papyrus et accompagné d'un ibis (→numismatique 1B).

Bibl. LÄg VI, col. 497-523; *BMC. Phoenicia*, p. CXL, 266, 288, 295; Vercoutter, *Objets*; R. du Mesnil du Buisson, *Nouvelles études sur les dieux et les mythes de Canaan*, Leiden 1973, p. 70-87; Gamer-Wallert, *Funde*, p. 124, 143, 146; A.I. Baumgarten, *The* Phoenician History *of Philo of Byblos*, Leiden 1981; J. Padró Parcerisa, in *La religión romana en Hispania*, Madrid 1981, p. 335-351; id., *Documents* II, p. 137; III, p. 25-26; S. Ribichini, *Poenus Advena*, Roma 1985, p. 95-112; Hölbl, *Kulturgut*.
PDils

Fig. 340. Encensoir décoré de pétales en bronze martelé avec support annulaire, Chypre (VIIIe s. av. J.C.). Paris, Louvre.

THOUGGA →Dougga.

THUBURBO MAIUS Aujourd'hui Henchir Kasbat (Tunisie), important centre indigène à 65 km au S.-O. de Carthage, dont l'influence fut considérable, en particulier au point de vue religieux. Si les grandes constructions de l'époque rom. et les riches villas à mosaïques recouvrent la cité des temps pun., dont une inscription votive (RÉS 885) est jusqu'ici le seul témoin écrit, les deux bilingues lat.-néopun. de caractère religieux et les monuments rom. eux-mêmes témoignent de la profonde punicisation de la ville. Sa patronne était la →Caelestis, qu'une dédicace fragmentaire (*l'št*[*rt*]) inviterait à identifier avec →Astarté, et l'on vénérait →Saturne dans deux temples au moins, dont l'un remonte au IIe-Ier s. av. J.C. et conserve le plan d'un sanctuaire oriental.

Bibl. AATun, f[e] 35 (Zaghouan), n° 67; PECS, p. 916-917; J.-B. Chabot, *Inscription bilingue de Thuburbo Majus*, Le Muséon 37 (1924), p. 162-164; L. Poinssot, *Une inscription bilingue de Thuburbo Maius*, BAC 1938-40, p. 394-399 (cf. ILTun 732; OA 4 [1965], p. 69-70); M. Leglay, *Saturne africain. Monuments* I, Paris 1961, p. 113-118; A. Lézine, *Thuburbo Maius*, Tunis 1968; E.M. Ruprechtsberger, *Thuburbo Maius. Eine Römerstadt in Tunesien*, Antike Welt 13/4 (1982), p. 2-21; M. Alexander-A. Ben Abed (éd.), *Corpus des mosaïques de Tunisie* II/1-3, Tunis 1980-87; J. Gascou, *Y avait-il un* pagus *carthaginois à Thuburbo Maius ?*, AntAfr 24 (1988), p. 67-80.
ELip

THUBURNICA →Sidi Ali-bel-Kassem.

THYMIATÈRE Terme gr. couramment employé pour désigner un de nombreux types d'encensoirs employés dans le culte phén. Le modèle le plus répandu, le t. à pétales de fleurs, dérive de prototypes syro-canaanéens, tout comme les modèles de moindre taille qui se composent de deux bassins superposés. Dans le premier groupe, on distingue d'abord des douilles en ivoire ou en bronze, décorées d'une à trois rangées de corolles florales (fig. 340) et destinées à être montées sur une colonne à base évasée. Dans la partie supérieure, trois extensions recour-

Fig. 341. Bas-relief représentant une divinité assise sur un trône flanqué de sphinx, face à un thymiatère, Djamdjiné, près de Tyr (Ve s. av. J.C.). Paris, Louvre.

Fig. 343. Thymiatère peint à deux cuvettes, Carthage (Ve-IVe s. av. J.C.). Bruxelles, Musées Royaux d'Art et d'Histoire.

bées vers l'extérieur servaient de support à une cuvette contenant les cônes d'encens. D'autres exemplaires étaient munis d'un couronnement en forme de chapiteaux, le plus souvent papyriforme, remplaçant les extensions recourbées (fig. 341). On pouvait y placer un brasero, une cuvette ou un double bol pourvu ou non d'un couvercle conique percé de trous d'aération (fig. 342). L'interchangeabilité de ces éléments permettait d'employer les t., selon les cas, comme autels à feu, à libation ou comme encensoirs. La plupart de ces types, auxquels il faudrait ajouter les variantes régionales, s'échelonnent entre le début du VIIIe et le Ve s. av. J.C., après quoi le répertoire s'appauvrit. En Occident, les modèles portables en terre cuite, développés à partir du double bol ou du t. caliciforme à pied évasé, subsistent plus longtemps (fig. 343; pl. IVa). Quant au →"sceptre de Khnoum", bâton couronné d'une tête de bélier de laquelle pend parfois une cuvette (pl. XIa), il est attesté de l'âge du Bronze Récent à l'époque rom.: ce ne serait qu'un encensoir, de l'avis de plusieurs auteurs. Enfin, la stèle de Baalyaton, d'→Umm el-Amed, montre un autre type de brûle-parfum, qui a la forme d'une sphinge allongée tenant une cupule dans les mains (→sphinx). Il s'agit peut-être d'une version phén. des cupules semblables à tête de lion, très populaires dans le Levant presque cinq siècles avant cette époque.

Fig. 342. Sceau en cornaline jaspée figurant une déesse assise devant un encensoir, dont le couvercle est percé de trous par où s'échappe la fumée odoriférante, Amrit (Ve s. av. J.C.). Paris, Bibliothèque Nationale.

Bibl. H.G. Niemeyer, *Zum Thymiaterion vom Cerro del Peñón*, MM 11 (1970), p. 96-101; M. Almagro-Gorbea, *Dos thymiateria chipriotas procedentes de la Península Ibérica*, Miscelánea Arqueológica 1 (1974), p. 41-55; V. Karageorghis, *Two Cypriote Sanctuaries of the End of the Cypro-Archaic Period*, Roma 1977, p. 39-41; A. Ciasca, *Su un tipo di incensiere da Tas-Silġ (Malta)*, RSF 12 (1984), p. 175-183; W. Culican, *Opera Selecta*, Göteborg 1986, p. 549-569; E. Gubel, *À propos du Marzeaḥ d'Assurbanipal*, M. Lebeau - P. Talon (éd.), *Reflets des Deux Fleuves*, Leuven 1989, p. 47-53. EGub

THYMIATÉRION En gr. *Thumiatḗrion* (*Périple* d'Hannon 2) ou *Thumiatēría* (Skyl. 112), ville phén.-pun. repeuplée au Ve s. par Hannon (→Périples 2), dont le *Périple* 2 indique qu'elle doit être localisée à →Tanger. Le nom de T. n'est probablement qu'une forme grécisée du toponyme *Tingi* (*Tng'* ou *Tyng'*), "Tanger", suivi d'une épithète, p. ex. *ha-teriya* (* *h-tryt*), d'après l'arabe *ṭariya* et l'hb. *ṭeriyyāh*, c.-à-d. "Tanger la douce". La confusion facile de *ΓΓ* avec *M* en gr. (*Thumi-* < *Thuggi-*) donna alors le nom de T.

Bibl. M. Ponsich, *Recherches archéologiques à Tanger et dans sa région*, Paris 1970, p. 397-399. ELip

THYNA En néopun. *T'ynt*, lat. *Thaenae*; le phare de T., à 12 km au S.-O. de Sfax (*Taparura*), en Tunisie, signale le site de la cité qui se situait en face des îles →Kerkenna et à l'extrémité S. du territoire conservé par Carthage jusqu'à la 3e →guerre pun. (Pline, *N.H.* V 25). Encore aux environs de notre ère, les monnaies attestent l'emploi officiel de la langue pun. en ce lieu. Devenue colonie rom. sous Hadrien

(117-138), T. resta florissante jusqu'au Ve s. Dans une nécropole fouillée en 1904, on découvrit plusieurs tombeaux autour d'un grand →mausolée (3) octogonal, construit sur un socle de plan carré et orné de niches cantonnées de colonnes engagées.

Bibl. PECS, p. 898-899; Gsell, HAAN II, p. 98, 126-127, 129; Desanges, *Pline*, p. 235-236; M. Amandry, GNS 33 (1983), p. 80-81. ELip

TIDDIS En lat. *Castellum Tidditanorum*, aujourd'hui *Qusanṭīna al-Qadīma*, ville numide, puis rom. d'Algérie, sur la rive droite du Rhumel, dominant les gorges d'*al-Ḫannāq*, à 16 km au N.-O. de →Constantine. T. a fait l'objet de fouilles systématiques de 1941 à 1959. Elles ont mis au jour de nombreuses inscriptions lat. (ILAlg 3570-4177) et plusieurs inscriptions néopun. des IIe-Ier s. av. J.C., qui révèlent la culture pun. de la cité numide. Le plus ancien objet trouvé sur le site est un →sphinx en bronze du VIe s. et la découverte de →timbres amphoriques rhodiens témoigne d'un commerce avec l'Orient à l'époque hellénistique. Parmi les lieux sacrés identifiés, il faut noter le temple de →Baal Hamon→Saturne, bâti au sommet de la montagne de T., le *Rās ed-Dār*, ainsi que la →nécropole située à l'E. de la ville.

Bibl. AAAlg, fe 17 (Constantine), n° 89; PECS, p. 205; A. Berthier, *Tiddis*, Alger 1951 (1972²); A. Berthier - M. Leglay, *Le sanctuaire du sommet et les stèles à Ba'al-Saturne de Tiddis*, Libyca 6 (1958), p. 23-58; J. Lassus, Libyca 7 (1959), p. 294-300; 8 (1960), p. 89-97; M. Leglay, *Saturne africain. Monuments* II, Paris 1966, p. 32-52; P.-A. Février, *La nécropole orientale de Tiddis*, BAA 4 (1970), p. 41-100; J. Février - A. Berthier, *Les stèles néopuniques de Tiddis*, BAA 6 (1975-76), p. 67-81. ELip

TIGISI En pun. *Tgṣp*, lat. *Tigisis*, arabe *Tīǧis*, ville antique de l'Algérie qui s'élevait à l'emplacement de l'actuel village d'Aïn el-Bordj, à *c.* 60 km au S.-E. de →Constantine et à 16 km à l'E. de →Sigus. T., qui se trouvait à l'extrémité E. d'une vaste plaine, au pied de montagnes escarpées, fut considéré au Bas-Empire, pour des raisons inconnues, comme le principal lieu de refuge des Cananéens, plus précisément des Girgashites (→Girgish), qui auraient fui Canaan au temps de Josué (Procope, *Bell. Vand.* II 10). La stèle funéraire RIL 813, trouvée à Sigus, témoigne de l'emploi du pun. et du libyque à T. aux IIIe-IIe s. av. J.C.

Bibl. AAAlg, fe 17 (Constantine), n° 340; H.G. Horn - C.B. Rüger (éd.), *Die Numider*, Köln 1979, p. 578-579; Lepelley, *Cités* II, p. 485-487. ELip

TIGZIRT →Iomnium.

TIKLAT L'antique *Tubusup/ctu*, à 30 km au S. de →Bougie et à 3 km d'El-Kseur, dans la vallée de l'Oued Soummam, fut fondée par Auguste comme colonie des vétérans de la VIIe légion. Mentionnée déjà par Pline, *N.H.* V 21; Ptol. IV 2,7; Amm. XXIX 5,11, elle dut participer de la civilisation pun.-rom. de la région, comme l'atteste au IIe s. ap. J.C. le culte de →Saturne.

Bibl. AAAlg, fe 7 (Bougie), n° 27; PECS, p. 638-639; M. Leglay, *Saturne africain. Monuments* I, Paris 1961, p. 299-300; Desanges, *Pline*, p. 179-181. ELip

TIMBRES AMPHORIQUES Les t.a. ou estampilles sont des empreintes de cachets ou de bagues sigillaires, imprimées sur de l'argile meuble, principalement sur les anses de cruches, d'amphores, etc., dans le but d'en attester surtout la provenance ou la propriété. Circulaires, ovales ou rectangulaires, elles représentent un symbole, portent une brève inscription, voire combinent les deux. Les t.a. phén.-pun. sont attestés en Orient et en Occident. De façon générale, la présence ou l'absence d'une inscription permet de distinguer deux groupes.

1 Timbres amphoriques anépigraphes Ce groupe comporte un nombre toujours croissant d'exemples, où les représentations d'→animaux semblent prépondérantes aux alentours du VIIIe s. sur des anses à pâte poreuse, parfois revêtue d'un engobe rouge. Comme les rosaces, ces motifs resteront en vogue à l'époque perse. Les fouilles d'→Akko ont livré un t.a. avec le →"signe de Tanit", qui apparaît aussi sur un t.a. d'→Ashdod et sur des t.a. carth. et pun., seul ou flanqué de deux lettres. Le répertoire iconographique sera dorénavant enrichi, surtout en Occident, où cette tradition ancestrale persistera jusqu'à l'époque rom. À l'heure actuelle, aucun récipient complet avec t.a. n'a été retrouvé sur le sol phén. Le nombre d'exemplaires inédits et l'absence de toute indication stratigraphique dans bien d'autres cas font toujours obstacle à une étude approfondie. EGub

2 Timbres amphoriques inscrits A *Phénicie.* Six exemplaires différents portant une inscription phén. ont été découverts en Phénicie proprement dite. À peu près rectangulaires comme certains t.a. gr., ils mesurent *c.* 3 × 1 cm: 1) découvert à Tyr, il porte *št 3 + 2* [ ] *Bs'*; 2) découvert à El-Awatin, près de Tyr, illisible; 3) découvert à Byblos, il porte *Gr(m)lqrt*; 4) découvert à Tell Anafa, il porte *Grmlqrt*; il est daté par l'archéologie entre 100 et 75 av. J.C. et semble issu d'une autre matrice que le précédent; 5 + 6) découverts à Tell Kazel, ils portent *N'r'šmn* et *'plyn*. On voit que l'onomastique de ces t.a. est phén. (*Grmlqrt*, *N'r'šmn*) et gr. (*'plyn* transcrivant *Apelliōn*). La signification de *Bs'* n'est pas établie; il pourrait s'agir d'un homonyme de Besay (*Esd.* 2,49) ou d'un hypocoristique attestant que "Bès (est) dieu". PBor

Par ailleurs, un t.a. oval est venu au jour à →Kamid el-Loz; il porte l'inscription phén. *]tmlk*, vraisemblablement *[b]t mlk*, "maison royale", et peut être daté vers le milieu du VIIe s. av. J.C.

B *Occident* Le "signe de Tanit" des t.a. carth. et pun. est parfois accompagné de deux lettres. D'autres t.a. présentent un petit disque flanqué des lettres *'aleph* et *nūn*, ou *'aleph* et *bêth*, voire des lettres seules, comme c'est le cas de plusieurs t.a. de Sicile, notamment de →Sélinonte et d'→Éryx, de différents sites espagnols, également d'un t.a. d'Égypte et d'un autre de Délos. L'interprétation de ces lettres, qui sont en général des abréviations, n'est souvent pas assurée. Par ailleurs, on mentionnera le t.a. de →Carthage au nom de Magon, en gr., lequel atteste que l'huile ou le vin contenu dans l'amphore était destiné à l'exportation. On s'est demandé si l'exportateur ne serait pas Magon l'Agronome (→agriculture 2). ELip

Bibl. Ad 2A: D. Le Lasseur, Syria 3 (1921), p. 8-10; C. Virolleaud, Syria 5 (1924), p. 119; G. Garbini, RSF 10 (1982), p. 163-164; W. Röllig, *Ein phönikischer Krugstempel*, R. Hachmann (éd.), *Bericht über die Ergebnisse der Ausgrabungen in Kamid el-Loz in den Jahren 1977 bis 1981*, Bonn 1986, p. 159-162; J. Naveh, IEJ 37 (1987), p. 25-26; P. Bordreuil, *Estampilles phéniciennes de Tell Kazel* (à paraître).

Ad 2B: L. Carton, *Estampilles puniques sur anses d'amphores, trouvées au Belvédère (près Tunis)*, RArch, 3e sér., 25 (1894), p. 180-195; ICO, p. 51-52, 70-81, 153-155; A.M. Bisi, *Anse di anfore con lettre puniche da Selinunte*, OA 6 (1967), p. 245-257; M. Dothan, *A Sign of Tanit from Tel 'Akko*, IEJ 24 (1974), p. 44-49; E. Lipiński, OLP 14 (1983), p. 160-161; J.-P. Thuillier, *Une marque amphorique au nom de Magon, en grec*, in *Byrsa* I, Rome 1979, p. 333-337; L.I. Manfredi, *Bolli anforici da Tharros*, RSF 14 (1986), p. 101-107; CIE 01.03-04; 02.02; 05.01-02; 07.18, 20-21; 10.06; 12.22-28, 30; 13.08-11; J. Lund, *Two Late Punic Amphora Stamps from the Danish Excavations at Carthage*, StPhoen 6 (1988), p. 101-112; F.O. Hvidberg-Hansen, *The Interpretation of Two Late Punic Amphora Stamps from Carthage*, StPhoen 6 (1988), p. 113-118 (bibl.).

TIMÉE DE TAUROMÉNION (act. Taormina) Historien gr. (IVe-IIIe s.), fils d'Andromaque, fondateur du Tauroménion gr. Son histoire de l'Occident ([*Sikelikaì*] *historíai*?), en 38 livres au moins, introduite par une étude géographique et ethnographique (livres I-V; *Prokataskeuē*), allait des origines à →Agathocle, mort en 289; un appendice (cf. test. 90: *Historiae de rebus populi Romani*) considérait l'expédition occidentale de →Pyrrhus (281?-275) et portait peut-être jusqu'au début de la 1re →guerre pun. (cf. Pol. I 5,1). Le synchronisme établi par T. (fr. 60) entre les fondations de →Rome et de →Carthage (cf. fr. 82: étymologie d'→Élissa et de Deidô), la 38e année avant la 1re olympiade, soit en 813/2 av. J.C., ne se laisse pas justifier décisivement (cf. Denys d'Halic., *Ant. Rom.* I 74,1). T., qui aurait utilisé des *Turíōn hupomnḗmata* (Pol. XII 28a,3), passe pour être la source des notices relatives aux Phéniciens et à Carthage dans Ps.-Arstt., *Mir. ausc.* 134, où sont invoquées des *Phoinikikaì historíai* à propos de la fondation d'→Utique, 287 ans avant Carthage, soit 814/3 (date de T. obtenue par calcul exclusif) + 287 = 1101/0 av. J.C. (cf. →Pline, *N.H.* XVI 216).

Bibl. J. Geffcken, *Timaios' Geographie des Westens*, Berlin 1892; T.S. Brown, *Timaeus of Tauromenium*, Berkeley-Los Angeles 1958; R. Van Compernolle, *Étude de chronologie et d'historiographie siciliotes*, Bruxelles-Roma 1960, p. 140, 219-226; L. Pearson, *Myth and* archaeologia *in Italy and Sicily. Timaeus and his Predecessors*, YCS 24 (1975), p. 171-195; Bunnens, *Expansion*, p. 132-136. DMar

TIMGAD L'antique *Thamugadi*, à 30 km au S.-E. de Batna (Algérie), fut fondée comme colonie en 100 ap. J.C. Le toponyme est pré-rom., mais aucune trace d'habitat antérieur à la fondation de la colonie n'a été trouvée. T. comptait parmi les villes importantes de l'Afrique rom., ce qui explique son attrait sur les populations libyques avoisinantes et la présence de cultes d'origine africaine, notamment de →Caelestis et de →Saturne (fig. 287, 344-346), dont on a retrouvé un temple de 48 × 22 m. Il n'est pas facile de voir si les cultes d'Esculape, de Neptune, de →Pluton, d'Hercule, de Cérès, tous attestés à T., se rattachent de quelque manière à d'anciens cultes pun.

Bibl. AAAlg, f^e^ 27 (Batna), n° 255; PECS, p. 899-902; M. Leglay, *Saturne africain. Monuments* II, Paris 1966, p. 125-161; H. Lohmann, *Beobachtungen zum Stadtplan von Timgad*, Wohnung im Altertum, Berlin 1979, p. 167-187; Lepelley, *Cités* II, p. 444-476. ELip

Fig. 344-346. Stèles votives, Timgad (IIe-IIIe s. ap. J.C.). Timgad, Musée.

TINDJA En lat. *Thimida*, arabe *Tinǧa*, site de Tunisie, au S.-O. de Bizerte, sur la rive droite de l'oued T. et sur la plage du lac Ichkeul, où un établissement pré-rom. a été reconnu par F. Icard en 1918. Le matériel prélevé alors comprenait de la céramique pun. achrome et à vernis noir, des clous, pointes de flèches et ex-voto en plomb marqués du →"signe de Tanit"; il datait les vestiges relevés sur le site de l'époque pun. tardive. En 1986, une nouvelle prospection a permis de préciser le faciès du gisement, en mettant au jour des murs de moellons liés à l'argile, ainsi que d'importantes traces d'industrie métallurgique, représentée essentiellement par une énorme quantité de scories de fer. Une analyse plus fine des fragments de céramique recueillis détermine une chronologie d'occupation du site qui va du milieu du IVe au milieu du IIe s. av. J.C. Il semble ainsi que l'établissement pun. n'ait pas survécu à la chute de Carthage. Mais, à peu de distance, une cité s'est développée sous le nom de Thimida et a prospéré à l'époque rom., tandis qu'une nécropole s'est étendue jusqu'aux abords mêmes de l'ancien site pun.

Bibl. AATun, fe 6 (Djebel Achkel), n° 2; A. Merlin, BAC 1919, p. XVI; 1920, p. XLVII-LVI; F. Chelbi, *Prospection archéologique dans la région de Bizerte (année 1986)*, REPPAL 3 (1987), p. 71-115 (en part. p. 80-81). SLan-ELip

TINGI →Tanger.

TIPASA Forme lat. de plusieurs toponymes libyques en *ti-*.

1 T. de Maurétanie, en pun. *Tp'tn*, lat. *Tipas/za*, entre →Icosium et →Cherchel, en Algérie, comptoir pun. attesté archéologiquement à partir du VIe s., puis ville des royaumes de →Numidie et de →Maurétanie. Annexée avec cette dernière à l'Empire rom., elle reçut de l'empereur Claude le statut de municipe lat. dès 46 ap. J.C. (Pline, *N.H.* V 2,20). La ville était alors limitée au promontoire rocheux situé à l'O. du port, mais elle connut une grande extension au IIe s., avec une enceinte de 2,3 km de long. Bien que les constructions rom. aient recouvert l'habitat pun., l'importance du comptoir pun. et ses relations avec le monde →ibérique, les pays gr., puis l'Italie résultent clairement des découvertes faites dans les deux gisements funéraires situés de part et d'autre de la cité. Les plus anciennes →tombes (2) de la →nécropole E., bien documentée pour les IVe-IIIe s., sont datées par le matériel ionien et attique du VIe s. av. J.C. et la nécropole O. présente des caractéristiques semblables aussi bien par son extension que par sa chronologie. Par ailleurs, à l'E. de la ville et de la basilique de Ste Salsa (→martyrs), J. Baradez a découvert sur la Koudiat Zarour une petite aire sacrificielle avec des →stèles (2A) votives anépigraphes, des tables d'offrandes et des vases contenant les restes incinérés de victimes sacrifiées. Cette céramique permet de dater ce sanctuaire des Ier-IIe s. ap. J.C., époque à laquelle remontent aussi des caveaux funéraires du cimetière pun. à l'E. du port, où l'architecture elle-même est encore fidèle aux traditions pun. On a attiré l'attention sur une sépulture néopun. du Ier s. ap. J.C., dont les 150 objets du mobilier comprenaient des outils de →sacrifice, hache, couteau, couperets, ciseaux, indices apparents de la tombe d'un prêtre sacrificateur. Bien que le culte de →Saturne soit très mal attesté à T., vers le IIe s. ap. J.C., sa présence même implique l'existence d'un culte antérieur de →Baal Hamon. L'absence de tout document en langue pun. doit être considérée comme accidentelle, vu que la fréquence des stèles de type néopun. témoigne de vives survivances pun. dans le domaine du culte sacrificiel et funéraire sous l'Empire rom. et que →Cherchel, située à moins de 30 km à l'O. de T., a livré des inscriptions néopun. (NP 130; BAC 1924, p. CXLVI; KAI 161).

2 T. de Numidie, aujourd'hui Tif(f)ech, au S.-E. de *Thubursicu Numidarum*, en Algérie, bourg indigène dont la culture pun. est attestée par l'inscription néopun. NP 73, trouvée sur le site au milieu du XIXe s. T. a livré aussi plusieurs épigraphes libyques (RIL 613-618).

Bibl. Ad 1: AAAlg, fe 4 (Cherchel), n° 38; PECS, p. 925-926; S. Lancel - M. Bouchenaki, *Tipasa de Maurétanie*, Alger 1971; Desanges, *Pline*, p. 165-166; Lepelley, *Cités* II, p. 543-546; S. Lancel, *Tipasa de Maurétanie*, ANRW II/10,2, Berlin-New York 1982, p. 739-754 (bibl.).
Ad 2: AAAlg, fe 18 (Souk Ahras), n° 391. SLan-ELip

TIREKBINE Site à 1.200 m du hameau de Bouchène, près du défilé de l'oued Khanga, dans la région de →Sigus, en Algérie. En cet endroit et dans ses environs immédiats, on a relevé plusieurs inscriptions libyques (RIL 815-821) et une épigraphe néopun.

Bibl. AAAlg, fe 17 (Constantine), n° 463; J.-B. Chabot, BAC 1943-45 (1951), p. 463-464. ELip

TOILETTE, OBJETS DE Les o. de t. représentent une partie considérable des produits en →ivoire; l'échantillonage représentatif de →Nimrud, p.ex., contient des chasse-mouches aux manches décorés de caryatides, ainsi que des palettes et des cuillères à fard. Quant aux pyxides, bon nombre d'exemples affichent un style plutôt syro-phénicisant que phén. proprement dit. Toujours au VIIIe s., le manche d'un miroir (?) au nom d'Abdubaal mérite de retenir l'attention (fig. 349). La production d'objets de t. en ivoire persiste tout au long du Ier mill. Aux peignes trouvés en Phénicie, à Chypre, à Carthage, en Espagne (fig. 183-185) et en Sardaigne s'ajoutent, dans les mêmes régions, des plaques rectangulaires qui décoraient jadis des boîtes (à bijoux ?) (fig. 186; pl. VIIc), des cuillères à manche anthropomorphe ou zoomorphe et des alabastres en forme de figure féminine. Cette dernière catégorie de récipients anthropomorphes comporte également des modèles en →albâtre d'origine syro-phénicienne et en →faïence d'origine rhodienne ou naucratite (fig. 131). Aux VIIIe-VIIe s., des palettes à fard en calcaire, pourvues d'une cavité centrale entourée d'une frise géométrique sur le large rebord plat, sont largement répandues en Phénicie comme en Palestine (fig. 11). Une telle palette, mais de forme anthropomorphe, lie cette production à celle des coquillages gravés de *Tridacna Squamosa* (VIIe s.), destinés à contenir une masse parfumée (fig. 347-348). Finalement, des épingles en os ou en ivoire à tête florale ont pu servir à appliquer le fard aux paupières, du moins s'il ne s'agit pas d'objets de

Fig. 347-348. Fragments de récipient pour cosmétiques (?) en coquilles gravées de Tridacna Squamosa, *Syro-Phénicie (VIIe s. av. J.C.). Paris, Louvre.*

parure. Quant aux bronzes, signalons la découverte de plusieurs miroirs et épingles à fard.

Bibl. H.O. Thompson, *Cosmetic Palettes*, Levant 4 (1972), p. 148-150; M.-E. Aubet Semmler, *Die westphönizische Elfenbeine aus dem Gebiet des unteren Guadalquivir*, Hamburger Beiträge zur Archäologie 9 (1982), p. 15-70; W. Culican, *Opera Selecta*, Göteborg 1986, p. 311-315; PhMM 273-276. EGub

TOMBES 1 Orient Ce ne sont point les rites d'inhumation ou d'incinération en usage dans le monde phén. qui déterminent en général la forme de la sépulture. Toute forme de t. peut accueillir des rites différents d'inhumation ou d'incinération, soit simultanément, soit successivement. Fondée sur une documentation fragmentaire, la typologie des t. phén., que nous proposons ici, n'est pas à l'abri de démentis que de nouvelles fouilles seraient susceptibles d'apporter. Elle permet cependant de faire le point à partir des documents disponibles sans pour cela être en mesure de déterminer si tous les types de t. ont coexisté ou si certains ont connu un moment de faveur à une certaine époque. On distingue ainsi:

A *Les inhumations et/ou incinérations en pleine terre sans construction spéciale.* Il s'agit du mode d'ensevelissement le plus simple. À →Khaldé (2), les squelettes ont été retrouvés déposés à même le sable, calés par des pierres de ramassage. Les inhumations découvertes dans la nécropole S. d'→Akzib sont dotées de "fosse à offrande" contenant une pierre fichée verticalement dans le sol, un autel brûle-parfum et des fragments d'assiettes. Les t. à incinération présentent trois formes d'ensevelissement selon que les dépôts de crémation reposent sur le sol (à →Atlit), sont déposés dans une fosse (à Tell →Arqa) ou sont recueillis dans une amphore posée dans une fosse (à Akzib).

B *Les inhumations et incinérations en fosse obturée par une dalle de pierre.* Il s'agit là du type précédent enrichi d'une dalle de couverture. Ce type de t. attesté à Akzib comprend un squelette reposant dans une fosse et des ossements calcinés contenus dans une amphore.

C *Les inhumations et incinérations dans une ciste.* Attesté sur la côte libanaise dès l'âge du Bronze Récent, ce type de t. apparaît à Khaldé à la fin du IXe et au VIIIe s. (fig. 194), à Hazôr aux Xe-IXe s. et, au début de l'âge du Fer, à Akzib. Les t. à ciste sont des sépultures collectives. La t. de Khaldé a livré un squelette couché, des ossements humains dépareillés et trois amphores. L'une contenait des ossements humains non calcinés, les deux autres étaient remplies "d'ossements calcinés où l'on croit reconnaître des ossements humains".

D *Les inhumations et incinérations en chambre creusée dans le rocher avec puits d'accès.* La présence du puits d'accès constitue le caractère le plus significatif de ce type de t. qui apparaît sur la côte libanaise dès le Bronze Moyen. Ce sont des caveaux familiaux où les inhumations apparaissent multiples

Fig. 349. Manche de miroir, ivoire, Syro-Phénicie (VIIIe s. av. J.C.). Coll. privée.

et répétées. Les t. des Xe-VIIIe s. découvertes à Akzib contenaient, respectivement, les ossements de 200 et 350 personnes. Ces t. présentent toutefois une particularité: la chambre funéraire qui n'est pas enterrée profondément est couverte à la surface d'une pierre plate. Cette pierre *bāmāh*, sur laquelle on a découvert un autel et des coupes, était selon M.W. Prausnitz une sorte de haut-lieu de rassemblement.

E *Les inhumations et incinérations en chambre creusée dans le rocher, précédée de marches d'accès* (cf. fig. 350-351). Ce type de t. apparaît dans la nécropole de Rachidiyé (→Usu). La t. IV (775-700), découverte en 1975 par H. Chéhab, avait en son milieu un espace central rectangulaire. L'entrée fermée par une pierre en basalte était précédée d'une marche d'accès. Une t. creusée dans le rocher a été découverte dans la région de Sidon à →Tambourit. Ayant été bouleversée par un bulldozer, R. Saidah n'a pu en déterminer le type d'accès. Cette t. s'étalerait dans le temps entre 850/825 et 800/775.

F *Le mobilier funéraire.* Il consiste principalement en poteries, certaines typiquement phén. par leur décor à engobe rouge ou leur peinture bichrome, et/ou par leur forme — gourde de pèlerin, cruches à bec tubulaire ou en gouttière —, d'autres chypriotes et gr. (→céramique). Des objets de parure ont également été découverts: des anneaux de bronze, des boucles d'oreille en argent (Atlit) et une perle en or (Rachidiyé). Deux épées ont été mises au jour: l'une

Fig. 350. Le Qabr Ḥirām, *près de Tyr, monument funéraire d'époque perse que la tradition populaire attribue à Hiram I.*

Fig. 351. Coupes du Qabr Ḥirām.

à Tell Arqa, l'autre à Rachidiyé. À Khaldé, des fibules de bronze ont été retrouvées sur la poitrine de certains squelettes, ce qui laisse à penser que les morts étaient inhumés recouverts d'un suaire ou de vêtements (→pratiques funéraires 1). Une figurine en terre cuite a été retrouvée à Akzib. CDoum

2 Occident Les t. pun. des →nécropoles (2) de Carthage, de ses colonies ou des cités soumises à son influence, s'inscrivent dans un arc chronologique qui va de la date de fondation de la métropole africaine, au plus tard en 725 av. J.C., à celle de sa chute en 146 av. J.C. À l'origine, leurs structures sont adaptées à l'inhumation ou à l'incinération mais finalement, du fait de la transformation progressive de la t. individuelle en t. collective et de l'utilisation conjointe des deux pratiques, elles se montrent souvent indépendantes des rites.

Les t. pun. recensées dans l'Occident méditerranéen peuvent se ramener à trois principes de base: la sépulture est d'accès direct, ou accessible par un puits vertical, ou par un dromos. En dérivent des structures plus ou moins élaborées qui vont du loculus hâtivement creusé à l'hypogée bâti monumental et qui abritent les ossements enfermés ou non dans un →ossuaire ou un →sarcophage (→pratiques funéraires). Rares sont les décors et épitaphes (→mobilier funéraire). La grande majorité des types relevant des deux premiers principes est représentée à Carthage, mais la t. à dromos y est quasiment inconnue.

A *Tombes à accès direct.* On citera d'abord les *fosses simples* à section rectangulaire, proportionnées aux restes inhumés ou incinérés (fig. 353), qui se rencontrent sur presque tous les sites et à toutes les époques et présentent, à partir du VIe s., des variantes plus spécifiques comme les fosses à rebords, à feuillure, à parement ou couverture de dalles (→Olbia, →Cagliari, Jardín →Toscanos), à sarcophage (→Carthage, Birgi →Lilybée, →Motyé), à fond surcreusé d'auges (→Villaricos) ou d'augettes (→Hadrumète, →Igilgili), à forme anthropoïde (Igilgili). On relève ensuite, à partir du milieu du IVe s., les *inhumations en jarres*, habituelles surtout pour les très jeunes enfants (→Tipasa [1], →Ibiza, →Kerkouane), les *alvéoles de surface* abritant des cendres protégées ou non par un ossuaire (→Smirat?, Olbia, Villaricos), les fosses communes à inhumation ou à rite mixte et les tranchées à ossuaires (Carthage). Des excavations cylindriques, ordinairement appelées "pozzi", se rencontrent aussi, soit à l'époque archaïque (Carthage, Ibiza), soit tardivement (→Éryx,

Fig. 352. Tombe à chambre avec dromos, nécropole d'Arg el-Ghazouani, Kerkouane (IVe s. av. J.C.).

Fig. 353. Tombe à fosse, nécropole de Dar es-Saafi, Kerkouane (IIIe s. av. J.C.).

→Andalouses, Albufereta). Parfois obturées par une pierre, elles abritent des ossements incinérés, déposés à même le sol ou dans un ossuaire.

B *Tombes à puits.* Un puits vertical plus ou moins profond — jusqu'à 30 m à Carthage — et de section quadrangulaire peut desservir une fosse, une auge construite ou un caveau bâti, établis dans son prolongement, ainsi que des cellules excavées sur son parcours. Habituellement jalonné de degrés et parfois renforcé par un coffrage de pierre, le puits offre des profils très variés autorisant à l'occasion son cloisonnement transversal.

a *Les fosses* présentent des caractéristiques analogues à celles des fosses simples à accès direct (cf. supra).

b *Les auges construites*, connues en Espagne aux VIe-Ve s. (Jardín, →Gadès) et surtout à Carthage aux VIIe-VIe s., sont de volumineux caissons à couvercle, composés de pierres de grand appareil assemblées à joints vifs, et destinés au départ à un seul corps inhumé. Elles peuvent être groupées et accolées de manière à former des blocs rectangulaires (Gadès).

c *Les tombeaux bâtis* sont des hypogées archaïques imposants, prévus pour un à quatre corps (VIIe-VIe s.). Faiblement représentés dans la sphère proprement pun., presque exclusivement à Carthage (fig. 354) et →Tunis, ils ont pourtant des parallèles dans des sites sous influence phén., comme →Utique, →Trayamar (1), →Kition (2), →Amathonte. Ils montrent souvent des détails de construction originaux: compartimentage en hauteur de l'unique caveau, toit en bâtière, mur de façade élevé.

d *Les cellules excavées* dans les parois du puits sont, dans la majorité des cas, de plan rectangulaire et de dimensions proportionnées à la taille humaine (fig. 355). Elles sont souvent équipées de niches murales, sarcophages, auges construites ou creusées, banquettes. Les puits à cellule unique, qui restent majoritaires, sont progressivement concurrencés par les puits à deux (→Malte, Lilybée), voire trois (Carthage, Cagliari) et même quatre cellules (Carthage). (fig. 2.)

C *Tombes à dromos.* La différence avec les tombes à puits réside surtout dans le mode d'accès à la chambre funéraire, qui est oblique et non vertical (fig. 352, 356-358). Ce dromos, à ciel ouvert et de longueur et d'inclinaison variables, s'achève le plus souvent sur un palier plat ménagé devant la chambre. Il peut être constitué par une rampe inclinée, par un escalier ou par combinaison des deux. Les chambres uniques sont les plus fréquentes (→Monte Sirai, Igilgili), mais on peut en trouver deux installées en vis-à-vis (→Sulcis, →Mahdia), plus rarement communicantes (→Chullu). Quoique plus spacieuses en moyenne, elles présentent, en général, les mêmes caractéristiques que dans les t. à puits. C.-à-d. qu'elles sont habituellement excavées (Sardaigne, →Sahel tunisien), exceptionnellement construites (Moghogha es-Séghira [fig. 331], Andalouses).

Déjà grand à Carthage, l'éventail des types de tombes s'est encore élargi dans les territoires punicisés du fait de son adoption et de son adaptation: il est remarquable à cet égard que des structures très aberrantes apparaissent en divers lieux. HBenS

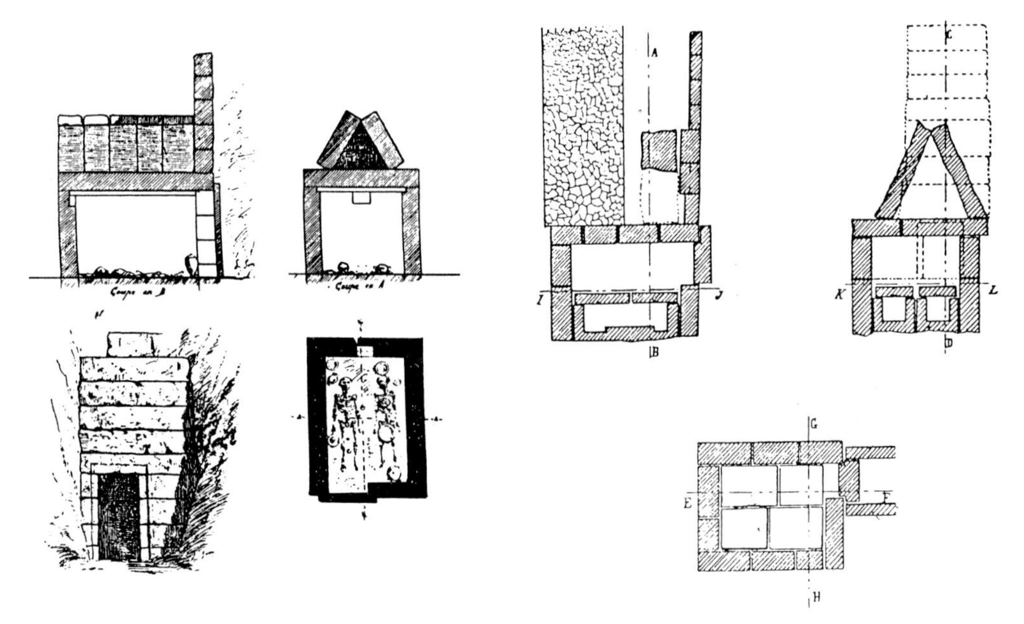

Fig. 354. Plan des tombeaux bâtis de Carthage à accès direct et à puits.

Bibl. Ad 1: C.N. Johns, *Excavations at Pilgrims Castle Atlit*, QDAP 6 (1937), p. 121-152; M. Dothan, *Azor*, IEJ 10 (1960), p. 259-260; R. Saidah, *Fouilles de Khaldé*, BMB 19 (1966), p. 51-90; id., *Tambourit: une tombe de l'âge du Fer à Tambourit (région de Sidon)*, Berytus 25 (1977), p. 135-146; C. Doumet, *Les tombes IV et V de Rachidieh*, AHA 1 (1982), p. 89-135; M.W. Prausnitz, *Die Nekropolen von Akhziv*, H.G. Niemeyer (éd.), *Phönizier im Westen*, Mainz a/R 1982, p. 31-44; E. Stern, *The Material Culture of the Land of the Bible in the Persian Period, 538-332 B.C.*, Warminster 1982, p. 68-92.

Ad 2: A. Tejera Gaspar, *Las tumbas fenicias y púnicas del Mediterráneo Occidental*, Sevilla 1979; H. Benichou-Safar, *Les tombes puniques de Carthage*, Paris 1982; A. Ben Younes-Krandel, *Typologie des tombes des nécropoles puniques en pays numides*, REPPAL 4 (1988), p. 1-48.

TOPHET 1 Nom Le mot hb. *topet*, transcrit en gr. *tapheth*, désigne dans l'A.T. l'endroit de la vallée de Ben-Hinnom, à la périphérie de Jérusalem, où l'on offrait les enfants en sacrifice →*molk* (*2 R.* 23,10; *Is.* 30,33; *Jr.* 7,31-32; 19,6.11-14). On a rattaché ce terme à l'araméen *t^epāh*, "mettre sur le feu", et *t^epayā'*, "foyer", au pluriel *t^epawātā*, étymologie suggérant que le *t.* correspond à la fosse pleine de flammes dont parle Diod. XX 14,6. Les archéologues ont baptisé de ce nom les aires sacrées que l'on a retrouvées dans de nombreux sites phén.-pun. de la Méditerranée centrale et qui constituaient l'endroit où l'on accomplissait les sacrifices d'enfants et ensevelissait leurs restes brûlés. Ces lieux ont fourni de la →céramique en grand nombre et une abondante information épigraphique, mais leur étude et leur interprétation sont rendues plus difficiles du fait que les fouilles archéologiques en Orient n'ont jusqu'ici mis au jour aucun *t.* dont les vestiges aient été reconnus et publiés.

2 Description Les principaux *t.* connus et fouillés se trouvent en Tunisie (→Carthage, →Hadrumète), Sicile (→Motyé) et Sardaigne (→Bitia, →Nora, →Sul-

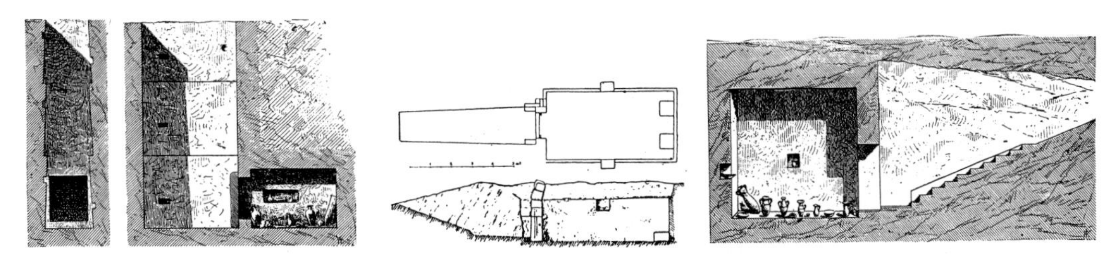

Fig. 355. Tombe à puits de la nécropole pun. de Tuvixeddu, Cagliari.

Fig. 356. Tombe à dromos de la nécropole de Villaricos.

Fig. 357. Coupe d'une tombe à dromos de la nécropole de Sulcis.

Fig. 358. Tombe à dromos, nécropole N.-E. de Sulcis, surmontée de cippes (VIe et IIIe s. av. J.C.).

cis [fig. 359], →Monte Sirai, →Tharros), sans qu'aucune raison valable ne permette encore d'expliquer leur absence dans la Péninsule Ibérique, à Ibiza et au Maroc. Ils se présentent sous l'aspect d'une enceinte à ciel ouvert, bien délimitée et ceinte de murs ou isolée par des accidents naturels du terrain, et ils sont normalement situés à la périphérie de la ville ou de l'habitat, en général au N. L'holocauste avait lieu à l'intérieur de cette aire sacrée, sur des autels ou dans un petit édifice. Les cendres, une fois ramassées, étaient placées dans des urnes en terre cuite, de types divers, souvent couvertes d'un plat ou d'une pierre; le tout était déposé à même le sol, puis recouvert de terre. Un →bétyle ou une pierre à peine dégrossie marquait l'endroit de l'ensevelissement; ils sont remplacés dès les VIe-Ve s. par une vraie →stèle décorée, portant souvent une inscription, normalement une dédicace à →Baal et à →Tanit. Ces inscriptions constituent des documents épigraphiques de premier ordre, malgré la monotonie de leur formulaire.

3 Tophet de Salammbô Parmi les *t.* connus, celui de →Carthage (2) est sans doute le plus impressionnant. Appelé sanctuaire de Tanit ou de →Salammbô, il fut découvert en 1922 et, depuis lors, fouillé à diverses reprises (fig. 64, 360). Les principaux travaux ont été menés en 1975-79 par une équipe américaine dans le cadre de la campagne internationale de l'UNESCO pour la sauvegarde de Carthage. Il en résulte que le *t.* fut utilisé de la fin du VIIIe s. à 146 av. J.C.; il avait atteint une superficie de plus de 6.000 m^{2} au IVe s. et a fourni jusqu'à présent plus de 20.000 urnes et quelques milliers de stèles. Les récipients funéraires étaient soigneusement entassés car, dès que l'aire

Fig. 359. Vue partielle du tophet *de Sa Guardia 'e is Pingiadas, Sulcis.*

Fig. 360. Stèle et urnes pun. (IVe-IIIe s. av. J.C.) au tophet *de Salammbô, sous un pilier rom.*

sacrée était totalement occupée, elle était recouverte de terre et les dépositions recommençaient au niveau supérieur. On a pu identifier ainsi neufs niveaux qui correspondent à trois périodes successives, appelées Tanit I, II et III. Les recherches récentes et l'étude des ossements ont permis de constater que les enterrements étaient en général individuels, bien qu'on ait signalé des cas de deux ou trois enfants ensevelis dans une seule urne. La plupart sont des nouveau-nés, mais on relève, à partir du Ve s., de nombreux cas d'enfants âgés de près de 3 ans (fig. XVd). Les restes de chevreaux ou d'agneaux, sacrifiés parfois au lieu des enfants en guise d'offrandes de substitution, représentent entre 30 % des dépositions aux VIIe-VIe s. et 10 % à partir du IVe s. Les urnes contenant, à la fois, des restes humains et animaux sont rares à Carthage, mais leur nombre s'élève à 50 % à Tharros, où des analyses botaniques ont permis d'établir que les sacrifices avaient normalement lieu à la fin de l'été.

4 Interprétation On est encore loin de connaître tous les aspects du sacrifice *molk* et des *t.* Pour certains auteurs, les sacrifices réguliers d'enfants ne font aucun doute, avec leur signification religieuse qui nous échappe parfois, mais qui n'en est pas moins présente pour cela. D'autres ont récemment émis l'hypothèse, du moins pour Carthage, que ces sacrifices étaient une manière d'établir un contrôle des naissances face à la pression démographique. Pour les uns et les autres, l'holocauste délibéré de milliers d'enfants est, en tout cas, un fait bien établi. Cependant, la quantité de nouveau-nés et peut-être même de fœtus parmi les victimes, leur bas âge en général et leur grand nombre suggèrent à quelques auteurs de considérer les *t.* comme des nécropoles où les enfants mort-nés ou décédés dans leurs premières années seraient enterrés, dans une aire sacrée distincte des nécropoles destinées aux adultes et suivant des rites différents. Finalement, une hypothèse essaie de concilier ces deux positions en interprétant le *t.* comme une nécropole d'enfants où les bébés sacrifiés occasionnellement étaient enterrés auprès de leurs semblables morts de causes naturelles. Toutefois, l'ensevelissement de victimes animales dans le *t.* ne peut s'expliquer que dans le cadre d'un rituel de sacrifices de substitution. Le *t.*, avec tous les rites qu'il implique, est un des traits culturels les plus caractéristiques des colonies phén.-pun. de la Méditerranée centrale. Sa diffusion dans les régions soumises à l'influence carth. peut suggérer une provenance de Carthage, qui en aurait importé la pratique de l'Orient. Mais il faut chercher l'explication de ce rituel religieux à un niveau plus profond pour rendre compte de son succès et de sa permanence encore plusieurs siècles après la destruction du pouvoir pun. Seules des fouilles plus poussées et leur publication complète permettront de faire toute la lumière sur la signification politique et sociale de ces sacrifices d'enfants.

Bibl. S. Moscati (éd.), *I Fenici e Cartagine*, Torino 1972, p. 198-206; S.F. Bondì, *Per una riconsiderazione del tofet*, EVO 2 (1979), p. 139-150; H. Benichou-Safar, *À propos des ossements humains du tophet de Carthage*, RSF 9 (1981), p. 5-9; L. Stager - S. Wolff, *Child Sacrifice at Carthage. Religious Rite or Population Control?*, Biblical Archaeology Review 10/1 (1984), p. 31-51; M.E. Aubet Semmler, *Tiro y las colonias fenicias de Occidente*, Barcelona 1987, p. 214-227; S. Moscati, *Il sacrificio punico dei fanciulli: realtà o invenzione?*, Roma 1987; S. Ribichini, *Il Tofet e il sacrificio dei fanciulli*, Sassari 1987; H. Benichou-Safar, *Sur l'incinération des enfants aux tophets de Carthage et de Sousse*, RHR 205 (1988), p. 57-68; F. Fedele - G.V. Foster, *Tharros: ovicaprini sacrificali e rituale del tofet*, RSF 16 (1988), p. 29-46.

CGómB

TOPONYMIE 1 Phénicie Une étude fondamentale de la t. phén. reste encore à faire. Outre l'œuvre classique de R. →Dussaud, partiellement vieillie, on ne dispose que de quelques études particulières. Le livre de S. Wild sur la t. moderne du Liban fournit un matériel important, mais beaucoup de localisations proposées pour les toponymes mentionnés dans les anciennes sources proche-orientales n'ont pas encore été testées sur place par des prospections ou fouilles archéologiques. Certaines propositions ne résistent du reste pas à l'examen critique du linguiste, parce qu'elles sont inspirées surtout par l'homonymie avec des toponymes modernes. Enfin, presque tout le matériel toponymique jusqu'à l'araméisation de la Phénicie vers la fin du Ier mill. av. J.C. est transmis par des sources non phén., ce qui entrave une reconstitution phonologique sûre.

A *Toponymes pré-cananéens.* L'existence d'une strate de toponymes non sémitiques, c.-à-d. pré-cananéens, en Phénicie même est controversée. On a prétendu que des toponymes de la Phénicie du N., p.ex. *Waḫlia, Ullasa, Ammia*, ont des traits non sémitiques. Au S., c'est *Usu* (ég. *'I̠t*) qui ne serait pas sémitique. Même si une interprétation étymologique de ces toponymes ne semble pas possible actuellement, leur origine non sémitique n'en constitue pas un corollaire nécessaire, car on ignore l'articulation exacte de ces noms, faute de sources indigènes.

B *Toponymes (paléo)phéniciens dans la tradition proche-orientale.* Presque toute la t. des sites phén. mentionnés dans les sources de l'ancien Proche-Orient depuis le IIIe mill. jusqu'à l'araméisation vers la fin du Ier mill. av. J.C. semble être d'origine ouest-sémitique, voire cananéenne, même si beaucoup de ces toponymes manquent d'une étymologie convaincante. La transmission de ces noms suppose fréquemment une longue occupation de beaucoup de sites côtiers et une différenciation en diverses strates n'est pas possible, bien que quelques localités ne puissent être que des fondations phén. du Ier mill. En revanche, le matériel toponymique peut être partiellement subdivisé d'après des critères morphologiques. La majorité des noms paraît formée à l'aide de la désinence du féminin cananéen *-ā* ou *-at*: *Irqata, Ṣimirra, Šigata, Ṣarepta*, etc. D'autres toponymes ont la terminaison du féminin pluriel cananéen en *-ōt*, p.ex. *Bērūta*; quelques-uns finissent en *-ōn*, désinence locative cananéenne: *Baṭrūna, Ṣidūn(u), Kašpūna*, etc. Ces orthographes de la tradition cunéiforme doivent, bien sûr, être interprétées et l'on doit aussi tenir compte des terminaisons akkadiennes et de certaines graphies particulières, p.ex. akk. *Ṣurru/i* pour *Ṣūr/Túros*.

a *Sources du IIIe millénaire*. Une question très débattue dans les milieux scientifiques est celle de savoir si des données toponymiques des archives cunéiformes d'→Ébla se réfèrent au territoire phén. Le toponyme bien attesté DU-*lu*ki a été lu *Gub-lu*ki et identifié avec DU-*la* = *Gub-la*, "→Byblos" dans les lettres d'el→Amarna. On a proposé aussi de retrouver à Ébla des mentions de *Birūtu, Irqata, (Bīt-)Arḫa, Ṣarepta, Ṣidūnu?, Ṣur(ru)* et du pays de *Labanan*, "Liban". Aucune de ces identifications n'est pour l'instant assurée. En revanche, →Ugarit semble bien apparaître dans une liste géographique et Byblos est attestée sous la forme *Ku-ub-la*ki dans deux documents de la IIIe dynastie d'Ur (AfO 19 [1959-60], p. 120-122).

b *Textes paléo-babyloniens*. Les sources mésopotamiennes du IIe mill. av. J.C., en particulier les archives de →Mari, mentionnent Ugarit, Byblos, le pays d'→Amurru et, dans l'arrière-pays, Hazôr et Laïsh. Les noms des Monts →Hermon (*Saria*) et →Liban (*Labnān*) apparaissent dans l'Épopée de Gilgamesh (ANET, p. 504b).

c *Lettres d'el-Amarna*. Les documents cunéiformes d'el-Amarna comportent des lettres en provenance de villes phén. et mentionnent →Ammiya, Ampi (→Ampa), →Ardata, →Arwad, →Batroun, →Beyrouth, →Bit-Arḫa, Byblos, →Arqa (*Irqata*), *Ṣumur* (Tell →Kazel), *Šigata* (→Sagû), Ullasa (→Orthosia), →Usu, *Waḫlia* (→Tripolis) et →Yarimuta. La localisation des villes dont la situation précise n'est pas encore assurée, peut s'appuyer sur les indications topographiques de ces lettres, mais elles sont insuffisantes pour permettre de déterminer des emplacements exacts. On peut toutefois dire avec assurance que plusieurs de ces villes appartenaient alors au territoire d'Amurru, tout comme Arqa et Batroun.

d *Sources égyptiennes*. Dans les documents de l'Ancien Empire, on ne trouve que *Kpn*, "Byblos". Les textes d'exécration du Moyen Empire mentionnent au moins Byblos, Ullasa, Arqa et Tyr. Les listes toponymiques de Thoutmès III et de Ramsès III se réfèrent à la Syrie du N. et à la →Béqaa, mais on manque d'une telle source d'information pour la côte phén. et les données topographiques liées à la bataille de Qadesh, au temps de Ramsès II, sont controversées. Outre les localisations assurées de la Béqaa, on a proposé diverses identifications avec des sites modernes dans la montagne du Liban et dans la région de Tripolis, p.ex. *il-Qalamūn* étant rapproché de l'égyptien *Q-l-m-n*. Outre une liste de Séthi I, qui énumère Byblos, Arwad et Usu, c'est le *Pap. Anastasi I* qui est une des sources les plus riches, puisqu'il mentionne Beyrouth, Byblos, Sidon, Simyra, Sarepta, Tyr et Usu.

e *Sources ugaritiques et hittites des XIVe-XIIIe siècles, Alalakh et Émar*. Les sources hittites ne citent qu'une fois Byblos et une liste des dieux invoqués à l'occasion d'un serment mentionne Arqa (*Argata*). Les documents cunéiformes d'Ugarit et de →Ras Ibn Hani fournissent peu d'informations toponymiques, à part les noms de grandes cités et des villages du royaume d'Ugarit, notamment de ses régions méridionales qui s'étendaient jusqu'aux villes de →Siyān(u) et d'→Ushnatu/Ushnu. Quant aux documents d'→Émar et d'→Alalakh, ils ne paraissent pas contenir de toponymes de la Phénicie proprement dite, si ce n'est Ammiya (AlT) et Arwad (AlT); l'Autobiographie d'Idrimi (ANET, p. 557-558; TPOA, p. 42-43) mentionne aussi "Ammiya au pays de Canaan" (l. 19-20), peut-être Ullasa (l. 68) (→Orthosia) et le Mont Saphon (l. 33) (→Baal Saphon).

f *Sources méso- et néo-assyriennes*. Après les lettres d'el-Amarna, ce sont les inscriptions royales assyriennes (→Assyrie) qui fournissent les informations les plus détaillées sur la t. phén. À part les mentions fréquentes de grandes cités dans les Annales, traités, listes de tribut et autres textes, on ne trouve toutefois que de rares références à des localités plus petites; p.ex., outre Sidon et Tyr, c'est uniquement le centre administratif de →Kaspuna qui est cité dans une lettre de Nimrud. Il n'y a pas d'appellation globale pour la Phénicie, mais les Assyriens ont utilisé quelquefois le nom d'Amurru pour désigner la Phénicie du N. Les provinces assyriennes étaient nommées d'après leurs centres administratifs, p.ex. Kaspuna ou Simyra à l'époque de Téglat-Phalasar III. Les mentions du "Mont Liban" ou des "rois/cités du bord de la mer" comprennent certaines régions de la Phénicie et on signale régulièrement la situation "dans la mer" (*ša qabal tâmti*) des États insulaires d'Arwad, de Tyr et parfois de Sidon. On ne trouve pas d'attestations de noms fluviaux. Les premières informations sur la Phénicie nous arrivent d'Assyrie au temps de Téglat-Phalasar I (1114-1076), qui atteint la côte du N. de la Phénicie et fait mention de Byblos, de la cité insulaire d'Arwad, de Sidon et de Simyra, toutes au pays d'Amurru (ANET, p. 275; TPOA, p. 71-72). Plus tard, les grandes cités phén. sont souvent attestées dans les inscriptions des rois assyriens. Outre le tribut de Tyr, Sidon, Byblos et Arwad, Assurnasirpal II nomme, en 875, →Mahalata, →Kaisa et →Maisa, dont la localisation précise est inconnue (ANET, p. 276b). Siyān(u), Arwad, Arqa et Ushnatu font partie d'une coalition anti-assyrienne dirigée contre Salmanasar III, en 853 (ANET, p. 278-279; TPOA, p. 85-86). La liste de Téglat-Phalasar III, dressée en 738, revêt une grande importance pour la topographie de la Phénicie du N. (ANET, p. 283b; TPOA, p. 101). Elle énumère, entre la montagne de Baal Saphon et Kaspuna, près de →Tripolis, les villes de Gubla (→Gabala), Ushnu, Arqa, Zimarra, Siyān(u), Simyra,

[...]'*rabā, Ri'sisû*. Les Annales de Sennachérib (704-681) contiennent une liste de toponymes de la Phénicie du S., dont la succession topographique est incertaine (ANET, p. 287a; TPOA, p. 119): Sidon-la-Grande (cf. *Jos.* 11,8), Sidon-la-Petite, →Bit-Zitti, →Sarepta, →Mahallib, →Usu, →Akzib et →Akko. Une importante liste de toponymes de la Phénicie du S. se lit aussi dans les inscriptions d'Asarhaddon (680-669): →Bit-Ṣupuri, →Sikkû, →Gi', →Inimme, Hildua (→Khaldé), →Qartimme, →Birû, Kilmê, →Bitirume, →Sagû, →Ampa, →Bit-Gisimeia, →Birgi, →Gambulu, →Dalaimme et →Isihimme, "villes des environs de Sidon, où il y avait pâturages et points d'eau, ses points d'appui", ainsi que →Marubbu. Malgré divers essais d'identification, la localisation exacte de la plupart des sites mineurs demeure incertaine et dépend d'une vérification archéologique. La fondation assyrienne de *Kār-Aššur-aḫu-iddina*, "Kar-Asarhaddon", près de Sidon, n'eut qu'une existence éphémère (AfO, Beih. 9, p. 48).
KKes

g *Sources phéniciennes*. Les inscriptions et légendes monétaires phén. mentionnent, outre Byblos, Sidon et Tyr, un nombre relativement important de toponymes de la région, à commencer par le nom du Mont Liban (*Lbnn*), livré par l'inscription du →Baal du Liban (CIS I,5; cf. 3914,1), et celui de l'Amanus (*Ḥmn*; →Baal Hamon, →Paar 2). La découverte d'un cachet fiscal au nom de *Ṣrpt* lors des fouilles régulières entreprises près du village actuel de *Ṣarafand* garantit l'identification complète de Sarepta, tandis que la mention des "citoyens de Hammon" (*b'l Ḥmn*) et du "dieu de Hammon" (*'l Ḥmn*) à →Umm el-Amed (TSSI III,31,3.4; 32,1) révèle l'emplacement exact de la localité de Hammon, mentionnée dans *Jos.* 19,28. Les sceaux urbains d'→Akshaph (*'kšp*), de Bit-Zitti (*Bt-zt*), de →Bêt-Bétèn (*Bt-bṭn*) et peut-être de la ville phén. du site de Tell →Abu Hawam (*Lbt*, →Libnat) font connaître la forme phén. de ces toponymes, tout comme l'inscription d'→Eshmunazor II (KAI 14 = TSSI III,28,19) le fait pour →Dor (*D'r*) et pour →Jaffa (*Ypy*). Les inscriptions sidoniennes citent aussi plusieurs quartiers de Sidon (KAI 15) et dévoilent le nom phén. de →Bostan esh-Sheikh, *'n Ydl*, "Source de →Yidal" (TSSI III,28,17; 29,1). Une légende monétaire de Beyrouth donne l'orthographe phén. de →Canaan (*Kn'n*) et de →Laodicée (*L'dk'*), dont le nom est écrit d'une manière quelque peu différente à Umm el-Amed (KAI 18,3: *L'dk*). D'autres monnaies livrent le nom d'→Amrit (*Mrt*) et de →Carné (*Qrn*). Il faut signaler aussi les gentilices *'rwdy* (BCH 93 [1969], p. 698), "Arwadien", *'šqlny* (CIS I,115), "Ascalonite", *'ky* (KAI 20), "d'Akko".

h *Sources bibliques*. L'A.T. cite diverses cités phén. La "liste des peuples" de *Gn.* 10,15-18 mentionne Sidon, Arqa, Siyān, Arwad et Simyra, tandis que la description du territoire idéal de la tribu d'Asher (*Jos.* 19,24-31; cf. *Jg.* 1,31-32) énumère Akshaph (*'Akšāp*), Bétèn (*Beten*), le Mont →Carmel (*Karmel*), Libnat (*Libnāt*), →Kabul (*Kābûl*), Hammon (*Ḥammôn*), →Qana (*Qānāh*), Sidon (*Ṣîdôn*), Tyr (*Ṣor*), Usu? (*Hosāh*), Mahallib (**Mḥlb*), Akzib (*'Akzîb*), Akko (*'Akkô*), ainsi qu'une quinzaine d'autres localités de la région de Tyr et d'Akko. Par ailleurs, *Ez.* 26-28 se réfère à Tyr, mais aussi à Sidon, Arwad, Byblos (*Ez.* 27,8-9; cf. 28,22), aux monts Senir (Hermon) et Liban (*Ez.* 27,5), tandis que d'autres passages mentionnent encore le Sidonien et le Giblite (*Jos.* 13,4-5), les Tripolitains (*Esd.* 4,9), Byblos et Tyr (*Ps.* 83,8), Sarepta (*1 R.* 17,9-10). Il faut également tenir compte des sources hébraïques post-bibliques.

i *Sources gréco-latines et médiévales*. Les sources classiques gr., lat., puis byzantines, syriaques et arabes constituent les chaînons entre la t. phén. et la t. moderne. Ces sources nous confrontent à des problèmes linguistiques, comme le montrent les graphies gr. *Túros* pour *Ṣūr* ou *Búblos* pour *Gubla/Gubal*, mais n'en sont pas moins importantes. On signalera en particulier le →*Périple* du Pseudo →Skylax, les données rassemblées par les *Histoires* de Polybe, la *Géographie* XVI 2 de →Strabon, la *Bibliothèque* de Diodore de Sicile, le *Tour du monde* de →Denys le Périégète avec le commentaire d'Eustathe, la *Géographie* V 14-15 de Claude Ptolémée et la *Table de Peutinger*. C'est au tournant des IIIe-IVe s. que se place l'*Itinerarium provinciarum Antonini Augusti*, qui évalue en milles rom. les distances entre les villes principales, puis le *Stadiasme de la Grande Mer* (→Périples 8), l'*Itinéraire du Pèlerin de Bordeaux*, suivi d'autres récits de →voyageurs, l'*Onomasticon* d'→Eusèbe de Césarée, œuvre capitale de la géographie levantine du IVe s., puis l'*Expositio totius mundi et gentium*, où la Syro-Phénicie et la Palestine ont leur place (SC 124). La *Notitia Dignitatum* du Ve s. et les *Ethnica* d'Étienne de Byzance, connus par leur épitomé, sont suivis des ouvrages des anciens géographes arabes, dont les principaux sont le *Mu'ǧam mā sta'ǧam* d'al-Bakrî (1040-1094) et le *Mu'ǧam al-Buldān* de Yaqut al-Ḥamawî (1179-1229). Ce matériel arabe est le plus difficile à évaluer, parce que les anciens noms ont fréquemment subi des changements phonétiques ou ont reçu une étymologie populaire qui en a influencé la prononciation ou l'orthographe. Il faut comparer ces informations à la t. des écrits talmudiques et syriaques, parmi lesquels émerge la *Chronographie* de Bar-Hebraeus (1226-1286), ainsi qu'au matériel contenu dans les œuvres des historiens occidentaux des Croisades, notamment les *Chroniques* de Guillaume de Tyr (*c.* 1130-1184), qui sont particulièrement riches du point de vue toponymique.
ELip

j *Toponymie moderne*. Il est difficile de reconstituer la t. (paléo)phén. à partir des toponymes modernes, d'autant plus qu'il n'est point aisé de distinguer la strate (paléo)phén. de la strate araméenne, quand il n'y a pas de tradition écrite. On peut cependant relever *c.* 60 toponymes modernes dont l'origine cananéenne ou (paléo)phén. est plus ou moins assurée, notamment dans les cas suivants: a) les toponymes à terminaison *-ūt* < phén. *-ōt*: *'Ainūt, 'Aṣaimūt, Bairūt, Ramūṭ, Šammūt*; b) quelques toponymes à suffixe *-āt* < phén. fém. plur. *-ōt*: *Ḥamāt, Ġiyyāt, Ṣūrāt*; c) des noms à terminaison *ā* < phén. *-ā/-at* ou *-ōn* réduit: *'Arqa, Ba'na, Dūmā'*, *Ḥammāna, Kūsbā, Qaṣr Naba, 'Ain Qāna, Ṣaida* (< *Ṣîdōn*); d) des noms à terminaison *-īt* < phén. *-īt*: *'Aitanīt, Kfar Tanīt, Tibnīt*; e) un bon nombre de toponymes à terminaison *-ūn* < phén. *-ōn*:

'Aramūn, 'Arnūn, 'Arzūn, Batrūn, Ḥabrammūn, Ḥaṣrūn, Maidūn ("eaux d'Adonis"), *Maifdūn, Marǧa'ayūn, Ṣaidūn, Šārūn, Qabr Šmūn* ("tombe d'Eshmun"), *Zakrūn*; f) des toponymes à terminaison *-i/ul* ou *-āyil*, formés le plus souvent à partir d'anthroponymes phén. avec l'élément théophore *-'El*: *Bsib'il, Dā'il, Zibdul, Qarnāyil* ("corne d'Él"), *Sa'dnāyil*; g) des toponymes à préfixe *y-*: *Yāḥūn, Yānūḥ, Yārin, Yāsū'*; h) un bon nombre de toponymes modernes formés sans affixes: *Dib'āl, Arwad* (Arwad), *Ṣarafand* (Sarepta), *Ṣūr* (Tyr), *Mazra'at, Šilba'l, Taršiš, Maraḥ iṭ-Ṭīt, Ǧbail* (Byblos). KKes

2 Chypre et Occident La t. phén.-pun. des régions colonisées au Ier mill. av. J.C. se présente évidemment sous un aspect tout différent et il faut tenir compte d'un nombre élevé de toponymes indigènes, non sémitiques. À Chypre, où plusieurs noms de lieu sont connus en transcription phén., seules *Qrtḥdšt*, la →Carthage de Chypre, et peut-être →Salamine ont une origine sémitique. Dans l'archipel maltais, →Gozzo, *Gwl*, porte apparemment le nom d'un type de →navire phén. et l'on serait dont porté, sans preuve à l'appui, de rattacher le nom pun. de →Malte, *'nn*, au mot *'ŏnî*, "bateau". Quelques séries de toponymes phén.-pun. émergent grâce à la présence d'éléments aisément identifiables: *qrt*, "ville" (→Carthage, →Carthagène, →Carteia, →Cartima?), *mqm*, "lieu" (→Macomades, *Mqm Šmš* →Lixus), *'y*, "île" (*'ynṣm*, Île des →Éperviers, *'yrnm* →Pantellaria, *'ybšm* →Ibiza, *'yksm* →Icosium, * *'yglgl* →Igilgili, Iol →Cherchel, →Iomnium, *'ytnm* [KAI 99], *'y'rm* [EH 102]), *r(')š*, "cap" (*Rš'dr* →Rusaddir, *R'š Mlqrt* →Rosh Melqart, →Rusazus, →Rusguniae, Rusibis/Rutubis →El-Djadida, →Ruspe, →Ruspina, →Rusubbicari, →Rusubisir, →Rusuccuru, →Rusucmona), *sl'*, "rocher" (→Solo), *'n* ou *m'yn*, "source" (*Byt'n* →Bitia, →Mainakè; cf. →Inimme). Le nom de →Gadès, *h/'-Gdr*, "l'enclos", est également facile à reconnaître, celui de →Byrsa peut se décomposer en *Br-š*, "puits de brebis", et *Mlk'*, →Málaga, pourrait provenir de **mahlakat*, "lieu de passage", d'où "escale", tandis que *'šlyt* peut désigner "la pêcherie" (→Dchar Djedid). *Ṣyṣ*, →Palerme, est un toponyme phén. qui peut signifier "guirlande", comme en hb. (*Is.* 28,1), et désigner le contour verdoyant du vieux port, et *Mṭw'*, →Motyé, pourrait évoquer le mouillage "couvert" du côté de la haute mer par le cordon littoral, à supposer que le mot se rattache à la même racine que l'arabe *ṭawā*. Certains toponymes ont pu être apportés de l'Orient, peut-être Sexi (→Almuñécar) qui pourrait évoquer →Sukas, mais un grand nombre de localités habitées par des Phéniciens, des Puniques, des Libyens ou des Sardes punicisés portent des noms indigènes, p.ex. Kition, Tharros, Tanger. Les sources dont on dispose ne sont du reste pas idéales, car il faut se baser souvent sur la transcription gr. ou lat. des toponymes qui tend à oblitérer la prononciation phén.-pun. des noms ou de certains éléments des noms. Certes, la numismatique et l'épigraphie (néo)pun. livrent toute une série de noms d'Afrique du N., de Sicile, de l'Espagne du S., mais il en résulte plus d'une fois qu'un toponyme d'assonance apparemment sémitique ne l'est pas en réalité, p.ex. dans le cas de *Krṭn*, Cirta (→Constantine), ou de *Krly*, →Cagliari. ELip

Bibl. DEB, p. 237-238, 1274-1275 (bibl.); Dussaud, *Topographie*; M. Noth, *Zum Ursprung der phönizischen Küstenstädte*, WO 1 (1947-52), p. 21-28; *Itineraria et alia Geographica*, Turnhout 1965; H. Klengel, *Geschichte Syriens im 2. Jahrtausend v.u.Z.* III, *Historische Geographie und allgemeine Darstellung*, Berlin 1970; S. Parpola, *Neo-Assyrian Toponyms*, Kevelaer-Neukirchen-Vluyn 1970; W. Helck, *Die Beziehungen Ägyptens zu Vorderasien im 3. und 2. Jahrtausend v. Chr.*, Wiesbaden 1971[2]; A. Freyha, *A Dictionary of the Names of Towns and Villages in Lebanon*, Beirut 1972; Wild, *Ortsnamen*; *Répertoire géographique des textes cunéiformes*, Wiesbaden 1974-85; M. Sznycer, *Recherches sur les toponymes phéniciens en Méditerranée occidentale*, La toponymie antique, Leiden 1977, p. 163-175; G. Pettinato, *Le città fenicie e Byblos in particolare nella documentazione epigrafica di Ebla*, ACFP 1, Roma 1983, p. 107-118; Aḥituv, *Toponyms*; G. Cornu, *Atlas du monde arabo-islamique à l'époque classique: IXe-Xe siècles, 2. Répertoire des toponymes*, Leiden 1985; B.S.J. Isserlin, *Phoenician and Arabic Place Names in North Africa*, L. Serra (éd.), *Gli interscambi culturali e socio-economici fra l'Africa settentrionale e l'Europa mediterranea* I, Napoli 1986, p. 145-151; Z. Kallai, *Historical Geography of the Bible*, Jerusalem 1986; R.B.C. Huygens - H.E. Mayer (éd.), *Willelmus, archiepiscopus Tyriensis: Chronicon* I-II, Turnhout 1986; G. Reeg, *Die Ortsnamen Israels nach der rabbinischen Literatur*, Wiesbaden 1989.

TORRE DEL MAR Petite ville du littoral espagnol, à 30 km à l'E. de →Málaga, T. del M. domine la riche plaine du Río de Vélez. L'importance stratégique et économique de la zone, due à sa situation et aux ressources de la pêche et de l'agriculture, n'est pas restée inaperçue des Phéniciens, comme le montre l'ensemble archéologique de la région, un des plus significatifs du S. de l'Espagne. Il présente une séquence presque complète des périodes phén. et pun.: à l'embouchure du Vélez se trouve la colonie phén. de →Toscanos (VIIIe-VIe s.) avec sa →nécropole archaïque à incinération à Cerro del Mar, sur la rive opposée du fleuve. Au VIe s., à la suite d'une restructuration du peuplement colonial, la population de Toscanos s'est déplacée à Cerro del Mar (VIe-IIIe s.) et a transféré sa nécropole d'époque pun. à Jardín, en amont du fleuve. Dans la région de T. del M., à Vélez Málaga et à Cerca Niebla, on a identifié aussi des vestiges de peuplements indigènes de l'époque phén.

Bibl. H.G. Niemeyer, *Ergebnisse der Grabungen in der archäologischen Zone von Torre del Mar (Málaga)*, MDOG 104 (1972), p. 5-44; H. Schubart - H.G. Niemeyer, *Untersuchungen zur westphönizischen Archäologie im Raum von Torre del Mar*, AA 1978, p. 230-249; *Forschungen zur Archäologie und Geologie im Raum von Torre del Mar 1983/84*, Mainz a/R 1988. MEAub

TOSCANOS Nom moderne du site d'un important établissement phén. situé à 2 km à l'O. de →Torre del Mar (Prov. Málaga, Espagne), sur un petit mamelon saillant des collines côtières à l'O. de l'embouchure du Río de Vélez (fig. 361). L'embouchure du fleuve, aujourd'hui comblée d'alluvions, offrait de bonnes grèves où les bateaux pouvaient accoster et où on avait construit des installations portuaires. Un col distant de 24 km franchit la Sierra de Tejeda (2.135 m) à 907 m d'altitude et donne accès à la région de Grenade et au bassin minier de Linares (→mines). Le site fut reconnu par A. Schulten, qui avait voulu l'identifier à la colonie phocéenne de →Mainakè, mentionnée entre autres par Strab. III 4,2, mais ses sondages (1939, 1941) ne donnèrent aucun résultat. Stimulé par une prospection en 1961, l'Institut Archéologique Allemand de Madrid y entreprit des fouilles dès 1964. Le noyau de l'établissement, fondé *c.* 740/30 av. J.C., avait une superficie de *c.* 2,5 ha et était protégé par un système défensif avec un fossé profond en forme de 'V': le centre de l'établissement comportait, à ses débuts, des maisons en briques crues, ainsi qu'une aire d'entrepôt où l'on érigea, vers la fin du VIIIe s., un grand édifice à trois ailes, servant de magasin (édifice C). Au cours du VIIe s. av. J.C., l'habitat se répandit sur les pentes des côteaux avoisinants, notamment sur le Cerro del Alarcón au N., où l'on note trois phases de construction, la dernière étant représentée par une muraille de *c.* 3,50 m d'épaisseur (!), et sur le Cerro del Peñón à l'O., où l'on a trouvé les vestiges d'une installation métallurgique destinée au travail du fer (→métallurgie). Vers la même époque, une réorganisation totale eut lieu au centre de la factorerie où l'on érigea des bâtiments de grandes dimensions, en pierres de taille (niveau V), dont l'usage fut manifestement d'une courte durée (fig. 362). La fin de l'occupation phén. date du VIe s. et le site de T. resta plus ou moins abandonné jusqu'à l'époque d'Auguste, quand il fut occupé par une villa appartenant à un centre assez important de fabrication du →garum. D'ailleurs, c'est dès le milieu

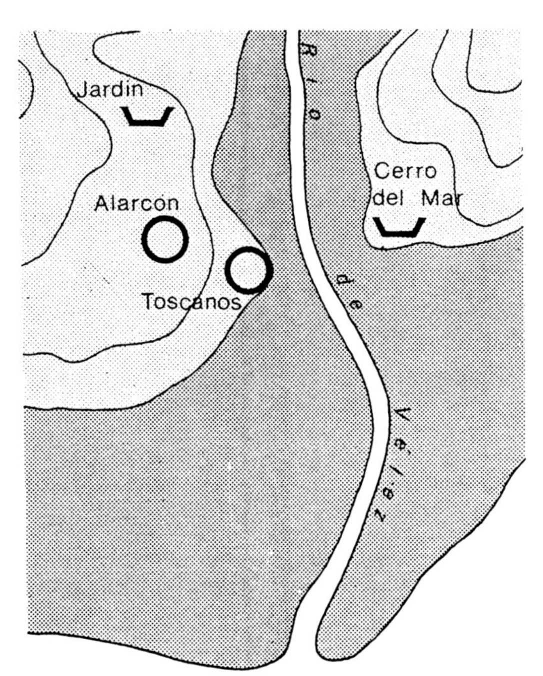

Fig. 361. Localisation des sites antiques de Toscanos. Le pointillé indique les terres immergées à l'époque de l'établissement phén.

Fig. 362. Le mur en pierres de taille, Toscanos.

du IVe s., donc à l'époque "pun.", qu'un habitat et un centre florissant de salaison s'étaient développés sur la rive opposée du fleuve, sur le Cerro del Mar, et avaient subsisté jusqu'en pleine période rom. Des nécropoles contemporaines de l'établissement des VIIIe-VIe s. on ne connaît que les restes d'une tombe à fosse sur la pente occidentale du Cerro del Mar, mais on a trouvé, dès le XVIIIe s., maints objets erratiques, urnes d'→albâtre, →céramiques, brûle-parfum de bronze, provenant de mobiliers funéraires trouvés soit sur le Cerro del Peñón, soit au lieudit "Casa de la Viña". À 300 m au N. de l'Alarcón, on a fouillé la nécropole de "Jardín", avec des →tombes (2A,B) à sarcophages et à cistes, qui fut en usage du VIe au IVe s. et correspond peut-être à un habitat sur le Cerro del Mar. Les trouvailles épigraphiques se limitent à quelques graffiti ou signes phén. sur céramique, datables vers le VIIe s. (CIE 09. 01-06).

Bibl. H.G. Niemeyer, *Die phönizische Niederlassung Toscanos: eine Zwischenbilanz,* H.G. Niemeyer (éd.), *Phönizier im Westen*, Mainz a/R 1982, p. 185-206; id. *El yacimiento fenicio de Toscanos: urbanística y función*, AulaOr 3 (1985), p. 109-126; H. Schubart - O. Arteaga, *El mundo de las colonias fenicias occidentales*, Homenaje a L. Siret, Sevilla 1986, p. 514-525 (bibl.); *Forschungen zur Archäologie und Geologie im Raum von Torre del Mar 1983/84*, Mainz a/R 1988.

HGNiem

TOUR DE STRATON En gr. *Strátōnos púrgos*, aram. *Migdal Šr(w)šn d^{e}-Qays^{e}rî* (Tosephta, *Shebi'it* IV 10), "Tour de 'Straton' de Césarée"; (cf. Mosaïque de Tell eṣ-Ṣārim 13), point d'appui fondé au IVe s. par →Straton I de Sidon, puis cité portuaire phén., entre →Dor et →Jaffa (Fl. Jos., *A.J.* XV 333; *B.J.* I 409), en Israël. La T. de S. est mentionnée en 259 av. J.C. dans le Pap. Zénon 59004 et qualifiée d' "escale" par Strab. XVI 2,37. Conquise par Zoïlos, tyran de Dor, puis par les Hasmonéens, elle échut à Hérode le Grand qui, en l'an 9 av. J.C., lui donna le nom de Césarée en l'honneur de César Auguste. On a pu identifier les vestiges de la ville hellénistique du IIe s. av. J.C., ceinte d'un rempart et pourvue d'un ou deux mouillages.

Bibl. DEB, p. 253-254; EAEHL, p. 270-285; PECS, p. 182; PW III, col. 1291-1294; L.I. Levine, *À propos de la fondation de la Tour de Straton*, RB 80 (1973), p. 75-81; id., *The Hasmonean Conquest of Straton's Tower*, IEJ 24 (1974), p. 62-69; id., *Caesarea under Roman Rule*, Leiden 1975, p. 5-14; J. Ringel, *Césarée de Palestine*, Paris 1975, p. 15-26; C.T. Fritsch (éd.), *Studies in the History of Caesarea Maritima*, Missoula 1975, p. 19-22; A. Raban, *The City Walls of Straton's Tower*, BASOR 268 (1987), p. 71-88; id., *The Harbours of Caesarea Maritima I. The Site and the Excavations*, Oxford 1989; J.A. Blakely, *The City Walls of Straton's Tower: A Stratigraphic Rejoinder*, BASOR 273 (1989), p. 79-83. ELip

TRAITÉS Dans l'ancien Proche-Orient, des t. internationaux réglaient les relations non seulement entre souverains de rang égal (t. de parité), mais aussi entre suzerains et vassaux (t. de vassalité). Cet usage diplomatique est attesté également dans les →Cités-États de civilisation phén. et apparaît plus tard dans le monde gr.-rom. Toutefois, au contraire de la Syrie du N. et de l'Anatolie, rares sont les t. relatifs aux États phén.-pun. dont le texte même nous soit parvenu. Le plus souvent on ne dispose que de données historiographiques.

1 Il existait un accord commercial entre →Hiram I de Tyr et le roi Salomon (*1 R.* 5; *2 Ch.* 2), lequel, par ailleurs, vendit à Hiram la région de →Kabul (*1 R.* 9, 11b-14). Ces accords donnèrent lieu à des échanges de lettres, mais il ne résulte pas des textes bibliques que l'on rédigea alors des t. proprement dits.

2 Le mariage de →Jézabel, fille d'→Ittobaal I (2) de →Tyr, avec Achab, fils du roi Omri d'→Israël (*1 R.* 16, 31), se présente comme un mariage diplomatique, mais on ignore s'il venait sceller des liens fondés sur un t. de parité.

3 La coalition anti-assyrienne qui s'opposa à Salmanasar III en 853, à la bataille de Qarqar, comptait des contingents envoyés par des cités de la Phénicie du N. (ANET, p. 278-279; TPOA, p. 86). Rien n'indique jusqu'ici que cette alliance était basée sur un t. proprement dit. La même remarque vaut pour les alliances militaires conclues au VIIe s. entre →Abdimilkutti, roi de Sidon, et le roi Cilicien Sanduarri, puis entre le roi →Baal I de Tyr et le pharaon Taharqa (TPOA, p. 129-131).

4 On possède, en revanche, le t. de vassalité imposé *c.* 675-670 par Asarhaddon au même Baal I de Tyr. Ce t. limitait la liberté d'action des Tyriens, tout en reconnaissant implicitement le rôle irremplaçable de leur flotte marchande (SAA II, 5).

5 Carthage conclut, dès la première moitié du VIe s., un ou plusieurs t. avec l'→Étrurie gouvernée encore par un unique *lucumo* ou avec diverses cités étrusques, à quoi fait allusion Arstt., *Pol.* III 9,6 (StV II,116). On a proposé de voir un reflet d'une de ces alliances dans la quasi-bilingue de →Pyrgi.

6 Entre 483 et 481, Carthage conclut une alliance anti-gr. avec Xerxès I (StV II,129; Huß, *Geschichte*, p. 98-99). Il n'y a nulle raison de douter de l'historicité de ce t., vu les relations existant entre la métropole africaine et les cités phén. de l'Empire achéménide, lesquelles prêtaient main-forte aux →Perses lors des →guerres médiques.

7 Les guerres de Sicile donnèrent lieu à divers t. La campagne d'→Hamilcar (1) en 480 se termina par un t. passé avec Gélon, le tyran de Géla et de Syracuse (StV II,131). Denys I de Syracuse conclut un t. de paix avec Carthage en 408 (StV II,210; Huß, *Geschichte*, p. 122-123), puis en 392 (StV II,233; Huß, *Geschichte*, p. 135) et en 374/3 (StV II,261; Huß, *Geschichte*, p. 139-140). En 341, la coalition anti-carth. de cités siciliennes (StV II,338) vit Markos de Catane et Hikétas de Leontinoi s'allier aux Carthaginois (StV II,341), que les échecs amenèrent toutefois à signer la paix avec Timoléon de Syracuse, probablement en 339 (StV II,344; Huß, *Geschichte*, p. 165-166). Une éphémère alliance anti-carth. fut conclue en 309 entre →Agathocle de Syracuse et Ophellas de Cyrène (StV III,432; Huß, *Geschichte*, p. 175), mais l'insuccès de l'expédition syracusaine contre Carthage aboutit à un t. entre celle-ci et les troupes d'Agathocle, en 307 (StV III,436), puis à un t. de paix avec Agathocle lui-même, en 306 (StV III,437; Huß, *Geschichte*, p. 200-202). Enfin, en 264, au cours de la 1re →guerre pun., un accord fut conclu entre les Carthaginois (→Hannon 14) et →Hiéron II de Syracuse (Diod. XXIII 1,2).

8 D'après une inscription trouvée à →Athènes, celle-ci chercha en 406 à conclure un accord avec →Hannibal (1) et →Himilcon (2) qui assiégeaient alors Agrigente. L'état très fragmentaire du texte ne permet pas de s'en faire une idée exacte, mais la découverte même de l'inscription témoigne de l'existence effective du t. (IG I^3^, 123 = StV II,208; Huß, *Geschichte*, p. 117-118), dont les historiographes classiques n'ont conservé aucun souvenir.

9 Entre la première moitié du Ve s. et 306, Carthage conclut avec →Rome (1A) cinq t. d'alliance. Le texte original du premier traité (StV II,121; Huß, *Geschichte*, p. 86-92), gravé sur une table en bronze, était encore conservé à l'époque de Polybe (III 26,1) dans le trésor des édiles près du temple de Jupiter Capitolin. L'usage de graver le texte des t. sur des tables de bronze remonte au IIe mill., comme l'attestent les trouvailles récentes de Boghazköy, le site de l'ancienne capitale hittite. Le second t., conclu en 348 (StV II,326; Huß, *Geschichte*, p. 149-155), associe solidairement Carthage à Tyr et à Utique. Il fut suivi d'un troisième t., lequel, conformément à Liv. VII 38,2, devrait remonter à 343 (Huß, *Geschichte*, p. 167-168). C'est de 306 que daterait le quatrième t., le t. dit de Philinos (StV III,438; Huß, *Geschichte*, p. 204-206), tandis que le cinquième t., conclu en 279/8, était dirigé contre →Pyrrhus (StV III,466; Huß, *Geschichte*, p. 210-211; →Rome 1A). En outre, il convient de mentionner les pourparlers de paix entre Romains et Carthaginois au cours de l'hiver 256/5 (StV III,483), les conditions de la capitulation de Palerme en 254 (StV III,484), l'accord conclu en 247 entre Rome et Carthage concernant l'échange des prisonniers de guerre (StV III,488), le t. de paix de l'an 241 (StV III,493; Huß, *Geschichte*, p. 249-251), qui mettait un terme à la 1re →guerre pun., les capitulations de l'an 238/7 qui livraient la Sardaigne aux Romains (StV III,497; Huß, *Geschichte*, p. 266-268), le traité signé en 226/5 entre Rome et →Hasdrubal (4) (StV III,503; Huß, *Geschichte*, p. 277-278), qui s'engageait à ne pas franchir l'Èbre, l'accord conclu en 217 entre Q. Fabius Maximus (→Fabii 3) et →Hannibal (6) concernant l'échange des prisonniers (StV III,521), les conditions de la capitulation d'unités rom. après la bataille de Cannes (StV III,522) et le siège de Casilinum (StV III,526), ainsi que les clauses des t. de paix de 203/2 et 202/1 qui mettaient fin à la 2e guerre pun. (StV III,548; Huß, *Geschichte*, p. 412-424).

10 Vers le début de la 2e guerre pun., →Hannibal (6) conclut un accord avec des tribus gauloises (StV III,519). Après la bataille de Cannes, en 216, il signa plusieurs t. avec des cités d'Italie, comme →Capoue (StV III,524), Nuceria, Acerrae (StV III,525), Locres (StV III,527), puis avec Tarente (StV III,531) et les Lucaniens (StV III,532). Par ailleurs, il conclut en 215 une alliance militaire avec →Philippe V de Macédoine (StV III,528; Huß, *Geschichte*, p. 341-344), dont le libellé, le "Serment d'Hannibal" transmis par Pol. VII 9,1-9, reflète encore, par sa structure et ses sémitismes, l'original phén. du t. qui conduisit à la 1re guerre de Macédoine (215-205). La paix de Phoenikè, en 205, mit fin à l'état de guerre entre Philippe et les Romains (StV III,543), mais signifia, en même temps, la rupture de l'alliance conclue avec Hannibal en 215. Par ailleurs, un t. éphémère fut passé en 214 par Hiéronymos de Syracuse avec les Carthaginois (StV III,529), mais sa mort, la même année, fut suivie d'une nouvelle alliance entre Syracuse et Rome (StV III,530).

11 Bien que →Salamine de Chypre ait été une cité où la population gr. était prépondérante, l'alliance conclue en 390 par →Évagoras I avec Athènes (StV II,234), puis avec le pharaon Achoris (StV II,237), peut témoigner du rôle que les t. devaient jouer dans les relations internationales des dynastes chypriotes en général.

12 En 206/5, la cité de →Gadès conclut un accord avec les Romains et, d'après les sources lat., effectua une *deditio*, c.-à-d. une remise à la discrétion des Romains de l'ensemble de sa population et de ses biens (StV III,541).

13 Carthage conclut aussi des t. avec les rois numides. Le plus ancien accord connu est celui qu'elle passa en 205/4 avec le roi →Syphax (StV III,546). Vers l'an 200, un t. conclu avec →Massinissa I aplanit provisoirement les différends territoriaux (App., *Lib.* 67).

14 À l'époque rom., certaines cités amies de Rome lui étaient liées par un *foedus*. C'était le cas de →Leptis Magna, à partir de la guerre contre →Jugurtha, et peut-être celui de →Volubilis, à dater de l'interrègne de 33-25 av. J.C. Les cités fédérées reçurent plus tard le statut de municipe et réussirent à concilier ainsi le bénéfice de la *civitas Romana* avec leur forte originalité culturelle phén.-pun.

Bibl. DEB, p. 35-38; ThWAT I, col. 781-808; F.C. Fensham, *The Treaty between Solomon and Ahiram, and the Alalakh-Tablets*, JBL 79 (1960), p. 59-60; J. Heurgon, *Les inscriptions de Pyrgi et l'alliance étrusco-punique des environs de 500 av. J.-C.*, CRAI 1965, p. 89-103; F.C. Fensham, *The Treaty between the Israelites and Tyrians*, VTS 17, Leiden 1969, p. 71-87; J. Ferron, *Un traité d'alliance entre Caere et Carthage*, ANRW I/1, Berlin-New York 1972, p. 189-216; S. Cataldi, *I primi* symbola *tra le città etrusche e Cartagine*, ANSP 4 (1974), p. 1235-1248; G. Pettinato, *I rapporti politici di Tiro con l'Assiria alla luce del "trattato tra Asarhaddon e Baal"*, RSF 3 (1975), p. 145-160; R. Vattuone, *L'alleanza fra Atene e Cartagine alla fine del V sec. av. Cr.*, Epigraphica 39 (1977), p. 41-50; D.J. McCarthy, *Treaty and Covenant*, Rome 1978^2^; M. Christol - J. Gascou, *Volubilis, cité fédérée*, MÉFRA 92 (1980), p. 329-345; F.C. Fensham, *The Relationship between Phoenicia and Israel during the Reign of Ahab*, ACFP 1, Roma 1983, p. 589-594; Barré, *God-List*; B.D. Hoyos, *Treaties True and False. The Error of Philinus of Agrigentum*, CQ 35 (1985), p. 92-109. ELip

TRANSJORDANIE La T. comportait, au moins à l'époque du Fer, cinq zones géographiques: au N., à l'E. de la haute vallée du Jourdain et du lac de Tibériade, la partie S. du royaume araméen de Damas; entre le Nahr Yarmuk et le Nahr ez-Zarqa (Yabboq biblique), une région disputée entre Araméens, Israélites (Galaad et Makir) et Ammonites; au centre, autour de Rabbat-Ammon (→Amman), le pays ammonite; à l'E. de la Mer Morte, le pays de Moab; au S. du Wadi el-Hasâ (Zéred biblique) et à l'E. de l'Aravah, le pays d'→Édom, le royaume édomite s'étant peu à peu étendu vers l'O., occupant le Négev et même le S. de la Shéphélah et de la montagne de Juda au début du VIe s.

Bien que non limitrophes de la T., les Phéniciens eurent de nombreux contacts avec ce pays, surtout à partir de la fin du VIIIe s., quand Téglat-Phalasar III leur interdit de commercer avec l'Égypte et la →Philistie (ND 2715). Le →traité (4) entre Asarhaddon et →Baal I de Tyr (*c.* 671) laisse entendre que les bateaux phén. échoués près de la Philistie appartiendraient au roi d'Assyrie. Dès lors, le commerce phén. avec la Mer Rouge se fit par la route de la T., soit à partir de la haute vallée du Jourdain (cf. l'inscription phén. *lB'lplṭ* de Tell Dan), soit à partir de Bêth-Shân et de la moyenne vallée du Jourdain (cf. l'inscription phén. de Tell es-Sa'idiyeh: *kly šmn 'š lḥr*[?]) , cette route aboutissant au golfe d'Aqaba ou à l'Arabie du N.

La Bible fait allusion à ce commerce phén., surtout tyrien, avec la T., en particulier en *Ez.* 27 qui souligne le rôle des arbres de Bashân dans l'armement de la flotte, des produits d'Édom (ou Aram selon l'hb.), des vêtements de sellerie de Dedân, des troupeaux d'Arabie et des princes de Qédar, des aromates, →pierres précieuses et or de Saba et Raamah (v. 6-23). Les découvertes archéologiques manifestent aussi une influence phén. dans la glyptique et la construction, avec les chapiteaux proto-éoliques de Moab, tandis que le théonyme Baal est attesté sporadiquement dans l'onomastique ammonite (*B'lyš'*/ Baalis), moabite (*B'lntn*) et édomite (*Mlkb'l*? et *'bdyb'l*).

Bibl. B. Delavault - A. Lemaire, *Les inscriptions phéniciennes de Palestine*, RSF 7 (1979), p. 1-39; A. Lemaire, *Une inscription phénicienne de Tell es-Sa'idiyeh*, RSF 10 (1982), p. 11-12; A. Hadidi (éd.), *Studies in the History and Archaeology of Jordan* I-III, Amman 1982-87; E. Lipiński, *Products and Brokers of Tyre According to Ezechiel 27*, StPhoen 3 (1985), p. 213-220; A. Lemaire, *Ammon, Moab, Edom,* La Jordanie de l'âge de la pierre à l'époque byzantine, Paris 1987, p. 47-74; id., *Les Phéniciens et le commerce* *entre la Mer Rouge et la Mer Méditerranée,* StPhoen 5 (1987), p. 49-60. ALem

TRAPANI En gr./lat. *Drepana* ("Faux"), port d'→Éryx (Diod. XV 73), puis son débouché commercial (Diod. XXIV 11), situé à l'extrémité N.-O. de la Sicile. Aménagée par →Hamilcar (7) en forteresse pun. au début de la 1e →guerre pun., *c.* 259 (Diod. XXIII 9,4; Zon. VIII 11), T. résista aux Romains en 254 (Zon. VIII 14). C'est au large de T. qu'→Adarbaal (2) infligea en 249 une défaite à la flotte rom. (Pol. I 46,1-3; 49-51), mais le port de T. tomba aux mains des Romains en 242 (Pol. I 59,9-10). Suite à l'abandon de la Sicile par les Carthaginois au terme de la 1e guerre pun., T. passa sous contrôle rom.

Bibl. PECS, p. 282-283. ELip

TRAYAMAR 1 Nécropole T. est le nom moderne du site d'une →nécropole phén. archaïque sur la rive droite de l'embouchure du Río Algarrobo (fig. 363), à l'E. de →Torre del Mar (Prov. Málaga, Espagne). Cinq →tombes (2Bc) y sont connues, dont on n'a pu fouiller que deux (tombes 1 et 4), creusées dans la roche tendre des collines côtières. Il s'agit de tombeaux bâtis, à grande chambre funéraire, érigés en pierres de taille dans une étroite fosse orientée vers l'E (fig. 364). La proportion stricte de 3:4 est à noter pour les dimensions des deux tombes 1 (*c.* 1,90 m × 2,60 m) et 4 (2,90 m × 3,80 m), ainsi qu'une typologie identique. La chambre était couverte d'un toit de poutres et de madriers recouverts d'argile, qui reposaient sur un cadre en bois. Des poutres étaient aussi insérées dans la maçonnerie. Une porte, située dans la paroi E., donnait accès à un *dromos*. Cette architecture somptueuse a des parallèles contemporains en Afrique du N. (→Utique, →Carthage) et dans le bassin oriental de la Méditerranée (Chypre). La technique "mixte" de l'appareil avec des poutres insérées et certaines particularités de la taille des blocs trouvent des pendants dans la Palestine de l'âge du Fer (→Samarie, Ramat Rahel), et le récit biblique de la construction du temple et du palais de Salomon

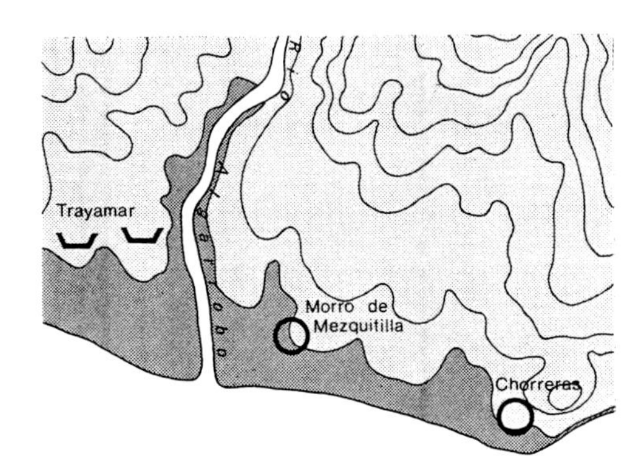

Fig. 363. Localisation des sites de Trayamar, Morro de Mezquitilla et Chorreras. Le pointillé indique les terres immergées à l'époque de l'établissement phén.

Fig. 364. Hypogée de Trayamar (VIIe s. av. J.C.).

contient une allusion à cette technique (*1 R.* 7,12). Il est certain que cette tradition architectonique, attestée aussi à →Almuñécar, a influencé fortement l'architecture de la Péninsule Ibérique.
2 Morro de Mezquitilla L'habitat correspondant à la nécropole de T. est situé sur la rive opposée du Río Algarrobo, sur le Morro de Mezquitilla qui s'élève à 30 m d'altitude. Il a été fondé sur un site déserté de l'âge du Bronze (IIIe-IIe mill.) et présente une stratigraphie assez fournie qui commence peut-être dès *c.* 800 av. J.C. et, au plus tard, dans la première moitié du VIIIe s. L'établissement phén. proprement dit subsista jusqu'à la fin du Ve s. Après une phase de transition, que l'on pourrait appeller "pun.", l'occupation du site continua à l'époque républicaine et impériale rom. Apparemment, la colline était densément peuplée dès les premiers moments de la fondation. Comme à →Toscanos, on y travaillait le fer dans des ateliers spécialisés (→métallurgie), ce qui souligne l'importance du site archéologique en général. Les trouvailles épigraphiques des VIIIe-VIe s. se limitent à des graffiti phén. sur vases (CIE 09.09-22).

Bibl. H.G. Niemeyer - H. Schubart, *Trayamar. Die phönizischen Kammergräber und die Niederlassung an der Algarrobo-Mündung*, Mainz a/R 1975; H. Schubart, *Morro de Mezquitilla, Vorbericht über die Grabungskampagne 1982*, MM 24 (1983), p. 104-131; H. Schubart - O. Arteaga, *El mundo de las colonias fenicias occidentales*, Homenaje a Luis Siret (1934-1984), Sevilla 1986, p. 514-525 (bibl.). HGNiem

TRIPOLI En néopun. *Wy't*, lat. *Oea*, arabe *Aṭrābulus* ou *Ṭarābulus al-Ġarb*, capitale de la Libye, une des villes de la →Tripolitaine, qui en conserva le nom après la ruine des autres cités. Elle n'est pas expressément citée parmi les fondations phén. (Sall., *Jug.* 19,1) et Sil. It. III 257 rapporte la tradition d'une fondation siculo-africaine, sans doute à partir des colonies phén. Autour d'un petit port naturel et sur le site de Bu Setta, dans la banlieue E. de la ville actuelle, les premiers vestiges datent du Ve s. Au IIIe s., la nécropole de Gheran comportait des →tombes (2) à chambre et a livré des stèles de type pun. où on note le →"signe de Tanit"; le →*tophet* local atteste la pratique du sacrifice →*molk*. Jusqu'à la fin de l'indépendance carth., les villes côtières, chasse gardée (Pol. III 23), s'enrichissent et versent tribut à Carthage (Liv. XXXIV 62,3; App., *Lib.* 72). Oea, enfouie sous la ville moderne de T., est mal connue et rares sont les épigraphes pun. (Trip 5-8.83.87-89) et les inscriptions lat. (IRT, p. 63-72). Elle profite probablement sous les rois numides d'une autonomie de fait, puis, après →Thapsus (46 av. J.C.), d'une liberté qu'illustrent la frappe de ses monnaies à légende pun. (→numismatique 3D) et, encore en 69-70, son conflit avec →Leptis Magna, qu'elle tente de régler en appelant à l'aide les →Garamantes, indice de relations profondes et anciennes avec l'arrière-pays. Au IIe s., nous la voyons fidèle à ses *dii patrii*, Apollon et Minerve, en 163, sur l'arc de Marc-Aurèle et Lucius Vérus (IRT 232), et sous Commode, aux côtés du Génie de la colonie sur le fronton de son temple (IRT 230). On y parlait encore le pun.: Apulée, qui avait épousé une riche veuve d'Oea, signale même que son jeune beau-fils ne parlait que cette langue (*Apol.* 98). Sur l'histoire ultérieure de T., sur la probable survie des traits sémitiques de sa civilisation, nous avons bien peu de témoins directs.

Bibl. EAA VII, p. 986-987; PECS, p. 639; Desanges, *Pline*, p. 256-257, 412, 499; →Tripolitaine. RReb

TRIPOLIS En gr. *Trípolis* ("Triple ville"), phén. *'tr(pl?)*, arabe *Ṭ(a)rāblus iš-Šām*, ethnique aram. *Ṭarpelāyē'* (plur.: *Esd.* 4,8), dont il semble résulter que la ville n'avait pas de nom sémitique à l'époque perse. Seconde ville du Liban, T. est située à 97 km au N. de Beyrouth, à la pointe occidentale d'une presqu'île occupée par une petite plaine que bordent le Nahr Abu 'Ali au N., le Nahr el-Baḥṣaṣ au S. et les premiers contreforts du Liban à l'E. La ville antique disposait de deux →ports dont ne subsiste que le port N., à il-Mina, celui du S. ayant dû être abandonné après les séismes du VIe s. ap. J.C. La position favorable du site le destinait à devenir l'emplacement d'une ville de quelque importance et on a proposé d'y localiser la *Waḫliya* des lettres d'el→Amarna (EA 104,11; 114,12), voire →Mahalata. Ces identifications sont cependant incertaines et, bien qu'Eus., *Chron.* II 80, date la fondation de T. de la 4e année de la IVe Olympiade, c.-à-d. de 761, Diod. XVI 41 en fait une ville d'époque perse, bâtie par Arwad, Sidon et Tyr, que mentionne aussi Skyl. 104. Elle aurait été le siège d'un conseil "pan.-phén." et le lieu d'où partit le mouvement de révolte anti-perse de l'an 351, dirigé par Tennès (→Tabnit II). Si les informations de Diodore concernant T. doivent être utilisées avec prudence, on notera que l'énumération des fonctionnaires achéménides en *Esd.* 4,8 est suivie de la mention des "gens de T.", comme si T. était un important centre de l'administration perse en Transeuphratène. À l'époque hellénistique, T. battait monnaie (→numismatique 1B) et Démétrios I Sôter y aborda en 161 av. J.C. (*2 M.* 14,1; cf. *1 M.* 7,1), sans doute au port d'il-Mina, à 3 km de la ville actuelle. Ayant pris parti pour Antiochos IX contre Antiochos VIII, T. fut récompensée par le vainqueur qui lui octroya en 104 l'autonomie et ses monnaies la qualifient dès lors de "Ville sainte et autonome". Elle fut gouvernée plus tard par le tyran Dionysios, que Pompée fit exécuter en 64/3 av. J.C. (Fl. Jos., *A.J.* XIV 39), restaurant l'autonomie de T. La ville jouit d'une grande prospérité à l'époque rom., spécialement au temps des Sévères (193-235), quand elle se vit dotée de temples prestigieux voués au culte impérial, à →Astarté et au Zeus Saint.

Bibl. PECS, p. 935; *BMC. Phoenicia*, p. CXVI-CXXIII, 200-226; K. Galling, *Kronzeugen des Artaxerxes?*, ZAW 63 (1951), p. 66-74 (voir p. 71-72); id., *Zur Deutung des Namens* trpl = *Tripolis in Syrien*, VT 4 (1954), p. 418-422; id., *Studien zur Geschichte Israels im persischen Zeitalter*, Tübingen 1964, p. 191-193, 204-209; Wild, *Ortsnamen*, p. 247; N. Jidejian, *Tripoli through the Ages*, Beirut 1980; J. Elayi, *Tripolis et Sarepta à l'époque perse*, Transeuphratène 2 (1990). ELip-HSar

TRIPOLITAINE Les mots *Tripolis, Tripolitanus*, sont entrés dans l'usage au IIIe s. ap. J.C., et la province rom. de T. a été créée par Dioclétien (284-305). L'appellation est cependant commode pour désigner →Sabratha, Oea (→Tripoli), →Leptis Magna et une région peut-être appelée quelquefois *Emporia* (Pol. I 82,6; III 23,2; XXXI 21,1; Liv. XXIX 25,12; 33,9; XXXIV 62,3). On n'y a pas de trace archéologique d'une colonisation phén., bien que les textes fassent de Leptis Magna une fondation de Tyr et de Sidon, et de Sabratha une fondation de Tyr. Les plus anciens vestiges — seconde moitié ou fin du VIIe s. à Leptis Magna, Ve s. à Sabratha et à Oea — semblent appartenir à des établissements essentiellement pun., et *c.* 515 la grande tribu des Maces est alliée de Carthage (Hdt. V 42). C'est en 162/1 que les villes de T. passent sous l'autorité numide (Pol. XXXI 21) et la guerre de →Jugurtha leur procure l'indépendance. Leurs relations apparemment tumultueuses avec →Juba I les impliquent dans la guerre civile entre César et Pompée, mais leur indépendance est encore sensible au moment du conflit entre Leptis et Oea en 69-70. Sous l'Empire, les trois villes conservent des traits de civilisation fondamentalement pun., avec des originalités locales, tandis que leur éblouissante prospérité témoigne de la sagacité de leurs fondateurs sémitiques. Les traces de leur activité commerciale se rencontrent notamment à Rome et à Pompéi, où l'on a trouvé des amphores tripolitaines portant des épigraphes néopun.

Bibl. G. Garbini, *I Fenici in Occidente*, SEt 34 (1966), p. 111-143; A. Di Vita, *Les Phéniciens de l'Occident d'après les découvertes archéologiques de Tripolitaine*, A. Ward (éd.), *The Role of the Phoenicians in the Interaction of Mediterranean Civilisations*, Beirut 1968, p. 77-98; id., *Influences grecques et tradition orientale dans l'art punique de Tripolitaine*, MÉFR 80 (1968), p. 7-83; id., *Le date di fondazione di Leptis e di Sabratha*, J. Bibauw (éd.), *Hommages à M. Renard* III, Bruxelles 1969, p. 196-202; id., *Fenici e Puni in Libia*, Annali della Facoltà di Lettere e Filosofia. Università di Macerata 3-4 (1970-71), p. 41-65 = *L'espansione fenicia nel Mediterraneo*, Roma 1971, p. 77-89; C. Panella, *Anfore tripolitane a Pompei*, Quaderni di cultura materiale 1 (1977), p. 135-149; A.M. Bisi Ingrassia, *A proposito di alcune iscrizioni puniche su anfore di Pompei*, ibid., p. 151-153; A. Di Vita, *Gli* Emporia *di Tripolitania*, ANRW II/10,2, Berlin 1982, p. 515-595; D.J. Buck - D.J. Mattingly (éd.), *Town and Country in Roman Tripolitania. Papers in Honour of O. Hackett*, Oxford 1985; G. Levi Della Vida - M.G. Amadasi Guzzo, *Iscrizioni puniche della Tripolitania (1927-1967)*, Roma 1987; D.J. Mattingly, *Libyans and the 'Limes': Culture and Society in Roman Tripolitania*, AntAfr 23 (1987), p. 71-94; R. Rebuffat, *Où étaient les Emporia ?*, Semitica 39 (1989). RReb

TRÔNE Le mot phén. *ks'*, "t.", avait probablement un sens plus large, tout comme l'hb. *kissē'*, mais il désignait en fait un objet de luxe, connu surtout par l'iconographie et des imitations en calcaire ou terre cuite. Outre les t. en →ivoire de →Salamine, on doit relever une série de t. en calcaire, flanqués de →sphinx ailés (fig. 50, 313, 368). Datant pour la plupart de l'époque hellénistique, ces sièges cultuels, portant parfois un →bétyle ou des →stèles (fig. 366), sont représentés sur des monuments figurés plus anciens, dont l'un remonte à *c.* 1150 av. J.C. (fig. 7). Ce type de t. très typique, dont l'élément central est lui-même à l'origine d'une série de sous-types (pl. VIb), a inspiré des variantes où la paire de sphinx est remplacée par des lions ou des béliers (fig. 296; pl.

*Fig. 365. Trône-*ḥwt *de la Baalat Gubal, détail de la stèle du roi Yehawmilk, Byblos (fin du Ve s. av. J.C.). Paris, Louvre.*

Vd). Un autre type de t. épouse la forme de l'hiéroglyphe *ḥwt* et copie assez fidèlement le prototype égyptien (fig. 157, 342, 365), contrairement à un t. semblable, muni de quatre pieds. Ces t. sont attestés depuis le début jusqu'à la fin de la civilisation phén., alors que d'autres types de sièges sont plus éphémères, comme les chaises à panneaux encastrés, en ivoire ou en ébène, ou les sièges en rotin des IXe-VIIe s. Une sellette, partiellement faite en ivoire, accompagne généralement les t. à haut dossier.

Bibl. ThWAT IV, col. 247-272; Gubel, *Furniture*, p. 37-240. EGub

TRYPHON En gr. *Trúphōn* ("Magnifique"), nom pris par Diodote d'Apamée, général d'Alexandre Balas (→Séleucides) et tuteur de son fils mineur, qu'il fit proclamer roi en 145 sous le nom d'Antiochos VI, contre Démétrios II (*1 M.* 11,39-40. 54-56), mais fit assassiner en 142 (*1 M.* 13,31-32; Fl. Jos., *A.J.* XIII 218-222; Diod. XXXIII 28; Liv., *Per.* LV), pour assumer le pouvoir sous le nom de T. (App., *Syr.* 68). Bien que les dirigeants juifs l'aient soutenu contre Démétrios II (*1 M.* 12,1; Fl. Jos., *A.J.* XIII 163-164; *B.J.* I 48), T. fit traîtreusement tuer Jonathan Maccabée dans Ptolémaïs (→Akko; *1 M.* 12,39 - 13,24) et s'aliéna ainsi les Juifs qui se rapprochèrent de Démétrios II, puis d'Antiochos VII Sidète, son frère et successeur. Celui-ci finit par bloquer T. dans la place forte de →Dor (*1 M.* 15,10-14.25), où T. parvint à tenir jusqu'en 138/7, comme l'indique l'inscription d'une balle de fronde en plomb, trouvée sur le site. Dédiée en gr. "à la victoire de T.", elle est en effet datée de l'an 5 et porte le nom abrégé de Dor en phén. (*D*) et en gr. (*Dō*). T. réussit à s'échapper de Dor, passa par Ptolémaïs (FGH 103, fr. 29) et →Orthosia (*1 M.* 15,37), d'où il gagna Apamée, sa ville natale, dans laquelle il fut assiégé, puis capturé et mis à mort (Fl. Jos., *A.J.* XIII 224), à moins qu'il ne se fût suicidé (Strab. XIV 5,2).

Bibl. PW VII A, col. 715-721; H. Seyrig, *Notes on Syrian Coins 1*, NNM 119 (1950), p. 1-22; H.R. Baldus, *Der Helm des Tryphon und die seleukidische Chronologie der Jahre 146-138 v. Chr.*, JNG 20 (1970), p. 217-239; T. Fischer, *Zu Tryphon*, Chiron 2 (1972), p. 201-213; D. Gera, *Tryphon's*

Fig. 366. "Trône d'Astarté" de Ḫirbet eṭ-Ṭayibē, *près de Tyr (IIe s. av. J.C.). Paris, Louvre.*

Sling Bullet from Dor, IEJ 35 (1985), p. 153-163.

CBon-ELip

TUNIS En gr./lat. *Tū́nēs*, aujourd'hui *Tūnis*, à *c.* 15 km au S.-O. de Carthage. Mentionnée dès le début du IVe s. en rapport avec la révolte des mercenaires libyens qui s'emparèrent de la ville (Diod. XIV 77,3), T. tomba, à la fin du IVe s., aux mains d'→Agathocle (Diod. XX 17,1-2; 18,2; 33,8; 60,1; 61,1), puis, lors de la 1re →guerre pun., elle fut prise par →Régulus (Pol. I 30,15) et devint plus tard la base principale des mercenaires en révolte (Pol. I 67,13; 69,1; 73,3; 76,10; 77,4; 79,14; →guerre des Mercenaires). En 203, enfin, la ville fut occupée par →Scipion (5) l'Africain (Pol. XIV 10,4; XV 1,6; Liv. XXX 9,10; 16,1; 36,6-9). Des vestiges d'époque pun. ont été mis au jour dans le parc du Belvédère, en particulier deux trésors avec des monnaies de →Cyrénaïque, datables de la fin du IVe s. et attestant la présence de troupes d'Ophellas aux côtés de l'armée d'Agathocle en 308 av. J.C. Par ailleurs, on y a trouvé des balles de fronde et des anses d'amphores portant des →timbres amphoriques pun. À l'O. de la vieille ville, sur la hauteur de la Rabta, on a découvert notamment une →tombe (2Bc) monumentale à chambre funéraire, bâtie en grand appareil, et à puits d'accès qui contenait un mobilier du IIIe s. av. J.C. La dimension des dalles est remarquable, celle de la première assise mesurant 2,30 m sur 1,13 m, avec une épaisseur de 0,31 m. Le même quartier a livré aussi les débris d'un →four (2) de potier et deux dépotoirs, caractérisés par la présence, parmi des ratés de cuisson, d'imitations à vernis noir de céramiques hellénistiques.

Bibl. AATun, f^{e} 20 (Tunis), n° 16; M.H. Fantar, *La tombe de la Rabta. Un nouveau document pour la connaissance de Tunès*, Latomus 31 (1972), p. 349-367; F. Chalbi, *Céramique à vernis noir de la Rabta*, Latomus 31 (1972), p. 368-378; M.H. Fantar, *Présence punique et romaine à Tunis et dans ses environs immédiats*, AntAfr 14 (1979), p. 55-81.

SLan-ELip

TUNISIE **1 Géographie** Les 164.150 km^2 de la superficie de la T. actuelle (fig. 367) offrent une grande variété de paysages. Si le pays comprend une belle part de désert, qui couvre 25.000 km^2, il possède aussi une importante façade maritime avec 1250 km de côtes. Celles du N., accidentées et ventées, prolongent depuis →Tabarka le littoral de l'→Algérie. Au-delà, du Cap Blanc à →Djerba et à la presqu'île de →Zarzis, par la rade de →Bizerte et les golfes de →Tunis, d'Hammamet, de →Gabès (Petite Syrte), le pays s'ouvre à la mer tiède et poisonneuse, alors que pointe vers la →Sicile le doigt du →Cap Bon. Prise en écharpe par la Dorsale, chaîne montagneuse de moyenne altitude, qui de →Maktar à →Zaghouan fait office de château d'eau du pays, la T. est montueuse au N.: les reliefs boisés du Tell ou Atlas Tellien, avec la verte forêt de Khroumirie, encadrent des plateaux et les terres à blé des bassins fertiles de la moyenne et basse →Medjerda et de l'oued Miliane. Aux collines littorales du Cap Bon et aux coteaux du →Sahel font pendant les paysages rudes et desséchés de la steppe dans l'arrière-pays de la →Byzacène et le S. tunisien. Elles se fondent avec les étendues pré-sahariennes à l'abord des chotts, ces lacs dont l'eau pompée par le soleil laisse briller une nappe de sel en surface. Passé les oasis de →Gafsa et de →Gabès, c'est le désert qui descend vers la chaîne tourmentée des Matmata, au-delà de laquelle on trouve Foum →Tata(h)ouine et →El-Amrouni. Les Puniques, en particulier →Carthage, ne contrôlèrent jamais qu'une partie réduite de ce territoire, mais les régions sous l'emprise directe de Carthage depuis le Ve s. rassemblaient les terroirs les plus fertiles de la T.: l'O. du Tell, les vallées de la Medjerda et de Miliane, le Cap Bon et le Sahel, terres bien arrosées qui permettaient le développement d'une →agriculture et d'une arboriculture diversifiées, alors que la situation littorale des centres pun. favorisait la pêche autant que le trafic maritime.

2 Colonisation Les →auteurs classiques (1) font remonter à 1101 av. J.C. le premier établissement phén. à →Utique et fixent à 817/6 (Vell. Pat. I 6,4) ou 814/3 (Vell. Pat. I 12,5) la fondation de Carthage. Même si l'archéologie ne confirme pas des dates aussi hautes, l'existence d'un centre urbain à Carthage n'en remonte pas moins au VIIIe s. av. J.C., dans l'état actuel de nos connaissances. Plus au S., au Sahel, →Hadrumète serait aussi une fondation tyrienne (Solin XXVII 9), de date inconnue. Cette présence phén. en T. du N. est restée jusqu'au Ve s. historiquement obscure et territorialement limitée. L'intérêt des habitants des premiers établissements phén.-pun. était initialement centré sur la Méditerranée, comme le suggèrent moins les sources gr.-rom., dont le point de vue est en général limité, que l'extrême pauvreté des vestiges pun. antérieurs au Ve s. en dehors des zones de ces villes. Il ne fait cependant pas de doute que les Puniques devaient avoir des rapports avec les populations libyques ou numides qui les entouraient, peu importe ici qu'on les ait appellées →*Afri* ou Maxues (Hdt. IV 191). Le malheur veut que celles-ci nous sont très mal connues, car les nécropoles mégalithiques, qu'elles nous ont laissées, échappent généralement aux tentatives de datation: les types de céramique indigène ont persisté à travers les siècles et les tombes ont été réutilisées. Les poteries faites au tour, accompagnées parfois de monnaies carth. ou numides, ne peuvent donc servir de critère pour dater l'origine d'un monument funéraire de tradition libyque; elles ne témoignent que de la date de son ultime utilisation. Cependant, le manque d'intérêt des premiers établissements phén.-pun. de T. pour leur entourage indigène se confirme du fait que le IIIe s. av. J.C. est un seuil qu'il est difficile de franchir en dehors des territoires contrôlés en T. par

Fig. 367. Tunisie punique

Fig. 367. Cartes de la Tunisie pun., du Cap Bon et du Byzacium/Sahel.

1. *Tabarka (*Thabraca*)*
2. *Kef el-Blida*
3. *Cap Blanc*
4. *Bizerte (*Hippo Dhiarrytus*)*
5. *Tindja*
6. *Mateur (*Matara*)*
7. Theudalis
8. *Ras Zebib*
9. Uzalis
10. *Utique*
11. *Béja (*Vaga*)*
12. Bulla Regia
13. *Dougga (*Thugga*)*
14. *Le Kef (*Sicca Veneria*)*
15. *La Ghorfa*
16. Zama
17. *Maktar (*Mactaris*)*
18. *Medeina (*Althiburos*)*
19. *Henchir Meded (*Mididi*)*
20. *Carthage*
21. *Tunis*
22. *Sidi Raïs (*Carpis*)*
23. *Ras el-Fortass*
24. *El-Haouaria*
25. *Ras ed-Drek*
26. *Kerkouane*
27. *Kélibia (*Clupea*)*
28. *Menzel Témine*
29. *Korba (*Curubis*)*
30. *Nabeul (*Neapolis*)*
31. *Bir bou Rekba (*Thinissut*)*
32. Gurza
33. *Sousse/Hadrumète (*Hadrumetum*)*
34. *El-Kénissia*
35. *Monastir (*Ruspina*)*
36. *Lemta (*Lepti Minus*)*
37. *Ras Dimass (*Thapsus*)*
38. *Sidi el-Hani*
39. *Smirat*
40. *Mahdia*
41. *Ksour Essaf*
42. *Salakta (*Sullecthum*)*
43. Acholla
44. *Bordj Yonga (*Macomades Minores*)*
45. *Gafsa (*Capsa*)*
46. *Gabès (*Tacapes*)*
47. *Djerba (*Girba*)*
48. *Bou Grara (*Gigthis*)*
48. *Zarzis*

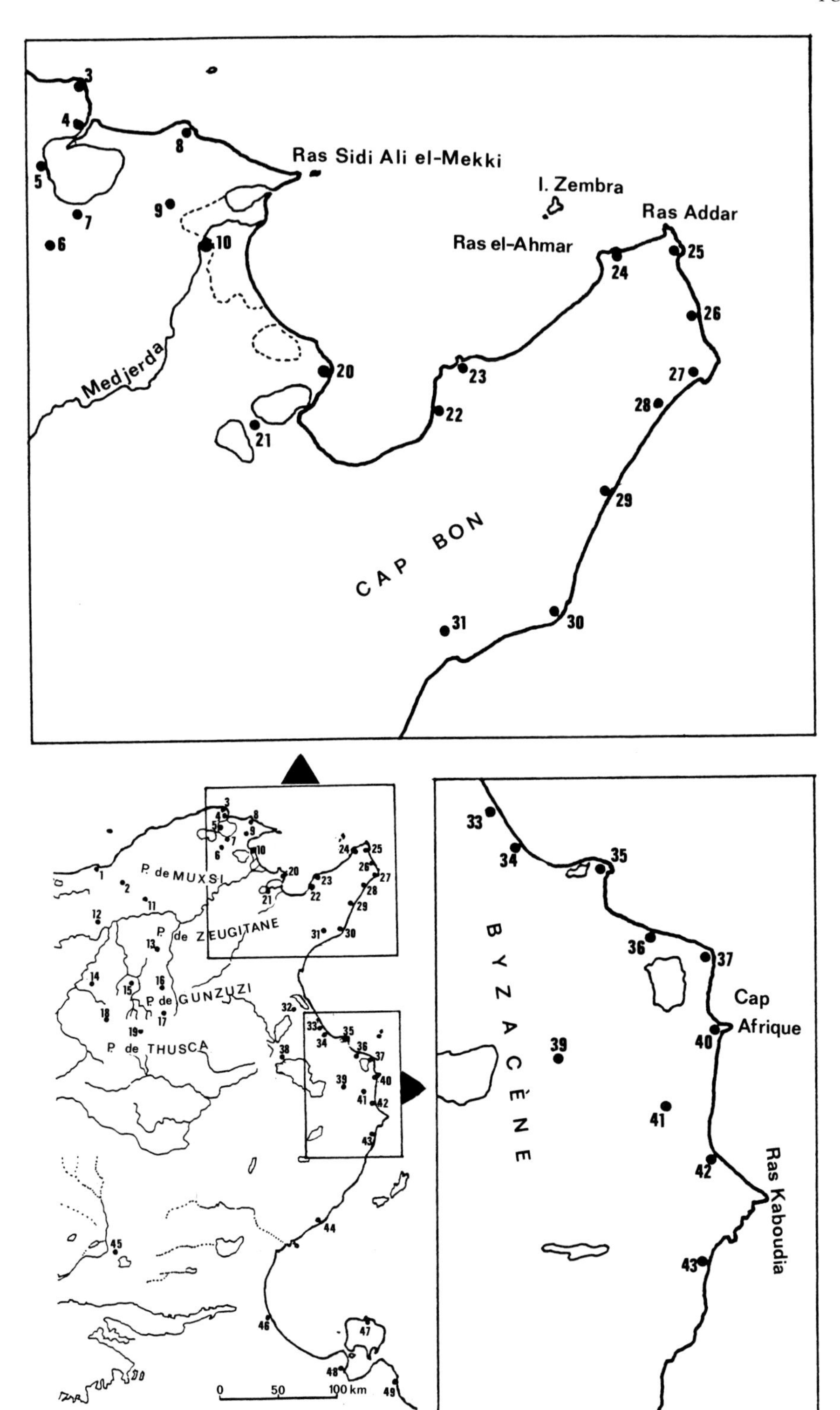
Ras Sidi Ali el-Mekki
I. Zembra
Ras Addar
Ras el-Ahmar
Medjerda
CAP BON
P. de MUXSI
P. de ZEUGITANE
P. de GUNZUZI
P. de THUSCA
0 50 100 km
BYZACÈNE
Cap Afrique
Ras Kaboudia

les Puniques, par manque de vestiges datables d'une époque antérieure qui aient pu pénétrer dans le monde libyque. C'est seulement au Ve s., après la défaite d'→Hamilcar (1) à →Himère, que débute l'expansion carth. en T. sur l'initiative d'un certain →Hannon (1?), le "Sabellus Hannon" de Pomp. Trog., *Prol.* 19, et sans doute le même Hannon que célèbre Dion Chrys., *Or.* 25: "il transforma les Carthaginois, de Tyriens qu'ils étaient, en Libyens; grâce à lui, ils habitèrent la Libye,... acquirent beaucoup de richesses, de nombreux marchés,..." Les sources écrites ne nous permettent pas de suivre les étapes de la formation de ce territoire africain de Carthage, mais on constate, dès la fin du Ve s., la présence de soldats libyens dans l'→armée pun., enrôlés par recrutement comme des sujets (Diod. XIII 44,6; 54,1; 80,2-4; XVI 73,3). Ils provenaient, par conséquent, d'une région administrée directement par Carthage, dont les provinces africaines, en pun. *'rṣt*, se constituèrent sans doute progressivement et conduisirent à la formation de la culture des →Libyphéniciens.

3 Circonscriptions administratives Le territoire africain de Carthage fut divisé en provinces, *'rṣt* en pun., *khṓra* en gr., →*pagus* en lat. On suppose qu'il comprenait aux IVe-IIIe s. quelque six ou sept circonscriptions que l'on identifie sur la base de données plus tardives, d'époque numide et rom. Le *pagus Muxsi*, mentionné par une inscription lat. d'Utique datant du Ier s. av. J.C. (ILS 9482 = ILAfr 422), doit correspondre au N. de la T., entre la Medjerda et la côte. Son nom est au moins apparenté à celui des Maxues d'Hdt. IV 191 et Just XVIII 6 considère vraisemblablement cette province comme le royaume de →Hiarbas (1), le *rex Maxitanorum* qui prétendait à la main d'→Élissa-Didon. La même inscription d'Utique mentionne un *pagus Zeugei*, que l'on rapproche à juste titre de la Zeugitane, nom qui fut donné à la province rom. d'→Afrique proconsulaire après la réforme de Dioclétien et qui devait désigner un vaste district proche de Carthage, entre le Medjerda et l'oued Miliane. Le troisième *pagus* nommé dans le texte d'Utique est celui de *Gususi*, mieux connu sous le nom de *Gunzuzi*, qui apparaît dans une inscription lat. du forum de Maktar, le chef-lieu des 64 cités du *pagus Thuscae et Gunzuzi* (CRAI 1963, p. 124-130). Le *pagus Thuscae*, en pun. *'rṣt Tšk't*, est délimité par la borne de →Micipsa, trouvée sur le →Djebel Massoudj, à 20 km au N. de Maktar (KAI 141). Cette borne, datée de l'an 128/7 av. J.C., atteste l'origine pré-rom. d'au moins une circonscription territoriale de l'époque rom. et son inscription pun. fait pendant à App., *Lib.* 68, selon lequel la *khṓra... Túsca* carth. regroupait *c.* 153 av. J.C. cinquante villes de la région de Maktar. Selon CIL VIII, 23599, elles étaient au nombre de 62 sous Antonin (138-161). Le *pagus Gunzuzi*, contigu à celui de Thusca et mentionné aussi dans le texte d'Utique, doit correspondre à la région au N.-E. de Maktar, entre Siliane et El-Fahs. À l'E., le *pagus* de →*Gurza* (CIL VIII,69) constituait un district proche d'Hadrumète et était vraisemblablement prolongé vers le S. par la grande et riche province de Byzacène. L'existence de cette dernière circonscription n'est toutefois pas encore documentée directement, pas plus que celle du Cap Bon, dont le nom même est du reste inconnu. Il est donc possible que le nombre de *'rṣt* carth. soit plus élevé, mais il ne changerait pas les limites globales du territoire contrôlé par Carthage jusqu'à la fin de la 2e →guerre pun., avant que les empiétements successifs de →Massinissa I ne le rétrecissent à l'O. jusqu'à cette nouvelle frontière que la →*fossa regia*, limite de la province rom. d'Afrique, a matérialisée après la chute de Carthage.

Bibl. Gsell, HAAN II, p. 93-147; G.C. Picard, *L'administration territoriale de Carthage*, Mélanges... A. Piganiol, Paris 1966, p. 1257-1265; F. Decret, *Carthage ou l'empire de la mer*, Paris 1977, p. 85-102; D. Fushöller, *Tunesien und Ostalgerien in der Römerzeit*, Bonn 1979; F. Decret - M.H. Fantar, *L'Afrique du Nord dans l'Antiquité*, Paris 1981, p. 57-67; G. Camps, *Protohistoire de l'Afrique du Nord*, REPPAL 3 (1987), p. 43-70. SLan-ELip

TUSCA →Djebel Massoudj.

TÚTUGI Ville ibérique près de l'actuelle Galera, province de Grenade (Espagne). La riche →nécropole des VIe-IVe s. a livré une statuette d'→albâtre (fig. 368), représentant une déesse trônant entre deux →sphinx. L'objet, d'origine orientale et datable *c.* 700 av. J.C., doit être considéré comme une importation phén. Par ailleurs, on a trouvé à T. une inscription (néo)pun. gravée avant cuisson sur le fond d'un vase et datable du IIe s. av. J.C. (CIE 06.02).

Bibl. PECS, p. 942; J.M.a Blázquez, *Tartessos y los origenes de la colonización fenicia en Occidente*, Salamanca 1975², p. 187-192; Gubel, *Furniture*, p. 75-79. ELip

Fig. 368. Statuette d'albâtre, Tútugi (c. 700 av. J.C.). Madrid, Musée Archéologique National.

TUVIXEDDU →Cagliari; →Tombes 2.

TYPHON **1 Nom** Le gr. *Tuphōn* semble être une adaptation du nom sémitique *Ṣapōn* de la montagne sainte et divinisée de Djebel el-Aqra', aux confins de la Cilicie, ou de la haute dune de Rās Qaṣrūn ou el-Ǧels, à l'E. de Péluse (→Baal Saphon), comme le suggère la localisation de l'antre de T. chez les Arimes, probablement les Araméens (Hom., *Il.* II 782-783; Hés., *Th.* 304-306), ou sur le lac Sirbonis, au N. du Sinaï (Hdt. III 5). Dans cette hypothèse, le *t* initial du gr. pose le même problème que le *t* de *Túros* = *Ṣūr*, "Tyr". Comme la plus ancienne mention de T., au VIIIe s., le met en rapport avec les Arimes, on peut songer à l'automatisme d'une prononciation araméenne en *ṭ* de noms propres étrangers écrits avec un *ṣ*, auquel l'araméen postérieur allait effectivement substituer un *ṭ*, mais seulement dans des cas bien précis. Bien que d'autres explications aient été proposées pour le nom de Tyr, notamment une articulation *ts* de *ṣ*, cet automatisme se justifierait encore mieux en l'occurrence, puisque l'araméen *ṭūr* correspond au phén./hb. *ṣūr*, "rocher". Concernant T., les auteurs gr. des VIIIe-VIIe s. savaient que le dieu de l'orage se manifestait autour de son antre (*Il.* II 782-783), où était retenue Échidna (Hés., *Th.* 295-308), le correspondant gr. de Léviathan/Lothan, le serpent de mer contre lequel combattirent Baal et Yahvé. Les mythographes gr. confondirent plus tard les traits de T., de Baal et d'Échidna, avec sa progéniture, et ne peuvent donc passer pour des témoins valables d'un mythe sémitique. ELip

2 Mythographie grecque Selon les mythographes gr., T., enfant parthénogénétique de Gaia et vengeur des Titans, est l'ennemi de Zeus et le représentant des forces chaotiques face au garant de l'ordre cosmique. On situe son antre en divers lieux, notamment chez les "Arimes", c.-à-d. en Lydie, Mysie ou au Mont Kasios / Saphon de Syrie ou d'Égypte (Hom., *Il.* II 783; Hés., *Th.* 306; Hdt. III 5; Apd. I 6,3). Son apparence est ophidienne et, comme le Saphon dans *Ez.* 1,4, il déclenche la tempête (d'où le "typhon") et la foudre (Hés., *Th.* 869-880; Eschyle, *Pr.* 351ss.; *Ag.* 656ss; Aristoph., *Nub.* 336; Harp. 175,15). Selon une tradition rapportée par Eudoxe de Cnide (fr. 284), Zénob. V 56 et Eust., *in Od.* XI 600, T. est le meurtrier, en Libye, de l'Héraklès de Tyr, →Melqart. CBon

Bibl. Ad 1: ThWAT IV, col. 521-527; VII, col. 1099; Wild, *Ortsnamen*, p. 278-285; R.C. Steiner, *Africated* Ṣade *in the Semitic Languages*, New York 1982 (cf. Or 55 [1986], p. 478).

Ad 2: F. Vian, *Le mythe de Typhée et le problème de ses origines orientales,* Éléments orientaux dans la religion grecque ancienne, Paris 1960, p. 27-37; C. Bonnet, *Typhon et Baal Ṣaphon*, StPhoen 5 (1987), p. 101-143.

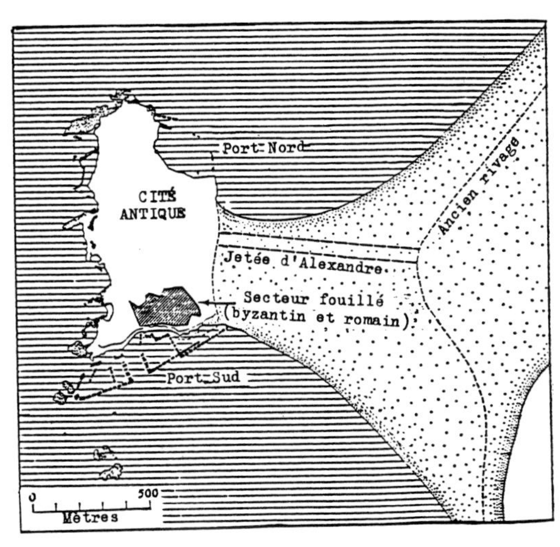

Fig. 369.
Plan général de Tyr.

TYR En phén. *Ṣr*, hb. *Ṣōr*, akk. *Ṣurru/Ṣūru*, ég. *Ḏr*, gr. *Túros*, dont le *t* pose le même problème phonétique que le *t* de →Typhon, lat. *Tyros/Tyrus* ou *Sarra*, arabe *Ṣūr*.

1 Situation Ville de la Phénicie méridionale, à 35 km au S. de →Sidon, T. était bâtie primitivement sur deux îlots rocheux, auxquels elle doit probablement son nom de *ṣr*, "roc". Elle fut agrandie au Xe s. par →Hiram I (*c.* 962-929) qui relia les deux îlots entre eux et les élargit par des travaux de terrassement (Fl. Jos., *C.Ap.* I 113). T. était séparée du continent par un détroit de 500 à 700 m de large qui fut comblé par les alluvions marines accumulées de part et d'autre de la digue construite en 332 av. J.C. par →Alexandre le Grand (fig. 369, 370). La ville était ceinte d'un puissant rempart (*Jos.* 19,29; *2 S.* 24,7), représenté avec le détroit sur les portes de →Balāwāt (pl. IIc), et elle disposait de deux →ports: le Sidonien au N., l'Égyptien au S.-E. Pour son approvisionnement, T. dépendait de la terre ferme (AfO, Beih. 9, p. 112, 1.14) et l'eau potable provenait de la source de Ras el-Aïn, près de laquelle le site de Tell Rachidiyé correspond vraisemblablement à la T. continentale, l'→Usu des tablettes cunéiformes akkadiennes et la Palaetyr des sources gr.

2 Cité orientale **A** *Des origines au Xe siècle.* Si l'on prête foi aux dires des prêtres tyriens du Ve s. av. J.C., T. a été fondée *c.* 2750 av. J.C. (Hdt. II 44), ce qui s'accorde avec les résultats des sondages qui ont décelé des vestiges du IIIe mill. En tout cas, si la mention de T. dans les textes d'→Ébla, sous les graphies *Ṣa-a-ru*$_{12}$^{ki} et *Ṣa-a-ar*^{ki}, est fort douteuse, la ville est citée au XIXe s. dans les textes d'exécration égyptiens (E 35). Le silence des sources écrites pourrait s'expliquer ensuite par l'abandon du site, puisque les sondages effectués n'ont pas relevé de trace d'occupation dans la première moitié du IIe mill. Par la suite, un poème d'Ugarit signale l'existence à T. d'un sanctuaire d'Athirat (→Ashéra; KTU 1.14,IV,35.38) et plusieurs lettres des archives d'el→Amarna ont été expédiées à Aménophis IV par Abimilku, roi de T. (EA 146-155), qui est mentionnée aussi sur d'autres tablettes de la correspondance amarnienne (EA 77,15; 89; 92,34; 101,23?; 114,13). Ces documents, tout comme les listes toponymiques et les inscriptions hiéroglyphiques de Séthi I et de Ramsès II,

Fig. 370.
Vue aérienne de Tyr.

trouvées à T. (BMB 18 [1965], p. 113), témoignent des relations de la cité avec l'Égypte au Bronze Récent, mais T. entretenait aussi des rapports diplomatiques (KTU 2.38; Syria 52 [1982], p. 101-107) et économiques avec →Ugarit, qui se trouvait dans la mouvance de l'Empire hittite. P.ex., Ugarit importait de T. des habits de →pourpre (KTU 4.132,4) et un envoyé du roi d'Ugarit se trouvait à T. (KTU 2.40). Mentionnée *c.* 1209 avec son prince Baal-talma(g)? (*B'rtrmg*) dans le *Pap. Anastasi III* (ANET, p. 258b; TPOA, p. 66) et, au XIe s., dans le récit de →Wenamon (ANET, p. 26a; TPOA, p. 74), T. n'a manifestement pas subi le sort fatal d'autres cités levantines au début du XIIe s. C'est au Xe s., sous Hiram I, fils d'→Abibaal (1), que T. semble devenir la cité principale de la Phénicie: le culte poliade de →Melqart y reçoit sa forme "canonique" et l'expansion culturelle et commerciale de la ville prend son essor. Hiram I entretient de bonnes relations avec David (*2 S.* 5,11; *1 Ch.* 14,1) et surtout avec Salomon (*1 R.* 5,15-32). Il lui achète le district de →Kabul (*1 R.* 9,11b-14) et lui procure du bois précieux et des artisans experts en échange de fournitures de blé et d'huile (*1 R.* 5,16-25; *2 Ch.* 2,2-15). L'acquisition de la région de Kabul montre que, dès le Xe s., les possessions tyriennes s'étendaient au-delà des "Échelles de Tyr" (*1 M.* 11,59), en gr. *klímax Túrou* ou *Túriōn*, voie à degrés qui passait par →Ras en-Naqura et donnait accès à la spacieuse plaine d'→Akko, ville contre laquelle Hiram I mena probablement une campagne militaire (→guerre 1) pour assujettir ses habitants rebelles, les *Iukeoi*, au tribut et à l'impôt (Fl. Jos., *C.Ap.* I 119; *A.J.* VIII 146). Les Tyriens furent toujours intéressés par cette région, dont ils tiraient une partie notable de leur approvisionnement en denrées alimentaires.
B *Du IXe siècle à la fin de l'époque perse.* Si l'histoire tyrienne au temps des successeurs de Hiram I, à savoir →Baal-ma(n)zer I, →Abdastratos, →Methonastartos, →Astarymos et →Phellès, nous est pratiquement inconnue, du moins disposons-nous d'une liste des souverains de T. grâce à Flavius Josèphe. Les relations de T. avec le royaume d'→Israël ont abouti au IXe s. à un mariage dynastique, celui de la fille d'→Ittobaal (2) de T. (*c.* 878-847), →Jézabel, avec Achab (*1 R.* 16,31-33), et l'épithalame royal du *Ps.* 45 a été composé pour les noces d'un roi israélite avec une princesse tyrienne (*Ps.* 45,13). C'était l'époque où Assurnasirpal II, Salmanasar III et Adadnirari III menaient leurs campagnes en Syrie, Phénicie et Israël, amenant les princes de ces régions à se coaliser pour faire face au danger. L'objectif principal des campagnes assyriennes était alors de percevoir le tribut, notamment celui des riches cités phéniciennes parmi lesquelles T. tenait la première place (ANET, p. 276b, 280b, 281b; TPOA, p. 88, 94, 95). Ces "présents" offerts aux rois d'→Assyrie par →Baal-

Fig. 371. Sarcophage d'époque rom., Tyr. Beyrouth, Musée National.

ma(n)zer II et, si pas par →Mattan I, du moins par →Pumayyaton (2), portaient sans nul doute à la recherche de nouvelles sources d'approvisionnement en métaux précieux, — disponibles au pays de →Tarshish et importables d'→Ophir, — en →ivoires (2), produits exotiques, et ils stimulaient ainsi l'→expansion et l'émigration phén. dont T. fut la grande protagoniste. Ce sont les Tyriens qui colonisèrent les côtes de →Chypre avant de fonder, *c.* 814 av. J.C., la →Carthage d'Afrique qui n'oublia jamais ses origines tyriennes. L'apogée de cette expansion, qui atteignit les rivages de l'→Andalousie et du →Maroc, semble se situer au VIIIe s., époque où Téglat-Phalasar III et ses successeurs commencèrent à s'immiscer dans les affaires intérieures des cités phén., exigeant un tribut de plus en plus lourd d'→Ittobaal II (3), de →Hiram II, de →Mattan II et de →Lulî (ANET, p. 282b, 283a, 287b; TPOA, p. 98, 99, 102, 105). Le →traité (4) de vassalité conclu *c.* 675-670 entre Asarhaddon et le roi →Baal I de T. limitait la liberté d'action de ce dernier, mais reconnaissait implicitement le rôle irremplaçable de la flotte marchande tyrienne. L'alliance conclue par Baal avec le pharaon Taharqo en 671 (→traités 3) s'était cependant soldée par un siège de la ville et la perte de toutes les possessions continentales de T. (ANET, p. 292b; TPOA, p. 129-131). L'extension du commerce tyrien en ce VIIe s. est évoquée en *Ez.* 27,12-24, passage en prose qui doit remonter à cette époque, pendant laquelle T. connut néanmoins un autre siège, datant des premières années d'Assurbanipal (ANET, p. 295b-296a; TPOA, p. 133). Mais la ville perdit de son importance après le siège entrepris par Nabuchodonosor II en 585, siège qui dura treize ans (Fl. Jos., *C.Ap.* I 156). Toutefois, contrairement aux prévisions d'*Ez.* 26-28 (cf. *Am.* 1,9-10; *Za.* 9,3-4) et à la "relecture tyrienne" d'*Is.* 23, la cité insulaire ne fut pas prise d'assaut et détruite (*Ez.* 29,17-18.20), mais elle reconnut la suzeraineté babylonienne et le roi →Ittobaal III (5) fut remplacé par →Baal II. Le règne de ce dernier fut cependant suivi d'une période de sept ans pendant lesquels la cité fut gouvernée par des →suffètes: →Yakinbaal, →Khelbès, →Abbar, →Mattan (6) et →Gérastratos (1). La royauté reprend avec →Baalazor (2), →Maharbaal (1) et →Hiram III, au temps duquel T. passe sous l'hégémonie des Achéménides (→Perses). Une liste de villes et de districts du royaume tyrien, qui devait alors s'étendre du →Litani, au N., au Mont →Carmel, au S., semble avoir été reprise dans *Jos.* 19,25-30. La flotte tyrienne, commandée en 480 par →Mattan III et, en 333/2, par →Azzimilk I, prend part aux côtés des Perses à la bataille de Salamine (480), au cours des →guerres médiques, puis à la guerre contre →Alexandre le Grand, auquel T. opposa une résistance farouche (→guerre). À cette occasion, Arr., *An.* II 24,5 et Q.-Curce IV 2,10 signalent la présence, à T., de théores carth. venus sacrifier à Melqart, selon une coutume attestée aussi par Just. XVIII 7,9 et Pol. XXXI 12.

3 Cité hellénistique et romaine Alexandre s'empara

de T. en 332 et la mit à sac, après avoir construit la digue par laquelle ses troupes menèrent l'assaut final et qui forma l'épine dorsale de l'isthme réunissant aujourd'hui la T. insulaire à la terre ferme. Malgré les destructions subies en 332, T. retrouva rapidement sa prospérité sous les →Lagides. Gouvernée peut-être jusqu'en 306, voire 274, par une dynastie locale, puis administrée par des suffètes (RÉS 1204), elle fut conquise en 200 av. J.C. par les →Séleucides (cf. *2 M.* 4,18), sous lesquels elle battit monnaie avec la légende phén. *l-Ṣr*, "(appartenant) à T." Elle devint ville libre en 126 av. J.C. et conclut très tôt une alliance avec Rome. À l'époque gr.-rom., T. maintint d'étroits rapports commerciaux et culturels avec la Palestine, comme le montre la participation d'une délégation de Jérusalem aux jeux en l'honneur d'Héraklès-Melqart (*2 M.* 4,18-20), ainsi que le grand nombre de monnaies tyriennes qui furent trouvées en Palestine. L'hégémonie culturelle de T. s'étendait du reste jusqu'au Haut-Jourdain et était très sensible en →Galilée du N., notamment à →Qédesh. Septime-Sévère (193-211) l'éleva au rang de colonie dotée du *ius Italicum* et en fit la capitale de la Syro-Phénicie. C'était alors une grande place de commerce, renommée pour son industrie de la →pourpre et sa →verrerie. Elle possédait un comptoir commercial ou *statio* à →Pouzzoles et à →Rome. Les →sarcophages (6) de sa nécropole (fig. 371) et les vestiges de la ville de l'époque rom. témoignent de sa richesse, à laquelle faisait écho le renom de ses philosophes, les stoïciens Antipater et Apollonios (→philosophie), du géographe Marin de T., un des créateurs de la géographie mathématique qui sut exploiter les données recueillies par des générations de navigateurs phén., le rhéteur Paul de T., Maxime de T., précepteur de l'empereur Marc-Aurèle, le jurisconsulte Ulpien de T. (→droit).

4 Fouilles archéologiques Bien que la ville moderne recouvre une grande partie de la T. antique, des fouilles et des sondages y furent entrepris dès 1860, à l'initiative d'E. →Renan. Denyse le Lasseur mena deux campagnes en 1920-22, s'attaquant aux difficiles problèmes de l'enceinte antique, de la digue et des ports, que A. Poidebard soumit en 1934-36 à une série de recherches aériennes et sous-marines. Des fouilles de plus grande envergure furent entreprises à partir de 1947 sous la direction de l'émir M. Chéhab. Elles mirent au jour des vestiges importants des époques hellénistique, romaine et byzantine, mais les couches plus anciennes ne furent que rarement atteintes, principalement dans un sondage pratiqué en 1973-74 par P.M. Bikai.

Bibl. BRL², p. 349-350; DEB, p. 1284-1286 (bibl.); PECS, p. 944; PW VII, col. 1875-1908; E. Renan, *Mission de Phénicie*, Paris 1864, p. 527-694; W.B. Fleming, *The History of Tyre*, New York 1915; D. le Lasseur, *Mission archéologique à Tyr*, Syria 3 (1922), p. 1-26, 116-133; A. Poidebard, *Un grand port disparu, Tyr*, Paris 1939; M. Chéhab, *Tyr*, Beyrouth 1968; N. Jidejian, *Tyre through the Ages*, Beirut 1969; H.J. Katzenstein, *The History of Tyre*, Jerusalem 1973; P.M. Bikai, *The Pottery of Tyre*, Warminster 1978; M. Chéhab, *Fouilles de Tyr*, BMB 33-36 (1983-86); J.-P. Rey-Coquais, *L'histoire de Tyr à travers les inscriptions des sarcophages*, Archéologia 211 (1986), p. 22-29. NJid-ELip

TYRRHÉNIENNE, MER La m.T. est un vaste triangle maritime entre la péninsule italienne, la Corse, la →Sardaigne et la →Sicile, qui communique avec d'autres secteurs de la Méditerranée par les détroits de l'archipel toscan, de Bonifacio, de Messine, mais qui est, vers le S., largement ouvert vers Carthage. Ce fut d'abord par le détroit de Messine que les influences phén. se diffusèrent dans la m.T., à un moment où Carthage ne jouait pas encore un rôle méditerranéen et où les courants culturels venus de Phénicie et d'Orient, dits apports →"orientalisants", étaient étroitement liés aux apports gr. dûs aux →Eubéens.

La cohabitation entre Phéniciens (ou "Syriens") et Grecs à →Pithécusses (1) symbolise cette vocation "acculturatrice" de la m.T., qui fut avant tout la mer des mélanges culturels. Les Phéniciens installés sur les marges méridionales, en Sicile occidentale et en Sardaigne méridionale, eurent des liens privilégiés avec l'Italie centrale: Latium (→Rome) et Étrurie méridionale (→Étrusques; →Pyrgi; →Tarquinia). Dans ces conditions, on ne s'étonne pas que la m.T. ait été d'abord le théâtre du premier grand choc entre Carthage et le monde gr., avec la bataille d'→Alalia *c.* 540, ensuite la substance même des →traités (9) entre Rome et Carthage, enfin l'enjeu qui conduisit aux →guerres pun.

Bibl. M. Gras, *Trafics tyrrhéniens archaïques*, Rome 1985.
MGras

U

UBASTI →Bastet.

UGARIT En cunéiforme syllabique *Ugarit* ou *Ugarat* (Ébla; RS 18.03,29), ug. *'Ugrt*; cité côtière de la Syrie du N. dont les ruines forment le tell de Ras Shamra, à 12 km au N. de Lattaquié. Occupé dès le Néolithique (VIIe mill.), ce site devint, à l'âge du Bronze, l'emplacement de la capitale d'un royaume prospère dont la superficie — de 2.200 à 5.000 km^2 selon les époques — dépassait de loin celle de la majorité des →Cités-États de la Phénicie de l'âge du Fer. Le port d'U. se trouvait au Bronze Récent à Minet-el-Beida, à 1,5 km, et une ville avec une résidence royale s'élevait sur le →Ras Ibn Hani, à 5 km au S.-O. d'U.

1 Archéologie Le Chalcolithique et le Bronze Ancien et Moyen sont bien représentés à U. Le Bronze Récent, l'époque la mieux connue, surtout de 1365 à 1200, vit s'élever des quartiers d'habitation très denses sur plus de 20 ha, des temples et des palais avec leurs annexes. Cette architecture fit grand usage de pierres de taille, de moellons et de chaînages en bois. Le monument le plus important était le palais royal (*c.* 7.000 m^2), implanté à l'O. de la ville et protégé par tout un dispositif défensif. Il comprenait, rien qu'au rez-de-chaussée, 90 salles et pièces disposées autour de cinq cours et d'un jardin, onze escaliers, sept portiques et divers locaux avec les archives royales en cunéiforme alphabétique (ugaritique) et syllabique akkadien. Les archives O. concernent l'administration des villes et villages du royaume, les archives E. abritaient les textes économiques, ainsi que la correspondance royale et préfectorale de nature diplomatique, les archives centrales, l'ensemble des textes juridiques, les archives S., les textes des traités, édits et verdicts internationaux. Un four destiné à cuire les tablettes avait conservé une fournée de textes datant des derniers jours de la cité. Tous ces textes nous restituent l'essentiel de l'activité royale, de l'administration centralisée des citoyens "dépendants du roi", groupés selon des métiers bien organisés. Certains textes méritent une mention particulière, vu qu'ils préfigurent la marine phén.: listes de bateaux et textes relatifs au cabotage le long de la côte syro-phén. et palestinienne, avec mention des escales de →Byblos, →Tyr et →Akko. Outre les archives, le palais royal a restitué de remarquables vestiges de son mobilier: lits d'apparat, sièges, oliphant en ivoire, coffrets et meubles à décor d'ivoire, vases en albâtre et diorite importés d'Égypte. D'après divers indices concordants, il semble qu'il y ait eu des ateliers dans l'enceinte même du palais. En tout cas, les nombreux poids retrouvés dans les archives E. attestent l'existence d'une intense activité, sinon commerciale, du moins fiscale de la part des fonctionnaires royaux chargés des finances. Immédiatement au S. du palais, séparé de lui par une petite place, s'étendait un vaste bâtiment bien construit, dénommé Petit Palais. Datant également des XIVe-XIIIe s., il était habité par la famille d'un grand notable dont la personnalité se précise grâce aux archives conservées dans deux pièces. Il se distingue aussi par la présence de deux grands caveaux funéraires en pierre de taille, voûtés en encorbellement, type si caractéristique d'U. Parmi les pithoi et grandes jarres d'un vaste cellier, on recueillit deux grands vases égéens: un cratère crétois et un unique cratère mycénien tardif, originaire du Dodécanèse. Les textes du Petit Palais complètent ceux du Palais: en majorité en akkadien, ils traitent de transactions portant sur des denrées alimentaires, des bois et des métaux; une partie des textes renferment des listes de gens d'U. installés dans les villes côtières d'→Arwad, Byblos, →Sidon, Akko, →Ashdod, →Ascalon, ce qui éclaire à nouveau les étroites relations humaines, maritimes et commerciales qui unissaient les cités du Levant au cours de la seconde moitié du Bronze Récent. Au N. du palais royal s'étendaient plusieurs édifices officiels: un palais N., bien construit mais très ruiné, des XVIe-XVe s., comprenant 29 salles, passages, une cour et un seul escalier. Vidé anciennement de son mobilier, il servit de carrière à la fin du Bronze Récent. Sur la butte N.-O. du tell, un robuste ensemble

Fig. 372. Stèle d'Ugarit (XIIIe s. av. J.C.). Alep, Musée Archéologique.

bâti en pierre de taille pourrait avoir servi aux réunions des nobles, chevaliers-charriers, dont le rôle à U. était important, sous l'autorité directe du roi. Un autre édifice construit au rebord N. du tell semble également avoir abrité des chefs militaires, qui, d'après les vestiges retrouvés, devaient être parfois revêtus d'armures formées d'écailles de bronze. Dans le quartier résidentiel situé à l'E. du palais royal, on remarque de grandes maisons, dont celle de Rapanu, scribe et haut fonctionnaire de la Cour, qui gardait chez lui des archives épistolaires du plus haut intérêt pour l'histoire des relations politiques entre U. et ses voisins, des textes économiques et religieux, des encyclopédies et même un tableau des poids et mesures. Dans les quartiers S. de la ville, les maisons d'artisans étaient souvent groupées par métiers: orfèvres, bronziers, sculpteurs, graveurs, artisans du bois, du cuir, du textile. Le plus souvent, ce sont les outils de bronze spécifiques qui permirent de les identifier. Une autre activité, issue de l'agriculture, paraît avoir été très répandue dans la ville d'U. à en juger d'après la fréquence des installations comportant moulin et presse: la fabrication de l'huile d'olive. Certaines installations peuvent correspondre à des pressoirs à vin. Sur l'acropole et sa bordure S. se trouvaient les deux grands temples de →Baal et de →Dagan, ainsi que des bibliothèques religieuses: celle du grand-prêtre abritait les célèbres textes mythologiques et liturgiques qui firent la renommée d'U. dès 1930. La maison d'un prêtre-magicien conservait un intéressant groupe de textes paramythologiques et des modèles de foies, certains inscrits et associés à un mobilier culturel, p.ex. une chope peinte représentant le dieu →Él. Non loin de l'enceinte du temple de Baal, dans un bâtiment annexe, furent trouvés deux très beaux vases historiés en or et une coupe ornée d'un décor gravé de scènes mythologiques, datant du XIVe s., véritable prototype des futures →coupes métalliques chypro-phén. de l'âge du Fer qui se répandront de la Phénicie à l'Étrurie. Du quartier d'habitation situé au S.-O. de ce bâtiment proviennent deux stèles sculptées en pierre (fig. 372). La grande innovation des scribes ugaritiques était la création d'un alphabet cunéiforme, matérialisé par les abécédaires découverts dans les locaux d'archives royales et religieuses (fig. 20). Dans le domaine du commerce maritime, U. a également ouvert la voie à l'expansion des cités phén. au Ier mill. av. J.C.: l'archéologie et les textes montrent très clairement l'étendue et l'intensité des échanges entre le royaume syrien, Chypre et le monde crétomycénien de l'Égée; il suffit de rappeler les centaines de vases céramiques d'origine chypriote et égéenne retrouvés à U. et à Minet-el-Beida, les produits syriens se trouvant exportés vers ces mêmes pays méditerranéens. La concordance entre les systèmes pondéraux en usage tant en Syrie qu'à Chypre et dans le monde égéen confirme l'importance des échanges commerciaux et éclaire les bases de leur organisation d'un jour nouveau. JCCour

2 Histoire La plus ancienne mention d'U. se trouve dans un texte d'→Ébla, au XXIVe s. qui correspond aux vestiges de l'enceinte du Bronze Ancien II. La ville n'est pas mentionnée dans les documents de la IIIe dynastie d'Ur, mais elle entretient au XIXe s. des relations suivies avec l'Égypte de la XIIe dynastie, comme en témoignent les objets portant des inscriptions hiéroglyphiques de Sésostris I, Sésostris II, Amenemhât III et des dignitaires égyptiens de la même époque. Au XVIIIe s., U. apparaît à maintes reprises dans les textes de →Mari et sert alors d'intermédiaire dans le commerce de produits de luxe entre la →Crète minoenne et la vallée de l'Euphrate. En revanche, elle n'apparaît qu'une fois (AlT 358) dans les archives du niveau VII d'→Alalakh (XVIIe s.) et deux fois (AlT 4; 442e) dans les archives du niveau IV (XVe s.), quand U. et Alalakh se trouvent dans la mouvance du royaume de Mitanni. Mais à la suite des expéditions des pharaons de la XVIIIe dynastie jusqu'à l'Euphrate, dont le cartouche de Thoutmès III sur un vase trouvé à U. est un reflet, U. passe sous l'hégémonie égyptienne, comme l'attestent les lettres d'el →Amarna (EA 1,39; 45,35; 89,51; 98,9; 126,6; 151,55), les plus anciens documents retrouvés dans les archives d'U. et les vases d'albâtre au cartouche d'Aménophis III (1386-1349), nommé dans KTU 2.42. Dans la seconde moitié du XIVe s., U. entre toutefois dans la sphère d'influence des →Hittites et devient un royaume vassal de l'Empire hittite, dépendant directement du vice-roi de Karkémish mais jouissant d'une grande autonomie qui permet des rapports officiels avec l'Égypte (Tel Aviv 8 [1981], p. 1-17) et favorise surtout l'expansion économique. L'économie d'U., relativement bien connue grâce aux textes d'archives, était très diversifiée: l'agriculture et l'élevage, pratiqués dans les villages et les fermes du domaine royal, allaient de pair avec l'industrie, — fabrication de la pourpre, métallurgie, tissage, — ainsi que le commerce, notamment par voie de mer, dont le port de Maḫādu, l'actuel Minet el-Beida, constituait le pivot. Tout comme les relations commerciales, dont les ramifications atteignaient Chypre et l'Égée, la côte palestinienne et l'Égypte, l'intérieur de la Syrie, la Mésopotamie et l'Anatolie, ainsi la population même d'U. présentait un aspect cosmopolite que confirment les textes en sept langues différentes découverts à U. Au début du XIIe s., U. fut détruite par les →"Peuples de la Mer" et ne se releva jamais de ses ruines, à l'encontre du site voisin de Ras Ibn Hani, qui fut aussitôt réoccupé. ELip

3 Culture ugaritique et phénicienne La culture ugaritique du Bronze Récent trouve une forme d'expression privilégiée dans les textes, rédigés, pour la plupart, en akkadien, la langue diplomatique de l'époque, ou dans l'idiome local, dit "ugaritique", assez proche du phén. du Ier mill. et utilisant un →alphabet cunéiforme de 30 signes, génétiquement lié à l'alphabet phén. classique. Les archives d'U. témoignent, du reste, des rapports étroits et continus, surtout de nature commerciale, entre U. et les villes côtières de la future Phénicie. Des documents en akkadien mentionnent →Arwad, →Byblos, →Tyr, →Sidon, centres maritimes où vivaient des Ugaritiens. Par ailleurs, une liste nominative mentionne deux Arwadiens résidant à U. (PRU VI,79). Une correspondance entre le roi de Sidon et le roi d'U. concerne un "péché" commis à Sidon par des citoyens d'U. Une lettre du roi de Tyr au roi d'U., traite

Fig. 373. L'épave d'Ulu Burun avec les ancres en pierre et les lingots en "peau de bœuf".

d'un navire qui avait fait naufrage près d'→Akko (KTU 2.38), tandis qu'un texte administratif fait allusion au port de Byblos (KTU 4.338). Selon le poème de Keret, le héros du récit se rend au sanctuaire d'Athirat, déesse des Tyriens et des Sidoniens (KTU 1.14, IV, 35.38), afin de prononcer un vœu qu'il ne respectera pas, faute grave qui sera à l'origine de tous ses malheurs. Les relations suivies avec →Alashiya présagent déjà l'implantation phén. à →Chypre. La tradition littéraire et religieuse d'U., même si elle constitue un apport culturel original de l'époque du Bronze, révèle bien des points de contact avec la Phénicie de l'âge du Fer. Des cycles mythiques comme celui de →Baal, qui disparaît aux Enfers à cause de →Môt, puis triomphe de la mort, représentent un type de tradition religieuse qui préfigure →Melqart et les autres Baals phén., dont on célébrait rituellement la mort et le retour à la vie. La figure du roi ugaritique, en même temps souverain politique et ministre du culte, notamment celui des ancêtres, les →Rephaïm, est susceptible d'éclaircir en partie l'évolution historique qui caractérisera le rôle du roi dans les villes phén. On constate aussi que la plupart des dieux vénérés à U., avec des modifications inévitables dues à l'évolution et au temps, jouissent d'une grande popularité dans le monde phén.-pun. On retrouve donc →Resheph, →Horôn, →Él, →Chousor, Shapash devenue →Shamash, Shalim, le Milk d'Ashtarot (→Milkashtart). S'il est vrai que Melqart comme tel n'est pas attesté jusqu'à présent à U. et qu'→Eshmun ne trouve sa propre dimension cultuelle que dans la religion phén.-pun. du Ier mill., une figure comme celle de →Shadrapha se rattache au *Šd qdš* de →Ras Ibn Hani. Quant à →Anat, pourtant attestée dans le monde phén.-pun., elle s'efface devant →Astarté, à son tour très liée à →Tanit. Somme toute, il y a une continuité de fond entre les cultures ugaritique et phén., en dépit des bouleversements qui ont marqué, en Syro-Palestine, le passage du Bronze Récent à l'âge du Fer. PXel

Bibl. DBS IX, col. 1124-1466 (bibl.); DEB, p. 1287-1290; C.F.A. Schaeffer et al., *Les fouilles de Ras Shamra - Ugarit*, Syria 10 (1929) ss.; id., *Ugaritica* I-VII, Paris 1939-78; C. Virolleaud - J. Nougayrol, PRU II-VI, Paris 1955-70; TOu; KTU; J.C.L. Gibson, *Canaanite Myths and Legends*, Edinburgh 1978; G. Saadé. *Ougarit*, Beyrouth 1979; G. Del Olmo Lete, *Mitos y leyendas de Canaan*, Madrid 1981; TRU; P. Xella, *Gli antenati di Dio*, Verona 1983; M. Yon (éd.), *Ras Shamra - Ougarit* III, Paris 1987; D. Pardee, *Ugaritic Bibliography*, AfO 34 (1987), p. 386-471.

ULLASA →Orthosia.

ULLASTRET Ville ibérique de l'actuelle province de Gérone (Gerona, Catalogne), qui a livré des →timbres amphoriques pun. des IVe-IIIe s., ainsi qu'un graffito pun. sur un skyphos (CIE 05.01-03). ELip

ULU BURUN Une →épave du Bronze Récent II, de plus grande taille que celle du cap →Gelidonya, a été identifiée en 1982 à *c.* 70 km plus à l'O., au large d'U.B., près de Kaş. Le fret se composait de matières premières (fig. 373): six tonneaux de lingots de cuivre, des lingots d'étain et de verre, de l'→ivoire (2) d'éléphant et d'hippopotame brut, des →œufs d'autruche, du bois d'ébène égyptien et, dans des amphores cananéennes, une tonne de résine tirée de l'arbre *Pastacia terebinthus*. La cargaison était rembourée à l'aide de grandes pimprenelles épineuses. La coque a aussi livré des olives, des figues, du sumac, de la coriandre, des grains de raisin et des grenades. Les objets comprenaient des poteries chypriotes dans de grandes jarres, des vases ainsi qu'une épingle en bronze et un sceau de pierre lentiforme mycénien, un sceau-cylindre kassite, un autre assyrien, de la céramique et de la bijouterie cananéennes, des perles d'ambre de la Baltique, des épées du Proche-Orient et de l'Égée, une plaque de pierre portant le nom de →Ptah et des →scarabées égyptiens, dont un en or au nom de la reine Nefertiti (*c.* 1350), un diptyque en bois aux charnières d'ivoire, qui rappelle celui évoqué par l'*Il.* VI 169, et une coupe en or. L'or et l'argent étaient surtout présents sous forme de petits fragments. Le navire, d'une longueur probable de 15 à 17 m, disposait d'au moins 20 ancres de pierre pesant jusqu'à 200 kg. Ses planches de sapin étaient assemblées à la quille et les unes aux autres par des tenons et des mortaises tenues en place par des chevilles en bois durci, une technique utilisée plus tard par les charpentiers gr. et rom. Tant sa destination que sa nationalité restent inconnues.

Bibl. G. Bass, *A Bronze Age Shipwreck at Ulu Burun (Kaş): 1984 Campaign*, AJA 90 (1986), p. 269-296; id., *Oldest Known Shipwreck reveals Splendors of the Bronze Age*, National Geographic 172 (1987), p. 692-733; C. Pulak, *The Bronze Age Shipwreck at Ulu Burun, Turkey: 1985 Campaign*, AJA 92 (1988), p. 1-37; G. Bass - C. Pulak - D. Collon - J. Weinstein, *The Bronze Age Shipwreck at Ulu Burun: 1986 Campaign*, AJA 93 (1989), p. 1-29. GBass

ULYSSE →Élisha.

UMM EL-AMED En phén. *Ḥmn*, hb. *Ḥammôn*, arabe *'Umm el-'Amed* ou *'Awāmid*; site antique du Liban, à 19 km au S. de →Tyr, occupant une aire rocheuse qui domine de *c.* 500 m d'altitude une petite

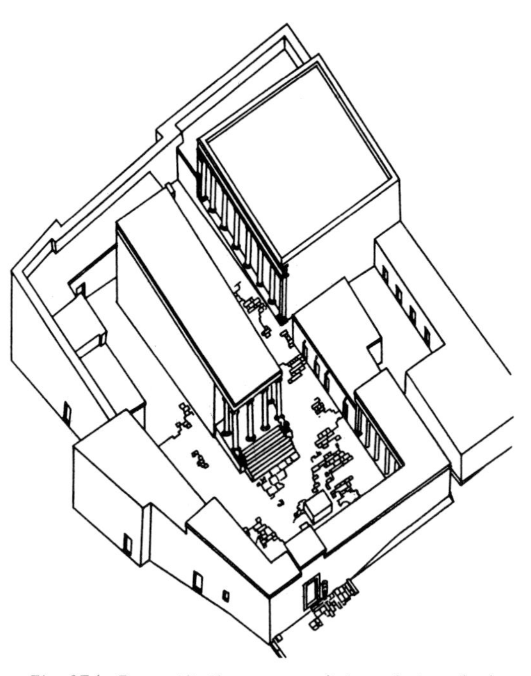

Fig. 374. Reconstitution axonométrique du temple de Milkashtart, Umm el-Amed (IIIe s. av. J.C.).

Fig. 375-376. Stèles funéraires d'Umm el-Amed (IVe-IIIe s. av. J.C.). Beyrouth, Musée National.

plaine côtière où débouche le Wadi el-Ḥamūl, entre le promontoire de Ras el-Abyaḍ au N. et le →Ras en-Naqura au S. L'intérêt essentiel du site est qu'il a préservé des édifices phén. de l'époque hellénistique dont toute l'architecture est antérieure à l'époque rom. (fig. 374). Seul un hameau byzantin se construisit plus tard dans les ruines, autour de la *cella* du temple désaffecté, qui servit d'église. À quelque distance des ruines, une →nécropole phén. a livré des →stèles (1) sculptées et inscrites.

1 Découvertes anciennes et celles de 1953 Les ruines d'U. el-A., signalées pour la première fois par L.P. Cassas en 1772, ont été visitées en 1861 par E. →Renan qui y découvrit quatre inscriptions, une gr. et trois phén., dont deux dédicaces à →Milkashtart, le dieu poliade de Hammon, et une dédicace à →Baal Shamêm (CIS I,7-9). Le site était recouvert de vestiges de plusieurs édifices décorés de chapiteaux doriques et ioniques, ainsi que de →disques ailés pourvus d'*uraei*, qui ornent aussi le sommet des stèles d'U. el-A. D'autres inscriptions y furent en effet trouvées à la fin du XIXe et tout au début du XXe s., gravées notamment sur une stèle honorifique de Baalyaton, "prêtre de Milkashtart" (RÉS 307), sur une stèle funéraire de son homonyme (RÉS 250; Phén 121) et sur une dalle du sépulcre de Baalshamor, un personnage distinct de son homonyme, "chef des portiers", dont la stèle funéraire appartient au lot découvert en 1953 à quelque distance des ruines des temples (fig. 375). Ces stèles, tout comme celles des personnages figurés sur des stèles anépigraphes (fig. 376; PhMM 23), sont datées du IVe ou du IIIe-IIe s. av. J.C. Elles représentent, nu-pieds (cf. *Ex.* 3,5; *Jos.* 5,15), des orants vêtus de la tunique talaire et d'une étole qui tombe de l'épaule gauche, tenant un coffret ou une coupe à encens →égyptisante dans la main gauche. La plupart sont coiffés de la toque cylindrique, tout comme l'officiant d'une stèle de Carthage au IVe s. (Phén 172), et sont très probablement des prêtres.

2 Fouilles de 1942-1945 Des fouilles importantes ne furent entreprises à U. el-A. qu'en 1942-45, sous la direction de M. →Dunand et M. Duru, qui n'ont décelé aucune construction antérieure au Ve s. av. J.C., bien que la localité fût mentionnée dans *Jos.* 19,28, de date incertaine. Ils ont dégagé l'ensemble du temple de Milkashtart et un autre temple, dit "temple E.", ainsi que plusieurs maisons. Tous ces bâtiments datent des IIIe-IIe s. et les débuts de leur construction remontent au temps des →Lagides, dont Ptolémée III, fils de Ptolémée II et d'Arsinoé, est nommé dans une inscription phén. de l'an 222, provenant du site (KAI 19 = TSSI III,31). Le temple de Milkashtart a eu deux états, sans que le plan général ait changé. Dans leur plan, ces deux temples ne doivent rien à la Grèce: ce sont des →sanctuaires (1) du type sémitique, où la *cella* est isolée dans une cour fermée, que bordent des constructions annexes et des portiques. Dans les deux cas, la *cella* est un bâtiment quadrangulaire, précédé sur son petit côté oriental par un perron, sur lequel on restitue des colonnes, et par un escalier. La *cella* du "temple E." se compose d'une grande pièce, qui précède deux petites chambres qui sont interprétées comme des chapelles. La *cella* du temple de Milkashtart est très longue et aucune division intérieure n'y est apparente, bien que le dieu semble avoir formé à Hammon une triade avec →Astarté et l'Ange (*Ml'k*) de Milkashtart. On attendrait au moins une distinction entre la chambre de culte et l'*adyton*, marquée peut-être dans les superstructures disparues de cette longue salle. L'autel du temple de Milkashtart, dont les fondations ont été retrouvées, se trouvait dans la cour, devant l'entrée de la *cella*. Parmi les objets trouvés dans la fouille de ce temple figurent un fragment d'une statue d'Héraklès à la dépouille de lion et une corniche sur laquelle se détache une massue, attribut de ce dieu. Ceci impliquerait l'identification de Milkashtart avec Héraklès, comme ce fut également le cas à →Leptis Magna et probablement à →Gadès. La pièce la plus intéressante du "temple E." est un →trône vide flanqué de deux →sphinx ailés, dont les fragments ont été recueillis dans une chapelle isolée de la cour et qui s'ajoute au trône plus petit rapporté par Renan d'U. el-A. Si l'appellation de "trônes d'Astarté", que l'on donne à ces monuments, est justifiée, le "temple E." pourrait avoir été consacré à cette déesse. Les fouilles de 1942-45 ont également mis au jour quatre inscriptions phén., ce qui porte à 16 le nombre total d'inscriptions phén. d'U. el-A. actuellement connues, dont 8 proviennent du temple de Milkashtart, notamment celle d'un cadran solaire, d'un sphinx et de deux statues d'offrants qui encadraient l'entrée principale de l'enceinte. Parmi les installations privées d'U. el-A., les plus intéressantes sont les nombreux pressoirs, souvent bien conservés avec leur aménagement et leur mobilier; ils indiquent que la fabrication de l'→huile était une activité importante à Hammon.

Bibl. E. Renan, *Mission de Phénicie*, Paris 1864, p. 695-749; M. Chéhab, *Nouvelles stèles d'Oum El 'Awamid*, BMB 13 (1956), p. 43-52; M. Dunand - R. Duru, *Oumm el-'Amed. Une ville de l'époque hellénistique aux Échelles de Tyr*, Paris 1962; A. Caquot, *Le dieu Milk'ashtart et les inscriptions de 'Umm el-'Amed*, Semitica 15 (1965), p. 29-33; J.T. Milik, *Dédicaces faites par des dieux*, Paris 1972, p. 423-427; P. Magnanini, *Le iscrizioni fenicie dell'Oriente*, Roma 1973, p. 16-23; TSSI III,31-32; M.G. Amadasi Guzzo, *Inscriptions phéniciennes sur cadrans solaires*, Mélanges M. Delcor, Kevelaer-Neukirchen-Vluyn 1985, p. 1-12; Bonnet, *Melqart*, p. 122-128. NJid-ELip

UR Ville antique de Mésopotamie, où l'on a trouvé une petite boite en →ivoire (1A) portant une dédicace phén. à →Astarté (3), faite par une certaine Amatbaal, fille de Patesi (KAI 29 = TSSI III,20). L'objet, datable du VIIe s., provient probablement d'un butin de guerre et est conservé au British Museum (BM 120.528). D'après un indice dialectal incertain ([*z*]*n*), il pourrait provenir de Byblos (pl. VIIc). ELip

URBANISME Tandis que l'u. de la Grèce ancienne compte parmi les favoris de la recherche actuelle, l'u. phén. en reste presque à l'écart faute de monuments correspondants. Une notice de Strab. III 4,2, parlant d'un "schéma" urbanistique phén. à l'opposé des *íkhnē* de la cité gr., peut toutefois servir de point de départ.

1 Cité phénicienne En fait, déjà l'occupation du sol suit des modèles particuliers: tant les grandes métropoles que les établissements coloniaux se situaient sur de petits promontoires (→Sidon, →Carthage, →Utique, etc.) ou des îlots et à côté d'embouchures de fleuves (→Tyr, →Motyé, →Gadès, Sexi [→Almuñécar], etc.), obéissant ainsi aux exigences du commerce d'outremer. Les villes de la Phénicie propre sont représentées, p.ex. sur les portes de →Balāwāt (ANEP 356) et sur les bas-reliefs néo-assyriens du palais S.-O. à Ninive, ceintes de hautes murailles crénelées et pourvues de tours fortifiées. Le système défensif pouvait être complété par des fosses sèches, p.ex. à →Akzib, Motyé, →Toscanos. À l'intérieur de l'enceinte, l'espace était mis à profit au maximum par des maisons à plusieurs étages. Strab. XVI 2,13 s'émerveille ainsi de la hauteur des maisons d'→Arwad et App., *Lib.* 128, mentionne six étages à Carthage, au IIe s. av. J.C. La ville de Tyr est décrite de façon émouvante dans quelques passages d'*Ez.* 26. L'organisation de l'espace urbain, avec un réseau non orthogonal de rues (?), était ponctuée de →sanctuaires *intra muros*, p.ex. à Tyr, →Kition, Carthage, d'aires publiques et d'installations portuaires. Dans la banlieue se trouvait le →*tophet*, le lieu saint des sacrifices d'enfants, ainsi que les nécropoles, qui s'étendaient parfois sur la rive opposée d'un fleuve ou d'une baie. À l'époque perse, dès le Ve s., le plan hippodamien se développe dans plusieurs villes phén., notamment à →Dor, →Qarta, →Shiqmona, Tell →Abu Hawam, →Al-Mina. HGNiem

2 Cité punique Les investigations archéologiques récentes ont largement amélioré notre connaissance de la cité pun. et de son organisation, particulièrement en →Tunisie, →Sardaigne et →Sicile. Si pour l'époque archaïque, du VIIIe au Ve s., cette connaissance est encore très limitée, l'existence d'un habitat phén.-pun. de type urbain s'affirme désormais à →Carthage (2E) dès le VIIIe s. av. J.C. et on peut la supposer sur maint site, même à →Tipasa, p.ex., au VIe/Ve s., vu les découvertes faites dans les nécropoles. Certes, les fouilles commencent seulement à livrer les éléments de plans d'ensemble, mais il est clair que la topographie des lieux concernés exclut d'emblée l'existence d'un type d'implantation uniforme. Aux sites de plaine, tels que Carthage ou, plus tard, →Banasa et →Tamuda au →Maroc, s'opposent les sites de pente, comme sur les versants de la colline de →Byrsa, à →Icosium, →Lixus, →Tanger et →Volubilis, ou encore les bourgades d'origine numide bâties sur des éperons de forme triangulaire, comme à →Djémila ou →Siga. Les problèmes de voirie et d'alimentation en →eau ne se posent pas de la même manière dans des cas si différents. Par ailleurs, l'origine de tous les sites urbains du Maghreb pré-rom. ne doit pas être cherchée dans les établissements pun., d'autant moins que nombre d'entre eux se trouvent dans l'arrière-pays et que d'autres portent des noms libyques qui suggèrent l'existence d'agglomérations indigènes d'une certaine importance, auprès desquelles s'est installé le comptoir pun., comme cela fut, en Orient, le cas des *kārum* assyriens. Il est significatif, en tout cas, que des historiens comme Hécatée (FGH 1) aient pris le soin de préciser après chaque nom de ville s'il s'agit d'une ville de Libyens, de Libyphéniciens ou de Phéniciens. Ces considérations d'ordre général se vérifient partiellement sur le terrain. En effet, l'organisation urbaine d'une cité pun. se dessine plus clairement à partir du Ve s. av. J.C. D'abord à Carthage, où des quartiers d'habitation sont alors édifiés selon un plan orthogonal, en adoptant dans la plaine littorale, au S. des nécropoles, une orientation parallèle à la mer, qui subsistera par la suite. C'est à la même période que remonte aussi le premier rempart maritime de la cité. À l'époque hellénistique, les pentes de Byrsa sont loties selon un plan rayonnant avec, pour chaque petit secteur, une trame orthogonale bien attestée sur le versant S. de la colline, où l'habitat est regroupé en îlots de plans et de dimensions standardisés. L'une des rues de ce quartier, descendant vers le port de guerre, devait aboutir à l'*agora*, pas encore localisée, mais connue par les textes. La capitale pun. aurait eu des rues ou des places dallées (Diod. XX 44,5; Isid., *Orig.* XV 16,6; Serv. Dan., *in Aen.* I 422), comme le "boulevard extérieur" de →Kerkouane, revêtu de grosses dalles de calcaire dur, mais les fouilles n'ont répéré jusqu'ici que des rues empierrées et sablées, larges de *c.* 6,50 m. Un égout axial construit semble avoir été identifié à Carthage et il en existait à Kerkouane, à côté de caniveaux d'écoulement à ciel ouvert, mais les eaux usées étaient aussi recueillies dans des puisards creusés dans la chaussée. On n'a pas retrouvé à Carthage de réseau urbain d'adduction d'eau: l'alimentation en eau était assurée par des citernes, des puits et des captages. Si la

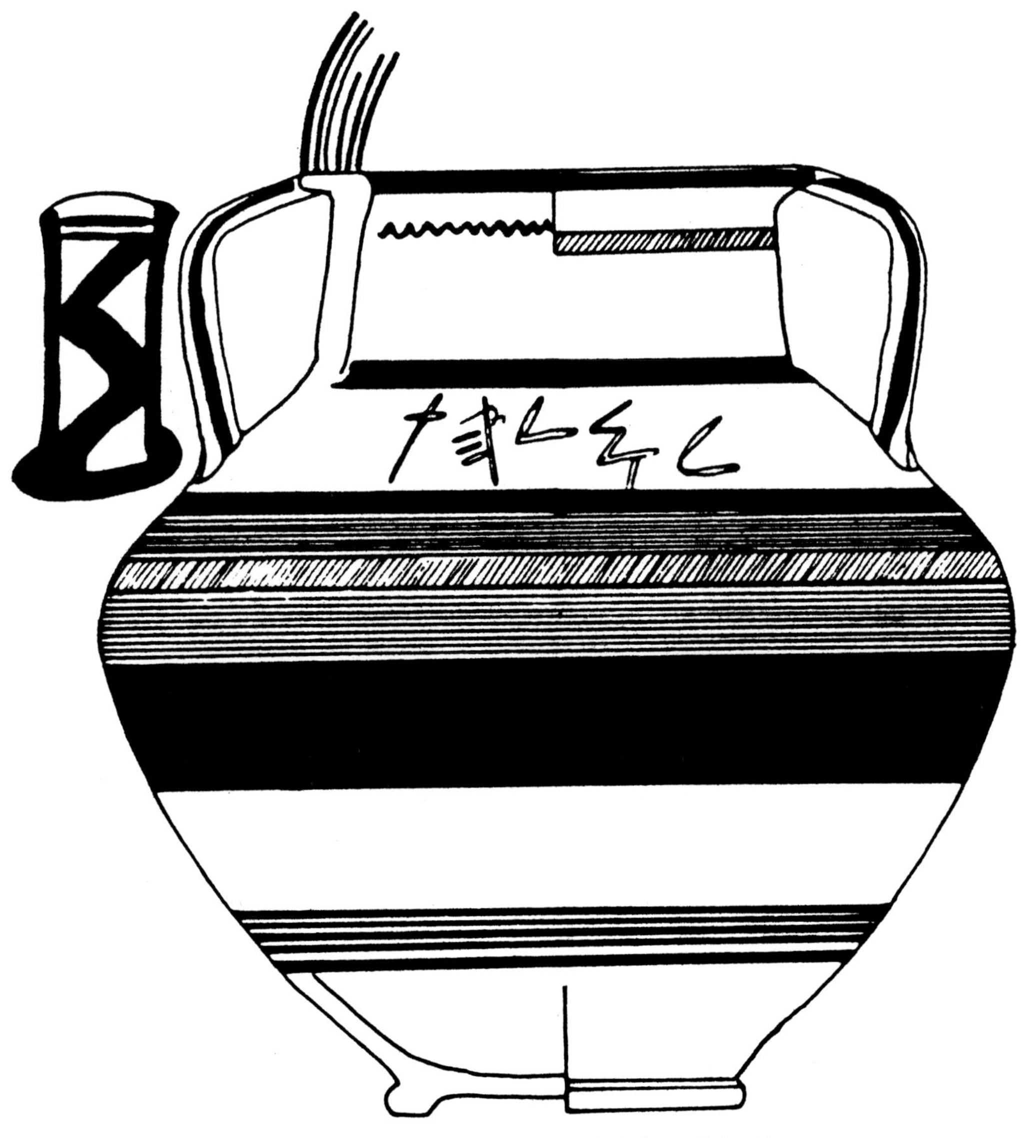

Fig. 377. Récipient de Tell Rachidiyé avec épigraphe phén. (VIIIe s. av. J.C.). Beyrouth, Musée National.

falaise littorale dispensait Kerkouane d'un rempart maritime, la ville n'en présente pas moins un bon exemple d'u. de grosse bourgade fortifiée. Son enceinte délimite une agglomération à peu près ovoïde, dont la première enveloppe de maisons épouse la ligne du rempart et entoure un noyau urbain aéré par de petites places et divisé par des rues distribuées selon deux axes, sans trame orthogonale. Il en résulte un plan souple, sinon spontané, qui ne reflète pas un schéma directeur. C'est la même souplesse qui prévaut dans les sites urbains de la →Sardaigne pun., p.ex. à →Monte Sirai, tandis qu'une organisation suivant un plan préétabli se remarque en →Sicile, à →Motyé, à →Solonte et à →Sélinonte. Si l'on ne peut récuser une influence de l'u. gr. en Sicile et dans la capitale pun., il faut néanmoins souligner que les fondations des murs archaïques de Carthage, mis au jour par les sondages et les récentes fouilles allemandes, ont une orientation qui correspond exactement au schéma orthogonal attesté depuis le Ve s. av. J.C. dans la plaine littorale. L'u. de l'époque magonide semble donc épouser les lignes de l'u. de la ville archaïque qui se présente, dès ses débuts, comme une ville organisée et tracée en éventail à partir de la ligne côtière. ELip

Bibl. S. Moscati (éd.), *I Fenici e Cartagine*, Torino 1972, p. 152-173; B.S.J. Isserlin, *Some Common Features in Phoenician/Punic Town-Planning*, RSF 1 (1973), p. 135-152; id., *Motya: Urban Features*, H.G. Niemeyer (éd.), *Phönizier im Westen*, Mainz a/R 1982, p. 112-131 (bibl.); E. Stern, *The Material Culture of the Land of the Bible in the Persian Period, 538-332 B.C.*, Warminster 1982, p. 47-60; M.H. Fantar, *Kerkouane* I, Tunis, 1984, p. 103-266; S. Lancel, *La renaissance de la Carthage punique*, CRAI, 1985, p. 727-751; E. Stern, *The Excavations at Tel Dor*, E. Lipiński (éd.), *The Land of Israel: Cross-Roads of Civilizations*, Leuven 1985, p. 169-192; H.G. Niemeyer, *El yacimiento fenicio de Toscanos: urbanistica y función*, AulaOr 3 (1985), p. 109-126; A. Jodin, *Volubilis Regia Iubae*, Paris 1987, p. 177-199; S.F. Bondì, *L'urbanistica e l'architettura*, I Fenici, Milano 1988, p. 248-283.

URIKKI En phén. *'wrk* ou *Wryk*, akk. *Ú-ri-(yi-)ik (-ki)*, pseudo-hiéroglyphes louvites *À-wa-r(i)-ku-*, nom de plusieurs rois de →Cilicie, plus précisément du royaume de Que / Ḫume selon les textes assyro-babyloniens.

1 U. I, roi d'Adana au VIIIe s. selon les inscriptions bilingues de →Karatepe (phén.: KAI 26 = TSSI III,15,A,2) et selon l'inscription phén. de →Hassan-Beyli (KAI 23,5). C'est lui qui "a rendu puissant" →Azatiwada, l'homme fort du royaume et l'auteur des inscriptions de Karatepe.

2 U. II, roi de Que, tributaire de Téglat-Phalasar III à partir de 738 (ANET, p. 282a, 283a; TPOA, p. 98, 99, 104). On l'identifie communément au roi U. de Que qui régnait encore en 709 av. J.C. (SAA I,1,5). Son identification avec U. I dépend de la date des inscriptions de Karatepe, gravées de toute manière sous l'un des successeurs d'U. I (cf. KAI 26 = TSSI III,15,A,10-11). Elle serait possible, si on pouvait abaisser la date des monuments et des inscriptions de Karatepe jusqu'au VIIe s.

3 U. III, roi mentionné dans l'inscription phén. de →Cebelireis Dağı 8A/B, que les critères paléographiques invitent à dater *c.* 625-600 av. J.C. On ne pourrait donc l'identifier à U. I/II.

Bibl. CAH III/1², p. 418-420, 429-431; P.H.J. Houwink ten Cate, *The Luwian Population Groups*, Leiden 1961, p. 20-21; Bron, *Karatepe*, p. 34, 159-163; J.D. Hawkins, *Some Historical Problems of the Hieroglyphic Luwian Inscriptions*, AnSt 29 (1979), p. 153-167 (voir p. 153-157).
RLeb-ELip

URUMILK En akk. *Ú-ru-mil-ki*, phén. *'rmlk*, prononcé vraisemblablement *'Ôrmilk* ("Lumière du roi" ou "Le roi est une lumière").

1 U. I, roi de →Byblos qui paya le tribut à Sennachérib en 701 (ANET, p. 287b; TPOA, p. 119).

2 U. II, roi de Byblos *c.* 500, grand-père du roi Yehawmilk (1) (KAI 10 = TSSI III,25). ELip

USHNATU / USHNÛ En akk. *Ušnātu*, puis *Ušnu /Usnu*; Cité-État de la Syrie du N., mentionnée souvent avec →Siyān(u) dans les textes d'→Ugarit, puis à l'époque néo-assyrienne. Après avoir reconnu pendant longtemps la suzeraineté des rois d'Ugarit, l'U. fut affranchi de la tutelle ugaritienne par décision du roi hittite Murshili II. L'U. prit part, en 853, à la coalition anti-assyrienne dirigée contre Salmanasar III (ANET, p. 279a; TPOA, p. 86), mais finit par être annexé par Téglat-Phalasar III (ANET, p. 282b, 283a; TPOA, p. 101). La ville d'U. se trouvait au S.-E. d'Ugarit et on a notamment proposé de l'identifier avec le Tell Darūk, situé près de Tell →Sukas, à quelques km de la côte.

Bibl. M. Liverani, *Storia di Ugarit*, Roma 1962, p. 72-76, 150-152; E. Oldenburg - J. Rohweder, *The Excavations at Tall Darūk (Usnu?) and Arab al-Mulk (Paltos)*, København 1981.
ELip

USU En akk. d'el-Amarna *Ú-sú*, néo-assyrien *Ú-šu-u/ú*, ég. *'Iṯ(w)*, hb. peut-être *Ḥōsāh*, voire hb. post-biblique *'Ûšā'*, dépendance de →Tyr sur la terre ferme, vraisemblablement la *Palaíturos* des Grecs (Skyl. 104; Strab. XVI 2,24). Attestée peut-être dès le XIXe s. av. J.C. dans les textes d'exécration égyptiens (f 3: *'Iw3ṯi*), U. apparaît dans les lettres d'el→Amarna, au XIVe s. (EA 148,11.30; 149,49; 150,18), puis dans les listes topographiques de Séthi I et de Ramsès II, ainsi que dans le *Pap. Anastasi I* 21,1 (ANET, p. 477), au XIIIe s. Ces documents concordent pour en faire un lieu d'approvisionnement en eau, transportée par bateau vers l'île de Tyr, qui s'y approvisionnait aussi en bois, paille et argile. En outre, au temps d'el-Amarna, la →nécropole de Tyr se trouvait sur le territoire d'U. (→tombes 1E). Au Ier mill., U. se serait rendue à un roi assyrien qui pourrait être Salmanasar V (726-722; Fl. Jos., *A.J.* IX 285), mais elle n'est pas mentionnée, dans les textes assyriens connus, avant Sennachérib qui s'en empare lors de sa campagne contre Tyr et Sidon (OIP II, p. 29, 43; 69, 20; ANET, p. 287b; TPOA, p. 119). Ensuite, elle n'est nommée qu'au temps d'Assurbanipal qui la pille à son retour d'une campagne contre les Arabes (ANET, p. 300b). U. figure peut-être encore, sous la forme *Ḥōsāh* ("refuge", "abri"), dans la description que *Jos.* 19,29 fait du territoire de la tribu d'Asher. →Ousôos, que Philon de Byblos (Eus., *P.E.* I 10,10) mentionne en connexion avec Tyr, pourrait tirer son nom de celui d'U. et on peut se demander si la *'Ûšā'* des textes talmudiques, où se tint le synode des Sages juifs au milieu du IIe s. ap. J.C., n'est pas une forme araméisée du nom d'U. On situe souvent U. à Tell Rachidiyé, à 4 km au S. de Tyr, près des sources abondantes de *Ras el-'Aïn*, qui alimentaient Tyr en eau et irriguaient les terres. La fouille de la nécropole de Tell Rachidiyé a effectivement livré de la céramique phén. (fig. 377) remontant au VIIIe s. av. J.C. (tombes IV et V). D'autres localisations sont cependant possibles. À 2,5 km à l'E., se trouve le petit *Ḫirbet el-Ḥauš*, qui préserve peut-être le nom de la *Ḥōsāh* de *Jos.* 19,29, tandis que le grand *Tell el-Ma'šūq* se dresse à l'E. de Tyr, juste en face de la ville. Sa base cache l'ancien aqueduc taillé dans le roc qui régularisait la distribution des eaux de *Rās el-'Aïn*. Skyl. 104, mentionne le flot (*potamós*) qui traverse Palaetyr.

Bibl. Dussaud, *Topographie*, p. 11-12; M. Noth, ZDPV 60 (1937), p. 219; K. Galling, ZDPV 69 (1953), p. 91-93; id., *Studien zur Geschichte Israels im persischen Zeitalter*, Tübingen 1964, p. 195-196; H.J. Katzenstein, *The History of*

Tyre, Jerusalem 1973, index p. 373, s.v. Ushu; C. Doumet, *Les tombes IV et V de Rachidieh*, AHA 1 (1982), p. 89-135; P. Bordreuil, *Deux épigraphes phéniciennes de Tell Rachidieh*, AHA 1 (1982), p. 137-140; Ahituv, *Toponyms*, p. 195; Z. Kallai, *Historical Geography of the Bible*, Jerusalem 1986, p. 215-220. GBun-EGub

UTIQUE En gr. *Itúkē*, lat. *Utica/Utika*, ville antique de Tunisie, à 33 km au N.-O. de Tunis, près de Henchir Bou Chateur. U., autrefois l'un des grands ports d'Afrique, est aujourd'hui éloignée de la mer de *c.* 12 km. Fondée probablement par des Tyriens, en 1101 selon les sources littéraires (Pline, *N.H.* XVI 216; Vell. Pat. I 2,4; Sil. It. III 241; Ps.-Arstt., *Mir. ausc.* 134), elle était l'un des plus anciens comptoirs phén. et, après Carthage, la plus importante des cités phén. de →Libye (Strab. XVII 3,13), jouissant d'une situation privilégiée par rapport aux autres villes (Pol. III 24,2; VII 9,5). Conquise en 308 par →Agathocle (Diod. XX 54), U. resta une alliée fidèle de Carthage au cours de la 2e →guerre pun., quand ses remparts résistèrent au siège entrepris par →Scipion (5) (Liv. XXX 10,3; App., *Lib.* 16). En 149, elle se rendit à Rome, devenant ainsi en 146 "cité libre" et capitale de la province rom., siège du gouvernement et place d'armes, dans laquelle des →suffètes survivaient à côté d'un →"Sénat". En 36 av. J.C., Octave donna aux habitants d'U. la citoyenneté rom., mais la renaissance de Carthage enleva à U. la primauté parmi les villes africaines, même si elle obtint ensuite le titre de *Colonia Iulia Aelia Hadriana Augusta Utika* (CIL VIII, 1181) et, à l'époque sévérienne, le droit lat. Les fouilles d'U. n'ont livré aucun témoignage archéologique antérieur au VIIIe s., ni aucun des monuments de la ville phén. pun. mentionnés par les sources littéraires (Pline, *N.H.* XVI 40). Une stèle votive et une jarre à offrande, contenant les cendres d'un enfant incinéré, attestent toutefois la pratique du sacrifice →*molk* jusqu'au Ier s. ap. J.C. et le culte de →Baal Hamon, continué par celui de →Saturne, est illustré par une bague trouvée dans une tombe du Ve s. av. J.C. et par une statuette de terre cuite, qui représentent Baal assis sur un →trône aux →sphinx. La prospection récente a relevé aussi de nombreux vestiges d'habitations pun., dont la typologie survit à U. dans des maisons d'époque rom., souvent riches en →mosaïques. Par ailleurs, la présence phén.-pun. est bien documentée dans la →nécropole, à la limite méridionale de l'agglomération (→tombes 2Bc).

Bibl. AATun, fe 7 (Porto Farina), no 148; PECS, p. 949-950; PW Suppl. IX, col. 1869-1894; Gsell, HAAN II-III, *passim*; P. Cintas, *Deux campagnes de fouilles à Utique*, Karthago 2 (1951), p. 5-79; id., *Nouvelles recherches à Utique*, Karthago 5 (1954), p. 89-154; E. Colozier, *Nouvelles fouilles à Utique*, Karthago 5 (1954), p. 156-161; M. Leglay, *Saturne africain. Monuments* I, Paris 1961, p. 25; A. Lézine, *Carthage, Utique*, Paris 1969; id., *Utique*, Tunis 1970; Cintas, *Manuel* I, p. 294-308 et *passim*; A. Lézine, *Utique*, AntAfr 5 (1971), p. 87-93; M. Fantar, *Une inscription punique exposée au Musée d'Utique*, CTun 20/79-80 (1972), p. 9-15; Gascou, *Politique municipale*, p. 119-122, 196-198; Bunnens, *Expansion*, p. 233-234, 367-368 et *passim*; Desanges, *Pline*, p. 214-216; Lepelley, *Cités* II, p. 241-244; F. Chelbi, REPPAL 3 (1987), p. 79. SCec

UZALIS Ville pun. de Tunisie, probablement à l'emplacement de l'actuel village d'El-Alia, à 19 km au S.-E. de Bizerte et à 13 km au N.-O. d'→Utique. C'est cette U., plutôt que la ville homonyme située à *c.* 40 km au S. (*Uzali Sar*), qui fut une des sept cités pun. qui avaient abandonné Carthage lors de la 3e →guerre pun. Aussi Rome lui accorda-t-elle le statut de ville libre en 146 av. J.C., comme en témoigne la Loi agraire de 111 av. J.C., puis lui octroya le droit latin (Pline, *N.H.* V 29).

Bibl. AATun, fe 7 (Porto Farina), n° 21; PW IXA, col. 1323; L. Maurin - J. Peyras, *Uzalitana*, CTun 19 (1971), p. 11-103 (voir p. 43-50); Desanges, *Pline*, p. 299-301; Lepelley, *Cités* II, p. 244-247. ELip

UZAPPA Bourg numide de Tunisie, situé à 20 km au N.-E. de →Maktar, au lieudit Ksour Abd-el-Melek, où l'on a trouvé jusqu'à présent cinq inscriptions néopun. d'époque rom., qui témoignent de la profonde punicisation de la région. Le Henchir Uzaffa et l'oued Uzaffa, en Tunisie centrale, ne correspondent pas au site de l'antique U.

Bibl. AATun II, fe 30 (Maktar), n° 153; J.-B. Chabot, *Punica X*, JA 1918/1, p. 951-955; J.-G. Février, *Inscriptions puniques et néopuniques inédites*, BAC, n.s., 1-2 (1965-66), p. 223-229 (voir p. 223-226); Lepelley, *Cités* II, p. 324-325. ELip

UZIT(T)A En gr. *Oúzit(t)a*, aujourd'hui Henchir el-Makhrebba, site du →Sahel tunisien, dans la région de Djemmal. La céramique de tradition pun. y remonte au-delà du IVe s. av. J.C. La ville fut occupée par César en 46 av. J.C. (*Bell.Afr.* 89, 1: *Usseta*). U. atteignit son plein essor au IIe s.

Bibl. AATun, fe 65 (Djemmal), n° 42; PECS, p. 951; Gsell, HAAN VIII, p. 79, 88-92, 97-99, 107, 148; J.H. Van der Werff, *Amphores de tradition punique à Uzita*, Babesch 52-53 (1977-78), p. 171-200; id., *Uzita* I-II, Utrecht [1982]. ELip

V

VÉNUS →Astarté.

VERMINA En pun. *Wrmnd*, gr. *Ouerminās*, lat. *Vermina*, fils du roi →masaesyle →Syphax. Il apporta son concours à →Hannibal (6) contre →Scipion (5) et combatit à →Zama/→Naraggara (Liv. XXX 36,7; 40,3). Il fit ensuite amende honorable auprès des Romains (Liv. XXXI 11,13-18), et si Pol. XV 5, 13 déclare que →Massinissa I eut sous son commandement "tous les sujets de Syphax", le monnayage masaesyle émis au nom de V. et Liv. XXXI 19,5; XXXVII 53,22 semblent indiquer, au contraire, qu'une partie du royaume paternel fut laissée à V., probablement jusque vers 192 av. J.C. Les monnaies de V., en argent et en bronze, offrent un portrait imberbe et un cheval au galop; elles portent la légende néopun. *Wrmnd hmmlkt*, "V. le roi".

Bibl. Gsell, HAAN III, p. 195-196, 251-252, 265, 282-285, 305; Mazard, *Corpus*, p. 21-22; H.G. Horn - C.B. Rüger (éd.), *Die Numider*, Köln 1979, p. 50-51, 188-191.

MDub-ELip

VERRERIE La v. phén. était célèbre à l'époque rom. Selon Pline, *N.H.* XXXVI 190-191, son invention reposerait sur un événement fortuit qui se serait passé sur la plage d'→Akko. Il ajoute que →Sidon, en particulier, était renommée pour ses ateliers de v., auxquels il attribuait en outre l'invention des miroirs (*N.H.* XXXVI 193). Strab. XVI 2,25 signale aussi que les dunes situées entre Tyr et Akko fournissaient le meilleur sable pour la v. (cf. Fl. Jos., *B.J.* II 189-191; Tac., *Hist.* V 7) et que les verriers sidoniens le faisaient venir pour leurs ateliers. Il n'est donc guère étonnant que cette tradition classique ait fait considérer les Phéniciens comme les inventeurs du verre. En réalité, ils ne l'étaient pas. La renommée de la v. phén. repose sur l'exportation d'une abondante production locale et sur les remarquables résultats obtenus par la technique du *soufflage* du verre. Il est possible que cette technique, qui a conduit à la fabrication des premiers verres transparents, a été mise au point dans le monde phén. peu avant que Pline ne rédigeât sa notice. La plus ancienne production locale recourait en effet à d'autres techniques, utilisées depuis des siècles avec succès en Égypte et en Mésopotamie. Il s'agit en premier lieu de la technique du noyau de sable ou d'argile, autour duquel se forme la masse liquide, rapidement échauffée. Cette technique donne un verre opaque, attesté depuis le IIIe mill. Malgré la création de modèles nouveaux, la décoration et le répertoire des formes des objets fabriqués en Phénicie à partir du VIe s. continuent à s'inspirer fortement des prototypes connus dans les cultures voisines. Les Phéniciens apportent toutefois une contribution originale à l'art du verre en fabriquant des perles en forme de →masques (1) (fig. 338; pl. XVI). Ces pendeloques avaient peut-être une valeur apotropaïque à en juger par la préférence donnée aux tons bleus et jaunes. Ces petits bijoux, portés en guise de talismans, furent bientôt fabriqués aussi à Carthage et sans doute dans d'autres établissements pun. (fig. 338; pl. XIIa, XIII, XVI). Comme en Phénicie même, le répertoire typologique s'élargit avec la production d'→amulettes épousant la forme de petits animaux (pl. XVIc) ou de vases (cultuels). Les milliers d'exemplaires connus à ce jour proviennent pour la plupart des côtes et des îles de la Méditerranée, mais les échanges commerciaux les diffusèrent jusqu'à la Haute-Égypte, l'Anatolie, les Balkans et même l'Europe transalpine. En plus des perles de verre et de pâte de verre, qui jouirent d'une grande popularité jusqu'à l'époque islamique, l'art phén. produisit aussi quelques œuvres en verre taillé à froid, qui étaient visiblement destinées à une clientèle d'élite. Le vase d'→Aliseda, en Espagne (*c.* 700 av. J.C.), appartient à cette catégorie, ainsi que quelques fragments de coupes, peut-être plus anciennes, qui étaient conservées dans les réserves d'un palais assyrien de →Nimrud, où elles étaient entrées comme cadeaux ou butin.

Bibl. BRL², p. 98-99; EJ VII, col. 603-608; RLA III, p. 407-427; SCE IV/1, p. 596-598; R.J. Forbes, *Studies in Ancient Technology* V, Leiden 1957, p. 110-231; H. d'Escurac-Doisy, *Verrerie antique et collections du Musée National des Antiquités d'Algérie*, BAA 2 (1966-67), p. 129-158; S. Lancel, *Verrerie antique de Tipasa*, Paris 1967; S. Moscati (éd.), *I Fenici e Cartagine*, Torino 1972, p. 501-507; T.E. Haevernick, *Gesichtsperlen*, MM 17 (1977), p. 152-231; A. Giammellaro Spanò, *Pendenti vitrei policromi in Sicilia*, SicArch 39 (1979), p. 25-48; M. Seefried, *Les pendentifs en verre sur noyau des pays de la Méditerranée antique*, Rome 1982; A.M. Bisi, *Due pendenti inediti in pasta vitrea*, RSF 12 (1984), p. 13-19: E. Stern, *Two Phoenician Glass Seals from Tel Dor*, JANES 16-17 (1984-85), p. 213-216; D. Barag, *Catalogue of Western Asiatic Glass in the British Museum* I, London 1985; PhMM, p. 241-255; M. Bimson - I.C. Freestone, *Early Vitreous Materials*, London 1987; M.L. Uberti, *I vetri*, I Fenici, Milano 1988, p. 474-491.

EGub

VÊTEMENTS La mode phén. au cours des âges reflète le même processus d'assimilation de concepts étrangers qui caractérise les autres domaines de l'art et de l'artisanat. Bien avant l'ère phén. proprement dite, les pagnes et les longues robes, tous deux empruntés aux prototypes égyptiens, constituaient l'habit traditionnel, respectivement, des dieux et des déesses du panthéon local. À ces v., portés également par les souverains et leurs courtisans, s'ajoutent des robes et des manteaux fermés par une ceinture, dont les pans sont le plus souvent brodés. Du IXe au VIe s., de tels manteaux, confectionnés avec une étoffe finement plissée et transparente, couvrent les v. égyptisants de plusieurs divinités et dignitaires; les robes des déesses, des courtisanes ou des prêtresses sont faites de la même matière et bordées d'ourlets à décoration géométrique. Ces v. rappellent les étoffes mentionnées dans les listes de tributs assyriens et représentées sur les portes de →Balāwāt (pl. IIc). Toujours à la même époque, les motifs →orientalisants de la broderie, représentés sur plusieurs terres cuites chypriotes (→coroplastie), donnent une idée du niveau de cet artisanat, dont les conditions climatologiques ont malheureusement effacé toute trace matérielle. À l'époque perse, l'heure est à la mode gr. dont les modèles (*khitōn, himátion*, etc.) remplacent les v. →égyptisants, une évolution qui est plus accélérée et plus prononcée en Occident. Les →coupes métalliques et les →ivoires (1) phén., ainsi qu'un →sarcophage (5) de Carthage et plusieurs statuettes de la grotte d'→Es Cuieram, montrent des déesses et des prêtresses enveloppées de manteaux à plumes (fig. 127). Quant aux habits liturgiques des prêtres, ils semblent avoir été caractérisés, dès l'époque achéménide, par l'absence de ceinture et par la présence sporadique d'une espèce d'étole et d'une coiffe en forme de toque cylindrique (Phén. 121; PhMM 23). Attestés également dans le monde pun. (pl. XVb), ces éléments se retrouvent dans la description des v. des prêtres du temple d'Héraklès à →Gadès par Sil. It. III 24-25. Selon Ath. XII 541b, le géographe Polémon d'Ilion (*fl. c.* 190 av. J.C.) aurait traité des v. carth., tandis que Hermippe d'Athènes (Ve s.) aurait déjà évoqué les châles-tapis et les coussins passementés qu'on importait de Carthage (Ath. I 27d-e).

Bibl. BRL^{2}, p. 185-188; DEB, p. 1338-1339; S. Moscati (éd.), *I Fenici e Cartagine*, Torino 1972, p. 33-48; W. Culican, *Opera Selecta*, Göteborg 1986, p. 276-278; A.-M. Maes, *Kledij en opsmuk te Carthago (7de-2de eeuw v. Chr.)*, diss. Leuven 1988; Z. Chérif, *Le costume de la femme à Carthage à partir des figurines en terre cuite*, Africa 10 (1988), p. 7-24, cf. p. 25-27; A.-M. Maes, *L'habillement masculin à Carthage à l'époque des guerres puniques*, StPhoen 10 (1989), p. 15-24. EGub

VILLAPUTZU, SANTA MARIA DI Un des plus importants sites phén.-pun. de la côte orientale de la →Sardaigne, à 45 km au N.-E. de →Cagliari, près de l'embouchure du Flumendosa, la *Saipros* de Ptol. III 3,4. Identifié en 1965, cet établissement s'élevait à l'emplacement d'un village nuragique et correspond vraisemblablement à la localité de *Sarcapos* de l'*It. Ant.* 79 et à la *Sarpach/Sarcap* du *Rav.* 412. La plus ancienne céramique phén. décelée par la prospection, notamment des amphores, remonte au VIIe/VIe s. et est accompagnée de poteries importées de l'Étrurie, de la Grèce orientale et de l'Attique. La période carth. est représentée par de la céramique pun., étrusque, latine et attique. On a relevé la présence de divers murs et d'un édifice carré au sommet de la colline.

Bibl. S.M. Cecchini, *I ritrovamenti fenici e punici in Sardegna*, Roma 1969, p. 112-113; R. Zucca, *Sulla ubicazione di Sarcapos*, Studi Ogliastrini 1984, Cagliari 1985, p. 29-46; F. Barreca, *La civiltà fenicio-punica in Sardegna*, Sassari 1986, p. 324. ELip

VILLARICOS L'antique Baria était un port important à l'embouchure de l'Almanzora, au S.-E. d'Almería (Espagne). Le site occupe les dernières collines de la Sierra Almagrera, zone riche en →mines d'argent, de cuivre et de plomb, à peine à 3 km de la côte. Ville et →nécropole ont été fouillées par l'ingénieur belge L. Siret au début du XXe s. On a peu de données sur la ville, qui possédait des bâtiments sur plusieurs niveaux et une acropole entourée d'un fossé. Les objets qu'on connaît appartiennent aux IVe-IIIe s. La nécropole, avec plus de 2.000 →tombes (2) fouillées, donne une idée plus précise de l'importance de l'occupation pun. continue du VIe s. av. au Ier s. ap. J.C. Au cours de ce long laps de temps, dont date notamment une stèle funéraire avec inscription pun. du IVe s. (CIE 02.01), ainsi que quelques épigraphes (néo)pun. (CIE 02.02-05), on rencontre dix types différents d'enterrements qui se distinguent par le rituel funéraire et la forme des tombes. Les plus anciennes sépultures, au VIe s., sont des inhumations ou des incinérations individuelles en des fosses taillées dans la roche à 2 m de profondeur. On trouve par-dessus d'autres hypogées, moins profonds, des Ve-IIe s., parfois avec double rituel: inhumation dans un sarcophage en bois et incinérations recueillies dans des urnes ou étalées sur le sarcophage. On rencontre aussi des tombes collectives des deux rites, dans des trous irréguliers ou des fosses proches de la surface. Les enfants sont inhumés dans des jarres. Un autre type de sépulture consiste en un hypogée collectif taillé dans la roche: un long corridor en pente donne accès à des chambres rectangulaires dont l'entrée est bloquée par une dalle taillée (fig. 356). Le riche →mobilier funéraire comprend régulièrement des coquilles d'→œufs d'autruche, perforées ou coupées, décorées de motifs →orientalisants peints en rouge, noir et bleu. V. montre que Carthage a pu acquérir une certaine influence en Occident dès le milieu du VIe s. en se servant d'→Ibiza comme d'un point d'appui avancé au N.

Bibl. L. Siret, *Villaricos y Herrerías*, Madrid 1907; M. Astruc, *La necrópolis de Villaricos*, Madrid 1951; M.J. Almagro Gorbea, *La necrópolis de Baria (Almería). Campañas 1975-78*, Madrid 1984; M.E. Aubet Semmler, *La necrópolis de Villaricos en el ámbito del mundo púnico peninsular*, Homenaje a L. Siret, Sevilla 1986, p. 612-624. DHer

VILLASIMIUS Localité de la Sardaigne, située près du cap Carbonara, à l'extrémité S.-E. du Golfe de Cagliari. Le site de Cuccureddus y a livré d'importants vestiges archéologiques, en particulier de la céramique phén. et étrusque des VIIe-VIe s. av. J.C.

Bibl. L.A. Marras, *Nuove testimonianze nuragiche, puniche e romane nel territorio di Villasimius*, ANLR, 8e sér., 37 (1982), p. 127-139; id., *Su alcuni ritrovamenti fenici nel Golfo di Cagliari*, RSF 11 (1983), p. 159-165. ELip

VINARRAGELL Site ibérique de la province de Castellón (Espagne), situé à 3 km de l'embouchure du Río Mijares, près de Burriana, au S. de Castellón. Il a livré un important matériel phén.-pun. remontant à *c.* 625-575 av. J.C. et témoignant d'une présence à tout le moins commerciale de trafiquants phén. ou pun.

Bibl. O. Arteaga - N. Mesado, *Vinarragell*, MM 20 (1979), p. 107-132; C.J. Pérez, AulaOr 4 (1986), p. 330 (bibl.). ELip

VITICULTURE La v. constituait une des branches principales de l'→agriculture phén. Le climat du bassin méditerranéen convenait parfaitement à la culture de la *Vitis vinifera* sur les contreforts de la chaîne du Liban. Les vignobles de Beyrouth produisaient des raisins propres à la consommation immédiate (Pline, *N.H.* XV 66). La plupart des vignes étaient néanmoins cultivées en vue d'obtenir des raisins de cuve. L'excellente qualité des vins de Phénicie était notoire. *Os.* 14,7 parle de "la vigne qui aura la renommée du vin du Liban" et Pline, *N.H.* XIV 9, attribue une qualité pareille aux vins de Tripolis, Beyrouth et Tyr, en les comptant parmi les meilleurs vins d'outre-mer. Les crus phén. sont généralement appréciés pour leur goût doux (Alexandre de Tralles, éd. T. Puschmann, II, p. 217). Ils étaient souvent prescrits par les médecins de l'Antiquité, ainsi p.ex. le vin de Tripolis comme remède contre la fièvre (Caelius Aurelianus, *Acutarum sive celerum passionum liber* II 211). La Phénicie était en outre une de principales régions exportatrices de vin. Le premier pays acheteur était l'Égypte, où les conditions climatologiques rendaient impossible la production d'un cru de qualité (Hdt. III 6; Héliodore, *Aethiop.* V 27). Du reste, les marchands phén. vendaient leur vin dans tout le bassin méditerranéen (Ath. I 29b). Tout comme les Grecs, les Phéniciens ont d'ailleurs introduit la viticulture en Occident. Il est fort probable que les Carthaginois ont repris les techniques viticoles des Phéniciens: l'hypothèse d'une v. locale à Carthage avant la colonisation est très controversée. Quelques fragments conservés des œuvres de Magon (→agriculture) permettent de se faire une idée des soins dont les vignerons puniques entouraient les vignes. Magon recommande l'exposition au N. (Columelle III 12,5; Pline, *N.H.* XVII 20) et conseille de tailler la vigne au printemps plutôt qu'en automne (Columelle IV 10,1). Ce genre de recommandations était fort contesté par les agronomes rom., qui devaient néanmoins reconnaître que les méthodes de Magon étaient les plus rentables en Afrique du N. Contrairement à la Phénicie, Carthage ne fournissait cependant pas de grands crus. On y attachait apparemment plus d'importance à la production de grandes quantités de vins de table. Ceci explique également pourquoi on y tolérait certaines pratiques, telles que l'addition de chaux au vin afin de l'adoucir (Pline, *N.H.* XIV 120; XXXVI 166).

Bibl. BRL^2, p. 362-363; ThWAT II, col. 56-66; III, col. 614-620; IV, col. 334-340; H.F. Lutz, *Viticulture and Brewing in the Ancient Orient*, Leipzig 1922; R.J. Forbes, *Studies in Ancient Technology* III, Leiden 1965^2, p. 72-80, 110-130; L. Milano, *Viticultura ed enologia nell'Asia Anteriore antica*, Rome 1975. WVGu

VOGÜÉ, CHARLES-JEAN-MELCHIOR, Marquis de (18.10.1829-10.1.1916). Diplomate et archéologue français, il effectua divers voyages d'exploration (1853-55; 1861-64) à Chypre et au Proche-Orient, notamment avec Waddington et sous la direction de →Renan. Membre libre de l'Académie des Inscriptions et Belles Lettres depuis 1868, il fut ambassadeur à Constantinople et à Vienne entre 1871 et 1879. À la mort de Renan en 1892, il dirigea la commission responsable du CIS et mit en chantier le RÉS. Il manifesta un intérêt particulier pour l'épigraphie sémitique (*Syrie centrale III. Inscriptions sémitiques*, Paris 1868-77), de même que pour l'archéologie de la Palestine et de Jérusalem. Le volume *Florilegium*, qui lui fut offert pour son 80e anniversaire, témoigne du large éventail de ses intérêts (Paris 1909).

Bibl. R. Cagnat, *Notice sur la vie et les travaux de M. le Marquis de Vogüé*, CRAI 1918, p. 443-473. CBon

VOIES DE COMMUNICATION La Phénicie tire l'essentiel de ses ressources de l'exploitation d'une situation géographique particulière: intermédiaire entre les grandes puissances, elle met l'Égypte en relation avec l'Anatolie et la Mésopotamie en même temps qu'elle relie le monde égéen à la Syrie et à la Mésopotamie (fig. 378). L'accès aux grandes voies de communication, maritimes et terrestres, est donc d'une importance primordiale pour sa prospérité. La géographie détermine les grandes lignes du réseau routier que les circonstances politiques changeantes ne modifient pas profondément. Les grands axes, dans la région syro-palestinienne, ont une orientation approximativement N.-S. définie par les deux chaines montagneuses qui courent parallèlement à la côte méditerranéenne. Les routes E.-O. ne sont que des espèces de "passerelles" entre ces grands axes. Ce réseau occidental est isolé du réseau mésopotamien par le désert syro-arabe. La route du désert, par Palmyre, étant encore peu exploitée, le point de contact entre les deux réseaux se situe dans la région d'Alep. Le long de la côte, dans le sens N.-S., la circulation est rendue relativement difficile, particulièrement à hauteur du mont →Liban, par une série de promontoires qui compartimentent une plaine côtière relativement étroite. Ce n'est que dans le S., dans la plaine philistine, que les déplacements sont relativement aisés. La grande dépression de la vallée de l'→Oronte, de la →Béqaa et de la vallée du Jourdain semble être moins utilisée que la grande route qui se trouve au-delà de la barrière montagneuse en bordure du désert. Elle descend d'Alep vers Damas et poursuit vers Amman et la mer Rouge. Elle est parfois désignée, au moins dans son tronçon méridional, du nom de "route royale" d'après *Nb.* 20,17; 21,22. Trois passages principaux relient ce grand axe à la côte: la plaine de l'Amuq à hauteur de l'embouchure de l'Oronte, la "trouée de Homs" et la plaine d'Esdrélon entre Haïfa et Bêt-Shân. Cette dernière — apparemment la "route de la mer" d'*Is.* 8,23 — permet de passer de la plaine philistine à la région de Damas et constitue donc un nœud capital sur la voie qui va de l'Égypte vers la Mésopotamie. La Phénicie ne se trouve sur aucune de ces grandes voies. Ce fait, joint à la proximité du mont Liban, lui assurait une relative sécurité. Elle n'en était cependant pas éloignée au point d'être isolée et incapable d'exploiter les possibilités qu'elles offraient. En ce qui concerne les communications maritimes, une ligne longeait la côte, de l'Égypte à la Cilicie, avec un point de débar-

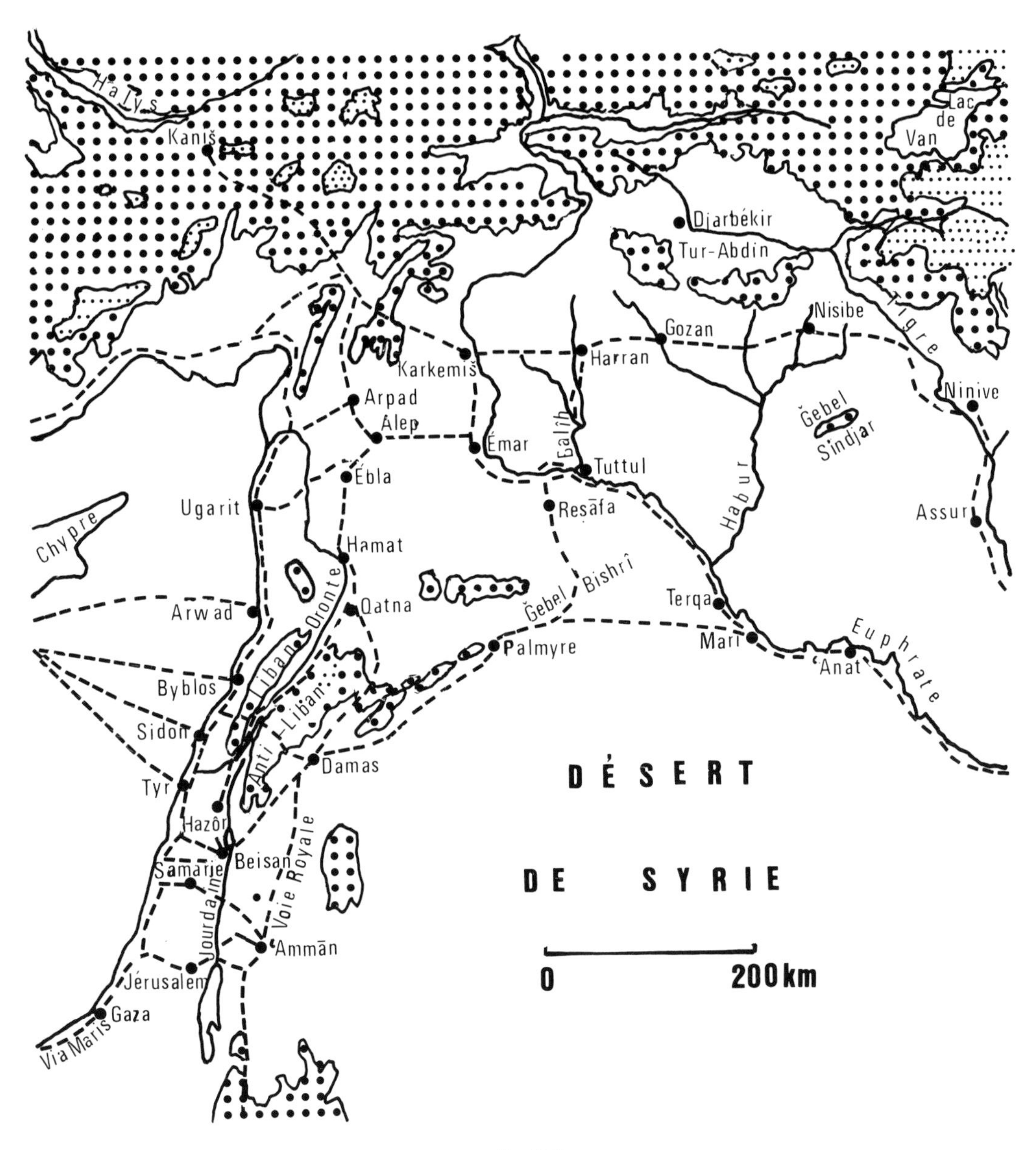

Fig. 378.
Voies de communication.

quement probable à l'embouchure de l'Oronte, qui facilitait les relations avec la Mésopotamie. La route de l'O. partait directement vers Chypre et poursuivait vers la Grèce (→Égée), l'Italie, Carthage et l'Espagne. La route qui longe les côtes africaines, au-delà de l'Égypte, ne semble pas avoir été aussi fréquentée.

Bibl. G. Bunnens, *Tyr et la mer*, StPhoen 1-2 (1983), p. 7-21; id., *Considérations géographiques sur la place occupée par la Phénicie dans l'expansion de l'empire assyrien*, StPhoen 1-2 (1983), p. 169-193; F. Pintore, *Osservazioni sulle vie e l'orientamento dei commerci nella Siria-Palestina meridionale dall'inizio del I millennio all'anno 841 a.C.*, O. Carruba et al. (éd.), *Studi orientalistici in ricordo di Franco Pintore*, Pavia 1983, p. 257-283. GBun

VOLUBILIS V., en arabe *Walīla*, à 20 km au N. de Meknès, au Maroc, cache, sous ses dehors de ville rom. et de résidence du procurateur rom. de la Tingitane, une capitale maurétanienne dont l'existence remonte aux IVe-IIIe s. La ville primitive, installée sur un éperon dominant l'oued Khouman et pourvue d'une enceinte hellénistique à l'E. et au N., révèle l'influence, voire la présence pun. par ses techniques de construction et les objets d'usage quotidien. Les inscriptions monumentales en écriture pun. du IIe s. av. J.C. confirment cet impact pun. et attestent la fonction de →suffète à V. dès le IIIe s. Les épigraphes néopun. témoignent de la persistance de la langue pun. à V. jusqu'au temps de →Juba II et de →Ptolémée. Le temple B., dit de Saturne, situé en dehors de la muraille maurétanienne, a fonctionné depuis la fin du royaume maure jusqu'au IIIe s. ap. J.C. (fig. 379). De nombreuses stèles (fig. 380) et des vases ossuaires, contenant des débris de volatiles et de rongeurs, ont été mis au jour dans la vaste aire sacrificielle de plus de 50 m de côté. Ce sanctuaire, dont le rituel rappelle quelque peu celui d'un →*tophet*, devait être consacré à une divinité locale qu'il ne faut pas confondre avec le →Saturne africain.

Bibl. PECS, p. 988-989; J. Février, IAM I, p. 83-100; J. Boube, *Documents d'architecture maurétanienne au Maroc*, BAM 7 (1967), p. 263-367; A. Jodin, *L'enceinte hellénistique de Volubilis (Maroc)*, BAC, n.s., 1-2 (1965-66 [1968]), p. 199-221; M. Ponsich, *Le temple dit de Saturne à Volubilis*, BAM 10 (1976), p. 131-144; R. Étienne - A. Jodin, *Volubilis avant les Romains*, Archéologia 102 (1977), p. 6-19; H. Morestin, *Le temple B de Volubilis*, Paris 1980; Desanges, *Pline*, p. 94-95; A. Akerraz - M. Lenoir, *Les huileries de Volubilis*, BAM 14 (1981-82), p. 69-101; A. Jodin, *Volubilis Regia Iubae*, Paris 1987.
MPon

VOLUX Fils de →Bocchus I, roi de Maurétanie, dont le successeur fut →Bogud I. V. n'est connu que par le *Jugurtha* de Salluste, où il apparaît comme le personnage principal après le roi: il amène des renforts à la bataille de Cirta (→Constantine) (*Jug.* 101,5) et guide Sylla jusqu'à Bocchus (*Jug.* 105-107).
MDub

VOYAGEURS Quiconque s'intéresse à l'archéologie et à la topographie historique connaît l'importance des récits des anciens v. En effet, c'est grâce aux matériaux réunis par ces premiers explorateurs que nous sommes renseignés sur d'anciens →toponymes (1Bi) ou de nombreuses ruines dont on ne peut que regretter la dégradation ou la disparition presque complète. C'est pourquoi, malgré la publication de comptes rendus d'explorations scientifiques, les observations des anciens "amateurs" gardent, pour la recherche archéologique et topographique, une valeur particulière. Les relations d'un grand nombre de ces anciens v. ont été publiées, mais ne sont pas toujours d'un accès facile et il manque une étude d'ensemble qui recueillerait leurs témoignages sur les vestiges du monde phén.-pun. lorsque ceux-ci n'étaient pas, comme souvent, ensevelis sous les débris ou recouverts par les constructions d'époque rom. et, en Orient, celles des Croisés. En outre, voyageurs et pèlerins s'attachaient de préférence aux Lieux Saints du Levant et traversaient rapidement le S.-Liban, tel Flaubert encore en 1850. Mais il y eut aussi des explorateurs à l'esprit curieux et doués d'un sens aigu de l'observation, qui notèrent maint détail suggestif et laissèrent parfois des descriptions

Fig. 379. Vue aérienne du temple dit de Saturne, Volubilis (Ier-IIIe s. ap. J.C.).

Fig. 380. Stèle votive du temple dit de Saturne, Volubilis.

évocatrices ou des dessins d'un site, devenu depuis lors méconnaissable.

1 Orient Les v. en Phénicie furent surtout attirés par Sidon et Tyr. Hérodote visita Tyr, probablement vers 448, et y contrôla les dires des prêtres égyptiens (Hdt. II 44), mais rien ne suggère son passage à Sidon. La rivalité économique des deux villes n'avait pas échappé à →Strabon (XVI 2,22), qui nous offre, après le Pseudo→Skylax, une description suivie et développée de la côte phén. (XVI 2,8-33). →Pline l'Ancien énumère les villes phén. (*N.H.* V 68-69; 75-80), Tacite consacre quelques lignes au Carmel (*Hist.* II, 78) et Lucien de Samosate décrit, au IIe s., les sanctuaires de Sidon, de Byblos et d'Afqa, qu'il avait visités (*Syr.* 4-9). Si l'*It. Burd.* se soucie surtout, en 333, de noter "les distances entre les relais de poste où il s'arrête", Éthérie donne *c.* 390, une description détaillée de ses trois années de voyages au Proche-Orient et Nonnos de Panopolis s'émerveille au Ve s. à la vue des voies de Tyr, pavées de mosaïques (XL 354-355), puis Arculfe visite Tyr et la Phénicie *c.* 680, ce que relate Adamnan dans *De locis sanctis*. L'ouvrage persan *Safar Nāmeh* de Nasir-i Khosraw, qui traverse la région en 1047, souligne sa fertilité et le commerce florissant de ses villes, tandis que Benjamin de Tudèle (Espagne), qui avait visité *c.* 1170 Chypre, Byblos, Beyrouth, Sidon, Sarepta, Tyr et Akko, les décrit, ainsi que leur vie, dans son *Sefer ha-Maṣṣa'ōt*. On est alors à l'époque des Croisades, dont les chroniqueurs mentionnent maint site phén., et Jean de Joinville évoque même le fossile offert en 1254 à Louis IX, présent à Sidon. Plus instructif est le témoignage du médecin Eshtori ha-Parḥi de Tours, dont le *Sefer Kaftōr wa-Feraḥ*, achevé à Bêt-Shân en 1322, est basé sur sept années d'exploration des anciens sites syro-palestiniens et offre 180 identifications, appuyées par le nom biblique, talmudique et arabe des sites. À la suite de Baumgarten (1507), Pierre Belon du Mans parvient en 1553 jusqu'à Baalbek, tandis que la *Description de toute l'île de Chypre* d'Estienne de Lusignan paraît à Paris en 1580. Parmi les relations de nombreux v. des siècles postérieurs, on relèvera au XVIIe s. celles de Balthasar Monconys, d'Olfert Dapper (*Azië*, Amsterdam 1681), de Laurent d'Avrieux (*Mémoires* I, Paris 1735), de Cornelis de Bruyn (*Reizen*, Amsterdam 1690) et de Henry Maundrell (*A Journey from Aleppo to Jerusalem*, Oxford 1703). Au XVIIIe s., on notera surtout Thomas Shaw, dont les *Travels or Observations relating to Several Parts of Barbary and the Levant* (Oxford 1738) conservent une valeur inappréciable. Richard Pococke, connu par *A Description of the East and Some Other Countries* II/1 (London 1745), a le mérite d'avoir découvert à Kition, en 1738, trente-trois inscriptions phén., dont il fit une copie. Au cours de son périple autour de la Méditerranée, Robert Wood visite divers sites du Liban, puis consacre aux *Ruins of Baalbec* (London 1757) un volume illustré de 46 superbes planches. Constantin F. de Volney, imbu de l'esprit des Lumières, décrit dans son *Voyage en Égypte et en Syrie* II (Paris 1790) les villes de la Phénicie en donnant son appréciation sur la population, la situation politique, l'artisanat et le commerce. En 1807, Chateaubriand rentre d'un voyage au Levant, dont il publie le récit sous le titre *Itinéraire de Paris à Jérusalem*. Plus précis, J.-L. Burckhardt décrit divers sites visités dans ses *Travels in the Syria and the Holy Land* (London 1822), tandis que David Roberts immortalise Tyr, Sidon, Sarepta et Baalbek dans les magnifiques lithographies parues dans *The Holy Land* (London 1843), fruits d'un sens aigu de l'observation et de qualités d'artiste. C'est vers la même époque, en 1832-33, que Alphonse de Lamartine parcourt le Levant et publie ses impressions dans son *Voyage en Orient* (Paris 1835), suivi en 1850 par Maxime du Camp (*Égypte, Nubie, Palestine et Syrie*, Paris 1852), Gustave Flaubert (*Voyage en Orient*) et Félix de Saulcy (*Voyage autour de la Mer Morte*, Paris 1853-54), qui est déjà le précurseur de la mission scientifique d'E. →Renan en Phénicie. NJid-ELip

2 Occident Les →périples antiques d'Hannon, du Pseudo→Skylax, de Polybe, le récit des navigations d'Eudoxe de Cyzique fait par Poseidonios, les témoignages d'Hérodote, de →Strabon, de →Pomponius Méla, de →Pline, de Ptolémée, puis l'*It. Ant.*, voilà autant de sources qui nous renseignent sur les rivages de la Méditerranée occidentale dans l'Antiquité, encore qu'elles n'ont pas toutes fait l'objet d'un commentaire qui réserve leur part légitime à la géographie et à l'histoire. Les récits laissés par les v. arabes et européens, dès le Moyen Âge, forment une abondante littérature, manuscrite ou éditée, souvent difficile à débusquer. À priori, tout écrit relatif à l'Afrique du N., de la Tripolitaine aux côtes atlantiques, à l'Andalousie, aux Baléares, à la Sardaigne, à la Sicile, à Malte, est susceptible de renfermer quelque allusion aux vestiges phén.-pun., que les témoignages de leur présence aient été correctement reconnus ou non. L'absence de tout travail de synthèse n'est que partiellement compensé par le recueil d'Auguste Audollent, grâce auquel on dispose pour Carthage d'une série d'extraits empruntés à une cinquantaine d'auteurs, depuis les chroniqueurs de Charlemagne jusqu'au début du XIXe s. Le choix suffit à montrer l'intérêt et les limites des propos des visiteurs qui, en général, parcourent ces terres pour de tout autres raisons que la promenade archéologique. Les vestiges assez imposants de la Carthage rom. frappèrent les esprits. Quant à la Carthage pun., on cherchait à identifier la colline de Byrsa, à localiser les installations portuaires ou — détail quasi anecdotique — les étables à éléphants. Les compagnons de Louis IX paraissent avares en renseignements; les historiens de l'expédition de Charles-Quint contre Tunis (1535) et Alger (1541), les Étrope, Paul Jove, Luis del Mármol Carvajal (*Descripción general de Affrica* I-III, Granada-Málaga 1573), sont plus diserts. C'est du XVIe s. que date aussi l'œuvre de Jean-Léon l'Africain qui décrit les mœurs, coutumes, religions des habitants de l'Afrique depuis les rives du Nil à celles du Congo, ainsi que la faune et la flore. Il suffit de feuilleter le CIL VIII/1, p. XXIII-XXXIV, pour se rendre compte de la quantité de renseignements que l'on doit — dans le seul domaine épigraphique — aux v. qui, aux XVIIe, XVIIIe et XIXe s., ont visité la "Berbérie". Parmi les auteurs du XVIIe s. citons J.B. Gramaye (*Africae illustratae libri decem*, Tournai 1622-24); au XVIIIe s. émergent les noms de Hebenstreit et de Thomas Shaw, connu déjà pour ses voyages au Levant. Si Thomas d'Arcos a découvert en 1631 la bilingue numido-pun. de →Dougga (KAI 100), c'est en 1773 que le Père H. Hintz trouve la fameuse inscription de →Nora (TSSI III,11), en Sardaigne, où A. della Marmora met en branle les recherches archéologiques (*Voyage en Sardaigne* II. *Antiquités*, Torino 1840). En Afrique du N., après le voyage de Chateaubriand, en 1807, émergent les noms d'un Grenville T. Temple ou d'un H.L.H. von Pückler Muskau, de même que celui de H. Barth, qui fut le premier à identifier le site de →Lixus au cours de son voyage de 1845, suivi de plusieurs autres, en

1846-47 et 1849-55, tous relatés d'une manière détaillée (*Wanderungen durch die Küstenländer des Mittelmeeres*, Berlin 1849; *Travels and Discoveries in North and Central Africa*, London 1857-58). Géographe, historien et linguiste, il était mieux armé que d'autres pour ce genre d'explorations à un moment où, à Carthage, C.T. Falbe (*Recherches sur l'emplacement de Carthage*, Paris 1833) "inaugura l'étude scientifique des ruines", comme le souligne A. Audollent (p. 825), et où Victor Guérin (*Voyage archéologique dans la Régence de Tunis*, Paris 1862) allait ouvrir l'ère des explorations archéologiques du Maghreb.

Bibl. EJ IV, col. 535-538; VI, col. 918-919; XV, col. 1351-1359; H.S. Ashbee - A. Graham, *Travels in Tunisia*, London 1887; H.S. Ashbee, *A Bibliography of Tunisia from the Earliest Times to the End of 1888*, London 1889; *Recherches des antiquités dans le Nord de l'Afrique. Conseils aux archéologues et aux voyageurs*, Paris 1890 (1929^2); A. Audollent, *Carthage romaine*, Paris 1901, p. 795-825; M.N. Adler, *The Itinerary of Benjamin Tudela*, Oxford 1907; S. Gsell, *Hérodote*, Alger 1915; R. Roget, *Le Maroc chez les auteurs anciens*, Paris 1924; R. Brunschvig, *Deux récits de voyages inédits en Afrique du Nord au XVe siècle*, Paris 1936; A.S. Marmadji, *Textes géographiques arabes sur la Palestine*, Paris 1951; S. Weber, *Voyages and Travels in the Near East made during the XIX Century*, Princeton 1952; A. Épaulard, *Jean-Léon l'Africain: Description de l'Afrique*, Paris 1956; H.F.M. Prescott, *Felix Fabris Reise nach Jerusalem*, Freiburg 1960; *Itineraria et alia geographica* (CCSL 175-176), Turnhout 1965; Desanges, *Recherches;* S. De Sandoli, *Itinera Hierosolymitana Crucesignatorum (saec. XII-XIII)* I-IV, Jerusalem 1979-84; A. Di Vita, *La Libia nel ricordo dei viaggiatori e nell' esplorazione archeologica*, QAL 13 (1983), p. 63-86; Z. Van Laer, *La ville de Carthage dans les sources arabes des XIe-XIIIe siècles*, StPhoen 6 (1988), p. 245-258.

JDeb-ELip

WADI ASHOUR En arabe *Wādi 'Ašūr*, site naturel de la région de Tyr qui débouche sur le *Wādi Mezra'a* à 4 km à l'E. de →Qana. L'endroit est surtout connu à cause d'un petit →*naos* rupestre à quadruple encadrement taillé en retrait. À près d'un mètre de profondeur se trouve un relief d'époque perse figurant un chasseur (?) offrant son butin à une déesse assise. Les deux personnages sont flanqués par des acolytes tenant des →sceptres de Khnoum (fig. 381).

Bibl. S. Ronzevalle, *Deux sanctuaires phéniciens I. Relief du Wādi 'Ašoûr*, MUSJ 26 (1944-46), p. 83-93; Gubel, *Furniture*, p. 195-199 (bibl.). EGub

Fig. 381. Relief de naos rupestre représentant une scène cultuelle, Wadi Ashour (Ve s. av. J.C.).

WADI BRISA Le W.B. est une haute vallée encaissée du N. du Liban, située à l'O. de →Hermel, sur le versant E. du *Qamwa't*, près de *Rešba'l*. En 1883, H. Pognon y découvrit deux stèles rupestres avec des inscriptions néo-babyloniennes, assez endommagées, écrites au cours des expéditions de Nabuchodonosor II (VAB IV, p. 148-176; ANET, p. 307). L'une représente le roi combattant un lion, motif qui apparaît aussi sur une stèle rupestre du Wadi es-Saba' (N.-Liban), tandis que l'autre le figure en train de couper un cèdre. Les deux wadis devaient en effet constituer la voie d'accès aux forêts de cèdres (→bois) pour les Babyloniens qui venaient par la vallée de l'Oronte et la "trouée de Homs".

Bibl. H. Pognon, *Les inscriptions babyloniennes du Wadi Brissa*, Paris 1887; F.H. Weissbach, *Die Inschriften Nebukadnezars II im Wâdi Brîsa und am Nahr el-Kelb*, Leipzig 1906; J.P. Brown, *The Lebanon and Phoenicia* I, Beirut 1969, p. 196-199; J. Elayi, *Ba'lira'si, Rêsha, Reshba'l. Étude de toponymie historique*, Syria 58 (1981), p. 331-341; J. Börker-Klähn, *Altorientalische Bildstelen und vergleichbare Felsreliefs* I-II, Mainz a/R 1982, n°s 259-260; J. Elayi, *L'exploitation des cèdres du Mont Liban par les rois assyriens et néobabyloniens*, JESHO 30 (1987), p. 14-41. JEla-EGub

WADI EL-AMUD Le *Wādi el-'Amud*, situé à 200 km à vol d'oiseau au S. de Tripoli (Libye), est connu pour ses monuments funéraires du Ier s. ap. J.C., pourvus d'inscriptions monumentales néopun. (Trip. 77-79), qui préservent le nom de deux notables libyques qui y furent enterrés: *Nimmiran* fils de *Maššukakkašan* et *Yamrur* fils de *Gaṭit*, ce dernier enseveli avec son épouse, sa bru et son petit-fils.

Bibl. O. Brogan, *The Roman Remains in the Wadi el-Amud*, LA 1 (1964), p. 47-56; G. Levi Della Vida, *Le iscrizioni neopuniche di Wadi el Amud*, LA 1 (1964), p. 57-63. ELip

WADI ES-SABA' →Wadi Brisa.

WAḪLIYA →Tripolis.

WASTA En arabe *Wasṭa*, site de la "grotte de prostitution", à 7 km au S. de la nécropole d'→Adlun, près de la route de Sidon à Tyr (Liban). La grotte, qui a livré une inscription phén. en caractères gr. (KAI 174), doit son nom aux graffiti dont la plupart paraissent représenter les organes génitaux féminins plutôt que des cimes stylisées de palmiers.

Bibl. A. Beaulieu - R. Mouterde, *La grotte d'Astarté à Wasṭa*, MUSJ 27 (1947-48), p. 1-20. ELip

WENAMON En ég. *Wn-'Imn*, héros d'une espèce de roman historique censé se dérouler au temps de Ramsès XI, au tournant des XIIe et XIe s., mais dont l'unique manuscrit conservé semble dater de la XXIIe dynastie (945-715). L'Égypte de W. est divisée, en fait sinon en droit, entre la région de Thèbes, dominée par le grand prêtre d'Amon, Hérihor, et le Delta, soumis à Smendès et son épouse Tentamon. W., membre du clergé de Thèbes, reçoit mission d'aller chercher du →bois en Syrie pour construire ou restaurer la barque du dieu Amon. Il s'embarque à Tanis, dans le Delta, après avoir rendu visite à Smendès et Tentamon, et fait une première halte à →Dor, sur la côte de Palestine. La ville est habitée par des Tjekker (→"Peuples de la Mer"), dont l'un dérobe les objets précieux qui devaient servir de cadeaux diplomatiques auprès des rois de Syrie susceptibles de fournir du bois. W. reprend la mer et arrive à →Byblos, dépourvu des cadeaux traditionnels et de la lettre d'introduction qui doit justifier sa mission. Aussi le roi →Sakarbaal (2) refuse-t-il de le recevoir. Les difficultés ne s'applanissent qu'après que Smendès et Tentamon aient envoyé les cadeaux d'usage. Sur la voie du retour, une tempête le pousse vers →Alashiya, dont la reine le sauve de justesse du "lynchage". Le manuscrit s'interrompt ici et nous ignorons comment W. revint en Égypte. L'intérêt de ce document réside non seulement dans ses aspects littéraires, mais aussi dans les renseignements qu'il donne sur la vie du temps. Nous apprenons, p.ex., qu'un prophète extatique existait à Byblos, que des relations régulières, impliquant plusieurs dizaines de navires, unissaient Byblos et →Sidon à l'Égypte, et nous voyons que les usages diplomatiques, bien connus par les tablettes d'el→Amarna, étaient toujours en vigueur.

Bibl. ANET, p. 25-29; LÄg VI, col. 1215-1217; H. Goedicke, *The Report of Wenamun*, Baltimore-London 1975; G. Bunnens, *La mission d'Ounamon en Phénicie. Point de vue d'un non-égyptologue*, RSF 6 (1978), p. 1-16. GBun

WHITAKER, JOSEPH ISAAC SPATAFORA (19.3.1850-3.11.1936). Archéologue amateur anglais, W. fut le pionnier des fouilles de →Motyé. Au début du XIXe s., sa famille déménagea en Sicile, où elle acquit une immense fortune grâce aux vignobles de Marsala. W. acheta l'île de Motyé, proche de Marsala où il avait passé son enfance. Il y conduisit plusieurs campagnes de fouilles (1906-1927) et y fonda un musée où il rassembla ses trouvailles. Il publia les résultats de ses recherches dans *Motya, a Phoenician Colony in Sicily* (London 1921). Homme raffiné et cultivé, W. fut également naturaliste, ornithologue et un passionné de la grande chasse africaine. Sa riche collection de *c.* 11.000 oiseaux se trouve aujourd'hui à Belfast; il écrivit *The Birds of Tunisia* (London 1905). Une fondation fut créée en son honneur en 1975; son siège se trouve à Palerme, dans la splendide villa de sa famille.

Bibl. R. Trevelyan, *Princes under the Volcano*, London 1972; B. Lavagnini et al., *La Fondazione G. Whitaker e l'isola di Mozia*, Palermo 1977. GFal

Y

YAHIMILK En phén. *Yḥmlk*, akk. *Ya-(a-)ḫi-mil-ki* ("Que le roi vive!").
1 Y., roi de →Byblos à la fin du Xe s., père d'→Elibaal et sans doute aussi d'→Abibaal (2). Il est connu par une inscription commémorant la restauration d'un édifice, apparemment religieux (KAI 4 = TSSI III,6). On suppose qu'il était un usurpateur, vu qu'il ne donne pas son patronyme et insiste sur la légitimité de son pouvoir.
2 Y., fils du roi →Baal I de →Tyr. Il vint *c.* 665 avec son père payer hommage au roi Assurbanipal, ce qui laisse entendre qu'il était alors considéré comme le prince héritier. On ignore s'il succéda effectivement à son père (ANET, p. 295-296). JEla

YAKINBAAL En phén. *Yknb'l*, gr. *Eknibal* ("Baal rendra stable"); fils de Baalshillek (gr. *Baslēkhos*), →suffète de Tyr pendant deux mois *c.* 564 av. J.C., selon Fl. Jos., *C.Ap.* I 157. ELip

YAKINLU En akk. *Ia-ki-in-lu-u/ú* ou *Ik-ki/ka-lu-ú*, phén. *Ykn'l* ("Dieu rendra stable" le trône ou la dynastie); roi d'→Arwad à l'époque d'Asarhaddon et d'Assurbanipal, successeur et probablement fils de →Mattanbaal III. Il semble avoir refusé de reconnaître la suzeraineté du roi d'Assyrie et le prince héritier Assurbanipal fit consulter un oracle avant d'envoyer le dignitaire (*rab mugi*) Nabû-šar-uṣur en ambassade auprès de Y. Plus tard, *c.* 665, Y. paya hommage à Assurbanipal et fit entrer une de ses filles, munie d'une riche dot, dans le harem assyrien à Ninive. Y. périt assassiné et ses dix fils, →Az(z)ibaal (1), →Abibaal (4), →Adonibaal (1), →Shapatbaal (1), →Bodbaal, →Baalyasop, →Baalhanon, Baalmalok (→Baalmilk 1), →Abimilk et →Ahimilk (1), se rendirent auprès d'Assurbanipal avec de riches présents et lui payèrent hommage. Le roi d'Assyrie désigna Az(z)ibaal comme successeur de Y., offrit des habits somptueux et des anneaux d'or aux autres fils de Y. et leur confia diverses charges à la cour assyrienne.
Bibl. ANET, p. 294a, 296a, 297b; RLA V, p. 254. ELip

YAM En phén./ug. *ym*, "mer", divinité bien connue à →Ugarit comme adversaire de →Baal, qui la réduit à une entité contrôlable et positive, vénérée par les fidèles. À ce jour, Y. ne semble pas attesté dans le monde phén.-pun., même si on a proposé de lire son nom dans une inscription funéraire de →Salamine de Chypre, où il faut plutôt reconnaître l'anthroponyme *'bd'šm[n]*. D'autres identifient Y. à →Pontos, père de Sidon dans →Philon de Byblos (Eus., *P.E.* I 10,26.35), ou à →Typhon, qui correspond plutôt à →Baal Saphon, ou encore à →Poséidon, ces deux derniers étant mentionnés dans le "Serment d'Hannibal" (Pol. VII 9,2-3). L'aspect marin était certes primordial dans la personnalité des "Baals" phén., mais Y. paraît lié à la mythologie de l'âge du Bronze, demeurée sans écho dans les traditions religieuses plus récentes.
Bibl. M. Fantar, *Le dieu de la mer chez les Phéniciens et Puniques*, Roma 1977; Barré, *God-List*, p. 80-81; G. Garbini, *Un'iscrizione funeraria fenicia da Salamina di Cipro*, OA 20 (1981), p. 119-123. PXel

YAMANI En akk. *Ia-ma-ni* ("Ionien", "Grec"); usurpateur qui s'empara du trône d'→Ashdod *c.* 713/2, puis s'enfuit en Égypte à l'arrivée de Sargon II, mais finit par être livré à l'Assyrie (ANET, p. 286; TPOA, p. 113-114).
Bibl. Z. Kapera, *Was* Ya-ma-ni *a Cypriot?*, FolOr 14 (1972-73), p. 207-218; id., *The Rebellion of Yamani in Ashdod*, diss. U.J. Kraków 1978 (cf. FolOr 20 [1979], p. 313-314). ELip

YARIMUTA Importante ville côtière du Liban, mentionnée souvent dans les lettres d'el →Amarna et probablement déjà dans les inscriptions de Sargon d'Akkad (LAPO III, p. 99), au XXIIIe s., et dans les textes égyptiens d'exécration, au XIXe s. Elle était au XIVe s. le siège du commissaire égyptien en →Canaan et se trouvait vraisemblablement au S. de Beyrouth, mais son emplacement exact est inconnu. La ville n'apparaît pas sous ce nom au Ier mill. av. J.C.
Bibl. RLA V, p. 266-267. ELip

YATANMILK En phén. *Ytnmlk*; fils, prince héritier et peut-être corégent de →Bodashtart (1), roi de Sidon au Ve s., avec lequel Y. est cité dans plusieurs inscriptions du temple d'Eshmun à la source de Ydlal (RÉS 767 = KAI 16). Rien ne permet de supposer, dans l'état actuel de nos connaissances, qu'il n'a pas succédé à son père. ELip

YAVÂN En hb. *Yāwān*, akk. *Ia-man/Ia-ma-nu*, forme sémitique du nom de l'Ionie, étendu à l'ensemble du monde gr. Il est attesté d'abord en akk., sous Sargon II (721-705), puis en hb., vers la fin du VIIe ou le début du VIe s. (*Gn.* 10,2.4; *Ez.* 27,13), ensuite dans les inscriptions des Perses achéménides (*Yaunā*). Il ne se rencontre pas jusqu'ici en phén., mais *Ez.* 27,13 présente Y. comme un partenaire commercial de Tyr.
Bibl. DEB, p. 1352; RLA V, p. 150. ELip

YEHAWMILK En phén. *Yḥwmlk*, gr. *Iōmilkos/Eimilkos* ("Que Milk/le Roi fasse vivre!").
1 Y., roi de →Byblos vers le milieu du Ve s., fils de Yaharbaal et petit-fils d'→Urumilk II. Il est connu par une stèle inscrite (KAI 10 = TSSI III,25), dédiée à la →Baalat Gubal et commémorant les travaux de prestige réalisés dans le temple de la déesse, qui est figurée sur la stèle alors que le roi lui rend hommage (fig. 365). La même scène est reproduite sur une plaquette en terre cuite (fig. 242).
2 →Iomilkos.
Bibl. PhMM 12; J. Elayi, *Le roi et la religion dans les cités phéniciennes à l'époque perse*, StPhoen 4 (1986), p. 249-261; E. Gubel, *Une nouvelle représentation du culte de la Baalat Gebal?*, StPhoen 4 (1986), p. 263-276. JEla

Z

ZAGHOUAN En lat. *Ziqua*, bourgade de Tunisie au pied du Djebel Zaghouan, où une trentaine de stèles votives rudimentaires du Ier s. av. ou ap. J.C. témoignent du culte de Baal→Saturne. Une d'entre elles porte une dédicace néopun. (RÉS 598) et cinq, une dédicace lat. Le sanctuaire était probablement constitué par une *area* sacrée à ciel ouvert. On a également trouvé à Z. des tombeaux néopun. contenant du matériel datable du Ier s. av. J.C.

Bibl. AATun, f^e^ 35 (Zaghouane), n° 104; PECS, p. 999; G. Hannezo, BAC 1894, p. 387-388; id., *Stèles votives découvertes à Zaghouan*, BAC 1904, p. 478-482; id., BAC 1905, p. 104-106; M. Leglay, *Saturne africain. Monuments* I, Paris 1961, p. 106-108. ELip

ZALAMEA DE LA SERENA En lat. *Iulipa* (CIL II, 2352), cité ibérique de l'actuelle province de Badajoz. On y a trouvé notamment un sanctuaire prérom. et un monument funéraire rom. du Ier-IIe s. ap. J.C., d'un type bien connu en Syrie. Le site a livré deux graffiti d'apparence phén.-pun., datables des Ve-IIIe s. (CIE 03.01-02), ainsi que des →ivoires (1c) hispano-phén., dont certains avaient dû orner une cassette.

Bibl. PECS, p. 422; J. Maluquer de Motes, *El santuario protohistórico de Zalamea de la Serena, Badajoz* I-II, Barcelona 1981-83. ELip

ZAMA En gr. *Záma meízōn* (Ptol. IV 3,8), lat. *Zama Regia* (Sall., *Jug.* 56,1; *Tab. Peut.* V 3; ILTun 572; 574), très probablement l'actuelle *Ǧāma*, en Tunisie, à 30 km au N. de →Maktar, où l'inscription CIL VIII,16442 mentionne une colonie *Aug(usta) Zama M*[*ai/in*]*o*[*r*] et où les vestiges archéologiques supportent cette identification. Z./→Naraggara fut en 202 la scène de la bataille décisive qui mit fin à la 2e →guerre pun. (Pol. XV 5,3; Liv. XXX 29,1) et devint plus tard une résidence royale numide, d'où l'épithète *Regia*. Il y avait à Z. une communauté de citoyens rom. qui s'étaient ralliés aux Pompéiens et dont César confisqua les biens (*Bell. Afr.* 97,1). La ville fut promue par Hadrien (117-138) au rang de colonie rom. L'emplacement de Z. a fait l'objet de controverses. Il faut renoncer désormais à sa localisation à →Ksar Toual Zouamel (lat. *Vicus Maracitanus*) ou à Seba Biar, à 17 km au N.-O. de Maktar.

Bibl. AATun II, f^e^ 25 (Jama), n° 72; PECS, p. 997-998; PW IXA, col. 2305-2306; Gsell, HAAN III, p. 255-260; C. Saumagne, *Zama Regia*, CRAI 1941, p. 445-453; L. Déroche, *Les fouilles de Ksar Toual Zouamel et la question de Zama*, MÉFR 60 (1948), p. 55-104; Gascou, *Politique municipale*, p. 132-133; Desanges, *Pline*, p. 321-325; Lepelley, *Cités* II, p. 325-329; Huß, *Geschichte*, p. 416-417. SLan-ELip

ZARZIS Péninsule toute proche de l'île de →Djerba (Tunisie) et bourgade, héritière de la cité rom. de Gergis, dont le nom est peut-être à l'origine de la tradition talmudique de l'émigration de →Girgish en Afrique. Par ailleurs, selon une légende judéo-africaine de Djerba, Z. serait identique à →Tarshish. Le bourg même ne conserve plus de trace de son passé, mais à 6 km à l'O. de Z., près du hameau de Ziane, subsistent les vestiges de l'antique *Zeitha* (gr.: Ptol. IV 3,3) ou *Zita* (lat.: *It.Ant.* 60,2), où l'on a trouvé une inscription néopun. (RÉS 558), ainsi que des tombes néopun. L'existence d'un *tophet* est attestée par la découverte récente de 128 stèles ou fragments de stèles (néo)pun. en calcaire local qui surmontaient des dépôts de cendres et d'ossements appartenant probablement à des volatiles. Au S. de Z., sur la lagune de Bahiret el-Bibane, s'élevait la ville de Zouchis, renommée pour ses salaisons (Strab. XVII 3,18; cf. Skyl. 110), mais il ne semble pas qu'on puisse lui attribuer les monnaies à légende néopun. *Š(')wq*.

Bibl. Gsell, HAAN II, p. 123-124; Jongeling, *Names*, p. 206; A. Ferjaoui, *Les stèles puniques de Zian (Zarzis)*, REPPAL 4 (1988), p. 265. ELip

ZATTARA →Kef Bezioun.

ZEMBRA →Cap Bon (1).

ZÉNON DE KITION (333/2-264). Philosophe gr. et fondateur du stoïcisme, né à →Kition, cité où la présence phén. était importante. Cic., *Fin.* IV 20, attribue une origine phén. à Z., dont le père, Mnaséas, semble avoir été un riche marchand. En 312/11, Z. vint à Athènes où il étudia la →philosophie à l'école des Cyniques. Il développa ensuite sa propre philosophie qu'il enseignait sous la *poikílē Stoá* de l'agora d'Athènes et qui, de ce fait, prit le nom de stoïcisme. Z. est l'auteur d'une *Politeía* et d'un ouvrage intitulé *Perì phuséōs*, dont seuls quelques fragments sont conservés. Il mourut à Athènes, sans être jamais retourné dans sa ville natale, et, en raison de sa renommée, il reçut les honneurs de funérailles nationales. Parmi ses disciples figurait un autre Zénon, originaire de →Sidon et auteur de *Sidōniaká* (Diog. Laërce VII 38).

Bibl. KlP V, col. 1500-1504; PW XA, col. 83-122; A. Graeser, *Zenon von Kition*, Berlin-New York 1975. ARoob

ZEUS AMMON Le nom de ce dieu solaire et oraculaire de l'oasis de Siwa, appelé Jupiter (H)ammon par les Romains, s'explique par l'identification du dieu égyptien →Amon avec le Zeus des Grecs. Bien qu'on ait pensé à un dieu bélier libyen, l'oracle de Siwa apparaît plutôt comme une succursale d'Amon de Thèbes. Parmi ses visiteurs se trouvent →Alexandre le Grand (fig. 12) et probablement →Hannibal (6) (Paus. VIII 11,10-11). Malgré la ressemblance phonétique, Z.A. se distingue de →Baal Hamon aussi bien par son caractère que par ses attributs. Les Grecs de Cyrénaïque l'ont accueilli dans leur panthéon et ils propagèrent son culte à partir du VIe s. av. J.C. dans le monde égéen. Ils le représentaient sur leurs monnaies comme un dieu barbu aux cornes de bélier.

Des statuettes provenant de Chypre (fig. 296; pl. Vd) et de Palestine, ainsi que des monnaies chypriotes, le montrent de la même façon ou à tête de bélier, assis sur un trône, parfois flanqué de béliers. À l'époque rom. Z.A. est devenu un dieu funéraire, notamment à cause de ses liens avec Dionysos, et il a des rapports avec l'eau. Des masques présentant ses traits ont une fonction apotropaïque. Il était alors vénéré en Espagne, Gaule, Germanie, Italie, dans les Balkans, et surtout en Afrique du N. En →Tripolitaine, on trouve une station routière *Ad Ammonem* et une ville *Ámmōnos (pólis)* (Ptol. IV 3,42), de même que des sanctuaires à →Bu Ndjem (IRT 920), Rās el-Ḥaddāğia (KAI 118) et Graret Gser el-Trab. À →Carthage, Z.A. est associé à Silvain (CIL VIII, 24519); il figure parmi les dieux ancestraux à Constantine et est mentionné dans une inscription d'Auzia (→Auza) (CIL VIII, 9018). Il se retrouve notamment sur des monuments de →Cherchel et sur des monnaies de la →Numidie et de la →Maurétanie. Les attestations du culte de Z.A. en Phénicie sont rares. Dans le temple de →Baal Marqod près de Beyrouth, on a trouvé un masque en bronze et une inscription gr. (IGRR III, 1078). Des soldats de Cyrénaïque ont importé le culte de Z.A. à Bostra, en Transjordanie.

Bibl. LÄg I, col. 237-248; V, col. 965-968; VI, col. 920-922; LIMC I/1, p. 666-689; I/2, p. 534-554; Mazard, *Corpus*, p. 51-52, 70, 117; G. Hölbl, in M.J. Vermaseren (éd.), *Die orientalischen Religionen im Römerreich*, Leiden 1981, p. 157-163; E. Lipiński, *Zeus Ammon et Baal-Hammon*, StPhoen 4 (1986), p. 307-332; K.-P. Kuhlmann, *Das Ammoneion*, Mainz a/R 1988. PDils

ZIMARRA En phén. *Zmr*, akk. *Zi-mar-ra*, lat. *Zimyra*?; ville de la Phénicie du N., probablement identique à *Zimrin*, à 12 km au N.-E. de →Tartous et à 5 km de la côte, en Syrie. Elle fut annexée par Téglat-Phalasar III (ANET, p. 283b; TPOA, p. 101) et ne réapparaît qu'à l'époque hellénistique, quand elle bat monnaie à légende phén. *Zmr*. Elle est peut-être mentionnée sous le nom de *Zimyra* chez Pline, *N.H.* V 78, à moins que ce ne soit une confusion avec Simyra (Tell →Kazel), certainement distincte de Z.

Bibl. *BMC. Phoenicia*, p. XLV-XLVI, pl. XXXIX,8-10; Dussaud, *Topographie*, p. 118. ELip

Fig. 382. Inscription phén. de Kilamuwa, roi de Sam'al, Zincirli (c. 825 av. J.C.). Berlin, Musée de l'État.

ZİNCİRLİ Site antique du S.-E. de la Turquie, à 9 km au N.-E. de la bourgade d'İslâhiye, au pied du col de Arsanli Bel qui relie la →Mésopotamie à la →Cilicie, à travers l'→Amanus. De 1888 à 1891, une mission archéologique allemande y dégagea partiellement les ruines d'une ville dont les vestiges mis au jour appartenaient pour la plupart à la période néo-louvite. Sculptures et reliefs sont entreposés à İstanbul, Berlin et Gaziantepe. En fait, le royaume de Z. remonterait au XIVe s., mais fut inféodé à l'Empire hittite jusqu'à l'effondrement de ce dernier au début du XIIe s. Redevenu indépendant, il acquit un certain lustre sous la dynastie araméenne de Gabbar qui le gouvernait, semble-t-il, dès la fin du Xe s. Connu sous son nom araméen de *Śam'al/Y'dy*, il occupa une place importante dans cette partie du monde anatolien. Allié de l'→Assyrie contre le royaume cilicien d'Adana au IXe s., il eut ensuite à lutter contre les Assyriens et Sargon II (721-705) l'annexa à son Empire. Le culte du Baal de la dynastie araméenne, →Rakab-El, n'en persista pas moins jusqu'au VIIe s. Parmi les figures du panthéon sémitique de Z. aux IXe-VIIIe s., il faut mentionner aussi →Baal Hamon, le Baal de l'Amanus, →Resheph, →Shamash et le Baal lunaire de Harran, le dieu Sîn des Assyro-Babyloniens. L'influence assyrienne dans l'art de Z., à l'origine d'inspiration néo-hittite, alla croissant à partir de la seconde moitié du IXe s. Si le site de Z. n'a pas livré d'inscription en hiéroglyphes louvites, il a produit, en revanche, une de plus anciennes inscriptions phén., datable *c.* 825 av. J.C. (fig. 382; KAI 24 = TSSI III,13), qui vante les réalisations du roi →Kilamuwa, un souverain de souche araméenne au nom typiquement hittito-louvite. Une autre de ses inscriptions est déjà rédigée en araméen (KAI 25 = TSSI III,14), comme toutes celles du VIIIe s. (KAI 214-221 = TSSI II,13-17), dont une partie est écrite dans un dialecte local, appelé parfois à tort "langue de Ya'udi".

Bibl. CAH III/1², p. 372-441; F. von Luschan et al., *Ausgrabungen in Sendschirli* I-V, Berlin 1893-1943; U.B. Alkim, *The Amanus Region in Turkey*, Archaeology 22 (1969), p. 280-289. RLeb-ELip

ZLITEN Site d'une ville d'époque rom. à 35 km à l'E. de Leptis Magna, en Libye. Le domaine pun. n'y est représenté jusqu'à présent que par l'inscription lat.-pun. d'un sépulcre familial et par un ostracon néopun. inédit.

Bibl. PECS, p. 1000-1001; G. Levi Della Vida, Libya 3 (1927), p. 113-114; M. Sznycer, GLECS 10 (1963-66), p. 101-102; G. Coacci Polselli, StMagr 11 (1979), p. 40-41. ELip

ZOROS / AZOROS Fondateur mythique de →Carthage (3), avec *Karkhēdōn*, quelques dizaines d'années avant la guerre de Troie. Cette tradition, concurrente de celle qui, beaucoup plus populaire, attribue la fondation de Carthage à →Élissa-Didon, est attestée pour la première fois par l'historien Philistos de Syracuse dans la première moitié du IVe s. av. J.C. (FGH 556, fr. 47). On voit généralement dans Z. une transcription du nom phén. de Tyr (*Ṣōr*), hypothèse confirmée par le nom de *Karkhēdōn*, qui n'est autre que la forme gr. du nom de Carthage, mais d'autres explications sont possibles, p.ex. en recourant à la racine *'zz*, fréquente dans l'onomastique phén.-pun.

Bibl. Gsell, HAAN I, p. 374-375; Bunnens, *Expansion*, p. 127-129; Huß, *Geschichte*, p. 40, n. 11. GBun

ZOUCHIS →Zarzis.

a

b

c

d

Pl. I. a) Amulette ég. en faïence représentant Isis allaitant Harpocrate (VIe-IVe s. av. J.C.). Jérusalem, Musée Rockefeller. - b) Bès patèque et plaquette ajourée avec vache marchant dans les marais, Phénicie (VIe-IVe s. av. J.C.). Coll. privée. - c) Naos et bassin du sanctuaire d'Amrit (fin du VIe s. av. J.C.). - d) Les maġāzil, *mausolées d'Amrit (fin du VIe-IVe s. av. J.C.).*

a

b

c

Pl. II. a) Déesse bénissant, bronze argenté, Phénicie (VIIIe *s. av. J.C.). Paris, Louvre. - b) Déesse guerrière, bronze, Phénicie (VIII*^e^ *s. av. J.C.). Paris, Louvre. - c) Frise de la porte de* Bālāwat*: tribut de Tyr en 858 av. J.C. Londres, British Museum.*

Pl. III. a) *Char de combat avec l'aurige et une déesse guerrière, Tartous (VIe-IVe s. av. J.C.). Paris, Louvre.*
b) Lamelles en or de Pyrgi (c. 500 av. J.C.). Rome, Musée Archéologique de Villa Giulia.

Pl. IV. a) Céramique importée et production locale de Carthage. - b) Urne cinéraire de type "chypro-phén." de Tell Rachidiyé (VIIIe s. av. J.C.). Coll. privée. - c) Urne cinéraire du tophet *de Sousse (IIIe s. av. J.C.). Paris, Louvre. - d) Askos en forme de cheval, Puig des Molins (V^e-IVe s. av. J.C.). Ibiza, Musée Archéologique.*

Pl. V. a) Scène de cuisine, Akzib (VIIIe-VIe s. av. J.C.). Paris, Louvre. - b) Modèle de sanctuaire, Idalion (VIe s. av. J.C.). Paris, Louvre. - c) Joueuse de tambourin, Phénicie (VIIIe-VIe s. av. J.C.). Paris, Louvre. - d) Dieu barbu et cornu, assis sur un trône flanqué de béliers, Amrit (VIIe-VIe s. av. J.C.). Paris, Louvre.

Pl. VI. a) Cavalier divin, Byblos (fin du VIIIe*-VII*[e] *s. av. J.C.). Bruxelles, Musées Royaux d'Art et d'Histoire. - b) Dieu barbu, Tel Ṣippor (V*[e] *s. av. J.C.). Jérusalem, Service des Antiquités d'Israël. - c) Patère d'Idalion, argent doré (début du VII*[e] *s. av. J.C.). Paris, Louvre.*

a

b

c

d

Pl. VII. a) Dédicace à la Baalat Gubal (c. 950 av. J.C.). Paris, Musée Biblique de Bible et Terre Sainte. - b) Ostracon de Tell Qasilé (VIIIe-VIIe s. av. J.C.). Jérusalem, Musée d'Israël. - c) Couvercle d'une boîte en ivoire trouvée à Ur (VIIe s. av. J.C.). Londres, British Museum. - d) Stèle pun. du tophet *de Carthage (fin du IVe-IIIe s. av. J.C.). Tunis, Bardo.*

Pl. VIII. a) Fibule en bronze d'un type courant au Levant du VIIIe au IVe s. av. J.C., Deve Hüyük. Londres, British Museum. - b) Scarabéoïde en améthyste au nom de Ḥaddiy (fin du IXe s. av. J.C.). Paris, Louvre. - c) Scarabéoïde en opale au nom de Jézabel (IXe-VIIIe s. av. J.C.). Jérusalem, Musée d'Israël. - d) Scarabéoïde en pierre verte, Égypte ? (VIIIe s. av. J.C.). Bruxelles, Musées Royaux d'Art et d'Histoire. - e) Scarabée en jaspe vert, Phénicie (VIe-Ve s. av. J.C.). Paris, Bibliothèque Nationale. - f) Scarabée en cornaline monté dans une bague en or, Puig des Molins (Ve s. av. J.C.). Ibiza, Musée Archéologique.

Pl. IX. Lionne dévorant un Nubien, ivoire, Nimrud (VIIIe s. av. J.C.). Londres, British Museum.

Pl. X. a) Griffon, ivoire, Nimrud (VIIIe s. av. J.C.). Bruxelles, Musées Royaux d'Art et d'Histoire. - b) Sphinx androcéphale, ivoire, Nimrud (VIIIe s. av. J.C.). Bagdad, Iraq Museum.

a

b

Pl. XI. a) Double statère sidonien en argent, frappé sous Mazaios, an 20 (339/38 av. J.C.), avec graffito A. *Paris, Bibliothèque Nationale. - b) Masque funéraire en or, Sidon (V^e^-IVe s. av. J.C.). Paris, Louvre.*

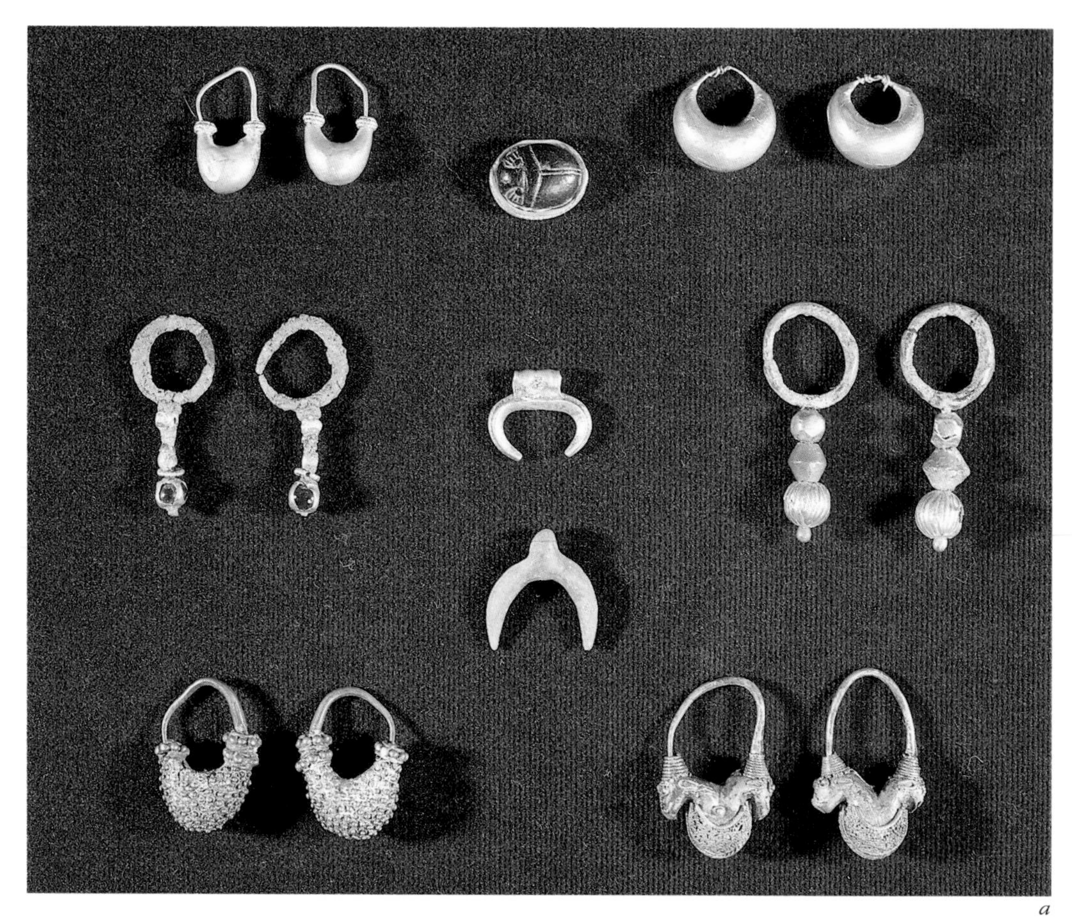

a

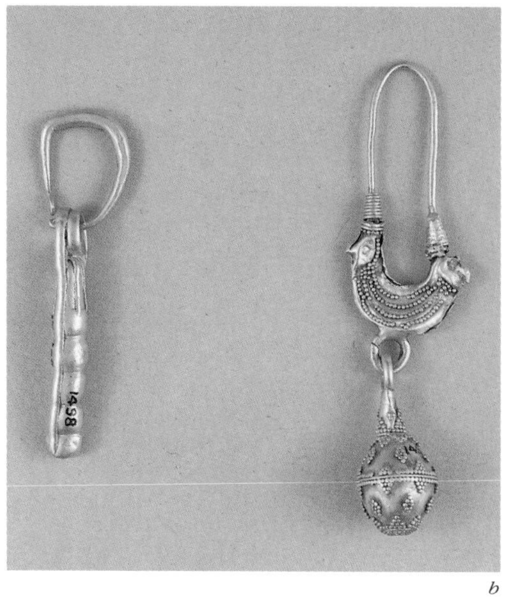

b

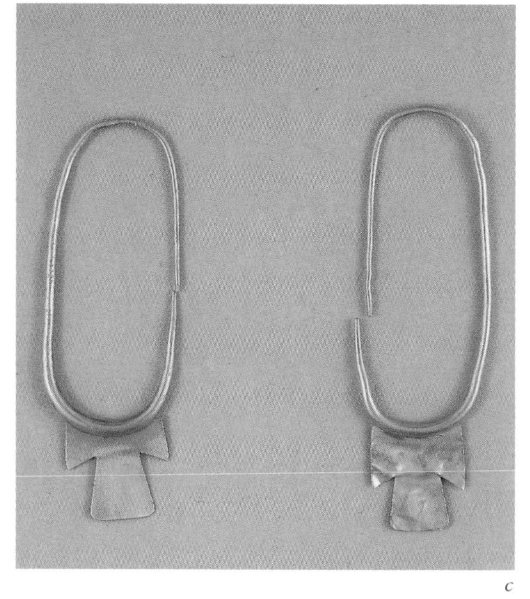

c

Pl. XII. a) Boucles d'oreilles et pendentifs en or et argent, ornés de bijoux en pâte de verre et de pierres semi-précieuses (XIe-IVe s. av. J.C.). Coll. privée. - b-c) Boucles d'oreilles en or, Tharros (VIIe-VIe s. av. J.C.). Londres, British Museum.

a

b

c

Pl. XIII. a) Collier composé de pendentifs en or et de quarante perles de verre, Tharros, tombe 1 (VIIe-IVe s. av. J.C.). Londres, British Museum. - b) Collier avec quarante perles de verre et sept pendentifs en or, Tharros, tombe 8 (VIe-Ve s. av. J.C.). Londres, British Museum. - c) Diadème ou bracelet en or avec décoration au repoussé (palmettes, yeux oudjat*), Tharros, tombe 8 (VIIe-VIe s. av. J.C.). Londres, British Museum.*

Pl. XIV. a) Rasoir pun., Tharros, tombe 7 (IIIe s. av. J.C.). Londres, British Museum. - b) Sarcophage en terre cuite, Amrit (Ve s. av. J.C.). Paris, Louvre.

Pl. XV. a) Stèle funéraire en forme de statue, Ste-Monique, Carthage (IVe-IIIe s. av. J.C.). Carthage, Musée National. - b) Stèle à fronton triangulaire, tophet *de Carthage (fin du IIIe s. av. J.C.). Tunis, Bardo. - c) Stèle votive en forme de ''signe de Tanit'',* tophet *de Carthage (IVe s. av. J.C.). Tunis, Bardo. - d) Stèle votive à fronton triangulaire,* tophet *de Carthage (IIIe s. av. J.C.). Tunis, Bardo.*

Pl. XVI. a) Collier composé de quarante-quatre perles et d'un pendentif en pâte de verre, Tharros, tombe 1 (VIe-IVe s. av. J.C.). Londres, British Museum. - b) Pendentif d'un collier de Tharros (V^{e}-IVe s. av. J.C.). Paris, Louvre. - c) Petit hibou et masque en pâte de verre (VIe-IVe s. av. J.C.). Coll. privée. - d) Amphoriskos en verre bleu vif à décor incrusté de filets bleu turquoise et jaunes (VIe-IVe s. av. J.C.). Liège, Musée du Verre.